中国文学编年史

明前期卷

主编◇陈文新

本卷主编◇何坤翁

卢中南

《中国文学编年史》编纂委员会

☆教育部人文社会科学重点研究基地重大项目

☆国家985建设项目

总　序

　　纪传体、编年体是中国传统史书的两种主要体裁，而编年体的写作远较纪传体薄弱。《四库全书总目》卷四七史部编年类小序已明确指出这一事实："司马迁改编年为纪传，荀悦又改纪传为编年。刘知幾深通史法，而《史通》分叙六家，统归二体，则编年、纪传均正史也。其不列为正史者，以班、马旧裁，历朝继作。编年一体，则或有或无，不能使时代相续。故姑置焉，无他义也。"① 与古代历史著作的这种体裁格局相似，在20世纪的中国文学史写作中，也是纪传体一枝独秀，不仅在数量上已多到难以屈指，各大专院校所用的教材也通常是纪传体，这类著作的核心部分是作家传记（包括作家的创作经历和创作成就）。编年类的著作，则虽有陆侃如、傅璇琮、曹道衡、刘跃进等学者做了卓有成效的工作，但就总体而言，仍有大量空白，尤其是宋、元、明、清、现、当代部分，历时一千余年，文献浩繁，而相关成果甚少。这样一种状况，自然是不能令人满意的。这套十八卷的《中国文学编年史》的编纂出版，即旨在一定程度地改变这种状况。

　　文学史是在一定的空间和时间中展开的。纪传体的空间意识和时间意识以若干个焦点（作家）为坐标，对文学史流程的把握注重大体判断。其优势在于，常能略其玄黄而取其隽逸，对时代风会的描述言简意赅，达到以少许胜多许的境界。若干重要的文学史术语如"建安风骨"、"盛唐气象"、"大历诗风"等，就是这种学术智慧的凝

---

① 　永瑢等撰：《四库全书总目》，第418页，北京，中华书局，1965。

结。但是，由于风会之说仅能言其大概，"个别"和"例外"（即使是非常重要的"个别"和"例外"）往往被忽略，不免留下遗憾。一些跨时代的作家，如李煜、刘基、张岱等人，在文学史中的时代归属与其代表作的实际创作年代也常有不吻合的情形。例如，李煜被视为南唐作家，而他最好的词写在宋初；刘基被视为明代作家，而他最好的诗、文写在元末；张岱被视为明代作家，而其代表作多写于清初。比上述情形更具普遍性的，还有下述事实：我们讲罗贯中的《三国志通俗演义》，往往以毛宗岗修订本为例；我们讲施耐庵的《水浒传》，往往以百回繁本为例；我们讲兰陵笑笑生的《金瓶梅》，往往以崇祯本为例。这就出现了两方面的问题：第一，我们讲的并不是作家的原著；第二，我们忽略了读者的接受情形。这类涉及风会与例外、作家时代归属与作品实际创作、传播与接受两方面的问题，以纪传体来解决，由于受到体例的限制，往往力不从心，采用编年体，解决起来就方便多了：不难依次排列，以展开具体而丰富多彩的历史流程。

与纪传体相比，编年史在展现文学历程的复杂性、多元性方面获得了极大的自由，但在时代风会的描述和大局的判断上，则远不如纪传体来得明快和简洁。作为尝试，我们在体例的设计、史料的确认和选择方面采用了若干与一般编年史不同的做法，以期在充分发挥编年史长处的同时，又能尽量弥补其短处。我们的尝试主要在三个方面：其一，关于时间段的设计。编年史通常以年为基本单位，年下辖月，月下辖日。这种向下的时间序列，可以有效发挥编年史的长处。我们在采用这一时间序列的同时，另外设计了一个向上的时间序列，即：以年为基本单位，年上设阶段，阶段上设时代。这种向上的时间序列，旨在克服一般编年史的不足。具体做法是：阶段与章相对应，时代与卷相对应，分别设立引言和绪论，以重点揭示文学发展的阶段性特征和时代特征（现当代文学因时间周期较短，拟省略阶段，不设引言）。其二，历史人物的活动包括"言"和"行"两个方面，"行"（人物活动、生平）往往得到足够重视，"言"则通常被忽略。而我们认为，在文学史进程中，"言"的重要性可以与"行"相提并论，特殊情况下，其重要性甚至超过"行"。比如，我们考察初唐的文学，不读陈子昂的诗论，对初唐的文学史进程就不可能有真正的了解；我们考察嘉靖年间的文学，不读唐宋派、后七子的文论，对这一时期的文学景观就不可能有准确的把握。鉴于这一事实，若干作品序跋、友朋信函等，由于透露了重要的文学流变信息，我们也酌情收入。其三，较之政治、经济、军事史料，思想文化活动是我们更加关注的对象。中国文学进程是在中国历史的背景下展开的，与政治、经济、军事、思想文化等均有显著联系，而与思想文化的联系往往更为内在，更具有全局性。考虑到这一点，我们有意加强了下述三方面材料的收录：重要文化政策；对知识阶层有显著影响的文化生活（如结社、讲学、重大文化工程的进展、相关艺术活动等）；思想文化经典的撰写、出版和评论。这样处理，目的是用编年的方式将中国文学进程及与之密切相关的中国思想文化变迁一并展现在读者面前。

《中国文学编年史》是一个基础性的重大学术工程，文献的广泛调查和准确使用是做好编纂工作的首要前提。《四库全书》、《续修四库全书》、《四库存目丛书》、《四库禁毁书丛刊》、《丛书集成》、《笔记小说大观》等是我们经常使用的典籍，近人和今人整理出版的别集、总集，大量年谱（如徐朔方《晚明曲家年谱》），以及文、史、哲方面的编年史，均在参考范围之内，限于体例，未能一一注明，谨此一并致谢。在使用上述文献的过程中，我们采取的是一种如履薄冰、如临深渊的谨慎态度。这是因为，相当一部分典籍是由我们第一次标点，这一工作的难度是不言而喻的。即使是前人已经整理的典籍，我们也并不直接采用，而是根据自己的理解再整理一次。这样做当然增加了工作量，但确有许多好处，若干错误就是在这一过程中得到纠正的，有些错误的纠正涉及基本事实的澄清。比如，张大复《皇明昆山人物传》卷八记梁辰鱼晚年情形，有云："（梁氏）当除夕遇大雪，既寝不寐。忽令侍者遍邀诸年少，载酒放歌，绕城一匝而后就睡。曰：'天为我辈雨玉，可令俗人蹴踏之耶？'时年已七十矣。亡何，中恶，语不甚了。有老奴李用者，颇省其说，尚有注记。得岁七十有三。"一位学者将"中恶，语不甚了"标点为"中恶语，不甚了"，并就此推论说："梁辰鱼七十岁时遭遇暧昧不明的事件。""《皇明昆山人物传》的上述记载本意是为贤者讳，事实上倒很可能为统治者隐盖了迫害异己文人的一件罪行。"这就不免弄错了事实。"中恶"即突然患急病，正所谓"老健春寒秋后热"，老年人得急病是常见的情形。而"中恶语"的表述，明显不符合古人的语言习惯。再如，陈田《明诗纪事》将正德时期的傅汝舟与明末的傅汝舟混为一人，将两人的生平搅在一起，其按语云："丁戊山人诗初矜独造，晚遁荒诞，择其入格者录之，亦是幽弦孤调。山人享大年，具异才，谈佛谈仙，亦作北里中艳语。初与郑少谷游，晚乃与茅止生、卓去病、张文寺、文太青倡和，支离怪

3

诞，无所不有。少谷集中无是也。论者乃专谓山人刻意学少谷，何哉？"《明诗纪事》近三百万言，卓有建树，是研究明诗的必备案头书。但关于傅汝舟，陈田的确弄错了。郑善夫（1485—1523）号少谷，以学杜著称，学郑少谷的是正德年间的傅汝舟；文翔凤号太青，万历三十八年（1610）进士，与文太青等唱和的是明末的傅汝舟。两个傅汝舟之间相距约百年，陈田想当然地将二者合为一人，说他"享大年"，又说他前期学郑少谷，后期学竟陵派，曲意弥缝，令人哑然失笑。其他种种，如部分文学家辞典对作家生卒年的误注，若干点校本的断句错误等，我们都在力所能及的范围内做了纠正。提到这些情况，不是想证明我们的水平有多高，而意在告诉读者：我们的工作态度是认真的，有志于为读者提供一部值得信赖的编年史著述。

《中国文学编年史》的编纂得到了北京大学、武汉大学、南京大学、中国人民大学、中国社会科学院、中国艺术研究院、中华书局、陕西师范大学、西北师范大学、华中师范大学、山东师范大学、山东曲阜师范大学、中南民族大学、中南财经政法大学等单位专家和领导，尤其是武汉大学领导的支持；湖南省新闻出版局、湖南出版投资控股集团及湖南人民出版社鼎力支持编年史的编纂出版，所有这些，我们将永远铭记在心。

陈文新

2006 年 7 月 23 日于武汉大学

凡　例

一、《中国文学编年史》以编年形式演述中国文学发展历程，凡十八卷：第一卷周秦、第二卷汉魏、第三卷两晋南北朝、第四卷隋唐五代（上）、第五卷隋唐五代（中）、第六卷隋唐五代（下）、第七卷宋辽金（上）、第八卷宋辽金（中）、第九卷宋辽金（下）、第十卷元代、第十一卷明前期、第十二卷明中期、第十三卷明末清初、第十四卷清前中期（上）、第十五卷清前中期（下）、第十六卷晚清、第十七卷现代、第十八卷当代。

二、编年史各卷据文学发展的不同阶段划分为若干章（如无必要，或不分章）。章的标目方式是："××章　××年至××年，共××年"。关于某一阶段文学的总体评论放在该章的首年之前，如明前期卷"第一章　洪武元年至建文四年，共35年"，在章目下，"洪武元年"之前，单列明前期卷"引言"一目。关于某一时代文学的综合论述，放在卷首。如元代卷，在第一章前，单列元代文学"绪论"。

三、编年史各卷所收录内容的构架大体统一，重点包括七个方面：1. 重要文化政策；2. 对文学发展有显著影响的文化生活（如结社、讲学、重大文化工程的进展、相关艺术活动等）；3. 作家交往（唱和、社团活动等）；4. 作家生平事迹；5. 重要作品的创作、出版和评论；6. 争鸣（团体之间、个人之间在重要问题上的论辩等）；7. 其他。

四、叙事以纲带目，即在征引相关文献之前有一句或数句概述。如，先总叙一句"俞宪编《盛明百家诗》成书"，再征引相关序跋、著录、评议。前者为纲，后者为目，纲、目配合，旨在完整地呈现文学史事实。少量见于常用工具书的重要史实，或不必展开的文学史事实，则列纲而略目，以省篇幅。

五、公历纪年年初与中国传统纪年年末不属同一年份，如公元1899年元月1日至12月31日对应于光绪二十四年戊戌十一月二十七日至光绪二十五年己亥十一月二十九日，而不对应于光绪二十五年己亥正月初一至十二月三十日。我们采用变通的处理方法，以公历纪年，而以农历纪月，比如，凡光绪二十五年己亥正月至十二月之内的内容均置于公元1899年下。作家生卒年，仍据公历标注，其他以此类推。现、当代文学部分，纪年、纪月均据公历。

六、同一年内之文学史实，按月份先后顺序排列。月份不详而仅知季度的，春季置于三月之后，夏季置于六月之后，其他以此类推。季度、月份均不详者，另设"本年"目统之。

七、一部分重要文学史实，年月不详而仅知大体时段者，在年号之末另设"××年间"目统之，如嘉靖四十五年之后另设"嘉靖年间"一目。

八、引用序跋，一般采用"作者＋篇名"的方式，如"臧懋循《唐诗所序》"。引用序跋之外的诗文等作品，一般采用"集名＋卷次＋篇名"的方式，如"《有学集》卷三一《隐湖毛君墓志铭》"，采用"作者＋篇名"的方式，如"钱谦益《隐湖毛君墓志铭》"。无篇名者则省略，如"《艺苑卮言》卷三"。某作者集中所收为他人别集所作的序跋，亦采用这一方式，如"《太函集》卷二二《弇州山人四部稿序》"。引用正史，一般采用"正史名＋本传或××传"的方式，"如《明史》本传"或"《明史》李攀龙传"，不标卷次。引用《四库全书总目提要》，或用全称，或简称"四库提要"，只标明卷次。如"四库提要卷一五三"。引用地方志，标明纂修年代，如"光绪《乌程县志》卷三一"。据类书转引时，注明原出处，如"《太平广记》卷二〇《阴隐客》（出《博异志》）"。引用报刊，注明年月日或卷次。

九、作者小传一般置于生年。有些作家，虽生年在上一卷，但在上一卷无文学活动，其小传酌情移入本卷首次出现时。如杨士奇，元亡时才4岁，其小传置于明前期卷，出生时只交代："杨士奇（1365—1444）生"，不列小传。现、当代作者，因传记资料常见，相关作家小传酌情收录。

十、对于某一作家的总体评论和重要著录一般置于卒年。某作者卒年在下一卷，但在下一卷无重要文学活动，主要评论材料酌情置于本卷。如易顺鼎（1858—1920），其评论材料集中于晚清卷，不入现代卷。

十一、作家代表作一般不录原文，但收录重要评论材料，并酌情说明相关选本收录情形。

十二、需要补充交待而占用篇幅较大的文学史事实，设少量"附录"。对若干需要辨证的史实，设按语加以说明。以提供文献线索为主，不详加征引。

目　录

第二章　永乐元年癸未至天顺八年甲申

（1403—1464）共 62 年

第三章　成化元年乙酉至正德十五年庚辰
（1465—1520）共 56 年

绪　论

　　《明史·选举志一》：明制，科目为盛，卿相皆由此出，学校则储才以应科目者也。其径由学校通籍者，亦科目之亚也，外此则杂流矣。然进士、举贡、杂流三途并用，虽有畸重，无偏废也。荐举盛于国初，后因专用科目而罢。……科举必由学校，而学校起家，可不由科举。学校有二：曰国学，曰府、州、县学。府、州、县学诸生入国学者，乃可得官，不入者不能得也。……诸生应试之文，通谓之举业。《四书》义一道，二百字以上。经义一道，三百字以上。取书旨明晰而已，不尚华采也。其后标新领异，益漓厥初。万历十五年，礼部言："唐文初尚靡丽而士趋浮薄，宋文初尚钩棘而人习险谲。国初举业有用六经语者，其后引《左传》《国语》矣，又引《史记》《汉书》矣。《史记》穷而用六子，六子穷而用百家，甚至佛经、《道藏》摘而用之，流弊安穷？弘治、正德、嘉靖初年，中式文字纯正典雅。宜选其尤者，刊布学官，俾知趋向。"因取中式文字一百十余篇，奏请刊布，以为准则。……论者以明举业文字比唐人之诗，国初比初唐，成、弘、正、嘉比盛唐，隆、万比中唐，启、祯比晚唐云。

　　《明史·选举志二》：科目者，沿唐、宋之旧，而稍变其试士之法，专取四子书及《易》《书》《诗》《春秋》《礼记》五经命题试士，盖太祖与刘基所定。其文略仿宋经义，然代古人语气为之，体用排偶，谓之八股，通谓之制义。……初设科举时，初场试经义二道，《四书》义一道；二场论一道；三场策一道。中式后十日，复以骑、射、书、算、律五事试之。后颁科举定式，初场试《四书》义三道，经义四道。《四书》主朱子《集注》，《易》主程《传》、朱子《本义》，《书》主蔡氏传及古注疏，《诗》主朱子《集传》，《春秋》主左氏、公羊、穀梁三传及胡安国、张洽传，《礼记》主古注疏。永乐间，颁《四书五经大全》，废注疏不用。其后，《春秋》亦不用张洽传，《礼记》止用陈澔《集说》。

　　《七修类稿》卷一四《国事类·南北卷》：国初会试，多中南人，故名臣多出南人，观建文死节之士可知矣。《余冬序录》以为洪武元年定南、北、中三色卷以取士，恐不然也。予见《三朝圣谕录》载，仁宗时，杨文贞公奏分南、北卷，及蹇义等议定各处额数。议上，宫车宴驾，宣宗行之。

　　《七修类稿》卷一四《国事类·本朝科场》：本朝科场，自洪武三年。第一场：经义一篇，限五百字；四书义一篇，限三百字。第二场：礼乐论，限三百字。逮至第三场，时务策一道，务直述，不尚文藻，一千字以上。三场之后，骑，观其驰骤便捷；射，观其中数多寡；书，观其笔画端楷；律，观其讲解详审。此乡试、会试之式也。殿试亦止策一篇，却是时务。其时取士，各省四十名，广西二十名，南直隶一百名。不知何年定以今格。

《柘轩集》卷四《送金元哲之官分水序》：圣朝之设科也，本德行而兼六艺，黜词赋而崇礼乐，盖有合于成周三物教民宾兴之意。若明经对策，则又斟酌汉唐之制而加详焉。是欲底于实效，非徒事乎虚文而已。一时之士，咸喻上意，莫不鼓舞奔走以图报。

沈一贯《增定国朝馆课经世宏辞叙》：馆课者，录秘馆教习士日课也。溯自高帝，重史局之选，于赐第后简二十八人于廷，晋之秘苑，上应列宿，而又推择廷臣中文行兼长者二人为之师。月给笔札，日食大官，而且銮舆时幸，以督课之，盖其重也。列圣耀德，益慎其选。惟弘、正中馆职稍弛，而程篁墩学士乃有"绿阴亭上看医书"之讥。然时馆课有程，亦不废也。

《泊庵集》卷三《溧阳县学乡贡题名记》：进士之科，自隋唐距今几千年，贤豪俊乂之出不可胜计。圣明统一万方，诏天下立学，既岁贡其士子之贤者，又取之以进士之科，此与成周乡举里选之法并行不废也。故今之得士也尤盛，至于熏陶消化使人人自趋于善，禁制防范使不失其性，则三代以下未尝有也。由是海隅边徼万里之外，皆翕然响应。

《东海张先生文集》卷一《九峰倡和诗序》：窃念我朝取士，专以经术，略于辞华。故每科赐进士第者多或三四百人，深于诗者百不三四人。

张弼《梦庵集序》：古之为诗也易，今之为诗也难。何哉？商周汉魏弗论已，声律之学，至唐极盛。上以此而取士，士以此而造用，父兄以此教诏，师友以此讲肆。三百年间，以此鼓舞震荡于一世。士皆安于濡染，习于程督，稍自好之，皆能为之，为之者不亦易乎？沿及宋、元，犹以赋取士，声律固在也。我太祖高皇帝立极，治复淳古，一以经行取士，声律之学为世长物，父兄师友摇手相戒，不惟不以此程督也，为之者不亦难乎？是故进取之士，非兼人之资、博洽之学，虽或好之而鲜克为，纵为之而鲜克工。

《明史·文苑传序》：明初，文学之士承元季虞、柳、黄、吴之后，师友讲贯，学有本原。宋濂、王祎、方孝孺以文雄，高、杨、张、徐、刘基、袁凯以诗著。其他胜代遗逸，风流标映，不可指数，盖蔚然称盛已。永、宣以还，作者递兴，皆冲融演迤，不事钩棘，而气体渐弱。弘、正之间，李东阳出入宋、元，溯流唐代，擅声馆阁。而李梦阳、何景明倡言复古，文自西京、诗自中唐而下，一切吐弃，操觚谈艺之士翕然宗之。明之诗文，于斯一变。

宋濂《凤池吟稿序》：昔人之论文者曰：有山林之文，有台阁之文。山林之文，其气枯以槁。台阁之文，其气丽以雄。岂惟天之降才尔殊也？亦以所居之地不同，故其发于言词之或异耳。濂常以此而求诸家之诗，其见于山林者，无非风云月露之形，花木虫鱼之玩，山川原隰之胜而已，然其情曲以畅，故其音也渺以幽。若夫处台阁则不然，览乎城阙宫观之壮，典章文物之懿，甲兵卒乘之雄，华夷会同之盛，所以恢廓其心胸，踔厉其志气者，无不厚也，无不硕也。故不发则已，发则其音淳庞而雍容，铿鍧而镗鞳。甚矣哉，所居之移人乎！

宋濂《刘槎翁先生诗选序》：诗缘情而托物者也，其亦易易乎？然非易也。非天赋超逸之才不能有以称其器；才称矣，非加稽古之功、审诸家之音节体制，不能有以究其施；功加矣，非良师友示之以轨度、约之以范围，不能有以择其精；师友良矣，非雕肝琢肾、宵吟朝咏，不能有以验其所至之浅深；吟咏侈矣，非得夫江山之助，则尘土之思胶扰蔽固，不能有以发挥其性灵。五美云备，然后可以言诗矣。盖不得助于清辉者，其情沉而郁；业之不专者，其辞芜以庞；无所授受者，其制涩而乖；师心自高者，其识卑以陋；受质蹇钝者，其发滞而拘。古之人所以擅一世之名，虽其格律有不同，声调有不齐，未尝有出于五者之外也。

李东阳《倪文僖公集序》：文一也，而所施异地，故体裁亦随之。馆阁之文，铺典章，裨道化，其体盖典则正大，明而不晦，达而不滞，而惟适于用。山林之文，尚志节，远声利，其体则清筲奇峻，涤陈薙定，以成一家之论。二者固皆天下所不可无，而要其极，有不能合者。……我国朝扫除荒乱，奄有六合，光岳之气全得于天。自高皇时，宋学士景濂诸公首任制作，而犹未得位。文皇更化，杨文贞诸公函起而振之，天下之休养涵育，以暨英庙之初，富庶之效可谓极盛矣。而刘文安诸公出焉。逮于宪庙，其用犹未已也。时则有若文僖公，相与先后扬厉。

丘浚《刘草窗诗集序》：国初诗人，生胜国乱离时，无仕进路，一意寄情于诗，多有可观者。如吴中高、杨、张、徐四君子，盖庶几古作者也。其后举业兴而诗道大废，作者皆不得已而应人之求，不独少天趣，而学力亦不逮矣。

《艺苑卮言》卷八：梁时使臣至吐谷浑，见床头数卷乃《刘孝标集》。天后朝，日本西番重用金宝购张鷟文。大历中，新罗国上书，请以萧夫子颖士为师。元和中，鸡林贾人鬻元、白诗，云："东国宰相以百金易一篇，伪者辄能辨。"元丰中，契丹使人俱能诵苏子瞻文。洪武中，日本安南俱上章以金币乞宋景濂碑文。嘉靖初，朝鲜国上言，愿颁示关西吕某、马某文以为式。所谓一解不如一解。

崔铣《胡氏集序》：国家以科举登士，以法律理官，为业易能，求仕易就，故邃学工文之儒，逊于往代。洪武文臣，皆元材也。永乐而后，乃可得而称数云。方天台辞若苏氏，言必道周、孔。大哉志乎！东里少师入阁司文，既专且久，诗法唐，文法欧，依之者效之。弘治中，南城罗玘思振颓靡，独师韩子，其艰思奇句，伟哉！武功康海好马迁之史，入对大廷，文制古辩，元老宿儒，见而惊服。其时北郡李梦阳、信阳何景明，协表诗法，曰："汉无骚，唐无赋，宋无诗。"二子抗节退举，故能成章。李之雄厚，何之逸爽，学者尊如李、杜焉。宣德中，河东文清公出，学曰复性，旨曰宗朱，直道进退，足冠一时，不屑议文矣。今日古书渐见，士操笔必期周汉，而昌黎亦见轻也。

《槎翁诗集》卷首提要：当明之初，雄才角立，吴中诗派昉于高启，越中诗派昉于刘基，闽中诗派昉于林鸿，岭南诗派昉于孙蕡，而江右诗派则昉于嵩。以清和婉约之音，提导后进。迨杨士奇等嗣起，豫章人士复变为台阁博大之体，而骨力不坚，久之遂浸成冗漫。北地、信阳乃乘其弊而力排之，遂分正、嘉之门户。[按，凡言"某某集卷首提要"，指该书已为《四库全书》所著录，其卷首提要与四库提要不全同，编年引用为其卷首提要]

陆深《李世卿文集序》：本朝文事，国初未脱元人之习。渡江以来，朴厚典易，盖有欲工而未能之意。至成化、弘治间，宣朗发舒，盛极矣！然要而论之，盖有两端：以雕刻锻炼为能者，乏雄深雅健之气；以道意成章为快者，无修辞顿挫之功。故修辞类于雕刻，而雕刻者辞之弊也；道意成章者近于雄深雅健，而雄深雅健又不止于成章道意而已。大抵深于学，昌其气，然后法古而定体。

邵经邦《艺苑玄机》：国初诗，好者是元，如杨铁崖、解大绅。成化间，好者是宋，如陈白沙、庄定山。至弘、德、嘉靖以来，骎骎乎盛唐矣，如何大复、李崆峒。

陈文烛《明诗正声序》：洪武初，沿袭元体，颇存纤词，时高、杨为之冠。成化以后，海内和豫，缙绅之声，喜为流易，时程、谢为之宗。及乎弘、德，文教大起，吾楚李文正公为词林文学之冠，开阁延贤，推毂后进，学士辈出，力振古风，尽削凡调，一变而为杜，时李、何为之倡。

卢纯学《明诗正声叙》：我明兴之初，高、杨、张、徐首倡国朝之音，聿变季元之陋。至弘、正间，北地、信阳力挽衰颓，振宣风教，而嘉、隆、万历大雅辈出，家握寸珠，人怀尺璧。

陈荚《九大家诗选序》：国朝以诗鸣者，无虑数百家。洪武初，尚沿元习，积之深，更之或惴惴未暇。及成化以降，海内和豫，缙绅之声，啴缓典畅，而长沙辈出，未克振也。迨何、李崛起，一创而变长沙，七子接武，再创而变北地、信阳，彼所谓能正其变者也。

赵国璧《批点明诗七言律序》：余阅之至竟，则见洪武、永乐间诸诗气浑沦不散，似唐之贞观、永徽。宣德、成化文词渐入宏丽，似神龙、开元。弘、正、嘉、隆、万历以来，若何仲默、李献吉、李于鳞、王元美诸人，皆以英迈之气发弘深之思，磨砻岁月，流连光景，故与盛唐李、杜、岑、王诸大家相颉颃，洋洋乎称风雅矣。

《升庵集》卷五四《胡唐论诗》：胡子厚与予论诗，曰：人有恒言，曰唐以诗取士，故诗盛。今代以经义选举，故诗衰。此论非也。诗之盛衰，系于人之才与学，不因上之所取也。汉以射策取士，而苏、李之诗，班、马之赋出焉。此岂系于上乎？屈原之骚争光日月，楚岂以骚取人耶？况唐人所取五言八韵之律，今所传省题诗多不工，今传世者非省题诗也。姑以画论，晋有顾恺之，唐有吴道玄，晋唐未尝以画取士也。至宋，则马远、夏珪不足为顾、吴之衙官。近代吴小仙、林良，又不足为马、夏之奴仆。画既有之，诗亦宜然。谓之时代可也。余深服其言。唐子元荐与予书，论本朝之诗：洪武初，高季迪、袁可潜一变元风，首开大雅，卓乎冠矣。二公而下，又有林子羽、刘子高、孙炎、孙蕡、黄玄之、杨孟载辈羽翼之。近日好高论者曰，沿习元体，其失也瞽。又曰，国初无诗，其失也聋。一代之文曷可诬哉？永乐之末至成化之初，则微乎渺矣。弘治间，文明中天，古学焕日。艺苑则李怀麓、张沧洲为赤帜，而和之者多失于流易。山林则陈白沙、庄定山称白眉，而识者皆以为旁门。至李、何二子一出，变而学杜，壮乎伟矣。然正变云扰而剽袭雷同，比兴渐微而风骚稍远。

《翰林记》卷一一《正文体》：国初文体承元末之陋，皆务奇博，其弊遂寝丛秽。圣祖思有以变之，凡擢用词臣，务令以浑厚醇正为宗。洪武二年三月戊申，上谓侍读学士詹同曰："古人为文章，或以明道德，或以通当世之务。如典谟之言，皆明白易直，无深怪险僻之语。至如诸葛孔明《出师表》，亦何尝雕刻为文，而诚意溢出，至今使人诵之，自然忠义感激。近世文士不究道德之本，不达当世之务，其辞虽艰深，而意实浅近。即使过于相如、扬雄，何裨实用？自今翰林为文，但取通道理、明世务者，毋事浮藻。"於戏！大哉皇言乎！万世之通训也。然近日文体或务追秦汉，而失之险；或驾言韩欧，而失之弱。本院儒臣宜知所守。然风靡者多矣。举圣谟以戒敕之，是在当宁。

四库提要卷一九〇《明诗综》：洪武开国之初，人心浑朴，一洗元季之绮靡，作者各抒所长，无门户异同之见。永乐以迄弘治，沿三杨台阁之体，务以春容和雅，歌咏太平，其弊也冗沓肤廓，万喙一音，形模徒具，兴象不存。

《池北偶谈》卷一四：海盐徐丰崖《诗谈》："本朝诗莫盛国初，莫衰宣正。至弘治西涯倡之，空同、大复继之，自是作者森起，于今为烈。"当时前辈之论如此。盖空同、大复皆及西涯之门，乃撰《列朝诗选》者力分左右祖，长沙、何李界若鸿沟，后生小子竟不知源流所自。

鲁九皋《诗学源流考》：明代诗家，最为总杂。开国之初，青田刘文成以名世之英，出经纶之余，形于歌咏。当其未遇，已见知于道园虞氏，道园称其"发感慨于性情之正，存忧患于敦厚之言，体制音韵，无愧盛唐"。次则吴中四杰高季迪启、杨孟载基、张来仪羽、徐幼文贲，并有倡始之功。而是时刘子高崧起于江右，孙仲衍蕡起于岭南，林子羽鸿起于闽中，又有张志道以宁、袁景文凯相继而作，可谓一时之盛。第旧体初变，扫除未尽，就中求其庄雅纯净诸体皆备者，其海叟乎？青丘才力虽大，歌行而外，他体不无元习；孟阳而下，抑又芜已。永乐以还，崇尚台阁，迄化、治之间，茶陵李东阳出而振之，俗尚一变。但其新乐府，于铁崖之外，又出一格，虽若奇创，终非正轨。嗣是空同李氏、大复何氏大声一呼，海内响应，又得徐昌谷祯卿、边华泉贡为之辅翼，称弘治四杰。

朱浙《秋崖方先生文集序》：文章随世高下，不其然乎？夫言因气机之动而为之者也。人之气，与天地之气相为流通。天地气运方隆，而生于其时者，其禀受深厚，器度大雅，而见于言语文字，亦多肖其为人。文称西汉，诗宗盛唐，后来作者不乏，其大致尔殊也。我朝气运隆盛，成化、弘治之间，文章巨卿，彬彬辈出。

陈仁锡《明文奇赏序》：自古人文之盛，未有逾本朝者也。文成一出即沉毅，文宪立谈即雍雅。盖未有不淡于势利而能文章者，于是有辞官辞荫，三幸第而计画秘不传，如陈静诚先生。又未有不量材度力而能文章者，洪武以姑孰郡公安言：长谋略则文成参帷幄；擅国华则文宪总儒学；精吏事则章中丞等司屯田。一议礼也，大配、祫禘、斋戒、五祀、朝会、祝祭、军礼，各专一曹，无越畔云。当是时，王忠文进《平江西颂》，高皇帝喜曰："学问之博，卿不如濂；才思之雄，濂不如卿。"亡何，忠文使滇，死之，才思不亦雄乎？士不立品，才思索然。文章千古，寸心自知，无人品则寸心安在，谁与较失得哉？解大绅而归之，俾读十年书，肆有德有造。士生其间，不以定志立品为第一义，岂不负遭遇哉？文皇帝赐儒臣诗曰："秘阁弘开当巽隅，充栋之积皆图书，仙家蓬山此其处，上与东壁星相符。罢朝闲暇一临视，衣冠左右环文儒。琼琚锵锵清响振，宝鼎馥馥香烟敷。维时日上扶桑初，始看瞳昽绚绮疏。忽已灿烂明金铺，从容燕坐披典谟。大经大法古所训，讲求启发良足娱。朝廷治化重文教，旦暮切磋安可无？诸儒志续汉仲舒，岂直文彩临相如？玉醴满赐黄金壶，勖哉及时相励翼。辅德当与夔龙俱，庶几致治希唐虞。"嗟乎！右文之隆至此，士奈何不读书！列圣追琢造就至于今，熏习雅化，作者辈出。辄惟嘉、隆以来，一家之言最盛，溯而上之，成弘、洪永，高文典册，若存若亡，岂非缺事？爰取往哲遗稿，诠次臆评，续编再出，读者雄于才思、澹于势利，可遥集之一堂也。抑周之盛也，或谓文治绸缪绵缛，若见文武之叮咛，故享国最长。不知《周易》一系，与天无极矣。君父之文，天也，日也。尧舜在上，禹、皋、稷、契无文誉。高皇帝万几之暇，举笔立就，莫不雄深宏伟，至于诏谕遐方、明烛万里。盖常嗤韩愈以风托比奸邪，作文讥之，欲儒者著笔勿高而下、低而昂，钦天畏地，思精言以无疵。驳《颂伯夷文》曰："过天地，小日月，吾不知其何物？诬耶？妄耶？"又曰："万物必究其端而穷其倪，斯善之善矣，故知日月五星右旋之必然，而正蔡氏以己意之顺，乱乾道之顺；以己意之逆，乱乾道之逆。"大哉言乎！贤者识其大者，奈何不遵式？仁锡庄诵《御制全集》，所载唐参政蒙恩，凡作文必书"耐久道人"，已皆厌之，罢求其文。同年，内黄县令沈仁致仕，文必书其官，趋如流水，户门之限，三日一换。旁一人目嗅：耐久有黄精蕨薇之气，似山林；沈仁有芬芳御馔之气，似馆阁。及参政过沈仁门，妒乞文者而争，仁答辱之。参政欲上章，家人曰："公轻君爵而美山野，文书'耐久'，诚可辱。"遂悟而止。于是，上《设大官卑职馆阁山林辩》曰："朕观耐久之错将永矣，不期家人有善者能相之，其人信服之，则可谓善矣。"洪武九年，灾异求言，刑部主事茹太素上五事，盈一万七千字。初命中书郎中王敏诵，至六千三百七十，有云"所任者半迂儒俗吏"，召分迂、俗，不对，扑之。次日，上又令诵其言，至一万六千五百，方见五事，字仅五百。当日叹曰："为臣不易，茹太素是也。"敕行四事，遂立上书陈言之法，颁示天下，过式者问之，作《建言格式序》。仁锡庄诵二训，今天下之文称谓失伦，漫漶不实，唐参政、茹比部不少矣。噫！读有用之书，遵当代之式，可与细论文哉。

俞允谐《题三异人文集小引》：卓吾李贽、予既录三异人行实，因取其生平著述读之，觉英雄欺世，不顾后来更有具只眼者也。然其确然自以为是，虽使刀刃在颈、雷霆在顶，终不少为屈抑，而况区区祸福与死生乎？今其文具在，非必定皆不易之论也。出于三人之下自今，人不可移易，何哉？彼盖不求媚于世而神情独往，真可前无古而后无今，孰谓文字为雕虫之技已哉！遂为编次如左。正学之文从笃学力行中得来，有欲担扶世界之想，似韩昌黎；至如雄伟跌宕，亦可方苏子瞻。忠肃力量最大；是第一等伟人，读其奏疏，不独救时，兼可垂后，可方陆宣公氏；若论功业，则我明一人而已。忠愍之文不多见，即劾鸾、嵩二疏，上救荒一书，激切似贾生，而力量过之；如梦大舜而知乐，因讲学而进德，可方正学；劾鸾不已，继之贼嵩，非真心爱君、真不怕死而能之乎？可方忠肃。三人真可鼎足而立矣！读其文如其人，观者慎毋茹其华而忘其实也。

慎蒙《皇明文则序》：昔人谓文章有关于气运，其知言哉！其知言哉！盖气有厚薄，则文亦随之以高下。故自汉而唐而宋，有《文选》《文粹》以及《文鉴》，播之当时，传之后世，均之三代，名世之作也。然而体裁各别，法眼具存，文以时迁，信矣。迨入明朝，则有《文衡》之集，集乃出于程公克勤所为编纂，亦衷然国初之文苑也，惜诸所著作犹未脱元习，如唐之沿六朝、宋之沿五代。要之，气与运会使然，非人力所能与也。迨至孝庙，世际熙洽，稽古右文，时则有关西李子崆峒者出，力追古制，号为中兴。一时徐、何彬彬辈出，驰骋艺苑，悉凭旧习，骎然几于古矣，所谓"花发上林，月晃淮水"者非欤？第《文衡》之选，识者议其未精，而传之数纪，嗣后作者皆散见诸帙，间有《文选》《文苑》之刻，或以简而遗，或冗而滥，此昭明登坛之选所为独步也。予高卧林泉，颇游心坟籍，遂妄以己见删其旧之冗者，增其今之未入者，录其文之有为者，削其文之空言无当者，勒成一书，名曰《皇明文则》，庶诸杰作与国初名公争雄，岂非昭代文明之会哉？或以文自西汉而后，渐非近古，至唐宋重有议焉，况我朝以举业取士，故遂学工文之士逊于往代，文其难言哉！予以为文者以明道纪事，是谓立言，必造诣深然后理明，理明然后词达，未有不得于理而能善其文以行之远者。故曰："美则爱，爱则传。"古已记之矣。彼出之无本，而专事缔绘章句以为工，是技也，扬雄所谓壮夫不为，文云乎哉？后世溺于所习，悉昧本真，言文者必以秦汉为宗，舍此则如禅家下乘，遂落言诠矣。不知九锡之文、剧秦之论，果何为者？又如《玄经》之作，矩步爻象，至有高之青天、深之黄泉之喻，古矣。然刻意险棘，旨浅辞深，不关世教，孰与诵而传之？后世竟无知子云者，可征也，况其下焉者乎？故文之华实并茂，而直超独诣者传，犹之珠玉琛奇之见宝于人也；有所发明，关乎世教，而足以羽翼六经者传，犹之布帛菽粟之济世。其为相悬也，亦甚远矣，岂曰陶匏黼黻，均为娱悦耳目之玩已哉？况我明开国，有刘、宋、苏、王首辟文运，领袖艺苑，以润色丝纶；继以崆峒，为文之始伯，而遵岩、荆川、念庵、槐野之四子者则擅其宗；方逊志为理学开源，而导流者则吴康斋以及一峰、阳明诸君子。观其形之议论，敷之奏疏，见之裁答，非耿耿不磨之见（如方逊志正统、深虑、豫让、武王、启衅等论），则濂洛关闽之传（如阳明与人论学书），非达权通变之神（如阳明攻剿涮头、宸濠诸疏），则纲常忠爱之极也（如一峰劾李文达疏、余肃愍参不当与虏讲和疏、庄定山培养圣德疏）。是人品也，才也、学也，合而一之者也。故曰，其人圣则其文为经，其人贤则其文为史。谓宋不唐、唐不汉、汉不春秋战国者，指时与文言之也。尝见祝枝山与人论文云：元与本朝之文，虽佳者亦无多，厕其否者，请与绝迹。区区以文体绳之，而遂谓明兴无文，是务枝叶而忘本根，尚昧于技文之辩者也。吾不敢以祝子之言为然。

皇甫汸《皇明文范序》：我明稽古，人文化成。新安所编，名之曰《衡》，则亦铢较而两差矣。是岂才识弗若萧氏与？文关气运，世道使然也。即而论之，缀骚献赋，岂复有如屈、宋、贾、马者乎？赓歌第颂，岂复有如皋、朔、渊、云者乎？铭非孟坚，畴勒鸿勋？碑谢伯喈，宁免愧色？箴非女史，颂异贤臣。试举一二，足例其余。至若魏挺应、刘，晋推潘、陆、徐、庾、阴、何，由此其选也。然视彼"二京"，瞠乎其后矣。

黄宗羲《明文案原序下》：有明文章正宗，盖未尝一日而亡也。自宋〔濂〕、方

[孝孺]后，东里[杨士奇]、春雨[解缙]继之，一时庙堂之上，皆质有其文。景泰、天顺稍衰。成、弘之际，西涯[李东阳]雄长于北，匏庵[吴宽]、震泽[王鏊]发明于南，从之者多有师承。正德间，余姚[王守仁]之醇正，南城[罗玘]之精练，掩绝前作。

王锡爵《增定国朝馆课经世宏辞序》：明兴，列圣右文，道化醲郁，开东观、延英之阁，置金马著作之庭，词林之盛，所从来矣。粤自高皇启运，则刘、宋扬其休；文祖嗣基，则方、解振其烈。虽比隆周、秦，不无少逊，然捆固陋为文明，变侏离为醇美者，功亦伟已。嗣是，则长沙文正公折节下士，躬以文章风天下，而一时词林之俊，纠纠然卷甲从之。

《升庵集》卷五二《辞尚简要》：古今文章，《春秋》无以加矣。《公》《榖》之明白，其亚也。《左氏》浮夸繁冗，乃圣门之荆棘，而后人实以为珍宝，文弊之始也。爱忘其丑，可乎？我太祖高皇帝科举，诏令举子经义无过三百字，不得浮词异说。百八十余年遵之。近时举子之文，冗赘至千有余言者，不根程朱，妄自穿凿。

于永清《近科衡文录序》：国家取士功令，斟酌前代，自经义外，参用论、表、策，盖用经义以观子大夫经术，用策以观子大夫时务，用论以观子大夫才藻。二百年来，海内人士靡然向风。当是之时，即有修由、夷之行，挟伊、吕之才，负孔、孟之道，怀管、葛之略，宁渠能离此业而取进贤冠乎？洪、永而后，嘉、隆而前，其业具在，可覆说也。始者斫雕揉觚，士尝有所蕴藉，不尽如其意所欲出；已如意所欲出矣，不尽发泄无余；已发泄无余矣，不尽支离洸洋、旁溢而不可究诘。

黄汝亨《皇明策衡序》：明兴，制科得人最盛，而终之以策，直欲网罗千古，苞孕众智，综错万变，而又先之以经义，为排偶章句之文。书生执理即遗事，骋辞即迷务，喜偶侻非常即卑鄙学究。一人之身耳，而举天人、治安、屯田、实塞，古人之所分长，而以寸晷尺幅兼擅之，其学必无本，而其言论必不可以施于用，亡怪也。

李衷纯《皇明策衡序》：国家以经术抡士，末场乃试策，风檐之下，士子不尽谙练，主司往往代作，以贡天府、式多士，衡策所由防矣。不佞尝谓一代之兴必有一代之文垂不朽，汉之策，唐之词赋，宋之明经，班班足镜，昭代若兼三季。然明经而至举子业，不过腐儒糟粕，小儿嘎饭，语诏诰表，虽沿词赋之遗，无当实际，皆朝取青紫，夕覆酱醅矣，乌足垂世！惟是制策所问，有不自黼扆、宫壸，以迨人才、礼乐、边陲、河渠、钱谷、刑狱，三事之所平章，六曹之所职掌者乎？射策所对，有不淹古贯今，导利规害，识若观火，画若破的，以箴主德、赞国政、襄民瘼者乎？

汤实尹《评选历科乡会墨卷漫书》：诗赋之途广，内倾材情，外拾天上天下海内外之物，以供笔舌，而无不足也。诗赋之途隘，绮口笤腹，俱无所用之，而才人学人之致穷矣。马穷于蚁封，射穷于贯虱，驰陆稽天，何难之有哉？微心静气，参对圣情，一代收士之思，良亦精革，有志宪章者，其毋忽于斯道也。气挐于洪、永，孩于宣、成，壮于嘉。

《莲子居词话》卷三《明词不振》：金元工于小令、套数，而词亡。论词于明，并不逮金元，遑言两宋哉？盖明词无专门名家，一二才人如杨用修、王元美、汤义仍辈，皆以传奇手为之，宜乎词之不振也。

　　王昶《明词综序》：盖明初词人，犹沿虞伯生、张仲举之旧，不乖于风雅。及永乐以后，南宋诸名家词皆不显于世，惟《花间》《草堂》诸集盛行。至杨用修、王元美诸公，小令、中调颇有可取，而长调则均杂于俚俗矣。

　　《曲品》上：自昔伶人传习，乐府递兴。爨段初翻，院本继出，金元创名杂剧，国初演作传奇。杂剧北音，传奇南调。杂剧折惟四，唱惟一人；传奇折数多，唱必匀派。杂剧但摭一事颠末，其境促；传奇备述一人始终，其味长。无杂剧则孰开传奇之门？非传奇则未畅杂剧之趣也。传奇既盛，杂剧浸衰，北里之管弦播而不远，南方之鼓吹簇而弥喧。国初名流，曲识甚高，作手独异，造曲腔之名目，不下数百；定曲板之高下，不淆二三。乍见宁不骇疑？习久自当遵服。所谓规矩设矣，方圆因之。数其人，有大家、名家之别；按其帙，有极老、半旧之分。赏其绝技，则描画世情，或悲或笑；存其古风，则凑泊常语，易晓易闻。有意架虚，不必与实事合；有意近俗，不必作绮丽观。不寻宫数调，而自解其弢；不就拍选声，而自鸣其籁。质朴而不以为俚，肤浅而不以为疏。商彝周鼎，古色照人；玄酒太羹，真味沁齿。先辈巨公，多能讽咏；吴下俳优，尤喜掇串。

第一章

洪武元年戊申至建文四年壬午（1368—1402）共35年

·引 言·

《密庵集》卷六《送车义初归京师序》：皇帝受命，既平大乱，即以人文化天下，故内而京畿，外而郡邑，莫不建学置师弟子员，俾其明经修行，以备文儒道德之任。又虑其文辞或狃于前代科举之弊而无可观采，乃洪武十一年柬拔太学生之高才者四十有二人，属之博士，务为古学，必欲文足以贯道而后止。

《少室山房集》卷一七《读国初四君遗集有序》：文章国初越最盛。越中婺最盛。浦阳、义乌、金华三数君子者，虽风调沿袭宋元，而淳庞敦大，蔚然开一代先。李献吉云"金华数子真绝伦"，非溢语也。诗歌稍左次当行，亦往往有足观者。

胡俨《两京类稿序》：文章有关于气运，尚矣！三代而降，汉之风气犹为近古，故西京之文浑厚质直，有三代之遗风，若贾生、相如、董仲舒、司马迁、班固，卓然可称者数人而已。迨至李唐，独称韩、柳，至宋则欧、曾、苏、王，至元则许、吴、阎、刘、三王、二姚、虞、揭诸公，亦皆以德行道艺发而鸣一代之盛，与气运相为表里者，岂虚言也哉？我国家隆兴，太祖高皇帝肇造区夏，建立皇极，三光五岳之气复全。当是时，诸儒并兴，能以文章鸣国家之盛。

杨士奇《王文忠集序》：近数百年来，士多喜读韩文公、欧阳文忠公、苏文忠公之文，要皆本其立朝大节，炳炳焉有以振发人心者也。我国家隆兴之初，金华宋公景濂、王公子充相继入翰林持文柄，时诏修《元史》，二公皆任总裁，岿然一代之望也。

《继志斋集》卷六《送张士弘归省序》：予方慨念士习之弊，家居者或恃其抱负之高，而不求夫会同；处大位者又不屑于下士，而惟己见是用。由是高下乖隔，闻见颇僻，而士习为益陋。尚幸太学者，天下英才之所萃，其犹梗、楠、豫、章之产于岷峨，松之长于曲靖，居之既得其所，产之又得其养，是以栋、梁、宋、阗之材，无乎不备此。岂偏州下邑之士欲望余光而可得哉？

邹缉《继志斋集序》：因窃叹夫世之为文章者，其才每不足，而其气又有所不充，以故不能以几于古之人。使能养其才而充其气，博于取而深于积，则文虽不蕲于古，而自不能不至于古矣。今夫江河之浑浩流转而蛟龙鱼鳖百怪之所聚，山岳之崇高深厚而虎豹犀象百兽之所骇愕者，以其积之厚而蓄之富也。

王直《两京类稿序》：国朝既定海宇，万邦协和，地平天成，阴阳顺序，纯厚清淑

1

之气钟美而为人，于是英伟豪杰之士相继而出，既以其学赞经纶、兴事功，而致雍熙之治矣，复发为文章，敷阐洪猷，藻饰治具，以鸣太平之盛。自洪武至永乐，盖文明极盛之时也。

《全闽诗话》卷八《谢肇浙》：予观闽中诗，国初林子羽、高廷礼以声律圆稳为宗，厥后风气沿袭，遂成闽派。大抵诗必今体，今体必七言，磨砻婑荡，如出一手。

公元1368年（洪武元年 戊申）

正月

朱元璋登基。《明史》太祖本纪："洪武元年春正月乙亥，祀天地于南郊，即皇帝位。定有天下之号曰明，建元洪武。"《明太祖文集》卷一《即位诏》："朕惟中国之君，自宋运既终，天命真人于沙漠，入中国为天下主。传及子孙，百有余年，今运亦终。海内土疆，豪杰分争。朕本淮右庶民，荷上天眷顾、祖宗之灵，遂乘逐鹿之秋，致英贤于左右，凡两淮、两浙、江东、江西、湖湘、汉沔、闽广、山东及西南诸部蛮夷，各处寇攘，屡命大将军与诸将校奋扬威武，已皆戡定，民安田里。今文武大臣、百司众庶，合辞劝进，尊朕为皇帝，以主黔黎。勉循舆情，于吴二年正月初四日，告祭天地于钟山之阳，即皇帝位于南郊，定有天下之号曰'大明'，以吴二年为洪武元年。是日恭诣太庙，追尊四代考、妣为皇帝、皇后，立太社、太稷于京师。布告天下，咸使闻知。"《明史纪事本末》卷一四："太祖洪武元年春正月壬申朔。正月乙亥，上祀天地于南郊，即皇帝位，定有天下之号曰'大明'，建元'洪武'。遂诣太庙，追尊四代祖考。丁丑，大宴群臣于奉天殿。上曰：'吾观史传所载历代君臣，或君上乐闻忠说而臣下循默不言，或臣下抗言直谏而君上饰非拒谏。比来朕每发言，百官惟讷而已，其间岂无是非得失可以直言者？自今宜尽忠说，以匡朕不逮。'辛丑，命廷臣兼东宫官。先是中书及都督府议仿元旧，制设中书令，欲奏以太子为之。上曰：'元人事不师古，设官不以任贤，惟类是与，岂可取法？且吾子年齿未长，更事未多，所宜尊礼师傅，博通今古，他日军国重务，皆令启闻，何必效彼作中书令乎？'礼部尚书陶凯请选人专任东宫官属，上曰：'朕以廷臣有德望者兼东宫官，非无谓也。尝虑廷臣与东宫属有不相能，遂成嫌隙。江充之事，可为明鉴。朕今立法，令台省等官兼东宫官赞辅之。父子一体，君臣一心。'于是以李善长为太子少师兼詹事，冯胜兼副詹事；杨宪、傅瓛兼府丞；徐达兼太子少傅；常遇春兼太子少保；邓愈、汤和兼太子谕德；章溢兼太子赞善；大夫刘基兼太子率更令。上谕善长等曰：'朕于东宫，不别设府僚而以卿等兼之者，盖军旅未息，朕若有事于外，必留太子监国。若设府僚，卿等在内事，当启闻太子，或听断不明，卿等必谓府僚导之，嫌疑由是而生。朕所以特置宾客、谕德等官，以辅成太子德性。且选名儒为之宾友。昔周公教成王，告以克诘戎兵；召公教康王，告以张皇六师。此居安虑危，不忘武备。盖继世之君，生长富贵，狃于安逸，军旅之事多忽而不务，一有缓急，罔知所措。二公之言，不可忘也！'"

刘基奏立军卫法。《明史》刘基传："太祖即皇帝位，基奏立军卫法。"《钦定续文献通考》卷一二二："洪武元年立军卫法。自京师达于郡县，皆立军卫。度天下要害之地，系一郡者设所，连郡者设卫。大率以五千六百人为一卫，千一百二十八人为一千户所，一百一十二人为百户所。每百户设总旗二名、小旗十名，大小联比以成军。"又卷一二八："明太祖洪武元年，以刘基言立军卫法，遂为一代定制。"

二月

诏令用太牢礼祭孔子。《明史》太祖本纪："丁未，以太牢祀先师孔子于国学。"

三月

刘基受御史中丞诰。《诚意伯文集》卷二〇《御史中丞诰》："奉天承运，皇帝圣旨：太史公之职，天下欣闻；中执法之官，台端清望。惟亲信之既久，斯倚注之方隆。前太史令兼太子率更令刘基，学贯天人，资兼文武，其气刚正，其才宏博。议论之顷，驰骋乎千古；扰攘之际，控驭乎一方。慷慨见予，首陈远略。经邦纲目，用兵后先，卿能言之，朕能审而用之，式克至于今日。凡所建明，悉有成效。且括苍为卿乡里，地壤幽遐，山溪深僻，承平之世，民犹据险，方当兵起，乘时纷纭，原其投戈向化，帖然宁谧，使朕无南顾之忧者，乃卿之嘉谟也。若夫观象视祲，特其余事，天官之署，借重老成。以至谳狱审刑罚之中，议礼新国朝之制，运筹决胜，功实茂焉。乃者肇开乌府，丞辅需贤，断自朕衷。居以崇秩，清要得人，于斯为盛。於戏！纪纲振肃，立标准于百司；耳目清明，为范模于诸道。永绥福履，光佐丕图。可资善大夫、御史中丞兼太子赞善大夫宜令刘基。准此。洪武元年三月日。"

谢肃谒淮安龙女祠。肃字原功，上虞人。洪武中举明经，历官福建按察佥事，有《密庵集》。《曝书亭集》卷六三《谢肃传》："谢肃者，字原功，举明经，历官福建按察司佥事。出按漳泉，有虎患，肃移文告于神，虎遁去。坐事被逮，太祖御文华殿，亲鞫之。肃大呼曰：'文华非拷掠之地，陛下非问刑之官，请下法司。'乃下狱，狱吏以布囊压之死。"《密庵集》卷二《龙女歌》序："洪武元年三月三十日，余在淮安城北满浦候舟，将过安东，因谒浦上龙女祠。碑云龙者，东海渊圣王第三女，俪苏州柳大夫毅。苏有庙，此行祠也。余异其事，为《龙女歌》云。"

八月

元朝灭亡。《御定资治通鉴纲目三编》卷一："徐达克通州，元帝奔上都。八月师入大都。元监国淮王特穆尔布哈死之，元亡。"

诏以应天为南京，开封为北京。《御定资治通鉴纲目三编》卷一："先是帝幸汴梁，将营都而未果。既克元都，遂下诏曰：'朕观中原土壤，四方朝贡，道里适均。然立国之规模固重，而兴王之根本不轻。其以金陵为南京，大梁为北京。朕于春秋往来巡狩。'寻又命徙北平军民于北京。"

刘基致仕。《明史》太祖本纪："［洪武元年八月］丁丑，定六部官制。御史中丞刘基致仕。"《明史纪事本末》卷一四："先是，上北巡，命基同李善长留守京师。基言

于上曰:'宋元以来,宽纵日久,当使纪纲振肃,而后惠政可施也。'上然之。基素刚严,凡僚吏有犯,即捕治之。宦者监工匠不肃,启皇太子捕置法。宿卫舍人弈棋,于直舍按治之,人皆侧足立。中书都事李彬玩法事觉,彬素附善长,善长托基缓其狱。基不允,遣人驰奏请诛彬,上可其奏。时大旱,善长等方议祷雨,而诛彬之报适至。善长曰:'今欲祷雨,可杀人乎?'基怒曰:'杀李彬,天必雨。'遂斩彬。善长衔之。上还,怨基者多诉于上前,善长亦言基专恣,语颇切。会基有丧,告归,许之。"

王祎上疏请宽政。王祎(1322—1374),字子充,义乌人。国初征为中书省掾。诏修《元史》,与宋濂同为总裁官,书成,拜翰林待制。奉使招吐蕃,至兰州召还,改使云南,抗节死。建文元年赠翰林学士,谥文节。正统中,改谥忠文。有《王忠文集》。《明史》王祎传:"洪武元年八月上疏言:'祈天永命之要,在忠厚以存心,宽大以为政,法天道,顺人心。雷霆霜雪,可暂不可常。浙西既平,科敛当减。'太祖嘉纳之,然不能尽从也。"〔按,"王祎",《明史》及黄云眉《明史考证》,皆作"王祎"。今人何冠彪《明清人物与著述》有《王祎二题》,一辨王氏之名,二辨王氏生卒年月日。其辨名,引黄溍为王祎祖父所撰墓志铭,"子男二人,长良玉,……次良珉,……孙男四人,裕、祎、补、初",依裕、补、初,则"祎"当为"祎"。早期典籍中,祎、祎不分,而明代语音大变,祎、祎读音分别甚明,即便刻书颇有笔画讹误,而口语中则了然可辨。冠彪又据宋濂《送王子充字序》,"祎名凡三易,初名伟,次名漳,后复更今名。皆从韦者,以其声之近也",明代祎、伟、漳,同一读音,而"祎"则别是一读音。冠彪所说是。本编年后引古籍材料,凡涉王祎子充而作"祎"者,径改"祎"为"祎",不出注。冠彪辨王氏卒年,以为明人所记甚明,清代《罪惟录》《明书》《明纪》《明通鉴》,皆不误,在洪武六年农历十二月二十四日。明清人偶有误作洪武五年者。惟生年在元至治二年,生日有农历十一月十七日与十二月十七日两说,冠彪不能辨。《王忠文集》卷二《述怀柬王季野判官》:"自负平生意气高,飞扬无力可徒劳。未能董子陈三策,已叹潘郎鬓二毛。癸巳流年冬至节,庚寅初度楚臣骚。一厄且复同君寿,坐对梅花映锦袍。"言"流年癸巳",则诗作于癸巳年,在元至正十三年(1353),其年冬至节在公历12月11日19点23分。如仅仅依冬至节算,冬至的交节时刻在晚上11点之前,该日属农历十一月十六日,在晚11点之后,则算作农历十一月十七日,因为农历一天的时刻是从子时即晚上11点起算。但由《述怀柬王季野判官》诗意看,交冬至节时,尚在农历十六日晚上8点前,未及就寝,作者尚能自酌抒怀。这一天要过了冬至节后,才会到自己的生日。推测起来,生日必须到子时,才有此说的必要。故生日当为十七日。而古人推命习惯,一交冬至节,即使仍在农历十一月,却当算十二月。故言十一月十七日,乃据实言;言十二月十七日,乃据推命习惯言。在古人而言,两说皆不误。如是,王祎生日当在夏历十一月十七日〕

九月

陶安卒,年五十九。《明太祖高皇帝实录》卷三五"洪武元年九月癸卯(初六)":"江西行省参政陶安卒。……至是,以疾卒于治所。病剧时,犹草时务二十事上之。上甚哀悼，亲为文，遣使以祭。时年五十九。"《明诗综》卷四《陶安》："俞右吉云，郡公谋略文章，孝陵推为第一，诗亦拔俗。五古未免冗长耳。"《陶学士集》卷首提要："《陶学士集》二十卷，明陶安撰。……是集诗与文各十卷。安以儒生受知明祖，参预机密，典司著作，郊社宗庙皆有议，若明初分祭南北郊及四代各一庙之制，皆定于安。又《刑律》亦安所裁，而其议论均不详著于集，未审其故，殆当时秘不欲宣也？其诗一曰《辞达集》，一曰《知新近稿》，一曰《黄冈寓稿》，一曰《鹤沙小记》，一曰《江行杂咏》。今此本分体编之，与所作赋词共为十卷，文亦十卷，而送人之序引居其半，岂以安当时宿望，求赠言者多耶？世言祝寿之序自归有光始入集，然此集内已有二篇，则不自有光始矣。安文章虽不及宋濂之俊伟，而其词类皆平正典实，有先正之遗风。一代开国之初，其气象固不侔耳。"

十一月

诏刘基赴京师。《诚意伯文集》卷二○《御宝诏书》："前太史令御史中丞刘基，世居括苍，怀先圣道。天下初乱，闻朕亲将金华，旋师建业，尔曾别闾里，忘丘垄，弃妻子，从朕于群雄未定之秋。居则每匡治道，动则仰观乾象，察列宿之经纬，验日月之何光。发踪指示，三军往无不克。曩者攻皖城，拔九江，抚饶郡，降洪都，取武昌，平处城之内变，尔多辅焉。至于彭蠡之鏖战，炮声击裂，犹天雷之临首；诸军呐喊，虽鬼神也悲号。自旦日暮，如是者凡四。尔亦在舟，岂不同患难也哉？今年夏，告镜妆失胭粉之容，遗子幼冲，暂回祀教，速赴京师。去久未归，朕心有欠。今天下一家，尔当疾至，同盟勋册，庶不负昔者之多难。言非儒造，实己诚之意。但著鞭一来，朕心悦矣。洪武元年十一月十八日，赐臣基。"

十二月

诏优人别服。《皇明泳化类编续编》卷一五"冠服"："[洪武元年]冬十一月，诏天下悉复衣冠唐制……其乐妓不与庶民妻同，乐工服冠屯青字顶，系红绿帛带。"

冬

戴良作《东山赏梅诗序》。戴良（1317—1383），字叔能，号九灵山人，一号云林先生。居鄞时，别号器器生。《九灵山房集·年谱》："明洪武元年戊申，先生五十二岁，元亡，先生隐鄞。有《东山赏梅诗序》。"《九灵山房集》卷二一《东山赏梅诗序》："戊申之冬，豫章龙君子高，偕慈溪桂君彦良、王君彦贞，访沈师程氏于东山。已而钱塘刘君庸道及一二士友，亦来会。时东山梅花盛开，粲粲夹径路。师程置酒花下，邀诸君子赏焉。酒且半，龙君请即席赋诗，以'东阁官梅动诗兴'为韵，各赋古律一首。辑为一编，而虚其首简，征予序。……今夫诸君子者，固世所谓仁人义士而能受乎变，处乎清，立乎独，有凌寒之态，无争荣之思，其于是梅，乃尝友而兄之者矣。师程之赏之也，非赏是梅也，盖所以赏诸君子之高致也。然则师程亦是梅之知己

与。梅若有知，当亦为贤主宾一索笑也。"〔按，"东阁官梅动诗兴"为杜甫《和裴迪登蜀州东亭送客逢早梅相忆见寄》中诗句〕

本年

瞿佑与凌、丘、吴诸老订交。瞿佑（1347—1433），字宗吉，山阳人。由贡生洪武末任宜阳训导。有小说《剪灯新话》传世。又有《归田诗话》。〔按，今人徐朔方《小说考信编·瞿佑年谱》考瞿佑生平事迹甚详。今人乔光辉又作《〈瞿佑年谱〉订补》，以补朔方之失，刊在 2003 年第 1 期《明清小说研究》。崔江、乔光辉又有《论瞿佑及〈剪灯新话〉》刊《淮阴师范学院学报》2005 年第 5 期。今人李剑国、陈国军有《瞿佑续考》，刊在《南开学报》1997 年第 3 期。关于瞿佑的编年，本书以徐朔方《瞿佑年谱》为基础，对诸家说法各有采择，不分别出注。台湾杂志《中国文哲研究通讯》第 4 卷第 2 期，刊有李庆《瞿佑生平编年辑考》，根据在日本见到的材料，对瞿佑生平做了勾勒〕《乐府遗音》丁丙跋："洪武元年，先生二十二岁，凌彦翀、丘彦能、吴敬夫相与订忘年交。杨廉夫访之，出所作《香奁咏》以示，先生悉和之。廉夫叹曰：'此瞿家千里驹也。'凌彦翀作《梅柳争春》，先生一日尽和之。凌亦惊叹。"凌彦翀，名云翰（1323—1388），钱塘人。元至正十九年登浙江乡试榜，除绍兴兰亭书院山长，不赴。《归田诗话》卷下《钟馗图》："乡丈凌彦翀，名云翰，号柘轩。至正间，以《周易经》与士衡叔祖同登浙省乡榜，授平江路学正，不赴。才高而学博，为乡党所推。一日来访，叔祖不在，以所和石湖《田园杂兴》诗一帙留寄舍下。数日，予尽和之。及见大惊，喜为作序文于前，因是遂刮目相视，且叹叔祖之不能尽知也。继以梅词《霜天晓角》一百首，柳词《柳梢青》一百首，号'梅柳争春'者，属予和之。予亦依韵和就，大加赏拔。予视先生犹大父行，而先生不以齿德自居，过以小友见待，每于诸长上前，称之不容口，喜后进之有人也。"《归田诗话》卷下《芦花被》："亡友丘彦能藏《芦花被图》，盖模写酸斋梁山泺故事。贡泰甫首题律诗一首，吴子立继之，其余数首而已。彦能宝惜此卷，不妄与人题。后遇吴敬夫，以其有诗名，出而求题。敬夫为赋数首，皆不惬意。最后一首云：'秋风吟就芦花被，一落人间知几年？泽国江山今入画，诗人毛骨久成仙。高情已落沧洲外，旧梦犹迷白鸟边。展卷不知时世换，水光山色故依然。'彦能喜，始请登于卷。彦能尝以《唐三学士弈棋图》求题，予为赋绝句云：'三人当局各藏机，思入幽玄下子迟。毕竟是谁高一著，风檐日影静中移。'彦能叹赏。敬夫亦以《雪》诗见示，予和其'西'字韵云：'夜静有舟来剡曲，时平无马入淮西。'敬夫亦加誉焉。予时年甚少，敬夫为乡前辈，彦能亦倍年以长。二人墓有宿草久矣，因念旧交，为之慨然。"

王逢得儿王掖书信而成诗。《梧溪集》卷四《得儿掖书时戊申岁》："客梦躬耕陇，儿书报过家。月明山怨鹤，天黑道横蛇。宝气空遗水，春程不见花。衰容愧耆旧，犹语玉人车。"题下注："是年为洪武元年。"附评："李东阳谓此诗几于悖谬。亦各行其志也。视迎降恐后者，毕竟何如？"王逢（1319—1388），字原吉，自号席帽山人，江阴人。当至正间，被荐不就，避地吴淞江，筑室上海之乌泥泾。适张氏据吴，东南之

6

士咸为之用，逢独高蹈远引。及洪武初征召甚迫，又以老疾辞。［按，《梧溪集》卷四《三月十二属予初度时客舍承朱金枢携僚佐见过》："我生三月之仲丁，长庚辅日当奎星。命居旄头身驿马，薄有抱负多飘零。"1319 年三月初二为丁巳日，此为孟丁。天干十日一轮，三月十二日为丁卯日，是为仲丁日。此与"我生三月之仲丁"为"三月十二"合，则王逢生于 1319 年三月十二日］

赵埙以修史征入京师。《曝书亭集》卷六二《赵埙传》："赵埙，字伯友，新喻人。元至正中贡于乡，官上犹教谕。人目为南郭先生。洪武元年，帝既平定朔方，冬十一月诏发秘府所藏元十三朝实录，以宋濂、王祎充总裁官，征山林遗逸之士，纂修《元史》。凡一十六人，汪克宽、胡翰、宋禧、陶凯、陈基、赵汸、张文海、徐尊生、黄篪、傅恕、王锜、傅著、谢徽、高启、曾鲁，埙与焉。"

熊直（1358—1416）**十一岁。**《列朝诗集小传》乙集《熊太学直》："直字敬方，吉水人。尝中应天府乡试，下第，入太学，子概登第为御史，犹列名太学生。仁宗在春宫，闻之嘉叹，卒用概，赠右都御史。初冒胡姓，杨东里有《送胡敬方归省序》，而《西涧集序》则从熊姓。概巡抚三吴，时人犹称胡大卿云。"《东里续集》卷二四《赠资善大夫都察院右都御史熊公神道碑铭》："先生幼孤，随母适古田尹吉水胡时中，遂家吉水。尝冒胡氏，而后复焉。自幼端重，好学不懈，昼诵夜思，日从老师硕儒讲说。盖于书无不读，而四书五经、周、程、张、朱之说，力探深究，不畅不已。既壮，充然有得，邑人争聘之为塾师。旁邑之大夫交致书币，请为学训导。先生不忍去其亲，乃辞而求入吉水学，充弟子员，冀得朝夕侍养。其学之师，不以弟子视先生，反数从质所疑，同门生率执所业求益，而远近之从学者益众矣。先生以为正纲常、明世教者莫严于《春秋》，故来学者皆受之《春秋》。岁大比，县辄以先生荐，就试辄不中。"

胡俨（1361—1443）**八岁。**字若思，南昌人。洪武末会试乙科，授华亭教谕。永乐初，擢翰林检讨，同解缙等直内阁。寻迁国子监祭酒。洪熙元年，加太子宾客。致仕。有《颐庵集》。杨溥《国子祭酒胡先生墓碑》："先生天资颖悟，自幼好学。受经于伯父虞部员外郎汝器。及游乡校，从郡中请先辈讲学。若书、若琴、若诗、若文，皆有传授。既长，博极群书，至于天文、地理、律历、医卜，皆通其说。先辈皆称许之。"

程通（1364—1403）**五岁。**字彦亨，绩溪人。洪武庚午举人，授辽府纪善，进左长史。靖难后，以事械至京，死于市。有《贞白遗稿》十卷。程敏政《长史程公传》："公少有至性，又得家庭之教，动必遵礼，嗜学不倦，乡先生奇之。年十四，补县学生。"

杨士奇（1365—1444）**四岁。**名寓，以字行，号谷轩，江西泰和人。与杨荣、杨溥，合称"三杨"。建文时，以荐授教授，旋入翰林充编纂官。试吏部，授吴府审理副，仍供馆职。永乐初，改编修，入内阁典机务，历侍读、左中允、左谕德学士。改左春坊大学士，仍兼翰林学士。洪熙初，擢礼部侍郎，兼华盖殿大学士，进少傅，兼兵部尚书。正统初，进少师。卒赠太师，谥文贞。有《东里集》九十三卷，计文集二十五卷，诗集三卷，续集六十二卷，别集三卷。王直《少师泰和杨公传》："公早孤，母夫人陈氏教育之，甫六七岁，告以世德之详，公即感奋力学。虽甚贫，亲执劳事，然未尝废卷。时丧乱虽平，而苦无书，四书五经皆抄以读。海桑陈先生，夫人世父也，甚爱公，早夜训励，使必由道。年十五，褎然为人师，学行日益有闻，缙绅君子礼重焉。郡县交举为学官，皆不就。久之，朝廷以博学征入翰林任编纂，共事者皆天下宿儒，独推公精博。"

夏原吉（1366—1430）三岁。字维喆，湘阴人。以乡荐游太学，选授户部主事。建文初，擢户部右侍郎。靖难后，进尚书，遣视江南水利。归掌行在吏、礼、兵部都察院事。仁宗即位，复户部尚书，加少保，兼太子少傅。卒赠太师，谥忠靖。有《忠靖集》。杨士奇《少保兼太子少傅户部尚书赠特进光禄大夫谥忠靖夏公神道碑铭》："公自幼端厚好学，年十三，教谕公殁，益知自励。母夫人廖守节教子。公终父丧即出，教里塾，取束修以资养。而率其二弟恭侍婉愉，得母夫人欢心。出入乡间，其老长皆忘年宾礼之。时已负巨人度，喜怒不形。里少年尝被酒侮慢公，里人共击之，詈之曰：'汝小人不知乡有君子耶！'"

梁潜（1366—1418）三岁。字用之，泰和人。洪武丙子举乡试，授训导。永乐初召修实录，升翰林修撰，历右春坊右赞善。帝北狩，留监国，中谗死。有《泊庵集》。杨士奇《梁用之墓碣铭》："自幼好学警敏，嶷然有巨人志。尝受经于乡先生王子启及舅氏陈仲速。入则浸渍不移先生之教，父子兄弟讨论切劘无虚日，故所得率出其同辈。用之甫弱冠，其文论议已驰骋颉颃诸先辈。"

黄淮（1367—1449）二岁。字宗豫，永嘉人。洪武丁丑进士，除中书舍人，升翰林编修，历侍读左庶子，进右春坊大学士。辅东宫，系诏狱十年。洪熙初，入内阁，兼武英殿大学士。累官少保、户部尚书。卒谥文简。有《介庵集》《省愆集》《归田集》。

金幼孜（1368—1432）生。初名善，以字行，新淦人。建文己卯举人，授户科给事中。靖难后，改翰林检讨。历右谕德，掌翰林学士，升文渊阁大学士。历官太子少保、礼部尚书，兼武英殿大学士。卒赠少保，谥文靖。有《金文靖集》。杨士奇《太子少保礼部尚书兼武英殿大学士赠荣禄大夫少保谥文靖金公墓志铭》："公自幼嗜学问，内承家训之笃。长从前进士聂铉先生受《春秋经》，得其微旨。"

练子宁（1368—1402）生。名安，以字行，号松月居士，新淦人。洪武乙丑，赐进士第二人。授翰林院修撰，升副都御史、工部侍郎。建文时，迁御史大夫。靖难师入，不屈死。有《金川玉屑集》六卷。

本年前后，蓝仁徙临濠，旋放归。仁字静之，崇安人。《明史·文苑传》附载陶宗仪传末。称元末杜本隐居武夷山，仁与弟智往师之，授以四明任松卿诗法，遂谢科举，一意为诗。后辟武夷书院山长，迁邵武尉，不赴。又称其明初内附，随例徙临濠，则必当尝仕张士诚。有《蓝山集》。其弟蓝智，字性之，有《蓝涧集》。兄弟情笃，诗文才气亦仿佛。弟怀兄者，如：《蓝涧集》卷三《闻蓝山兄寓滁州》："番水初传信，滁山想定居。秋吟兼蟋蟀，晚饭得鲈鱼。落月沧江阔，凉风白发疏。兵戈关塞隔，不敢问何如。"《蓝涧集》卷三《怀蓝山兄淮上》："南京初下诏，北客久怀归。清夜孤舟泊，沧江一雁飞。淮云迷远道，楚雨满征衣。茅屋空山里，秋风老蕨薇。"兄怀弟者，如：《蓝山集》卷五《题程芳远游方卷》："程芳远氏，学杨而好儒者也。早年与故弟蓝虚白为方外交,所至必礼宿师名儒,以求讲益。新朝取士无弃材,芳远乃以方外得免。蓝涧弟在山时,复与为泉石侣。芳远近以《云游卷》求诗,余喜芳远之独善,又悲二弟之早逝,临纸惘然:留形且作地行仙,依止名山五十年。云水远游天下半,松筠高节岁寒全。清吟近日窥风雅,真诀先天讲洞玄。吾弟论交多换骨,还丹未许老夫传。"四库提要卷一六九:"智诗清新婉约,足以肩随其兄。五言结体高雅,翛然尘外,虽雄快不足,而俊逸有余;七言顿挫浏亮,亦无失唐人矩矱。与《蓝山》一集,卓然可称二难。《静志居诗话》谓《蓝山》《蓝涧》集中诗,选家互有参错。殆亦因其格调相近,不能猝辨欤。"《明诗纪事》甲签卷一六《蓝智》陈田按:"《蓝涧集》,《四库》录本仅三百余首。余所得蓝氏刻本多百余首,前有张昶序,与陆氏仪顾堂本同。昶序云:'崇安蓝明之长于诗,古仿佛魏晋,律似盛唐,长句豪健,五言温雅。'昶作序在至正壬寅,当元时已名重如此。明之集中有《赠张尚书四十韵》,即赠昶也。蓝涧佳什琳琅满目,《诗综》所录寥寥,特备录之,以补其缺。杭堇浦谓二蓝集闽人无知者,殊不然,曹石仓《明兴诗选》录二蓝诗二卷,盖曾见全集者。明之为广西佥宪在洪武十年,徐氏《笔精》谓永乐中辟为佥宪,误矣。"

公元 1369 年(洪武二年 己酉)

二月

诏修《元史》。《明通鉴》卷二:"二月,丙寅朔,上以克元大都,得元《十三朝实录》。时宋濂方服阕,召还京师,元之故臣亦至焉,乃诏修《元史》。以左丞相李善长监修,濂及漳州通判王祎为总裁。其他纂修,命广征山林隐逸之士充之。上谕善长等曰:'元初君臣朴厚,政务简略,与民休息,时号小康。后嗣荒淫,权臣跋扈,兵戈四起,民命阽危。间有贤智之士,忠荩之臣,不获信用,驯至土崩。其间君臣行事,有善有否,贤人君子,或隐或显,诸所言行,亦多可称者。卿等务直述其事,毋溢美,毋讳恶,以垂鉴戒。'初,元都破,危素时为翰林学士承旨,闻难,趋所居报恩寺,方入井,寺僧大梓力挽起之,曰:'国史非公莫知,公死,是死国史也。'素遂止。大兵迫史库,往告镇抚吴勉辈出之,《元实录》得无失。至是,上访以元兴亡事甚悉。同时被征之士,有胡翰、汪克宽、宋禧、陶凯、陈基、曾鲁、高启、赵汸、赵埙、谢徽等凡十六人,皆授翰林院国史编修官。……时命开局于天界寺,并取元虞集所撰《经世大典》等,以备参考。"《明史》王祎传:"明年修《元史》,命祎与濂为总裁。祎史事擅长,裁烦剔秽,力任笔削。"

贝琼生日作诗抒怀。贝琼(1314—1379),字廷琚;一名阙,字廷臣。号两山老樵,崇德人。洪武初,征修《元史》,除国子助教,迁中都国子助教。有《清江诗文集》。《清江诗集》卷三《己酉岁初度日书怀》:"余生若小草,望成百尺材。强因客土植,苦被秋风摧。徒惭五十过,况经元二灾。白发不可变,青阳忽已回。未忘药裹好,几见桃花开。残编掩黄石,虚室生苍苔。故人且共弃,王孙谁复哀?终归葛洪井,讵上凤皇台!衰荣置勿论,待月酌金罍。"四库提要卷一六九:"考程庆玚《声文会选》,以贝阙、贝琼为二人。然陶宗仪《辍耕录》载妓女真真事,云嘉兴贝阙有诗。今《真

真曲》载此集中,则琼一名阙,审矣。"〔按,《清江诗集》卷六《二月十三日初度》:
"知非吾已晚,白首尚他乡。不入广文馆,宁要太守章?宽忧应有物,却老信无方。漫
忆儿童岁,斑衣父母傍。"卷三《甲辰元旦》:"五十今朝过,谈经滞海滨。天阴不见
日,地冷未知春。染翰题新语,开襟待故人。宫花遍朝士,那上小乌巾?"据二诗,推
知贝琼生夏历 1314 年二月十三〕

三月

朱升以年老致仕。朱升(1299—1370),字允升,休宁人。元至正乙酉举于乡,授
池州路学正,秩满归里。丁酉,太祖兵至徽州,以升从军。吴元年,拜侍讲学士。洪
武中,官至翰林学士。事迹具《明史》本传。有《朱枫林集》十卷。《太祖高皇帝实
录》卷四〇"洪武二年三月庚子(初六)":"翰林学士朱升以年老乞致仕,诏许之。
升,字允升,徽之休宁人,师同郡陈栎,博洽群书,隐居石门。王师下徽州,即被召
见,数承顾问。及上即位,授今官。至是,以老致仕归石门。后终于家。所著有《易》
《诗》《书》《周官》《仪礼》《礼记》《四书》《孝经》《小学旁注》注解及书传,补正
辑注,传于世。"明万历歙邑朱氏刻本《朱枫林集》附录《诸名公赠归新安诗》,录陶
安、詹同、刘彦昺等人赠诗。

顾德辉卒,年六十。《强斋集》卷四《故武略将军钱塘县男顾府君墓志铭》:"君
讳德辉,字仲瑛,别名阿瑛,姓顾氏。……岁戊申,从其子元臣迁临濠而卒,实洪武
己酉三月十四日也。距其生之岁至大庚戌,得年六十。"四库提要卷一六八:"《玉山璞
稿》一卷,元顾瑛撰。瑛一名阿瑛,又名德辉,字仲瑛,昆山人。少轻财结客,年三
十始折节读书,与天下胜流相唱和。举茂才,署会稽教谕,辟行省属官,皆不就。年
四十,即以家产尽付其子元臣,卜筑玉山草堂。池馆声伎、图画器玩,甲于江左,风
流文采,倾动一时。后元臣仕为水军副都万户。元亡,随例徙临濠,瑛亦偕往。洪武
二年卒。尝自题其画像曰:'儒衣僧帽道人鞋,天下青山骨可埋。若说旧时豪侠兴,五
陵衣马洛阳街。'纪其实也。《明史·文苑传》附载陶宗仪传末。杨循吉《苏谈》曰:
'阿瑛好事而能文,其所作不逮诸客,而词语流丽,亦时动人,故在当时得以周旋骚坛
之上,非独以财故也。'今观所作,虽生当元季,正诗格绮靡之时,未能自拔于流俗,
而清丽芊绵,出入于温岐、李贺间,亦复自饶高韵,未可概以诗余斥之。"〔按,德辉
有《玉山纪游》《玉山名胜集》《玉山璞稿》《草堂雅集》,皆元时所作。虽入《明史·
文苑传》,实为元代作家。故四库提要卷一八八云:"《玉山纪游》一卷,元顾瑛纪游
倡和之作,明袁华为类次成帙者也。"华虽入明,然其诗皆作于元至正中。编是集之
时,亦在至正中。四库不以编集之时为断,而以作诗之时为断,视其为元人〕

诏令增加太学书房学舍。《明通鉴》卷二:"戊午(二十四日),诏工部增益太学
斋舍。"

春

张以宁与宋濂定交。宋濂《翠屏集序》:"先生长濂凡九岁。濂初濡毫学文,先生

已擢进士第，列官州邑。及其教成均，入词垣，先生之文益散落四方，濂得观之，未尝不敛衽，而以未能识面为慊。去年春，始获与先生会于京师，各出所为旧稿，相与剧论至夜分弗知倦，且曰：'吾生平甚不服人，观子之文，殆将心醉也。'濂窃以谓先生素长者，特假夫褒美之辞，以相激昂尔，非诚然也。"

诗僧昙噩会刘绩、唐肃等。《俨山集》卷二五："国初，越僧昙噩字梦堂，能诗。一日，闻刘孟熙绩、唐处敬肃诸诗人游集曹娥祠，乃微服求载船尾，众见而恶之。方分韵即景赋诗，噩忽作礼曰：'若有剩韵，愿布施一个。'众异而拈'蕉'字与之，噩应声吟曰：'平明饭罢促篙梢，缆解五云门外桥。去越王城三十里，到曹娥渡八分潮。白飘春雪柳花舞，绿弄晚风蒲叶摇。西北阴云天欲雨，恐惊篷顶学芭蕉。'一座尽惊曰：'子得非噩梦堂乎？'遂与之共游。"［按，唐肃以洪武三年征入京，其游曹娥祠约当入京前］刘绩，字孟熙，绍兴山阴人。先世自洛阳徙越，其父涣，通《毛氏诗》，元时尝为三茅书院山长。绩承家学，与子师邵皆有才名。隐居不仕，人称西江先生，有《霏雪录》。刘绩与李昌祺为友，李昌祺《寄刘孟熙隐者》："岩壑幽栖者，闲情老不衰。露葵缘客折，晚稻约僧炊。苔径林风扫，松窗岭月窥。诗名兼逸兴，湖海万人推。"

四月

诏诸王子习经。《明通鉴》卷二："己巳（初五），诏诸王子受经于博士孔克仁，功臣子弟，亦令入学。"

六月

杨维桢为松陵道士作祈雨序。《东维子集》卷十《送邓炼师祈雨序》："洪武二年夏旱，松陵太守陈府公初下车，首诣瞿昙祠求雨。十日不降，守怒，欲焚昙像，浮屠氏拜以免。六月二十日壬午，移祷于邓炼师法坛。明日移坛公宇，守自制心词一章，告天曰：'下民六月之旱无伸，所求上天三日之霖，有感斯应。'邓为奏章上帝，然后役五雷丁甲，呼吸鬼物。是日，少女风从西北起，迅霆一声振屋瓦，大雨如注。一日雨，二日雨，三日大雨足。淞民咸抃手相庆曰：'此府公方寸中雨，而非邓之法力则亦无以成其诚，感之速也。'守命属吏于琼乞一言于东维先生，为邓之劳。先生为叙其事，而又侈之以歌。"

张以宁与陈南宾定交。陈南宾《翠屏集序》："福之张公学士，号翠屏先生，登丁卯进士第，以诗文鸣天下。予少年读书时，闻其名籍甚，心窃慕之。洪武己酉夏六月，蒙朝廷以贤士举赴京，获一见先生面，先生许可之。七月，予有山东行，不得侍教左右以偿其夙愿。未几而先生逝矣。"

张以宁使安南。《文敏集》卷一九《故翰林侍读学士朝列大夫张公墓碑》："洪武己酉夏六月，奉命赍诏印，使安南封其国王。未至而王卒，国人请授其世子，公不听，遣人请命于朝，且教其世子服三年丧，并令其国人效中国行顿首稽首礼。朝廷嘉之，赐以敕书，比之陆、贾、马援，并御制诗八篇以奖谕之。"宋濂《翠屏集序》："曾未几何，先生使安南道，次大江之西，特造序文一首相寄，其称奖则尤甚于前日者，濂读而疑之。酸咸之嗜，偶与先生同，故先生云然，非濂之文果有过于他人也。方将与先生细论，而九原不可作矣。"

七月

王彝归乡。王彝（1336—1374），字常宗，其先蜀人，本姓陈氏。父仕元，为昆山教授，遂迁嘉定。洪武初，以布衣召修《元史》，赐金币遣还。寻迁入翰林，以母老乞归养。自号妫蜼子，后以魏观上梁事，与高启并诛。《明史·文苑传》附载赵埙传中。有《王常宗集》《妫蜼子集》。[按，《王常宗集》卷二《聚英图序》："又有张孟兼者，年甫出三十，而少余二岁，余最与之相知。"《文宪集》卷二九《张孟兼字辞》："国子录张君，生于岁戊寅正月六日。"张孟兼生至元戊寅，为1336年。彝长孟兼二岁，生至元丙子1336年]《王常宗集》卷二《聚英图序》："洪武三年秋七月，余既得旨赐白金名币，归养苏之嘉定，而卧病国子学，不能趋拜阙下，乃拖绅受焉。是日，嘉定周孟容自客邸来候余疾，曰：'先生之貌则癯，先生之神固腴也。先生之病则穷，先生之道固通也。小子不敏，窃尝图先生缁冠深衣而垂绅阛然，有千载之思焉。在前数年时，以是卜先生行藏，今归盖叶所图者，惟先生为文以赠我。'既数日，余舁疾东归，弗果为。"《学古绪言》卷四《王常宗先生小传》："方先生之得请而归也，自号妫蜼子以见志。妫，陈姓也。先生本陈氏之裔，欲复姓而未果。蜼于物，卬鼻长尾，雨则挂于木，以尾窒鼻。革命之初，天下习于惰窳，高皇帝方以猛纠之。士大夫重足屏息，以营职业，不则佯狂自放，庶几于无咎焉。如先生者，亦可以免矣，而卒遭死，岂非命欤？"

八月

《元史》修成。《文宪集》卷一《进元史表》："钦惟皇帝陛下，奉天承运，济世安民，建万世之丕图，绍百王之正统。大明出而爝火息，率土生辉；迅雷鸣而众响微，鸿音斯播。载念盛衰之故，仰推忠厚之仁，金言实既亡而名亦随亡，独谓国可灭而史不当灭，特诏遗逸之士，欲求议论之公。文词勿至于艰深，事迹务令于明白。苟善恶了然在目，庶劝惩有益于人。此皆天语之丁宁，愈见圣心之广大。于是命翰林学士臣宋濂，待制臣王祎，儒士臣汪克宽、臣胡翰、臣宋禧、臣陶凯、臣陈基、臣赵埙、臣曾鲁、臣赵汸、臣张文海、臣徐尊生、臣黄篪、臣傅恕、臣王锜、臣傅著、臣谢徽、臣高启，分科修纂。故上自太祖，下迄宁宗，靡不网罗，严加搜采。恐玩时而愒日，每继晷以焚膏。故于五六月之间，成此十三朝之史。况往牒舛讹之已甚，而他书参考之无凭，虽竭忠勤，难逃疏漏。若自元统已后，则其载籍无存，已遣使而旁求，俟续编而上进。愧其才识之有限，弗称三长；兼以纪述之未周，殊无寸补。臣濂忝司钧轴，幸睹成书。信传信而疑传疑，仅克编摩于岁月；笔则笔而削则削，敢言褒贬于春秋？仰尘一夜之观，期作千秋之鉴。所撰《元史》，《纪》三十八卷，《志》五十三卷，《表》六卷，《传》六十二卷，《目录》二卷。通计一百三十万六千五百余字。谨缮写成百二十册，随表上进以闻。"《明通鉴》卷二："癸酉（十一日），《元史》成。诸儒征召入纂修局者，或授官而归，或不受者，赐金币文绮遣之，惟陶凯、曾鲁后至显官云。先是所得《十三朝实录》，惟元统以后之事阙焉。上复遣儒士欧阳佑等十二人往北平、山东采求遗事，时尚未至也。"

宋濂入翰林。刘基《宋景濂学士文集序》："会有诏纂修《元史》，东南名士一时皆集。复命充总裁官。书成，入翰林为学士。"《明史》宋濂传："洪武二年诏修《元史》，命充总裁官。是年八月史成，除翰林院学士。"

诏修《礼书》。《明通鉴》卷二："庚寅（二十八日），诏儒臣撰修《礼书》。先是上即位，屡敕儒臣编集郊庙、山川等仪及古帝王祭祀感格可垂鉴戒者，名曰《存心录》。寻又诏郡县举高洁博雅之士年四十以上者，礼送京师。"

林弼被征入京，道识刘谦亨。林弼（1325—1381），字元凯，初名弼，改名唐臣，后复旧名。龙溪人。仕元为漳州路知事。戊申内附，以儒士登春官，修礼乐书，除礼部主事，历登州知府。有《林登州集》。《林登州集》卷首提要："弼又名唐臣，以时禁国号名氏，遂仍旧名。是'弼'本初名，'唐臣'乃其改名。朱彝尊《明诗综》则云'弼初名唐臣'，当由宋濂序谓'唐臣更名弼'致误。然宋序未尝言初名也。至弼改名既久，而原本之首尚署为'林唐臣撰'，则无所取。"《林登州集》卷一一《送安陆学正刘谦亨序》："洪武己酉夏，某被征赴京，道温陵获识刘君谦亨于友中，言简而礼度，气和而神朗，余固知为俊伟之士也。别来且十年，闻谦亨分教邑庠，于弟子员多所成，又喜善于其职也。今年秋，用有司之荐，来京师，铨曹试以经学，以谓校官以立师道，必重其选，于是谦亨得为安陆学正。"王廉《中顺大夫知登州府事梅雪林公墓志铭》："己酉秋八月，以儒士登春官，修礼乐书，为时推引。拜吏部考功主事，称能官。"

十月

诏天下府州县皆立学。《明通鉴》卷三："辛卯（三十日），诏天下府州县皆立学。谕中书省臣曰：'学校之设，名存实亡，兵革以来，人习战斗。朕谓治国之要，教化为先，教化之道，学校为本。今京师虽有太学，而天下学校未兴，宜令郡县皆立学！'于是定制：府设教授，州设学正，县设教谕，各一；俱设训导，府四、州三、县二；生员，府学四十人，州、县以次减十；并给学官月俸，师生月廪有差。生员专治一经，以礼、乐、射、御、书、数设科分教，务求实才，顽不率者黜之。"《始丰稿》卷五《德庆府端溪县新建庙学记》："皇朝既一四海，乃洪武二年冬，制诏州县兴学。且监前代虚文之弊，严立教条，限以岁月，务底成效。于是天下风动，凡有民社之责者，莫不知兴学，而人亦莫不知务学矣。"《陔余丛考》卷二八《秀才》："府县学生员之制，始于明太祖。欲令人才一出于学校，于是府设教授，州设学正，县设教谕，各副以训导。其生员之数，府四十，州、县递减其十；月廪人六斗。其后命增广员数不拘额。宣德中，又定增广之额，于是初设廪食者谓之廪膳生员，增广者谓之增广生员。正统中，因杨缵奏疏，又请于额外增取，附于诸生之后，谓之附学生员。"

戴良与友人燕集于书画舫。《九灵山房集》卷二一《书画舫燕集诗序》："岁己酉十月初吉，予偕天台毛云庄出游慈水之上，主东山沈师程氏。于时东平李先生元善、四明桂先生同德、钱塘钱君明远、刘君庸道及诸能赋之士，咸在焉。明日，师程之友罗彦直氏，邀予与诸公列饮所居之书画舫。樽俎既陈，肴羞维旅，洗爵奠斝，载献载酬。而李先生摄衣以起，执爵而歌，众宾交倡迭和，愉愉如也，洋洋如也。酒既阑，先生复请座人各赋古律一章，章十二句，以程伯子'云淡风轻近午天，傍花随柳过前川'为韵，序其年齿而先后之。合诗凡十四首，亦既缮写成卷，彦直征予为序引。"

十一月

解缙（1369—1415）**生。**字大绅，吉水人。洪武戊辰进士，试中书庶吉士，改御史。建文立，谪河州吏目，旋待诏翰林。永乐初，进侍读学士。直文渊阁，逾年，进翰林学士。出为广西参议，改交阯。入奏事，会成祖北征，见东宫辞去，征下狱死。有《文毅集》。曾棨《内阁学士春雨解先生行状》："公生洪武己酉十一月初七日。未生时，母夫人梦老人以深衣大带授之，觉而异焉。已而生公，因取以为名。公生而秀异，颖敏绝伦。为婴儿时，母夫人画地为字以教之，一见不忘，父亦奇之。每宾客过从，公在提抱，间有问辄对，声皆成文，由是众亦异之。七岁能属文，书过目成诵如流，为诗词操笔立就，往往出奇语，先辈罕及焉。稍长，益肆力于学，日记数万言。父子兄弟切磨讲贯，自为师友。通五经，尤长于《易》《书》。时县令姑苏沈士行闻公及其妹婿黄金华俱有名，遂选为县庠生。自是文思大进，若水涌山出，峥嵘浩汗，不可名状。一时名公巨儒折辈行与之交。"《文毅集》卷五《小儿何所爱》："小儿何所爱？爱此芝兰室。更欲附飞龙，上天看红日。人道日在天，我道日在心。不省鸡鸣时，泠然钟磬音。小儿何所梦？夜梦笔生花。花根在何处？丹府是吾家。圣人有六经，天地有日月。日月万古存，六经终不灭。"注云："余未言时，颇知人教指。梦人授五色笔，上有花如菡萏者。当五六岁，有作未能书，往往不复记忆。此由从祖渊静先生戏命赋成诗，颇传颂，不忍弃置，因识于此。聪明不及于前时，道德日负于初心，益见韩子之言为信。"

本年

杨士奇始承母训。杨思尧《太师杨文贞公年谱》略云：陈夫人口授《孝经》《大学》《论语》《孟子》。颖悟特出。时公伯退庵先生子与、罗先生子理、邓先生崇志，为学训导。公尝至学，退庵先生抱置膝上，命诸生对"毛豆"，皆未有言。邓先生曰："'人参'可对。"公应声曰："肉桂。"众大异之。〔按，此年谱编于文贞四世孙思尧，百年后由杨二守刊印〕《东里续集》卷三九《东里老人自志》："吾名寓，字士奇。后以字征。一岁而孤，陈夫人鞠之教之。公年六岁，始就外傅。"

杨基放归乡里。《明史·杨基传》："基，字孟载，其先蜀嘉州人，祖宦吴中，生基，遂家焉。九岁背诵六经，及长，著书十万余言，名曰《论鉴》。遭乱，隐吴之赤山。张士诚辟为丞相府记室，未几辞去，客饶介所。明师下平江，基以饶氏客安置临濠，旋徙河南。洪武二年放归。"

高逊志以修《元史》见征。逊志字士敏，萧县人，徙居嘉兴。洪武初预修《元史》，授翰林院编修，改秦府纪善。引退十五年，召为试吏部侍郎，旋罢官。建文初，征入翰林，迁太常少卿。靖难后，死永嘉山中。《樵李诗系》卷六《高太常巽志》："巽志，一作逊志，字士敏，号嗇庵，河南人。元末侨居郡中，尝受业于宣城贡师泰、鄱阳周伯琦、遂昌郑元祐，为文深纯典雅，成一家言。以荐为郯山书院山长。明洪武二年，征修《元史》入翰林。"

危素以失朝免官。《明太祖高皇帝实录》卷七一"洪武五年春正月"："洪武二年，授侍讲学士，坐失朝免。三年四月复其官。"

刘炳《春雨轩集》初成。炳，字彦昺，以字行，鄱阳人。洪武初献书言事，授中书典签，出为大都督府掌记。除东阿知县，阅两考，引疾归。危素《春雨轩集序》："鄱阳刘君彦昺工于诗，尝集其所作《春雨轩集》以示余，且请序之。……予观彦昺五言类韦苏州，律诗本少陵，乐歌骎骎乎汉魏晋宋齐梁矣。何其声之似古人也？盖若天姿卓荦，神思俊逸，喜游名山大川，有烟霞泉石之趣，闲居静室，奇花异卉，清流美竹，焚香鼓琴，危坐终日，视人间富贵澹如也。故其诗清新而流丽。及驰骋戎马，决胜筹帷，奇谋雄辩，有古烈士风，故其诗悲壮而沉郁。"宋濂《春雨轩集序》："予昔与刘君彦昺游，见其赋诗多俊逸，心独奇之。及其奉命佐戎幕于闽，别去且十年，重会秦淮上，亟问近什如何？彦昺解橐中，得数十篇，予读已，大惊。璞玉辉春，蝀珠浴月，温润清逸，何其似韦应物欤！胜军百万，鼓行沙漠，风酸霜苦，铁骑惊秋，雄浑悲壮，何其类岑嘉州欤！英英乎芙蓉濯太液之波，楚楚乎兰茞沐湘沅之雨，气韵秀丽，何其近谢康乐欤！商敦周彝，朱湮翠蚀，龙章鸟迹，款识独存，典刑古雅，若乐府诸题，又何其骎骎乎汉魏之风也！盖彦昺天分既高，人功又深，凡有仿真，辄步骤似之。予今犹举其概而言之也。呜呼！予昔学诗长芛公，谓必历谙诸体，究其制作声音之真，然后自成一家。彦昺之学，正与予同。"杨维桢《春雨轩集序》："予读刘彦昺氏《春雨轩集》，惊喜数日忘倦。观其长篇短章，体制各殊，非流连光景者所可拟也。若乐府诸题，俨乎汉魏遗响，殷殷乎金石之声，悲壮雄浑，古意犹存。"俞贞木《春雨轩集序》："鄱阳刘昺翁，其生平之问学抱负、游宦履历、忧喜哀乐，一发之于诗，其为句必煅炼，故工致而雅丽；其体格必模仿，故富赡而有法，叙事有次第，论事必确实，写怀必和畅，可谓得作诗之情性也。古体之冲淡，长篇之春容，八句之森严，绝句之简洁，一字煅炼之不苟，一句治择之必精，全篇首尾气脉之联属，华靡不流于艳冶，恬淡不失于枯涩，此作诗之良苦，观诗之艰难也。及观危、宋二翰林之序，杨提学之评，周侍御之称许，徐叔度之后序，足以知其诗矣。"

陈继（1369—1433）生。字嗣初，吴人。幼孤，母吴氏，躬织以资诵读。比长，贯穿经学，人呼为陈五经。奉母至孝，府县交荐，以母老不就。母卒，哀毁过人。《东里集文》卷一四《故翰林检讨陈君墓碑铭》："初名释童，更名继，字嗣初。晚号怡庵。嗣初生十月，经历公没，母抱之归苏。家具萧然，惟存书二万卷及蔬地二十亩。其母知学问，谨礼法，守节不嫁，以教育遗孤。嗣初稍长，克自奋励。其天资明果，内奉母训，外从良师，日益见端绪。"

罗汝敬（1369—1439）生。名肃，字汝敬，以字行，号寅庵，庐陵人。永乐进士，官至陕西巡抚。《列朝诗集小传》乙集《罗侍郎肃》："肃，字汝敬，以字行。永乐二年进士，读书文渊阁，历翰林修撰、侍讲。言时政十五事，降监察御史，超工部侍郎。使交南，还，督两浙漕运，巡抚陕西，致仕。"

尹昌隆（（1369—1417）生。字彦璟，号讷庵，泰和灌塘里人。洪武丁丑赐进士第二，授监察御史。永乐间，改左春坊中允，再改礼部主事，为尚书吕震所诬，族诛。有《尹讷庵先生遗稿》。《尹讷庵先生遗稿》附录《吉安郡志·刚正类》："尹昌隆，字彦璟，泰和人。在乡校已擅文名。"［按，《明史》尹昌隆传："尹昌隆，字彦谦，泰和人。洪武中进士及第，授修撰，改监察御史。"《明诗综》卷一九《尹昌隆》："昌隆，字彦谦，泰和人。洪武丁丑赐进士第二，授监察御史。"二书皆言昌隆字"彦谦"。《尹讷庵先生遗稿》卷二《舫斋记》："余从兄彦珩，名所居藏修之室曰'舫斋'，不远千里，走书金陵，告其弟昌隆曰：……"又《遗稿》所附罗洪先《前左春坊左中允尹公讷庵先生画像赞》序："公姓尹，名璟，字昌隆，以字行，泰和灌塘里人也。"以从兄名"彦珩"推，昌隆字"彦璟"甚合，证之罗洪先所撰《像赞》，昌隆字彦璟。则《明史》并《明诗综》所云"字彦谦"，皆误。《明诗纪事》《列朝诗集》不录尹昌隆诗，或未见其《遗稿》］

本年前后，王行为郡庠训导。王行（1331—1395），字止仲，长洲人。洪武初为郡庠经师。蓝玉延教其子，连坐诛。有《半轩集》。杜琼《王半轩传》："半轩讳行，字止仲，王姓。半轩，其号也。苏之吴邑人。初父某为阊门南市人市药，以交嚣纷挈，挈之为己助。半轩尚髫年，药逾千品，悉志其某，某若多寡，酬应无或遗。主媪、老好听稗官家说，即默记数本，迨晚歌为之娱。主异之，为语：'若能读书否耶？'授《鲁论》一帙，翌日已成诵矣。遂大奇之，罄以帑所庋经史百子，恣其探阅。大有所得，年未弱冠，辞去，启蒙于城北望齐门旧居。时声誉殷发，愿交毕至，而议论踔厉，证据今古，常屈其座人。然家徒壁立，几无留策。询所学，曰：'向得之药主人耳。'为词章汪洋奥美，关节开解，千绪万端，参错杰出，一时老生咸畏之。……洪武初，郡庠延为经师。时训导无常禄，犹儒生衣巾。弟子员多出绮纨，皆易之，以五经杂进问难，半轩悉为辨讲，极底蕴。洎删润课业，刃迎缕解，节有详明。至是乃吐舌曰：'王先生未可以词章儒目之。'故有'行书厨''皮沥簏'之号，以其该博而无渗漏也。"

公元 1370 年（洪武三年　庚戌）

二月

诏令续修《元史》。《明通鉴》卷三："儒士欧阳佑等自北平采遗事归。乙丑（初六），诏重开史局。仍以宋濂、王祎为总裁，复征四方文学士朱右、贝琼、朱廉、王彝、张孟兼、高逊志、李懋、李汶、张宣、张简、杜寅、殷弼、俞寅、赵埙等十四人为纂修官。而埙以前修史成未归，复命入局。先后纂修三十人，两局并预者，惟埙一人而已。右，临海人，廉，义乌人，二人皆以书成不受官归。琼，崇德人。彝，嘉定人，师事王贞文，得兰溪金履祥之传，学有端绪，尝著论力诋杨维桢为文妖，一时闻者异之。汶，当涂人，博学多才，后除巴东知县，晚年归里，以经学训后进。宣，江阴人，初以考礼征，寻预修《元史》，年最少，上亲书其名，召对殿庭，即日授翰林院编修，呼为'小秀才'。逊志，萧县人，师贡师泰、周伯琦等，文章典雅，成一家言。孟兼，浦江人，刘基为上言：'今天下文章，宋濂第一，其次即臣基，又次即孟兼。'上颔之。简，吴县人，与杜寅同邑。又，礼局徐一夔者，工文章，与王祎善，时《礼书》将成，祎荐之入史局，一夔遗书，自言'不材多病'，又言：'史之根柢在《日历》，而元代不置《日历》，不置《起居注》，其于史事固甚疏略。又况顺帝三十六年之事，既无《实录》可据，又无参稽之书，惟凭采访以足成之，窃恐事未必核，言未必驯，首尾未必穿贯。而向之数公，或受官，或还山，复各散去，仆虽欲仰副执事之望，曷以哉！'遂不至。其后预修《日历》，书成，将授翰林院，亦以足疾辞，终不仕。"

宋濂《潜溪新集》刊刻。杨维桢《潜溪新集序》："客有持子宋子《潜溪》诸集来者，曰：'某帙，宋子三十年山林之文也；某帙，宋子近著馆阁之文也。其气貌声音，随其显晦之地不同者，吾子当有以评之。'余家浙水东，去宋子之居不百里远，知宋子之劬学，入青萝山中，不下书屋若干年，得郑氏所蓄书数万卷，书无不尽阅，阅无不尽记，于是学成。著书凡若干万言。其文之师者性也，性之师者道也，道之师者先王先圣也，而未尝以某代家数为吾文之宗、某人格律为吾文之体。其所独得者，三十年之心印。律之前人，石不能压之而钧，钧不能压之而斤者，万万口之定价也。昔之隐诸山林者，烨乎其虎豹烟霞也。今之显诸馆阁者，灿乎其凤凰日星也。果有隐显易地之殊哉？不然，以宋子气枯神寂于山林，以志扬气满于馆阁，是其文与外物迁，何以为宋子？抑余闻婺学在宋有三氏，东莱氏以性学绍道统，说斋氏以经世立治术，龙川氏以皇帝王霸之略志事功。其炳然见于文者，各自造一家，皆出于实践，而取信于后之人而无疑者也。宋子之文，根性道，干诸治术，以超继三氏于百十年后，世不以归于柳、黄、吴、张，而必以宋子为归。嘻！三十年之心印，万万口之定价，于斯见矣。客何以山林、馆阁岐宋子之文而求之哉？客韪吾言，录吾言为子宋子《潜溪新集》序。洪武庚戌二月初吉，会稽老友杨维桢序。"揭汯《潜溪新集序》："及观其《潜溪新集》，浩乎其博，渊乎其深，蔚乎其色，铿乎其声，如春江之涛，汪洋浩漫而不可涯涘。又如平沙漫漫，铁骑数万，纵横驰逐而不可控驭。又如武库一开，千珍万宝，光彩烂然。又如寻河之源，至于底柱，至于龙门，又至于积石，又至于昆仑，不得不止。读之累日，使余不知神之骇而心之醉也。盖积之也厚，蓄之也久，养之也素，故其发也，左右逢源，舒卷随意，惟见其有余，而不见其不足。然此特所观《新集》者而已，皆应制代言，纪功铭德之作。若景濂平日之所著，则有前、后、续、别四集，已盛行于世，及流传于海外，学者又当兼取而博习之可也。中顺大夫、秘书少监豫章揭汯序。"

春

唐肃以征至京。肃字处敬，会稽人。元末官嘉兴儒学正。洪武初，召修礼乐书，

擢应奉翰林文字，兼国史院编修。以疾失朝，罢归里，谪佃濠卒。有《丹崖集》。《苏平仲文集》卷一二《翰林应奉唐君墓志铭》："洪武三年春，用近臣荐，召至京师纂修礼乐书。其夏，擢应奉翰林文字、承事郎。其秋，科举法行，预考南京贡士，有织文之赐。其冬，扈从东宫，拜英陵，有袭衣之赐。"

贝琼以修《元史》征至京。《清江文集》卷一四《游冶亭记》："君子不观山川之胜，无以广其志、宣其文。金陵之山川不一，而冶亭特据会通之地，尽有其胜者乎！洪武三年春，余客金陵，思一至其所，以求吴孙权之故迹。时预编纂《元史》，早夜不得休。及史成谒归，虽可游而不暇矣。"《檇李诗系》卷七《贝助教先生琼》："其在史馆时，与金华宋景濂友善，凡有撰著，互相推让，亦一时两雄也。"

四月

授刘基、危素弘文馆学士。《明通鉴》卷三："置弘文馆，以刘基、危素为弘文馆学士。"

分封诸王。《明史》太祖本纪："夏四月乙丑（初七），封皇子樉为秦王，棡晋王，棣燕王，橚吴王，桢楚王，榑齐王，梓潭王，杞赵王，檀鲁王，从孙守谦靖江王。"《明通鉴》卷三："上惩宋、元孤立，乃仍古封建制，择名城大都，豫王诸子，待其壮，遣就藩服，用以外卫边陲，内资夹辅。诸王皆置相傅官属，及护卫甲士少者三千，多至一万数千，皆隶兵部。车服邸第下乘舆一等，公侯俯伏拜谒，内外大臣，礼无与钧。惟列爵不治民，分藩不赐土，与周、汉制稍异焉。"

林弼使安南。《林登州集》卷五《洪武三年四月望日同牛典簿王编修奉使安南陛辞》："曙色熹微漏箭催，暖风开扇舜瞳回。云扶紫凤台端下，山拥苍龙殿角来。玉笋联班随晓仗，金茎分液赐春杯。小臣职忝驰驱使，拟和皇华愧不才。"王廉《中顺大夫知登州府事梅雪林公墓志铭》："余为翰林编修时，与公同使安南，以洪武三年夏四月发京师。"

宋濂为汪广洋诗集作序。宋濂《汪右丞诗集序》："公以绝人之资，博极群书，素善属文，而尤喜攻诗。当皇上龙飞之时，杖剑相从，东征西伐，多以戎行，故其诗震荡超越，如铁骑驰突，而旗纛翩翩与之后先。及其治定功成，海宇敉宁，公则出持节钺，镇安藩方，入坐庙堂，弼宣政化。故其诗典雅尊严，类乔岳雄峙而群峰左右，如揖如趋。此无他，气与时值，化随心移，亦其势之所宜也。然而兴王之运，至音斯完，有如公者，受丞弼之寄，竭弥纶之道，赞化育之任，吟咏所及，无非可以美教化而移风俗。此有关物则民彝甚大，非止昔人所谓台阁雄丽之作。而山林之下诵公诗者，且将被其沾溉之泽化，枯槁而为丰腴矣。虽然，诗之体有三，曰风，曰雅，曰颂而已。风则里巷歌谣之辞，多出于氓隶女妇之手，仿佛有类乎山林。雅、颂之制，则施之于朝会，施之于燕飨，非公卿大夫或不足以为，其亦近于台阁矣乎？轺轩之使弗设，而托之于国风者，若无所用之。皇上方垂意礼乐之事，岂不有撰为雅、颂以为一代之盛典乎？濂盖有望于公。他日与《鹿鸣》《清庙》诸什并传者，非公之诗而谁哉？濂也不敏，受公之知十有一年，故窃序其作者之意于篇首。芜颣之词，要不足为公诗之重轻也。公名广洋，乃皇上之所赐，其字则朝宗也，淮南人。洪武三年四月二十一日，金华宋濂序。"

五月

初设科举条格。《客座赘语》卷一《经义兼古注疏》："洪武三年五月初一日，《初设科举条格诏》内开：第一场五经义，各试本经一道，限五百字以上。《易》，程、朱氏注；《书》，蔡氏传；《诗》，朱氏传。俱兼用古注疏。《春秋》，左氏、公羊、穀梁、张洽传；《礼记》，专用古注疏。《四书》义一道，限三百字以上。至十七年三月初一日，命礼部颁行科举成式，始定子、午、卯、酉年乡试，辰、戌、丑、未年会试。制：第一场试《四书》义三道，二百字以上；经义四道，三百字以上。未能者许各减一道。《四书》主朱子《集注》，《易》主程、朱传义，《书》主蔡氏传及古注疏，《诗》主朱子《集传》，《春秋》主左氏、公羊、穀梁、胡氏、张洽传，《礼记》主古注疏。案，此兼用古注疏及诸家传，圣制彰明。后不知何缘，遂斥古注疏不用。《春秋》止用胡传为主，《左氏》《公》《穀》，第以备考。张洽传，经生家不复知其书与其人矣。《礼记》专用陈灏〔澔〕《集说》，古注疏尽斥不讲。近日举子文，师心剿说，浮蔓无根。诚举初制一申明之，使通经博古者得以自见，亦盛事也。"

张以宁卒，年七十。《文敏集》卷一九《故翰林侍读学士朝列大夫张公墓碑》："未几得疾卒，实庚戌五月四日也。公生于元大德辛丑四月十有五日，至是春秋七十。其在安南八阅月，著书不少倦，临终自为挽诗，意豁然也。……公所著文有《翠屏稿》《淮南稿》《南归纪行》《安南纪行集》《春秋春王正月考》。故翰林学士金华宋景濂、浏阳刘三吾，皆称公之文章瑰杰，迥出流辈，而非后学所及，其尊敬仰慕于公者甚至。"宋濂《翠屏集序》："今观先生之文，非汉非秦周之书不读，用力之久，超然有所悟入，丰腴而不流于丛冗，雄峭而不失于粗厉，清圆而不涉于浮巧，委蛇而不病于细碎，诚可谓一代之奇作矣。先生虽亡，其绚烂若星斗，流峙如河岳者，固未始亡也。信诸今而垂于后者，岂不有在乎！"陈南宾《翠屏集序》："其长篇浩汗雄豪似李，其五七言律浑厚老成似杜，其五言选优柔和缓似韦，兼众体而具之，信乎名下无虚士也。"刘三吾《翠屏集序》："先生生光岳浑全之时，文得大音完全之体，虽制作当瓜分幅裂之际，而其正气浑涵，有不与时俱磔裂，而节制以柳，宏放以韩与苏，醢经饫史，吞吐百氏，治世之音完然也。"陈琏《翠屏集序》："每操觚立言，引物连喻，贯穿经史百氏，而一本于理。其气深厚而雄浑，其辞严密而典雅，不务险怪艰深以求古，不为绮靡缋丽以徇时。其五七言古诗及近体诸诗，沉郁雄健者可追汉魏，清婉俊逸者足配盛唐，盖可谓善学古人者也。"《翠屏集》卷首提要："其文神锋俊利，稍乏浑涵深厚之气。其诗五言古体意境清逸，七言古体亦遒警，惟《倦绣篇》《洗衣曲》等数章，稍未脱元季绮缛之习。近体皆清新，间有涉于纤仄，如《次李宗烈韵》之'浮生万古有万古，浊酒一杯复一杯'者，然偶一见之，不为全编之累也。"

诏设科取士。《明通鉴》卷三："己亥（十一日），诏设科取士。定以三年一举，子、午、卯、酉乡试，辰、戌、丑、未会试，乡试以八月，会试以二月。又诏定科举格，初场试经义、《四书》义，二场试论，三场试策。中式者，十日后试以骑、射、书、算、律五事。厥后虽有变更增减，而经义、《四书》义试之初场，遂为一代永制。盖上及学士刘基所定，仿宋经义之例为之，后遂谓之'八股'，通名之曰'制义'。"《王忠文集》卷一二《开科举诏》："诏曰：朕闻成周之制，取材于贡士，故贤者在职，而其民有士君子之行，是以风俗淳美，国易为治，而教化彰显也。汉唐及宋科举取士，各有定制，然但求词章之学，而未求六艺之全。至于前元，依古设科，待士甚优，而权要之官，每纳奔竞之人，辛勤岁月，辄窃仕禄，所得资品，或居举人之上，其怀才抱道之贤，耻于并进，甘隐山林而不起。风俗之弊，一至于此。今朕统一中国，外抚四夷，方与斯民共享升平之治，所虑官非其人，有伤吾民，愿得贤能君子而用之。自洪武三年为始，特设科举，以起怀才抱道之士，务在经明行修，博古通今，文质得中，名实相称。其中选者，朕将亲策于廷，观其学识，品其高下，而任之以官。果有才学出众者，待以显擢，使中外文臣皆由科举而选，非科举者毋得与官。敢有游食奔竞之徒，坐以重罪，以称朕责实求贤之意。於戏！设科取士，期必得于全材，任官惟贤，庶可成于治道。咨尔有众，体予至怀。故兹诏示，想宜知悉。"《泊庵集》卷三《溧阳县学乡贡题名记》："夫古之教，自格物致知以至于穷理尽性，先后本末之详未易能也，而其所由入，莫先于六经孔孟之言。今之科举，于六经孔孟文词章句之间，要不可苟而止也。然而致察于章句而日造夫义理之精微，致笃于文词而日究夫圣贤之隐奥，博求而约取，勤行而不怠，则自尽心知性以至于命者，亦不自知其至也。夫于天地古今之秘，人情物理千变万化之由，以及夫三代君臣化民成俗之微言深意，皆得之于心，举而措之，其有不沛然泽被天下者乎？其究之不深，则其言之也浅；其讲之不密，则其出之也疏。则夫学者于此，果可易而求之耶？由是论之，科目之于教化，疑若浅事，而千余年间所以得人之盛，其亦有以然哉。"

诏行大射礼。《明通鉴》卷三："丁未（十九日），诏行大射礼。定制，凡郊庙祭祀，先期行之。……上又以先王射礼久废，弧矢之事专习于武夫，而文士多未解，乃诏国学及郡县生员皆习骑射。"

汪广洋《凤池吟稿》刊刻。王百顺《凤池吟稿辨疑》："《吟稿》中有题虎绝句，曰'虎为百兽尊，罔敢触其怒，惟有父子情，一步一回顾'。尝阅《殿阁名臣记》及《灼艾集》，皆以为解大绅学士之作。且云，成祖素不喜仁宗，学士盖借虎为喻，卒之前星克耀，此诗之力也。其言似若有据。然余考之学士集中，绝无此作，别有《题虎》七言一首曰：'老大玄文压□〔旧〕班，萧萧藜藿满空山，明朝再入麒麟队，坐与君□□□〔王镇九〕关。'使前诗亦出解手，刻中当并载之，何独遗也？今按学士之诗，亦自有讽意，岂当时所指者即此作，而误书汪诗耶？抑学士当时曾并举汪诗以为讽，而后人遂误传为学士诗耶？不然，则洪武三年汪公已进封忠勤伯，而集亦刻于是年，至二十一年学士始成进士，相去不啻数十年矣，安得预有此诗，而汪公掠其美耶？观《吟稿》序文，出自濂溪宋公之手，彼时同居馆阁，闻见必真，岂亦未之察耶？即如国朝馆课刻有汪公《白雁诗》一首，而集中实无此作，先君子尝手自校订，而《白雁诗》不收入，《咏虎诗》不删去，盖未必无见，独恨趋庭时未及面证耳。《吟稿》久无善本，更欲付之梨枣，恐耳食者不察，将令汪公之疑不白于天下后世矣，因辨之如此。后学王百顺谨识。"

颁四方平定巾式，伶人不预。《野记》卷一："洪武三年二月，命制四方平定巾式，颁行天下。以士民所服四带巾未尽善，复制此，令士人吏民服之。皂隶、伶人如初所定，以异其式。二十四年五月，又谕礼部右侍郎张智等：'恁礼部将士民戴的头巾样制再申明整理。'智奏：'先为软巾，制度已尝钦定。而小民往往成造，破烂不堪，纱罗用纸粘裹竹丝漆布，混同造卖，有乖礼制。请申禁，违者论如法。'"注云："旧传太祖召杨维桢，维桢戴此巾以见，上问何巾，对曰：'四方平定巾。'上悦，令士庶依其制，且用其名。又谓有司初进样，方其顶。上以手按偃向后，如'民'字形，遂为定制。"

六月

姚广孝《独庵集》初成。《清江文集》卷一九《送衍上人序》："今年春来京师，识斯道于王君常宗坐。时方与诸儒编纂《元史》，朝而出，暮而休，亦未暇读其诗也。六月八日，斯道复见余，曰：'衍留龙河第一禅林五月矣。既倦而归，先生可无一言邪？'余因求其所著《独庵集》读之，凡千余篇。"高启《独庵集序》："同里衍斯道上人，别累年矣。一日，自钱塘至京师，访余钟山之寓舍，出其诗所谓《独庵集》者示余。间与之论说，各相晤赏。余为之拭目加异。夫上人之所造如是，其尝冥契默会而自得乎？抑参游四方有得于识者之所讲乎？何其说之与余同也。吾今可以少恃而自信矣。因甚爱其诗，每退直还舍，辄卧读之不厌。未几上人告旋，乞为序其帙首，辞而不获，乃识以区区之说而反之。然昔人有以禅喻诗，其要又在于悟，圆转透彻不涉有无，言说所不能宣，意匠所不可构。上人学佛者也，必有以知此矣。毋遄其归，尚留与共讲焉。"四库提要卷一七五："《逃虚子集》十一卷、《类稿补遗》八卷，明姚广孝撰。……所著初名《独庵集》。殁后，吴人合刻其诗、文，曰《逃虚子集》。后人掇拾放佚，谓之《补遗》。"［按，《补遗》，乃"《逃虚子集补遗》"省语。古无标点，此类省语常用。又如宋濂《潜溪前后集》，乃《潜溪前集》《潜溪后集》之省，非有书名曰《潜溪前后集》］

诏增太学生。《明太祖高皇帝实录》卷五三"洪武三年六月癸未（二十六日）"："国子学典簿周循理言：'国学教化本原，请择经明行修之士充学官，而增置其员。民间子弟俊秀年十五以上愿入国学者，听复其身；京官子弟——一品至九品——年十二以上者，皆令入学。且定其出身资格。太学生贡于朝，比科举进士俱得优等擢用。如此，则在内国子生日渐增广，在外有常贡科举进士，不患无人材用矣。'上是其言，命中书省增广太学生，定其出身资格，仍择文儒性行端洁者充学官。"

七月

续修《元史》成。《明通鉴》卷三："秋，七月，丁亥（初一），学士宋濂等续修《元史》成，上之。"

陶凯任礼部尚书。《明通鉴》卷三："以陶凯为礼部尚书。凯与崔亮同时议礼，各有论建。……未几，亮卒，凯独任之，遂奉诏定科举之式。"

颁刘基《弘文馆学士诰》。《诚意伯文集》卷二〇《弘文馆学士诰》："奉天承运，皇帝圣旨：朕稽《唐典》，其弘文馆之设，报劝旧而崇文学，以旧言之，非勋著于国家，犹未至此。以儒者言之，非才德俱优，安得而崇？尔资善大夫御史中丞刘基，朕亲临浙右之初，尔基慕义，及朕归京师，即亲来赴。当是时，括苍之民尚未深信，尔老卿一至，山越清宁。节次随朕征行，每于闲暇，数以孔子之言开导我心，故颇知古意。及将临敌境，尔乃昼夜仰观乾象，慎候风云，使三军避凶趋吉，数有贞利。於戏！苍颜皓首之年，当抚儿女于家门，何方寸之过赤，眷恋不舍，与朕同游。后老甚而归，朕何时而忘也！可御史中丞兼弘文馆学士，散官如前，宜令刘基。准此。洪武三年七月日。"

朱右返乡。朱右（1314—1376），字伯贤，号邹阳子，台州临海人。元至正二十一年，尝诣阙献《河清颂》，不遇而归。洪武三年，召修《元史》，六年修《日历》，除翰林院编修。七年，修《洪武正韵》，寻迁晋府右长史，卒于官。《明史·文苑传》附载赵埙传中。陶凯《故晋相府长史朱公行状》："洪武三年春，用荐召至京师，预修《元史》。既竣事，以疾辞还，蒙赐金帛有差。"

赵埙归乡。《曝书亭集》卷六三《赵埙传》："三年二月，仍命宋濂、王祎充总裁官，续成《元史》。纂修一十五人，朱右、贝琼、朱世廉、王廉、王彝、张孟兼、高逊志、李懋、李汶、张宣、张简、杜寅、俞寅、殷弼，埙仍与焉。秋七月，史成进上，以卷计之，纪十、志五、表二、传三十有六，其前书未备者，补完之。有诏刊行，仍人赐白金文绮。张宣等得授官，埙还田里。"

宋濂序朱右《白云稿》。宋濂《白云稿序》："伯贤以《白云稿》若干卷，请予序。濂故具论之，使知伯贤之文盖以经为本，而蹈袭近代以为美者，其尚有所发也哉。伯贤名右，天台人。著书甚多。所谓《书传发挥》《春秋传类编》《三史钩玄》《秦汉文衡》《深衣考》《邾子世家》《元史补遗》，皆不在集中。"［按，《白云稿》实成于元代，今《四库全书》本《白云稿》存李孝光、危素诸人序，作皆在元代。惟宋濂序云《元史补遗》不在集中，则是修《元史》后作为此序］《静志居诗话》卷二《朱右》："《白云稿》凡十卷，予仅钞得前五卷，止有《琴操》，无诗。其后五卷，仅得内阁本一过眼，恨未钞成足本。《琴操》有郭公葵跋。公葵，吾乡人。唐处敬诗云：'我昔居秀州，友有徐一夔。好为古文章，自矜少所推。每论其乡人，屈指二三希。云有善诗者，郭姓字公葵。不习时所好，刻意追古词。前后数百篇，一一皆珠玑。'郭名秉心，惜其诗无一存者，可叹也。"四库提要卷一六九："所著《白云稿》本十卷，今世所传仅存五卷，杂文之后仅有《琴操》而无诗。检勘诸本并同，无可校补。朱彝尊《静志居诗话》谓，'后五卷尝得内阁本一过眼，恨未钞成足本'，则彝尊家所藏，亦非完帙也。"

八月

开乡试科。《明通鉴》卷三："是月，开乡试科取士，自应天外，凡十一行省皆举之。京畿乡试，以刘基、秦裕伯为考官，宋濂、詹同等为同考官。"

九月

《大明集礼》修成。 《明通鉴》卷三："九月，儒臣纂修礼书成，上之，赐名曰《大明集礼》。其书分五礼：吉礼目十四，嘉礼五，军礼三，宾礼二，凶礼二。益以冠服、车辂、仪仗、卤簿、字学、音乐，凡升降仪节、制度、名数皆具焉。"《曝书亭集》卷四三《书大明集礼卷后》："明太祖草昧之际，征群儒修礼乐书，《实录》系之洪武二年八月。以予考之，乃吴元年六月事也。梁寅孟敬有赠徐一夔大章序云：吴元年丁未岁，诏征至都，大章亦见征。是时，上方置三局：一律局，二礼局，三诰局。予备员礼局，而大章撰诰文。又撰《张翼翔南梓宇记》云，'君以明经举于乡，今天子将即大位，寅与君同受诏稽古礼文'。其云将即位者，洪武戊申之前也。又《上陶学士凯书》云，'六月八日，伏奉中书省札，付以王命之重，郡府督迫之严，即日就道'，亦指吴元年事。此亲于其身编纂礼书者，其言断不诬矣。《实录》第载吴元年八月征江西儒士刘于等至京，欲官之，俱以老病辞，各赐帛遣还，则于亦以吴元年被征也。且刘宗弼者，丞直之字，丞直于吴元年十月官国子司业不应，又同遗逸之士至洪武二年就征也。是则礼局开设本丁未岁，逮己酉杨维桢续至，修饰润色之，庚戌九月书成，命名《大明集礼》。其本末如是，《实录》经永乐初两次改修，渐失其实尔。是编五十卷，万历中，先太傅文恪公以礼部右侍郎掌本部尚书事，拜定陵之赐，简端有内府图书。先公亦以私印识卷尾，兵火之后，予家赐书之存，仅此而已。"

杨维桢自京师归乡。 《曝书亭集》卷六四《杨维桢传》："洪武二年，编纂礼乐书，别征儒士修《元史》。帝遣翰林院侍读学士詹同奉币诣其门召之，辞不赴。明年有诏敦促，赐安车诣阙廷。留四月，礼书条目毕，史统亦定，遂以白衣乞骸骨，帝许之。"《元诗选初集》卷六五《老客妇谣》："老客妇，老客妇，行年七十又一九。少年嫁夫甚分明，夫死犹存旧箕帚。南山阿妹北山姨，劝我再嫁我力辞，涉江采莲，上山采蘼，采莲采蘼可以疗饥。夜来道过娼门首，娼门萧然惊老丑。老丑自有能养身，万两黄金在纤手。上天织得云锦章，绣成愿补舜衣裳。舜衣裳，为姜佩古意，扬清光，辨妾不是邯郸娼。"注："明太祖初即位，遣翰林詹同奉币征维桢。维桢赋此诗，同为作《老客妇传》。维桢又有诗曰：'皇帝书征老秀才，秀才懒下读书台。商山本为储君出，黄石终期孺子来。太守枉于堂下拜，使臣空向日边回。老夫一管春秋笔，留向胸中取次裁。'宋景濂诗云'不受君王五色诏，白衣宣至白衣还'，盖记其实也。"《珊瑚木难》卷八《送杨维桢还吴淞》："皓仙八十起商山，喜动天颜咫尺间。一代辽金归宋史，百年礼乐上春官。归心只忆鲈鱼脍，野性懒随鸳鹭班。不受君王五色诏，白衣宣至白衣还。"

王偁（1370—1414）生。字孟扬，其先东阿人，父翰流寓闽中，著籍永福。洪武庚午举人。永乐初，征为国史检讨，充《大典》总裁。出参英国公张辅军，坐解缙党下狱死。有《虚舟集》五卷。《虚舟集》卷五《自述诔》："谓吾年日皆庚迪于丙。"

秋

高启、谢徽自京归乡。 《明通鉴》卷三："上以秋日御阙楼，编修高启、谢徽，俱入对称旨，擢启为户部右侍郎，徽吏部郎中。启自陈'年少不敢当重任'，徽亦固辞，许之，已，并赐白金放还。"

蓝智除广西佥宪。蓝智，字性之，崇安人。明初应荐授广西按察佥事，有《蓝涧集》。其兄蓝仁，字静之。《蓝涧集》卷一《书怀十首寄示小儿泽》，张矩跋："右友人蓝性之所作书怀十诗也。性之天赋淳美，学行超诣，尤长于诗。庚戌秋，以才贤荐授广西佥宪。筮仕之初，即膺重选，非素有抱负者孰能当此任耶？性之持身廉正，处事平允，于今三载，始终无失，于吾道有光矣。今观是诗，述其平生力学之由，田园之趣，不以家事萦心，付之令子，惟以致君泽民为念，不远数千里作此诗，令其官属楷书，以寄其子。忠孝之道，两尽之矣。为其子者，诚能体此，熟玩服膺，以为训戒，庶几不负乃父愿望之深意，使人见之莫不曰：'性之幸哉！有子岂不韪欤？'尚其勉之。壬子季冬望日，云松樵者书。"四库提要卷一六九："其字诸书皆作'明之'，而《永乐大典》独题'性之'。当时去明初未远，必有所据，疑作'明之'者误也。"《明史·文苑传》附载陶宗仪传末，称洪武十年以荐授广西按察司佥事，著廉声。志、乘均失载其事迹。集中有书怀诗十首，乃在粤时所作，以寄其子云松樵者，张矩为之跋，称其持身廉正，处事平允，三载始终无失，则史言著廉声者，当必有据。刘昺集有挽蓝氏昆季诗，云'桂林持节还，高风振林谷'，则晚年又尝谢事归里矣。"《全闽诗话》卷六《蓝仁》："二蓝集，闽人无知者。何氏《闽书》：蓝仁有《蓝山集》，蓝智有《蓝涧集》。竹垞尝辑入《诗综》中，以为十子之先，闽中诗派实其昆友倡之。集本合刻，吴明经焯尝于吴门买得《蓝山集》，是洪武时刊，有蒋易、张矩二序，与竹垞言吻合。而《蓝涧》究不可购。徐惟和辑《风雅》时，二蓝阙焉，则此集之亡久矣。"《全闽诗话》卷六《蓝智》："又：武夷蓝明之，名智，永乐中辟为广西佥宪，与兄布衣静之齐名。诗词俊逸，雅有唐风。尝见其书《铜雀台瓦》诗于建阳友人处，可泣鬼神，诗云：曹瞒骋志吞刘社，铜雀台高瞰中夏。徒知扼腕有卧龙，岂料垂涎已司马。万里河山尚出师，九原魂魄归何时？清秋风雨满陵树，落日笙歌空缥帷。翠蛾红袖恩情绝，废冢荒台狐兔穴。空余片瓦落人间，千载奸雄磨未灭。"

苏伯衡升编修。苏伯衡（1332—1392），字平仲，金华人。明初仕为国子学正，擢翰林院编修。宋濂以翰林承旨致仕，荐以自代。召至，固辞，赐文绮遣归。起教授处州，以表笺忤旨坐罪，卒于狱。有《苏平仲文集》。《苏平仲文集》卷七《国子学同官记》："而余以七月忝授学录，丁未秋学升正四品。"四库提要卷一六九《苏平仲文集》："又集末有洪武八年胡翰跋，谓伯衡选为太学六年。考《明史》称伯衡以丙午岁为国子学录，伯衡所著《国子学同官记》称以丁未升学正，其诗又有《庚戌七月十日奉命编摩国史口号》，则伯衡由学正擢编修，实在洪武三年，上距丙午仅五年。翰与伯衡同时，所叙不应有误，或史误移后一年欤。"《苏平仲文集》卷十五《庚戌七月九日晡时钦奉御笔宣唤赋此》："玄霜湿露动龙香，水殿书题爱晚凉。虮虱小臣惟感愧，姓名衣被五云章。"又《明日入见于奉天门有国史编摩之命口号》："圣代何曾有弃材，选抡犹自及蒿莱。玉阶俯伏聆天语，金匮抽书亦许陪。"〔按，《王忠文集》卷五《赠陈伯柔序》："而今年几六十，亦既老矣。"其注："丙午岁，余为伯柔先生制此序。今四年矣，伯柔今得谢西归，而旧稿已佚，因重书以赠之。然则世之论伯柔者，其果有出于此者乎?"细味文意,至正丙午 1366 年,伯柔年已 59,伯柔生当 1308 年。《苏平仲文集》卷五《送陈伯柔序》:"伯衡弱冠读虞文靖公送陈伯柔游金陵序,见其称陈君超迈不群,慨然有志程伯子之学,心窃异之。后十有七年,忝被征来南京,适陈君官中书典签,始得晋会。于是君齿长二十四年,且至南京已一年,不以伯衡晚至后生,辱与为忘年交。"伯衡少伯柔 24 岁,生当 1332 年]

释妙声被诏入京。释妙声(1308—1379),字九皋,吴县人。元末居景德寺,后居常熟慧日寺,又主平江北禅寺。洪武初,被召莅天下僧教。有《东皋录》。《东皋录》卷中《送义上人序》:"洪武三年春,诏吴郡西白禅师住京师天界寺,时议者以为教门得人,四方英俊之士闻其风者,争集于堂下,禅师以为佛之道大而多容,故来者辄不拒。于是若吾义上人者,亦得在弟子之列。是年秋,余被召至京师,馆于天界,而义方司其藏事,翱翔乎广众中,虽老于游参者莫能尚也。"

十月

袁凯上言全功臣之道,诏从之。凯字景文,别号海叟,松江华亭人。少以《白燕诗》得名,人呼为袁白燕。洪武中征拜御史,以病免归。有《海叟集》。《明史纪事本末》卷一四:"[三年]冬十月丙辰(初一),御史袁凯言保全功臣之道,从之。敕省台延聘儒士于午门,与诸将说书。"《曝书亭集》卷六三《袁凯传》:"洪武三年,以布衣拜监察御史。上疏曰:'国家戡定四方,固资将帅之力,今天下既平,将士多在京师,精悍有余,其于君臣之礼尚未悉究。臣请于都督府延致通经学古之士,朔望朝罢,诸将赴都堂听讲经史,庶几忠君爱国之心、全身保家之道,油然日生而不自知也。'又曰:'小人犯罪,固不可赦。若老成长者或有过误,宜加矜恕,养其廉耻,以收他日之功。'帝嘉纳焉。遂敕省台聘儒士于午门,番直与诸将士说书。……凯诗绝去雕饰,论者推为明初诗人之冠。同时华亭以诗名者:蜀府教授顾禄,字谨中,尝过鄱阳湖赋诗,太祖闻之,命尽进所作,披之便殿,遂以'经进'名集。楚府左长史管讷,字时敏,从楚王破铜鼓蛮,诸将欲歼其余党,讷固争得免。王曰:'管长史一言活万人,必有后。'已而生子名延枝,楚王育之宫中,长为府纪善。两人者方之凯,其诗远不逮也。"

陈基卒,年五十七。尤义《陈基传》:"洪武三年十月壬午(二十七日),以疾卒于常熟河南里之寓舍,得年五十有七。"《明史》陈基传:"陈基,字敬初,临海人。少与兄聚受业于义乌黄溍,从溍游京师,授经筵检讨。尝为人草谏章,力陈顺帝并后之失,顺帝欲罪之,引避归里。已,奉母入吴,参太尉张士诚军事。士诚称王,基独谏止,欲杀之,不果。吴平,召修《元史》,赐金而还。洪武三年冬卒。初,士诚与太祖相持,基在其幕府,书檄多指斥,及吴亡,吴臣多见诛,基独免。世所传《夷白集》,其指斥之文犹备列云。"[按,《夷白斋稿》卷首提要:"《夷白斋稿》三十五卷、《外集》一卷,元陈基撰。……基寓舍有夷白斋,故以名其稿。凡内集诗十一卷,文二十四卷,外集诗文合一卷,大抵皆元世所作也。"则基虽入明而卒,传世文章皆元时所作,为元代作家]

孙蕡作小说《朝云》。孙蕡(1334—1389),字仲衍,南海人。洪武中授工部织染局使，出为虹县主簿，选入为翰林典籍，复外补平原主簿，罢归。寻除苏州府经历，谪辽东，坐党祸死。有《西庵集》。[按，今人何冠彪《明清人物与著述·孙蕡二题》，汇录诸家载记甚详，以蕡坐蓝玉党祸死，卒于洪武癸酉1393年，引梁廷楠所据《孙氏家谱》，以蕡生至元戊寅1338年。然古人家乘，失考处多。《西庵集》卷九《祭灶文》："洪武戊午腊月下澣二十有四日……今臣年甫不惑，未逾知命。"设使蕡生于1338年，则洪武戊午岁，年将不惑，何云"未逾知命"。《西庵集》卷五《乙卯除夕》："四十今已过二年，明日又复岁华迁。头颅种种见白发，生计落落仍青毡。梅花乱开客愁里，云物长迷乡国边。且可吟诗酌春酒，烂漫取醉东风前。"洪武乙卯为1375年，自言42，则生当1334年。惟其生1334年，则40已过，50未至，始可云甫不惑而未逾知命。《国朝献征录》卷一一五《孙仲衍传》："二十二年，谪戍辽东，怡然就道，酌酒赋诗，无异平日。都帅梅思祖节镇三韩，素闻蕡名，迎置家塾。是岁，以党祸见法，人劝其上书自明，蕡不答，赋一诗，长啸而殁，年五十有六。"以生1334年推，卒年56，适在洪武二十二年。惟都帅梅思祖实卒于洪武十五年，聘蕡西席者，或为思祖子梅义，何冠彪辨之甚明。今以《乙卯除夕》诗及《孙仲衍传》合考，蕡生1334年，卒1389年，与姜亮夫《历代人物年里碑传综表》所记同，惟理由稍异]《西庵集》卷八《朝云》序："庚戌十月，余与二客自五仙城泛舟游罗浮，道出合江，访东坡白鹤峰遗址。还，舣舟西湖小苏堤下，夜登栖禅寺，留宿精舍。时薄寒中，霜月如昼，山深悄无人声，二客醉卧僧榻上。余独散步东廊，壁光皎洁若雪，隐约有字，急呼小童篝灯读之。字体流丽飞动，似仿卫夫人书法，诗凡十首，皆集古语而成者。其一曰：家住钱塘东复东，偶来江外寄行踪。三湘愁鬓逢秋色，半壁残灯照病容。艳骨已成兰麝土，露华偏湿蕊珠宫。分明记得还家梦，一路寒山万木中。其二曰：妾本钱塘江上住，双垂别泪越江边。鹤归华表添新冢，燕蹴飞花落舞筵。野草怕霜霜怕日，月光如水水如天。人间俯仰成今古，只是当时已惘然。其三曰：三生石上旧精魂，化作阳台一段云。词客有灵应识我，碧山如画又逢君。花边古木翔金雀，竹里香云冷翠裙。莫向西湖歌此曲，清明时节雨纷纷。……其十曰：零落残云倍黯然，一身憔悴对花眠。南园绿草飞蝴蝶，落日空山怨杜鹃。天若有情天亦老，月如无恨月长圆。此声肠断非今日，风景依稀似去年。其后复书'罗浮王仙姑月夜过此，有感而赋'。予惊曰：'此非仙语，乃人间意态也。'方欲再谛视，而灯为北风所灭，晦林木淅沥作山鬼声。予毛发森竖，不敢久立，即还室掩户，踉跄而卧。梦一美人，上衣红绢衣，下系荷丝裙，从花阴中来，年可二十六七，奇葩逸丽，光夺人目，风鬟雾鬓，飒然凄冷，殆不类人世中所见者，仿佛若有金支翠蕤导从其前后。隔水先闻歌声，似吴人语，予侧足倾耳，竦身听之，则悠扬宛转，欲断还续。半空松柏作箫笙声，助其清婉，而蛩蚓唧唧，为之击节。其词曰：'舞衫歌扇旧因缘，万事伤心在眼前。云物不殊乡国异，夭桃窗下背花眠。烟笼寒水月笼沙，谁信流年鬓有华！燕子衔将春色去，梦中犹记咏梅花。青山隐隐水迢迢，客梦都随岁月消。惟有别时今不忘，水边杨柳赤栏桥。杜陵寒食草青青，长诵《金刚般若经》。雨冷云香吊仙客，梦中同蹋凤凰翎。……绕船明月江水寒，欲随郎船看明月，游丝落絮春漫漫。'其声哀而不伤，怨而有容，亹亹而不穷，如孤凤之鸣梧桐，雌龙之吟水中也。歌阕，予不觉泣下，亟趋见之。环佩历落，余音犹泠。然异香馥郁袭人，沁入肌骨。含涕作羞态，已而谓予曰：‘君知妾之来意耶？妾乃钱塘歌者、眉山苏长公妾也。公昔南迁，诸侍姬皆云鸟散去，独妾结衣从之，巾栉之余，吟弄笔墨，粗识其风致。晚得泗上比丘尼教诵金刚释典，颇悟佛法。今沦落于兹，无所复恨。但幽情婉意，郁郁无相知者，方将镕金而铸子期，买丝而绣平原，江波悠悠，岁月延伫。君富有文采，思如流泉，独弗能吐胸中华藻，少慰妾之岑寂耶？古人有云：心诚同，隔世通。不投机，促膝离。千载而下，君之情思，惟妾知之耳。’言讫，倏忽不见。予亦惊觉，莫察其由，诘旦寻壁间，字已漫灭不可复辨。询之寺僧，则曰：‘寺南有王氏朝云之墓，今数百年矣。焄蒿凄怆，时露光景。岂或其余魂也耶？’”《西庵集》卷首提要：“小说载书生见苏轼侍姬朝云之魂，有集句七言律诗十首，七言绝句十五首，今乃在此集第八卷末，盖蕡游戏之笔，即黄佐传中所称集古律诗一卷者是也。黎贞乃缀于集末，又并其序载之，遂似蕡真有遇鬼事者，殆与《林鸿集》末附载张红桥诗，同一无识矣。”

十一月

刘基封诚意伯。《明通鉴》卷三：“乙卯（三十日），封中书右臣汪广洋忠勤伯，弘文馆学士刘基诚意伯。封基制词，比之诸葛亮、王猛云。”《诚意伯文集》卷二〇《诚意伯诰》：“奉天承运，皇帝制曰：咨尔前资善大夫、御史中丞兼太子赞善大夫刘基，朕观往古俊杰之士，能识主于未发之先，愿效劳于多难之际，终于成功，可谓贤智者也。如诸葛亮、王猛，独能当之。朕提师江左，兵至括苍，尔基挺身来谒于金陵，归谓人曰：‘天星数验，真可附也。愿委身事之。’于是乡里顺化。基累从征伐，睹列曜垂象，每言有准，多效劳力。人称忠洁，朕资广闻。今天下已定，尔应有封爵。特加尔为开国翊运守正文臣资善大夫护军诚意伯，食禄二百四十石，以给终身，子孙以世袭。於戏！尔能识朕于初年，秉心坚贞，怀才助朕，屡献忠谋，驱驰多难，其先见之明，比之古人不过如此。尚其敷尔勤劳忠志，训尔子孙，以光永世。宜令刘基。准此。洪武三年十一月日。”

十二月

《雅颂正音》辑成。宋濂《雅颂正音序》：“《雅颂正音》者，鄱阳刘仔肩之所集也。其曰雅颂者何？雅则燕飨会朝之乐歌，颂则美盛德，告成功于神明者也。今诗之体，与《雅》《颂》不同矣，犹袭其名者何？体不同也，而曰赋曰比曰兴者，其有不同乎？同矣，而谓体不同者何？时有古今也。时有古今也，奈何？今不得为古，犹古不能为今也。今古虽不同，人情之发也，人声之宣也，人文之成也，则同而已矣。然则曷为谓之同？江、河、沼、沚有不同也，水则同；陵、峦、冈、阜有不同也，土则同。人动乎物有不同也，感则同。趋其同而舍其异，是之谓大同。曷为知其为大同？期归于道焉尔。归于道焉尔者何？世之治，声之和也。声之和也，奈何？天声和于上，地声和于下，人声和于中，则体信达顺至矣。体信达顺，其亦有应乎？曰：有。三秀荣，凤鸟见，龟龙出，驺虞至，嘉禾生，何往而非应也？应则乌可已也？乌可已，则有作为雅颂，被之弦歌，荐之郊庙者矣。是集之作，其殆权舆者欤。洪武三年十二月十五日，国子司业金华宋濂序。"四库提要卷一八九："《雅颂正音》五卷，明刘仔肩编。仔肩，字汝弼，鄱阳人。洪武初，因荐应召至京，集同时之诗为此书。上自公卿，下至衲子，凡五十余人，而仔肩所作亦附焉，用刘向、王逸、徐陵、芮挺章例也。有宋濂、张孟兼前后二序，皆作于洪武三年。所选之诗，每人仅数首，盖是时诸人之集皆未成编，随得随录，故未能赅备。然明初诸家，今无专集行世者，颇藉以略存梗概。其时武功初定，文治方兴，仔肩拟之《雅》《颂》，固未免溢美。要其春容谐婉，雍雍乎开国之音，存之亦足以见明初之风气也。此本犹洪武时旧刻，岁久刓敝，颇有模糊佚脱之处，无别本可校，今悉姑仍其旧焉。"

高启《缶鸣集》初成。胡翰《缶鸣集序》："吴郡高季迪少有俊才，始余得其诗于金华，见之未尝不爱。及来京师，同在史局，又得其所谓《缶鸣集》者，阅之累日不已。合古、今体数百首，其事虽微，可以备史氏之惩劝，其辞则余之所欲模拟而莫之工者，铿锵振发而曲折宛如也。果何自而得之？方吴郡未入版籍，不幸为僭窃者据之，擅其利者十年矣，士于是时孰不苟升斗之禄以自活鬵釜间？季迪日与之处，曾不浼焉，顾乃率其俦类倡和乎山之崖、水之澨。取世俗之所不好者而好之，含毫伸牍，鸣声咿咿唔，及其得意，又自以为天下之乐率不足以易其乐焉，此其所得为何如哉？"王祎《缶鸣集序》："高季迪诗十二卷，凡为乐府、五七言、近古体九百三十七首。余为叙而评之曰：季迪之诗，俊逸而清丽，如秋空飞隼，盘旋百折，招之不肯下；又如碧水芙蕖，不假雕饰，翛然尘外。有君子之风焉。以余之所言，而余之所不言，从可知已。……洪武庚戌三月，翰林侍讲制金华王祎序。"谢徽《缶鸣集序》："季迪之诗甚多，有《吹台集》《缶鸣集》《凤台集》，凡为书几二千首。皆当世之儒先君子序其端。今年冬，予访之吴淞江上。季迪出其诗示予，盖取旧所集诸诗，益加删改，汇粹为一，总题曰《缶鸣集》。自古乐府歌行而下，至五七言诸体，得诗三百余篇，皆其精选。富矣哉！亦可谓不易矣！然是编也，特以今年庚戌冬而止。后有作，当别自为集。季迪不以余不肖，属余序之。庸敢叙诸编端以俟。季迪家姑苏，尝应召修《元史》，教西学弟子员，入翰林为编修，擢户部侍郎，赐归乡里云。洪武三年十二月既望，史官吴郡谢徽序。"

朱升卒，年七十二。《新安文献志》卷七六《朱学士传》："寻以年高得请致政而归。明年庚戌冬十二月，以疾终，年七十二。自幼为学，即以列圣传心为主，践履致用为工。上穷道体，幽探元化。谓圣人精义入神之功，或寄于百家众技之末，是以一事一物，莫不旁搜曲探，沿流沂源。"四库提要卷一七五："《枫林集》十卷，明朱升撰。升有《周易旁注》，已著录。是编前八卷皆诗文，而以官诰及太祖手敕编入第一卷首，与升文相连，殊为非体。第九卷载《徽州府志》本传一首，廖道南所撰诗赞一首，并翼运节略十余则。第十卷为附录，皆当时投赠诗文也。升于明兴之初，参赞帷幄，兼知制诰，一切典制多出其手，与陶安、宋濂等名望相埒。陈敬则《明廷杂记》尝称其李善长、徐达、常遇春、刘基四诰，惜《明文衡》未及收入。《明史》本传载，太祖大封功臣，制词多升撰，时称典核，盖据是文。然统观全集，文章乃非所长，诗学《击壤集》而不成，颇近鄙俚。故朱彝尊《明诗综》绝不登其一字。况升身本元臣，曾膺爵禄，而《贺平浙东赋序》，肆言丑诋，毫无故君旧国之思，是尤不可为训也。"
［按，《四库提要》云《明文衡》不收四诰。然《新安文献志》卷二录朱升《中书左丞
相李善长兼太子少师封宣国公诰》，又录朱升《太史令刘基诰》，则敏政亦尝留心］

冬

唐仲实送人举教官。唐仲实（1308—1380），名仲，又名桂芳。字仲实，以字行。
号白云，又号三峰。元季南雄路学正。明初摄紫阳书院山长，有《白云集》。《白云集》
卷五《送俞子常举教官序》："洪武二年冬，省部符下郡县各举教官以应诏旨。三年冬，
歙县令程承事，遴选多士之贤而获俞君焉。君名彝，字子常，劬书邃理，三十年前以
《诗》魁黉序。比来太守王公、胡公，例加荐剡。子常坚卧岩壑，一不屑意。承事币帛
将诚，勇于一出。予谓子常学殖之富而当年齿之壮，以明良之时而际风云之会，其出
也孰御。噫！伊尹之于莘野，葛亮之于南阳，其出著诸勋业，规求成算于胸臆，非学
焉而后臣之之比也。何幸圣君规摹挺立，文风丕变，有君在上，那忍负之哉！礼乐须
人而行，吾于子常注目以俟。仲冬紫阳唐仲实序以送之。"

本年

张美和为清江县教谕。张美和（1314—1396），名九韶，以字行，号吾乐，清江
人。能词赋。元末，累举不仕。入明累官至翰林院编修。有《理学类编》。《明史》张
美和传："洪武三年，以荐为县学教谕。"《明儒言行录》卷一《张美和》："洪武初，
荐为本县教谕。"

危素谪和州。《御定渊鉴类函》卷二七四："《明纪》曰，初元亡，危素与同邑黄
昺约死于难。昺果投井死，素走报恩寺，亦欲投井。寺僧挽出之。太祖仍命为学士。
一日，上御东阁静坐，素至，履声橐橐彻帘内。诏问为谁？对曰：'老臣危素。'上曰：
'是尔耶！朕将谓文天祥耳。'素惶惧顿首，流汗浃背。上曰：'素，元朝老臣，何不赴
和州看余阙庙去？'遂谪居和州。"《菽园杂记》卷三："高皇一日遣小内使至翰林看何
人在院，时危素太朴当直，对内使云'老臣危素'，内使复命，上默然。翌日，传旨，
令素余阙庙烧香。盖余、危皆元臣，余为元死节，盖厌其自称'老臣'，故以愧之。"
《庚子销夏记》卷七《危素书崇国寺碑》："太朴擅书名，虽乏挺拔，然圆秀有致，名
手也。此碑在京师崇国寺，人甚重之。寺有二井，元末京城陷，太朴奔井所，将跃入，
寺僧挽之曰：'国史非公不能也。'自此，老臣危素遂不得为文天祥矣。"

朱右作《潜溪大全集》序。朱右《潜溪大全集序》："金华宋先生景濂，素负才
气，积学缋言，以文章名世。往予承乏萧山县庠，辱寄示所著《潜溪集》若干卷，抽
思骋辞，循蹈规矩，法度森严，而光焰自著。后数年，抵武林，获睹其《后集》《续
集》，若《诸子辩》三十八篇，《燕书》四十篇，《演连珠》五十首，《问对》四十二
条，《杂传》数十，至纪功表墓，谈玄赞空，题咏赠送，随物赋形，入无出有，浩乎江
海之渊深，巍乎山岳之峻拔，固有非管窥蠡测者可得而仿佛也。今天子诏修《元史》，
先生实总论裁，予获与编纂，日读制作，时接绪论，知其蕴乎中者富，发乎外者高厚

而该博，其笔削之严，是非之公，褒贬劝惩，凡前代兴衰之故，善恶之实，甲兵钱谷军马之数，天文地纪炎祥丰凶之变，了然简册，以垂传将来，则又若山川之出云雨，泽被万物，有非向者所见高广靡测而已。是宜为当代所宗也。虽然，文章气运与道污隆，物生而盛，盛而衰，衰而复盛，势之必至也。况文章有统，自古称西汉为宗，而贾、董、马、班之传，实可师法。晋、宋日流委靡。唐韩子起八代之衰运，一复诸古。五季复衰，欧阳子又从而振之。当时若曾子固、王介甫、苏子瞻，皆有所依类。濂、洛以来，圣学未明，文愈难治。工辞章者或昧于理，务直述者或少文致，二者胥失之也。要之，辞严而理阐，气壮而文腴，什无二三。嗟乎！文章可谓难矣。先生当文运肇开，褒然司文衡之枋，盛衰之机其在先生乎？是用书为《潜溪大全集》序。"仁和丁立中辑《潜溪录》卷四，丁立中按："《潜溪大全集》未见传本，各家书目所未载，不知当日已刊行否？朱白云所撰序中亦未详卷数暨何人所编，姑录之以待论定焉。"

孙蕡登进士第。雍正《广东通志》卷四七："洪武三年庚戌，诏天下设科取士，蕡举于乡，授工部织染使。"

王彝为高启诗集作序。《王常宗集》卷二《高季迪诗集序》："《高季迪诗集》凡若干卷，郯郡徐贲所编次，而稽岳王彝题其帙曰《高季迪诗集》而为之序焉。季迪尝仕而显矣。当未仕时，即以诗鸣世，有称其作者，特以季迪而不以官。季迪之诗，不以仕而显也。盖季迪之言诗，必曰汉魏晋唐之作者，而尤患诗道倾靡，自晚唐以极于宋而复振起。然元之诗人，亦颇沉酣于沙陲弓马之风，而诗之情益泯。自返而求之古作者，独以情而为诗。今汉魏晋唐之作，其诗具在，以季迪之作比而观焉，有不知其孰为先后者矣。……季迪名启，季迪其字也。其先渤海，今为苏州人。生元末不仕。国朝以儒士与修《元史》，寻入内府教胄子，授翰林国史院编修官。已而擢为户部侍郎，辞不拜，有旨赐归其乡云。"

钱宰以修礼乐书征至京。钱宰（1302—1397），字子予，又字伯均，会稽人。吴越武肃王十四世孙。元进士。明初以明经征修礼乐书，授国子助教，乞归。召较书翰林，加博士致仕。有《临安集》。《明史》钱宰传："洪武二年，征为国子助教，作《金陵形胜论》《历代帝王庙乐章》，皆称旨。十年乞休，进博士，赐敕遣归。"

刘崧以荐至京师。刘崧（1321—1381），字子高，初名楚，泰和人。明初以人材举，授兵部职方司郎中，迁北平按察司副使，坐事输作京师。寻放还。征拜礼部侍郎，署吏部尚书。请老，许之，复召为国子司业。有《槎翁诗集》。《礼部志稿》卷五五《侍郎刘崧》："洪武三年，以材学举至京。"尹直《司业刘公言行录》："赋性仁孝纯厚，颖悟绝人。年五岁诵书，日记数千言。七岁能赋诗，尝侍世父夜寝，闻鸡声，因命为题，公应口成一绝，末句'唤醒人间蝴蝶梦，起看天上火龙飞'，世父惊叹：'是子他日必大用。'家贫无火，执笔作文，手为皲裂而力学不废。"［按，槎翁之名，《明史》《明诗综》皆作"崧"。《四库全书》本《鸣盛集》录槎翁序，题"刘嵩子高序"，作"嵩"。《四库全书》本《槎翁诗集》署名作"嵩"。盖"嵩""崧"通，并具高峻义，故四库馆抄录时不细区分。北京大学图书馆藏明嘉靖元年徐冠刻本《槎翁文集》，署"刘崧"。槎翁有仲弟，梁潜《东园刘先生墓铭》云："先生讳堃，字子彦，姓刘氏，吉之泰和人也。"雍正《江西通志》卷七七："刘堃，字子彦，泰和人，子高弟。

洪武中征制礼作乐、通今博古之士，赣守举埜以应。条奏十事，礼乐多所更定。"仲弟名埜，字子彦，号东园。"埜"乃"野"之异体字，含"土"部首，与"东原"义相关。"崧"乃"嵩"之异体字，含"木"部首，与"槎翁"义相关。槎翁字"子高"，名与字义当通，故其名作"嵩"或"崧"皆通。然"崧"与"埜"相类，则槎翁为"刘崧"，非"刘嵩"]

施耐庵或于是年去世。王道生《施耐庵墓志》："公殁于洪武庚戌岁，享年七十有五。"然杨新《故处士施公墓志铭》[署景泰四年]云：施耐庵之子施让"生于洪武癸丑"。未知孰是？

杨维桢卒，年七十五。四库提要卷一六八："《东维子集》三十卷，附录一卷，元杨维桢撰。维桢有《春秋合题著说》，已著录。此其初刊诗文集也。维桢以诗才奇逸，凌跨一时。此编乃录文二十八卷，诗仅两卷，又以杂文六篇足之。盖以文为主，诗特附行耳。朱国桢《涌幢小品》载，王彝尝诋维桢为文妖。今观所传诸集，诗歌、乐府出入于卢仝、李贺之间，奇奇怪怪，溢为牛鬼蛇神者，诚所不免。至其文，则文从字顺，无所谓剪红刻翠以为涂饰，声牙棘口以为古奥者也。观其于句读疑似之处，必旁注一句字，使读者无所岐误，此岂故为险僻欲使人读不可解者哉？"清高宗弘历《题杨维桢铁崖古乐府》："杨维桢于元仕不显，而不肯仕于明，似为全人矣。而其《补集》中有《大明铙歌鼓吹曲》，非刺故国，颂美新朝，非真全人之所为，与剧秦美新何以异耶？予命为《贰臣传》，于钱谦益之既仕本朝，阴为诗文诋毁，常恶其进退无据。然谦益之所毁者本朝，犹稍有怀故国之心。若维桢则直毁故国，较谦益为甚。夫文章者，所以明天理叙人伦而已，舍是二者，虽逞其才华，适足为害，不如不识字之为愈也。若曰：惧明祖之强留，而故为此逊词以自全，乃明哲保身之计。予谓明祖直未强留耳。若与之官，将亦必受之。何也？以其忘故国而知之。危素跋而赞之，盖亦同病相怜，曲为之解耳。因著此论，并命录其集前，亦所以教万世之为人臣者。乾隆戊戌孟夏。"四库提要卷一六八："《铁崖古乐府》十卷，《乐府补》六卷，元杨维桢撰，其门人吴复所编。维桢以乐府擅名，此其全帙也。"[按，杨维桢不肯仕明，于明为元遗民。又尝入京谒明太祖，人复以明人视之。《四库提要》既言维桢为元人，复言维桢为明人。维桢传世文集，作于明者偶一二见，率多元作。宜以元代作家视之]

胡广（1370—1416）生。字光大，吉水人，知府子祺子。建文庚辰第一人及第，更名靖，授修撰。永乐初，直内阁，复名广。历侍讲、侍读、右庶子、翰林学士，兼左春坊大学士，进文渊阁大学士。卒赠礼部尚书，谥文穆。洪熙初，加赠少师。有《文穆集》。杨士奇《故文渊阁大学士兼左春坊大学士赠荣禄大夫少师礼部尚书谥文穆胡公神道碑铭》："公十数岁丧父，已有志问学。内浸渍其母训，外则日受从祖子贞先生之教。德器不凡，居家笃伦谊，处乡曲恂恂执恭让。既冠，薄游闽中，闽之前辈君子率忘年与交。归而从黄伯器先生讲论，得所归宿之地而日进焉。"胡俨《文渊阁大学士兼左春坊大学士赠资善大夫礼部尚书谥文穆胡公墓志铭》："公生八岁而孤，母吴氏，故元进士永丰县丞师尹之女，贤而能其家。公教育于母，自幼恭谨，不纵为子弟遨嬉事。及长，知好学，日记数千言，能自策励，卓然有成。尝游闽广间，贤士大夫见其才气，皆折行辈与交，谓他日必成大器。既归，慨念先德，不肯随人后，乃入邑校为

生员。"〔按，杨士奇与胡俨，一言胡广十数岁丧父，一言八岁而孤。士奇与胡广为莫逆交，所知最详，宜从士奇〕

梁本之（1370—1434）生。名混，以字行，号坦庵，泰和人。洪武中，为瑞州府学训导，迁溧阳教谕，改鲁王府纪善。有《坦庵先生文集》。梁本之《坦庵先生文集》，附杨士奇《梁先生墓志铭》，署"荣禄大夫、少傅、兵部尚书兼华盖殿大学士、姻家杨士奇撰"，又云"梁、杨世婚姻家"。又附王直《梁先生墓表》："华盖殿大学士杨先生已铭其墓矣，栗又请余文表诸墓上。盖少傅公与余，皆其姻家也，义不可辞。"则本之与杨士奇、王直为姻家。

公元1371年（洪武四年 辛亥）

正月

苏伯衡省亲归乡，刘基序其文。刘基《苏平仲文稿序》："平仲文稿留余所良久，今得告省亲金华，于其行也，特举古人之大旨，序而归之，以致期望之意云。洪武四年春正月十日，开国翊运守正文臣、资善大夫、前御史中丞兼太子赞善大夫、护军、诚意伯括苍刘基序。"

诏令乡试连举三年。《明通鉴》卷四："丁未（二十三日），诏以天下初定，令直省乡试连举三年。自后三年一举，著为令。"

赐刘基归老乡里。《明名臣琬琰录》卷七《诚意伯刘公行状》："四年正月，赐归老乡里。二月至家，遣长子琏捧表诣阙谢恩。"《诚意伯文集》卷二〇《谢恩表》："伏以出草莱而遇真主，受荣宠而归故乡，此人人之所愿欲而不可得者也。钦惟皇帝陛下以神圣文武之资，提一旅之众，龙兴淮甸，扫除群雄，不数年间，遂定中原，奄有四海。神谟庙断，悉出圣衷，舜禹以来未之有也。臣基一介愚庸，生长南裔，疏拙无似，其能识主于未发之先者，亦犹巢鹊之知太岁、园葵之企太阳，以管窥天，偶见于此，非臣之知有以过于人也。至于仰观乾象，言或有验者，是乃天以大命授之陛下，若有鬼神阴诱臣衷，开导使言，非臣念虑所能及也。圣德广大，不遗葑菲，远法唐虞'功疑惟重'之典，赐臣以封爵，赐臣以禄食，俾臣回还故乡，受荣宠以终其天年。臣窃自揆，何修而膺此？犬马微忱，惟增愧惧。已于洪武四年二月初四日到家，谨遣长男臣琏捧表诣阙，拜谢圣恩。臣基无任激切屏营之至，谨奉表称谢以闻。"《沙溪集》卷一四："刘伯温既家居，《九日》诗曰：'薏苡明珠千古恨，却嫌黄菊似金钱。'其意可伤也。未几卒。"

李善长罢相。《明史》太祖本纪："四年春正月丙戌，李善长罢，以汪广洋为右丞相。"

唐肃《丹崖集》初编成。宋濂《丹崖集序》末题"洪武四年春正月望日，金华宋濂序"。

二月

开会试科。《明通鉴》卷四："始开会试科，以礼部尚书陶凯、翰林院学士潘庭坚为考官。庭坚以老告归，至是复召主会试，又以司业宋濂、前贡士鲍恂、学士詹同、吏部员外原本为同考官。得俞友仁等一百二十人。凯以礼官主试，程文进，御序其简首，遂为定例。"

林弼《使安南集》成。王廉《中顺大夫知登州府事梅雪林公墓志铭》："明年春二月还，复命与公交际。以程计俭万里远，以时计凡十阅月。公学问之该博，官政之扬历，闻之习矣。"宋濂《使安南集序》："吏部考功主事林君元凯，奉使安南还，以《使南稿》一编授予序。……余闻序事之体，志其大而舍其小，故特取蛮夷叛服之由，圣世明良之盛，书之于首简。至于行役之劳，倡酬之适，山川土俗之详，已见诗中者，可得而略也。元凯名唐臣，临漳人，今以时制所禁，更为弼。文辞尔雅，吾友王内翰品评人物，谓元凯在闽南，如毛之有麟，甲之有龟云。"

三月

殿试天下贡士。《明通鉴》卷四："三月，乙酉朔，始策试天下贡士，赐吴伯宗等进士及第、出身有差。伯宗，金溪人。先是诏高丽、安南、占城皆得预乡会试，至是高丽人金涛亦赐进士。"

吴伯宗预首科状元。吴伯宗，名佑，以字行，金溪人。洪武辛亥初开科，帝亲擢第一，授礼部员外郎，历武英殿大学士，寻降检讨，有《荣进集》。《殿阁词林记》卷一《武英殿大学士吴伯宗》："伯宗生而岐嶷，十岁通举子业，识者奇之，叹曰：'此儿玉光剑气，终不可掩。'洪武庚戌乡试，辛亥廷试，俱第一。是时初议开科取士，命国子祭酒魏观、博士孙吾与修撰王僎为读卷官。高皇帝亲制策问，略曰：'古者敷奏以言，明试以功，汉之贤良，宋之制举，得人为盛。今特延子大夫于廷，不知古帝王敬天勤民，其道何由？'伯宗条对称旨，上擢为第一，赐袍笏冠服，授承直郎。"

闰三月

王祎过岐山县。《王忠文集》卷九《谒周公庙记》："洪武辛亥春，余还自西垂，以闰月二十五日戊寅至岐山县。明日谒周公庙。庙去县十五里，出城循洞水西北行，至山下乃折入山之腹，而庙在焉。至是四面皆绝壑峭壁，其间平地东西仅五六十步，南北如之而稍修，形势殊幽阻。庙东北十数步，有灵泉出岩石间，即洞水所从出也。……是日，从余行者，儒士安矩季方。诣庙拜谒毕，出坐外门荒墟上，道士持酒来饷，为饮数小卮。适云阴雨微下，风起撼群木，响猎猎如秋声，恍疑风马云舆来莅者，因低回久之乃去。比回县馆，以庙制与礼不合者语其令李本初，属其稍加厘革，李以县事繁剧为辞，后遂不复与言。而具疏其本末及前所云云者，纪之于简以遗矩，用志岁月焉。"

春

戴良居慈溪，作《四景楼记》。《九灵山房集·年谱》："先生隐慈之花屿湖，居白龙寺西轩。"《九灵山房集》卷二〇《四景楼记》:"辛亥之春,予来自定川。方氏之彦德原邀予至横塘,徘徊楼上,与之望五垒之山,睇双涧之水,挹杜湖之波澜,览鸣鹤诸峰之秀。爰其江山如昨,景物不殊,而方氏先泽邈乎其未泯,宁不悠然而思,怆然而感,慨然而叹乎?德原语予曰:'斯楼也,吾先世尝以四景名之,而未有记。其所以名者,吾子幸为我执笔焉。'"

林弼除丰城令。《林登州集》卷六《辛亥正旦呈牛典簿王编修》,题下注:"洪武四年,是年春除丰城。"

四月

张羽以征至京,旋遣还。张羽(1353—1385),字来仪,以字行,更字附凤,浔阳人。从父宦游江浙,兵阻不得归,遂居吴兴。元末授安定书院山长。明初征起,廷对称旨,擢太常司丞兼翰林院同掌文渊阁事。以事窜岭外,未半道召还。抵京,知不免,自投龙江死。有《静居集》。《明太祖高皇帝实录》卷六四"洪武四年夏四月癸未(十八日)":"召陕西儒士赵晋、浙江儒士张羽至京。晋字孟阳,博学,善谈论古今。入见所言,深合上意,诏赐袭衣,授秦府说书。寻以年老致仕,加赐缯遣还。敕曰:'卿学乎孔孟之道,抱济世之术,而元不能用,隐居乡里。及朕平一海内,旁求俊彦,卿乃诣阙,俾辅亲王,朝夕启沃,克尽厥职,而年老疾作,难以久劳,特命卿致仕,俾得安养自遂,优游余年。'羽字来仪,应对不称旨,遣还。"

王袆过渑池,作《驱虎歌》。《王忠文集》卷三《渑池县丞王侯驱虎歌》序:"洪武四年四月,括苍王侯熙阳为丞于渑池。先是境内虎害人者无虚月,民以为患,侯至则为文与城隍神约:'自今以往,虎尽去。即不去,责且有所归。'言甚激切。已而果绝迹。民以为王侯德化之所致也。余道经渑池,目击其事,因为作歌。"[按,王熙阳元时已知名。《王忠文集》卷七《王氏迁论序》:"缙云王熙阳氏,早岁尝从先生游。闻见之际所得者既多,乃复即群经诸史百家之书而大肆其力焉,推其所得,著而为书,有《书海通辨》《三礼纂要》《左氏钩玄》,总若干卷。凡庐井车服、裨裕泉币之属,礼乐典章之所系者,皆为之论议其事之本原,大抵兼取杜氏《通典》、郑氏《通志》、马氏《通考》等书。而其为论,则务以发前儒之所未发,条理明顺,联如贯珠;考核精详,审如中鹄。既乃掇其所为论,别成一书若干卷,曰《迁论》。"刘仁本《半山书隐为王熙阳赋》:"数椽茅屋住陂陀,上有青山下涧阿。花落砚池啼鸟静,苔深磴级少人过。读书曾听秋声近,拄颊时看云气多。莫使移文猿鹤怨,长攀明月下松萝。"刘仁本《次韵答括苍王熙阳》:"王郎早岁富文章,气焰应如万丈长。处士明时当鹗荐,羽林今日笑鹰扬。丰城古剑横秋色,赤水玄珠照夜光。云外传来诗句好,天葩为我吐芬芳。"皆可证]

夏

唐肃免官归乡。苏平仲《翰林应奉唐君墓志铭》:"明年夏,以疾失朝参,例免官归乡。"

八月

宋濂谪安远县。《明通鉴》卷四："是月，谪国子司业宋濂安远县。先是，濂迁国子司业，会京师修文庙，爰命礼官儒臣厘正祀典。濂乃上《孔子庙堂议》曰：'世之言礼者，皆取法孔子。不以古礼祀孔子，是亵礼也。……若乃建安熊氏欲以伏羲为道统之宗，神农、黄帝、尧、舜、禹、汤以次而列，其臣若稷、契、皋陶、伊尹、太公、周公以及傅说、箕子之等，皆天子公卿之师式，秩祀太学，礼亦宜之。若孔子实兼祖述宪章之任，宜通祀于天下。'议上，上以舜、禹、汤、文不宜祀于国学，不悦，遂坐不以时奏，谪知安远县。其后助教贝琼希旨，作《释奠解》驳之。时祭酒魏观亦被谪。而同时翰林院待制王祎，亦著《孔庙从祀议》，谓：'荀况之言性恶，扬雄之事新莽，何休注《公羊》而黜周王鲁，王弼注《易》而专尚清虚，如此之等，犹在祀列，何以在汉独遗董仲舒，在唐独遗孔颖达？至如宋之范仲淹、欧阳修、真德秀、魏了翁，元之吴澄，凡此七人，并宜从祀，用以搜累代之旷典，昭万世之公议。'又谓：'颜、曾、思父子，配位倒置，不免《春秋》逆祀之讥，亟宜厘正。天下之礼，有似缓而实急，似轻而实重者，名教所关，不可不慎。'其语多与濂合。厥后上置国子监，先圣改用木主，卒从濂议。其他所论，后代之议礼者率多宗之。"

朱元璋手书刘基问天象。《诚意伯文集》卷二〇《皇帝手书》："皇帝手书，付诚意伯刘基。近西蜀悉平，称名者尽俘于京师。我之疆宇，比之中国前王所统之地不少也。奈何元代以宽而失？朕收平中国，非猛不可。然歹人恶严法，喜宽容，谤骂国家，扇惑是非，莫能治。即今天象迭见，且天鸣已及八载。日中黑子又见三年。今秋，天鸣震动，日中黑子或二或三或一，日日有之，更不知灾祸自何年月日至？卿山中或有深知历数者，知休咎者，与之共论，封来。前者，舍人捧表至京，忙，忘问卿安否。今差克期往卿住所，为天象事。卿年高，家处万峰之中，必有真乐。使者往而回，勿赏以物，菜饭发还。洪武四年八月十三日。"《明史》刘基传："帝尝手书问天象。基条答甚悉而焚其草。大要言霜雪之后，必有阳春，今国威已立，宜少济以宽大。"黄伯生《故诚意伯刘公行状》："八月，帝使克期，以手书问天象事。公悉条答，其大意以为：霜雪之后，必有阳春。今国威已立，自宜少济以宽。书奏，帝悉以付史馆。其书稿并已前奏请诸稿，公皆焚之。莫能得其详也。"

杨基居句容，作赏月诗。《眉庵集》卷四《宜秋轩对月并序》："余自罹患，奔走南北，佳景良辰，往往愧负。及来杜曲，时丰景幽，秋气既中，月色倍常。自十四至十七，与杜氏兄弟举酒邀月，夜分乃休。感佳节之难逢而良辰之易失也，夜赋一诗以示诸杜，留以为故事云。洪武辛亥寓句容。"

乌斯道以贡入京。斯道字继善，慈溪人。洪武初官石龙县知县，调永新。坐事谪戍定远，寻放还。有《春草斋集》。《春草斋集》卷四《三世雷记》："岁辛亥秋，余被贡之京师。"

殷奎调陕西咸阳教谕。殷奎（1331—1376），字孝章，一字孝伯，昆山人。洪武初，以荐例授州县职，以母老请近地，忤帝意，除咸阳儒学教谕。卒于官，门人私谥曰文懿先生。有《强斋集》。张绅《送殷先生叙》："乃洪武四年，吴郡殷先生以选当为教谕咸阳县学。吴去秦水陆几数千里，先生母老，子女皆幼，众谓必艰于行，而受命之后，从容戒行，略无难色。既较，求余一言以为别。……洪武四年八月既望，云门独叟齐郡张绅书。"卢熊《故文懿殷公行状》："先生数岁，端厚湛默。熊父夷孝先生深爱之，故与熊同受《小学》。其家设邸肆，在太仓阛市中，旦夕挟册归舍。定省外，亦不遑及他事，惟务读诵，邻巷罕觊其面。既而受《易》于盛公德瑞。其祖父柏堂翁，乃作楼居，储书其上，延良师友与之游处。时会稽杨公廉夫，自吴城抵昆山，一见奇之，即席上设弟子礼，由是从杨公往来钱塘、华亭者累年，闻见益广。其父母具修脯金帛，数遣童干资之，又作别业于娄曲，买田，益鬻书，以俟其归。当时以经术文辞名东南者，惟杨公号杰出，然其人率易任真，绝去崖异，先生业其门，不肯诡随出藻丽语，一言一动务合矩度，杨公愈加爱重。"王彝《送殷教谕赴咸阳县序》："国制，凡府、州、县必皆有学，学必有官，官必以府、州、县所荐士，然犹必考验于吏部，乃归而就职焉。殷君孝伯，昆山人也。以古学倡其乡邦，为士人所推服，大夫闻之，因荐以为县学教谕，君以母老辞。强起之，既上吏部，试《春秋义》及《道统论》各一通，执政者见之，嘉其学，欲荐以为守令，君辞曰：'某迂儒，职教可也。民社之寄重矣，然非才不可也。'既而朝廷以学官准常选，例亦南北互调，遂调君咸阳县学教谕。咸阳去昆山数千里而远，君还治行李，乡之人皆惜其官之卑而行之艰也，而或歔欷以泣。然则余尝有所望于君者，而不在是也。……洪武四年九月一日，蜀郡王彝常宗序。"卢熊《故文懿殷公行状》："洪武四年，先生举昆山教谕，上吏部试《春秋经》《道统论》，皆辞深雅奥，上官置之高等。当是时，上锐意开治道，痛惩吏弊，儒者皆不次进用。司举选者将例授以郡县，先生恳请愿为近地学官，以便奉养老母，拂上官意，遂调西安之咸阳。又请告还乡里，辞亲以往。"

九月

殷奎以将赴咸阳而祭告于杨维桢。《强斋集》卷五《祭先师铁崖杨先生文》："维洪武四年辛亥岁，九月庚戌朔，十有一日庚申，门人新西安府咸阳县教谕华亭殷奎，谨以清酌鸡黍之奠，致祭于先师、故奉训大夫、儒学提举铁崖先生杨公：乌乎！奎自幼岁，窃读《三史正统》之辩，知千载之公是定于先生之斯文，由是益求其书，手抄口诵，歆羡想见而不可得也，意其非今世之人。生十有八年，当至正戊子之岁，始获洒扫于先生之门，一见之顷，谓'此子可教，吾授之经'。春秋大义谨严之训教，三传之得失，日夕讨论。既间使学为文章，六籍而下，孟氏之辩，太史公之健，《离骚》之忧，韩愈之粹，莫不直指而毕陈。博之以万变之奇，而约之以一理之真。至于奖诱之过，属望之厚，则曰：'汝其为大儒，后当有闻。'而奎也颛蒙无似，年余四十，未克有立，每窃叹而自语，惧无以少酬其知遇之恩。兹咸阳之改授，犹备员于校室，庶几得为学者讲明先生之一经，使关西之家学不终坠于地，倘可以赎其不敏之愆。今当远去，顾瞻徘徊，遥酹一觞于先生之坟，千山嶙嶙，苙泽沄沄，怀先生之不忘，何高深之足云。伏惟尚享。"

十二月

杨荣（1372—1440）**生**。初名子荣，字勉仁，建安人。建文庚辰进士，除翰林编修。靖难后，入直内阁，更今名。累官工部尚书、谨身殿大学士，加少师。卒赠太师，谥文敏。有《文敏集》。江铁《少师工部尚书兼谨身殿大学士赠特进光禄大夫左柱国太师谥文敏杨公行实》："洪武辛亥十二月戊子（初九），公生焉。先夕，士美梦一道士眉发苍然，扣门假宿。翊旦，生公，因名曰道应。祖达卿闻公啼声，窃自喜曰：'是子必荣显吾家。'为更名子荣。祖母阮尤钟爱之，常抱置膝上，教以《诗》《书》。六岁，遣从里中师，不数月，能诵《孝经》《启蒙》《论》《孟》诸篇，达卿益喜。间与宾客嬉游，必携公往，时诵古人诗，令公解说，皆通其意。达卿尝曰：'异日其无忝太尉矣。惜吾老，不及见之。'"王直《少师建安杨公传》："公幼聪悟绝伦，喜读书，善讲说，当时大奇之。事大父母、父母尽孝敬，处内外属皆有礼。弱冠已有济物之施，公辅之志。朝之公卿大臣道建安者，皆重之。"

戴良咏诗抒怀。《辛亥除夕三首》其一："眇眇家何在？悠悠岁又阑。十年东海上，千里北风寒。衰鬓随年改，愁怀借酒宽。何乡为乐土？身世各艰难。"其二："湖海风云暗，道途霜雪清。如何一年尽，翻使百愁生？俗薄乖留计，时危缓去程。家人团坐夜，应悉旅中情。"其三："移居湖水上，已是一年期。客路频辞岁，家山忘别时。庭寒无鹊噪，春近有梅知。此夜伤情极，椒觞懒独持。"

高启《姑苏杂咏》编成。高启《姑苏杂咏》自序："吴为古名都，其山水人物之胜，见于刘、白、皮、陆诸公之所赋者众矣。余为郡人，暇日搜奇访异于荒墟邃谷之中，虽行躅殆遍，而纪咏之作则多所阙焉。及归自京师，屏居松江之渚，书籍散落，宾客不至，闭门默坐之余，无以自遣。偶得郡志阅之，观其所载山川台榭园池祠墓之处，余向尝得于烟云草莽之间，为之踌躇而瞻眺者，皆历历在目。因其地，想其人，求其盛衰废兴之故，不能无感焉。遂采其著者，各赋诗咏之。辞语芜陋，不足传于此邦。然而登高望远之情，怀贤吊古之意，与夫抚事览物之作，喜慕哀悼，俯仰千载，有或足以存劝戒而考得失，犹愈于饱食终日而无所用心者也。况幸得为圣朝退吏，居江湖之上，时取一篇，与渔父鼓枻长歌，以乐上赐之深，岂不快哉！因不忍弃去，萃次成峡，名《姑苏杂咏》。合古今诸体，凡一百二十三篇云。洪武四年十二月日，前史官高启序。"

本年

刘基上《平西蜀颂并序》。《弇山堂别集》卷一一《御制纪功文》："高帝时，灭元，灭陈，灭张，最为宏巨之绩，而未有如椽之笔以纪之。至平夏明氏，独以刘文成上颂。不自居而归功于臣下，然亦傅颍川、廖德庆之殊遇也。谨录如左：洪武四年九月三十日，朕亲纪征蜀二道总兵官功之低昂，以旌忠勇有智之将，又戒无谋钝兵之徒。尔基再作《平蜀颂》一章，为傅将军、廖将军千万年不朽之功。"《诚意伯文集》卷二〇《平西蜀颂》："臣闻天命真主，混一六合，必先有以为之驱除，然后收拾以归其笼。自古及今，同一揆矣。……元德既衰，九土糜沸。鸱张狼顾之豪，弥满山泽。万姓喁喟，无所吁告。天乃命我皇帝肃将武威，代伐不道。故一伐而定荆湖，再伐而举全吴，三伐而海甸廓清，四伐而东粤、南闽悉归版图。……独明升窃据巴蜀，虽遣使奉贡，而不去伪号，大臣皆请讨之。皇帝怜其父没子幼，数遣使招之，不至，乃命将帅师伐之。洪武四年，大军破瞿塘，杀其将某，郡邑镇戍望风送款。升乃率其官属，奉玺印，诣军门请降。盖自建国至是，凡五年而天下一统，何其易耶！固知天命有在，而群雄并起为之驱除也。臣基受恩深厚，无能补报，遥闻捷音，欢喜踊跃，不能自已。谨撰《平西蜀颂》一首，虽不足以赞扬圣德万一，亦聊以寓葵藿向日之忱云尔。"苏伯衡《参政刘公〔刘孟藻〕墓碑铭》："其年，复进《平蜀颂》，入见武楼下。内出所制《颍川侯傅友德》等文，俾持归示诚意伯，别撰进入。"

方孝孺侍父宦游。孙墍《方正学先生年谱》："先生年十五。朝廷闻愚庵公贤，以书币征至京，就铨曹试考，以《易》中第二，授济宁知府。侍父宦游。历览齐鲁故墟，谒周孔庙宅，问'陋巷、舞雩'所在，慨然曰：'颜、闵纵未可几及，冉、樊辈岂皆让之！但今无圣人出，不得所依归耳。'"

本年前后，高逊志引退。《始丰稿》卷一一《师友集序》："洪武初元，用荐预修《元史》，擢翰林编修，转秦府纪善。未几，引退。"《明史》秦王樉传："秦愍王樉，太祖第二子。洪武三年封。"

公元 1372 年（洪武五年　壬子）

正月

危素卒，年七十。《文宪集》卷一八《故翰林侍讲学士中顺大夫知制诰同修国史危公新墓碑铭》："呜呼！翰林侍讲学士、中顺大夫、知制诰、同修国史危公，享年七十，以洪武五年春正月二十三日卒于和州含山县之寓舍。其年二月十五日，权厝于含山。某年月日，始还葬金溪白马乡高桥之原。其子偓深惧公之功行世系不昭白于天下，昼夜兢惕，自为状二万言，来谒新墓之铭。濂守官少暇，久未克论撰。春正月，蒙恩致政东归，私念公相知特深，在前朝时欲引荐入史馆，及今待罪禁林，实与公为同僚，相得甚欢。于是评骘群行，而勒文于碑。"徐一夔《跋危内翰所撰炬法师塔铭后》："宝石山苏师以临川危公所撰《炬法师塔铭》装潢成卷，持以示余曰：'此危公垂殁之笔也。'其文总若干字，而点窜又计若干字。字大如蝇头，而兼用行草。其孤于识其后曰：'此文洪武五年正月十日先君子所作，是月二十又五日，以疾终。今以此文寄其徒秋岩昆仲，用见先君子之意。'于，今为安庆府教授；秋岩，则苏师字也。予以此本乃公未脱稿之文，行草兼用，且加点窜，读者难认。取今天界寺住持泐公所为行状，正其差讹，命诸生方质录于稿本之后，以便读者。且属苏师，请善书者登其文于石，而以稿本留于山中，使后人见公当垂殁之际，其文与字画不苟如此。公以文章翰墨名世，著作既高，而楷、行、草三体并臻于妙。凡世臣大家，释老寺观，穹碑短碣，多出公手。至于遐方裔壤，得其片言只字，莫不宝以为玩。当时号称辞翰两绝。公凡为文，既脱稿，类皆楷书登石。此文如其孤所志，去捐馆之日十又五日尔，盖以病，仅克属稿，不及别书也。因识于卷末，以归苏师。八年十月。"王懋竑《书危太仆集后》："太仆在黄、柳之后，杰出冠时。至正间，声望甚重。入明以谪死，集遂散佚不大传。其文演迤澄泓，视之若平易，而实不可几及，非熙甫莫知其深也。后之学者，览熙甫之跋与诗，可以识其概矣。蜀瞻笃学嗜古，访求前人文集，不啻若饥渴，而介夫家多异香秘书可传钞，拟与蜀瞻至其家，尽发其藏观之，尚未暇也。姑志于此云。戊戌十月书。"汪由敦《跋危太仆文集》："危太仆文一百三十三首，后有震川先生跋，秀水曹倦圃侍郎家藏抄本，所谓《说学斋稿》也。危公以文名至正间，入明隐然为耆宿。其文雄浑博大，前逊虞、欧，后劣王、宋，而醇雅清婉，高处亦诸公所少。南宋冗蔓之习洗刷殆尽，余读而爱之。抄手殊恶，间以意正其阙误，家弟凝之从江西志中校录又二十余首，于是而不可读者或希矣。集有目无序，篇别而不分卷，体亦不备，盖未定之本。太仆〔按，此太仆者，归有光也，非危太仆〕云：'公有集五十卷。'如得尽读之以慰倾慕，且正抄本之讹，岂不快哉？姑识之以俟。"《震川别集》卷十《奉托俞宜黄访求危太仆集并属蒋萧二同年及长城吴博士》："昔年宋学士，尝称太朴文：独力撑颓宇，清响薄高云。余少略见之，讽诵每忻忻。淡然玄酒味，曾不涉世芬。如欲复大雅，斯人真可群。苟非知音赏，宋公安肯云？嗟乎轻薄子，狂吠方狺狺。惜哉简帙亡，家麓少所蕴。徒为尝一脔，盈鼎未有分。四贤宦游地，博达多前闻。为我一咨访，庶以慰拳勤。"《明诗综》卷四《危素》存诗四首：《梁国狄文惠公亲庙诗》《泊宫步门》《后买琴歌为邓旭甫作》《期冯祥甫不至》。四库提要卷一六九："《云林集》二卷，明危素撰。皆在元代所作之诗。"四库提要卷一六九："《说学斋稿》四卷，明危素撰。素有《草庐年谱》，已著录。据《千顷堂书目》，其文集本五十卷，明代已散佚不存。此本乃嘉靖三十八年，归有光从吴氏得素手稿传抄。其文不分卷帙，但于纸尾记所作年岁，皆在元时所作。有光跋称共一百三十六篇，此本乃止一百三十三篇。又王懋竑《白田杂著》有是集跋，称赋三、赞二、铭二、颂三、记五十有一，序七十有六，共一百三十八首，以有光跋为传写之误。然据懋竑所列，实止一百三十七首，数亦不符。殆旧无刊板，好事者递相传录，故篇数参差不能画一，实则一本也。"

王祎使云南。《明史》王祎传："五年正月议招谕云南，命祎赍诏往。"

三月

刘崧诗集选编成。刘崧《自序诗集》："窃尝心慕仙游，希踪岩壑，荣轻宦达，抗志烟霞。或抱膝，穷庐经训，以之哶嚅；或放情，广座醥醴，以之畅酣。至于骋五陵游侠之豪，道芳闺华年之思，以至离亭送远，系马停舟，绝塞从征，鸣笳奏凯，莫不口占成什，手写连编，发之都歈，继之感慨，抒怀遣兴，积日穷年。顾存者既无足称可，逸者又多不载，故由己卯以迄于己酉，三十一年之间，其可录者不啻十之四五，而时世人物则概有可感者矣。每岁汇为一稿，而每稿必因所寓之地以为之名，曰《钟陵》，曰《五云》，曰《邓溪》，曰《双溪》，曰《凤山》，曰《瑶峰》，曰《墨池》，曰《东门》，曰《珠林》，曰《龙湾》，曰《北岩》，曰《龙门》，曰《戊己》，通十有三稿。先时避难山中，凡囊橐赍挈可以资患难备饥寒者，不啻极百计而巧匿之，然皆不能以保而有也，惟兹稿一十三帙，贮以小篋，野人不知其为文字也，深瘗之草间，乃获存焉，非幸欤？他日余友萧翀取而较之，既虑其杂而无所属，复惧其漫而无所征也，乃析诸体而类次之，若五七言、长短、古律并绝句、四三言等作，通得若干首，厘为三帙，将以藏于家，俟余儿之长而归之，其意不亦厚且远哉！若余也，方幼而窃锐于学，迨壮而未之充，既强而益以不竞，忽焉老之将至而不知，追惟往时父兄师友所以期待之意，每一念之，辄不觉悲愤之相仍而涕泗之交下也。凡其呫嗫噂沓而不能以自已于言者，譬犹幽鸟之鸣春，秋虫之号寒，有莫知其所以然之故者矣。若曰是可以观、可以咏、可以兴，则吾不知之矣，请以俟后之君子择焉。"宋濂《刘兵部诗集序》："刘君之诗，于是乎大昌矣！濂获读之，凌厉顿迅，鼓行无前，所谓缓急丰约，隐显出没，皆中乎绳尺；至其所自得，则能随物赋形，高下洪纤，变化有不可测，置之古人篇章中，几无可辨者。……濂虽不善诗，其知诗决不在诸贤后，故因作序而相与一言之，使郊、愈复生，当不易吾言矣！刘君之诗，十九岁以前皆焚去，二十至四十九所存亦十之七八耳。今其门人萧翀所编者凡若干卷。翀字鹏举，亦嗜于诗，盖得刘君之传者也。洪武五年春三月，金华宋濂谨序。"

四月

诏定乡饮之礼。《明通鉴》卷四："戊戌（二十一日），诏礼部：'奏定乡饮酒礼仪，命天下有司学官率其乡士大夫之老者行之学校。著为令。'"

五月

乌斯道至石龙县为令。《明史》乌斯道传："洪武中，斯道被荐授石龙知县。"《春草斋集》卷一《重建石龙县儒学记》："维洪武五年壬子夏五月，化之石龙县乌斯道既至，释菜于孔子庙。仅有屋四楹，卑隘芜陋，孤处草莽。盖旧有学，至正末毁于寇也。斯道退而怅然曰：'今圣天子大兴文治，视天下学校，实首风化。郡县无中外，毕用儒臣。任厥政者，以其素所服习，惟圣人是归，必能严圣人之祀，敦圣人之教，以笃扬朝廷所以尊圣人之意焉耳。兹土壤既奠安，而学校尚未复，使神栖靡宁，揖让还辟无所，此有位者之丑也。'方谋度营缮，事值寇发邻境。寇平，始克相材从事，越一岁告成。"

七月

戴良移居慈溪凤湖。《九灵山房集》卷二四《和陶渊明移居二首》序："余去岁六月迁居慈溪之华屿，迨今逾一年。僻处寡俦，颇怀凤湖土俗之盛，意欲居之。后游其地，得钱仲仁氏山斋数椽，遂欣然徙家焉。因和此二诗，以呈仲仁。"卷二四《和陶渊明连雨独饮一首》序："吾居海上，旅怀郁郁。方、钱诸地主，时馈名酒，慰此寂寥。闷至辄引满独酌，坐睡竟日。乃和此诗以寄。"

九月

张孟兼、刘崧、宋濂等国子监联句。宋濂《夜坐国学玉兔泉联句》序："洪武五年秋九月十又五日，日入西，予与仲子璲过张录事孟兼于成均，秉烛对夜。孟兼方命侍史汲玉兔泉瀹茗，俄熊参军鼎、刘职方崧、周虞部子谅皆集，相与谈诗，至惬心处，辄抵掌笑哗。吕太常仲善闻之，亦欢然来会。既啜茗已，孟兼出新造《玉兔泉铭》讽之，且曰：'今夕何夕，胜友如云，不可无以为娱。请举泉联诗，何如？'众皆曰然。予年有一日之长，俾题其首句，余则以次而续。斗奇据胜，阒阒弗能休。至二鼓诗成，各拥衾枕榻，逮鸡再号。风雨凄迷，仆夫载涂，官事有程附，皆不告而散。予亦骑驴去朝天矣。明日，孟兼将属梓，遂作小楷系诗于铭左，征予为之引。"［按，此《玉兔泉联句》并序，存《四库全书》张孟兼《白石山房遗稿》卷上；又见宋濂《文宪集》卷三二；又见刘崧《槎翁诗集》卷八，题为《玉兔泉有引》。引虽宋濂作，联句则孟兼、濂、崧同为，故三人集中皆见］张孟兼（1338—1378），名丁，以字行，浦江人。洪武初征为国子监学录，与修《元史》。以太常丞出为山西按察司佥事，迁山东按察司副使，以执法不阿为吴印所诬讦，弃市。《明史·文苑传》附载赵埙传中。有《白石山房逸稿》。《文宪集》卷二九《张孟兼字辞》："国子录张君，生于岁戊寅正月六日，以历推之，是月九日始入春，则中气犹居丁丑年之冬，其大父府君因以丁命名。张君既长，闻人先生字曰'孟兼'。兼者何谓？临二岁之中也。"《逊志斋集》卷二一《张孟兼传》："张孟兼者，名丁，金华之浦江人也。孟兼为人侃侃自许，涉猎书史，颇有俊才，为乡里所称。会天子诏征才能士，郡县以孟兼名上，擢国子学录、礼部主事，迁太常司。孟兼固负自能为文，常奴视同辈。而是时诚意伯刘基以文章有重名，与翰林学士宋先生俱为天下所尊信。基气豪，不肯妄下人，而独喜称孟兼。尝为上言：'今天下文章士，第一为翰林学士宋濂，臣基次之不敢辞，又其次则有张生孟兼，其余臣不知也。'孟兼为基所称，愈自高。然他人弗服也。或稍慢之，孟兼辄怒。尝以文示其乡人，视之无言，置袖中曰：'俟夜熟复之，今弗悉也。'孟兼阳为好言，曰：'须删修之，可也。'退则大怒。其乡人发其所短，扬言于众，骂之，且诋其文曰：'彼犹蛮荒山谷中，纵为人衣，前悬而后曳，左侈而右敛，视国工所制，何敢望哉？'其乡人自如，不与较。既而孟兼以谪输作，乡人不及唁。及以赦出复官，乃贺。孟兼怒骂：'若见人失官，则弃背不一视。及复官，乃更谬为卑让贺我。若真细人，吾何以礼？'为倨坐，不起迎送。其傲睨好面讦人，皆如此。人以是不附之。"

秋

贝琼在钱塘会孔正夫。《清江文集》卷一《迁隐庵记》："孔氏之后有散处东瓯者，其五十五世孙正夫，以明经登元戊子进士第，授将仕郎、建德录事，三迁至永嘉尹。性刚而寡与，人咸以迂目之。正夫闻而喜曰：'是非吾之实邪？'乃筑室昆山之麓，题之曰'迁隐'，遂老而不复仕矣。大明洪武五年秋，会于钱塘，获以觚墨相周旋者累日，因示所著《迁隐生传》，且属予为之记。"

十月

刘崧献长律颂瑞。《槎翁诗集》卷五《进甘露诗十六韵》序："洪武五年壬子十月十一日甲申，甘露降于宫苑之松树。乙酉，时享太庙，上命采之以荐。是日复降于钟山，上命侍臣分采之。既午，上御奉天殿门，出所得甘露，盛以金盘，幂以黄帕，遍示廷臣。仍有旨：赐百官假一日往观焉。越明日，大驾晨发，群臣云从，跻攀林崖采览，如脂如饧，甘美芳润，信瑞应之大者也。又明日，礼部尚书陶凯而下三十有五人，咸进颂赋。小臣兵部职方郎中崧，谨顿首并拜献长律一首。"

十二月

申学校农桑之重。《明通鉴》卷四："十二月，甲戌朔，诏中书省：'凡有司考课，必有学校农桑之绩，始以最闻，违者降罚。'"

宋濂擢太子赞善、奉议大夫。据朱兴悌、戴殿江《宋文宪公年谱》。朱元璋《明太祖赐太子赞善大夫诰文》："朕以太子为天下之本，其东宫官属，必选文学行能之士以居其任焉。承事郎、礼部主事宋濂，尔以纯谨之资，老成之学，执笔柱下，视草词林，继司业乎胄监，复考礼于仪曹，皆称其职。况辅导东宫，历年已久，擢为赞善，孰曰不宜？"

本年

殷奎始至咸阳。《强斋集》卷三《咸阳县学官记》："洪武四年春三月，咸阳始自杜邮还治便桥故城，斩棘榛，排瓦砾，以立官寺，故其作学独后。明年教谕殷奎既至，犹以岁饥未克兴造。"卢熊《故文懿殷公行状》："先生至咸阳时，即白有司：夷荆榛，畚瓦砾，作校室，以居师弟子。躬亲教导。时咸阳罹兵革久，民未知学，赖先生孳孳不懈，文教复行。"

罢孟子配享文庙。《明通鉴》卷四："是岁，京师文庙成，车驾幸太学，行释奠礼。上偶览《孟子》，至'草芥寇仇'语，谓非臣子所宜言，命罢配享。"《明史》钱塘传："帝尝览《孟子》，至'草芥寇仇'语，谓非臣子所宜言，议罢其配享，诏有谏者以大不敬论。唐抗疏入谏曰：'臣为孟轲死，死有余荣。'时廷臣无不为唐危。帝鉴其诚恳，不之罪。孟子配享亦旋复。然卒命儒臣修《孟子节文》云。"

刘基乡居，不预外事。《明史》刘基传："基佐定天下，料事如神。性刚嫉恶，与物多忤。至是还隐山中，惟饮酒弈棋，口不言功。邑令求见不得，微服为野人谒基。基方濯足，令从子引入茅舍，炊黍饭令。令告曰：'某青田知县也。'基惊起称民，谢去，终不复见。其韬迹如此。"

杨溥（1372—1446）**生。**字弘济，石首人。建文庚辰进士，授编修。永乐初，进洗马，以事逮系锦衣卫狱。仁宗即位，擢翰林学士，进太常卿。宣德中，召入内阁典机务，迁礼部尚书。正统初，进少保、武英殿大学士。卒赠太师，谥文定。

吴讷（1372—1457）**生。**字敏德，号思庵，直隶常熟人。由太医院医士擢监察御史，官至右都御史。为文根据义理而本于六经，有《文章辨体》。《国朝献征录》卷六四《南京都察院左副都御史谥文恪吴公讷神道碑》："父遵道，沅陵县簿，累赠右金都御史。母王氏，继母陈氏，俱封恭人。公生而悟颖绝伦。甫三岁，失怙，鞠育于母。

又三岁，得陈母抚之。七岁，背五经正文。弱冠，闻沅陵君被诬系京师，即日誓往诉其屈。事未白而父殁，遂扶柩归。其祖母、继母亦卒。公哀毁瘠立，葬祭一本《家礼》，邑士化焉。厌廛市，退居北郭，大肆力经史百氏之籍，研穷濂洛关闽诸儒之学。发为文章，务极根柢，略无华靡之辞；见诸行事，务厚伦族，不尚挠竞之习。"

公元 1373 年（洪武六年　癸丑）

正月

袁华吟诗叹老无成。袁华（1316—?），字子英，昆山人。洪武初，授府学训导，后坐累逮系，死于京师。有《耕学斋诗集》。《耕学斋诗集》卷一一《癸丑正月风雨中偶成》其一："入春弥月雨霏微，惊蛰无雷雪又飞。抚节不愁花蕊晚，感时惟恐麦苗稀。当歌对酒愁难遣，问舍求田志已违。只尺相望不相见，空吟逼侧思依依。"四库提要卷一六九："明之初年，作者林立，华为诸家盛名所掩，故人与诗皆不甚著。实则衔华佩实，具有典型，非后来伪体所能及，固未可以流传未广轻之。华赠闵中孚初度诗，有'同生延祐丙辰年'句，以干支推之，下至明太祖洪武元年，已五十三岁。故集中诗句，元代所作为多。如甲午、丙申、己亥、庚子、乙巳、丙午、丁未诸纪年，皆在顺帝至正中。惟《癸丑正月风雨中偶成》一首，作于洪武六年，颇露悲凉感慨之语。""今观其诗，大都典雅有法，一扫元季纤秾之习，而开明初春容之派。维桢所论，盖标举司空图说以味外之味，务为高论耳。其实一于咸酸，不犹愈于洪熙、宣德以后所谓台阁体者，并无酸咸之可味乎。未可遽以是薄华也。"［按，《可传集》为至正年杨维桢所删定，属元季文学。惟其径开明初风气，此故及之］《水东日记》卷三："袁子英晚年惟一子生申，为县吏，坐累，并子英徙南京以卒。詹孟举挽诗曰：'吴门山水隔陈雷，鱼雁依然得往来。书后常思洞庭橘，诗中人寄陇头梅。但知抱道非贪病，谁道生儿是祸胎？老泪尽从枯眼出，西风遥洒凤凰台。'葛芳荪父晋仲翁，能诵此诗。袁宗鲁云。"

二月

诏禁扮演古帝王圣贤。《明太祖高皇帝实录》卷七九"洪武六年二月壬午（初十）"："诏礼部申禁教坊司及天下乐人，毋得以古先圣帝、明王、忠臣、义士为优戏，违者罪之。先是，胡元之俗，往往以先圣贤衣冠为伶人笑侮之饰，以侑燕乐，甚为渎慢，故命禁之。"

诏暂罢科举。《明通鉴》卷五："二月乙未（二十三日），诏暂罢科举。谕中书省臣曰：科举之设，务得经明行修，文实相称之士，以资任用。今有司所取，多后生少年，观其文辞，亦若可用，及试用之，不能措诸行事。朕以实心求贤，而天下以虚文应之，非朕责实求贤之意也。今各行省宜暂停科举，别令有司察举贤才，必以德行为本，而文艺次之。"

三月

《昭鉴录》修成。宋濂《昭鉴录序》："洪武六年，三月癸卯朔，上诏秦相府右傅臣文原吉、翰林修撰臣王僎、国子博士臣李叔允……楚府录事臣王镛、靖江府录事臣宋善，类集历代诸王事实。既受命，乃取《东观》诸史相与研磨，善与恶可为劝惩者咸采焉。其文芜事泛，则删取其大概，或有奢淫不轨无复人理者，辄弃而不收。越二十又二日甲子，书成，缮写为二卷。臣原吉等诣阙投进，仍请以太子赞善大夫臣宋濂为之序，上可其奏。先是有诏礼部亦修是书，前尚书臣陶凯，今尚书臣牛谅、主事臣张筹，遂录为一卷，上尘乙夜之览。然二书义例本同，无大相远，臣筹因会萃众论，合而为一，承诏刻梓以传，名之曰《昭鉴》。"

贝琼被荐入京。《国朝献征录》卷七三《国子监助教贝琼传》："洪武三年，被荐修《元史》，既成编，受赏而归。六年，以儒士举至京师，除国子助教。"《清江文集》卷一九《送萧子所序》："洪武六年春，余被召至京师，始为国子助教分教诸生。……六月十二，樵李贝琼序。"《清江文集》卷一九《送胡虚白归海昌序》末题"洪武六年秋七月二十六日，樵李贝琼序"。〔按，《送萧子所序》"始为国子助教"，乃叙职事，非官职。其题"樵李贝琼"而不题"国子助教樵李贝琼"者，尚未升助教〕

四月

夺诚意伯刘基禄。黄伯生《故诚意伯刘公行状》："初公言于帝：'瓯括间有隙地，曰谈洋，及抵福建界，曰三魁。元末顽民负贩私盐，因挟方寇以致乱累年，民受其害。遗俗犹未革。宜设巡检司守之。'帝从之。及设司，顽民以其地系私产，且属温州界，抗拒不服。适茗洋逃军周广三反，温处旧吏持府县事，匿不以闻。公令长子琏赴京奏其事，径诣帝前，而不先白中书省。时胡惟庸为左丞，掌省事，因挟旧怨，欲构陷公，乃使刑部尚书吴云讽老吏讦公。乃谋：以公欲求谈洋为墓地，民弗与，则建立司之策，以逐其家，庶几可动帝听。遂为成案，以奏。赖帝素知公，置不问。省部又欲逮公长子狱，帝时已敕琏归，及奏，帝曰：'既归矣，免之。'"《明史》刘基传："帝虽不罪基，然颇为所动，遂夺基禄。"

七月

刘基入朝谢罪。《明史》刘基传："基惧入谢，乃留京，不敢归。"《诚意伯文集》卷一五《送宋仲珩还金华序》："庚子之岁，予与金华宋先生俱来京师……至今又十有五年矣。去年秋七月，予自家重赴京，先生时为翰林侍讲学士，执手相盼睐，喜溢眉目。先生长予一岁。予须发已白过大半，齿落什三四，左手顽不掉，耳聩，足蹜踖不能趋。"

八月

陶宗仪偕友游钟山。《南村诗集》卷一："洪武癸丑八月二日，与诸暨赵用宾、黄汉章、赵自立，江阴孙大雅、大年、丘宗岱、程传可同游钟山，分韵得'落'字：钟山毓灵秀，宝坊炫丹膅。王气接阊阖，冷飙洒岩壑。泉球石罅锵，松籁空中落。吐词极名理，摛藻骋奇作。嘉会难重期，斯游谅云乐。矢言谢嚣烦，永志在寥廓。"

朱右以征至京。陶凯《故晋相府长史朱公行状》："六年，翰林侍讲学士宋公濂举公及金华朱廉、临川赵埙有良史才，上特可其奏，命奉御监李彬传旨中书，遣人取公。公八月至京师，九月四日上命公特入史馆，纂修《日历》。十八日赐宴。冬十一月戊戌，甘露降于钟山，命詹公率公特往采而食之。明日，公作《甘露颂》以献。"

九月

宋濂升翰林侍讲学士。朱元璋《明太祖赐翰林侍讲学士诰文》："翰林之职，掌制作而备顾问，必择能文有学之士居焉。奉议大夫、太子赞善宋濂以旧德之士、纯正之辞，事朕十有四年。其居左史，职词林，佐成均，近侍于帷幄，黼黻于治道，论思于讲筵，所裨多矣。比任赞善之职，尤多辅导之功。兹俾复翰苑之清华，修我朝之实录。尔尚夙夜恭勤，务展所蕴，使文词通畅，治体宣明，庶副朕简任之意。可授翰林侍讲学士、中顺大夫、知制诰、同修国史兼太子赞善大夫，宜令宋濂。准此。"朱兴悌、戴殿江《宋文宪公年谱》："时太祖留心文治，召儒士张惟等数十人，择年少俊异者，皆擢为编修，入禁中文华堂肄业，以先生为之师。先生在朝日久，朝廷大制作皆所手定。士大夫求文者踵至，外国贡使亦数问'宋先生安否'，高丽、安南使者至出兼金购文集。日本刻板国中，其使者奉敕请文，以百金献，却不受。太祖诘之，对曰：'天朝侍从之臣而受小夷金，非所以崇国体。'太祖善之。"

赵埙入京修《日历》。《曝书亭集》卷六二《赵埙传》："六年秋九月，诏编《大明日历》，以詹同、宋濂充总裁官，乐韶凤充催纂官。纂修凡七人，吴伯宗、朱右、朱廉、徐一夔、孙作、徐尊生，埙复与其列。十二月，授翰林院编修。"

秋

唐肃谪佃濠。苏平仲《翰林应奉唐君墓志铭》："后例谪佃于濠，则癸丑之秋，而君以是秋至瞿相山。"徐祯卿《剪胜野闻》："翰林应奉唐肃，初以失朝坐免官归。太祖重其才，再召入。尝命侍膳，食讫，供箸致恭。帝问曰：'此何礼也？'对曰：'臣少习俗礼。'帝怒曰：'俗礼可施之天子乎？'坐不敬，谪戍濠州。"《曝书亭记》卷六三《唐肃传》："旋以疾失朝，免官。谪佃濠之瞿相山，自号丹崖居士。"申屠衡《息末稿序》："先是，近臣荐为应奉翰林文字，时临川危公、金华宋公皆当世名能文者，少所许可，独于丹崖则亟称重焉。然其在朝之文，固足以黼黻皇猷，润色鸿业，而或俯徇时宜，复有不能究其才者。及谪耕于濠，乃能弄文墨自慰以忘其忧，放言高论，驰骋上下，感事触物，一见乎辞，如风樯阵马，快意适情，冒风涛，历坡坂，极其所诣，而卒趣于安流坦道而后已，平日所得于心而不能自已者，皆于是而发焉。昔柳仪曹之于永，苏内翰之于黄，皆屏居退陬，宜其郁抑无聊，不暇攻为文词，而其后天下传诵其美者，乃多于谴斥忧患之日，而不在乎荣盛逸乐之时也。丹崖之来，受田二十亩，岁比不登，无所以食，每为文以应人之求，得其文者往往饷遗以资其匮，因自叹曰，吾土田之未有息，而纸田之未不可息也。口诵心惟，日不释手，卒以文名于时。"

十月

贝琼除国子助教。《清江文集》卷一二《石田说》，末题"洪武六年岁在癸丑良月，檇李贝琼造"。《清江文集》卷一四《爱日轩记》："洪武六年岁在癸丑冬十月七日，国子助教檇李贝琼在青溪读书所书。"〔按，良月者，十月也。两记皆作于十月，一题"檇李贝琼"，一题"国子助教檇李贝琼"，则知贝琼必于本月初升国子助教，然十月朔当非国子助教也〕

十二月

王祎卒，年五十二。郑济《故翰林待制华川先生王公行状》："公卒后之八年，大兵平云南。又十五年，绅往求遗殡不获，因访得公讳所，擗踊号呼，制神主载回。时云南左布政使张公纮，及前山西参政王公景彰，力为采搜死事之详，为文以暴白其大节。公平生慷慨，长身山立，屹然有奇气。人初见之若不敢即，及夫一言之入，则情谊蔼然，恨相知之晚。于经史百氏无不究其极，其为文宏丽沉雄，机轴贯综，自成一家言，天下大夫士争传诵之。所著有《华川前后集》二十五卷，《玉堂杂著》二卷，诗五卷，《续东莱大事记》七十九卷，并藏于家。"王汝玉《国子博士王仲缙墓表》："昔胜国之季，海寓割裂，光岳气分不完，学者所习肆，委靡极矣。待制公以豪杰挺迈之姿，力矫时弊，追古道而反之，倡为雄伟闳大之辞。际皇朝龙兴之运，俾天下后生晚进有志斯文者读之，若披云翳而睹青天，不知心目开朗也。"《明名臣琬琰录》卷八《翰林待制王公墓表》："大明受天命，扫除群雄，奄有区夏。元主既远逊于漠北，独其梁王巴图时犹据守云南地，恃其险远，弗遂臣服。屡遣使往谕之，辄杀使者，拒不从命。太祖皇帝终欲以德绥怀之。洪武五年正月，乃复遣翰林待制王公持诏往谕焉。众皆谓公文学词臣，不宜远蹈不测之境，而公辞色慷慨，即日就道。既至云南，见梁王，谕曰：'大明受命统一疆宇，皇帝聪明神武，作君万邦，内外大小罔敢不服。惟尔西南僻在遐远，未被声教，故遣使者来谕意，宜顺天道，奉图归职方。否则，偏师南指，坐见夷灭矣。'梁王闻公言，颇骇惧，欲降。会沙漠有遣使至云南，闻其纳我使，怒责梁王，使速杀公。梁王初不肯，后不得已乃出公见之。公慷慨言曰：'天实讫汝元祚，我明代之。汝如爝火余烬，尚欲与日月争光耶？我将命远来，誓为国死。'终不为若屈，遂被害，时六年癸丑十二月二十四日也。年五十有二。"邹缉《继志斋集序》："昔者，君之先待制公与太史宋公皆学问博洽，才气超越，观其于六艺百家之书、诸史百子之言，网罗搜索，无所遗漏，而又本之以《诗》《书》之要，故其发为文章，驰骋变化，纵骤放佚，杰然追踪先秦、两汉之间，而不可以涯涘穷也。"胡应麟《读国初四君遗集》："忠文起草昧，弱冠宣王猷，雄才动宸宇，大节扬蛮陬。肝肠凛铁石，毛发如悬疣。巍巍文士烈，烨烨垂千秋。"

冬

孙作入京师修《日历》，与宋濂交好。 宋濂《东家子传》："东家子名作，字大雅，官以字行。故一字次知。姓孙氏，世为常之江阴人。自曾大父澄川先生四传至公，而学益大，门人弟子以清尚先生称之而不名。著书十二篇，号《东家子》，词旨闳博，尽古人未发，杂之子书中，益不能辨也。……洪武癸丑，朝廷议采天下士纂修《日历》，以濂与总裁，间求士于礼部尚书牛谅。谅首以公对，且出其文一编。读之，不觉叹曰：'安得与此人比肩一时，以快平生之愿与？'未几，公起自田里，诏与编修，入内。因得朝夕相欢。……前后八载，与公对床促席，拥炉夜话，皆未若出入禁闼、同宿翰林日最亲且久也。公器宇凝静，似不能言，而通亮过之。与人交，初若秋霜之不可狎，久则如冬曦之不忍去。虽或以是非煽公，惟自切责，终无忤色。平生所得一出古人，文特余事耳。然亦靳为之，有至数年不获一字者。惟好著书，当剑戟之声相应，遇其得意，穷日夜笔砚不辍。家人数诮让之，曰：'吾生丁乱离，复忧饥寒，既无益于时，又无闻于后，是岂天所以生余而余所以事天之心也哉？'其励志不息若此。"

本年

魏观行乡饮酒礼，王彝为作碑铭。《王常宗集》卷一《乡饮酒碑铭》："皇明既一四海，乃大兴礼乐，以新令俗还古道，为千万世计。惟乡饮酒，由近代以还，蔑之有讲。洪武五年，始诏郡国，以孟春、孟冬举行斯礼而读律焉。其时，江夏魏公实守苏州，奉诏惟谨，既一再行之，然尚恐未能宣上德意。是以明年复参考《仪礼》，以授经历李亨、教授贡颖之，使与郡士周南老、王行、徐用诚共商校之，且使张端及诸生相与习焉。"《学古绪言》卷四《王常宗先生小传》："洪武五年，魏太守观初行乡饮酒礼，请先生为碑文。其后卒以观得罪，与高同被诛。"

陶宗仪却聘。《沧螺集》卷四《陶先生小传》："洪武辛亥，诏取天下士。癸丑，命守令举人才，又以病免。或诮让之曰：'黄金白璧，重利也；驷马高盖，荣势也。天下之士，孰不靡然向风，而子矫矫若是？'先生叹曰：'捧檄而喜，所以为亲禄不逮养，适增悲耳。况今贤良辈出，草莽之臣老死太平，幸莫大矣。逾分之荣，其敢觊乎？'艺圃一区，果、蔬、薯蓣，度给宾祭已，余悉种菊。栽接溉壅，身自为之。间遇胜日，引觞独酌，歌所自为诗，抚掌大噱，人莫测也。"

戴良自鄞还江浦，吊亡姊。《九灵山房集》卷二九《赵君夫人戴氏墓志铭》："洪武三年冬十有一月庚戌，浚仪赵君之夫人谯郡戴氏卒于浦江德政乡之正寝。卒后二年秋九月庚午，葬家西四里华表山之原。又一年，仲弟良始克回自东海，望墓门而哭。呜呼！夫人之卒，良既不得凭其棺，其葬也又不得举其绋。历岁逾月，痛慕无及，彷徨踊顿，几不能生。已而哀子友亨乃以铭墓之辞来属，且曰：'吾母将终，尝以不及见舅为恨。'他日又尝谓：'舅恭而有文，倘辱为之铭，吾母之神庶幸安焉。'呜呼！夫人有弟，不闲于训教，猖狂播徙，卒阻穷裔，以致斯极也。犹欲强饰不令之言，号恸而为之书，悲苦抑塞，尚堪措一辞耶？……洪武七年九月重阳日，仲弟戴良志。"《九灵山房集·年谱》："六年癸丑，先生五十七岁。《赵君夫人墓志铭》云：'洪武三年，赵君夫人卒。后二年葬，又一年，仲弟良始克回自东海，望墓门而哭。'《明诗综》据此，以为洪武六年泛海南还；《明史》亦然。今考先生诗'十年东海上，乍离东海郡'诸言，东海者，皆指鄞言，自鄞还浦，故曰'回自东海'，'我游何处所，北海乃其地'，乃指山东益都言耳。洪武初年在鄞，诸作确有可据，故言六年南还者误也。"

戴良寄诗丁鹤年。丁鹤年（1335—1424），字亦曰"鹤年"，盖用"孟浩然"字"浩然"例也，又一字永庚，色目人。年十八值兵乱，仓卒奉母走镇江。母殁，盐酪不入口者五年。避地越江上，又徙四明。行台省交辟，不就。时方氏深忌色目人，鹤年转徙逃匿，旅食海乡，为童子师，或寄居僧舍，卖药以自给。元亡，避地四明，后归老武昌山中。鹤年家世仕元，诸兄之登进士第者三人，遭时兵乱，不忘故国，尝有句云"行踪不逐枭东徙，心事惟随雁北飞"。笃尚志操，兼以孝闻，乌斯道、戴良为作传，皆以申屠蟠拟之。《明史·文苑传》附见戴良传末。《九灵山房集》卷二四《和陶渊明咏贫士七首》序："余居海上之明年，适遭岁俭，生计日落，饥乏动念，况味萧然。乃和此七诗，以寄鹤年，且邀同志诸公赋。"其一："乌鹊失其群，栖栖无所依。岂不遇良夜，谁共星月辉？两翮已云倦，何力求奋飞。遥见青松树，决起一来归。孤危正自念，复虑岁晚饥。苟遂一枝托，安知沟壑悲。"其三："永夜寒不寐，起坐弹鸣琴。清哉《白雪操》，世已无知音。座上何所有，五穷迭相寻。呼酒欲与酌，尘罍屡罢斟。箪瓢世所弃，鼎食众争钦。固穷有高节，谁见昔贤心？"《九灵山房集》卷二五《寄鹤年》："衡门之下可栖迟，且抱遗经住海涯。东汉已编高士传，西方仍诵美人诗。衰年避地方蓬转，故国伤心忽黍离。天末秋风正萧瑟，一鸿声彻暮云悲。"

方孝孺在济宁，研习宋人理学。孙憙《方正学先生年谱》："洪武六年，先生年十七。在济宁，玩索濂洛关闽之说，举疑者以质于愚庵公及兄孝闻。先生之学故多得之庭训。后先生尝曰：'某所以粗知此道者，非独父师之教，亦由吾兄之训饬也。'"

刘髦（1373—1445）**生**。雍正《江西通志》卷七七："刘髦，字孟恂，永新人。永乐戊子乡荐下第，归道淮徐，会泲水大至，一女子浮槎出没波涛间，亟呼求救，莫有应者。髦厚犒长年，往拯得不死。诘其所自，则富商女也。怜其举家漂没，以女畜之，载与俱归。将为择配，其妻再四劝之，乃纳为贰室，生子定之、寅之，皆登进士。髦所著有《易传撮要》《修身箴》《覆瓿集》《石潭存稿》。以定之贵，赠司经局洗马。髦居石潭之上，讲学以为乐，弟子甚众，称石潭先生云。"王直《封编修刘公墓表》："早从乡先生刘逸安、吴孟勤、谢子方学，颖悟绝人，经史淹贯。乡之学者，又多集其门。公事亲孝，始冠即能干父蛊，公私之事皆身任之，不以劳其亲。"

钱习礼（1373—1461）**生**。名干，以字行，吉水人。永乐辛卯进士，选庶吉士，除简讨。历侍读学士，升礼部右侍郎。卒谥文肃。有《应制集》《词垣续稿》《归田稿》。

本年前后，林鸿授将乐县训导。《鸣盛集》卷一《送黄玄之京》："予也凤颖悟，十五知论文。结交皆老苍，稚爪攀修鳞。冥心三十年，寻源颇知津。探玄始有得，服膺如获珍。誓将觉后生，庶以酬先民。干禄铺水库，岁星七周循。青衿二十徒，达者惟黄闻。三十为礼官，制作多述因。"《国朝献征录》卷三五《礼部员外郎林鸿传》："高皇帝时，部使者以人才荐，授将乐儒学训导。居七年，擢拜膳部员外郎。"〔按，林鸿"三十为礼官"，为礼部精膳司员外郎时，年30岁，减去'岁星七周循'的7年，

为训导时年方 23 岁]

公元 1374 年（洪武七年　甲寅）

二月

《大明律》成。《文宪集》卷一《进大明律表》："洪惟皇帝陛下受亿兆君师之命，登大宝位，保乂臣民，孳孳弗怠。……是以临御以来，屡诏大臣更定新律，至五六而弗倦者，凡欲生斯民也。今又特敕刑部尚书刘惟谦，重会众律，以协厥中。而近代比例之繁、奸吏可资为出入者，咸痛革之。每一篇成，辄缮书上奏，揭于西庑之壁，亲御翰墨为之裁定。由是仰见陛下仁民爱物之心，与虞夏帝王同一哀矜也。……臣惟谦以洪武六年冬十一月受诏，明年二月书成。篇目一准之于唐，曰名例，曰卫禁，曰职制，曰户婚，曰厩库，曰擅典，曰盗贼，曰斗讼，曰诈伪，曰杂律，曰捕亡，曰断狱。采用已颁旧律二百八十八条，续律百二十八条，旧令改律三十六条，因事制律三十一条，掇唐律以补遗一百二十三条，合六百有六，分为三十卷。其间或损或益，或仍其旧，务合重轻之宜云。谨俯伏阙廷，投进奉表以闻。臣等诚惶诚惧，稽首顿首谨言。洪武七年月日，具官臣等上表。"

春

刘基在京，病衰。刘耀东《刘文成公年谱稿》："按吴从善《哀辞》云：'七年，中丞复朝京师。'二月二十四日有《题赵文敏公自作小像跋》云：'北魏国赵文敏公自作小像，余昔见之于存复斋。忽忽十余载，至今梦想不忘。兹从济南王简斋御史馆中获观，追思往昔，欣慰积怀，因书于冠。甲寅二月廿四日，括苍病叟刘伯温重观并识岁月云。'"

五月

《大明日历》纂成。陶凯《故晋相府长史朱公行状》："七年，学士宋公与公等又奏所纂《皇明宝训》五卷。正月十六日，驾幸翰林院，公应制赋《檐鹊春声》诗。二月，赐春衣，罗一缣、绢一匹、高丽布一匹。五月十八日，《日历》净本成，计一百册。上御奉天殿，丞相胡公、学士宋公、承旨詹公进，上曰：'此千万世事迹，皆汝等力也。'命藏殿前金匮内。"《文宪集》卷九《送徐教授纂修日历还任序》："洪武六年秋九月，皇帝御谨身殿，从翰林学士宋濂之请，妙柬文学之士四三人，纂修《大明日历》，而诏濂与吏部尚书詹同司总裁事。当是时，杭州府学教授徐君大章实在选中。开局于内府，日给大官之膳，而令中贵人护阖，非奉敕旨不敢入。其事至严也。濂时与大章辰入而申出，凡兴王出治之典，命将行师之绩，采章文物之懿，律历刑法之详，咸以事系日，以日系月，以月系年，必商确而谨书之。濂年加耄，不能有所猷为，惟发凡举例而已。其助我者，大章之力居多。越四月书成，共一百卷。遴日上奏，登盘龙金匮中，奠于丹陛之下。"《明史》徐一夔传："明年书成，将续修《元史》，祎方为总裁官，以一夔荐。一夔遗书曰：'迩者县令传命，言朝廷以续修《元史》见征，且云执事谓仆善叙事，荐之当路。私心窃怪执事，何惓惓于不材多病之人也？仆素谓执事知我，今自审终不能副执事之望，何也？近世论史者莫过于日历。日历者，史之根柢也。自唐长寿中，史官姚璹奏请撰时政记，元和中，韦执谊又奏撰日历。日历以事系日，以日系月，以月系时，以时系年，犹有春秋遗意。至于起居注之说，亦专以甲子起例，盖纪事之法无逾此也。往宋极重史事，日历之修，诸司必关白。如诏诰则三省必书，兵机边务则枢司必报。百官之进退，刑赏之予夺，台谏之论列，给舍之缴驳，经筵之论答，臣僚之转对，侍从之直前启事，中外之囊封匦奏，下至钱谷、甲兵、狱讼、造作，凡有关政体者，无不随日以录。犹患其出于吏牍，或有讹失，故欧阳修奏请宰相监修者，于岁终检点修撰官日所录事，有失职者罚之。如此则日历不至讹失。他时会要之修取于此，实录之修取于此。百年之后，纪、志、列传取于此。此宋氏之史所以为精确也。元朝则不然。不置日历，不置起居注，独中书置时政科，遣一文学掾掌之，以事付史馆。及一帝崩，则国史院据所付修实录而已。其于史事，固甚疏略。幸而天历间，虞集仿六典法，纂《经世大典》，一代典章文物粗备。是以前局之史既有十三朝实录，又有此书可以参稽，而一时纂修诸公如胡仲申、陶中立、赵伯友、赵子常、徐大年辈，皆有史才史学，麋而成书。至若顺帝三十六年之事，既无实录可据，又无参稽之书，惟凭采访以足成之，窃恐事未必核也，言未必驯也，首尾未必穿贯也。而向之数公或受官，或还山，复各散去。乃欲以不材多病如仆者承之于后，仆虽欲仰副执事之望，曷以哉？谨奉状左右，乞赐矜察。'一夔遂不至。"

徐一夔自京返杭州。徐一夔（1318—?），字大章，天台人，徙嘉兴。元末建宁教授，洪武初召修《礼书》，终杭州府学教授。有《始丰稿》。《明史》徐一夔传："未几，用荐署杭州教授。召修《大明日历》，书成，将授翰林院官，以足疾辞，赐文绮遣还。"《文宪集》卷九《送徐教授纂修日历还任序》："缙绅之家争欲荐大章入词林，大章坚以足疾辞。濂因为陈情于上，乃诏赐文绮、纤缯各三袭、钱六千文，仍俾其职为真。故事，教授试职三年，俟育材奏功，方许真授。大章时未期年，乃异数云。大章将还莅教席，濂饯之秦淮河上。……大章以一教授之微，乃召入史馆，与编摩之列，又岂无其故耶？盖大章博览载籍，发之于词章，霞灿波萦，峻洁鲜朗，威仪俨雅，又足为后进师表，声名籍籍起儒林间。当此圣明之朝，材咸求实，不于其官，于其人，故大章致此无难也。然而黄琮之贵必登于方明，大雅之音必奏于清庙，理势则然。大章以温然之姿、镵然之文，乃鳃鳃下教于一郡，如惜才之论何？濂诚耄矣，发种种被肩矣，聪明不及于前时矣，词林清切之班，非大章谁所宜堪行？将力荐而用之，脱使大章实不良于步趋，虽卧治之，亦可也。大章以为何如？明年春正月，友生金华宋濂序。"

孙作授太平府儒学教授。宋濂《东家子传》："越六月书奏，例除翰林编修官。公独以老病，乞外授太平府儒学。"

六月

朱右奉旨授经于晋王。陶凯《故晋相府长史朱公行状》："［七年］六月十一日，学士宋公传旨，俾公入晋府讲书。十三日早朝复见上东黄阁，上谕之曰：'老朱，尔去教晋王讲经史，令其通晓大义，知诗文法度。'"宋濂《故晋相府长史朱府君墓铭》："后三年，诏纂修《日历》，上求有史才者，予复以君名应诏。书既进，除翰林国史院编修官。明年，承诏授经于晋王。八年，擢晋相府长史，升承德郎。"

七月

唐仲实撄眼疾失明。钟亮《南雄路儒学正白云先生唐公行状》："甲寅夏，复筑室于乌聊山麓故居旧址，扁曰'文寿堂'，日以训子授徒为念。虽苍颜白发，而游心经史以自娱乐。是年秋七月，忽撄卜子夏、左丘明之疾，然而雄篇巨帙，论议英发，气不少衰，志不少挫，毅然以道自任，而不以盲疾废。当时士大夫学者，翕然宗之。"《白云集》卷六《止斋记》："洪武八年冬十月，邦侯钦承圣命，讲乡饮礼。汪止斋与予坐分东西，止斋逾阶而揖。以予目瞽也，退而请曰：'艮也见人之纷拏嚣突，胡不自安？乃以止斋为号，如董安于西门豹之佩韦佩弦也，予老矣，其肯为我记之？'"

殷奎归乡觐母。袁华《故咸阳县儒学教谕文懿殷君墓志铭》："甲寅归觐亲。既返，而省府修关中诸郡图经，仍董其事。恒以母老道远，弗克就养，抑郁不获信，因病内伤，遂不起矣。"

八月

李时勉（1374—1450）**生**。字时勉，名懋，以字行，号古廉，安福人。永乐二年进士，读书文渊阁，授刑部主事。《太祖实录》成，进翰林侍读，终国子监祭酒。事献陵、景陵，再下诏狱，缚送西市；事裕陵，荷校国学门；皆濒死得释。致仕，卒于家，谥文毅，改忠文。有《古廉文集》。王直《故祭酒李先生墓表》："其生以洪武甲寅八月十三日。"彭琉《朝列大夫翰林学士国子祭酒兼修国史知经筵官致仕谥忠文安成李懋时勉行状》："先生生洪武甲寅八月丙午。先夕，学士翁梦一异人至家，神光烨然。翌日，生先生。明年晬日，翁循里俗告祖先毕，铺席于地，罗置书册、笔墨、钱果诸物于席上，为试周。先生先取笔，次取墨，又取书。学士翁大喜曰：'符吾梦矣！'五岁屹如成童，投静室勤学，邻儿有牵引戏狎者，辄辞去。七岁，《孝经》《小学》《四书》皆已成诵。十二三，诗词歌赋，语皆惊人。十四五，言动不苟，即以圣贤自励，尝曰：'颜子不贰过，不迁怒。曾子日三省其身。予所愿学者，二子也！'十六入县庠，大肆力于群书，攻习举业之外，益究道德性命之学。寒不能置炉炭，拥重衾实木桶，置足其中，达旦不寐。其刻苦类如此。训导城门持真尹先生、理安胡先生皆笃行儒者，一见先生奇之。尝曰：'李时勉用心理学，岂词章之儒可比。'"

宋濂荐郭传。《明史》王蒙传："郭传，一名正传，字文远。洪武七年，帝御武楼，赐学士宋濂坐，谓曰：'天下既定，朕方垂意宿学之士，卿知其人乎？'对曰：'会稽有郭传者，学有渊源，其文雄赡新丽，其议论根据《六经》，异才也。'既而濂持其文以进，帝召见于谨身殿，授翰林应奉，直起居注。迁兵部主事，再迁考功监丞，进监令，出署湖广布政司参政。"

九月

高启卒，年三十九。《槎轩集》高启传："以先生尝为撰《上梁文》，王彝因浚河获佳砚为作颂，并目为党，俱系赴京。众汹惧丧魄，先生独不乱。临行在途，吟哦不绝，有'枫桥北望草斑斑，十去行人九不还'、'自知清澈原无愧，盍倩长江鉴此心'之句。殁于甲寅之九月也，年甫三十九。人无贵贱贤否老少，咸痛惜之。"《野记》卷一："魏守欲复府治，兼疏浚城中河。御史张度劾公，有'兴灭王之基，开败国之河'之语。盖以旧治先为伪周所处，而卧龙街西淤川，即旧所谓锦帆泾故也。上大怒，置公极典。高太使启，以作新府《上梁文》，与王彝皆与其难。高被截为八段云。"谢徽《缶鸣集序》："渤海高君季迪，疏爽俊迈，警敏绝人，无书不读，而尤邃于群史。与余友二十年，余知季迪之能言也久，然未尝不以其诗而得之也。始季迪之为诗，不务同流俗，直欲趋汉魏以还及唐诸家作者之林。每一篇出，见者传诵，名隐隐起诸公间。及游四方，不懈益勤，刮磨漱涤，日新月异，荐绅诸老咸自以为不及。季迪之于诗，诚精矣。然其意则自谓：'古风人之辞，不如是也。三百篇之传，岂皆出于一人之手？或著其一二，皆可以遗之后来，尚奚以多为哉？吾非欲成一家言，亦性焉，而嗜之之笃，殆与人之耽悦世好者，同一肆志留情，而其乐盖未能以此而易彼也。'闻者以为然。当其一室燕坐，图书左右离列，拂拭尘埃几案间，冥默构思，神与趣融，景与心会，鱼龙出没巨海中，殆难以测度。或花间月下，引觞独酌，酒酣气豪，放奇作楚调。已而吟思俊发，涌若源泉，捷如风雨，顷刻数百言，落笔弗能休。故季迪之诗，缘情随事，因物赋形，横纵百出，开合变化，而不拘拘乎一体之长。其体制雅醇，则冠冕委蛇，佩玉而长裾也。其思致清远，则秋空素鹤，回翔欲下，而轻云霁月之连娟也。至其文采缛丽，如春花翘英，蜀锦新濯。其才气俊逸，如泰华秋隼之孤骞，昆仑八骏追风蹑电而驰也。"《静庵集》卷四《悼高启》三首，其一："灯前把酒泪双垂，妻子惊看哪得知！江上故人身已死，箧中寻著寄来诗。"其二："消息初传信又疑，君亡谁复可言诗。中郎幼女今痴小，遗稿千篇付与谁。"其三："生平意气竟何为，无禄无田最可悲。赖有声名消不得，汉家乐府盛唐诗。"《东里续集》卷一九《姑苏杂咏》："《姑苏杂咏》一册，前史官高启季迪撰。刻板在毗陵。王达善学士以见赠者。其诗备诸体，每一披诵，恍然如亲游阛闠间故墟，历览陈迹。兴怀古人，可感可慕。不自知其慨叹之至矣。"《眉庵集》卷一一《梦故人高季迪》三首，其一："诗社当年共颉颃，我才惭不似君长。可应句好无人识，梦里相寻与较量。"其二："老来久不诵君诗，得见都忘是梦时。我最怜君君识我，此中未许俗人知。"其三："惊人新句叹无前，故态疏狂似少年。便写锦囊三百首，为君披咏步凉天。"《家藏集》卷四九《题重刻缶鸣集后》："苏文忠公有言：'诗至于杜子美。'故近代学诗者多以杜为师，而尤得其三尺者，虞、杨、范三家而已。然文忠又谓：'子美以英伟绝世之资，凌跨百代，古今诗人尽废。然魏晋以来，高风绝尘亦少衰矣。'世以为确论。若季迪生值元季，非不知有子美者，独其胸中萧散简远，得山林江湖之趣，发之于言，虽雄不敢当乎子美，高不敢望乎魏晋，然能变其格调，以仿佛乎韦、柳、王、岑于数百载之上，以成皇明一代之音，亦诗人之豪者哉。所恨早死，未见其所止何如，君子为之慨叹。故庐陵杨文贞公评诸诗，独夸其乐府、拟古及五言律为胜，其意亦可识矣。"《俨山外集》卷八："国初高启季迪侍郎与袁海叟，皆以诗名，而云间与姑苏近，殊不闻其还往唱酬，若不相识然。何也？玄敬尝道季迪有赠景文诗曰：'新清还似我，雄健不如他。'今其集不载是诗，玄敬得之史鉴明古，史得之朱应祥岐凤。岐凤，吾松人，以诗自豪于一时，为序《在野集》者。其事虽无考，然两言者盖实录云。"高德《书高太史大全集后》："观其辞气春容，音律浑雅而光彩自著，如清风徐来于修篁、古松之间，锵然成韵，略无矫饰。岂彼粗疏不实、固滞不通、有若秋萤夜燐可同日语哉？诚吴下之诗宗也。吴草庐尝言：'诗者，譬如酿花之蜂，必渣滓尽化，芳润融液，而后贮于脾者皆成蜜。又如食叶之蚕，必内养既熟，通身明莹，而后吐于口者皆成丝。非可强而为，非可袭而取。'太史之诗是已。"《弇州续稿》卷二〇七《答穆考功》："念自前岁杪，卖身精庐，尚不能忘故人，以四绝句报足下，又作四绝句为石丈梦兰之祝，托高嘉定上之。今读足下与石丈书，了不复相关，得非作洪乔浮沉故事耶？刘长洲致所梓《明七言律选》，觉虹色缭绕，盖图穷而匕首见矣。何雄丽精切若此！此书成，于近体可作大指南，足下金篦之力非浅。第仆乃亦滥竽与三君子方驾，恐不得志少年以偏嗜訾足下耳。国初诸贤，淘汰觉太严。如高季迪虽格调小降，其才情足以掩带一代，或可加益否？"《诗源辩体》后集纂要卷二："国朝诗人，敦古昉于季迪，匠心始于孟载。然季迪五言古长于唐体，疏于汉魏。""季迪歌行豪荡俊逸，多出青莲、姁蚹子、黄大痴，稍近于变。王敬美云，'季迪才情有余，使生弘、正李、何间，绝尘破的，未知鹿死谁手？'元美谓：'歌行之有献吉，其犹龙乎？仲默、于鳞，其麟凤乎？'愚谓麟凤之喻，当归季迪。""季迪五、七言古，才具澜翻，风骨颖利，顾含蓄深沉者少，而字句亦有未妥。盖其气豪，不能精思故耳。王华川序，言之最切。至其才情所到，则绚烂溢目。"《皇明诗选》卷二："陈子龙曰：季迪诗如渥洼生驹，神骏可爱，特未合鸾之度耳。"《静志居诗话》卷三《高启》："侍郎跌宕风华，凤观虎视，造邦巨擘，所不待言。而何仲默别推袁景文第一，试合诸体观之，袁自非高敌也。世传侍郎贾祸，因题《宫女图》，其诗云：'女奴扶醉踏苍苔，明月西园侍宴回。小犬隔花空吠影，夜深宫禁有谁来。'孝陵猜忌，情或有之。然集中又有题《画犬》诗云：'独儿初长尾茸茸，行响金铃细草中。莫向瑶阶吠人影，羊车半夜出深宫。'此则不类明初掖庭事，二诗或是刺庚申君而作，好事者因之傅会也。季迪《楚宫词》云：'细腰无限空相妒，不觉瑶姬梦里逢。'《秦宫词》云：'掖庭无用恩难报，愿上蓬莱采药船。'《魏宫词》云：'至尊莫信陈王赋，那得人间有洛神。'思非不深，第伤于巧。不若《吴宫》云：'芙蓉水殿屦廊东，白苎秋来不耐风。教得君王长夜醉，明月歌舞在舟中。'殊近雅也。"《明诗别裁集》卷一《高启》："侍郎诗，上自汉魏盛唐，下至宋元诸家，靡不出入其间，一时推大作手。特才调有余，蹊径未化，故一变元风，未能直追大雅。集中所存皆最上者。"四库提要卷一六九《大全集》："启天才高逸，实据明一代诗人之上，其于诗拟汉魏似汉魏，拟六朝似六朝，拟唐似唐，拟宋似宋，凡古人之所长，无不兼之。振元末纤秾缛丽之习，而返之于古，启实为有力。然行世太早，殒折太速，未能镕铸变化自为一家，故备有古人之格，而反不能名启为何格。此则天实限之，非启过也。特其摹仿古调之中，自有精神意象存乎其间，譬之褚临禊帖，究非硬黄双钩者比，故终不与北地、信阳、太仓、历下同为后人诟病焉。"四库提要卷一六九《凫藻集》："唐时为古文者主于矫俗体，故成家者蔚为巨制，不成家者则流于僻涩。宋时为古文者主于宗先正，故欧、苏、王、曾而后，沿及于元，成家者不能尽辟门户，不成家者亦具有典型。启在明初，其诗才藻富健工，于摹古为一代巨擘，而古文则不甚著名。然生于元末，距宋未远，犹有前辈轨度，非洪宣以后渐流为肤廓冗沓号台阁体者所及。"《筱园诗话》卷二："前明一代诗家，以高青丘为第一，自元遗山后，无及青丘者。不止一变元风，为明诗冠冕已也。……青丘才力、天分、工候，皆极其至。所为诗自汉魏六朝及李、杜、高、岑、王、孟、元、白、温、李、张、王、昌黎、东坡，无所不学，无所不似，妙笔仙心，几于超凡入圣矣。惜不及四十枉死，未及融会贯通，聚众长以别铸真我，造于大成，亦可哀也。然自元至今，所有诗家，无出青丘右者，洵可直继遗山，为一大宗矣。"《瓯北诗话》卷八《高青丘诗》："诗至南宋末年，纤薄已极，故元、明两代诗人，又转而学唐。此亦风气循环往复，自然之势也。元末明初，杨铁崖最为巨擘。然险怪仿昌谷，妖丽仿温、李，以之自成一家则可，究非康庄大道。当时王常宗已以'文妖'目之，未可为后生取法也。惟高青丘才气超迈，音节响亮，宗派唐人，而自出新意，一涉笔即有博大昌明气象，亦关有明一代文运。论者推为开国诗人第一，信不虚也。李志光作《高太史传》，谓其诗'上窥建安，下逮开元，至大历以后，则藐之'。此亦非确论。今平心阅之：五古、五律，则脱胎于汉、魏、六朝及初、盛唐；七古、齐律，则参以中唐；七绝并及晚唐。要其英爽绝人，故学唐而不为唐所囿。后来学唐者，李、何辈袭其面貌，仿其声调，而神理索然，则优孟衣冠矣；钟、谭等又从一字一句，标其冷僻，以为得味外味，则幽独君之鬼语矣。独青丘如天半朱霞，映照下界，至今犹光景常新，则其天分不可及也。""李青莲诗，从未有能学之者，惟青丘与之相上下，不惟形似，而且神似。青莲乐府及五古，多主叙事，不著议论，盖用古人意在言外之法。此古诗正体也。青丘乐府及《拟古》十二首、《寓感》二十首、《秋怀》十首、《咏隐逸》十六首，亦只叙题面，不复于题面内推究意义，发挥议论。如《咏向长》，则但说长之毕婚嫁、游名山。《咏周党》，则但说党之辞征聘、乐田里。而一种迈往高逸之致，自见于楮墨之外。此正是学青莲处。七古内如《将进酒》、《将军行》、《赠金华隐者》、《题天池石壁图》、《登阳山绝顶》、《春初来》、《忆昨行》等作，置之青莲集中，虽明眼者亦难别择。昔司马子微谓青莲有仙风道骨；而青丘《赠陶篷先生》亦云：'谓子有仙契，泥滓非久沦。'盖二人实皆有出尘之才，故相契在神识间耳。然青丘非专学青莲者。如《游龙门》及《答衍师见赠》等作，骨坚力劲，则竟学杜。《太湖》及《天平山》、《游城西》、《赠杨荥阳》、《寄王孝廉》、《乞猫》等作，长篇强韵，层出不穷，无一懈笔，则又学韩。《送徐七往蜀山书舍》，古体带律，奇峭生硬，更与昌黎之《答张彻》如出一手。集中本有《效乐天体》一首，又《听教坊旧妓弟子陈氏歌》一首，亦神似长庆。《中秋玩月张校理宅》，又似李义山。《玉波冷双莲》及《凤台曲》、《神弦曲》、《秦筝曲》、《待月词》、《春夜词》、《黑河秋雨引》，又似温飞卿。《蔡经宅》及《书梦赠徐高士》、《送李外史》等作，又皆似《黄庭经》。可见其挫笼万有，学无常师也。即如身当元季，沉沦江村，身未历殿陛，目未睹典章，一旦召修《元史》，列于朝班，其诗即典切瑰丽，虽贾至、岑参等《早朝大明宫》之作，不能远过。此非其天才卓绝，过目而吻契，而能若是乎？惜乎年仅三十九，遽遭摧殒，遂未能纵横变化，自成一大家。然有明一代诗人，终莫有能及之者。"卷九《吴梅村诗》："高青丘后，有明一代，竟无诗人。李西涯虽雅驯清彻，而才力尚小。前、后七子，当时风行海内，迄今优孟衣冠，笑齿已冷。通计明代诗，至末造而精华始发越。陈卧子沉雄瑰丽，实未易才，意理粗疏处，尚未免英雄欺人。惟钱、吴二老，为海内所推，入国朝称两大家。"《渚山堂词话》卷三《高季迪寒夜曲》："季迪号称姑苏才子，与杨孟载辈齐名。他诗文未论，独于词曲，杨所赋类清便绮丽，颇近唐宋风致。而高于此，殊为不及。岂非人之才情，各有独得之妙耶？高词予所选数首外，遗珠剩玉，盖不多见。乃知词令虽小道，至论高处，正未易易耳。"

王彝卒，年三十九。四库提要卷一六九："王士禛《香祖笔记》曰：'王征士集，都少卿玄敬编，玄敬称其古文明畅英发。又或以为吴中四杰之一，以常宗代张来仪者。今观其诗，歌行拟李贺、温庭筠，堕入恶道，余体亦不能佳，安能与高、杨相颉颃乎'云云。案，彝之学出天台孟梦恂。梦恂之学，出婺州金履祥，本真德秀《文章正宗》之派，故持论过严，或激而至于已甚。集中《文妖》一篇，为杨维桢而作者，曰：'天下所谓妖者，狐而已矣。俄而为女妇，而世之男子惑焉，则见其黛绿朱白，柔曼倾衍之容，无乎不至。虽然以为人也，则非人；以为妇女也，则非妇女，而有空家之道焉。此狐之所以妖也。浙之西言文者，必曰杨先生，予观其文，以淫词谲语，裂仁义，反名实，浊乱先圣之道，顾乃柔曼倾衍、黛绿朱白，奄然以自媚，宜乎世之为男子者之惑之也'云云，其言矫枉过直，而诟厉亦复伤雅，虽石介作《怪说》以诋杨亿，不至于是。士禛所云，或亦有激而报之乎？然其文大致淳谨，诗亦尚不失风格，虽不足以胜张羽，必以为一无可取，则又太过。《香祖笔记》成于士禛晚年，诋诃过厉，时复有之，固未可据为定论矣。"

十一月

《孝慈录》编成。《明通鉴》卷五："先是九月，贵妃孙氏薨，敕礼官定服制。尚书牛谅等奏曰：'《仪礼》：父在为母服期年，若庶母则无服。'上曰：'父母之恩一也，而低昂若是，未免不情。'乃敕学士宋濂等考定丧礼。至是（初一）命儒臣辑丧礼五服之差，命曰《孝慈录》，颁之天下，著为令。"

十二月

唐肃卒，年四十四。《苏平仲文集》卷一二《翰林应奉唐君墓志铭》："翰林应奉唐君处敬，年四十有四，以病卒于濠之瞿相山。……君之文可谓无愧千古矣，亦既遭逢盛际，而用之朝廷矣。然未究其用，以一眚之故，至废为耕民而困顿以死，其文章迄不得施诸典册，遂使一代之诏令，不能追还三代之盛。是虽曰有命，抑岂独君之不幸欤？故于其死也，凡知之者无不为之悲，而至今论者犹为乐有贤材者惜焉。伯衡知君时深，安可使君赍志地下，而无一言以白之。君讳肃，处敬其字也。自号丹崖居士，世为杭之新城人。……洪武三年春，用近臣荐，召至京师，纂修礼乐书。其夏，擢应奉翰林文字、承事郎。其秋，科举法行，预考南京贡士，有织文之赐。其冬，扈从东宫，拜英陵，有袭衣之赐。明年夏，以疾失朝参，例免官归乡，后例谪佃于濠，则癸丑之秋。而君以是秋至瞿相山，卒于甲寅十二月六日。"戴良《丹崖集序》："丹崖乃乡弟子，自幼天质警敏，于书多所讽绎，长益尽友先生长者，切磋讨论，务极其所至乃已。故其诗文澹而华，质而丽，直而不倨，简而不啬，优柔而有容，深潜而有辉，人之见者，徒爱玩叹息之不已，而不知源之所以远，流之所以长也。"申屠衡《息末稿序》："乃肆为古文，本之于经，辅以史汉，而博之以诸子百氏。所有既富，申纸下笔，如水涌山出，一挥辄数百千字，然后削冗长为精切，变熟腐为奇伟，尖新纤丽无有也，梗戟艰涩无有也，而文之能事毕矣！"《六艺之一录》卷三六一《唐肃》："为文简洁而雅奥，诗步骤盛唐。尤工篆楷，深得笔意。"《明诗综》卷五《唐肃》："戴叔能云，处敬诗文澹而华，质而丽，直而不倨，简而不啬。苏平仲云，应奉律诗步骤盛唐。顾玄言云，翰林思颇清僻。"存诗六首：《铜井迎送龙辞》二首，《题张孟兼所注谢翱西台恸哭记后》《过清流关呈同行者》《题赵仲庸所画滚尘马》《抵瓜洲》。

乌斯道赴会城。《春草斋集》卷五有《甲寅腊月十日自石龙赴广州会城途中纪行》诗。

明太祖文集初成。刘基《高皇帝御制文集后序》："御制文集五卷，论、记、诏、序、诗、文凡若干篇，翰林学士臣乐韶凤、宋濂等之所编录。臣刘基谨拜稽首读毕而为序曰：臣闻自古帝王之德之美，见乎外者，文与武也，惟上圣为能兼焉。……钦惟皇帝提一旅之众，龙飞淮甸，芟剪群雄，命将四征，神谋妙算，悉出宸衷，勋无遗策，是以不十年间奄有区宇，玄黄之所覆载罔不臣妾，自古以来武功之盛未之有也。及夫万几之暇，作为文章，举笔立就，莫不雄深宏伟，言雅而旨远。至于诏谕遐方，明烛万里，若洞见其肺肝，真所谓天生聪明，可望而不可及者矣！臣基蒙恩，获陪侍从，亲睹其盛，因思《书》《诗》所称古昔帝王兼全文武者，诚非溢美，故孟子曰'前圣后圣，其揆一也'。由今观之，岂虚语哉！洪武七年岁在甲寅，冬十二月甲寅，资善大夫、诚意伯臣刘基拜手稽首谨序。"郭传《高皇帝御制文集后序》："自汉而下，兴王代作，然文经武纬，一弛一张，率不能兼济其美。惟唐太宗以兵力定祸乱，及践阼之后，词章奋发，动成巨帙，论者以其雕奇镂怪，徒与骚人韵士争锱铢之巧，而不能有帝王气象。我太祖乘炎精之运，龙兴中土，以一旅取天下于群雄之手，不数年间混一南北，溪蛮海夷，文身卉服，罔不来庭。当命将出师，一以礼乐从事，惟武功之盛，由三代迄今，未能或之比也。然自临驭以来，虽万机之际，未尝不游心乎道学，存志乎诗书，是以匡饬臣庶，或诏谕边方，辄寓辞竹帛，亲搦奎翰，意无停机，一挥而数千百言，群臣环视，靡不詟服，若《设谕》《省顽》《纪梦》等篇，与典谟训诰实相表里，及宏词雅什助宣声教者，粹然一出于情性之正，侍臣录之凡五卷。其为文也，去浮靡之华，惇淳古之本，烂乎与日星同其耀也，风云同其变也，河岳同其高深也，大章《韶》《濩》同其奏也；浩乎与江海同其波，瀚漫汪溢，莫能窥其涯涘也；冲乎与阳春同其和煦，而草木得以遂其生也。盖天地精英之气必钟于圣人，而下饰万物者，其不在兹乎！其不在兹乎！《传》曰：'其有成功也，焕乎其有文章。'前圣后圣，同归一揆，然则仲尼之言，岂专美于有唐而已哉？臣传叨任载言，幸朝夕侍左右，每以是集拜捧而读之，寻绎吟玩，其弘谟睿训，淹贯于耳目久矣。钦惟天才英迈，圣体纯穆，不昵于声色之好，绝游畋之娱，涵养冲素。蓄之厚者施必溥，源之澄者流必清，故其发于外者，其盛大光明有如此。上犹以为未至也，欲去其稿，而翰林学士承旨臣詹同等固请，'宜锓诸梓，以贻圣子神孙，俾有矜式。'於戏！夫圣贤文武鸿业作于数千载之前，尚跂而慕之，思见其人，斯文也传于数千载之下，将使来者又思慕之不已，况今出入禁庭，亲熏而炙之，安得有不为荣幸而感发于中耶？苟因是言得附名卷末，亦间世之希遇云。洪武七年岁在甲寅，冬十二月乙卯，承事郎、起居注臣郭传拜手稽首谨序。"宋濂《高皇帝御制文集题后》："臣供奉词林，幸日侍几砚，仰瞻挥洒之际，思若渊泉，顷刻之间，烟云盈纸，有长江大河一泻万里之势。跪捧而观，殷彝周鼎未足喻其古也，太山乔岳未足喻其高也，风霆流行未足喻其变化也。盖由天德粹纯，无声色之好，无游畋耽乐之从，聚精会神，凝思至道，形于心声，同功造化，非语言形容之可尽也。且当万机之暇，时御翰墨，多不留稿，见于侍臣之所录者得若干篇。臣窃以为日星昭回于天，下饰万物，苍生无不仰照。圣皇之文犹日星也，是宜刻于文梓，流布四海，使见之者咸获咏叹文明之化，熙熙皞皞，相与率德励行，以为忠孝之归，岂不盛哉！于是敬录如上，文与诗凡五卷，续有制作，复编类为《后集》云。翰林侍讲学士、中顺大夫、知制诰、同修国史兼太子赞善大夫臣宋濂拜手稽首谨书。"四库提要卷一六九："《明太祖文集》二十卷，明巡按直隶督学御史姚士观、南京户部督储主事沈铁全编校。分十六类，曰诏，曰制，曰诰，曰书，曰敕命，曰策问，曰敕问，曰论，曰乐章，曰乐歌，曰文，曰碑，曰记，曰序，曰说，曰杂著，曰祭文，曰诗。按，太祖集初刻于洪武七年。刘基及宋濂文集所载序文，俱云五卷，称翰林学士乐韶凤所编录。然黄虞稷《千顷堂书目》已不著录。所著录者，有《太祖文集》三十卷，注曰：甲集二卷，乙集三卷，丙集文十四卷、诗一卷，丁集十卷；又《太祖文集类编》十二卷；又《太祖诗集》五卷；又《太祖御制书稿》三卷。均与此本不符。焦竑《国史经籍志》列《太祖文集》二十卷，又三十卷。此本卷数与竑所列前一本合，当即竑所著录欤。其刻在万历十四年，编次不知出谁手。目录之末有姚士观等跋语，乃据旧本刻于中都，亦未能详考所自来也。考朱彝尊《明诗综》，载有太祖《神凤操》一首，而集内无之。则亦未为赅备。然所谓三十卷者，今未见传本，其存佚均未可知。近时诸家所藏弄，大抵皆即士观等所刻。今亦据以著录，存有明一代开国之著作焉。"

冬

蓝仁官于星渚。《蓝山集》卷三："甲寅仲冬，予摄官星渚。本邑判簿李公以催租入山，忽游武夷。予命小舟追之，不及。是夕宿常庵，溪风山月，一时清兴。王事靡盬，明日即附舟逆流而上。因忆曩时与石堂卢使君同游，放怀山水，一觞一咏，其乐不可复也。援笔书怀，遂成唐律二首。"〔按，星渚在武夷山，有星渚桥，《蓝山集》卷三《寄武夷张、郭二山人》有"天壶峰顶日月转，星渚桥畔云烟垂"句〕四库提要卷一六九："《蓝山集》六卷，明蓝仁撰。……又集中有《甲寅仲冬摄官》诗，甲寅为洪武七年，则放归又尝仕宦，特其始末不可考耳。仁诗规摹唐调，而时时流入中晚。蒋易作是集序，称其'和平雅澹，词意融怡，语不雕镂，气无脂粉，出乎性情之正，而有太平之风。惜其不列承明著作，浮湛里间，傲睨林泉，有达士之襟怀，无骚人之哀怨。即屡更患难，而心恒裕如。要其所作，皆治世之音也。'虽推之稍过，实亦近之。闽中诗派，明一代皆祖十子，而不知仁兄弟为之开先，遂没其创始之功，非公论也。"［按，《蓝山集》卷五有《病起偶成》："春来春去总匆匆，九十光阴卧病中。"则蓝仁享高寿，年九十后方卒］《静志居诗话》卷四《蓝仁》："二蓝学文于武夷杜清碧，学诗于四明任松卿，其体格专法唐人，间入中晚，盖十子之先，闽中诗派实其昆友倡之。蓝涧仕而蓝山隐。其《戏题绝句》云：'朝野文章自不同，壤歌何敢敌黄钟？山林别有钧天奏，长在松风涧水中。'然其《述怀》诗云：'无才甘下位，有识笑庸人。'又云：'何事渔矶弃，空烦鹊印随。'又有《甲寅仲冬摄官》诗题，则静之亦不终于山林者也。集有蒋易、张矩二序。易字师文，自号橘山真逸，尝选《皇元风雅》，予有其书。矩字孟方，自号云松樵者，静之赠诗云'文宗曾子固，篆逼李阳冰'，惜其著作罕传矣。"

本年

徐贲起于家。徐贲（1335—1393），字幼文，号东郭生。其先蜀人，徙居吴淮。张士诚辟为属，避去之吴兴，隐蜀山中。洪武初，用荐授给事中，改监察御史，出按广东，改刑部主事，升广西参政，迁河南左布政使，寻下狱死。有《北郭集》。雍正《山西通志》卷一四八："洪武七年，用荐起家。"［按，徐贲生卒年，据张习《北郭集后录》："先生生元乙亥"，"下囹圄，幸全要领而殁，实癸酉七月也"。又：徐贲起征于家，或言洪武七年，或言洪武九年。今从《明史》徐贲传，"洪武七年被荐至京。九年春，奉使晋、冀，有所廉访"］

张孟兼出为山西佥事。据《文宪集》卷二三《故叶夫人墓碣铭》。《诚意伯文集》卷一六《送张孟兼之山西按察司佥事任》："平明集冠盖，祖帐清江渍。天悬赫曦日，山涌崔嵬云。大舶发中流，碧水龙鳞纹。宿雨霁初伏，川原无垢氛。"《逊志斋集》卷二一《张孟兼传》："［孟兼］每为宋先生言：'先生曷不于上前荐我？'先生亦才孟兼，欲荐之，未有径。会上欲用越僧证，问先生尝见证文否？谁所有，且索之以观。时证为书与孟兼论性命，先生因言太常丞张孟兼所有之。诏先生：'召孟兼以证文至。'上览毕，顾孟兼，谓先生曰：'张丞，卿门人也？'先生对曰：'非臣门人，乃臣里中子耳。且为文有才甚，诚意伯刘基称之。'上熟视孟兼，曰：'生骨相薄，仕宦徐徐进乃可耳。毋骤也。'未几，除孟兼为山西按察司佥事。"《文宪集》卷二三《故叶夫人墓碣铭》："山西提刑按察司佥事张孟兼，请余铭其大母叶氏之墓，凡三年矣。予时供奉词林，日以文墨事上，竟弗暇为。今蒙恩休致家居，而孟兼亦予告省亲，道过于门，又复以前事为属，其言极惨戚，予何忍不为孟兼一铭之乎？……岁乙巳，朝廷下诏求贤，以图治安。州县不以孟兼为不敏，交章荐之。孟兼将赴京，大母执孟兼手，泣而言曰：'汝大父念汝甚，惟瘵忘之，不幸不见汝之成立。汝今欲入官，当夙夜尽心以奉公上，庶几不辱于前人。老身虽即瞑目，无憾已。'孟兼谨佩服之，弗敢违。既至，蒙恩擢国子录，转主事仪曹，迁丞奉常，凡历八春秋。屡思谒告觐省，动有物尼之。洪武五年十一月二十日，严君以书来曰：'汝大母以今日终。临终无他言，惟曰：吾年七十又四，分当死，百无所歉于中。独惜不与吾孙一相见耳。'孟兼读已，五内分裂，恨不即死相从于地下。礼部尚书陶公白于丞相府，遂以上闻，获还。哭于墓次，时大母祔葬大父徐山兆域，距卒时已三十四日矣。自时孟兼出为今官，寻升山东提刑按察副使。"《文宪集》卷九《送部使者张君之官山西宪府序》："我国家始建国江左，辄从秦元之请，立按察司，设官分职，弹劾百僚，所以伸正气也。迄今垂二十年，宪度益严，遴官益精。有若山西宪金张君孟兼，尤号称职者也。孟兼性鲠亮，不善为依阿。人有曲，必面白之，虽惭沮羞缩，不暇顾，然亦无他伤。当良朋盍簪，酒酣耳热，抵掌笑谈，胸中森然芒角，必尽吐出乃已。其气衮衮不衰，名上中朝，选教胄子。久之，迁南宫奉常，奉常南宫，掌礼仪郊祀之事。无以摅其耿耿，及今出持使节。"〔按，《明史》秦从龙传："秦从龙，字元之，洛阳人。仕元，官江南行台侍御史。兵乱，避居镇江。徐达之攻镇江也，太祖谓之曰：'闻有秦元之者，才器老成，汝当询访，致吾欲见意。'达下镇江，访得之。太祖命从子文正、甥李文忠奉金绮造其庐聘焉。从龙与妻陈偕来，太祖自迎之于龙江。……至正二十五年冬，从龙子泽死，请告归。太祖出郊握手送之。寻病卒，年七十，太祖惊悼。"至正二十四年正月，朱元璋于应天即吴王位，即濂所云建国江左。按察司之设，以是年起算，垂二十年，当为 1381 年或 1382 年，其时宋濂已卒。然朱元璋洪武十年有《谕山东布政使吴印敕》，敕杖山东按察司副使张孟兼。孟兼首任山西，以考绩优而擢山东副宪，其任山西尤当在洪武十年前。刘基洪武八年归乡卒，其作诗送孟兼任山西，必在八年前。合而考之，宋濂所云"迄今垂二十年"为误〕

刘基选宋濂诗文为《潜溪文粹》。刘基《宋景濂学士文集序》："会有诏纂修《元史》，东南名士一时皆集，复命充总裁官。书成，入翰林为学士。海内求文者，项背相望，碑版之镌，照耀乎四方。高丽、日本、安南之使，每朝贡京师，皆问安否，且以重价购其《潜溪集》以归，至有重刻以为楷式者。儒林清议，金谓开国词臣当推为文章之首，诚无间言也。先生之著述多至百余卷，虽入梓者已久，其门人刘刚复请基撷其精深，别成一编，庶几便于诵习。且征言序之。先生赴召时，基与丽水叶公琛、龙泉章君溢实同行。叶君出知南昌府以殁，章君官至御史中丞，亦以寿终。今幸存者惟基与先生耳，然皆颓然日就衰朽，尚可咈刚之所请而不加之意乎？虽然，先生之文其传世决矣，基亦何能与力于其间哉。《文粹》十卷，而诗居其一云。"

公元 1375 年（洪武八年　乙卯）

正月

诏天下立社学。《明通鉴》卷五："上以府、州、县皆有学，而乡闾远者未沾教化，乃诏有司仿古家塾、党庠之制，区之为社，延师儒以教子弟，兼令读御制颁行诸书及新定《律令》。"

宋濂辑成《洪武圣政记》。宋濂《洪武圣政记序》："盖自近代以来，习俗圮坏，行将百年，而天生大有为之君，首出庶物，一新旧染之俗，与民更始。是故睿思所断，动契典则，度越千古，咸无与让，此正所谓锡勇智而正万邦也。臣备位词林，以文字为职业，亲见盛德大业日新月著，于是与僚属谋取其有关政要者，编集成书，列为上下卷，凡七类，合若干条，名曰《洪武圣政记》。然而天之高明也，万物莫不覆焉；地之博厚也，万物无不载焉。圣人之作也，万物咸兴欣睹焉。故凡金科之颁，玉条之列，著之于简书，刻之于琬琰，传之于圣子神孙者，将与天地相为无穷。《书》曰：'惟天聪明，惟圣时宪。'《诗》曰：'诒厥孙谋，以燕翼子。'此之谓矣。其所以致四海雍熙之治，比隆于唐虞三代者，岂不在于兹乎？岂不在于兹乎？臣不佞，请以是序于篇端，极知僭逾，无任陨越之至。洪武八年岁次乙卯正月甲子，翰林侍讲学士、中顺大夫、知制诰、同修国史兼太子赞善大夫臣宋濂拜手稽首谨序。"

二月

唐愚士辑父肃文稿为《息耒稿》。 申屠衡《息耒稿序》："洪武甲寅之冬，会稽唐丹崖卒于濠，明年春，其子之淳将裹骨归附先人墓左，持所著文集来请曰：'先君不幸殁于谪所，不肖孤远违二千里外，不得跪床下、受遗训，独手泽尚存，罔敢逸坠。先君留濠凡十有六月，若诗若文，率为好事者持去，其笔于稿者十才二三，历访于交游间，得辄录于稿，共若干首。先君于先生辱知最厚，幸为文序其端，庶以图于不朽也。'……洪武八年岁在乙卯二月既望，吴郡申屠衡谨序，时留钟离之瞿相山也。"

三月

命选国子生分教北方。《明通鉴》卷五："上命御史台官选国子生分教北方，谕曰：'致治在于善俗，善俗本乎教化，教化行，虽闾阎可使为君子，教化废，虽中材或坠于小人。近北方丧乱之余，人鲜知学，欲求多闻之士，甚不易得。今太学诸生，年长德优者，卿宜选取，俾之分教北方，庶使人知务学，人材可兴。'于是选国子生林伯云等三百六十六人，给廪食，赐衣服而遣之。"

《洪武正韵》成。《明通鉴》卷五："上以旧韵出江左，多失正，命学士乐韶凤与廷臣参考《中原雅音》正之。书成，命曰《洪武正韵》。"《文宪集》卷五《洪武正韵序》："恭惟皇上稽古右文，万几之暇，亲阅韵书，见其比类失伦，声音乖舛，召词臣谕之曰：'韵学起于江左，殊失正音。有独用当并为通用者，如东冬、清青之类，亦有一韵当析为二韵者，如虞模、麻遮之属。如斯之类，不可枚举。卿等当广询通音韵者，重刊定之。'于是翰林侍讲学士臣乐韶凤、臣宋濂，待制臣王僎，修撰臣李叔允，编修臣朱右、臣赵埙、臣朱廉，典簿臣瞿庄、臣邹孟逵，典籍臣孙蕡、臣答禄与权，钦遵明诏，研精覃思，一以中原雅音为定。复恐拘于方言，无以达于上下，质正于左御史大夫臣汪广洋、右御史大夫臣陈宁、御史中丞臣刘基、湖广行省参知政事臣陶凯，凡六誊稿，始克成编。其音谐韵协者并之，否则析之；义同、字同而两见者合之，旧避宋讳而不收者补之。注释则一依毛晃父子之旧。勒成一十六卷，计七十六韵，共若干万言。书奏，赐名曰《洪武正韵》。敕臣濂为之序。"《文宪集》卷一二《韵府群玉后题》："右《韵府群玉》一书，元延祐间新吴二阴兄弟之所集也。二阴一名时夫，字劲弦；一名中夫，字复春。博学而多文。乃因宋儒王伯禄所增《书林事类韵会》、钱讽《史韵》等书，会粹而附益之。诚有便于检阅，板行于世盖已久矣。入我圣朝，近臣奉敕编《洪武正韵》，旧韵音声有失者改之，分合不当者更之，定为七十六韵。今重刻是书，一依新定次序，而字下所系诸事并从阴氏之旧。因书其故，以告来学者。洪武八年夏五月既望，翰林侍讲学士金华宋濂记。"《文宪集》卷一二《新刻广韵后题》："右《广韵》一部，雕刻已完，可模印。……天宝中，陈州司法孙愐以《切韵》为缪略，复增字四万二千三百八十三，雅俗兼收，务矜该博。且取《周礼》之义，又更名曰《唐韵》。宋祥符初，陈彭年、丘雍复重修之，又易名曰《广韵》。至于宋祁景佑《集韵》之出，复增二万七千三百三十一字，而《广韵》微矣。近代书肆喜简而恶繁，《集韵》罕传，而《广韵》独盛行。濂等奉敕校定，一遵《洪武正韵》分合之例，布列如左。注则并仍其旧。旧韵凡二百又六，今省为七十六云。洪武九年九月壬子朔，翰林学士承旨金华宋濂记。"四库提要卷四二："《洪武正韵》十六卷，明洪武中奉敕撰。时预纂修者为翰林侍讲学士乐韶凤、宋濂，待制王僎，修撰李叔允，编修朱右、赵埙、朱廉，典簿瞿庄、邹孟达，典籍孙蕡、答禄与权。预评定者为左御史大夫汪广洋，右御史大夫陈宁，御史中丞刘基，湖广行省参知政事陶凯。书成于洪武八年。濂奉敕为之序，大旨斥沈约为吴音，一以中原之韵更正其失，并平上去三声各为二十二部，入声为十部。于是古来相传之二百六部并为七十有六，其注释一以毛晃《增韵》为稿本，而稍以他书损益之。盖历代韵书自是而一大变。考《隋志》载沈约《四声》一卷，新旧《唐书》皆不著录，是其书至唐已佚。陆法言《切韵序》作于隋文帝仁寿元年，而其著书则在开皇初，所述韵书惟有吕静、夏侯该、阳休之、周思言、李季节、杜台卿六家，绝不及约，是其书隋时已不行于北方。今以约集诗赋考之，上下平五十七部之中，以东、冬、钟三部通，鱼、虞、模三部通，庚、耕、清、青四部通，蒸部、登部各独用，与今韵分合皆殊。此十二部之仄韵亦皆相应。他如《八咏诗》，押苹字入微韵，与《经典释文》陈谢峤读合。《梁大壮舞歌》押震字入真韵，与《汉书》叙传合。《早发定山》诗，押山字入先韵，《君子有所思》行押轩字入先韵，与梁武帝、江淹诗合。冠文祝文，押化字入麻韵，与《后汉书·冯衍传》合，与今韵收字亦颇异。濂序乃以陆法言以来之韵指为沈约，其谬殊甚。法言《切韵序》又曰：昔开皇初，有仪同刘臻等八人同诣法言门宿，论及音韵，以今声调既自有别，诸家取舍亦复不同，吴楚则时伤清浅，燕赵则多伤重浊，秦陇则去声为入，梁益则平声似去，江东取韵与河北复殊，因论南北是非、古今通塞，欲更捃选精切，削除疏缓，萧、颜多所决定。魏著作谓法言曰：'向来论难疑处悉尽，我单数人定则定矣。'法言即烛下握笔，略记云云。今《广韵》之首，列同定八人姓名，曰：刘臻、颜之推、魏渊、卢思道、李若、萧该、辛德源、薛道衡，则非惟韵不定于吴人，且序中江左取韵诸语已深斥吴音之失，安得复指为吴音？至唐李涪不加深考，所作刊误横肆讥评，其诬实甚。濂在明初，号为宿学，不应沿讹踵谬至此。盖明太祖既欲重造此书，以更古法，如不诬古人以罪，则改之无名。濂亦曲学阿世，强为舞文耳。然源流本末，古籍昭然，天下后世何可尽掩其目乎？观《广韵》平声三钟部'恭'字下注曰：陆以恭、蚣、纵等入冬韵，非也。盖一纽之失，古人业已改定。又上声二肿部'湩'字下注曰：此冬上声。盖冬部上声惟此一字，不能立部，附入肿部之中，亦必注明，不使相乱。古人分析不苟至于如此，濂乃以私臆妄改，悍然不顾，不亦僭乎？李东阳《怀麓堂诗话》曰：'国初顾禄为《宫词》，有以为言者，朝廷欲治之，及观其诗集乃用《洪武正韵》，遂释之。此书初出，亟欲行之故也。'然终明之世，竟不能行于天下，则是非之心，终有所不可夺也。又周宾所《识小编》曰：'洪武二十三年，正韵颁行已久，上以字义音切尚多未当，命词臣再校之。学士刘三吾言，前后韵书，惟元国子监生孙吾与所纂《韵会》定正音韵归一，应可流传，遂以其书进。上鉴而善之，更名《洪武通韵》，命刊行焉。今其书不传'云云。是太祖亦心知其未善矣。其书本不足录，以其为有明一代同文之治，削而不载，则韵学之沿革不备，犹之记前代典制者，虽其法极为不善，亦必录诸史册，固不能泯灭其迹，使后世无考耳。"《梦蕉诗话》卷上："作诗以声之相叶者为韵，其声以合四方之同者为正。国初定有《洪武正韵》，一洗沈约方音之偏，诚通典也。何陋儒俗士，狃于闻见，至今袭之而不可变，是匪怪欤？今直以唐诗就彼韵辩之。王建《凉州歌》云：'三秋陌上早霜飞，羽猎平田浅草齐。锦背苍鹰初出按，五花骢马喂来肥。'所用'齐'字，不在'薇'韵。李贺昌谷诗云：'扫断马蹄痕，衡回自闭门。长枪江米熟，小树枣花春。向壁悬如意，当帘阅角巾。犬书曾去洛，鹤病悔游秦。土甑封茶叶，山杯锁竹根。不知船上月，谁棹满溪云？'亦是'真''元'二韵杂用。盖沈约在宋齐梁陈时，并居钧要，著韵以词赋取士，积习久矣。及唐有天下，亦竟因之而已。'东''冬'何异？'麻''遮'何同？固非不有知之，顾何士之科试去取，一视诸此，知之而孰能不遵之哉？惟历考前辈诸说可见。"四库提要卷一九七《梦蕉诗话》："论《洪武正韵》一条，谓沈约在宋齐梁陈时，并居钧要，谱韵以词赋取士，积习久矣，及唐有天下，亦竟因之云云。考沈约卒于梁代，实未入陈。以诗赋试进士，始于唐高宗调露二年，梁代安有是制？更为杜撰！"

刘基以疾得归乡里。《殿阁词林记》卷六《弘文馆学士封诚意伯刘基》："八年正月，胡惟庸以医来视疾。饮其药二服，有物积腹中如石，基白于上，亦未之省也。乃御制文一通，遣使送归。及家，一月而薨。"《明太祖文集》卷六《赐诚意伯刘基还乡》："不数年间天下一统，当定功行赏之时，朕不忘尔从未定之秋，是用加以显爵，特使垂名于千万年之不朽。敕归老于桑梓，以尽天年。何期祸生于有隙，致是不安。若明以宪章，则轻重有不可恕；若论相从之始，则国有八议。故不夺其名而夺其禄，此国之大体也。若愚蠢之徒，必不克己，将谓己是而国非。卿善为忠者，所以不辨而趋朝，一则释他人之余论，况亲君之心甚切，此可谓不洁其名者欤，恶言不出者欤。卿今年迈，居京数载，近闻老病日侵，不以筋力自强，朕甚悯之。於戏！禽鸟生于丛木，翎翅干而扬去，恋巢之情时时而复。顾禽鸟如是，况人者乎？若商不亡于道，官终老于家，世人之万幸也。今也老病未笃，可速往括苍，共语儿孙，以尽考终之道，岂不君臣两全者欤。"

春

戴良访高僧龙渊于龙山甘露寺。戴良《薮跂上人所书莲经后》："四明甘露寺沙门龙渊数公，手书《妙法莲花经》七卷，以报佛恩。乙卯之春，余游龙山，访龙渊于甘露禅室。龙渊出以相示，而命志诸后。余闻一切契经皆佛所演，而此经独为诸经之主，至其引莲为喻，则以三世同时，十方同会，方其开时即有果，而于果中即有因。盖其诸子虽分布，而会聚无隔断，此其所以名莲。而莲之为言，连也。所以明上承圆教，开权显实之微意也。……龙渊为人纯素质直，无世间心。而作此字，点画匀整，意态简远，其为知恩精进，盖可知矣。宗风凋弊之余，或至饱食终日，增上慢者，其视龙渊亦可少愧哉。龙渊尝首众杭之灵隐，后由永乐移主甘露，时年六十五云。"

四月

刘基卒，年六十五。黄伯生《故诚意伯刘公行状》："洪武八年正月，胡丞相以医来视疾，饮其药二服，有物积腹中如卷石，公遂白于上，上亦未之省也。自是疾遂笃。三月，上以公久不出，遣使问之，知其不能起也，特御制为文一通，遣使驰驿送公还乡里。居家一月而薨。公生于至大辛亥六月十五日，薨于洪武乙卯四月十六日，享年六十五岁。"《明史》刘基传："抵家，疾笃，以《天文书》授子琏曰：'亟上之，毋令后人习也。'又谓次子璟曰：'夫为政，宽猛如循环。当今之务在修德省刑，祈天永命。诸形胜要害之地，宜与京师声势连络。我欲为遗表，惟庸在，无益也。惟庸败后，上必思我，有所问，以是密奏之。'居一月而卒，年六十五。"《沙溪集》卷一三《无用闲谈》："刘伯温诗文足以擅一代。其得意处，尚当跨宋景濂、王子充、高季迪诸公而上之。独以其显于事业，诗文不见称于人耳。"《明诗综》卷三《刘基》："杨维新云，子房不见词章，玄龄仅办符檄。公勋业造邦，文章名世，可谓千古人豪。徐子玄云，青田钧天广乐，声容不凡，开国宗工，不在兹乎。陈彝仲云，洪武间，高侍郎先鸣，文成次之。固以咀其精华，窥其堂奥。王元美云，刘伯温如刘宋好武诸王事，力既称服，艺华整见，王谢衣冠子弟不免低眉。又云，明兴，立赤帜者二家而已。才情之美无过季迪，声容之壮次及伯温。当是时，孟载、景文、子高辈实为之羽翼，而谈者尚以元习短之，谓辞美于宋，所乏老苍，格不及唐，仅窥季晚。然是二三君子，功力深重，风调谐美，不得中行，犹称殆庶翩翩一时之选也。穆敬甫云，刘公诗如乘风载响，音徽远播。胡元瑞云，青田才情不若杨孟载，气骨稍减汪忠勤，以较张、徐诸子，不妨上座。何稚孝云，伯温诗沿元习，其精者学韩退之。蒋仲舒云，刘诗如河朔少年，充悦忼健。陈卧子云，文成雅辞，微伤婉弱，令人思留侯之貌。王介人云，文成诗体纯正，较之四杰，虽纵横少逊，而似觉寡疵。陆冰修云，伯温早见知于虞道园，道园称其诗云，发感慨于情性之正，存忧患于敦厚之言，是不可及。若其体制音韵，无愧盛唐。其推奖至矣。特不与杨廉夫、顾仲瑛辈结诗酒之社，然视四杰、十友，皆后进也。沈山子云，诚意乐府古诗胜近体，《覆瓿集》胜《犁眉公集》，固当与季迪争长并驱。王元美以刘次于高，胡元瑞以刘为高之羽翼，要非笃论。至何仲默以袁景文为明初诗人之冠，则置二公于何地乎？钟广汉云，文成论诗，谓今天下为诗者，取则于达官贵人而不师古。此语深中元人之病。试读公集中诗，皆有古人之一体，可谓善于师古者也。"《静志居诗话》卷二《刘基》："乐府辞，自唐以前，诗人多拟之，至宋而扫除殆尽。元季杨廉夫、李季和辈交相唱答，然多构新题为古体；惟刘诚意锐意摹古，所作特多，遂开明三百年风气。其五言古诗专仿韦左司，要其神诣，与相伯仲。诸体均纯正无疵，若《二鬼》一篇，直欲破刘义之胆矣。"《明诗别裁集》卷一《刘基》："元季诗都尚辞华，文成独标高格，时欲追逐杜、韩，故超然独胜，允为一代之冠。乐府高于古诗，古诗高于近体，五言近体又高于七言。"

五月

钱子义《种菊庵集》编成。钱子义《种菊庵集》自序："邵阳胡氏《咏史诗》传诵于世久矣。马孝常先生尝谓予曰：'胡公之诗多幽僻塞浅，欲就其旧题别作一百五十篇以嗳学子。'愚以胡诗固有浅而僻者，奈何儿童听习之熟，恐卒难改也。'不若别命题而为之，如何？'马曰：'善。'及其出宰内丘，四五年间，意其付之度外矣。近因见族侄仲益佩小册于张玄斋处，乃其手钞湖海士君子之新作也，而孝常《咏史诗》在焉，皆仍胡之旧题而新之也。盖向者与言之后，即以其己志而成之矣。第余相去邈然，不及知之耳。暇日玩咏之余，不自揣量，窥窃陈篇，类出黄帝鼎湖已降泊赵宋崖山，共一百五十题，各述以七言一首，辞庸意陋，固弗足齿于二公，但欲备故事百余段，授之童稚，肄业之暇，使之讲习，庶几亦有所补益云尔。洪武八年岁次乙卯仲夏初吉，种菊庵钱子义序。"

宋濂应制作诗。《殿阁词林记》卷一三《应制》："洪武八年五月丁丑，上御端门召翰林词臣，出示巨桃半核，盖元内库所藏物，其长五寸，广四寸七分，有刻'西王母赐汉武桃'及'宣和殿'十字。命宋濂撰《蟠桃核赋》。又尝命宋濂咏鹰，濂七举足而成，有'自古戒禽荒'之言，上称赏曰：'卿可谓善谏矣。'"

九月

赵埙迁靖江王府长史。《曝书亭集》卷六二《传赵埙》："八年九月，迁靖江王府长史。埙以宿学，自布衣历史官，朝廷凡有撰述，辄与选。"［按，赵埙著作，《四库全书》未见著录或存目。朱彝尊《明诗综》不录赵埙诗作。钱谦益《列朝诗集》不录赵埙诗。据《明诗纪事》甲签卷六《赵埙》，录诗一首《阮仲谦客子光阴集》："楚水吴山记胜游，嗣宗孙子尚风流。故园归种千头橘，浮世休论万户侯。双景往来成晦朔，群芳开落自春秋。古来豪杰皆堪恨，独赖长歌散隐忧。"陈田按："纂修《元史》，两局皆与者，伯友一人而已。宋景濂《元史目录记》所谓独埙能始终其事也。徐大章《与王待制书》亦称伯友有史才、史学。其为名辈所推如此，惜诗不多见。"推而思之，则彝尊、谦益、四库馆臣，不录赵埙只字片语，盖无由得见。惟《明史·文苑传》特辟《赵埙列传》，详述其迹，而以宋禧、陈基、傅恕、乌斯道、朱廉、王彝、张孟兼、张简诸人附埙下。此颇不可解。或以其修史之功，使居诸人上。埙虽宿学，而文章无可征信，强欲论之，亦画梦谈鬼。《明史·文苑传》所录诸人，颇有传闻文章虽善而无征者，如杜寅、顾瑮、沈度，虽朱彝尊、四库馆臣，亦未尝见其著作。凡此，本编年多舍而不论］

本年

乌斯道调永新为令。《明史》乌斯道传："调永新，坐事谪役定远，放还，卒。"《春草斋集》卷五《永新学正萧君墓志铭》："洪武八年，余宰吉之永新，首视邑庠。"《春草斋集》卷一《谭节妇祠堂记》："谭妇死节，久未有祠。四明乌斯道莅政永新之二年，为洪武十年丁巳。五月十有一日，乃择泮宫兴文阁西南，辟大池上，建祠设主，以补缺典。盖以妇死而圣人是依，今祠而依乎圣人，庶以妥其灵焉。"

乌斯道《春草斋集》初成。《文宪集》卷一二《题永新县令乌继善文集后》："吾乡修道先生胡公，以光明正大之学，发于精深严简之文，训迪学子，篇章句字皆有法，往往从之者多得文之旨趣，其所造固有浅深高下之殊，而体裁终不失于古。四明梦堂噩师，虽居浮屠中，能久与先生游，先生为文之法，实与闻之。乌君继善，自幼学文于梦堂，凡先生所指授者，悉以语乌君，故乌君之为文，峻洁如明月珠，起伏如春江涛。……予老且多病，文字一切谢去不作，纵有一二，多仰手于人。独喜乌君之文，亲题后而归之。呜呼！……乌君名斯道，继善字也，明之慈溪人。尝知化之石龙县，今调吉之新水。"四库提要卷一六九："《春草斋集》十卷，明乌斯道撰。……所著有《秋吟稿》及此集。《千顷堂书目》载《秋吟稿》之名，而阙其卷数，盖明代已佚。此集凡诗五卷，文五卷，与《千顷堂书目》卷数相合，盖犹旧本也。斯道诗寄托深远，吐属清华，能划涤元人繁缛之弊。文亦雅令，不为剑拔弩张之状，夷犹淡宕，颇近自然。宋濂为作集序，所谓'俊洁如明月珠'者，盖状其圆润；所谓'汹涌如春江涛'者，则与其文之纤余为妍颇不相肖，推濂之意，特状其词源之不竭，非谓其骋才恃气以惊风骇浪为奇特也。史称斯道工古文，兼精书法，不及其诗，殆在当时，文尤见重于世欤？"〔按，《春草斋集》有斯道知永新时文章，盖后续有补入〕

杨士奇从陈海桑先生学。杨思尧《太师杨文贞公年谱》："公年十一岁，从陈海桑先生学于袁以宁家塾。《四书》《五经》《左氏传》，皆手抄以读。伯父司仓先生授以《易学启蒙》。"《东里续集》卷一六《易学启蒙》："朱子《易学启蒙》，惟胡方平本最善。洪武乙卯，司仓伯罢官归，见余初读《易》，出一编以示曰：'孺子勉之。《易》精蕴具在此书。即熟程朱传义后，宜熟此。吾藏以待汝。'即胡氏《启蒙》也。无几，为人窃取，伯父不乐累日，至形于诟詈。余后出教童蒙，始得此本。追惟伯父所以拳拳于不肖，恩德为何如哉。"《东里续集》卷六《送陈孟旦赴江阴教谕诗序》："陈氏余外家孟旦，海桑先生之孙、太华先生之子，于余为弟。余少从学海桑先生侧，其诸孙多同笔砚。孟旦最幼，少余十有六岁。初入小学也，尝从余里塾。"《东里续集》卷七《送王教谕之象山序》："王效先尝从学海桑先生陈公，于予为同门。始余事小学，效先已冠，下笔为文章滔滔也。"《东里续集》卷一九《竹林清隐记后》："先师海桑先生，以《易》《书》《诗》教授学者，从之者甚众，而求文者亦众。然文未尝苟予，予者未尝苟许可，而启道诱掖之意，恒若不及。春秋八十余，施教不倦。是时邑中老师宿儒多在，而先生齿德文学皆尊。"《东里续集》卷二三《萧氏与春堂卷后》："余少与子震、子巽同学海桑先生之门。尝登与春堂，拜天与翁。苍颜白发，风流儒雅，而兰桂

65

森森，光采照映，何其乐也！时先生方为文记与春，而缙绅君子相继咏歌之，沨沨乎又何盛也！翁既没，子巽亦物故，于今二十余年。每展诵斯文，未尝不慨焉以思，肃焉以敬，而不能忘。夫二十余年之间，光华富贵，倏忽消灭，如烟云飞鸟之过目而不留于心者多矣，独与春堂犹使人思之敬之不忘。"《东里续集》卷五八《宣府行营梦侍先师海桑先生》："纯明程伯子，洒落邵尧夫。世仰文章伯，人尊道德儒。山川钟淑气，星斗焕高衢。逸趣龙游海，光仪凤在梧。卧云辞国聘，立雪盛门徒。义合隆先祖，恩沾自早孤。抠趋只影在，报施一尘无。梦觉追畴昔，衾衣涕泪濡。"《东里续集》卷一七《四书辑释》："忆余少贫，得书甚难。十二三，从里人刘文璧乞得《论语辑释》半部，盖断简也。宝之如拱璧。"

谢肃评苏伯衡文章之失。《霏雪录》卷下："邵氏《闻见后录》云：子厚书《段太尉遗事》云，'吾戴吾头来矣！'宋景文公修史曰：'吾戴头来矣！'去一'吾'字，便不成语。'吾戴头者'，何人之头邪？眉山苏太史伯衡，作唐应奉肃墓志曰：'尤工篆楷，深得笔意。'密庵谢原功指'笔意'上曰：'此处似阙二字惟中。'愚士问：'阙何字？'原功曰：'当添古人二字。不然，得何人笔意邪？'此即'吾戴吾头'例也。二君服其论。予谓此例经有之，如《泰誓》'朕梦协朕卜'语，'吾日三省吾身'，孟子'我善养吾浩然之气'之类，特未有人拈出耳。"《苏平仲文集》卷一二《翰林应奉唐君墓志铭》："翰林应奉唐君处敬，年四十有四，以病卒于濠之瞿相山。其孤之淳，奉骨归越，祔于山阴县承务乡赤土山先茔之次。而为状授使者，将图其不朽于伯衡。……场屋之文，特其余事，尤工篆楷，深得笔意。……卒于甲寅十二月六日，而归祔以乙卯七月二十四日。"［按，《四库全书》本《苏平仲文集》，《四部丛刊》本《苏平仲文集》，二处《翰林应奉唐君墓志铭》"尤工篆楷"仍旧，或当时但评而未改］

方孝孺入京。孙熹《方正学先生年谱》："侍愚庵公考绩入朝。曹县令程贡尝以不职被答，至是诬上封事，诏下狱。先生上书政府，愿以身为军，赎父罪，不报。竟谪役江浦。"

魏骥（1375—1472）**生。**字仲房，萧山人。号南斋，晚号平斋。永乐三年乡举，起家松江训导。累官南京礼部尚书，致仕。年九十八卒，谥文靖。毛奇龄《明南京吏部尚书荣禄大夫谥文靖魏公传》："公生而端重，嗜学。九岁，居生母李丧，能哭踊如成人。弱冠，通五经。初试于乡，闻父病，不撤棘回。"

公元1376年（洪武九年　丙辰）

正月

曹端（1376—1434）**生。**字正夫，号月川，渑池人。永乐戊子举人，官霍州学正，后改蒲州。事迹具《明史·儒林传》。史称其学务躬行实践，而以静存为要。有《曹月川集》。《曹月川集·年谱》："洪武九年丙辰春正月十三日午时生。三岁从父游学官，见有观《河图》《洛书》者，问曰：'此星子，黑白不同如何？'其人异之，谓曰：'分阴阳也。白是阳，黑是阴。'顾谓其父曰：'童子可教。'归，画图于地，问父曰：'与书上相似么？'父甚奇之。"

朱右卒，年六十三。陶凯《故晋相府长史朱公行状》："公生于延祐甲寅九月十有七日，至是不幸以疾卒，洪武九年春正月十四日也。"宋濂《故晋相府长史朱府君墓铭》："君在翰林，每以辞章献，奏对精密，顾盼有威仪，上甚眷重之，每称以'老朱'而不名。君亦自意为难遇，因事多所建明。凡被绮段袭衣之赐者二，预宴飨恩者数十，赐坐应制赋诗者甚众。其同编辑之书最大者曰《圣政记》《洪武正韵》，其他稽核旧典以进者，不可胜数。……君善著书，有《春秋传类编》《三史钩玄》《秦汉文衡》各三卷，《深衣考》《邾子世家》《李泌传》《历代统纪要览》各一卷，《唐宋文》一十七卷，《汉魏诗》四卷，《元史补遗》十一卷，又为《元史编年》未成。其杂著文有《白云稿》十二卷，行于世。"四库提要卷一六九《白云稿》："右为文，不矫语秦汉，惟以唐宋为宗，尝选韩、柳、欧阳、曾、王、三苏为《八先生文集》，八家之目实权舆于此。其格律渊源，悉出于是。故所作类多修洁自好，不为支蔓之词，亦不为艰深之语，虽谨守规程，罕能变化，未免意言并尽，而较诸野调芜词，驰骋自喜，终不知先民矩矱为何物者，有上下床之别矣。"

二月

程本立除秦王府引礼。本立字原道，崇德人。洪武初举明经秀才，除秦府引礼舍人。以母忧去官。服除，补周府礼官，进长史。从王入觐，坐累谪云南马龙他郎长官司吏目。建文元年，征入翰林，迁右佥御史。坐事贬官，仍留纂修，旋授江西按察副使。未行，燕兵入，自经死。有《巽隐集》四卷。《明儒言行录续编》卷一《程本立巽隐先生》："少有大志，读书不务章句，与海盐沈寿康友善。寿康丧父母，葬祭以礼；敦行谊，南台论荐与官，力辞不就，乡人称为孝隐先生。尝执手告本立曰：'世之学者争务科举，以经学为名而无实，吾所不取。子之质近厚，年且富，当志于圣贤之学。'公遂笃志修检。闻金华朱彦修兄弟得考亭之学于许文懿公，乃往就学，造诣日深。更从同邑鲍恂、贝琼游，资其开发。……洪武丙辰，举明经秀才。"《国朝献征录》卷五六《佥都御史程公本立传》："元季混浊，乱君横政相属，不可捄正。遂避居凤溪上，题其门曰'巽隐'，欲以孤遁无名为务，终身丘园以快其志云。高皇帝肇新正统，延揽贤士无虚日。洪武丙辰，公以明经秀才荐，为秦王府引礼。"《巽隐集》卷二："洪武九年岁丙辰，二月十日，被擢秦王礼官。十七日，同秦、晋、燕王府官僚召见奉天门下，各赐马一匹，楮币有差。惶悚感激，退而赋诗。"

徐贲为廉访使于晋、冀。《北郭集》卷三《晋冀纪行十四首》跋："右纪行十四首，贲于洪武九年往山西，与顾璹同受上命，问俗于晋民。自京师下长江，历淮、蔡，入大梁，渡黄河，登太行，览唐虞故都，周旋于吉、绛、汾、沁间，过雁门、代郡，回观上党、长平之旧迹，跋陟五千余里。其间山河形势，佳景殊俗，未暇尽述，姑赋其万一，聊以扩吾之见闻云尔。二月廿三日识。"雍正《山西通志》卷一四八："丙辰二月，遣廉访晋冀，简其橐，惟纪行诗数首，授给事中。"闵珪《北郭集序》："先生名贲，家吴城望齐门外。早颖悟有才行，尤工于诗，与同郡高季迪、杨孟载、浔阳张来仪时相倡和，大著诗名。故吴中以高、杨、张、徐比唐之四杰焉。于时伪吴张士诚开闽招贤，强起之，先生知其终不可与有为也，遂与来仪避地吴兴。来仪居菁山，先生居蜀山，皆幽胜之地也。至洪武九年，始用荐入朝，钦授给事中，寻改监察御史，出按山西，升广西参政，历河南左布政使，所至皆有惠政，后卒于官。"

春

方孝孺初谒宋濂。朱兴悌、戴殿江《宋文宪公年谱》："春，宁海方孝孺来谒先生于禁林，时年二十。以文为贽，一览辄奇之，馆置左右，与共谈经。历三时乃去。"孙熹《方正学先生年谱》："愚庵公戍江浦，留孝闻侍命。先生往京师，以文为贽，谒宋太史于禁林。太史公深器之，曰：'其为人也，凝重而不迁于物，颖锐有以烛诸理，间发为文，水涌泉流。喧啾百鸟中，见此孤凤。'乃馆置左右，谭经历三时。愚庵公役将终，会'空印事'起，吏又诬。及先生草疏，将诣阙，适遇庵公卒，悲恸至绝。遂同兄孝闻扶榇还家，颜轩曰'茹荼居'，处其中以励志。太史公赋诗十四章以送之。"〔按，宋濂所赋十四首诗乃为李生作，非为孝孺，见《文宪集》卷三一《送李生还四明诗》〕

五月

唐仲实文集初编成。唐仲实《白云集序》："予幼承过庭之训，其未出乡里，师授洪杏庭先生、陈定宇先生、胡云峰先生。既游江湖，请业钱水村先生、龚子敬先生，方攻举子声律之学，而未暇慕于古文也。寓金陵而任闽南教官垂二十年，重罹兵燹，曰诗曰文，旧稿放失，譬犹镂冰刻楮，略无爱惜。壬辰以后，次儿文凤编录庚子以来诸生吴汇哀辑。甲寅，予不幸盲废，王公贵人与贤士大夫日过其门，诿以文字，潜驱默运，如绎茧绪，笔悬万言，谁其念之？第四男文奎拜而请曰：'庚戌徙居城阛，明年长兄文虎以茂才荐铨江安县丞，西蜀崎岖万余里，契阔四五载，忧愁憔悴，每形颜面。然于文字，虽寝食颠沛，未尝弃于怀，所谓穷而后专，专而后工也。文奎收而拾之，一一缮写，非敢传于他人，庶子孙谨藏箧笥耳。'予笑曰：'文章公器，不为子孙贤愚而传与否也。'……予平生读书不多，识字可数，文不堪传远，姑以文营文冢。风气融结，待钟芝菌。诗付诗瓢，鱼龙咀嚼，可鼓波涛，明邦家之祯祥，承江海之利涉。后世指而告曰：文冢者，刘蜕也；诗瓢者，唐求也。疵贱姓名，未致泯灭，而诗卷当长留天地间也。辄以文章之利病、诸子之得失而深告之。文奎颇聪明，有志于学，更宜勉旃。洪武九年岁次丙辰，五月五日，白云翁唐仲自序。"

六月

李昌祺（1376—1452）**生。**名祯，以字行，庐陵人。永乐甲申进士，选庶吉士，擢礼部郎中，出为广西左布政，改河南。有《运甓漫稿》。钱习礼《河南左布政使李公墓碑铭》："逝时盖景泰壬申三月二十五日，距生洪武丙辰六月二十六日，寿七十有五。……公生资禀英悟，早即嗜学。成童属对赋诗，语出惊人。弱冠为文，藻思溢出，蔚有老气。不惟一时材俊若礼部侍郎曾公子棨辈，相与颉颃，名声不相上下，乡之老成人亦皆骇其文识，谓必显于世。"

宋濂升翰林学士承旨。朱兴悌、戴殿江《宋文宪公年谱》："六月，授翰林学士承旨、嘉议大夫、知制诰兼修国史。封夫人贾氏淑人。太祖又欲官先生之子及孙，曰：'朕以布衣为天子，卿亦起草莱，为开国文臣之首。当俾世世与国同休，不亦美乎？'先生固辞不获，乃征长子瓒之子慎为殿廷仪礼司序班。复命介子璲为中书舍人。慎时年二十一。璲工诗文，精楷、篆、隶、草书。太祖尝命题，试璲与慎，而戒饬之。笑语先生曰：'卿为朕教太子、诸王，朕亦为卿教子孙也。'先生或奏事久，稍倦，特命璲、慎共扶下殿。三世同官内廷，当世荣之。"

八月

孙蕡监祀西川。雍正《广东通志》卷四七："九年，以奉常之节，监祀西川。既三载，力求外补，为平原簿。"《西庵集》卷四《题绵州同知曾傃古雪卷》序："左绵在巴西之西，其西为阴平，又其西为雪山。雪山起南庐，接北剑，横亘数千里，四时巘嵝皓白一色。每岁六七月，江流不雨，涨涪陵，激巫峡，崩裂崖岸，舟楫不得上下。郡人曰：'西山之雪，万古不销。此迎日而化者，其余渐也。'望中琼崖玉树，犹凛凛自若焉。岁八月，予以太常之节，监祀于西川，会贤倅曾侯锦江之东。侯苏人也，修洁而文。云在郡时，开风轩廨宇之曲，当西山之麓，公余退食，日与寒光灏彩为对。朋旧目其处曰'古雪'云。邀余诗，余为赋。"

闰九月

殷奎卒，年四十六。卢熊《故文懿殷公行状》："是岁，陕西省即以礼聘先生，考试多士，又请纂修关陕诸府图经。书成而病作，归学治医药。尤以礼殿未完，力疾襄事，将讫功而先生不起矣，时洪武九年闰九月二十六日也，年四十有六。……先生以去年南还，省亲拜墓，与熊考论关中旧事，未几别去。自言：'我衰病不堪，又且远行，奈老母何？'今年贻书云：'内伤疾作，并属其子来视我。'熊缄其手迹抵家，嗣是半年不得问。比又梦见之，意甚不乐。呜呼！先生果不起耶。友人将作司令王富文告熊以故，为之泫然，因为位哭之于馆舍。盖先生素笃孝行，非特以疾遽至于是，诚以不获奉养其亲为忧，以致殒没。"〔按，《强斋集》卷七《初度》："年年重六日，是我始生朝。自昔增悲感，于今更寂寥。盘餐惭草具，奠醁恨蓬飘。望里南云白，魂飞未易招。"殷奎生日为夏历一三三一年六月六日〕陈振祖《强斋集序》："要其志，固不欲以文章名后世者，而其文又皆温润缜密，动合矩度，岂所谓有德者必有言欤？公自始学，卓然有立志，不迁于流俗，中间阅历世故，起为百里师，辞府县职而间关数千里，典教关陕。天之劳其体以昌其气，苦其心以大其名，不但为其文也，而文亦随之。故入关以来，其文落落有奇气。"《国朝献征录》卷九四《教谕殷奎传》："门人私谥文懿先生。奎文章精审有法，尤深于性理，勤于纂述。所著有《道学统绪》《图家祭仪》、昆山、咸阳二志，《关中名胜集》《陕西图经》《娄曲丛稿》《支离稿》《渭城寐语》。"

四库提要卷一六九《强斋集》:"元明之间,承先儒笃实之余风,乘开国浑朴之初,运宋末江湖积习,门户流波,澌除已尽。故发为文章,虽不以华美为工,而训词尔雅,亦颇有经籍之光。如奎等者,在当时不以词翰名,而行矩言规,学有根柢,要不失为儒者之言。视后来雕章缋句,乃有径庭之别矣。"

秋

谢肃在上虞。《密庵集》卷六《送翁好古序》:"洪武八年夏,中书以广州府缺教授,署会稽翁好古氏往补其处。既道过乡郡,遭所生父之丧,不果行。明年秋,将之官,绝江东,来告行于吾邑尝所与游,以往年出京师时所得赠言若干篇俾予属。读之,学士宋公则谓,'师儒之任,每难其人,而喜得好古'。晋相陶公则谓,'好古有师友渊源,足以典教'。二公之言至矣,肃又何以赠之耶?"

十二月

诏颁建言格式。《明太祖高皇帝实录》卷一一〇"洪武九年十二月庚戌朔":"颁建言格式。时刑部主事茹太素上书论时务五事,累万余言。上令中书郎中王敏诵而听之,虚文多而实事少。次夕,于宫中复令人诵之再三,采其切要可行者四事,终五百余言。因喟然曰:'为君难,为臣不易。朕所以求直言者,欲其切于事情而有益于天下国家。彼浮词者,徒乱听耳。'遂令中书行其言之善者,且为定式,颁示中外,使言者直陈得失,无事繁文。复自序其善于首云。"

本年

童冀征入京师修书。冀字中州,金华人。洪武丙辰被征修书,后为湖州府学教授。调北平,坐罪卒。有《尚絅斋集》。据四库提要卷一六九《尚絅斋集》。

管时敏征拜楚王府纪善。管时敏(1331—?),初名讷,以字行,号竹间,华亭人。九岁能诗,长师事刘俨、杨维桢,而友袁凯。有《蚓窍集》十卷。吴勤《蚓窍集序》:"早岁读书三泖之上,钟山水之秀,为文儒。尝师事廉夫杨先生,执经座下,为高弟。故其心术之正,学问之博,文章德行之精醇,用于文明盛世,而功名事业炳乎其有耀也。壮年时仕为楚府纪善。"

林环(1376—1415)**生。**字崇璧,莆田人。永乐丙戌赐进士第一,授翰林修撰,升侍讲。有《絅斋集》。《闽中理学渊源考》卷五二《侍讲林絅斋先生环》:"林环,字崇璧,莆田人,唐九牧苇之裔。幼聪慧过人,阅书多成诵。尤精伏氏经。方在泽宫时,文章已为人所重。永乐四年,廷试第一,授翰林修撰。明年,升侍讲。预修《永乐大典》,两考会试。声名籍甚。"

王英(1376—1450)**生。**字时彦,号泉坡,金溪人。永乐甲申进士,选庶吉士。历翰林修撰、侍讲,再扈驾北征,累官南京礼部尚书。卒谥文安,改文忠。有《泉坡集》。陈敬宗《尚书王文安公传》:"公生十一岁而失怙,母淑人以教以养。游业邑庠,刻苦嗜学。"

章敞（1376—1437） 生。字尚文，会稽人。永乐甲申进士，改庶吉士，授刑部主事，历员外郎中，改吏部，擢南京礼部右侍郎。有《质庵集》。杨溥《礼部左侍郎质庵章先生传》："先生颖敏有智略，初补郡庠弟子员，日以读书攻文辞为事。服食之需，不计其有无。壬午以《诗经》魁乡试。永乐甲申魁会试，选庶吉士入翰林，同状元曾棨而下二十九人，绩学文渊阁。……寿六十二岁。"

公元 1377 年（洪武十年　丁巳）

正月

宋濂致仕。《明通鉴》卷六："先是濂以年老请致仕，许之。上尝廷誉濂曰：'朕闻太上为圣，其次为贤，其次为君子。宋景濂事朕十九年，未尝有一言之伪，诮一人之短，始终不二，非止君子，抑可谓贤矣。'每燕见，必设坐命茶，旦则侍膳，往复咨询，常夜分乃罢。濂不能饮，上尝强之，至三觞，行不成步，上大欢乐，御制《楚词》一章，命词臣赋《醉学士诗》以娱之。至是请归。乙酉，陛辞，上问濂：'年几何？'曰：'六十有八。'上赐《御制文集》及绮帛，谓濂曰：'藏此绮三十二年，作百岁衣可也。'并令每岁一来朝。"《西庵集》卷七《送翰林宋先生致仕归金华》："海内才名五十年，圣恩荣许晚归田。金华父老如相问，曾是瀛洲第一仙。"又："二十余年侍禁闱，趋朝常早晚归迟。春坊一揖临分泪，记得垂髫受业时。"又："门生日日侍谈经，独向孙蒉眼尚青。几度背人焚谏草，风灰蝴蝶满中庭。"又："万丈文光北斗悬，清名不独域中传。鸡林买得《潜溪集》，已向扶桑石上镌。"又："事业文章满汗青，白头归去世缘轻。双溪水绕长松下，只读《楞伽》一卷经。"

三月

宋濂序张孟兼文稿。宋濂《孟兼文稿序》："濂之友御史中丞刘基伯温，负气甚豪，恒不可一世士，常以'倔强书生'自命。一日，侍上于谨身殿，偶以文学之臣为问。伯温对曰：'当今文章第一，舆论所属，实在翰林学士臣濂，华夷无间言者。次即臣基，不敢他有所让。又次即太常丞臣孟兼。孟兼才甚俊，而奇气晔然。'既退，往往以此语诸人，自以为确论。呜呼！伯温过矣。濂以无根菰泽之文，何敢先伯温？今伯温之言若此，其果可信耶？否耶？纵使伯温非谬为推让者，才之优劣，濂岂不自知耶？伯温诚过矣。惟言孟兼才之与气，则名称其实尔。今观所造《孟兼文稿序》，嘉其语粹而辞达，他日必耀前而光后，其惓惓犹前意也。伯温作土中人将二载，俯仰今古，不能不慨然兴怀。孟兼请濂题识序后，因书伯温昔日之言，以表吾愧。操觚之时，泪落纸上。洪武十年三月二十五日。"〔按，刘基曾序孟兼文，则至迟洪武八年，《孟兼文稿》已编成〕

钱宰以老告归。《曝书亭记》卷六三《钱宰传》："洪武初，征修礼乐书，寻以病还。六年，授国子监助教。十年三月，以年老告归，帝许之，敕曰：'朕戡定四方，即开学校，延师儒，俾勋贤子弟、凡民俊秀，莫不从学，教以经史六艺。助教宰在学数

71

年，绰有成效，朕方喜诸生有所矜式，而年满七十，恳辞还乡，特授文林郎、国子博士致仕。尔尚师表一乡，训诱后进，庶几不愧古乡大夫之教，则朕犹有望焉。'"《静志居诗话》卷三《钱宰》："博士，吴越武肃王十四世孙，孝陵命撰《帝王庙乐章》，称旨。每进见，辄赐坐侍食。尝赋《早朝绝句》云：'四鼓冬冬起著衣，午门朝见尚嫌迟。何时得遂田园乐，睡到人间饭熟时。'明日，文华燕毕，帝谕曰：'昨日好诗，朕曷尝嫌汝？何不改作忧字？'又曰：'朕今放汝去，好放心熟睡矣。'乃遣还。"

春

林弼使安南。 张燮《林登州传》："丙辰，安南告变，上遣使往视而难其人，廷议交章荐公。公复衔命之国，镇抚其社稷以归，擢礼部主事。"《林登州集》卷十《送韩君子煜之官海门序》："洪武丁巳春，弼再奉旨，与礼部员外郎吴伯宗、顺庆府照磨韩君子煜，同使安南。越四月至其国，其王炜郊迎玺书至宫，北面拜，跪受上赐如礼，遣贡方物，奉表陈谢。滨行，炜遣陪臣持黄金若干两为赠，弼与二君峻辞却之。子煜曰：'嫌疑必慎。'亟取纸笔，俾臣具状领回，复语其执政以却之之故，要在上不失圣朝之体，下不失远人之心。万里瘴乡，山川险恶，而吾三人同心一力以事王事，行则方舟联辔，寝则共室对床，相聚之殷而相与之厚，未尝一事之或违，一言之或戾也。既复命当路，以韩君为能，超迁海门令。予与吴君送之龙江之浒。"

朱善以荐至京。 朱善（1314—1385），字备万，号一斋，江西丰城人。洪武中官至文渊阁大学士。有《朱一斋先生文集》、《广游文集》。聂铉《故奉议大夫文渊阁大学士一斋先生朱公墓志铭》："少聪颖，不好弄，好读书。早岁作文，通《四书》《五经》大义。祖洞云先生尝指以示人曰：'吾是孙，他日必为令器。'"《殿阁词林记》卷三《文渊阁大学士朱善》："洪武八年廷试，诸儒善为首，乃以为修撰，署院事，知制诰。"雍正《江西通志》卷六八《南昌府三》："按聂铉《一斋先生墓志》云：公讳善继，字备万，别号一斋。《列卿录》单名'善'，无'继'字。又《登科考》，'洪武六年，以有司所取多后生少年，特谕中书省各处科举俱暂停罢，自是以后，罢进士科者十有一年。至甲子三月，诏礼部复位科举法。'则洪武八年，未尝举行廷试也。郭书《列卿录·朱善传》及聂铉所撰墓志，皆以为洪武八年廷试第一人，或者以辟举召试，所未可知。然别无可考。"《朱一斋先生文集》卷四《送翰林典籍罗原奎归乡侍养序》："洪武十年春，善与江西教官同赴召者十有二人，而居翰林者惟善与罗氏原奎、刘氏仲质三人焉。时学士宋公新以承旨致仕归乡里。于是，善以修撰典诰命，原奎与仲质以典籍掌书册。先是，内府群书，秘书监实典之。九年冬，始命移置翰林内直之署，实在奉天门之左，凡为书数万卷。"《朱一斋先生文集》卷四《送羽林卫百户闵士奇序》："皇上即位之十年……士奇与予俱南昌人，为同乡；俱为王官，为同僚；俱任监工之责，为同事。时翰林无学上，予忝居院长，念士奇之有功于翰林也，故述斯文以赠，而谓属官咸赋诗以美之，而并书于其后。"聂铉《朱一斋先生文集序》："仆自早年，与朱备万先生游，泛西山南浦间。已而访予雷焕掘剑池上。时方重举子业，先生于《五经》传注，诵之如出肺腑。出其门者，皆高科膴仕，而先生卒不偶于有司，殆天使之

有所待耶？洪武十年，先生以郡邑荐至京，制作称旨，职居翰苑。"［按，朱善入京在本年，非洪武八年］

六月

方孝孺来从宋濂学。《文宪集》卷三一《送门生方孝孺还乡诗》序："明年丁巳，予蒙恩谢事，还浦阳。生复执经来侍。喜动于中，凡理学渊源之统，人文绝续之寄，盛衰几微之载，名物度数之变，无不肆言之，离析于一丝，而会归于大通。生精敏绝伦，每粗发其端，即能逆推而底于极，本末兼举，细大弗遗。见于论著，文义森蔚，千变万态，不主故常，而辞意濯然常新，衮衮滔滔，未始有竭也。细占其进修之功，日有异而月不同。仅越四春秋，而已英发光著如斯，使后四春秋，则其所至，又不知为何？如以近代言之，欧阳少师、苏长公辈，姑置未论，自余诸子与之角逐于文艺之场，不识孰为后而孰为先也？予今为此说，人必疑予之过情。后二十余年，当信其为知言，而称许生者非过也。虽然，予之所许于生者，宁独文哉？"孙憙《方正学先生年谱》："六月，宋太史谢事还浦阳，先生即往承学，同门多天下名士，一旦尽出其下，先辈如胡翰、苏伯衡皆自谓弗如。先生顾末视文艺，以明王道、辟异端为己任。于理学渊源之统，人品绝续之纪，盛衰几微之故，名物度数之繁，靡不会通底极，见于论著。太史时欲甥之，及归，告祖母，不允。先生留浦阳，越四寒暑，尝以周孔自处，海内之人亦咸谓程朱复出矣。"

张孟兼遭诃受杖。《明太祖文集》卷七《谕山东布政使吴印敕》："洪武十年六月二十日，御史台奏：山东按察司副使张孟兼言布政司倒换钱钞事，来云：'以民倒不许军倒，军倒不许民倒。'若以如此为之，是布政司官有所作为，特与军民便利，诚可嘉尚。比之其余布政司官，坐视不问民瘼之艰难，意思如何？今张孟兼轻薄小人，必是妄自尊大，以致布政司官观透所以为人，少有笑慢，以致此等小人，不顾生死，阻坏公政之事，特来诳闻。今敕御史虞泰，前去将张孟兼杖讫六十，就锁项前来，再行问罪。敕到奉行。"《逊志斋集》卷二一《张孟兼传》："孟兼廉劲疾恶，抵司纠摘奸猾，无所贷。株连徒党，相援引，每一事株流数十。吏民见张佥事出行部，皆凛然堕胆，如畏鬼神。声闻朝廷，升副使，移山东。而山东布政使吴印，乃钟山主僧，上亲选拜，官妻女，用金帛，宠之甚厚。印以见知人主，自尊重，礼节少简。孟兼自负其能无敌，且印新用，又僧也，易之。印候孟兼由中门入。孟兼以为印虽位大，然我风宪司，不当由我中门，召守卒答之。月朔望，入学谒孔子毕，令诸生执经讲说。孟兼故以语侵讥印，印不平。时初刊大明宝钞，印不令使。兵民更自至库贾钱。民以为病，而孟兼谓此诏印擅行之，是违制也。骑马入布政司，讁棰僚吏问罪，且言将上封事言于朝。其僚吏皆大慑，劝印即上封事，言孟兼见陵侮。然孟兼封事终不上也。上览印言，以为孟兼凌我任用臣，不逊，召答之。"

夏

旨取刘基象占书。苏伯衡《参政刘公墓碑铭》："诚意伯薨之又明年夏，监察御史李铎以上旨来取其《观象玩占》诸书。孟藻即日出书石室中，橐从李御史赴阙，奏曰：'臣先臣基临终，属臣以书，戒之曰：慎勿泄也！会葬事毕，其上之。臣未及上，重烦使者来取，臣罪当万死。今悉送官矣。惟陛下哀矜。'上慰谕之曰：'忠孝哉！其留服事朕。'孟藻顿首，乞赐归持服。赐宝钞三十贯，遣之。皇太子召赐食，加赐五十贯。"

刘绩寓吴山普光寺。《霏雪录》卷上："富春□寺碑文，乃洪武丁巳夏一初仁公住普福时所撰，俞紫芝书。予时寓吴山普光精舍，实见之。撰、书氏作铗岸、松雪者，伪耳。"

七月

宋濂文集《宋学士文粹》刊刻。刘基《宋学士文粹序》："太史公宋濂先生，金华潜溪人也，其字为景濂。五岁能诗，九岁善属文，当时号为神童。……入翰林为学士，海内求文者项背相望，碑版之镌，照耀乎四方。南丽、日本、安南之使，每朝贡京师，皆问安否，且以重价购其《潜溪集》以归，至有重刻以为楷式者。儒林清议，金谓开国词臣当推为文章之首，诚无间言也。先生之著述多至百余卷，虽入梓者已久，其门人刘刚复请基撷其精深，别成一编，庶几便于诵习，且征言序之。……文粹共十卷，而诗居其一云。洪武八年岁次乙卯春正月甲申，开国翊运守正文臣、资善大夫、前御史中丞、兼太子赞善大夫、护军诚意伯栝苍刘基谨序。"郑济《宋学士文粹跋》："右翰林学士承旨潜溪宋先生《文粹》一十卷，青田刘公伯温丈之所选定者也。济及弟洯约同门之士刘刚、林静、楼琏、方孝孺相与缮写成书，用纸一百五十四番，以字计之，一十二万二千有奇。于是命刊工十人锓梓以传，自今年夏五月十七日起手，至七月九日毕工，凡历五十二日云。先生平生著述颇多，其已刻行世者《潜溪集》四十卷、《罗山集》五卷、《龙门子》三卷；其未刻者《翰苑集》四十卷，归田以来所著《芝园集》尚未分卷，在禁林时见诸辞翰，多系大制作。窃意刘丈选之或有所遗，尚俟来者续编以附其后。惟先生受知圣主，辅导东宫，名满天下，文传四夷，则不待区区之所赞颂云。洪武丁巳七月十日，门人郑济谨记。"

八月

乌斯道去官永新。《春草斋集》卷五《刘君子纶墓志铭》："余治吉之永新之二年，为洪武十年，八月廿日去职。"《明史》乌斯道传："调永新，坐事谪役定远，放还，卒。"［按，乌斯道谪役定远，当在去官之后］

选武臣子弟读书国子监。《明通鉴》卷六："上念武臣子弟鲜知问学，命大都督府选入国学，其在凤阳者，即肄业于中都。"

林弼自安南还，过丰城。《林登州集》卷六《洪武十年再奉使安南还道经丰城留馆驿父老乞留题急笔赋此》："酡颜绿鬓映乌纱，奉使安南去路赊。金阙九天承紫诰，银河八月泛仙槎。行装只有梅花担，载道宁无薏苡车？挥翰玉堂知有待，五云深处听宣麻。"

九月

宋濂入朝。朱兴悌、戴殿江《宋文宪公年谱》:"九月,入朝。朝见于端门,劳问再三。皇太子、诸王皆喜动颜色。太祖曰:'纯臣哉景濂!方今四夷皆知卿名,卿宜自爱。'敕礼部致食粮及酒殽。"《明太祖高皇帝实录》卷一一五"洪武十年冬十月壬子(初七)":"观心亭成。初,上敕工曹造观心亭于宫城上。至是落成。上观幸焉。时致仕翰林学士承旨宋濂来朝,乃召濂语之曰:'人心易放,操存为难。朕日酬庶务,罔敢自暇自逸。况有事于天地宗庙社稷,尤用祗惕,是以作为此亭,名曰观心。致斋之日,端居其中,吾身在是,而吾心即在是,却虑凝神,精一不二,庶几无悔。卿为朕记之,传示来裔。'"《文宪集》卷二《观心亭记》:"乃洪武十年冬十月丙午朔,复敕工曹造观心之亭于宫城上,设甓为墉,涂以赭泥,中置黼座,前辟彤户。越七日,壬子落成。上亲幸焉。召臣濂,语之曰:'人心虚灵,乘气机出入,操而存之为难。朕罔敢自暇自逸,譬鱼之在井,虽未免跳踯,终不能度越范围。况有事于天地庙社,尤用祗惕。致斋之日,必端居亭中,返视却听,上契冲漠,体道凝神,诚一弗二,庶几将事之际,对越在天,洋洋乎临其上。卿为朕记之,传示来裔,咸知朕志,俾弗懈愈。'"

秋

凌云翰题画。凌云翰(1323—1388),字彦翀,钱塘人。元末举浙江乡试,除平江路学正,不赴。洪武初,以荐授成都教授。有《柘轩集》五卷。《柘轩集》卷一有《画》诗,序云:"高让士谦为予作《枯木竹石》,并题其上。余遍索交游,得十四人,终之以余诗,凡十六首。二画共三十二首。披图则存没如见,庶几笃友道云。张昱光弼则庐陵人也,王裕好问、陈晔宗亮则山阴人也,朱谊仲谊则维扬人也,章师孟季醇则严陵人也,浦源长源则句吴人也,周昉元亮则新城人也,张舆行中则崇德人也,王立本宗则金华人也,王谦自牧、杨明复初、俞友仁文辅、王正道子宗、万振文远,则皆钱塘人也。洪武丁巳秋八月初吉题。"

秋前,瞿佑寄居岳家,作西湖十景词。后以荐致京。《乐府遗音》丁丙跋云:"长苦不第,筑一室,自署曰'西泠草堂'。洪武十年,先生卅一岁,寄居外家富子明氏有余清楼。调寄《摸鱼儿》,制《西湖十景词》十阕,盛传人口。"陈霆《渚山堂词话》卷三:"瞿宗吉,号山阳道人。有《余清》及《乐府遗音》等集,皆南词也。往见其《望西湖》十阕,其自叙云:'丁巳岁夏,寄居富氏余清楼,俯视西湖,如开一镜,凡阴晴风雨、寒暑昼夜,未尝不与水光山色相接也。技痒不能忍,因制《望西湖》十阕。'其腔即晁无咎《买陂塘》旧谱也。宗吉工诗词,其所作甚富。然予所取者,止十余阕。惜其视宋人风致尚远。"徐朔方《瞿佑年谱》据《钱塘县志》,乔光辉《〈瞿佑年谱〉订补》云:"次年(洪武十一年),瞿佑即在仁和县学训导任上。"

十一月

宋濂离京。朱兴悌、戴殿江《宋文宪公年谱》:"十一月丙申,入辞。二十五日,戒途。先生以岁暮辞归数日，太祖谓璲曰：'朕梦见尔父笑语如平日，尔父虽去，容仪俨然在朕目中也。'璲叩头谢。"

本年

孙蒉为平原主簿。《国朝献征录》卷一一五《孙仲衍传》："居翰林三载，外补平原簿，以事逮系。"雍正《广东通志》卷四七："……为平原簿。无何，逮系，输左校。筑墙，望都门讴吟为粤声，督者以闻，召至陈诗，皆忠爱语，释之。"《西庵集》卷六《之官平原留别诸老》："朱衣和泪别龙庭，瘦马嘶风出凤城。托迹禁帏原已重，之官名邑未全轻。驱驰只笑儒生拙，悯念难忘圣主情。后夜玉堂清漏永，紫薇花月向谁明？"

王绅与方孝孺定交。王绅（1360—1401），字仲缙，义乌人，待制王祎子。官国子博士。有《继志斋集》十卷。《继志斋集》卷五《送郑叔贞序》："洪武丁巳，先师太史宋公致政家居于萝山。绅始弱冠，以契家子获执汛扫役于公门。公不鄙，汲引而诲之。每宾客散后，列弟子坐松涛室下，历数古今作者，必曰：'吾于交友所见，惟尔父一人，而门人辈独希直而已。'希直，即今侍讲正学方先生也。绅时呆稚，未知所云。"《继志斋集》卷六《送戚文鸣归省序》略云："游于太史公潜溪宋先生之门，而获师友乎今侍讲希直方公。当是时，乡里子弟以读书业儒为讳。吏胥一见人被章逢谈文艺，则拘执系缧，强委以案牍焉。少丽于法，立致身家之虞。余乃被短褐，袖小册，昼入深密中读诵。或闭户，夜就绩灯以披阅。途遇权贵人，屏缩不敢近，即近不敢吐一辞。间以所得发为文。若诗，非神交心契者不敢使之知。"

杨士奇始从陈谟习举子业。杨思尧《太师杨文贞公年谱》："公年十三岁，从海桑学。司仓伯父授以《四书待问》八卷。得韩文。"［按，海桑为陈谟］陈谟（1305—1387），字一德，号心吾，人称海桑先生，泰和人。明初聘修《礼书》，辞归。有《海桑集》。《海桑集》卷首提要："谟，字一德，泰和人，生于元成宗时。洪武初，召赴阙，以疾辞归。其家传称，卒年九十六。考集中年月，止于洪武十七年。晏璧于永乐七年作《海桑集序》，称'谟卒后二十年'，则卒于洪武二十一年戊辰也。谟《书刘氏西斋倡和卷后》称生大德间，为前朝太平幸民六十余年。由洪武戊辰上推大德元年丁酉，仅九十二年，安得寿九十六？是其家传误也。"［按，《海桑集》卷一有《岁己未年七十有五作百字令以自寿》，知其生1305年。又《东里续集》卷一九《竹林清隐记后》："盖先生为此文时，年七十有七。后五年，仲敬举孝廉，得荔波县丞，先生作诗送之。盖明年先生捐馆……"，海桑卒年八十三。又《海桑集》卷八《袁宁窗墓志铭》："大明洪武二十年丁卯，正月二十五日，居士袁公宁窗卒。"《海桑集》年月止于此篇所记，与其卒年合。晏璧永乐七年所序"先生殁之二十年"为误］

谢肃游历太行东西。《密庵集》卷二："洪武十年，余自越中北走燕南，西度太行，寓并汾，南取道于覃怀，绝河汴、江淮以还。盖太行东西咸历矣，乃作太行山五十韵。"戴良《密庵集又序》："余友谢先生原功，天下之豪俊人也。居于越之鄙，越人无少长，望见原功皆畏服。……入国朝，尝被简拔入礼局，与太常诸儒同考礼，继为忌者所不容，遂出赞郡政千里外。又以胥铺见黜，困而归。原功既不偶，漠然无所向；

闻西北山水之雄壮，其山则有泰岱、恒岳、太行之崛峥，其水则有江、淮、沔、济、汝、颍之汹涌，伏羲、尧、舜、禹、汤、文、武之故都，孔、颜、邹、孟之故里，与夫战国王侯将相之丘墓，咸在焉。于是由金陵走济南，走太原，盘桓吴、楚、齐、鲁、燕、赵、晋、魏之郊，感今怀古，一发于声诗。当其登高临下，或藉草坐卧，或剧饮大醉，必放歌朗吟，以适一时之乐。何其壮也！"

张美和擢为国子助教。《明儒言行录》卷一《张美和》："洪武初，荐为本县教谕。七年教成，贡入太学，铨用者多其弟子。十年，召至京，赐衣一袭，擢国子助教。气貌严整，将以笃实，每教诸生必端坐不言，有所请问，徐徐应答，不过一二语，义理明鬯，人深服之。"

郑潜致仕，旋卒。《新安文献志》先贤事略上："郑樗庵潜，字彦昭，经历绍之子。由内台擢历官太子正字、监察御史、福建行省员外郎、海北道廉访副使、泉州路总管。入国朝，以故官起除宝应县主簿，升潞州同知。洪武十年，致仕，卒。所著有《白沙稿》《樗庵集》。"四库提要卷一六九："程敏政《新安文献志》载其始末甚详。黄虞稷《千顷堂书目》列之元人，误也。虞稷载《樗庵类稿》二卷，今从《永乐大典》裒辑得，古体诗五十首，近体诗一百四十六首，并原序三篇，仍可编为二卷，计所遗，亦无几矣。是集皆其在元所作。"程文《序郑彦昭集》："彦昭诗森然而武库之兵，浑然而昆山之璞，沛然而春江之涛，金石奏而罍洗陈，何其能言而文欤？盖骎骎乎格高律熟而入于精者矣。"

陈敬宗（1377—1459）**生**。字光世，慈溪人。永乐甲申进士，选庶吉士，授刑部主事，改翰林侍读，转南京国子司业，升祭酒。卒赠礼部右侍郎，谥文定。有《澹然居士集》。

公元 1378 年（洪武十一年　戊午）

二月

王偁丧父。吴海《友石山人墓志铭》："岁著雍敦牂二月乙丑（二十二日），友石山人王君用文卒，予走往哭焉。其孤曰：'父有遗言，令我自进。'启缄得书及诗，皆殷勤与予诀，与悼其后事。其词有甚可哀者，曰：'吾幼失父母，值乱奔走四方，来闽将二十年。淮土为墟，吾家老幼僮仆殆百口，无一人存者。先垄遂为无主，吾目不能瞑。诸子皆幼，何以得还？将来失学，不能为人。吾葬不必择地。苟夫子不忘平生，其幸为我志焉。'予既吊祔其孤，乃征其家牒。按王氏先世齐人，陷没于李元昊。元初取天下，赐姓唐古氏。曾祖某从下江淮有功，授武德将军，领兵千户，镇庐州，家焉。祖某，父某，迨君袭爵三世。君讳翰，仕名诺摩罕，年十六，领所部，有能名。省宪共言其材于上，请畀民职，除庐州路治中。政誉日起……遭世变，更浮海抵交占不果，屏居永福山中，为黄冠服十年，号友石山人。一妄男子上书荐之，君闻命下，叹曰：'女岂可更适人哉？'即治木，病不肯服药，逮有司迫就道，遂自引决，年四十有六。君性强介精敏，有胆略，常慕古志士立名于世，持身斩斩，刻苦节俭，衣服饮食处人不堪。居官廉洁，货赂不入，吏畏若雷霆。其行事一以爱民为主。平居阅书史，喜为诗，敏常先于人。君配夏氏，前卒于淮。再娶刘氏。子三人，偶甫九岁，修甫六岁，伟三岁。呜呼！世之仕者或不能洁己爱人，或下材不任举职，徒能邀近一死，君子犹必取之。况君所树立若此者哉！惟寡妻弱子，侨寓数千里之外，望乡井坟墓而不可及，行道有戚之者矣。"《国朝献征录》卷二二《翰林院检讨王偶传》："王偶者，永福人也，字孟扬。其父翰，元季为潮州路总管，故西方人也。先为闽行省郎中，已而以潮州总管弃□，遂走闽，为黄冠，栖永泰山中十年矣。高皇帝闻翰贤，诏有司强起之。翰自刎死，时偶甫九岁。闽吴海者，翰执友也，义抚偶，教之。"

三月

凌云翰扫墓作诗。《柘轩集》卷一《谒仇山村墓追和张仲举诗韵》："敬吊先生落照中，纸烟销尽酒樽空。牛羊上垄无人管，岂为当时面发红？"序云："洪武戊午三月二日清明，偕弟彦翔、外弟陈彦，恭谒栖霞先垄地。与南阳仇先生墓相迩，因酹焉。前一日，偶阅杨真率所收张翰林诗集，有曰'三月六日偕杨元诚、张仲川拜扫栖霞仇先生墓题绝句'，云：'泪栖荒苔积草中，更无人迹纸烟空。坟前惟有山茶树，开到清明自落红。'翰林字仲举，仲川之兄字伯雨，皆先生高弟。元诚，则其故友也。其为诗，所谓长歌之哀过于痛哭者矣。因追和其韵，以写予怀。景行莫君，亦先生高弟，故书以寄云。"

蓝仁题虚白道院以怀弟。《蓝山集》卷一《重题虚白道院》序："吾弟虚白居西山学道之七年，岁在庚寅八月初四日，有羽士相过，蓬头眵目，敝衣破笠，杖悬药瓢数十，铿戞有声。既至门相见，揖让周旋之礼颇疏，供茶与粥俱不入口，翩然即辞而去。明日，乡邻有至山者云，'昨日有一道人，云自海上来，问西山路，去访蓝道人，投机一宿，不投机即行。沿途施药，请服之者病辄愈。'询之数十里间，同日俱见，遂遍访求之，竟无及矣。虚白不胜怅然。盖其志勤于慕道，仙者特来观察焉。后数年，虚白仙去，其事少知之者。暇日重过林下，有感前事，遂题长句，俾有志于道者，知学仙之不妄也。时戊午三月，蓝山拙者书。"

春

叶子奇始作《草木子》。《曝书亭集》卷六三《叶子奇传》："叶子奇，字世杰，龙泉人。用荐授巴陵主簿。尝作《太玄本旨》，究通衍皇极之说，儒者称之。洪武十一年春，有司祭城隍神，群吏窃饮猪脑酒，县学生发其事，子奇适至，以株连就逮狱中。用瓦磨墨，有得辄书。事释家居，续成之，号《草木子》。其书稽上下之仪，星躔之轨，律历推步之验，阴阳五行生克之运，海岳浸渎戎貊希有之物，神鬼伸屈之理，土石之变，鱼龙之怪，旁及释老之书，而归于六籍。兼记时事失得，兵荒灾异。曰'草木子'者，以草计时，以木计岁，以自况其生也。"

四月

明太祖撰皇陵碑文。《明通鉴》卷六："江阴侯吴良，督田凤阳，上命修葺皇陵，至是成。诏曰：'皇堂新造，予时秉鉴窥形，但见苍颜皓首，忽思往日之艰辛。窃恐前此碑记，出自儒臣粉饰之文，不足以为后世子孙成戒，特述艰难以明昌运。'乃自制碑文，命良督工刻之。"

五月

朱权（1378—1448）生。朱元璋第十七子，号癯仙，洪武二十四年封，二十七年之国大宁。永乐二年，移南昌。正统末薨。有《采芝吟》。《弇山堂别集》卷三二《同姓诸王表》："宁献王权，太祖第十七子，母妃杨氏。洪武十一年五月初一日生。"朱谋垔《续书史会要》："宁献王讳权，号癯仙，高皇帝第十六子也。始封大宁，徙南昌。王神姿秀朗，慧心天悟。始能言，自称'大明奇士'。好古博学，旁通释老。著述甚富，兼善书法。"［按，《续书史会要》"第十六子"云，以永乐夺位，自居正统，忽朱元璋长子朱标不计］

六月

瞿佑《剪灯新话》成。瞿佑《剪灯新话》自序："余既编辑古今怪奇之事，以为《剪灯录》，凡四十卷矣。好事者每以近事相闻，远不出百年，近止在数载，襞积于中，日新月盛，习气所溺，欲罢不能，乃援笔为文以纪之。其事皆可喜可悲、可惊可怪者。所惜笔路荒芜，词源浅狭，无嵬目鸿耳之论以发扬之耳。既成，又自以为涉于语怪，近于海淫，藏之书笥，不欲传出。客闻而求观者众，不能尽却之，则又自解曰：《诗》《书》《易》《春秋》皆圣笔之所述作，以为万世大经大法者也；然而《易》言龙战于野，《书》载雊雉于鼎，《国风》取淫奔之诗，《春秋》纪乱贼之事，是又不可执一论也。今余此编，虽于世教民彝莫之或补，而劝善惩恶，哀穷悼屈，其亦庶乎言者无罪，闻者足以戒之一义云尔。客以余言有理，故书之卷首。洪武十一年岁次戊午六月朔日，山阳瞿佑书于吴山大隐堂。"凌云翰《剪灯新话序》："昔陈鸿作《长恨传》并《东城老父传》，时人称其史才，咸推许之。及观牛僧孺之《幽怪录》，刘斧之《青琐集》，则又述奇纪异，其事之有无不必论，而其制作之体，则亦工矣。乡友瞿宗吉氏著《剪灯新话》，无乃类是乎？宗吉之志确而勤，故其学也博；其才充而敏，故其文也赡。是编虽稗官之流，而劝善惩恶，动存鉴戒，不可谓无补于世。矧夫造意之奇，措词之妙，粲然自成一家言，读之使人喜而手舞足蹈，悲而掩卷堕泪者，盖亦有之。自非好古博雅，工于文而审于事，曷能臻此哉？至于《秋香亭记》之作，则犹元稹之《莺莺传》也，余将质之宗吉，不知果然否？洪武十三年夏四月，钱塘凌云翰序。"吴植《剪灯新话序》："余观宗吉先生《剪灯新话》，其词则传奇之流，其意则子氏之寓言也。宗吉家学渊源，博及群集，屡荐明经，母老不仕，得肆力于文学。余尝接其论议，观其著述，如开武库，如游宝坊，无非惊人之奇，希世之珍；是编特武库、宝坊中之一耳。然则观是编者，于宗吉之学之博，尚有愆也。洪武十四年秋八月，吴植书于钱塘邑庠进德斋。"桂衡《剪灯新话序》："余友瞿宗吉之为《剪灯新话》，其所志怪，有过于马孺子所言，而淫则无若河间之甚者。而或者犹沾沾然置喙于其间，何俗之不古也如是！盖宗吉以褒善贬恶之学，训导之间，游其耳目于词翰之场，闻见既多，积累益富，恐其久而记忆之或忘也，故取其事之尤可以感发、可以惩创者，汇次成编，藏之箧笥，以自怡悦，此宗吉之志也。余不敏，则既不知其是，亦不知其非，不知何者为可取，何者为可讥。伏而观之，但见其有文、有诗、有歌、有词、有可喜、有可悲、有可骇、有可嗤。信宗吉于文学而又有余力于他著者也。宗吉索余题，故为赋古体一首以复之云。……洪武己巳六月六日，睦人桂衡书于紫薇深处。"《西湖游览志余》卷一二："宗吉尝著《剪灯新话》一编，粉饰闺情，假托冥报，虽属情妖丽，游戏翰墨之间，而劝百讽一，间有可采。或谓《秋香亭记》乃宗吉事，使其果然，亦元微之《会真》意也。桂孟平读此书而作歌一篇，语涉讽刺，而思致秾绸，可诵也。"《百川书志》卷六《史部·小史》："《剪灯新话》四卷，附录一卷。钱塘瞿佑宗吉著，古传记之派也。托事兴辞，共二十一段。但取其文采词华，非求其实也。"都穆《都公谭纂》卷上："予尝闻嘉兴周先生鼎云，《新话》非宗吉著。元末有富某者，宋相郑公之后，家杭州吴山上。杨廉夫在杭，尝至其家。富生以他事出，值大雪，廉夫留旬日，戏为作此，将以遗主人也。宗吉少时，为富氏养婿，尝侍廉夫，得其稿，后遂掩为己作。惟《秋香亭记》一篇，乃其自笔。今观《新话》之文，不类廉夫。周先生之言，岂别有所本耶？"

九月

贝琼致仕。《明太祖高皇帝实录》卷一一九"洪武十一年九月"："赐中都国子助教贝琼致仕。琼，字廷臣，嘉兴崇德人。性坦率，不事边幅而笃志好学，博通经史百家之言，善为文。年四十八始领乡荐。张士诚据姑苏，累征不就。洪武三年，荐修《元史》。六年，擢国子助教。九年，迁中都国子学助教，教勋臣子弟。琼素有名誉，虽将校武夫，皆知敬。至是致政。"

十一月

宋濂朝京师。朱兴悌、戴殿江《宋文宪公年谱》："朝京师。阅十四日，见于端门，太祖大喜。皇太子、诸王皆喜。上遣仪曹备膳羞诸物，抵寓馆以赐。自是日与上游，恩礼备至。"

十二月

徐一夔《始丰稿》初编成。宋濂《徐教授文集序》："吾友天台徐君大章，赋资绝伦，自少学文即期以载道，非六经所存，不复轻置念虑于其间。含积既久，烨然以文名江南。洪武中尝召入史馆，与修《大明日历》。遂出，教授武林，日以横经讲道为事，远近生徒莫不趋之，犹水之赴壑。当修《日历》时，予适为之总裁，每与大章论文，窃叹今之作者何其与古异也。大章深以予之言为然。去岁过武林，获观其文集若干卷。今山居多暇，因徇大章门人之请，漫为序其篇端。呜呼！世有豪杰之士，知文与道非二致者，必以余说为不谬。苟非其人，则以好高尚夸尤之矣，予一听焉，无事乎辨也。"

孙蕡作《祭灶文》。文存《西庵集》卷九，作于二十四日。《万历野获编》卷一三《孙蕡陈遇》："蕡自洪武三年庚戌开科，三试俱高第，赐进士出身。授工部织染局使，出为虹县主簿，选入为翰林典籍。又出为平原主簿，以事逮问，输左校，寻被释。拜苏州府经历。二十二年，谪戍辽东。又以蓝玉党见法。盖仕宦二十年，一禁系，一从戎，四为下僚，仅一入史局，而不免伏锧。其著述甚多而失传，今存者《祭灶》一文耳。当时亦何苦应举入仕，以致非命耶？"

本年

朱善谪戍辽东，旋放还。聂铉《故奉议大夫文渊阁大学士一斋先生朱公墓志铭》："洪武八年，起取赴京，廷试第一，除授翰林修撰署院事，知制诰。逾年，以家属不完，谪教辽东。公略无愠色，且日赋诗文，有《辽海集》。未至辽城，恩赐还乡。语子逢掖曰：'汝力耕以供赋役，我取汝祖所著《皇极经世》等书而考证之。'"《殿阁词林记》卷三《文渊阁大学士朱善》："逾年（九年），以奏对失旨，谪戍辽东，复改典籍，放还。"《春草斋集》卷二《清节先生传》："先生讳德称，字彦良，以字行，号清节，姓桂氏。……洪武六年，有司举秀才，赴京师数千人，天官精拔七人，以先生为首。……翰林修撰朱善稍失礼，因举大杖将击之。先生辄谏曰：'陛下姑取其长，舍其所短。'上怒亦解。"[按，朱善放逐实以忤旨，其谪在洪武十一年，非九年]

孙蕡罢归田里。雍正《广东通志》卷四七："十一年罢归田里，十五年召拜苏州府经历。"《西庵集》卷首提要："召入为翰林院典籍，出为平原主簿。坐累，逮系，旋释之，起为苏州经历。"

唐之淳赋《九灵山图》。《九灵山房集·年谱》："十一年戊午，先生六十二岁。先生宦游四方，尝作《九灵山图》，携以自随，所至张之壁间，或即以名其所居之室，名流题咏，各有时日。丰城揭汯，至正廿五年记云：周伯温左丞以古篆书寓室之楣间，时伯温官吴，先生在吴门，故得而书之也。会稽胡惟仁、四明乌斯道两记，在廿六年泛海前。客越客鄞，此其时也。会稽唐之淳赋，则在戊午。他如丁鹤年诸公歌诗，共十余首，今俱载家牒中。"《鹤年诗集》卷二《九灵山房图为戴先生作》："九灵别业何年到？聊作新图寄所思。幽谷白云晴窈窕，高檐翠树晓参差。辋川已入王维画，韦曲仍传杜甫诗。咫尺相望成万里，卧游心事许谁知。"

孙作教授国子监。宋濂《沧螺集原序》："教授三年，选天下学官内任，公复在行。比考春官、廷对，皆第一，除国子助教。明年，分教中都。又明年，召还成均。又明年（洪武十二年），升国子司业。"

张孟兼卒，年四十一。《逊志斋集》卷二一《张孟兼传》："孟兼既辱，愈愤，即捕为书封事者，欲论以罪。印复上书言状，请去位避孟兼之横，否者，且为所挤。上大怒曰：'彼乃敢与我抗耶！吾今乃与尔抗。'遂械孟兼至阙下，廷诘之，命卫士捽发摘筚，垂死，特论弃市。诏印曰：'吾除尔害矣，善为之。'初，孟兼迁副使山东，自陈父老，大夫为之请假。上许之。孟兼归至家，县令丞皆门谒，奉酒牲为礼，孟兼坐受其拜，不答，麾酒却之。乡人皆劝其少逊让和以下人，孟兼不听。及于败，或怜之，或快之，以为宜。然孟兼中实无悭贼之心，只以尚气好高人，以故为人所陷。"四库提要卷一六九："《白石山房逸稿》二卷，明张孟兼撰。……《艺文志》载孟兼文集六卷，焦竑《国史经籍志》亦同。其本久已散佚，近时有孟兼十一世孙思煌者，始掇拾他书所载，重编定为五卷，而集内收他人唱和题赠之作几十之七八，孟兼著作仍寥寥无多。此本不知何人所辑，视思煌本较多数首，疑尚出明人衰集，故思煌未之见也。孟兼与宋濂同里，其被召也，濂实荐之。太祖与刘基论一时文人，基称宋濂第一，而己居其次，又其次即孟兼。今虽不睹其全集，而即二卷以观其诗文，温雅清丽，具有体裁，而龙骧虎步之气，亦隐然不可遏抑。接迹二人，良足骖驾。基虽一时之论，即以为定评可矣。"张以珸《白石山房遗集序》："婺州文献之传，其最著者，惟潜溪宋氏。同时与潜溪相颉颃者，则张孟兼先生也。夫文非徒抒其所学也，亦往往与其人之性情谐相肖。故其人而优柔平和者，则其文和以婉，其人而果决强毅者，则其文宏以肆。根于中而自露于操觚之际，不容掩也。先生以盖世之学，于学无所不读，其置身千仞，不可一世，磊磊落落，不少曲于心，不少挫于物，秉正嫉邪，直行其志，不欲与世稍为委蛇，虽以视踽踽中行之士，则有间矣。然清操玉立，骏励无前，至今得想见之。故其发为文词，古秀雄杰，雷霆走其精锐，风云同其变化，即其平易似不经意之处，皆非浅人可到。刘青田称其文晔晔有奇气，洵不诬也。……惜其全集在当时已收入内府，后之贤嗣嗣极意搜罗，仅存十一于千百，如昆山片玉，愈少则愈可贵，因争付之锼梓，以垂不朽。嗜古之士，虽不获见其大全，即此缺简残编以想作者之风概骨力，亦卓然自成一家言矣。……乾隆己巳年十月朔日，同邑后学张以珸拜题。"关世缙《张孟兼先生文集序》："浦阳张孟兼先生，其生平出处大节，守正不阿，前贤论之详矣。先生之为人，岂必以文传哉！然即以文论，则其学问宏博，虽负气如青田，亦称其才甚俊而奇气烨烨然。当日谨身殿之对，《濂溪集》中备载之。先生之文，与刘、宋二公并峙。所著有《白石山房文稿》及《蜀山遗集》。想其挥毫落纸，盈篇累牍，尽吐其胸中之奇，以是藏之名山，传之其人，所以涤荡胸襟，发皇耳目，当不知何如？乃今考其遗书，久失殆尽，呜呼！何不幸欤！……余秉铎于兹，读先生遗集，惜其残缺不完，而鲁鱼亥豕之讹，急需订正，因旁搜他集，间得一二以补遗亡。其字句之谬误，悉厘正之，附载外集，以资征信。授之梓人，盖匪独家垂光也。虽卷帙无多，而先生之俊才奇气，已毕露于此。□直一字一宝。玄圃积玉，参龙夜光，后之览者，即以作全集读也可。夫先生之为人，则岂必以其文而始传哉？康熙戊戌年春王正月，浦江县儒学训导秀水曾安世缙关氏拜书。"金德甫《张孟兼先生逸稿序》："然先生则文品自豪，一往之气人莫能御。……厥孙思晦博雅能文，克念尔祖，更能搜先生之断简残篇而汇成集，直堪与仙华浦汭媲美高深，文不在兹乎？昔李翱云：'先祖有美而不知，不明也。知而不传，不仁也。'思晦绳武而免夫不明不仁之消，予故乐为之序。"张德行《孟兼先生遗文序》："予幼闻里中有孟兼先生者文最高，不少概见。心窃疑之。有言先生以文自矜上，能者嫉之，不能者畏忌之，鲜乐与道述。胤子又以考罢于难也迁怒，又文不甚珍藏，以故不传。於戏！天下文章可不必传而传者，何可胜数！乃于闳博巨才，反以靳之。青田刘文成岂非旷代文雄，胸中亦每不可一世，论文天子之前，惟兄潜溪而弟孟兼，且曰'外此，非所知'，则孟兼之文，殆何等也！以抵难少之，抑过矣。

……予兄夫次不忍其湮没，属其后裔思晦搜览群籍，凡有所见，辄为校辑，帙成不多。予兄表章之心，盖亦良苦。嗟夫！慧业天授，嫉忌焉施。一时鲜所称述，越数百年，复有夫次氏暨思晦氏起而裒集之，虽恨未全，以考内府《经籍志》，《张孟兼集》六卷，尚藏秘阁，安知阙略在今日者，不明备于他年，偕文成、文宪并称三先生于不朽欤！予惜其文并伤其人不能禁，创手言之，愿天下无重视福命而轻委文章也。"倪一膺《张孟兼先生遗集序》："浦江以文献称尚矣！至元明之际，其人文为尤盛。洪武初，刘诚意推当世文章三人，浦之擅名者二。万历间，胡少室既许辑浦志，胪列邑先贤集十四部，其盛盖如此。然诚意所推潜溪宋文，海内共仰之，洵如公言。其所称张孟兼先生，其集非特海内不必周知，抑亦吾邑罕有见闻者，何欤？盖先生以果直严毅抗高皇，无罪猝死，遗书不果刊布，寻采入秘书，故后人不能知。然自穷而达，与士大夫游，间有酬答，脱稿四方者，杂辑于群书。士子不能睹秘府之藏，家又不能蓄书，故其名不甚著耳。少室公藏架溢万卷，且曾披弘文秘籍，浦之有集者十四人，具见而识之，故其言若此。嗟乎！吾邑若柳、若吴、若方与宋者，皆暗中摸索可得，外此名且罔闻，况于文乎！先生兹集，乃孙朝煌、思晦氏从他书遗次，未及十一，盈把皆遗珠矣。然即一斑可窥全豹，因欲梓之以广其传，向闻评先辈文者曰宋之博，柳之卓，吴精凿，而先生以未著名，不及焉。吾以为斯集于三子可谓伯仲之间见伊、吕矣。……若先生山岳之性、风云之气，上不回天子之威，下不事诸侯之贵，故其发而文词，洞达慷慨，闳肆而警严，若此观乎文，可以知其人矣。虽遗编不能尽其蕴，而善读者正可于楮墨之外，想见其精神骨气所岸然卓立处也，何以多为尚哉？其家乘及文集云，先生讳丁，字孟兼。以诚意对太祖称'太常丞臣孟兼'，未有臣称字君前者，疑先生别有字，孟兼或仕籍名也。康熙岁次丁卯至日，松楼倪一膺服回甫拜撰。"张燧《张孟兼先生逸稿序》："李本宁先生尝称：明兴，文章之业自两浙始。青田、金华联袂并起，用以经纶草昧，黼黻太平，而一代典制尽出其手，其乡遂为文献大邦。然考青田当日论文，首推金华，而青田、金华所交赞于上前者，则惟太常丞张孟兼，《潜溪》《逊志》诸集可覆按也。第先生英龄负气，亢弗能下，攻乎异端，竟以谗死。而当日忌才之伦，既不肯称举其名字，其后裔疏略，复不能备藏其遗文，于是，天下后世遂不知有先生矣。张丁孟兼集六卷，仅见于焦漪园《国史经籍志》，即李先生固所称一代文豪，亦鲜能述而传之也。……盖先生伦纪大节，本乎性情，故发为文章者，自可以光天壤而垂不朽也。回视喔咿儿腼颜附势以取声名于人齿颊间者，先生能不鄙夫目之，而臧获等之耶？故予于先生文，碎录必收，残篇必校，复因其裔朝煌之请，并为序之，以与青田、金华两先生鼎峙一时，芳流千古，岂独以其文哉？岂独以其文哉？同邑后学张燧夫次题于清远山房。"张朝煌《白石山房遗稿叙》："予祖孟兼公秉钺山西，执笔史馆，政事文学炳炳麟麟。……独所著《白石山房文稿》二十卷与《蜀山遗集》，并遭回禄，莫能睹其片纸只字。……仅以他集中所记载与诸老先生所题赠者，录成一帙，名之曰《白石山房遗稿》，虽所传不多，然而尝鼎一脔，窥豹一斑，知予祖者正无俟乎多求也。即兹一帙，可以想见其全集，可以永垂于不朽矣。时顺治岁次癸巳，律中无射望日，十五世孙朝煌谨识。"《白石山房逸稿》附录《孟兼集叙说》引诸家评说："胡元瑞曰：国初文人率由越产，如宋景濂、王子充、刘伯温、方希古、苏平仲、张孟兼、唐处敬辈，方无抗衡者。""《徐氏诗评》曰：宋、王之纯雅，大牢之味，藜藿自别。他如张孟兼辈，皆篇什不乏。李献吉《送徐昌谷诗》'金华数子真绝伦'，谓宋、王、张诸子也。""庐陵黎氏曰：浦阳文献著作如林，今皆不可多见。他在胜国前兵燹坑烬，不足讶。张太常为昭代词臣首选，乃文稿杳不可觅，可胜惜哉！""张夫次曰：国初官人以才不以类，但宠用浮屠氏太过。如张太常孟兼，初以一僧善论性，往复与辩，上亲擢宪府。后以才抑一僧，竟坐酷罪。见《逊志斋集》张孟兼传及《明兴杂记》。燧按：《续人物记》谓与李证应奉往复论性，召对左掖。《贤达传》谓与布政争论异端，布政中以他事。王弇洲《艺苑卮言》载文人九厄，言张孟兼之死以冤，俱指此。惜未详考显标，致其辟异端意旨，三百年未有拈出。""姚福《青溪暇笔》曰：太祖一日问刘基，'我朝文章，何人为首？'基对当以宋濂第一。又问其次，曰'臣不敢多让'，此语正未详备。《皇明世说新语》云：高皇与刘诚意论文，诚意谓，'宋濂第一，其次臣不敢多让，又其次则张孟兼。'方孝孺《逊志集》载《张孟兼传》，与《宋潜溪学士集·跋孟兼文稿序后》，其语皆同。又潜溪《送孟兼之山西序》言，孟兼精于古文词，前御史中丞刘公极称道，尤深于性理之学，其与李证应奉往复论性，上彻九重之听，召对左掖门，士林以为荣。燧按：孟兼为巨公推许，两达宸陛如此，故国初称能文章者，必曰三先生。惜其稿入内府，家竟无传。而郎瑛《七修类稿》以宋、刘与方正学称三先生者，尤误。""孟兼文稿，《贤达传》曰，所著有《白石山房稿》；《庚戌志》并《续人物记》又曰：《白石山房》文稿二集。燧按：其稿不以'白石'称，亦非二集。蒲田郑思亨《白石山房序》及羊城陈连记，皆曰孟兼尝构斋白石山下泉石清胜处，其从弟思玉公每倘徉其间，爱其幽邃，扁曰'白石山房'。则'白石山房'字，虽见于宋太史《玉兔泉联句》，而孟兼实未尝以名斋名集，故《潜溪集》亦但言'跋丁孟兼文稿后'。焦漪园《国史经籍志》称张丁孟兼集六卷，乃知为牺轩之使购为秘阁广内之藏，非人间所得见。故诸志所称，往往失实耳。""《志略》曰：张孟兼制科入仕。《诗粹传略》又曰：登吴元年丁未制科。《庚戌志》因言，'国初以选举不足，间开此科。应制中式者，以为特异，与进士同用。永乐中罢。'皆臆说也。燧按：登科录既无可据。考之《续文献通考》《通纪》《政要》《洪武圣政》诸书，洪武三年庚戌，始诏开科。若吴元年定文武科取士法，下令曰：'此二者，必先年责成有司预为劝谕，俾民间秀士及智勇之人以时勉学，俟开举之岁充贡京师'，则未设科可知。善夫《宜兴志》之言曰：国初重选举，既三途并用，后重制科。制科者，谓进士云。况孟兼先以乙巳受荐，丙午授学录，岂以学录应试耶？及读郡志，谓贤良入仕，又本传称天子征才能士，郡县以孟兼名上。《贤达传》亦云，洪武初荐入。乃知《志略》《传略》所称，皆臆说也。右叙说九则，皆于杂著中采出者，意王、胡、徐数先生生明时中盛之世，与我宪副已不相接，而致其推许如是，岂因当时刘、宋两公之言，故从而附和与？然诸先生之品评，皆字挟风霜，笔操衮钺，亦断不肯为无试之誉者，盖必悉窥其著作而始有此云云也。则全集六卷，诸大家定有藏本，惜不得而见之矣。姑志之以付一慨。乙卯十一月十有一日，朝煌谨识。"四库提要卷一七五："《新本白石山房稿》五卷，明张孟兼撰。孟兼有《白石山房逸稿》，已著录。是编乃其十一世孙思煌所重编。思煌序称孟兼旧有《白石山房文稿》二十卷，与《蜀山遗集》并遭回禄，无片纸只字之存。及观焦竑

《国史经籍志》，载孟兼集六卷，乃知万历初犹存文渊阁（原案：竑书虽名《国史经籍志》，实钞合诸史《艺文志》及诸家书目而成，非明文渊阁所贮之书。杨士奇、张萱二目，可以互勘。思煌此语殊误，谨附订于此），然秘之内府，人间不得而观。兹不过残编断简中采而辑之，仅存什一于千百云云。今计编中五言古诗九首，七言古诗三首，排律一首，五言律三首，七言律六首，七言绝句四首，乐歌八章，联句二首，记四首，行状二首，传一首，杂文一首，皆掇拾他书而得者，附以诸家跋语，分为二卷。其三卷至五卷，皆载同时投赠及后人诗、文、传、志，卷帙虽增于旧本，而孟兼之著作则无所增也。"［按，孟兼十一世孙朝煌、思晦，为兄弟二人，非有一人名思煌。四库提要合二名为一，误］

罗亨信（1378—1458）生。字用实，号乐素，东莞人。永乐甲申进士，官至左副都御史。亨信居谏垣有直声，其巡抚大同宣府，值英宗北狩，捍城有功。祁顺《罗亨信传》："少颖敏异凡儿，由邑庠弟子员以《诗经》中永乐元年乡试。明年，登进士第，释褐为工科给事。……明年（景泰元年），以老疾辞归，又八年终，寿八十有一。"

公元 1379 年（洪武十二年　己未）

正月

刘彦昺为文吊元淮南行省左丞余阙。《刘彦昺集》卷九《吊余忠愍公祭文》："维大明洪武岁次己未，正月八日，大都督掌记文林郎鄱阳刘某，恭承公务，道经浔阳，弭节舒浦，结佩瀁峤，敬吊故元夏国忠愍余公之墓。夫过汾阳而仰令公，驻大梁而怀夷门，义之所著，心之所感也。虽音容泯绝，而英声令德昭若日月。仰瞻墓道，苟慕义强仁者，孰不兴起？特以瓣香絮酒致祭于先生焉。"四库提要卷一六九《刘彦昺集》："炳当元季兵乱时，与弟煜结里闬相保，寇至辄却走。依余阙于安庆，以其孤军不振辞归，盖亦才识之士，故诗格伉爽挺拔，类其为人。"

朱有燉（1379—1439）生。周定王橚长子，朱元璋孙。洪熙元年袭封。《明太祖高皇帝实录》卷一二二"洪武十二年春正月丁亥（十九日）"："皇第六孙有燉生，周王世子也。"

宋濂还潜溪。据朱兴悌、戴殿江《宋文宪公年谱》。《明太祖文集》卷一六《设宋濂戒山鬼说》："太史宋濂之京师，岁首还潜溪，道经杭之西山。是时晨苍，遥见丛木中若有骑者，非马若驴，非驴似虎，非虎而乃豹也。濂豁然有知：'吾尝览群书，知山鬼之态若是，此必山鬼也。'濂方有悟，其骑者倏然甚迩濂前。濂问之曰：'汝非山鬼乎？'曰：'然。'濂曰：'吾平昔所学仲尼之德，专利济，不残生。二十而行道，今七十有奇，其修道利济已五十年矣。人神与吾本无憎爱，尔西山之精英，为岳镇之所统，无为而来我见云何？'其山鬼拜而诉曰：'卑鬼钟，西山之精英，太史然之，愚民无知。我之御山，所以御者，其豺狼虎豹属焉。闻太史过此，特奉太史于道，乞一札以名，鬼之愿也。'濂于是呼仆者以笔墨诣，遂为《山鬼说》：'其西山也，始天地而同生，孰曰异名？不过山而已矣。未见司山者也。故山容物而生物，略不有厌。俄有窃于气偏者，人山曰："鬼之自云属豺虎而役群狼，与人辨憎爱而明是非，此岂汝之宜也？汝当敛迹蓊郁，衣白云，语猩猩，带江镜湖，饰霞翠松，冠岩鸟涧，弄蚖蛇，戏蛟虬，而阅刁调乐，优游于窈窕之壑，宜其然也。今则不然，出与人交，希誉以为美乎？吾戒汝今后勿与人见，敛迹幽篁，毋为人测。'"妙哉！"

五月

丁鹤年还武昌。《春草斋集》卷二《丁孝子传》："丁孝子名鹤年，字鹤年，西域人也。性狷介，穷经博史，尤工于诗。自其祖入中夏，世为显官，父职马禄丁公，官武昌县最长，有善政，殁而就葬武昌。后兵乱，鹤年仓卒奉母夫人走南徐世父家，生母冯氏先匿邑之东村。东村首难，竟阻绝莫之知也。余十载，母夫人殁，鹤年又避地明之定海，闻父墓尝为盗发掘，生母又病死，葬洪道乡，日夕忧悸。且却绝酒肉盐酪，示自贬。又二十载，道日通，即告牒还武昌。至则别窆地樊山，空父棺，卜日襄事。日已迫，而淋雨十日不止。鹤年先一日拜雨中，愿翌日雨止半日终事。竢至质明，密云虽四塞，雨则强不澍也。及发引视窆而反，雨倾泻如故。"

七月

萧鹏举再编次刘崧诗选，补入五十岁后所作诗。乌斯道《刘职方诗集序》："先生行修学充，未冠时即能诗名，至四十有九，诗粲然成卷，鹏举梓刻以传，金华宋翰林叙其首，以五美备称焉，固已脍炙人口。然五十以后之诗，则不在所刊卷中，鹏举又裒集若干卷示余，余讽咏之，使人神清骨爽，疲忘忧释，不能去手，俨乎余前所商榷，无毫发遗恨者也。……余亦好为诗，今老矣，而诗不及年，尚当造行，余不逮，先为叙于首简，俾鹏举再刊以淑诸人，人见之又将舍鱼而取熊掌矣！洪武十二年岁次己未秋七月十日，四明山人乌斯道序。"

八月

宋濂、苏伯衡、胡翰等集会。《文宪集》卷六《郑氏喜友堂燕集诗序》："余自禁林致政而归，久不与诸友胥会，怅然而兴遐思。洪武己未秋八月壬辰，胡教授仲申、朱长史伯清、苏编修平仲及金征君元鼎，咸集于麟溪郑氏。余同刘继至。郑氏之贤——太常博士仲舒，置酒燕客于喜友堂。笾豆孔秩，冠裳有仪，揖让兴俯，翼翼如也。盖余与胡、郑、朱三君，自弱冠为同门友，今皆颓然老矣。苏君生虽稍后，亦尝为同朝。追计昔时，各縻禄仕，不获卮酒为欢，凡二十余年。今者幸遂家食，或居异邑，或相远二百里，皆得与之周旋于尊俎间，则夫斯会之同，岂易致哉？于是献酬乐甚。酒酣，郑君为诗十四韵，以庆会合之情。出示坐客，坐客先后倚韵而和之，遂联为卷，俾能诗者续焉。……洪武十二年秋九月甲午，前翰林学士承旨宋某谨序。"

九月

袁凯赋重阳诗。《海叟集》卷四《己未九日对菊大醉戏作四首》其一："老夫爱此黄金蕊，儿子须将白酒除。直到残阳下天去，更添灯火照欹斜。"其二："遮莫邻家酒已无，教儿更往远村沽。老夫强健如平日，醉过三更不要扶。"其三："只今何处无黄菊，醉著茅茨有几人？贤妇稍能知此意，杀鸡为黍莫辞贫。"其四："纵道今年杼轴贫，乃翁才力不超群。明朝若卖《长门赋》，还尔黄金一百斤。"题下注："洪武十二年。"〔按，《海叟集》卷三有"七人四百九十岁，吴家堂上看花灯"语，时洪武乙丑十八年，七人平均年 70 岁。可知，《己未九日对菊大醉戏作》之己未，为洪武己未，非元延祐己未。细味诗意，凯此时当乡居，不在朝廷。然凯自洪武三年入朝为御史，十四年春始得放归。中间或曾归省〕

　　周是修筑庐濿江度。《刍荛集》卷一有《己未九月余新归濿江度构茅居甫成姻兄王氏效先有诗见美倚歌和之以酬其深意云》诗。

十一月

　　丁鹤年寻得母葬地，为诗以记岁月。丁鹤年《梦得先妣墓》序："己未夏五月，还武昌迁葬。兵后陵谷变迁，先妣封树竟迷所在，久寻不得，露祷大雪中。冬十一月二十日夜，忽感异梦，翌日，遂得其处。赋诗一首，以记岁月云。"《春草斋集》卷二《丁孝子传》："已而访生母葬地村聚中。村聚自兵后，草莽极目，父老皆沦丧，间有存者，又转徙他地，故母之葬地漫不省何所。自秋至冬，遍询之，终莫有知者。鹤年无以措意，惟作母主，早暮拜母主前。求五旬浃有报，拜至七日夜，梦母氏出高堂中，鹤年遽牵母衣恸哭，以恸即寤。晨起，邻老杨重者至云：'吾昨夜梦子之母氏，堂宇间自内出，以酒肉见赐，与三人同食饮，内一人不御也。'鹤年以梦母氏与邻老同，所梦堂宇皆在旧业之西，又同。因具畚锸，偕往，徘徊顾视，见平陆土有陷下者。鹤年意谓：吾闻母葬时无棺椁，下荐土砖，上覆败舟板。人与板腐尽乃尔，兹迨可启而观欤？遂陈肉酒以祭，祭毕刬其土，骨果见，板仅有松节，土砖亦具，良在是矣。然恐他墓偶有同者，复啮指，血骨上试之。良久，收去血，骨通变茜色可验。母一齿当正中如漆，视之亦验。正与邻老梦无少异爽。乃收骨，棺敛葬。是乡慈母王氏墓在寒溪塘，并加封树，鹤年就庐于父墓，将终其身。"

十二月

　　唐子仪作文感叹家世。唐子仪（1347—1432），名文凤，以字行，号梦鹤，桂芳次子。少而颖异，长益自奋。善真草隶书，辟教紫阳书院，寻以荐授兴国令。文皇擢为赵王府纪善，后调洛阳丞。有《梧冈集》。程敏政《唐氏三先生集序》："三峰长子曰文凤，字子仪，以字行。其学得之家庭，以荐起为歙学训导，再用荐知赣之兴国县，有惠政及民。永乐初，文庙封建诸王，妙简府僚，被亲擢，为赵府纪善以终。学者称梧冈先生。"《梧冈集》卷四《联句》序："洪武三年十二月廿又三日，喜文虎长兄受丞江安之命，自京便道归省。是夕张灯酌酒，父母在堂，五兄弟次坐。家严首倡二句，相与联诗，以纪家庭一时聚乐之情耳。"诗云："秃头怜父白，老眼为儿青（父）。山显因人杰，才超觉地灵（兄）。东湖徐稚宅，西蜀子云亭（文凤）。世守寒毡物，家传古砚铭（父）。三年忘窈窕，只影顾娉婷（兄）。今日来仪凤，当时拾聚萤（文凤）。胡床知坐稳，羌笛不须听（父）。世事风中烛，人情水上萍（兄）。清名推善政，旧业守遗经（文凤）。莫压陈惊座，犹思鲤过庭（父）。恢恢存晚节，落落叹晨星（兄）。……"跋云："文凤遭家多难，凶祸相仍。今春二月，闻长兄讣音。秋九月，又不幸先妣倾弃。文麟弟留滞广西，三载未归，久绝音耗，未知存亡。偶阅故箧，得此诗旧稿，不忍遗弃。追思曩昔，父母俱存，兄弟无故，一时倡酬之乐，不可复矣。呜呼！昔日未知为难遇，今而履此，始知其为难遇。曾子所谓'孝有不及，悌有不时'，信哉斯言。因录于此，涕泪危迸，悲痛不能禁耳。时洪武十二年腊月九日，文凤谨跋。"

汪广洋卒。《明太祖高皇帝实录》卷一二八"洪武十二年十二月"："是月，右丞相汪广洋坐事贬海南，死于道。……上遇之特厚。尝有疾在告，赐敕劳问。然颇耽酒色，荒于政事，以故事多稽违。又与胡惟庸同在相位，惟庸所为不法，广洋知而不言，但浮沉守位而已。上察其然，因敕以洗心补过，广洋内不自安。久之，占城贡方物使者既至，而省部之臣不以时引见，上以其蔽遏远人，下敕书切责执政者。广洋惶惧益甚。至是，御史中丞涂节言：'前诚意伯刘基遇毒死，广洋宜知状。'上问广洋，广洋对以'无是事'。上颇闻基方病时，丞相胡惟庸挟医往候，因饮以毒药。乃责广洋欺罔，不能效忠为国，坐视废兴。遂贬居海南。舟次太平，复遣使敕之曰：'丞相广洋从朕日久，前在军中屡闻乃言，否则终日无所论。朕以相从之久，未忍督过。及居台省，又未尝献一谋画以匡国家，民之疾苦皆不能知。间命尔出使，有所相视，还而嗫不一语。事神治民，屡有厌怠。况数十年间，在朕左右，未尝进一贤才。昔命尔佐文正治江西，文正为恶，既不匡正，及朕咨询，又曲为之讳。前与杨宪同在中书，宪谋不轨，尔知之不言。今者益务沉湎，多不事事。尔通经能文，非愚昧者。观尔之情，浮沉观望。朕欲不言，恐不知者谓朕薄恩。特赐尔敕，尔其省之！'广洋得所赐书，益惭惧，遂自缢卒。广洋善篆隶大书，尤工为歌诗。为人宽和自守，居相位默默无所可否，由是人以庸懦不立目之。大抵其相才不足，与奸同位而不能去，故卒至于覆败云。"《静志居诗话》卷二《汪广洋》："忠勤诗饶清刚之气，一洗元人纤缛之态。五言如'平沙谁戏马，落日自登台'，'湖水当门落，松云傍枕浮'，'怀人当永夜，看月上疏桐'，'对客开春酒，当门扫落花'，'天垂芳草地，渔唱夕阳村'，'倒藤悬宿鸟，绝壁挂晴霓'，'暮云生楚树，凉雨过邗沟'，'碧树藏蛮逻，清歌发蜑舟'，'江云垂暝远，楚树入秋多'，'浊酒传杯重，乌丝界纸匀'，'岸沙留醉卧，山鸟答行歌'，'晴光生北固，暮雨隔西津'，'湿云缠戍鼓，高柳聚城鸦'，'浊浪横冲海，斜阳半在船'，'云木深藏庙，淮流直到门'，'沙明宜见雪，月上可行舟'，'凉风吹雨过，好鸟背人还'，'春杯黄秫酒，野饭碧芹羹'，'欲往寻芝草，因之采茯苓'，可入唐人《主客图》，静居、北郭，犹当逊之，毋论孟载也。"《凤池吟稿》卷首提要："《凤池吟稿》十卷，明汪广洋撰。……广洋少师余阙，淹通经史，善篆隶，诗格清刚典重，一洗元人纤媚之习。朱彝尊尝摘其五言中之'平沙谁戏马，落日自登台'，'湖水当门落，松云傍枕浮'，'怀人当永夜，看月上疏桐'……等句凡数十联，以为可入唐人《主客图》，静居、北郭犹当逊之，毋论孟载。其推重之如此。而明代论诗家流派者，多未之及，盖当时为宋濂诸人盛名所掩，故世不甚称。然观其遗作，究不愧一代开国之音也。"

冬

宋濂至金华。《文宪集》卷二三《傅守刚墓碣》："洪武十二年冬,余还金华省先墓。"

宋濂至京师,方孝孺侍从。《逊志斋集》卷二〇《祭郭士渊》："在岁己未,余从太史至于京师。"

本年

令教坊优人别士庶服。《明会典》卷五八:"洪武十二年,令教坊司伶人常服绿色巾,以别士庶之服。十四年,令乐人戴鼓吹冠,不用锦绦,惟用红褡膊,服色不拘红绿。二十一年,令教坊司妇人不许戴冠穿褙子。二十五年,令乐工当承应许穿靴,出外不许。"《客座赘语》卷六《立院》:"太祖立富乐院于乾道桥,男子令戴绿巾,腰系红褡膊,足穿带毛猪皮靴,不许街道中走,止于道边左右行。或令作匠穿甲,妓妇戴皂冠,身穿皂褙子,出入不许穿华丽衣服。"

林弼知登州。张燮《林登州传》:"己未,拜登州守,讼理政平,而祀典学政尤多所振饬焉。"

杨士奇出教里塾。杨思尧《太师杨文贞公年谱》:"公年十五岁。是岁,出教里塾。"《东里续集》卷一七《史略释文》:"右《史略释文》一册。余在京师,并《史略》二册皆得于邻舍之罢官去者。忆年十四五,坐贫,不得已出为村落童子师,以谋奉养之计,而急欲此编及《十书直言》。是时,二书市直百钱,然不能得也。家独畜一牝鸡数岁矣。先宜人命以易之。今致书颇多,而先宜人弃背已二十年,不及见也。呜呼恸哉!"

谢肃《密庵集》初成。戴良《密庵集序》:"迨疆土内附,例徙南京,既与考礼乐,而达官贵人有强致原功于远郡者。于是逾江渡河,北走齐鲁,登泰山,临淄水,而文气益壮。奈何不一二年,复以疏俊不羁弃去。平生抱负,百不一试,而其志之可见者,独文而已。原功之文,肖其为人。其立论闳以正,其书事简以悉,其序记铭赞雅健而奇警,其诗歌彬蔚而秾丽,庶几杰出一时,流辈无敢与并者。原功既东还故里,携其所著《密庵稿》若干卷授予,曰:'吾所与游而久者谁欤?惟是文章宜有序,敢以请于子。'予不得辞,谨为论次其学之有得孟、韩者,书于简首,使世知原功之文非徒粉泽遒密之是务,而其杰出一时者,盖由有气以充之,而又能本之以学也。原功,会稽之上虞人,名肃,字原功,密庵乃别号也。故以题其稿云。金华戴良序。"戴良《密庵集又序》:"原功之诗,五言古律则本之汉魏,歌行则遵李、杜,近体则祖少陵,六朝晚唐无论焉。他若山川之离合,土地之沿革,人物之废兴,可以正史策之讹谬、补志书之缺略者,则又等前数人而上之。纪行之诗而至原功,可谓盛矣。夫诗之纪行,自少陵秦蜀以后,作者岂无其人,然皆循守故辙,一唱百随,求其自出新意,以古为则者,曾不多见。而原功独卓卓如是,岂其学问之富使然欤?原功之学富矣,至其为文,尤高出时辈,沛然有古作者之遗风。昔司马子长遍游名山川而文气益盛,原功以既富之学，沛然之文，而加之壮游，孟子所谓莫之御者也，则其所恃以不朽者，徒诗乎哉？而余尤切切云尔者，盖见原功于一声律之微，亦无不尽心焉尔。嗟夫！原功年向老，平生自信曾不及少试，是以人亦无所因以窥原功之所至。若即是诗考其笔力之雄健、胸次之魁廓，亦足以知其志之有在矣。金华戴良序。"四库提要卷一六九："《密庵集》八卷，明谢肃撰。……《明史·艺文志》、焦竑《国史经籍志》、黄虞稷《千顷堂书目》俱载肃《密庵集》十卷，而传本久稀，藏书家罕著于录。惟《永乐大典》中所收肃诗文颇夥，其时肃殁未久，而姚广孝等已录其遗集，与古人同列，知当日即重其文矣。朱彝尊《静志居诗话》称肃初谒贡师泰于吴山仰高亭时，贡方奉诏漕闽广粟，当泛舟大海，因与同载，至海昌留居州北，执经问难，凡一诗之出，一文之就，折衷论议，必当于理乃已。是肃之学问渊源，实出师泰。观集中《题天风海涛亭诗序》，云用先师尚书贡公玩斋所咏诗一句为起，以仰止于公。又师泰遗集亦肃所刊行，均惓惓不忘其本。故所作古文词，格律具有法程。其在潍州寄人一诗，载所与同征修礼书者有张绅、杨翮等十人之名，为《明史·礼志》所未及。又送行人蔡天英颁琉球国王印宝一诗，考之《明史·外国传》，但有赐中山、山南、山北三王镀金银印一事，而不言曾遣行人。凡此之类，于考史尤有所裨益。谨采掇编次，厘为八卷。又戴良原序二首，别见《九灵集》中，今并取弁简端，以略还其旧焉。"

练子宁丧父。父名练高。练高字伯上，新淦人。元季领乡荐。洪武中召为起居注，直言忤旨，出为广德州同知，历临汀、镇安二府通判。《中丞集》卷上《张处士墓志铭》："淦之阳有隐君子张公德辉，倜傥有气节，不随俗俯仰以干名誉，以布衣终于家，邑人至今称之。……铭之曰：淦有隐士，知之者稀。倜傥瑰奇，老于布衣。吾先君子，抱道未试，公一见之，待以国器，其后有闻，卒不愧公。"《明诗纪事》甲签卷二一《练高》陈田按："伯上诗音节高亮，虞伯生、王子充为作集序，惜今不传。杨东里云：'清江刘仲修既冠，未知学。因遇妇翁，同郡练伯升，翁长子婿也，早有文誉，翁家特异视之，而庸众人视仲修。既归，发愤就学，日夜不懈，学业大进，时誉更出伯升右。'余检《练中丞遗事录》：伯升，伯上弟也，著作今亦不传。"《曝书亭集》卷六四《刘永之传》："刘永之，字仲修，清江人。家饶于赀。既冠，未知学。过妇翁家，新淦练高者早有才誉，永之友婿也。翁异视高而庸众人遇永之，永之归，发愤就学，寒暑昼夜不懈，数年学大进，尤长《春秋》。"《明诗综》卷一四《练子宁》："王子充云，伯上诗温厚而丰丽，大江以西，能继范德机、虞伯生、揭曼硕而起者。"存诗一首：《送赵将军》。〔按，练高之丧，系于本年，根据颇多。一，《明史·职官志二·翰林院条》："起居注，甲辰年置。吴元年定秩正五品。洪武四年改正七品。六年升从六品。九年定起居注二人，后革。十四年复置，秩从七品，寻罢。"二，《明史·地理志·南京条》："广德州，元广德路，属江浙行省。太祖丙申年六月，曰广兴府。洪武四年九月，曰广德州。十三年四月，以州治广德县省入直隶京师。"推知：练高以起居注谪广德州，当在洪武九年后，十三年前。三，《中丞集》卷上《太夫人墓志》："先府君之官于朝，以言事出为广德同知，未几再迁临汀、镇安二府通判，弗及考绩而没。"四，《中丞集》卷上《张处士墓志铭》："元季之乱，先君子避难四方。事定而归，先太夫人兄弟罕有存者，独处士君岿然无恙，劳问如平生。子宁及弟德舆尝侍教焉。后二年，先君子没于镇安。"再推知：练高约在洪武十年返新淦定居，旋以荐入京为起居注，旋出知广德州。两年后，洪武十二年，卒于镇安府。五，钱琦《忠祠议》："公少与金幼孜友善，尝谓幼孜曰：'子异日为良臣，我必为忠臣。'"六，《中丞集》卷下《柬金秀才幼孜》："令誉常从早岁闻，麟经学问独超群。篝灯寒听清宵雨，觅句晴看白昼云。未向月宫攀古桂，先从泮水采香芹。交游幸遂论心乐，尊酒常同坐夕曛。"七，《明史》金幼孜传："金幼孜，名善，以字行，新淦人。……宣德六年十二月卒，年六十四。"推知：练子宁与金幼孜年相近，俱生洪武初年。八，《中丞集》卷上《太夫人墓志》："先府君之亡，子宁始年十二。太夫人以教以诲，俾至于成人，常曰：'以忠厚存心，以修正自立，此汝父之志也，汝其勉之。'"推知：练高当卒于洪武十二年，练子宁生于洪武元年]

贝琼卒，年六十六。《国朝献征录》卷七三《国子监助教贝琼传》："十一年九月致仕，明年卒于家。有《清江文集》二十卷，行于世。"徐一夔《清江贝先生文集序》："乃取经史百氏暨大家集，博览强记，渐渍储蓄，发而为文，以追古作者。其言引物连类，奇论层出，濡笔伸纸，千数百言立就。每一篇出，辄为杨公（杨维桢）叹伏；于是声誉大起，而贝氏之文章遂擅名于一时矣。余评其文驰骤奇崛，如长风驾涛，银山铁壁澎湃叠至，鼋鼍蛟龙百怪出没，而金支翠旓焜耀前后，何其才之赡而气之雄也！"蔡时鼎《清江贝先生文集序》："先生少颖悟不群，负才积学，闻杨铁崖倡古文于会稽，篹笈而从之，不就有司试，而日以著作讲授自娱，先生之于学可谓专矣。应明时就辟召，不旋踵而辞疾退归，卒以著作终其身，先生之于业可谓勤矣。是故余观其所为作，旁引曲喻，博综异籍，包并百家，则班、马之富也；引经据理，文藻蔚敷，而综窍确致，则欧、曾之纯也；而要其指归，率闲旷逍遥、豪宕不羁之趣居多，则庄、列之逸也；先生之于文可谓粹且精矣。"《槜李诗系》卷七《贝助教先生琼》："黄岩方行赠诗有云：'夌山仙翁发如雪，胸蟠太和吐日月。手中炼石轻女娲，五色曾将补天裂。'其推重如此。著有《清江集》。其诗博大警敏，矫然不群。评其才质，当不在高、杨以下。有明一代，吾郡诗人林立，以清江冠之，斯无愧焉。"《明诗评选》卷一《乐府·贝琼》："清江彻骨风雅，不复劳施整理，讵非天假之哉！以为自青莲来，或可；若使继少陵，不但不知贝，且不知诗也。"卷六《七言律·贝琼·庚戌九日是日闻蝉》："'今日出门风雨收，东山西山须可游。那能束带从王事，且复开尊破客愁。雁别紫台初避雪，蝉鸣红树不知秋。桃花细菊应相笑，岁月无情自白头。'必不可谓此为仿杜。自有七言以来，正须如此。仿杜者必多一番削骨称雄、破喉取响之病。"《静志居诗话》卷三《贝琼》："廷琚从学于杨廉夫，其言曰：'立言不在崭绝刻峭，而平衍为可观；不在荒唐险怪，而丰腴为可乐。'盖学于杨而不阿所好者也。其诗爽豁类汪朝宗，整丽似刘伯温，圆秀胜林子羽，清空近袁景文，风华亚高季迪，朗净过张来仪，繁缛愈孙仲衍。足以领袖一时，此非乡曲之私，天下之公言也。"四库提要卷一六九："琼学诗于杨维桢。然其论文称，'立言不在崭绝刻峭，而平衍为可观；不在荒唐险怪，而丰腴为可乐'。盖虽出于维桢之门，而学其所长不学其所短，宗旨颇不相袭。朱彝尊《静志居诗话》谓其诗，'爽豁类汪广洋，整丽如刘基，圆秀胜林鸿，清空近袁凯，风华亚高启，朗净过张羽，繁缛愈孙蕡，足以领袖一时'。乡曲之言未免过实！然其诗温厚之中自然高秀，虽不能兼有诸人之胜，而驰骤于诸人之间，实固无所多让。其文亦冲融和雅，有一唱三叹之音。"

约在本年，释妙声卒，年七十二。四库提要卷一六九《东皋录》："妙声与袁桷、张翥、危素等俱相友善，故所作颇有士风。当元季扰攘之时，感事抒怀，往往激昂可诵。杂文体裁清整，四六俪语亦具有南宋遗风，在缁流之内，虽未能语带烟霞，固犹非气含蔬笋者也。"［按，《东皋录》卷中《善庆庵记》云"国朝洪武十二年己未，乃始大有营缮"，为集中纪年最晚者］

王直（1379—1462）**生。**字行俭，泰和人。永乐甲申进士，选庶吉士。历翰林修撰、侍读，进学士，擢吏部尚书，加太子太保，进少傅兼太子太师。卒赠太保，谥文端。有《抑庵文集》。《明史》王直传："直幼而端重，家贫力学。举永乐二年进士，改庶吉士，与曾棨、王英等二十八人同读书文渊阁。帝善其文，召入内阁，俾属草。寻授修撰。历事仁宗、宣宗，累迁少詹事，兼侍读学士。"

公元1380年（洪武十三年　庚申）

正月

左丞相胡惟庸伏诛。《明史记事本末》卷一三《胡蓝之狱》："十三年春正月，左丞相胡惟庸谋不轨，伏诛。"

三月

林鸿诗集编成。倪桓《鸣盛集序》："且天性倜傥，乐山水，好翱翔，率尝与予登道山、清泠台、薛老峰，泉石膏肓，风云气概，故其诗迈俗佚尘，良有以也。今年冬，与予相会太和宫，因出所制一编而求序，予辞不获，故秉翰而题其首。虽然，以吾子之才之美，进进未可量也，若登泰岱之峰，愈高愈低，将小天下矣。则桓虽谫材，又将执笔从而序君之别稿，尚未晚也。洪武三年冬，吴兴倪桓序。"刘崧《鸣盛集序》："元有范、虞、杨、揭、赵数家，颇踵唐人之辙，至于兴象则不逮焉。噫！文与时迁，气随运复，不有作者，孰能与之？今观林员外子羽诗，始窥陈拾遗之闑奥，而骎骎乎开元之盛风，若殷璠所论神来气来情来者，莫不兼备。虽其天资卓绝，心会神融，然亦国家气运之盛驯致然也。谨题其集曰《鸣盛》，为之序云。洪武庚申季春既望，嘉议大夫、礼部侍郎权吏部尚书庐陵刘崧子高序。"李东阳《怀麓堂诗话》："林子羽《鸣盛集》专学唐；袁凯《在野集》专学杜。盖皆极力摹拟，不但字面句法，并其题目亦效之。开卷骤视，宛若旧本，然细味之，求其流出肺腑卓尔有立者，指不能一再屈也。宣德间有晏铎者，选本朝诗，亦名《鸣盛诗集》，其第一首林子羽《应制》曰'堤柳欲眠莺唤起，宫花乍落鸟衔来'，盖非林最得意者，则其他所选可知。其选袁凯《白燕诗》曰'月明汉水初无影，雪满梁园尚未归'，曰'赵家姊妹多相忌，莫向昭阳殿里飞'，亦佳。若《苏李泣别图》曰'犹有交情两行泪，西风吹上汉臣衣'，而选不及，何也？"《明诗别裁集》卷二《林鸿》："闽中诗派以子羽为首，宗法唐人，绳趋尺步，众论以唐临晋帖少之，然终是正派。"

春

刘崧拜礼部侍郎。尹直《司业刘公言行录》："十三年春，征拜礼部侍郎。既拜命，日稽古典，惟寅惟清，上嘉之。以其文学雅正，敕撰滕国公顾时、海国公吴祯神道碑，及撰申国公邓镇袭封诰词。宋学士景濂尝观其文，叹曰，'此司马迁之文，求之今世，盖未有过之者'，而于诗则尤所推让。"朱元璋《召前按察副使刘崧职礼部侍郎》："奸臣弄法，肆志跳梁，拟卿违制之责。迩者，权奸发露，人各伏诛。卿来，朕命官礼部侍郎。故兹敕谕。"

林鸿为诸僧吟诗。《全闽诗话》卷六《林鸿》："林鸿寓郡城，洪武中荐授训导，超拜膳部员外郎，尝为僧吟《白莲》云：'淡月瑶池夜，微风太华阴。翠翻擎露盖，玉冷坠波簪。一洗有为法，应同不染身。谁能招惠远，结社向东林。'又赠行脚僧云：'朝衡暮复嵩，那识白云踪。度碛逢驯象，浮河抗毒龙。衲经何限雪，山过几多峰。年老无筋力，方怀故国松。'闽当国初，诗法尚沿宋元之故，至鸿始以唐人音调倡鸣乡党，遂为一时风雅之宗。同时如唐泰、黄济、周玄、黄玄、郑定、高廷礼、王恭、林敏、吴海、林伯璟、郑迪、王偁诸人羽翼先后，丕然变其文风。于此一乡开来之功，亦不可泯云。"

四月

张美和致仕。《明太祖高皇帝实录》卷一三一"洪武十三年夏四月戊子（二十八日）"："赐翰林院编修张美和致仕。上亲为文赐之曰：朕观古今之贤士，莫不修己行仁，为时君之用。否则独善其身，以终天年。或著书立言，传之永久。虽不显于当时，而有光于后世。以其德重而行纯，学博而言信也。今老成宿儒凋落无几，独尔以衰暮之年，日侍朕左右。正欲询问古今典礼，以沃朕心，奈尔不任周旋，以卿归老。卿之去矣，朕将谁从？於戏！千载一遇，古今之通言。然全于始终者罕矣。今卿善始善终，不亦美乎！"《明太祖集》卷七《赐翰林编修张美和致仕》："尔美和历多难而无易从，笃先圣先贤之至善，斯非泛泛之可比，愚下之可知。云何？盖昔元纲之方弛，英雄角力于江右，他非至智者，朝东趋而暮西就，杀身者众，苟全者寡。方今在学职师者群然。迩来命有故者，京师弗居，许以自实。不旬日间，各言因由者甚广，朕命弗留，十去八九。独卿侍朕左右，日与同游。正欲询问古今典礼，以沃朕心，然观其所以，终是年高，不能自强。何以见之，因首步同童，不忍任之以周旋，以卿归老。然卿去此，朕将谁从？於戏！千载一遇，古今之通言，全于善解者罕之。今卿始也良，终也善，不亦美乎！"

五月

刘崧致仕。尹直《司业刘公言行录》："夏四月，命公摄吏部尚书，将仕郎陆某以察为明，公一处以宽，铨次不苟，藻鉴不失。五月以灾异迭见，命公致仕。"《明太祖文集》卷七《赐吏部尚书刘崧等致仕》："君子之生也，莫不由父善良而母淑德，专慈爱以训成。已而壮矣，则志于四方。若或时运之应，期致君垂拱，利济群生，斯一仲尼之道。其先贤者，岂独名于千古？卿等学问过人，善备剸繁治剧之能，今各年高，或当智盛者，正宜助朕措安，奈何昔新造之初，纲维紊乱，误罹宪责。迩者，人神有变，朕于寝食不安，命卿致仕。於戏！克己消愆，君子道长，匿祸含冤，小人罪甚。卿等去朝，必坦怀而端志。故兹敕谕。"

七月

方孝孺、黄仲昭、苏伯衡会饮。《逊志斋集》卷一三《溪上会饮诗序》："天子在位十有三年，诏赦天下，免今年田租，议宽政数十事行之。四海之民，靡不举手加额，欢呼胥庆。是秋，禾大熟，民愈悦怿，中康外熙，臻于治安。七月庚戌，前太史苏公平仲自金华来，舍于浦江黄氏。翌日辛亥，某往见。又翌日壬子，黄氏之长资善与客游于舍北溪上，张饮于西浒，殽豆惟蠲，蔬蓏以时，酒行不亟，谈说孔洽。凉风徐来，拂树振衣，云容水态，涤人心目。宾主相乐甚。……某举觞寿公（资善）曰：'公尝编摩禁林，颂圣治，道民和，公职也。公其可无辞？'公曰：'子言诚然。'某退，为诗三百三十言以进，公和之；已而某又和之，而增至五百言。请公申之，俾能诗者继之，而俾黄氏藏之。黄氏之从游者曰仲昭，曰容。"〔按，明代另有一黄仲昭，与庄昶同官〕

吕志学题徐贲所画《惠山图》。《书画汇考》卷五四《徐北郭赠道机长老惠山图》："'天寒华表鹤归迟，隔世令人起远思。偶见漪澜堂上画，犹看悟澹卷中诗。'徐幼文居姑苏北郭时，称十才子，幼文其一也。诗书文章，妙冠一时，画则余事耳。今见为道机长老写《惠山图》，肆笔遒丽，清润而带书法。幼文已矣，而画独存。道机征题，感叹赋此。幼文所制乐府诗文若干卷，签题《悟澹集》。漪澜，即惠山堂扁也。无锡县庠吕志学题，实洪武庚申七月也。"〔据张习《北郭集后录》，徐贲殁于洪武二十六年癸酉七月。吕志学所云'幼文已矣"，误〕

九月

方孝孺归省亲自浦阳。《文宪集》卷三一《送门生方孝孺还乡诗》序："庚申之秋，生以不见大母久，将归省焉。予深惜其去，为赋是诗。既扬其素有之善，而后勖以远大之业云。"

十月

苏伯衡文集初编成。宋濂《苏平仲文集序》："自秦以下，文莫盛于宋，宋之文莫盛于苏氏。若文公之变化瑰伟，文忠公之雄迈奔放，文定公之汪洋秀杰，载籍以来，未之多遇。其初亦奚暇追琢绣绘以为言乎？卒至于斯极而不可掩者，其所养可知也。近世道漓气弱，文之不振已甚。乐恣肆者失之驳而不醇；好摹拟者拘于局而不畅，合喙比声，不得稍自凌厉以震荡人之耳目，辟犹敝帚漏卮，虽家畜而人有之，其视鲁弓郜鼎亦已远矣！每读三公之文，未尝不太息也。盖晚而得平仲焉。平仲，文定公之裔孙。少警敏绝伦，诵说不劳而习。中岁大肆力于文辞，精博而不粗涩，敷腴而不苟缛，不求其似古人而未始不似也。……洪武十三年冬十月，前翰林学士承旨、嘉议大夫、知制诰兼修国史、兼太子赞善大夫宋濂序。"四库提要卷一六九《苏平仲文集》："是集卷首有洪武四年刘基序，而集中《厚德庵记》云庵成于洪武壬戌十二月，则是记乃洪武十五年以后之作，基所序者尚未定之初稿也。"〔按，今集中《竹坡处士俞元瑞墓志铭》"洪武甲子春，予游永嘉还"，所记在洪武十七年；《书龙渊集后》末题"洪武二十五年二月甲子，眉山苏伯衡书"，最晚〕

宋讷征至京师，除国子助教。宋讷（1311—1390），字仲敏，滑县人。元季官盐山知县，国初征为国子助教，升翰林院学士、文渊阁大学士，迁祭酒，卒于官。正德中追谥文恪，有《西隐集》。刘三吾《文渊阁大学士国子祭酒宋先生墓志铭》："先生濡染家教，动以矩矱，雅性迟重，不妄言笑。齿贵胄馆以来，所师宗工硕儒，月开日益，卓然有成。擢科登仕，为时闻人，中经绎骚，乃被褐怀宝，以自韬晦。皇明受祚，征诣公车，于召见次有言动听，洪武之十三年也。是冬，除国子助教，横经发难，击郜廓塞，学者如客得归。"

十二月

宋濂谪茂州。《明史纪事本末》卷一三《胡蓝之狱》："十二月，致仕学士承旨宋濂以孙慎坐胡惟庸党被刑，籍其家，械濂至京。上怒，欲诛之。皇后谏曰：'民间延一师，尚始终不忘恭敬。宋先生亲教太子、诸王，岂忍杀之？且宋先生家居，宁知朝廷事耶？'上意解，濂得发茂州安置。"《明史》太祖孝慈高皇后传："学士宋濂坐孙慎罪，逮至，论死。后谏曰：'民家为子弟延师，尚以礼全终始，况天子乎？且濂家居，必不知情。'帝不听。会后侍帝食，不御酒肉。帝问故。对曰：'妾为宋先生作福事也。'帝恻然，投箸起。明日赦濂，安置茂州。"

凌云翰、瞿佑结伴赏雪。《柘轩集》卷三《吴山对雪诗》序："庚申岁末除廿日，以公事早过希孟家，宗吉继至，小饮，遽出。时雪深尺余，遂由吴山官舍后循松径而上，至乌龙潭，过卜执中家，款以酒果。凭高下视，则西湖诸山历历在目，……时雪未止，景色苍莽，欲求名笔登之绘事，惜无其人，遂怅然与三友别。越二日，宗吉以诗来，则又兼纪其后一日事。盖彝训堂前二松，乃南宋物也。姚子昭领荐时，甘露降其上。五桂则予目睹陆德阳所植，将四十余年矣。今宗吉乃能爱护之，岂不重有感于吾怀。……岁月易流，会合难再。因宗吉有作，从而和之，以为他日之佳话云。"

凌云翰被征入京。《归田诗话》卷下《钟馗图》："洪武庚申冬，为人题《钟馗图》云，'朔风吹沙目欲眯，官柳摇金梅绽蕊。终南进士倔然起，带束蓝袍靴露趾。手掣硬黄书一纸，若曰上帝锡尔祉。猦磈于思含老齿，颐指守门荼与垒，肯放妖狐摇九尾。一声爆竹人尽靡，明日春光万余里。'不数日，为乡人官于外郡者飞举。里胥临门，不容辞避，迫胁上路，到京授四川学官，遂成诗谶。"

王洪（1380—1420）**生。**《明文衡》卷八八《王希范墓志铭》："希范讳洪，曾祖德甫，祖善，父辉，世居钱塘。希范生八岁，即知务学。及冠，入郡庠，从训导胡粹中授《春秋》。日记数千言，无遗忘。下笔为文辞，沛然有奇气。凡所事所言，若老成人。粹中大器之。年十八举进士。"《列朝诗集小传》乙集《王侍讲洪》："洪字希范，钱塘人。生八岁，能文章，稍长，从训导胡粹中授《春秋》，日记数千言，才思颖发。十八举进士。永乐初，授吏科给事中，入翰林为检讨，与修《大典》。历修撰、侍讲。又二年，论五星事忤胡文穆，左迁礼部仪制主事，署部事。诏作佛曲序，逡巡不敢应制，为同列所排，不复进用。晚得末疾卒。"

本年

杨士奇馆于山东。《东里续集》卷一七《隋书》："右《隋书详节》一册。自一卷至十卷，《纪》及《十志》耳，后阙《传》十卷。洪武庚申，余馆山东萧尚鲁先生塾中得之者也。"

程本立改周王府礼官。《列朝诗集小传》甲集《程佥都本立》："洪武十三年，除周府礼官。"《明史》程本立传："除秦府引礼舍人，赐楮币鞍马。母忧去官，服除，补周府礼官，从王之开封。"

戴良入四明居住。《九灵山房集》卷六《黄氏南熏楼会饮诗序》："庚申之秋，余访苏太史先生于黄氏义门，将自是入越。黄氏之老资深公，坚留不听去，既而刘君养浩、赵生彦方亦相继至，而吴侯子宇则固客授其家。资深悉宴之宅左之南熏楼，欢洽殊甚。养浩以此会虽出邂逅，然苏先生来自城府，彦方至自邑，已与子宇馆寓虽近，而亦一居严陵，一家乌伤万山中。不鄙谓余又方回自千里外，一日毕集于此，岂偶也哉？睹江山之如昨，念人事之难常，诚不宜以无纪。资深之子仲昭，英俊子弟也，闻之喜跃，即请以'今夕复何夕，共此灯烛光'分韵，而余得'此'字，先生且命书岁月，遂序之云而系之以诗。"《九灵山房集·年谱》："《黄氏南熏楼会饮诗序》云：'庚申之秋，余访苏太史于黄氏义门，将自是入越。'又云'不鄙谓余方回自千里外'，盖时偶一还家，便适越也。先生居越，无实年可考。文集越游稿中移居、饮酒诸诗，亦多在鄞所作。慈、姚壤接，来往频仍，原不得缕指何时也。"

石光霁以荐至京师。光霁字仲濂，泰州人，张以宁弟子。洪武十三年，以荐为国子监学正，擢春秋博士。《明史·文苑传》附载张以宁传中。有《春秋书法钩玄》四卷。

孙作坐罪废为民。《曝书亭集》卷六三《孙作传》："寻命分教中都。召还，擢国子监司业。十三年，坐罪废为民。"

唐仲实卒，年七十三。《新安文献志》卷八九《南雄路儒学正白云先生唐公行状》："先生生于戊申正月三十日，甫十岁，授业于乡先达杏庭洪公潜夫之门，日记经史，颖悟绝人。……辛亥夏五月，患腹疝之症，伏枕几七十日。疾已小愈，七月廿又一日申时，子孙环侍。作赞曰：'两袖清风，千里白云。'萧然而逝，享年七十有三。……先生身长六尺二寸，美髭髯，双瞳如点漆，面如红玉。气豪迈，老而弥壮。虽遭困踬，浩如也。每当贵客广会，酒未酣，清谈娓娓，议论风生，座客倾听，不敢忤视，人人畏服而尊敬之。其为文，一以气为主，辞严而理正，及其成也，神惊鬼愕，意态横出，勃勃如春涛起涌，令人叹赏。其为诗，清新流丽，出语惊人，而声调格律铿锵浏亮，读之琅然惬听。有《武夷稿》《白云集略》四十卷，藏于家。"〔按，仲实生元至大元年 1308 年，享年 73 岁，推其卒年，当在明洪武十三年，岁在庚申，非辛亥。考《白云集》中诸作，系年最晚者《移建师山书院引》云："师山书院者，隐士郑子美先生讲学之地也。……余虽老，尚堪秉笔以记。洪武十三年冬十月日，里人唐仲书。"又《三峰精舍记》云："我先君长于先兄敏仲二十有二年，先兄敏仲长于仲十有九年。不幸己丑夏，先君弃背，则为父子者四十有二年。丙申秋，先兄继往，则为兄弟者五十年矣。"又《先兄敏仲训导墓表》云："先公年二十二，先兄生。后十九年，桂芳生。犹思总角时，商确周、秦、隋短长之际，先兄曰：'若以为何如？'桂芳应声曰："周为有道之长，秦、隋不得不短也。'先兄笑而颔之。弱冠糊其口于四方，每归拜先兄，求以教之者，未尝不喜摇颜面。不幸己丑哭二亲，丙申又哭吾先兄。……壬辰剡于兵燹，避地长标，出入涧谷，冒犯霜露，得盅证。载迁坑上，病革，嚅语喃喃，不获呼桂芳永诀为恨，丙申六月也，春秋六十有七。"以父兄之年推，仲实生于 1308 年，实不误，必其卒年为作传者误书辛亥。《移建师山书院引》记为"洪武十三年冬十月"，自言虽老尚堪秉笔，知此时尚健。其卒当在此文之后。钟亮所作传以为七月卒，误〕唐仲实《白云集序》："夫六经皆文也。独《进学解》曰：'《春秋》谨严，《易》奇而法。'谨严尚能知之，奇而法，非知道者，孰能言之？《易》曰'日中见斗'，有其象而无其理也；'载鬼一车'，无其象而有其理也。《易》虽奇，而贵于有法，所以为经。三代而降，庄、骚非不奇也，而昧于有法；荀、扬非不谨也，而失于有严。唐推韩退之奇而且法，柳子厚谨而且严。宋欧阳永叔正则正矣，而近于奇。曾子固谨则谨矣，而近于严。陈腐则不奇，诡怪则不法，放恣则不谨，龌龊则不严，戛戛乎其难矣！所以诐辞、淫辞、邪辞、遁辞，而知其所蔽、所陷、所离、所穷，岂特言哉！言之精者为文，文之精者为诗，初无异理也。"《梧冈集》卷七《晚翠亭跋》："先父讳桂芳，号白云先生，诗文瑰伟，卓冠时流。"四库提要卷一六九："《白云集》七卷，明唐桂芳撰。……此集在程敏政所编《唐氏三先生集》中。庐陵钟晦撰桂芳行状，称其文一以气为主。今观集中有与陈浩书，称'尝慕苏老泉闭户探赜古今上下，融液胸臆，故下笔源源而无艰险窘迫态。辙谓文不可学而能，气可以养而致，此苏老泉传法也'，盖其平生宗旨如此。故所作容与逶迤，绝无聱牙晦涩之习。诗亦清谐婉丽，颇合雅音。"

公元 1381 年（洪武十四年　辛酉）

正月

命新授官者各举所知。《明通鉴》卷七："时上罢科举，专用辟荐，凡中外大小臣工，下至仓库司局诸杂流，亦令推举文学才干之士。其被荐至者，又令转荐。一时山林岩穴之士，由布衣而登大僚者接迹矣。"

胡翰卒，年七十五。《明文衡》卷八四《长山先生胡公墓铭》："先生生元丁未十一月初三日，卒于洪武十四年正月十日，年七十有五。"宋濂《胡仲子集序》："自其少时，诵数十万言，在诸生中已惊动其乡邦老儒，咸畏而敬之。及其既长而壮，奇迈卓越，务师古人，出言简奥不烦，而动中绳墨，如夏圭商敦，望而知其非今世物也。同郡大儒若吴贞文公立夫先生，尝师事之，吴公亟称其才不置。黄文献公晋卿以文学名天下，见先生辄延致共语，所以期待者甚隆，而先生亦不为之屈也。诸公既亡，先生之学益成，行益修，德愈劭，而文愈雄，大江之南称贤者必曰先生，而先生不自以为至也。"刘刚《胡仲子集后序》："先生蓄德而著言，本乎六经，参乎史汉以及诸子，訇乎其有声，炳乎其有光。若明堂之朝，严阶陛，盛冠裳，而侯伯华戎之分，截如也；若泰坛之祀，列陶匏，燔牲玉，而龙衮璪冕之容，恪如也。先生恒不以为足，逮老而志不少衰。每片言之出，士林传诵，王公大臣争虚左延誉，以不得见为恨。而天下学士仰之如景星卿云，将谓再起蒲车，置于玉堂之署，黼黻皇猷，弥纶文化，而整饬一代之言。不幸先生以今年春正月九日卒于家，于是慕先生之德，思诵其言有未得者，咸相与欷歔太息。"《明诗评选》卷四《五言古·胡翰》："国初人不受唐、宋缠棘，独出心手，直承风雅，仲申尤为大宗。吴人朱叔英论仲申，'五言超然复迈，虽潜溪亦莫企及'，笃论也。"《明史》胡翰传："胡翰，字仲申，金华人。幼聪颖异常儿。七岁时，道拾遗金，坐守待其人还之。长从兰溪吴师道、浦江吴莱学古文，复登同邑许谦之门。同郡黄溍、柳贯以文章名天下，见翰文，称之不容口。游元都，公卿交誉之。与武威余阙、宣城贡师泰尤善。或劝之仕，不应。既归，遭天下大乱，避地南华山，著书自适。文章与宋濂、王祎相上下。太祖下金华，召见，命与许元等会食中书省。后侍臣复有荐翰者，召至金陵。时方籍金华民为兵，翰从容进曰：'金华人多业儒，鲜习兵，籍之，徒縻饷耳。'太祖即罢之。授衢州教授。洪武初，聘修《元史》，书成，受赍归。爱北山泉石，卜筑其下，徜徉十数年而终，年七十有五。所著有《春秋集义》，文曰《胡仲子集》，诗曰《长山先生集》。"四库提要卷一六九："史又称翰少从吴师道及吴莱学为古文，复登同邑许谦之门。今观其文章，多得二吴遗法，而持论多切世用，与谦之坐谈诚敬小殊。然尝与修《元史·五行志》，序论即其所撰，今见集中。于天人和同之际，剖析颇微，《牺尊辨》《宗法论》诸篇，亦湛深经术，则又未尝不精究儒理也。诗不多作，故卷帙寥寥，而格意特为高秀。朱彝尊《静志居诗话》曰：'金华承黄文献溍、柳文肃贯、吴贞文莱之后，多以古文词鸣，诗非所好。以诗论，吾必以仲申为巨擘焉。独孤及之论曰：五言之源，生于《国风》，广于《离骚》，著于苏、李，盛于曹、刘。汉魏作者，质有余而文不足，以今揆昔，则有朱弦疏越、太羹遗味之叹。诵仲申五言，正犹路鼗出于土鼓，篆籀生于鸟迹，庶几哉升堂之彦乎！宜潜溪有学林老虎文渊鲸之目也。'斯言允矣。"

三月

诏颁《五经》《四书》于北方学校。《明太祖高皇帝实录》卷一三六"洪武十四年三月辛丑（十六日）"："颁《五经》《四书》于北方学校。上谓廷臣曰：'道之不明，由教之不行也。夫《五经》，载圣人之道者也，譬之菽粟布帛，家不可无。人非菽粟布帛，则无以为衣食，非《五经》《四书》，则无由知道理。北方自丧乱以来，经籍残缺，学者虽有美质，无所讲明，何由知道。今以《五经》《四书》颁赐之，使其讲习。夫君子而知学，则道兴；小人而知学，则俗美。他日收效，亦必本于此也。'"

春

袁凯以疯疾放归。《明史纪事本末》卷一四："（十四年）五月，遣使求经明行修之士。……上一日录囚毕，命御史袁凯送东宫覆审，递减之。凯还复命。上问：'朕与东宫孰是？'凯顿首曰：'陛下法之正，东宫心之慈。'上大喜，悉从之。"《海叟集》卷二《辛酉大醉书东郊主人壁》："人生百年中，疢疾与灾危。风雨愆期至，欢乐能几时？仲春二三月，桃李正华滋，蝴蝶满东郊，仓庚鸣且飞。招我同心人，策马试轻衣。东家饮美酒，西第弹鸣丝，鸣丝未及已，四座赋声诗。日暮始归来，明旦复如斯。君看多财子，计惜在毫厘，终夜不能眠，握算至晨曦。一朝籍县官，虽悔何所追。"［按，以《明史纪事本末》与袁凯《辛酉大醉书东郊主人壁》合考，凯之见逐，在辛酉年春初］《俨山外集》卷八："太祖高皇帝尝欲戮一人，皇太子恳释之。召凯问曰：'朕欲刑之，而东宫欲释之，孰是？'凯对曰：'陛下刑之者，法之正。东宫释之者，心之慈。'太祖怒，以为凯持两端，下之狱。凯下狱，三日不食，太祖遣人劝之食，已而宥之。每临朝，见凯尝曰：'是持两端者。'凯一日趋朝，过金水桥，诡得疯疾，仆不起。太祖曰：'疯疾当不仁。'命以木钻钻之，凯忍死不为动，以为阘茸不才，放归田里。凯归，以铁索锁项，自毁形骸。太祖每念之曰：'东海走却大鳗鲡，何处寻得？'遣使即其家起为本郡儒学教授，乡饮为大宾，凯睁目熟视使者，唱《月儿高》一曲。使者复命，以为凯诚疯矣，遂置之。闻之都主事玄敬穆。余少闻故老谈景文，既以疾归，使家人以炒面搅沙糖，从竹筒出之，状类猪犬下（像猪狗拉出的屎），潜布于篱根水涯，景文匍匐往取食之。太祖使人觇知，以为食不洁矣。岂所谓自免于祸者耶？"

四月

改建国子学于南京鸡鸣山。《明太祖高皇帝实录》卷一三七"洪武十四年夏四月丙辰朔"："诏改建国子学于鸡鸣山下。命国子生兼读刘向《说苑》及《律令》。上谕祭酒李敬曰：'士之为学，贵于知古。今穷物理，圣经贤传，学者所必习。若《说苑》一书，刘向之所论次，多载前者往行，善善恶恶，昭然于方册之间。朕尝于暇时观之，深有劝戒。至于《律令》，载国家法制，参酌古今之宜，观之者亦可以远刑辟。卿以朕命导诸生读经史之暇，兼《说苑》，讲《律令》，必有所益。'"

刘崧卒，年六十一。《明太祖高皇帝实录》卷一三七"洪武十四年夏四月己未（初四）"："国子司业、前礼部侍郎刘崧卒。……崧博学有志。家素贫，及贵，未尝增置产业。居官十岁，不以妻子相随，清苦如布衣时。其为北平按察副使，携一童往，至则遣还。每夜孤灯一榻，读书不辍。至五鼓，则衣冠起坐待旦。值北平兵革之后，招徕逋逃，慰安反侧，惟务宽厚，以存大体。尤慎威刑之用。遇小人憸狡，辄先事防制，温颜异词，而见者凛然。及致仕而归，益自谦下。问学之功，老而弥笃。与人言，未尝及官政。岁歉，其姻族之人不能自养者，辄周给之。崧扬历中外，尤以文学受知于

99

上。其为文雅粹，为诗有唐人风韵。所著有《北平八府志》《东游录》《岭南录》及诗文十八卷，藏于家。又有《职方集》行于世。"刘崧《自序诗集》："自余入小学，从祖父授诗，即应口成诵，若无留难者；久之，天机振触，吐词出语，宛合音韵。年十岁，先君命赋《鸡鸣》《渡江》等诗，识者类以远志许之。年十六，游兴国，为童子师，然犹日诵书千数言，至夜仍赋诗若文以自程励，居三年未有异也。会有传临川虞翰林、清江范太史诗者，诵之五昼夜不废，因慨然曰：'邈矣，余之于诗也，其犹有未至已乎！'乃敛蓄性真，湔涤故习，尽出初稿而焚之，益求汉魏而下盛唐诗以来号为大家者，得数百家，循览而熟复之，因以究其意之所在，然后知体制之工与夫永声之妙，莫不隐然天成、悠然川注，初不在屑乎一句一字之间而已矣。故尝为之说曰，诗本诸人情，咏于物理，凡欢欣哀怨之节之发乎其中也，形气盛衰之变之接乎其外也，吾于是而得诗之本焉。知衺诞之不如雅正也，艰僻之不如和平也，委靡碎裂之不如雄浑而深厚也，于是而得诗之体焉。知成乐必本于众钧，故未尝执一器以求八音之备，知调羹必由于庶味，故未尝泥一品以求八珍之全，于是而又得夫诗之变焉。是道也，前乎千百岁之已往，后乎千百岁之方来，其能深造而全之者固不多见，其真知而信之者亦寡矣。"乌斯道《刘职方诗集序》："天下艺之工者，虽出于性聪，亦历岁久然也。何独艺哉？至于诗亦然。诗之工，非直体裁、节奏、声律、阖闢无可疵焉而已。年益高，工益深，则苍苍然如乔松劲柏，老雕健鹘，使萎葹披靡之气屏绝于万里之外，人读之神自张而气自王也。岂惟然哉！意速而词畅，趣深而景融，神变化而莫之测识。向之工，人见其工，至是而工之迹泯焉。如扁氏之斫轮，郢人之斫垩，服炼之仙，骨蜕而形化，然后为诗之工也。诗之工固矣，然非味道腴而薄世纷，亦未足以言诗。必理不使情胜，道不为物溺，天地万象皆吾之妙焉者也。故吐精萃华，自无不美矣。……先生之诗，不刻削而工，不峭峻而苍，不隐晦而深，不险怪而神，不平澹而化，不乖俗而道。盖先生自科第进官职方郎中，转北平按察副使，南遍雷琼，北极燕冀，阅岁余三十载，视泰否变迁、通塞得丧、山川俗尚、人情物理既稔，又以举足兴慨，惟道是娱，一发之于诗若是，则岂非年益高工益深，以致其然哉？"张应泰《刻刘槎翁先生诗选序》："翁诗大都沉涵苍劲，矩矱先民，结体严，庀材博，长篇洒洒，力每有余，短韵杼柚自成类，亦嫣然多致。向令翁与李唐人并轨而驰，钱、刘可伍也。"《明史》刘崧传："善为诗，豫章人宗之为'西江派'云。"罗钦忠《新刻槎翁文集目录序》："夫大厦之轮奂，非一木之枝梧也；珍鼎之俊永，非一味之调齐也；春阳之煦姁，非一朝夕之呕郁也。其养厚，故其气庞蔚而隆凝；其学博，故其词雄浑而腴畅；其志洁，故其体奥雅而切深。粲粲乎珠联而玉缀也，锵锵乎韶奏而凤鸣也，飘飘乎云乘风而江河注海也，岂非一代之作者哉？"《静志居诗话》卷二《刘崧》："子高句锼字琢，颇具苦心。惜其体弱，局于方程，不能展拓。于唐近大历十子，于宋类永嘉四灵，于元最肖萨天锡。"《槎翁集》卷首提要："崧七岁能赋诗。及长，日课一篇，读书天寒皲裂不少辍。其在官舍，孤灯讽诵，夜分不休。盖其一生耽嗜吟咏，刻苦甚至。故年愈老而诗亦愈工。清江刘永之、金华宋濂辈，皆极称之。"《明诗别裁集》卷二《刘崧》："子高诗辞采鲜媚，骨格未高，应是学温飞卿一派。"

五月

宋濂卒，年七十二。《礼部志稿》卷五七《宋濂》："十三年，瓒以事得罪，濂当连坐，有司请罪之。上以濂旧臣，特命居于茂州。十四年五月，行至夔州，卒。所著有《潜溪集》四十卷，《萝山集》五卷，《龙门子》三卷，《浦阳人物记》二卷，《翰苑集》四十卷，《归田集》四十卷。长子瓒与瓒俱以能书名。"朱兴悌、戴殿江《宋文宪公年谱》："五月，卒于夔州。先生行至夔州，寓僧寺，卧病不食者三旬。二十日晨起，书《观化帖》，端坐而逝。""（孙）铿案：《金华献征录》云，临终作《观化帖》八十二字，略云：'君子观化，小人怛化。中心既怛，何以能观？我心情识尽空，等于太虚。不见空空，不见不空。大小乘法门不过如此，人自不信，可怜可笑。'示恪示怿，盖其从行二孙也。"《王忠文集》卷二一《宋太史传》："景濂为文，初若不经思，而用意极精密，浩浩乎莫窥其际，源源乎不知其所穷，洋洋乎不见其有所不足也。当是时，乡先生翰林待制柳公贯、翰林侍讲学士黄公溍，皆大儒，天下所师仰。景濂又各及其门，执弟子礼，而此两公者，则皆礼之如朋友。柳公曰：'吾邦文献，浙水东号为极盛。吾老矣，不足负荷此事。后来继者，所望惟景濂。以绝伦之识而济以精博之学，进之以不止，如驾风帆于大江中，其孰能御之？'黄公曰：'吾乡得景濂，斯文不乏人矣。'景濂所为文，多经二公所指授。柳公谓其浑雄可喜，黄公谓其雄丽而温雅。莆田陈君旅，知言士也，为之序曰：'柳公之文，庞郁隆凝，如泰山之云层，铺迤涌杳，莫穷其端倪。黄公之文，清圆密切，动中法度，如孙吴用兵，神出鬼没而部伍不乱。景濂之文，其辞韵沉郁类柳公，体裁简严类黄公。大哉文乎！其不可无渊源乎。'盖以景濂为能兼二公之所长矣。翰林学士承旨庐陵欧阳公玄，于二公为行辈，尝评景濂文，'气韵沉雄，如淮阴出师，百战百胜，志不少慑。神思飘逸，如列子御风，翩然骞举，不沾尘土。辞调尔雅，如殷卣周彝，龙纹漫灭，古意独存。态度多变，如晴跻终南，众皱前陈，应接不暇。非才具众长，识迈千古，安能与于斯？'其为当世所称许如此。于是二公相继既即世，而景濂踵武而起，遂以文章家名海内。……景濂于天下之书无不读，而析理精微。百氏之说，悉得其指要。至于佛老氏之学，尤所研究。用其义趣，制为经论，绝类其语言，置诸其书中，无辨也。青田刘君基谓其主圣经而奴百氏，驰骋之余，取老佛语以资嬉剧，譬犹饫粱肉而茹苦荼、饮茗汁耳。"胡应麟《读国初四君遗集》："猗与太史公，振代见才杰。百氏勤雕镂，二典恣渔猎。雄章发天造，大手扬帝烈。至今艺士林，冠世推阀阅。"《艺苑卮言》卷六："高帝尝谓宋濂：'浙东人才，惟卿与王祎耳。才思之雄，卿不如祎；学问之博，祎不如卿。'又尝与刘诚意论文，诚意谓'宋濂第一，其次臣不敢多让'。"《说郛》卷七九下徐泰《诗谈》："金华胡翰雄壮，苏伯衡丰腴，太牢之味与藜藿自别。宋景濂、王子充，诗亦纯雅，以文名。"《明史》宋濂传："濂状貌丰伟，美须髯，视近而明，一黍上能作数字。自少至老，未尝一日去书卷，于学无所不通。为文醇深演迤，与古作者并。在朝，郊社宗庙山川百神之典，朝会宴享律历衣冠之制，四裔贡赋赏劳之仪，旁及元勋巨卿碑记刻石之辞，咸以委濂，屡推为开国文臣之首。士大夫造门乞文者，后先相踵。外国贡使亦知其名，数问'宋先生起居无恙否'。高丽、安南、日本至出兼金购文集。四方学者悉称为'太史公'，不以姓氏。"《明诗综》卷四《宋濂》："俞汝成云，学士诗文俱著，而文胜于诗。然开国文献之传，集固不可阙者。王元美云，宋景濂、王子充虽以文名，而诗亦严整妥切。顾玄言云，公文既博综，诗稍平易。李舒章云，公开国文士之冠，犹袭元调。朱朗诣云，太史之文，舍人璲之书，评者以本朝第一目之，韵语则非所长，集虽多，不作可也。"《静志居诗话》卷二《宋濂》："景濂于诗亦用全力为之，盖心慕韩、苏而具体者。"四库提要卷一六九："濂文雍容浑穆，如天闲良骥，鱼鱼雅雅，自中节度；基文神锋四出，如千金骏足，飞腾飘瞥，蓦涧注坡。虽皆极天下之选，而以德以力，则略有间矣。方孝孺受业于濂，努力继之，然较其品格，亦终如苏之与欧。盖基讲经世之略，所学不及濂之醇；方孝孺自命太高，意气太盛，所养不及濂之粹也。"

十月

林弼卒，年五十七。 王廉《中顺大夫知登州府事梅雪林公墓志铭》："俄以疾不起，实辛酉冬十月戊寅也，享年五十有七。公善草楷法，尝与予言，'用笔须偏正法兼备乃妙。近世赵孟頫书非不精，但侧锋太多，不能逃书家清议'。林泉生尝言，'林公用笔皆正峰有力，非若他人止写画也'。公所为诗文皆雄伟逸宕，语或清峻，复出尘表。有《梅雪文稿》若干卷，《使南集》若干卷。"《林登州集》卷首提要："《林登州集》二十三卷，明林弼撰。……生平著作有《梅雪斋稿》《使安南集》。是集总名《登州》，盖汇而辑之者。凡诗七卷，文十六卷。其《使安南集》，宋濂曾为之序，称其文辞尔雅。王祎亦尝赠以诗，与之唱酬。其墓志即王廉所作，称其诗文皆雄伟佚宕，清峻之语，复出尘表。盖明初闽南以明经学古擅名文苑者，弼实为之冠也。"

十一月

胡翰《胡仲子集》刊成。 宋濂《胡仲子集序》："先生年未老而文已传于时，获读之者，莫不知其为可贵。然其可贵者，岂特文乎哉？是则先生之自得者，世之人未必能知，虽濂亦不能尽其详也。濂与先生同师于吴公，相友五十余年，发秃齿豁矣。见世之士多矣，心之所仰而服者惟在先生。则先生之文，岂独今之所难遇乎？学子刘刚撰次成集，而王君士觉为图其传，来请序之。濂不让而书其首篇，所以叹先生之善学古人，而幸天下之见其文也。先生名翰，字仲申，金华人。仲子，其别号云。洪武十三年秋八月癸酉，前翰林学士承旨、嘉议大夫、知制诰兼修国史、兼太子赞善大夫同郡宋濂序。"刘刚《胡仲子集后序》："刚生也后，不得聆诸老之謦欬而窥其德之浅深，尝私窃为憾。幸洒扫潜溪宋太史公及长山胡先生之门，俱获受其德教。太史公所得也深，先生所得也精。其言之皆确而弘者，刚日谛玩之，味于口，饫于心，而不敢释诸身也。国朝初，太史公出握文衡，居禁代天子之言，言之发于德者，有集传于世矣。先生继亦被召，与修《元史》。史成，诏职词垣，以备顾问，而力以疾辞，重赐白金文绮，俾归振教铎于姑蔑之郡。未几，复以老辞，还处长山之阳。一日，尽以其所著书命刚曰：'吾老矣，将以斯文授子。子其勉之！'刚再拜，受教惟谨。……刚也不敏，安敢秘先生之言而靳其德。敬仿荀卿、贾谊诸书，文居诗赋之首，编次成帙，号《胡仲子集》，通若干篇。既请太史公序其端，将与愿学先生者同以为法，而浦阳义门王氏复之父子，德先生之教言，遂谋刊梓以传。王氏合食五世，斯岂非其义举欤？洪武辛酉冬十一月望日，门人同郡刘刚谨序。"王懋温《胡仲子集跋》："家君未仕时，尝与吾师论天下才德士，偻指必以长山先生为首，懋温私窃识之。既而先生过予家，而获亲炙之，其德毅然而温，其才充然而长，始知吾师与家君之言信哉！予家方义聚五世，先生奖之劝之，其言雅而正、简而明，内外大小咸知佩服先生之教，吾师特手类先生集，将欲图诸不朽，家君遂与诸仲父谋为之刊梓，乃告于大父，大父忻然从之，起手于洪武庚申夏六月，而毕工于明年冬十一月也。杂著文十卷，古近体诗二卷，附录一卷，共九万九千六百九十余言。凡印生日用百须之具，大父则命懋温专给之。家君既仕岭南，重受方面之托，还书于家，俾克终先生集。不幸先生於今年春已易箦矣，惜乎不克观厥成也。虽然，先生怀才抱德，固不得位而见于事业，而今独传于文章，四方学者争先睹之为快，先生倘知之，宁不瞑目于九原也欤？时洪武十四年冬十一月既望，浦阳义门王懋温谨识。"《东里续集》卷一八《胡仲子文》："胡仲子文刻板在金华。吾家二册，周纪善是修所惠者。仲子名翰，一字仲申，与宋学士同门。洪武初尝预修《元史》，其文粹深，宋甚推重云。"四库提要卷一六九："《胡仲子集》十卷，明胡翰撰。……是集乃其门人刘刚及浦阳王懋温所编，以洪武十四年刊板。今印本罕传，惟写本犹存于世，凡文九卷，诗一卷。史称其文曰《胡仲子集》，诗曰《长山先生集》，今合为一集，岂刚等所并欤？"

十二月

定翰林院考核章奏例。《明通鉴》卷七："十二月丁巳（七），罢翰林院承旨、直学士及待制、应奉等官，定学士正五品。凡诸司章奏，命同春坊、正字等官考核平允，则署衔曰'翰林院兼平驳诸司文章事某官某'，列名书之。"

本年

杨士奇馆于淘金驿。《东里续集》卷五八《江浦县遇曾于皋》："忽遇鬓年旧，惟看语笑真。清诗仍满袖，华发已盈巾。桑梓二千里，萍逢四十春。金溪吟啸地，因话共伤神。"注云："淘金故人。"《东里续集》卷六二《寄曾于皋》："去年舣棹淘金驿，满目苍筤与绛桃。惆怅交游总泉下，独思江浦有于皋。"〔按，淘金，即淘金驿。雍正《江西通志》卷三五："淘金驿，在泰和县东五十里。"清淘金驿，当即明淘金驿〕《东里续集》卷一八《古文矜式》："《古文矜式》，余年十六七馆淘金袁氏塾中时，借录于芗城张子震。子震酷嗜积书，语余云：'初未有此书，以其家古锦琴囊易得之。'盖世以为秘传希有之书也。然士奇既得之，往往用示人。有欲借录者，辄畀之，未尝秘也。其后所录本失之，而尝从余借录者，又录此见遗，是亦不阋之效也。"《东里续集》卷一七《契丹志》："右《契丹志》一册，不完。忘所自得。但记洪武辛酉，假馆淘金袁氏，同芗城张子震观此书，作诗寓慨叹之意。于今三十有七年，虽断简不失也。盖余平生于古书遗文，虽残缺不完，未尝不保爱之。"

方孝孺在缑城。孙矞《方正学先生年谱》："先生年二十五。在缑城，《愚庵公文集》刻成，先生跋记。宋太史以孙慎事坐累，安置茂州。行至夔，卒。先生欲往省，后以故止。乃为文吁天，愿输己寿以延师命。"《逊志斋集》卷八《吁天文》："维洪武十四年岁在辛酉，六月乙卯朔，下土臣某谨稽首昧死言：维天生人，厥质匪恒……爰爰德施，弘章肇闵，闵心隐痛，若弗能生。念凡民师，犹父母。父母疾，昔子吁祈于天，天必闵应。臣自兹始，祇陈厥由。臣有寿年禄庆，在天未逮臣身，愿输弗享，以延师之修龄，启帝心，俾师克复故里，居建乃家勿坠。庶海内民有仰，邦国有望。臣死罔悔，惟天鉴民诚，诞敷休命。匪臣蒙嘉征，将兆民是赖。臣闻曰：民虽卑，诚靡不格天。天虽尊，惟诚之从。呜呼！皇天其尚闵兹臣小子未有知，惟天其惠绥休命。"

凌云翰授成都教授。夏节《柘轩集行述》："国朝洪武初建立学校，招延文学老成、经明行修之士，训迪生徒，时则典教叶居仲、徐大章，司训王好问、瞿士衡、莫景行、何彦恭，适同其事，咸称得人。浙省参政鄱阳周公伯温，扁其读书处曰'安易'，总制马公、参政徐公接以宾礼，与之唱和。洪武辛酉，以荐举召授四川成都教授。"

谢肃在上虞。《密庵集》卷六《送太常博士薛文举还朝序》："洪武十四年夏五月六日，上御奉天门，太常博士臣薛文举谒告归省，既得旨，遂走上虞觐其母夫人。居无何，当还朝，征言以赠，肃辞不获。"

解缙已遍习儒家经典。杨士奇《朝列大夫交阯布政司参议春雨解先生墓碣铭》："自幼颖悟绝人。五岁，父教之书，应口成诵，七岁赋诗有老成语。十岁日诵数千言，终身不忘。十三尽读四书诸经，贯穿其义理，老成不能难也，而文思溢发。"

管时敏从楚王之武昌。四库提要卷一六九《蚓窍集》："洪武九年征拜楚王府纪善，从王之国。"《明史》楚昭王桢传："楚昭王桢，太祖第六子。始生时，平武昌报适至，太祖喜曰：'子长，以楚封之。'洪武三年封楚王。十四年就藩武昌。"吴勤《蚓窍集序》："壮年时仕为楚府纪善，扈从来武昌。邂逅旅邸，一见知为佳士。读其诗，风格高古，一一可追古之作者。其五言乐府，有汉魏体。五、七言律诗，多出盛唐。春容雅澹，譬之黄钟大吕之音，孰不为之洗耳者乎？"

周忱（1381—1453）生。字恂如，庐陵人。永乐甲申进士，改庶吉士，授刑部主事，转越府右长史，超拜工部右侍郎，巡抚江南，升户部尚书，改工部。卒谥文襄，有《双崖文集》。周叙《双崖文集序》："公登永乐初科进士，预二十八人之选，读书中秘，年方独少，天分甚高，凡所观览，终身不忘。"

公元1382年（洪武十五年 壬戌）

改国子学为国子监。《明太祖高皇帝实录》卷一四三"洪武十五年三月丙辰（初七）"："改国子学为国子监。设祭酒一人，从四品；司业一人，正六品；监丞一人，正八品；典簿一人，博士三人，助教一十六人，俱从八品；学正三人，正九品；学录三人，从九品；掌馔一人，杂职。其文移，则六部札付国子监，国子监呈六部。中都国子监，制同。"

春

上虞令以朝觐去，谢肃作序。《密庵集》卷六《送邑大夫王侯朝觐序》："洪武十五年春，义阳王侯子良隐居求志，惟《易》是学。有以其才行荐于天子者，授承事郎、知绍兴府上虞县事。下车之日，僚佐咸缺，公事扰剧，侯以清心处之，无不当理，民咸服焉。未几，有旨：凡府州县官，既征夏税，或长或贰，其来朝觐，不待岁终也。由是，侯具奏书，择日戒行，邑之士民追送于西门之外。……侯行矣，请数日以俟。言已，罗拜以别。且相与属肃以序，肃辞不获。"

四月

诏天下通祀孔子。《明通鉴》卷七："乃诏仲质等与儒臣共定释奠仪，颁之天下，令每岁春秋，以上丁日通祀文庙。"

五月

国子监、文庙成。《明通鉴》卷七："五月己未（十一日），国子监、文庙成。……寻颁释奠仪注于府、州、县，并定国学及各行省主祭官之例。国子监设六堂，曰率性、修道、诚心、正义、崇志、广业，以馆诸生。旁有号舍，以宿诸生，厚给廪饩。又以时赐布帛、文绮之属。庚午（十一日），颁学规于国子监。又颁禁例十二条于天下，镌立卧碑，置明伦堂之左。其不遵者以违制论。"

宋讷奉旨为新建太学作记。《明太祖高皇帝实录》卷一四五"洪武十五年五月己未（十一日）"："新建太学成。……自经始以来，驾数临视，至是落成，遣官祭先师孔子，命翰林院学士宋讷记其始末于石，仍以旧国子学为应天府学。"

戴良怀念元朝幽国公余阙。《九灵山房集》补编下《书天机流动轩卷后》："良盛年时，识幽国余忠宣公于浦江官舍，公方持使者节行县。欲执弟子礼，莫可也。后游郡城，遂因论诗，获质所疑于公，公为书此四篆以遗，盖良所居轩匾也。携归山中，乡友宋君景濂首为赞一通，且贻书东阳陈君君采记之，而金华胡君仲伸、乌伤王君子充、麟溪郑君仲舒，皆先后为文以寄。即尝命工刻置轩壁矣。亡何，天下大乱，在在兵起，乃一切委弃，避地海隅。及以垂暮之年归视故居，轩虽苟完，而壁间旧刻无复存者。急探行橐，仅得公所书亲迹及四君记文拓本而已。景濂之赞，亦竟不可追踪。卷中跋语，则后所追为者也。于是公以淮南行省右丞死节安庆，君采以处士死于乡。入国朝，景濂以翰林学士责死西土，子充以翰林待制斥死北地，仲伸亦以儒学教授寄死野人家。同时流辈凋落殆尽，独仲舒以前朝故官家食无恙，然亦颓然老矣。由前至今，俯仰未三十载，而变幻不常如此，所恃以持久者惟字画与文章。又未知去此三十载，其字与文与所蓄之人，还能相守如今日否？学佛之人指幻境为空华，岂不信然欤？良既以四篆四记联之为卷，而复详著其始末于后，暇日一取阅之，安得不为之三叹乎？元默阉茂之岁，夏五月既望，九灵山人戴良书。"

明太祖谕太学生。《明太祖文集》卷八《谕太学生》："仲尼之道，上师天子，下教臣民。始汉至今，曾有逾斯道而久于世者乎？朕统一寰宇，育夷夏之烝黎，偃兵未久，创业未周，惟学校之设，国之首务。十五年春，命工曹会百工以构庙学，逾五月工曹奏工已成矣。是以至师于是，来生徒以受业，期在育君子，必履仲尼之道以助后嗣，共安天下之苍生。今师生皆至，若不敕以学道之志，明以乱常之宪，则恐养非君子，用非贤人，徒劳民供。所以志于学者，志在谦柔恭谨，毋纵血气之刚、人我之骤，固守仲尼所云四非之笃，慎日经旬，以逾岁月，不变其所学，则贤人矣。虽齿落而头童，何忧乎身不易耶？迩闻生徒多刁党，尚此志者纷然，特紊命教之道，大伤学规。于斯不才，非独时累于身体，将必常宪而不原。若体朕意而学者，饭至而食，汤至而饮，昼惜寸阴而进业，暮然灯而求精，有时问道于师，必跪而请授，若非此礼而问道，则绳愆厅纪之。特敕礼部条陈警戒，诸生勉之。故兹敕谕。"

六月

　　殷奎《强斋集》刊刻。陈振祖《强斋集序》："新安余燨尝从先生学，洎较艺京师，擢居近侍，贵显矣，而尤不忘其师。及再居忧乡里，则纂集先生诗文若干篇，而请序于予。予忝与强斋同事昆学，知强斋者莫予若也。强斋笃志古人，学于六经，无不考，尤邃《礼》《春秋》。其入关也，即邸舍画《道学统绪图》以寄，书来每以讲学穷理为事。则其著述有关于理学者，固不止此也，公名播关西，学者宗仰，意必为好事者之所持去，是特其仅存者耳。知强斋者，求之于是编之外可也。公名奎，字孝伯，吴郡昆山人。洪武十五年岁次壬戌，六月甲申日，昆山县儒学训导钱塘陈振祖潜夫叙。"四库提要卷一六九："《强斋集》十卷，明殷奎撰。……是集乃其门人余燨所编，诗文杂著凡九卷，又益以其交游赠答诗文暨行实、墓志为十卷，附刻于后。……集本刊于洪武十五年，昆山儒学训导钱塘陈振祖为之序，其文亦朴雅，可想见一时风气云。"

七月

　　方孝孺与诸友登台城巾山。《逊志斋集》卷一五《巾山草堂记》："往者壬戌七月之望，予偕叶君夷仲、张君廷璧、林君公辅、陈君元采，夜登绝顶，饮酒望月，纵谈千古，竟夕不眠。予谓叶君曰：'昔苏子瞻夜登黄楼，观王定国诸公登桓山，吹笛饮酒，乘月而归，"以为太白死三百年，无此乐矣"。斯乐也，又子瞻死三百年后所无也。'诸君皆大笑。追计其时，忽十五年。今存者独予与张、陈耳。"

八月

　　诏复设科取士，三年一行为定制。《明太祖高皇帝实录》卷一四七"洪武十五年八月丁丑朔"："诏礼部设科举取士。令天下学校期三年试之，著为定制。"
　　高皇后马氏崩。《明史》太祖孝慈高皇后传："太祖孝慈高皇后马氏，宿州人。父马公，母郑媪，早卒。马公素善郭子兴，遂以后托子兴。马公卒，子兴育之如己女。

子兴奇太祖，以后归焉。……洪武十五年八月寝疾。群臣请祷祀，求良医。后谓帝曰：'死生命也，祷祀何益？且医何能活人！使服药不效，得毋以妾故而罪诸医乎？'疾亟，帝问所欲言。曰：'愿陛下求贤纳谏，慎终如始，子孙皆贤，臣民得所而已。'是月丙戌（初十）崩，年五十一。帝恸哭，遂不复立后。"

诏征至秀才分六科试用。《明通鉴》卷七："初，上诏征天下秀才，凡先后至者，吏部试之，召见授官。丁酉（二十一日），擢秀才曾泰为户部尚书。是时都御史赵仁言：'曩者以贤良方正、孝悌力田诸科所取士列置郡县，多不举职。今又聘取天下秀才，以资任用。臣愚以为当分等考核，以定去留。'上览其奏，谓刑部尚书开济曰：'设官所以安民，官不得人，民受其害。今征至秀才，宜试其能否，考其优劣，然后授之以职。其详议以闻。'于是济议：'以经明行修为一科，工习文词为一科，通晓书义为一科，人品俊秀为一科，练达治理为一科，言有条理为一科。六科备者为上，三科以上为中，不及三科者为下。'从之。辛丑（二十五日），诏征至秀才分六科试用。"

九月

董纪应试京师。《西郊笑端集》卷一有《九月三日奉天门早朝得赐宝锣》《九月十四日上亲策试，赐膳华盖殿西庑下，以大行皇后丧，设酒不荤》诸诗。

十月

龚诩（1382—1469）生。字大章，昆山人。父訔，洪武中官给事中，以言事遣戍五开卫，诩遂隶军籍，调守金川门。靖难师入，变姓名遁归。卒，门人私谥安节先生。有《野古集》三卷。沈鲁《钝庵先生墓铭》："洪武壬戌十月十一日生先生于岳州。叔言（龚诩父）擢兵科都给事中，以事谪戍五开，时戍者不许偕亲属行。先生甫三岁，随母夫人归依外氏，而叔言讣音寻至，夫人守节不贰。纺绩给衣食，课子读书。先生性通敏，过目辄成诵。虽罹多故于穷愁无聊中，亦能自奋励。但厄羸孱弱，不任继先人戍远，乃敛膝授徒于乡三十年，母子更相为命。"

董纪除江西按察金事。四库提要卷一六九《西郊笑端集》："洪武壬戌，举贤良方正，廷试对策称旨，授江西按察使金事。未几，告归。"《西郊笑端集》卷一《别侄董时雨二首》序："予与时雨侄同以有司贡举来京师，至是予巡按江西，时雨得归侍养。诗以识别，并用示儿浩云。"其一："强近无亲骨肉稀，糟糠有妇不胜衣。到家说与痴豚犬，好护瓜田待我归。"《西郊笑端集》卷一有《十月十五日奉天殿早朝》《十月十有六日，早发龙江驿，晚泊新河上流，望采石山》诸诗。可知董纪十月十五日辞朝，十六日发龙江驿，向江西。[按，龙江驿在金陵。《明史》卷五六《蕃王朝贡礼》："明洪武二年定制：凡蕃王至龙江驿，遣侍仪、通赞二人接伴。"]

十一月

置殿阁大学士。《明通鉴》卷七："戊午（十三日），上既罢四辅官，欲仿宋制置殿阁大学士以备顾问，乃以礼部尚书刘仲质为华盖殿大学士，翰林学士宋讷为文渊阁大学士，检讨吴伯宗为武英殿大学士，典籍吴沈为东阁大学士。又置文华殿大学士，征耆儒鲍恂、余诠等为之，辅导太子，秩皆正五品。"

命礼部修治国子监旧藏书板。《明通鉴》卷七："壬午（十七日），命礼部修治国子监旧藏书板，谕之曰：'古先圣贤立言以教后世，所存者书而已。朕每观书，自觉有益，尝以谕徐达。达亦好学，亲儒生，囊书自随。盖读书穷理，于日用事物之间，自然见得道理分明，所行不至差谬，书之所以有益于人也如此。今国子监旧藏书板多残缺，其令诸儒考补。仍命工部督匠修治之。'并命颁刘向《说苑》《新序》于天下学校。"

十二月

方孝孺获聘。《殿阁词林记》卷六《直文渊阁侍读学士改文学博士方孝孺》："洪武壬戌，上用学士吴沉、揭枢荐，诏征至京入见。陈说多称旨。上问枢曰：'孝孺孰与汝？'对曰：'十倍于臣。'赐之宴，几稍欹，必正而后坐。上使人觇之，喜其举动端整，谓皇太子曰：'此庄士也。当老其才，以辅汝。'试《灵芝甘露论》。上每面试举子，辄亲定高下，注选至孝孺，独不注，曰：'异人也，吾不能用，留为子孙光辅太平足矣。'"《逊志斋集》卷二四《奉试灵芝甘露论》："汉家图治策贤良，董子昌言日月光。自笑腐儒千载后，却劳圣主试文章。"《野记》卷二："高帝令宋学士濂作《灵芝甘露颂》，赐酒，大醉归，为方孝孺言之。须臾酣寝。方候之夜深，殊未醒。方料先生不寤，明当误事，即为制文书完。比晓，宋起趋朝，愕然谓方曰：'我今日死矣。'方问何故，宋曰：'昨上命作颂，醉甚，误不为，今无及矣。上怒，必赐死。'方曰：'正恐先生觉迟，已具一草，或裁定以进，可乎？'即以文呈，宋阅之，曰：'何改为？'亟怀之入朝。上迎谓濂：'颂安在？'宋出进之。上读之，曰：'此非学士笔也。'宋又愕然。上曰：'此当胜先生。'宋叩首谢：'臣实以赐酒过醉，未能成章。门生方某代为之。'上曰：'此生良胜汝。'立召见，即试以一论五策。方立成。上览讫，复顾宋曰：'渠实过汝。'即命面赐绯袍，腰带，犹平巾。令往礼部宴，命宗伯陪之。复遣觇焉，方据上席岸然。上曰：'欺人何傲？'因不留，俾为蜀王府教授。语懿文曰：'有一佳士赍汝，今寄在蜀。其人刚傲，吾抑之，汝用之，当得其大气力。'"王世贞《史乘考误》二："枝山《野记》，高帝令宋学士濂作《灵芝甘露颂》。赐酒大醉归，为孝孺言之，顷酣寝。方候夜深，殊未醒，即为代制文。……按宋公以洪武十三年卒，方君年二十余。其上书试补汉中教授，在公卒十余年后。此非实也。且宋公之爱方甚，凡所赠送，文皆极历履之详，而乃遗其见上事耶？"《明史》方孝孺传："洪武十五年，以吴沉、揭枢荐，召见，太祖喜其举止端整，谓皇太子曰：'此庄士，当老其才'，礼遣还。后为仇家所连，逮至京。太祖见其名，释之。"孙奇《方正学先生年谱》："冬十二月，吴沉、揭枢荐先生学行可大用，且言其父冤。状命聘至。"

冬

戴良被征至京。《九灵山房集·年谱》："冬，自四明山召至金陵。"《明史》戴良传："太祖初定金华，命与胡翰等十二人会食省中，日二人更番讲经、史，陈治道。明年，用良为学正，与宋濂、叶仪辈训诸生。太祖既旋师，良忽弃官逸去。辛丑，元顺帝用荐者言，授良江北行省儒学提举。良见时事不可为，避地吴中，依张士诚。久之，见士诚将败，挈家泛海，抵登、莱，欲间行归扩廓军，道梗，寓昌乐数年。洪武六年始南还，变姓名，隐四明山。太祖物色得之。十五年召至京师，试以文，命居会同馆，日给大官膳，欲官之，以老疾固辞，忤旨。"

本年

姚广孝入京供职。明成祖《御制推忠报国协谋宣力文臣特进荣禄大夫上柱国荣国公姚广孝神道碑》："惟我太子少师姚广孝，乃苏之长洲人。洪武十五年，僧宗泐举至京师。朕皇考太祖高皇帝一见异之，命住持庆寿寺。事朕藩邸。"

朱同与友人范准在京会面。朱同（1341—1385），字大同，休宁人，枫林先生朱升子。自号紫阳山樵。洪武中以人材举为东宫官，进礼部侍郎，寻被诬得罪。有《覆瓿集》。范准，字平仲，休宁人，洪武中举明经，官至工部主事。《覆瓿集》卷三《云溪归隐图》序："洪武壬戌，范平仲以事之京，持图求补前序。为题绝句于图上以见意，为后会张本云。"诗云："云溪归隐终难隐，客馆裁诗未是诗。待到柴门重扫日，是余文债欲偿时。"《覆瓿集》卷六《跋程洺水为范甥可起字说后》："范为休宁望族，世居邑南曰博村……其世孙曰准，字平仲，与余生同年，学同业，交同心。"

公元 1383 年（洪武十六年　癸亥）

正月

董纪已萌归隐之思。《西郊笑端集》卷一《癸亥岁旦贺正礼毕雨窗独坐有怀草堂》："官属临门曙鼓鸣，起来望阙贺新正。礼当序爵居班首，老迈增年动旅情。天上已颁新凤历，云间却负旧鸥盟。草堂今雨交情见，问讯何人独意诚？"《携李诗系》卷七《董佥事良史》："洪武间，首举贤良，诏试内庭称旨，授江西按察佥事。未几，辞归，结西郊草堂为终老计。"

宋讷除国子祭酒。《明太祖高皇帝实录》卷一五一"洪武十六年春正月壬戌（十八日）"："以文渊阁大学士宋讷为国子监祭酒。敕谕之曰：太学天下贤关，礼义所由出，人材所由兴。自建学以来，历选师儒以居是职，至今未臻其效，岂士习之难变欤？抑师道之不立欤？此朕所以夙夜究心，慎择老成以任之。惟卿宿学耆德，可以任此，故特命为祭酒。尚体朕立教之意，使诸生有成，士习丕变，国家其有赖焉。卿其勉之！"

二月

诏官学岁贡生员入京受试。《明通鉴》卷八："（二十二日）诏天下府、州、县学，岁贡生员各一人于京师，由翰林院考试经义、《四书》义各一道，判语一条。中式者，一等入国子监，二等送中都。不中者遣还，提调教官罚停廪禄。"

四月

戴良卒，年六十七。 赵友同《故九灵先生戴公墓志铭》："然时事已不靖，无可行其志，乃携从子温浮海至中州，欲与豪杰交，而卒无所遇。遂南还四明。四明多佳山水，耆儒故老往往流寓于兹，先生每相与宴集为乐，酒酣赋诗，击节歌咏，闻者以为有《黍离》《麦秀》之遗音焉。国朝洪武壬戌，以礼币征先生至京师，即日召见，试文辞若干篇，命大官予膳，留会同馆。名公巨卿见无虚日，甚或以师礼事之。既而上欲用先生，先生以老病固辞，颇忤旨，待罪久之。一日，感微疾，即为书谢诸亲旧，犹拳拳以忠孝大节为语。迨疾亟，召乐谓曰：'吾罪戾本深，赖圣恩宽贷，获保首领以死，念无报效，汝等幸自勉，以盖前人之愆，乃为贤子孙耳。'语毕，遂端坐卒于寓舍，实癸亥四月十七日也，享年六十有七。……文渊阁修书官、修职郎、太医院御医门生赵友同撰。"赵友同《九灵先生画像赞》："才可以济民而位弗称，德可以厚俗而时弗容，是造物之啬于公耳。然宏辞伟论，所以宣人文昭圣学而垂于无穷者，又不可谓不擅其丰也。"《东里文集》卷一一《跋戴九龄和陶诗》："九灵姓戴名良，字叔能，号九灵山人。金华人，少与宋景濂、胡仲申同学，文亦齐名。九灵洪武初屡征不出，变姓名隐四明山中。二十余年后，坐累，卒于京。此集余得之丁鹤年。九灵别有文集四册，余尝于赵彦如家见之。醇粹博雅，有六一风致，亦一时巨擘也。"《曝书亭集》卷六三《戴良传》："元亡后不忘故君旧国，所为诗文悲凉感慨。其自赞曰：'处荣辱而不二，齐出处于一致，歌《黍离》《麦秀》之诗，咏剩水残山之句。'则于二子庶几无愧。"《明史》戴良传："明年四月暴卒，盖自裁也。元亡后，惟良与王逢不忘故主，每形于歌诗，故卒不获其死云。"四库提要卷一六八："良诗风骨高秀，迥出一时。眷怀宗国，慷慨激烈，发为吟咏，多磊落抑塞之音。故其自赞，谓歌《黍离》《麦秀》之诗，咏剩水残山之句。苏伯衡赞其画像，亦谓其跋涉道涂如子房之报韩，其彷徨山泽如正则之自放云。"

曾鹤龄（1383—1441）生。 字延年，泰和人。永乐辛丑赐进士第一。历官南京翰林院侍讲学士。有《松癯集》。刘球《两溪文集》卷二三《故翰林侍讲学士奉训大夫曾公行状》："公生洪武癸亥四月十八日……母太安人胡氏梦星坠卧内，感而生公。公少异常儿，及受学家廷，不烦督责，自力于业。"

十二月

谢肃试才文渊阁。 据《密庵集》卷四《洪武十六年冬十有二月朔，以召入见，试于文渊阁。述事一首》。

本年

张羽奉旨撰滁阳王庙碑。《明史》张羽传："洪武四年征至京师，应对不称旨，放还。再征，授太常司丞。太祖重其文，十六年自述滁阳王事，命羽撰庙碑。"

董纪过松江南村访陶宗仪。 据《西郊笑端集》卷一《与张梦辰、陶九成、姚比玉、陆幼章分韵得山字》、《南村杂兴次韵陶九成十首》，《南村诗集》卷二《和董良史宪佥西郊草堂杂兴八首》。

公元 1384 年（洪武十七年　甲子）

正月

萧仪（1384—1423）生。字德容，乐安人。永乐进士，任吏部主事，建言谪戍，廷臣疏救之，还职。又言罢营缮惜名器等事，忤旨，复下狱死。有《袜线集》遗稿。陈㫤《墓志铭》："祖体仁、祖母张氏，有淑德。……吴元年丁未，乃生父岩，甫四月，祖体仁殁，张氏鞠育。比长，娶流溪董司训叔文女为妇。洪武甲子正月十八日，德容生。张喜且泣曰：'孰谓未亡人能见孙耶？'又二年，父岩坐事谪辽东戍，妇姑相持，保抚以全。又四年，母董氏没，张茕然嫠居。母孙相依为命。稍长，服祖母教，亦自知力学，读《四书》《毛诗》，过口辄能记诵。史传百氏，莫不悉究。又得兴国州教用升毕先生为之指趣，由是汪洋大肆，发为文章，雄峭峻拔。郡邑有声，有司屡欲辟之，以终养祖母故，弗果。乃教授其乡。若今监察御史聂用义，司吴江训董坚，知江津县袁旭，皆由公经学造就以进。先是，父岩戍辽东时，誓蔬食，不见母，不复御酒肉。持二十七年，果抵家拜母。张喜谓德容曰：'而父归，吾死有托矣。尔宜显扬，无负吾抚汝之志。'永乐乙未，以《诗经》登进士第。……承德郎、吏部文选清吏司主事、长乐陈㫤拜撰。"

二月

谢肃等将舟行适福建，为文祭海神及山川诸神。《密庵集》卷八《祭浙江潮神文》："维洪武十七年岁次甲子，春二月己巳朔，越三日辛未，亚中大夫、福建等处提刑按察使陶垕仲，朝列大夫、福建等处提刑按察司副使费复初，奉训大夫、福建等处提刑按察司佥事谢肃、何履道，谨以牲酒，祭于浙江之神。曰：吴越之交，浙江中界，吐吞海潮，或小或大，滔天沃日，雪涌霆轰，凭其气势，必有神灵。……我维司宪，偕彼同寅，奉天子命，将按八闽。群黎是绥，百司是纠，顽廉懦立，风俗再造。镇靖一方，实在此行。道出浙江，驾以艅艎，惟神佑我，涛波不惊。蛟龙鼋鼍，灭迹潜形。长风送帆，一日千里。峨峨闽关，不远伊迩。省方问俗，使节戾止。赖神之休，去险即夷。一觞是奠，神其享之。尚飨！"《密庵集》卷八《闽宪祭所历山川之神文》："维洪武十七年岁次甲子，二月己巳朔，越二十五日癸巳，福建等处提刑按察使陶垕仲，副使费复初，佥事谢肃、何履道，谨以牲酒祭于大江、浙江、兰溪、建宁、延平、福州山川溪滩诸神，曰：维孟之春，天运载新，皇底其治，黜陟群臣，肆我僚友，钦承符节，再振宪纲，爰来闽粤。所历山川，自江而浙，大溪急滩，千萦万折……何神之灵，与元气并，变化莫测，惟格于诚。我亦诚止，神毋我怨。我答神休，一觞是奠。尚飨！"

三月

颁科举取士式。《明太祖高皇帝实录》卷一六〇"洪武十七年三月戊戌朔"："命

礼部颁行科举成式。凡三年大比，子、午、卯、酉年乡试，辰、戌、丑、未年会试。举人不知额数，从实充贡。乡试八月，初九日第一场，试《四书》义三道，每道二百字以上；经义四道，每道三百字以上。未能者许各减一道。《四书》义，主朱子《集注》；经义，《诗》主朱子《集传》，《易》主程、朱《传》《义》，《书》主蔡氏《传》及古注疏；《春秋》主左氏、公羊、穀梁、胡氏、张洽《传》，《礼记》主古注疏。十二日第二场，试论一道，三百字以上；判语五条，诏、诰、章表、内科一道。十五日第三场，试经史策五道，未能者许减其二，俱三百字以上。次年，礼部会试，以二月初九日、十二日、十五日为三场，所考文字与乡试同。乡试，直隶府、州、县则于应天府，在外府、州、县则于各布政司。其举人，则国子学生及府、州、县学生员之学成者；儒士之未仕者，官之未入流者，皆由有司申举性资敦厚、文行可称者应之。其学校训导专教生徒，及罢闲官吏，倡优之家，与居父母丧者，并不许入试。其中式者，官给廪传，送礼部会试。考试官皆访经明公正之士，官出币帛，先期敦聘。主文考试官二人，文币各二表里。同考试官，乡试四人，会试八人，文币各一表里。提调官，在内乡试应天府官一人，会试礼部官一人；在外布政司官一人。监试官，在内监察御史二人，在外按察司官二人。供给官，在内应天府官一人，在外府官一人。收掌试卷官一人，弥封官一人，誊录官一人，对读官四人，受卷官二人，皆选居官之清慎者充之。巡绰监门搜检怀挟官四人，在内从都督府委官，在外从守御官委官。凡供用笔札饮食之属，皆官给之。举人试卷自备。每场草卷、正卷，各用纸十二幅，首书三代姓名及其籍贯、年甲、所习经书；在内赴应天府、在外赴布政司印卷。会试、殿试，赴礼部印卷。试之日黎明，举人入场，每人用军一人守之，禁讲问代冒，至晚纳卷，未毕者给烛三枝。文字回避御名、庙讳，及不许自序门地。弥封者编号作三合字，誊录者用朱，考试官用墨，以防欺伪。其会试中式者，三月朔日赴殿试。"

春

　　释妙声《东皋录》刊行。毛晋《东皋录跋》："师名妙声，字九皋，吴郡人也。《姑苏志》：景德寺僧，有诗名，生平多著述，名《东皋录》，命弟子缮写，藏之山房。总其事者，白莲住山完敬修、虎丘藏主慧无尽、善士陈君锡也。洪武十七年甲子春，法孙德璇跋而授梓，凡诗三卷，序记、赞铭、传跋、杂文四卷，其中载记同衣行业既多且详，刘子威《吴释传》皆拾其余沫也。尤长于四六俪语，卷末诸山江湖等疏，堪与《月泉吟社》往复。诗、启并传，其《兴福（寺重修塔记）》《桃源（小隐记）》诸记，余已撰入邑乘云。东吴毛晋子晋识。"四库提要卷一六九《东皋录》："所作诗文，缮写藏之山房。洪武十七年，其徒德璇始刊行之。《明史·艺文志》、明僧《宏秀集》皆作七卷。此本有汲古阁印，盖毛晋家钞本，前有晋题识，亦称德璇所刻凡诗三卷，杂文四卷，而其书、杂文及诗仅共为三卷，盖传录时所合并也。妙声入明时，年已六十余，诗文多至正中所作，故顾嗣立《元诗选》亦录是集。然方外者流，不婴爵禄，不能以受官与否为两朝之断限。既已谒帝金门，即属归诚新主，不能复以遗老称矣。今系之明，从其实也。"

五月

王叔英作《送台州卫镇抚欧阳侯序》。 王叔英（？—1402），字元采，黄岩人。洪武二十年以荐为仙居训导，改德安教授，迁汉阳知县。建文元年，召为翰林修撰。燕兵至淮，奉召募兵，行至广德，京城不守，自经于玄妙观。有《静学文集》二卷。《静学文集·送台州卫镇抚欧阳侯序》末署"洪武十七年五月五日序"。《静学文集·本传》："先生姓王氏，讳原采，字叔英，号静学，黄岩人也。少孤，因母嫁陈氏，故或称陈元彩，实王氏也。居亭岭，今属太平县。洪武中为仙居教谕，升汉阳知县。革除初，以荐为翰林修撰，与正学方公先后被召。或云正学荐之。尝上资治八策。"

刘彦昺率诸生祷于孔子。《刘彦昺集》卷九《告先圣文》："维大明洪武岁次甲子，五月戊戌朔，越五日壬寅，后学某等敢昭告于先圣大成至圣文宣王之灵曰：猗欤圣道，师表万代。……庶假灵威，启我后人。洋洋在上，虔申告文。"

六月

朱善以征至京。《朱一斋先生文集》卷四《前史部主事熊利宾赴京序》："十七年春正月，利宾成行且有日，相视徘徊，不忍别。善乃从容谓利宾曰：'朝廷所谓诏求明经老成之士者，岂以为夫民师乎？将以为天下学校计尔。'"《殿阁词林记》卷三《文渊阁大学士朱善》："十七年，上思用老成，驿召善还京，以为待诏。七月戊戌，上御东阁，谓善曰：'人君能以天下之好恶为好恶则公，以天下之智识为智识则明。盖人之常情多矜己能，好言人过。君子则不然，扬人之善，不矜己之善。贷人之过，不贷己之过。'"[按，是春，朱善尚在乡。七月初二，见上于东阁，则六月已至京]

八月

王翰用《洪武正韵》作诗。 翰字时举，禹州人。元季隐居中条山，明初出为周王橚长史。王素骄，有异志，翰屡谏弗纳，断指佯狂去。后王败，得不坐其事。后起为翰林编修，寻谪廉州教授，夷獠乱，城陷，抗节死。有《梁园寓稿》。《梁园寓稿》卷八《苦雨用洪武韵成》："白日韬光不肯晴，拥衾熟睡失昏明。云来窗户蛟龙入，水积堂阶蛙蚓行。欲买扁舟系篱落，只愁平地化沧溟。谁言炼石神功大，不与秋旻补漏倾。"

冬

刘绩、唐愚士等谒苏伯衡会饮。《霏雪录》卷上："洪武甲子冬，眉山苏太史伯衡自钱塘校文回至越，馆于郡庠。余与夏元宾、毛鼎臣、唐愚士谒之。先是，太史与王先生好问、钱博士子予、王教授俊华坐于中，南面；司训余师坚、张彦辉、王彦益坐于东序，西面北上。太史以齿揖元宾并坐，元宾谓尝请益于松瓢（好问先生别号），固辞，乃与余四人坐于南序，东面北上。一时人物之盛，揖让之礼，雍容和乐，有三代之遗风焉。"

本年

孙作复官。《曝书亭集》卷六三《孙作传》："十七年起翰林待诏，终长乐县儒学教谕。作为文，醇正谨严，动有据依，弗苟异同。"

吴伯宗卒。《今献备遗》卷五《吴伯宗》："十五年，初设殿阁，学士伯宗为武英殿大学士。十六年冬，坐弟仲实为三河知县谬荐人，词连伯宗，复为翰林检讨。明年卒。"四库提要卷一六九："《荣进集》四卷，明吴伯宗撰。……所著有《南宫集》《使交集》《成均集》，共二十卷，又《玉堂集》四卷，今皆未见。此本中有《奉使安南》《国学释奠》《玉堂燕坐》诸诗，疑原集散佚，后人掇拾残剩，合为此编也。一卷为乡、会试三场，四书经义各二篇，论策各一篇，殿试策一篇。二卷、三卷皆诗，而附以赋及诗补遗。四卷为杂文。其诗文皆雍容典雅，有开国之规模，明一代台阁之体，胚胎于此。其乡试、会试诸篇，可以考见当时取士之制与文字之式。惟第三卷有《上问安南事》五言诗，与诸选本所载日本使臣嗜哩嘛哈《答明太祖诏问日本风俗》诗仅字句小异，未详孰是。然其诗皆夸大日本之词，不应出自伯宗之手，或伯宗后人因其曾使安南，误剿人之欤？"

公元 1385 年（洪武十八年　乙丑）

正月

袁凯与友人观灯。据《海叟集》卷三《偕黄叔明、王元吉、钱伯云、张梦辰、金彦振元夕观灯，会于萧塘吴隐居景元家，举酒属客曰："七人四百九十岁"为首句，"灯"字为韵，赋此。时洪武乙丑也》。

征茶陵刘三吾入京供职。刘三吾（1313—?），初名如孙，字坦甫，茶陵人。元末提举靖江学。洪武中用荐除左赞善，升学士。三十年，主会试，以多中南人坐罪戍边。永乐中卒。有《坦斋先生文集》。《明史》刘三吾传："刘三吾，茶陵人。初名如孙，以字行。……洪武十八年，以茹瑺荐召至，年七十三矣，奏对称旨，授左赞善，累迁翰林学士。时天下初平，典章阙略。帝锐意制作，宿儒凋谢，得三吾晚，悦之。一切礼制及三场取士法多所刊定。三吾博学善属文。帝制《大诰》及《洪范注》成，皆命为序。敕修《省躬录》《书传会选》《寰宇通志》《礼制集要》诸书，皆总其事，赐赉甚厚。"《明通鉴》卷八："初，上复孟子配享，而终以'草芥寇仇'及'君为轻'、'贵戚易位'等语，为寰中士夫不为君用者所借口，乃诏三吾修《孟子节文》，凡不以尊君为主者皆删之。书成，有连江孙芝者，上书诋三吾为佞臣云。"

二月

开会试科取士。《明通鉴》卷八："以大学士朱善、国子监典籍聂铉为典试官，得士黄子澄等四百七十二人。"

黄子澄（?—1402）会试第一。子澄初名湜，以字行，更字伯渊。分宜人。洪武乙丑赐进士第三，除编修，历修撰，累官太常寺卿兼翰林院学士。靖难师入，磔死。《明史》黄子澄传："洪武十八年会试第一。"

陈循（1385—1462）生。字德遵，泰和人。永乐乙未赐进士第一，除翰林修撰。累官户部尚书、少保兼太子太傅、华盖殿大学士。英庙复辟，戍铁岭，寻放还。有《芳洲文集》。王翔《芳洲先生年谱》："大明洪武十八年乙丑。公讳循，字德遵，姓陈氏。芳洲，公之号也。是年，公生于二月十六日寅刻，时公先公年方四十。"

谢肃登福建鼓山，为诗三首。《密庵集》卷三《题天风海涛亭诗三首》："洪武十八年春二月十九日，余与右参议杨从道自漳郡还，过福之鼓山，登天风海涛亭。因作三律，其一写登临之极目，以致望京之意；其一用先师尚书贡公玩斋所咏诗一句为起，以仰止于公，且束清源禅师；其一序崖壑胜处闻钟鼓之音，知大士初度而群僧赞叹也。"

三月

练子宁殿试中榜眼。《明通鉴》卷八："是科，读卷官初奏一甲三人，花纶、练子宁、黄子澄也。上以花纶年少，抑置第三，又抑子澄入三甲，擢丁显第一，传者谓上以梦故用也。……初，翰林院官皆由荐举，未有以进士入者，故四年开科，状元吴伯宗止授员外郎，榜眼、探花授主事而已。至是，诏更定翰林品员，设学士，侍读、侍讲学士，及侍读，侍讲。又定进士一甲授修撰，二甲以下授编修、检讨。其秩自学士正五品以下至七品有差。又定进士所授官，其在翰林院、承敕监、中书六科者曰'庶吉士'，在六部、都察院、通政司、大理寺者仍称'进士'。其余则以其未更吏事，欲优待而历练之，俾之观政于诸司，给以出身禄米，以待擢任，命之曰'观政进士'。其'庶吉士'及'观政进士'之名，皆上所自定，而翰林遂为科目进士清要之阶云。"《明史》练子宁传："子宁英迈不群，十八年以贡士廷试对策，力言：'天之生材有限，陛下忍以区区小故，纵无穷之诛，何以为治'。太祖善其意，擢一甲第二，授翰林修撰。"

练子宁以诗送花纶归娶。《中丞集》卷下《送花状元诏许归娶》："三月都门莺乱啼，郎君春色上朝衣。潘生况拟供调膳，张敞仍须学画眉。南陌酒香银瓮熟，西湖月朗画船归。极知身负君恩重，莫遣心随粉黛移。"《御选历代诗余》引杨慎《升庵词品》："杭州花纶年十八，黄观榜及第第三人。初读卷官进卷，以花为第一，练子宁第二，黄观第三。御笔改定黄第一，练第二，花第三。故南京有'花练黄，黄练花'之语。后人犹以花状元称之。是科《题名记》及《登科录》，皆以黄、练二公死革除之难刻毁，故相传多误。花有词藻，其谪戍云南日，有《题杨太真画图水仙子》云：'海棠风，梧桐月，荔枝尘。霓裳舞，翠盘娇，绣岭春。锦棚嬉，金钗信，香囊恨。痴三郎，泥太真，马嵬坡血污游魂。杨柳眉青輦黛损，芙蓉面零脂落粉，牡丹芽剪草除根。'其风致不减元人小山、酸斋辈。滇人传唱多讹其字，余为订正之云。"《明诗纪事》乙签卷一《练子宁》陈田按："黄溥《简籍遗闻》谓：'《练中丞集》中可疑者三事，一曰《送花状元归娶诗》，花纶乃洪武十七年浙江乡试第一人，不应有奉诏归娶事。'溥知纶非状元，而不知纶为乙丑第三人及第。余检《双槐岁钞》《升庵词品》《弇山堂别集》，皆云花纶洪武乙丑及第。又嘉靖《仁和县志》云：'花纶字正言，登洪武十七年乡荐，明年成进士第三，授编修。性孤洁，杜门绝迹往来，其于权势之交更疏冷，有私媚者常恶之，竟遭诬害。'《双槐岁钞》亦云：'纶改福建道监察御史，出按江西，得罪不令终。'与升庵'谪戍云南'语略同。升庵谓纶为黄观榜第三人，亦误。"

诏编类《尚书》作科举用。《明通鉴》卷八："诏礼部选年纪小秀才，将《尚书》陈氏、蔡氏《传》及古注疏，参考是非，定夺去取，编成新书，刷板印送各处教习，以为下次科举之用。于是部臣行取博学通经之教官董其事，参考编类成之。"

朱同卒，年四十六。《覆瓿集》卷三《遭诬得罪赋此以见志》："四十趋朝五十过，典章事业历研磨。九重日月瞻依久，一代文章制作多。岂有黄金来暮夜，只惭白发老风波。归魂不逐东流水，直上长江诉汨罗。"题下注"乙丑三月"。范涞《覆瓿集序》："文则羽翼六经，诗则盛唐风致，犹可想见国初浑浑噩噩之景象焉。"《覆瓿集》卷八《范平仲书云溪归隐图后》："大同既优于学，而机巧天成，故精于书，又善绘事。凡音律技艺之事，皆能谙焉。"范檩《覆瓿集跋》："公文才、武略，图绘丹青，无所不精，时称为三绝。……尝忆族祖平仲公师事枫林先生，从隐石门三年，后举明经，以理学名世。汪仁峰先生集拟之胡云峰、陈定宇之侪。及门之士犹然，况家学渊源如先生，必无不殚悉要领，穷究精微。岂其明哲不足以保身而顾罹于祸，天耶？命耶？于先生何尤耶？语有之，'求忠臣于孝子'，今观集中，思慕之篇不一而足，数十年如一日，所谓五十而慕非欤？世乌有为孝而不为忠者哉？亦足以征先生矣。"《梧冈集》卷七《跋朱大同草书》："昔风林先生讲道于棠樾，予尝侍先君白云先生过从之，极谈经史子志百家之说。至于字学，谓自篆、隶分楷之后，变而为草，趋简便之极，'甚'少于'其'，'即'多于'卿'，无复存六书之遗法，学者何必劬心以求之！及观欧阳文忠公跋怀素帖，以魏晋诸贤逸笔余兴，初非用意，后人乃弃百事，以学书为务。盖与先生之意合矣。大同，先生嗣子也，聪明才俊而多艺能，虽异于家学，然临池清趣，笔势纵逸，亦可少发胸中之奇思耳。同里沉彦华得此幅，如蛇惊鸟迅，初无定迹，犹可想其挥洒时也。呜呼！大同往矣。惜其才而推其学，感叹久之。"《朱枫林集》附录引《尧山堂外纪》卷七八《国朝》："朱升，字允升，号枫林先生。徽之休宁人，徙居歙之石门。天兵下徽，请留宸翰，以光后圃书楼，上亲书'梅花初月'赐之。先生早从资中黄楚望泽游，偕同郡赵汸受经，余暇遂得六壬之奥。偶访友人，见案上置四合，戏谓：'君能射覆乎？中则奉之，否则为他人饷也。'先生更索一合，书射语，亦合而置之，曰：'少俟则启。'适有借马者，友人令仆于后山牵驴应之，先生即令一时俱启。前四合皆鱼也。射语云：'一味鱼，两味鱼，其余两味皆是鱼。有人来借马，后山去牵驴。'宾主为之绝倒。子同初生时，先生课之曰：'此子后必遭妇人之祸。'后同仕至礼部侍郎，善诗翰，大被宠遇，禁中画壁多其题咏。或令题诗赐宫人，忽御沟中有流尸，上疑之，令同自经。壬课精妙，一至于此。"［按，《四库全书存目丛书》集部第24册，《朱枫林集》附录所引，与《尧山堂外纪》本书，字句不一一合，而事无增损］《覆瓿集》卷首提要："《覆瓿集》七卷，明朱同撰。同，字大同，休宁人。洪武中翰林学士升之子也。承其家学，自号紫阳山樵。《明史》附见升传中，所纪官履甚略。范檩跋称，洪武中以人材举为东宫官，寻进礼部侍郎。而同时范准作《云溪归隐图跋》，则云由吏部员外郎升礼部侍郎。准，字平仲，尝受业于升，与同交至契，所记宜得其实。又《明史》载同坐事死，不详其由。蒋一葵《尧山堂外纪》乃云同以词翰受知，宫人多乞书便面。一日御沟有浮尸，帝疑之，遂赐死。其说颇荒唐，未可信也。集凡诗三卷，多元末之作，爽朗有格。文四卷，议论纯粹，不愧儒者之言。惟以七言古体之八句者列为律诗，则编者之误耳。"《明诗纪事》甲签卷一五《朱同》陈田按："黄瑜《双槐岁抄》称，'大同父升，得六壬之奥。生子同，升课之曰："此子后必遭妇人之祸。"天兵过徽，高皇帝素知升名，召问，遂预帷幄密议。临行问所愿欲，升踧而泣曰："臣子同后得全躯而死，臣在地下亦蒙恩不浅矣。"后同仕至礼部侍郎，善诗翰，大被宠遇。禁中画壁，多其题咏，或令题诗赐宫人。忽御沟中有流尸，上疑之，将杀同，因念允升之请，令其自经。'壬课精妙亦至于此，与《尧山堂外纪》所言同一不经。今检《覆瓿集》有《遭诬得罪赋诗见志》云：'四十趋朝五十过，典章事业历研磨。九重日月瞻依久，一代文章制作多。岂有黄金来暮夜，只愁白发老风波。归魂不逐东流水，直上长江诉汨罗。'盖以赃罪见诛也。大同兼长书画，诗格高老，亦明初一作家。"

六月

张羽卒，年五十三。《列朝诗集小传》甲集《张司丞羽》："以事窜岭表，未半道召还。抵京信宿，知不免，自投龙江以死，年五十三，十八年之六月也。归葬九里冈，儒学教授金华童冀为铭。"《国雅品·士品一》："张司丞来仪，体裁精密，情喻幽深，颇似钱、郎。"《书史会要》卷四："张羽，字来仪，号静居，由浔阳徙居吴郡，画法米氏父子，笔意最妙。亦喜高房山，尝临其小幅山水，有'五峰秀出青芙蓉，云气郁郁如游龙'之句。"《诗源辨体》后集纂要卷二："张来仪（名羽）五言古靡所不有，而学杜者为优。歌行完美者在伯温之上。五、七言律悉入中、晚，其为中唐者淘洗颇工，然与古诗、歌行如出二手。七言绝太逼晚唐。"《明史》张羽传："羽文章精洁有法，尤长于诗，作画师小米。"《明诗综》卷十《张羽》："张企翱云，国初以高、杨、张、徐比唐之四杰。故老言不惟文才之似，而其攸终亦不远相。眉庵、盈川令终如一；太史之毙同乎宾王；北郭虽不溺海，仅全首领，而非首丘；先生投龙江，又与照邻无异。噫！亦异矣。王元美云，张来仪、徐幼文如乡士女，有质有情而乏体度。程孟阳云国，静居五言古诗学杜学韦，各有神理，非苟然者。歌行材力驰骋，音节谐畅，不袭宋元格调。律诗清圆浑脱，不事雕缋，全是唐音，颉颃高、杨，未知前后。或谓张、徐不及高、杨，此耳食之论也。"《静志居诗话》卷三《张羽》："来仪五古，微嫌郁辖，近体亦非所长。至于歌行雄放，骎骎欲度季迪前，固当含超幼文，跨蹑孟载。"《静庵集》卷首提要："史称其文章精洁有法，尤长于诗。太祖重其文，洪武十六年尝自述滁阳王事，令羽撰庙碑。何乔远《名山藏》亦称其文词典雅，纪载行事详而有体，顾其诗名尤著，故编集者亦仅录其诗，而文则未之及也。朱彝尊《静志居诗话》谓其五言微嫌郁辖，近体亦非所长，颇不免于微词。今观其集，律诗意取俊逸，诚多失之平熟。五言古体，低昂婉转，殊有浏亮之作，亦不尽如彝尊所云。至于歌行，笔力雄放，音节谐畅，足为一时之豪，以之接迹青丘，先驱北郭，卢前王后之间，亦未必遽作蜂腰矣。"《明诗纪事》甲签卷七《张羽》陈田按："来仪五古可肩随孟载，七古奔逸绝尘，超孟载而上之，特方之季迪尚非其伦，如虬髯客见太原公子，未堪并驱中原。"

八月

练子宁以丁内艰归新淦。《中丞集》卷上《太夫人墓志》："太夫人疾革时，子宁以会试留京师，天子嘉其直言，擢在第二，授翰林院修撰。八月壬辰，始克理丧。诊视祷祠棺敛之类，侄温舒殚力为之。呜呼！子宁之不孝，生不能尽菽水之欢，没不克躬其敛视之事，疾病不视，药食不尝。苍天，苍天，痛其可极！敢以不孝之辞，粗述先德，纳诸玄堂。倘鬼神有知而罪一遗孤，获庇赖之，赐克全大节，不辱其亲俟。"

九月

朱善卒，年七十二。聂铉《朱一斋先生文集序》："洪武十八年，校文礼闱，先生实司文衡。撤棘之余，即授先生文渊阁大学士。逾年，先生以病告归，未几而先生卒。悲夫！今先生令子集诗文若干卷，将锓诸梓，而征言于予。予观先生之文，本之以四书五经之学，充之以诸史百家之言，浩汗弘博，汪洋浸渍，如水之在地，汇而为湖，流而为川，析而为涧溪，潴而为沼池，随其小大，莫不澄澈晖映，动人心目者。何哉？谓其源深而流之不可已也。故先生为诗，不事雕琢，先生之文，不为血指汗颜，自不可及，有其气浑然之风焉。惜夫！不假以年而广造就夫后学之士也。赐同进士出身、前国子助教清江聂铉叙。"聂铉《故奉议大夫文渊阁大学士一斋先生朱公墓志铭》："生于元之甲寅年九月初六日丑时。……十七年，广东布政司□公司其文衡。未归，天子思用老成，驿使召公竟趋朝见，上授翰林待诏。十八年，奉旨校文礼闱，撤棘之日，授奉议大夫、文渊阁大学士。是年九月，遭危疾，上命医治。月余，疾增剧，逢掖（朱善次子）诣阙上诉，蒙赐告归调治。本年九月二十一日寅时卒，临终起坐，加冠带，举手加额曰：'感荷圣恩，无以报效。'言毕而逝。卒之前入乡，人望见有星如虹，坠于所居之屋，众咸谓文星之坠。以到家之日计之，得十九日。享年七十有二。……赐同进士出身、前国子助教清江聂铉器之撰。"〔按，铉所作序及墓志记朱善生平，颇有抵牾，不详何故〕四库提要卷一七五："《一斋集》十六卷，明朱善撰。善有《诗解颐》，已著录。是集首载聂铉所作墓志，称名'善继'，然集中自称曰'朱善'，而《诗经解颐》亦题曰'朱善'，则'继'字殆刊本误也。是编前集十卷，后集五卷。又《广游集》一卷，附刊于后。善以文章为明太祖所知。然核其品第，究不能与宋濂诸人雁行。"

十月

颁《大诰》于天下。《明通鉴》卷八："初，上既定《律令》，有司遵守，而犯法者日多。上曰：'本欲除贪，奈何朝杀而夕犯？'乃令采辑官民过犯，条为《大诰》。其目有十：曰《揽纳户》，曰《安保过付》，曰《诡寄田粮》，曰《民人经该不解物》，曰《洒派抛荒田土》，曰《倚法为奸》，曰《空引偷军》，曰《鲸刺在逃》，曰《官吏长解卖囚》，曰《寰中士夫不为君用罪至抄札》。书成，颁之学宫以课士，里置塾师教之。狱囚有能读《大诰》者，罪减等。一时天下有讲读《大诰》师生来朝者十九万余人，皆赐钞币遣还。未几，复为《续编》《三编》。"《明史·刑法志二》："及十八年《大诰》成，序之曰：'诸司敢不急公而务私者，必穷搜其原而罪之。'凡三《诰》所列凌迟、枭示、种诛者，无虑千百，弃市以下万数。贵溪儒士夏伯启叔侄断指不仕，苏州人才姚润、王谟被征不至，皆诛而籍其家，'寰中士夫不为君用'之科所由设也。其《三编》稍宽容，然所记进士、监生罪名，自一犯至四犯者，犹三百六十四人。"

冬

王叔英游天台，交贾氏。《静学文集·会文集序》："天台贾君，某公之裔孙也。壮岁尝驰骛乎功名之场，华焰乎时矣。今既老且病，无所用于世，犹爱与当时名士大夫游，有文词之好。尝养病于石桥山中，自号'石桥病叟'。又多游华顶峰，与高僧逸人为方外友，复号'华顶山人'。其居在邑地之东，兰田之上，素称兰田贾氏，名其台曰'忠敬之堂'。堂之两庑为闲居七所，所各有名。其自号与其堂庑所以命名之意，大夫士多为文若诗，以述其志。又其所居景物可咏者，其目有八，谓之'兰田八咏'。所得诗文若干篇，君取之日广，作者日富，遂以其类分为五卷，总题曰《会文集》。余去冬游天台，始与贾君相识，出其所集诗文示余，且属为之序。今年余馆于丁村，数与贾君往还，每见辄以《会文集》序为言。……洪武十有九年冬十有一月甲子序。"

本年

程通入太学。程敏政《篁墩文集》卷四九《长史程公传》："二十二以贡入太学，时洪武乙丑也。"

乌斯道为故友李君作墓志铭。《春草斋集》卷五《嘉兴学正李君文衍墓志铭》："元至正间，金华黄文献公以其子同知余姚州事，来就养。余往谒见，公称余姚多君子，文衍先生其一也，余因获与先生交。逮别去几四十载，先生之嗣子晔，持广文景先生德辉状，来请铭。於乎！古之铭志，多为故人撰述者，以弗疑而可书，读之者亦信而弗疑尔。先生，余故人也，铭其可辞？先生姓李氏，名世昌，字文衍，会稽之余姚人。……晚岁喜闲静，每霜晨月夕，必鼓琴赋诗，以适其意。论文章，则从黄文献公游。论字学，则从周伯琦御史游。凡与游者，非巨儒名士，弗屑也。一旦病革，诸子及所亲者皆以药进，力劝饮，先生曰：'人之生死如旦夜，然吾年幸至此，纵服药，再寿几何？'遂却药，怡然而逝，洪武乙丑十月廿六日，春秋八十有六。"［按，《春草斋集》可考年月者，此篇最为晚出。乌斯道之卒，或在此后不久］《静志居诗话》卷四《乌斯道》："继善与兄本良性善，并著才名，乡人目性善为春风先生，继善为春草先生。宋学士濂称其文云：俊洁如明月珠，汹涌如春江涛。杨布政子器称其诗云：疏秀若雨后春山，绮丽若云中翠巘。矜许至矣。戴叔能赠诗云：'达士不羁世，投身向宽闲。'又云：'不有同心人，谁其慰枯槁？'知非营营名利者也。句如'四顾阒无人，一乌空中鸣'，'江水岂吾限，可以相往还'，'朝阳煦游鯈，晴岚送飞翼'，'寂焉千载事，伤此百年身'，'落日近崦嵫，于何从远道'，'鹤鸣子不和，徒然有哀音'，具饶清气。其言曰：'诗之作，非得夫天地之精气者，不能也。'信然哉。"《明诗纪事》甲签卷一九《乌斯道》，引郑梁《寒村见黄稿》："春草先生善弈，工画，精琴，楷书、行草尤妙。为文章质实有体裁，诗则清新潇洒，一洗元人雕镂填砌之习。"陈田按："继善在明初以文名，诗亦高秀，以事谪戍定远，放还。郑千之寄继善诗云：'误传海外苏公死，终许羌村杜老还'，纪其事也。《列朝诗集》《诗综》均云以疾去官，盖未得其实矣。"

公元1386年（洪武十九年　丙寅）

二月

程立本为人题画。《巽隐集》卷二《题梨花锦鸠图》序："章葆，字德玉，金华人也。早岁北游，尝仕秘府。今已七十余矣，流落梁宋间，衣食不能给。然精明强健不减昔时，非泰然自处者不能也。时写翎毛花果，生意入神，曲阿睦履道持《梨花锦鸠图》征予诗，且言其为人若此，因识其语于诗之左。欲知德玉者，当求之丹青粉墨之外也。洪武十九年丙寅二月乙卯，程本立书。"

十月

王行为医者周氏作墓志铭。《半轩集》卷九《医学正周菊所墓志铭》："菊所姓周氏，吴人。菊所，其号也。高、曾本由武弁显，至大父洎父，皆读书事医为业，始以儒医名。菊所因复仕为平江路医学正，大父号'菊圃'，父'存菊'，故菊所之号，以绍其先焉。……菊所之嗣曰瑾，尤兢兢善振饬，常自言：'大宗在我，能无砥砺乎？'因亦系'菊'于'岩'以自命，其志可见已。古多阴德者，后必大。医固多阴德，周氏其当益蕃耶？洪武十九年冬十月，瑾遣其子麟致辞于余曰：'瑾不幸失所怙者十五年矣。先人敛五日而报葬，铭有弗暇为也。兹重不幸，是月丙戌，母氏又亡。……敢泣血稽颡，具先人行实，令麟请铭焉。'"

本年

徐一夔《始丰稿》编成。《始丰稿》卷一二《送孙生性初上兴化县主簿序》："孙善性初以杭学洪武十九年岁贡，补太学生。"［按，洪武十九年，此为《始丰稿》纪年下限］《居易录》卷一四："予于慈仁寺市得徐一夔《始丰稿》，文十四卷，无诗。陈继儒尝称一夔《宋行宫考》《吴越国考》研检精确，予观集中如《欧史十国年谱备证》《钱塘铁箭辨》等篇，皆极精核。不独二考也。"四库提要卷一六九："《始丰稿》十四卷，明徐一夔撰。一夔有《艺圃搜奇》，已著录。朱彝尊《静志居诗话》曰，'大章遗稿罕传。余于京师见之新城王贻上所，凡四册，比余家藏者倍之。然验其目，无诗，犹未是足本。'案，今行世凡二本，其一本六卷，当即朱彝尊家所藏。此本自一卷至三卷为前稿，自四卷至十四卷为后稿，皆杂文，无诗，当即王士禛家所藏矣。据《千顷堂书目》载，一夔《始丰类稿》十五卷。此本所佚，不过诗一卷耳。其文皆谨严有法度，无元季冗沓之习。其与王祎论修史书，《明史》载之于本传。陈继儒尝称其《宋行宫考》《吴越国考》研核精确，王士禛又称其《钱塘铁箭辨》精于考核。其《欧史十国年谱备证》一篇，谓欧阳氏于吴越改元，止据宝石山制称宝正六年为证，一夔复得钱镠将许俊墓砖，有'宝正三年'字，以证欧史之不诬。又谓元瓘袭位后，不复改元。立说皆有根据。观其所辨，始知明嘉靖间钱德洪所撰《吴越世家疑辨》谓改元之事别无证据者，特为先世讳耳。是又多资考证，不但其文之工也。"

王叔英与孟直定交。《静学文集·瑞菊轩诗序》："求君字孟直，素以高医闻州里。洪武十七年，朝廷命有司选举精通医术之士为医学官，天台以孟直应选。孟直以亲老，恐不获终养，忧形于色。时方秋暮，庭前菊盛开。孟直所种白菊，其间有一干吐黄华者，然未尝有黄色种也。孟直之尊人偶见而异之。是日，孟直方戒行李，明旦当上道。送客盈门，其尊人因指以问客曰：'此何兆也?'客有识之者曰：'……兹行也，其将被宠光而还闾里之兆。'孟直至京，果承恩旨，得授其县之医学训科，受符命，服朝服，归拜见亲。乡人荣之，于是咸以向者之菊为瑞而客之言信矣。……余今岁始获交孟直，孟直之所以致此，余固未足以知之。然考之于其乡之士友，皆以为言：孟直之尊人以上，世多善人，而孟直又能承其祖父之德。其医术盖传于其妇翁胡君克铭者，胡君之术，妙绝当时，行于浙之东西，而浙东西之名能医者，莫能与之抗。孟直既得其传，则专以济人为务。……孟直虽业医，而嗜儒术，与余友甚善。故于其征文以为瑞菊诗叙也，而告以是言，孟直其尚由是而益崇其善哉。洪武十九年九月九日序。"

程通归乡。《篁墩文集》卷四九《长史程公传》："父以诚尤以孝友闻，……丙寅，闻以诚丧，免归。徒步过岭，迎柩还葬。葬已，庐墓下三年哀恸毁形，妻子至不相识。"

公元 1387 年（洪武二十年　丁卯）

正月

唐愚士从曹国公李景隆北伐。唐愚士（1350—1401），名之淳，以字行，绍兴山阴人，唐肃子。建文初，用荐为翰林侍读。有《唐愚士诗》。《逊志斋集》卷二二《侍读唐君墓志铭》："少有奇志，攻学如饥渴之慕饮食。父仕国初应奉翰林文字，有名。君早出游诸公间，若翰林承旨宋公等，皆声望高一世，亟称许其文词，而勉其为学。君年二十余，已有声浙水东。"《唐愚士诗》卷一《寓宁轩记》："洪武丁卯春正月辛未，上命征虏大将军宋国公、左副将军颍国公、右副将军永昌侯、左参将南雄侯、右参将东昌侯，帅兵下朔方。四月丁未，出松亭关。五月甲寅，次大宁，大治其城垣，为怀夷受降之地，且将如此相机而进也。凡在师旅者，皆露茇于野以须命。时之淳从曹国李公在行中幕府，余暇得构草屋若干楹于城西南隅，以庇风雨。既成，题之曰寓宁轩，识其实也。初，上受天命奄有四海，不欲久勤我士民，凡塞外地悉弃不郡县，而彼边园亦畏威远遁，虽间入草窃，终不敢私有我土宇。于是辽东西、古北平之地，往往清野数千里无鸡狗声。今上一旦恻然，闵其处昔为中国，乃今山川土田不收不植，不惟无以收辑我远人，抑亦有负我天地生人之德矣。是以有今兹之举焉。之淳越氓也，遭逢圣明之乐，以一介书生从我公万里外，览河山之胜，吊前人用武之地，因得发其感慨激烈之气于文辞间，讵非幸欤？"《唐愚士诗》卷一《出京师述怀》注："丁卯二月十二日。以下皆道中作。"途中作诗篇名：《清流关晓望》《到凤阳奉呈南涧公》《奉和南涧公送别之韵》《留别南涧公》《长淮船》《泊五河县》《过盱眙旧县怀南涧公》《喜雨》《舟次龙涡驿》《泗州》《项王城》《韩信城》《二月十五日抵宿迁》。《太祖高皇帝实录》卷一八〇"洪武二十年春正月癸丑（初二）"："命宋国公冯胜为征虏大将军，颍国公傅友德为左副将军，永昌侯蓝玉为右副将军，南雄侯赵庸、定远侯王弼为左参将，东川侯胡海、武定侯郭英为右参将，前军都督商暠参赞军事，率师二十万北伐。又命曹国公李景隆、申国公邓镇、江阴侯吴良等皆随征师行。"

春

王叔英为仙居训导。《明史》王叔英传："二十年以荐为仙居训导，改德安教授。"《静学文集·送郑生序》："洪武丁卯春，余始领训经事于仙居邑庠。"

程本立入京。《明史》程本立传："二十年春进长史，从王入觐。"《巽隐集》卷二《洪武丁卯春侍从亲王朝京寄宋季子》："诗翁金石奏，对客我能诵。翁亦哦我诗，松泉响幽洞。王门七年久，鸡鹜随鹓凤。同抱爱君心，义与丘山重。于今事何及，生死衔悲痛。我尚卧京华，翁已归梁宋。逢人叵旧欢，即事生新梦。彷徨中夜起，丹白银河冻。春风汴桥柳，腾酒钧州瓮。轻衫雪罗制，小骑青丝鞚。斯游岂不乐，老我无由共。冥冥北飞鸿，目极千里送。"

八月

解缙兄弟及妹婿同中乡试。曾棨《内阁学士春雨解先生行状》："洪武丁卯，年十九，与兄纶暨金华试江西，皆中选。公以年少，魁江右士，由是声名籍籍。"

冬

程本立谪云南。《明史》程本立传："二十年春进长史。从王入觐。坐累谪云南马龙他郎甸长官司吏目。留家大梁，携一仆之任。"《巽隐集》卷一《送征江倅朱克正赴京师》："人皆云云南卑暑，故多瘴疠，又云昆明地冬不苦寒，夏不苦暑，无瘴也。洪武丁卯冬十月，予始至嵩明，风雪三日，地气与中原不大相异。十有一月，留昆明，风雪复作，意向之所闻皆妄耶。"

本年

方孝孺受诬械，旋获释。孙熹《方正学先生年谱》："仇家与叔氏构难，词连先生，有司录其家，械送京师。上识先生名，特命开释，令奉祖母及妻子还里。"

陈谟卒，年八十三。《明诗综》卷一六《陈谟》："刘子高云，先生巨篇大轴，流播郡邑。幅巾野服，翱翔山水之间。门生儿子扶携后先，使人望而敬之，狎而爱之。罗子理云，先生诗文出入古今，变化不可测。"《静志居诗话》卷五《陈谟》："征君大德遗民，虽应弓招，未縻好爵。杨东里、梁不移，皆其弟子。洪武庚戌，曾校文广东，则孙仲衍乃其所取士矣。又尝主奉新清节书院讲席，其没也，苏平仲挽以诗云：'道德宗前代，诗书启后人。'胡光大诗云：'文章汉彝鼎，声价鲁璠玙。'杨诗云：'纯明程伯子，洒落邵尧夫。'梁诗云：'立志希濂洛，研精续考亭。'诸公推许若是。其论诗云：'称诗者曰，寂寥乎短章，春容乎大篇。短章贵清复缠绵，涵思深远，造其极者陶、韦是也。大篇贵汪洋闳肆，开阖变化，不激不蔓，超乎人者李、杜是也。韩退之、苏子瞻二公，雄浑杰特，非绮章绘句之比，此诗之至也。'知言哉！"四库提要卷一六九《海桑集》："集中《通塞论》一篇，引微子、箕子，反复申明，谓革代之时，不必死节，最为害理。故其客韶州时，为太祖吴元年，元尚未亡，已为卫官作贺表，而集中颂明功德不一而足，无一语故君旧国之思。其不仕也，虽称以老病辞，然其孙仲亨跋其墨迹，称太祖龙兴，弓旌首至，先生虽老，犹舆曳就道。一时老师俗儒，曲学附会先生之论，动辄矛盾，是以所如不合，遂命驾还山，拂衣去国云云。则与柴桑东篱之志，固有殊矣。至于文体简洁，诗格春容，则东里渊源实出于是。其在明初，固泖泖乎雅音也。"

公元 1388 年（洪武二十一年　戊辰）

正月

王逢预为圹铭。《梧溪集》卷七《圹铭》引："戊辰元旦书，时寿七十。最闲园丁王逢门生周畿刻。"铭："骊驹山，仪鸾水。首西正丘有斐士，诗旌忠孝节义鬼，币交将相公侯礼。携家辟地两辰巳，布衣蔬盘善修己，草木禽鱼知姓氏。昨惺惺，今起起。无强近亲，鲜昆弟；有芹荐者，二三子。"［按，王逢精于五行星命推算，自估当卒于是年，预为圹铭。其卒亦当在是年。古人推算有神验而不可解者，今不强作解］

二月

唐愚士跋赵孟頫书卷。《唐愚士诗》卷三《题赵文敏公书韦苏州诗后》："余闻前辈论二王书、古人文章，皆因人与文而异其体。如《乐毅论》之方整庄重，《东方朔画像赞》之跌宕不羁，《曹娥碑》《洛神赋》之忧苦飘逸，要当心领神会。今观赵文敏公所写唐韦苏州三诗亦然。谨为之评曰：水流花开，鸢飞鱼跃，秀野行云，晴空舞鹤。南涧公其宝之。洪武二十一年岁次戊辰，二月上丁日，会稽唐之淳书于凤阳行第之梧月轩。"

三月

赐任亨泰等进士及第、出身有差。《明通鉴》卷九："始命立石题名于太学。复定制：一甲第一人授修撰，二、三编修。著为令。"

解缙举进士。敬字维恭，瑞安人，洪武戊辰进士，除给事中，历官户部侍郎。靖难师入，被执，不屈死。《明史》卓敬传："颖悟过人，读书十行俱下。举洪武二十一年进士，除户科给事中，鲠直无所避。"

解缙兄弟及妹婿同登进士第。曾棨《内阁学士春雨解先生行状》："明年春，试礼部，三人皆登进士第。太祖皇帝嘉其年少颖异，顾语廷臣曰：'解氏二子一婿，并为进士，非有贤父，其能致是乎？'嗟赏久之。公遂与黄金华皆为中书庶吉士。尝应制《春雨诗》《养鹤赋》，操笔而成，造语奇崛。太祖益爱之。"《文毅集》卷一一《先兄沧江先生行状》："於戏！伯兄于余有父道焉，有师道焉。余兄弟自为知己也。余少多病，栉发、系衣履至疡浣濯，皆兄亲之，太夫人甚怜余也，所以抚育视太夫人志无拂焉。诱掖之学循循焉。其雅志隐居自娱，选乡学，升郡庠，名声蓬蓬然起，屡称疾家居。先君子筠涧命余应乡试，翻然曰：'不使贤弟独行也。'遂获荐进士第，洪武二十一年戊辰也。"

四月

解缙上封事万言。《明史》解缙传："缙幼颖敏，洪武二十一年举进士，授中书庶吉士。甚见爱重，常侍帝前。一日，帝在大庖西室，谕缙：'朕与尔义则君臣，恩犹父子，当知无不言。'缙即日上封事万言。"

七月

唐愚士佐李景隆治军凤阳，作《游涂山记》。《唐愚士诗》卷四《游涂山记》："洪武二十一年六月既望，会稽唐之淳从曹国李公治兵于凤阳。七日辛巳，以上命赐楮币于怀远屯。甲申，度于沘，涉于涡，入于邑，逾于淮。历荆山，吊卞和抱璞处。登涂山，骑行五六里，始险仄，乃舍骑而步。至山巅，谒有夏皇祖祠。祠有白杏一本，高可五十尺，婆娑状车盖。正东一干旁出，不叶而下垂如乳然，相传每雾雨，乳辄津润，以皿受之，可共道人食。……地多山查子，正红如丹砂，可取以食。……庑下有祖无择所为碑文，断缺不可读。今为老子宫，一黄冠主之。黄冠奉瓜茗以供公与客……遂赋以纪兹游。抵暮，宿沘上野人刘氏家。明日浮淮而还。之淳复书其始末以为记。"

八月

唐愚士题赵孟頫书画。《唐愚士诗》卷四《书赵吴兴书画后》："吴兴公画马，神气雄俊，书韩昌黎《杂说》于其左，笔意飞动，真奇品也！或疑公之意，寓画者恒有，而识画者不恒有。有如千里马不遇伯乐，世之骈死者何限！使有善画，虽断缣寸楮，阅百世犹一日，尚何患无赏识者哉？余恐公意未必然也。洪武二十一年岁在戊辰，八月既望，会稽唐之淳谨识。"

本年

张宇初作《宗濂稿序》。宇初（1361—1410），字子璇，广信人。嗣汉四十二代天师，赐号无为真人，有《岘泉集》。《列朝诗集小传》闰集《张真人宇初》："宇初，字子璇，嗣汉四十二代天师正常之冢子也。五岁读书，十行并下。尝侍父登楼，见云雾起西北，金扉洞开，天神护卫，铠仗森列。父戒之曰：'天机勿泄也。'洪武十年，方鬓卯，袭掌道教。入见奉天殿，上熟视，笑曰："瞳枢电转，绝类乃父。"盖历代相传，以眼圆而巨者为玄应也。"《岘泉集》卷二《宗濂稿序》："予友倪君子正，少从学先师夏先生柏承，而授陆氏本心之说于彭先生孟悦。……凡交处十余年，犹一日也。某年，以荐辟除新建教谕，间两还乡里，获与之研究古先贤哲前言往行，陶冶于疏林、荒涧、轩灯、池月间，其意味醇甖，求之古人，不多让也。洪武十七年春，服阕赴京，示微疾终。予悲不胜，尝勉其子衡勿坠其手泽。后四年，衡持文若干篇曰《宗濂稿》，请曰：'先君居新建时，县庠乃元江丞相宗濂书院也，故稿以是名。先君托知之深，莫公若也。愿序其端。'"

胡俨领松江华亭教谕。杨溥《国子祭酒胡先生墓碑》："以《书经》中洪武丁卯乡试第二。明年，会试中副榜，授松江华亭教谕。以内艰去。"

程本立在滇典兵事。《明史》程本立传："土酋施可伐煽百夷为乱，本立单骑入其巢，谕以祸福，诸酋咸附。未几，复变。西平侯沐英、布政使张纮知本立贤，属行县典兵事，且抚且御。自楚雄、姚安抵大理、永昌、鹤庆、丽江。山行野宿，往来绥辑凡九年，民夷安业。"《国朝献征录》卷五六《金都御史程公本立传》："公既被命，仰天誓曰：'滇南一方民命属我，我当以死保之。'乃冒暑雨，跋涉艰阻，周行楚雄、姚安、大理、鹤庆、丽江、永昌诸路，勤劳抚辑，束以情信。"《巽隐集》卷二《题梦彩堂》："大理推官冯思齐氏，自为监察御史时，扁其堂曰'梦彩'。洪武廿一年岁次戊辰冬，予过大理，思齐以卷征诗。"

程通归太学。程伯祥《长史公年谱》："戊辰服阕，复上南雍。大司成得公卷牍，亟加称赏，每置六馆诸生高等。"程敏政《长史程公传》："戊辰，复上太学。"

唐愚士诗文集初成。四库提要卷一七〇："《唐愚士诗》一卷，附《会稽怀古诗》一卷，明唐之淳撰。……徐祯卿《剪胜野闻》载明太祖以布囊贮之淳，夜越宫墙，入便殿，点窜十王册文一事。其事荒诞不经，殆委巷小人因之淳文思敏捷，造是妄语。张芹《遗忠录》称洪武中有荐之者，谢不就。曹国公李景隆俾其子师焉，征行四方皆与俱，历燕、蓟、秦、周，览前代遗迹，援笔而赋，凌轹一时。考《明史》李文忠传，景隆以洪武十九年袭封曹国公，不载其北征事。惟《冯胜传》载洪武二十年，与傅友德、蓝玉、赵庸等北征常茂，李景隆、邓镇皆从。是年岁在丁卯，与集中《寓宁轩记》所载'洪武丁卯'相合，当即其时也。是集仅其丁卯、戊辰二年所作，似非完本。又诗文相间成编，而总题曰诗，亦非体例。疑当日杂录手稿，存此一帙，后人因钞传之故，编次丛杂如此欤？其诗虽未经简汰，金砾并存，而气格质实，无元季纤秾之习。其塞外诸作，山川物产，尤足以资考核。《会稽怀古诗》一卷，乃其少作，凡五言古诗三十首，题下各有小序，仿阮阅、曾极、张尧同之例。其中如舜庙不取地志象耕之说，禹庙不取禹穴藏书之说，皆为有识。此卷本于集外别行，然篇页寥寥。今缀于集后，末附长洲戴冠和诗三十首，大抵凑泊成篇，不及之淳原唱。以旧本所有，姑亦并存焉。"[按，《唐愚士诗》所录诗文，止于洪武二十一年，属残本]徐祯卿《剪胜野闻》："太祖之封十王也，亲草册文。适李韩公北征，唐之淳在军中，尝为草露布。上读其文嘉之，问草者为谁，韩公以之淳对，帝令飞骑召之。使者不喻旨，械之淳。之淳以父肃得罪，悚栗不自保。至京师，过其姑门，告使者止。索其姑出，泣曰：'善为我殓尸。'姑乃大恸。之淳行次东华门，门已闭，守者曰：'有旨，令以布裹，从屋上递入。'累累递易数次，至便殿。膏灯煌耀，帝坐阅书，之淳俯首庭下，帝问曰：'尔草露布耶？'对曰：'臣昧死草之。'良久，中侍以短几置之淳前，列烛。帝令膝坐，以封王册文一篇授之，曰：'少为弘润之。'之淳叩头曰：'臣万死不敢当。'帝曰：'即不敢，姑旁注之。'之淳如命。帝令中侍续续报。定毕上之，遥望烛影下，帝微微喜。次第下，凡十篇，悉定之。每奏辄嘉悦。奏毕，时夜未央，帝令明日朝谒。复如故出。至姑家，犹守门，见之淳，相庆幸，具酒食沐具。及旦，廷谒，帝问曰：'尔世宦否？'对曰：'臣父翰林应承唐肃。'即日命嗣父官。"《明诗纪事》乙签卷二《唐愚士》陈田按："方希直称愚士《萍居稿》数十卷，今《四库》著录仅二卷，附《会稽怀古诗》一卷，不过十之一二耳。愚士名父之子，诗才闳肆，不愧乃父。"

解缙读书中秘。曾棨《内阁学士春雨解先生行状》："其为庶吉士，日造中秘书，因得翻阅所藏古今天下之书，由是意会心融，而其中宏博深窈，弗可涯涘。时中书舍人詹孟举以书名世，亟称公书有法，而用笔精妙，出人意表，遂相与讲求古人书法，悉得其要领。当时有得其片纸只字，皆珍藏什袭，不啻重宝。"

王逢卒，年七十。四库提要卷一六八："《梧溪集》七卷，元王逢撰。逢字原吉，自称席帽山人，江阴人。当至正间，被荐不就，避地吴淞江，筑室上海之乌泾。适张氏据吴，东南之士咸为之用，逢独高蹈远引。及洪武初征召甚迫，又以老疾辞。《明史·文苑传》附载于戴良传中，以二人皆义不负元者也。逢少学诗于陈汉卿，得虞集之传，才气宏敞而不失谨严。集中载宋元之际忠孝节义之事甚备，每于诗首作小序，以标其崖略，足补史传所未及，盖其微意所寓也。"[按，王逢未曾仕明，此所以四库提要视王逢为元人，《明诗综》《明诗纪事》皆不录王逢诗。然《梧溪集》中以"洪武"纪年者，近二十处，则王逢亦未尝厌明。入明笔翰未辍，可视为明初作家]

凌云翰卒，年五十二。《归田诗话》卷下《钟道图》："在任以乏贡举谪南荒以卒，归骨西湖。予送之葬，有绝句云：'一去西川隔夜台，忍看白璧瘗苍苔。酒朋诗友凋零尽，只有存斋冒雨来。'盖感知己也。"夏节《柘轩集行述》："早游黔南程公以文之门，力学，博通经史，潜心周孔之书。处一室，左图右书，讲习其间，研几极深。严寒盛暑不辍。维扬朱仲谊，世号博闻，于人慎许可。过而取其文读之，称奇士，遂定交。……卒于官，时洪武戊辰岁也。……先生之学，本之六经以明道，参之史汉庄骚以为文。题跋古今书画，考论详备。其为诗词，赋情咏物，纤缛秾丽，而不失其正。至今脍炙人口，传诵不辍。"王羽《柘轩集序》："家素饶裕，典籍之富拟于邺侯，且天分异常，务学强记，而尤潜心《易》理。……维扬朱仲谊于人慎许可，得先生诗文读之，亟称奇士，遂纳交也。……资培既厚，发于辞章，益无愧于古作者矣。"《明诗综》

卷一五《凌云翰》："瞿宗吉云，先生兼工诸作，不以一善成名。陈光世云，柘轩诗诸体悉备，庄敬而不衰，和乐而不淫，虽无刻苦丽密之工，而平易典则，发乎情之自然，有足观者。"《柘轩集》卷首提要："朱彝尊《明诗综·诗话》称，云翰学于陈众仲，故其诗华而不靡，驰骋而不离乎轨。今案，有宣德中王羽序云：莆田陈众仲，提举浙路儒政，以文鸣于东南。程以文，声誉与之伯仲。柘轩泛扫程门，获承指授。其里人夏节作云翰行述，亦云：'早游黔南程以文之门。'是云翰所师事者，乃以文，而非陈旅。诸家所纪甚明。彝尊之言，未免失于核实。惟其谓五言如《陪祭作》、七言如《鬼猎》，才情奔放，不可羁靮，直可搴郁离之旗，摩青丘之垒，则于云翰之诗，评品颇当，识者不以为溢量焉。"

于谦（1388—1457）生。字廷益，钱塘人。永乐辛丑进士，除山西道御史，擢行在兵部右侍郎。罢为大理寺少卿。景陵践阼，拜兵部尚书，加少保。英宗复辟，弃市。成化中，赠太傅，谥肃愍。后改谥忠肃。有《忠肃集》。《西湖游览志余》卷二二："于肃愍公少有大志，出语不凡。八九岁时，衣红衣驰马，有邻长者呼其名，为戏之曰'红孩儿骑马游街'，公应声曰'赤帝子斩蛇当道'，闻者惊异。长补钱塘县学生。家有文文山像一副，悬置座侧，为之赞曰：呜呼文山，遭宋之季，徇国忘身，舍生取义，气吞寰宇，诚感天地。陵谷变迁，世殊事异，坐卧小阁，困于羁系。正色直辞，久而愈厉。难欺者心，可畏者天。宁正而毙，弗苟而全。南向再拜，含笑九泉。孤忠大节，万古攸传，我瞻遗像。清风凛然。"

习嘉言（1388—1452）生。名经，以字行。号寅清居士，晚自号寻乐翁。新喻人。永乐戊戌进士，官至詹事府詹事。有《寻乐习先生文集》二十卷。《国朝献征录》卷一八《习詹事嘉言传》："公自为童子，诵书属对，已出其辈类。稍长，工诗歌，每命题，下笔立就，先生长者叹誉之。闻其侄倜举进士，瞿然奋曰：'我可以后邪？'遂从其伯父国子学录怀清受《诗经》，已而侍其父湘潭改学《春秋》，日夜刻苦自励。"［按，嘉言父习怀恭，曾历湘潭教谕］

孙原贞（1388—1475）生。名瑀，以字行。江西德兴县人。举永乐乙未进士，授礼部主事，迁郎中。正统中，升河南参政，进浙江左布政使。升兵部左侍郎，参赞军务。镇浙江，进尚书。天顺初，以老命致仕。

公元 1389 年（洪武二十二年　己巳）

正月

陶宗仪送友人自姑苏入京。《南村诗集》卷三《送张宗武》序："宗武应聘入京，余以师生之义，偕亲友四五人送至姑苏别。洪武己巳正月四日晚，解缆。明日大雪深二尺许。又明日雪霁，过淀山湖，赋此以简同舟之能赋者。"

三月

禁军人习曲艺。《客座赘语》卷十《国初榜文》："洪武二十二年三月二十五日，奉圣旨：'在京但有军官军人学唱的，割了舌头；下棋打双陆的，断手；蹴圆的，卸脚;做买卖的,发边远充军。'府军卫千户虞让男虞端故违吹箫唱曲,将上唇连鼻尖割了。又龙江卫指挥伏颙与本卫小旗姚晏保蹴圆,卸了右脚,全家发赴云南。"李光第《榕村语录》卷二二:"元时人多恒舞酣歌,不事生产。明太祖于中街立高楼,令卒侦望其上,闻有弦管饮博者,即缚至,倒悬楼上,饮水三日而死。虽立法太严,然所以激厉颓靡处,志气规模,果不寻常,竟有'一人横行,武王耻之'之意。不然,天下已定,习俗已久,何苦使偷惰者反有故元宽大之思? 但使圣人处之,必当有道,不至如此过于苛急耳。"

八月

薛瑄(1389—1464)生。字德温,河津人。永乐辛丑进士,除御史,历大理少卿,累进礼部左侍郎兼文渊阁大学士。卒谥文清,从祀孔庙。有《河汾集》。《古穰集》卷一三《通议大夫礼部左侍郎兼翰林院学士薛公神道碑铭》:"初母齐淑人梦一紫衣人谒见,已而生公。祖以生时卜之,吉。曰:'此子必大吾门。'童时教之诗书,辄成诵,日记千百言。贞(瑄父)为荥阳教谕,公侍行,时年十二。以所作诗赋呈监司,监司奇之。既而闻魏、范二老先生深于理学,乃礼延于家,供子弟职,日与讲习周、程、张、朱性理诸书。久之,叹曰:'此道学正脉也!'遂焚其所作诗赋,专心于是,至忘寝食。……忽遭疾弥留,衣冠危坐于正寝,精神不乱,悠然而逝。时风雷大作,有白气上升,天顺甲申六月十五日也。距生洪武己巳八月十日,享年七十有三。"

秋

约本年秋前后,林鸿归隐。《鸣盛集》卷四《放归言志》:"君门乞得此身闲,野树烟江一棹还。收拾旧时诗酒伴,远寻僧舍入秋山。"倪桓《鸣盛集序》:"吾友林鸿子羽早颖悟,猎涉群书,提要钩玄,去其糟粕而掇其英华,悉取资以为诗。自盛唐以上,历晋魏、汉氏、十九首、楚辞、三百篇,皆沉浸酝郁。一日援笔而赋,动数十什,洋洋大篇,溶溶短章,皆新奇俊逸,驰骋若骐骥,浩荡若波涛,清绝若雪山冰崖,皎洁若琼琚玉佩。择其尤者,置之韦、柳、王、孟间,未易区别。临川王先生郁一见而异之,曰:'此大历才子复见于今矣。'"《御选历代诗余》卷一二〇:"闽人林子羽,官员外郎,有《题吴江垂虹桥》诗,'欲借仙家辽海鹤,月明吹笛水晶宫'是也。其妻朱氏《赠外》之什,亦有'待漏衣沾仙掌露,朝天身惹御炉香'句。时闽中良家女张红桥,平日欲得才如李青莲者事之,林投以诗,红桥称善,遂委身焉。林游金陵,作《念奴娇·留别红桥》有云:'软语叮咛,柔情婉娈,镕尽肝肠铁。此去何之? 碧云春树,早晚翠千迭。图将羁思,归来细与伊说。'红桥和答云:'还忆浴罢描眉,梦回携手,踏碎梁间月。漫道胸前怀豆蔻,今日总成虚设。桃叶津头,莫愁湖畔,远树烟云迭。寒灯旅邸,荧荧谁与闲说?'一则打算归来,一则商量去后,情事如见。"

本年

杨士奇馆武昌。杨思尧《太师杨文贞公年谱》:"公年二十五岁,是岁游湖湘,至武昌。缙绅先生咸礼重之,汉阳府学、江夏县学皆聘训导,不就。都指挥齐让宾致家塾,尤为礼敬。"

王偶已自学成才。《虚舟集》卷五《自述诔》:"呜呼!是时偶方生九龄,家戳然壁立。太夫人守节自誓,艰难备尝,手疏先君之迹与古今豪杰大略教之。外王父姓刘氏,讳某,由宣文阁博士出签闽宪,再召入为秘书丞,没王事,赠嘉议大夫、福建行省参知政事,淹贯靡不究,博古好雅,翰墨之妙绝当世,偶不及见之。闽先正闻过斋吴公,学行醇伟,为士林望,与先君交谊相与也。先君没时,属偶夫子教之,第未弱冠,夫子没,伥伥罔依归。赖外王父遗图书手泽多,杜门自研渐。少多病,负笈者三年,莫臻其至。弱冠入庠序,与陈君从范游。陈早入闻过夫子室,获其指授,恳恳汰其瑕砾,示以瑜瑾,一旦斯发䣄矣。"

孙蕡卒,**年五十六**。《国朝献征录》卷一一五《孙仲衍传》:"二十二年,谪戍辽东,怡然就道,酌酒赋诗,无异平日。都帅梅思祖节镇三韩,素闻蕡名,迎置家塾。是岁,以党祸见法,人劝其上书自明,蕡不答,赋一诗,长啸而殁,年五十有六。门人黎贞随其行,葬之安山。"《列朝诗集小传》甲集《孙蕡》:"黄佐《广州人物传》云,'蕡于书无所不读,为诗文不属稿。元季,何真保南海,征南将军廖永忠兵至,真求蕡作书,归附永忠。寻征蕡典郡教。洪武三年中进士,主虹县簿一载,选入为翰林典籍。居三载,复外补平原簿,以事逮系,有旨输左校,板筑萧墙,望都门讴吟,为粤声。督工者以闻,召至上前,陈所作诗,皆忠爱语,特命释之。十一年,罢归田里。十五年,除苏州府经历。二十二年,谪戍辽东。梅思祖镇三韩,迎置家塾。是年以党祸见杀,年五十有六。'《明兴杂记》云:'高皇诛蓝玉,籍其家,有只字往来,皆得罪。蕡与玉题一画,故杀之。临刑口占云:"鼍鼓三声急,西山月又斜。黄泉无客舍,今夜宿谁家?"高皇问监杀指挥:"孙蕡死时何语?"以此诗对。高皇怒曰:"何不早奏!"竟杀指挥。'按郑晓《蓝玉传》云:'杀诗人孙蕡、王行。'而梅思祖守云南,未尝镇辽东。况思祖以十五年十月卒于辽东,安得以二十二年延蕡家塾?黄方伯老于词垣,通晓典故,不知何以舛误如此。"[按,蕡之生卒,详本编"孙蕡作小说《朝云》"条]雍正《广东通志》卷四七:"性警敏,于书无不窥,为文援笔立就,雄深雅健,有魏晋风。"《西庵集》卷首提要:"《西庵集》九卷,明孙蕡撰。……复坐累,戍辽东,既而以尝为蓝玉题画,坐玉党论死。是编前有黄佐、叶春及所撰蕡小传,称蕡著述甚富,自兹集外,尚有《通鉴前编纲目》《孝经集善》《理学训蒙》《和陶诗》《集古律诗》。其《孝经集善》,则宋濂为之序。蕡殁,诸书散佚,其诗文今行世者,为其门人黎贞所编。然佐称《西庵集》八卷,而是编诗八卷,文一卷,卷端题姑苏叶初春选,或初春另加厘订欤?蕡当元季绮靡之余,其诗独卓然有古格,虽神骨俊异不及高启,而要非林鸿诸人所及。"

公元 1390 年(洪武二十三年 庚午)

正月

程通上陈情表。《篁墩文集》卷四九《长史程公传》:"时平已老,公上书言:'臣壮而无父，祖犹父也。臣祖老而无子，孙犹子也。更相为命。今边徼戍卒如林，顾岂少臣祖者?'辞恳切。书奏高皇帝，怜之而持其章不下，私命兵部驿召其祖。既至，乃并召公，东西立玉阶下。顾公曰：'汝识此人否?'祖孙相持，哽咽不能仰视。高皇帝叹曰：'孝哉若人!'命兵部除其籍，驿送平还乡。"《贞白遗稿》卷一《陈情乞祖还乡表》末署"洪武二十三年正月十五日，国子监监生臣程通谨陈"。

二月

宋讷卒，年八十。《明太祖高皇帝实录》卷二〇〇"洪武二十三年二月丁酉（初三)"："国子祭酒宋讷卒。"刘师鲁《西隐集后序》："予儋析滑符，莅止越祀，民喻予衷，而予得间于民听也。乃往据献哲，考罗旧章，则祭酒西隐宋先生，其彰彰较著者也。爰诹其家藏，得一笈焉。予睇之，盖载辑于上海张君趋教滑时所手录，而滑先达王先生崇之令上海，从其后得之，正诸学士钱先生序而刻于其邑者也。滑故艰有之，即兹笈中历久，多烂断漶漫，几不可触手接睫。索其副，无有矣，大悚息。此邦文献虽光远自他有耀，而桑梓鲜见，可乎哉? 可乎哉? 惟时宪节顾明府公笃文嗜古，讨幽彰教。予持而上之，惠徽弁首教言，遂趣工复镂用弘布焉。……万历戊寅孟夏，赐进士第、文林郎、知滑县事东莱刘师鲁书于忠节斋。"《西隐集》卷首提要："《西隐集》十卷，明宋讷撰。……刘三吾撰讷墓志，称所著《西隐集》十七卷，而《明史·艺文志》、黄虞稷《千顷堂书目》俱作十卷。此本有东莱刘师鲁跋，称其集初为上海张趋所手录，滑人王崇之令上海，从其后求得而刻之。岁久漫漶，师鲁因鸠工重刻，盖即十卷之本。岂张趋缮录时，又有所删并，故与墓志不合欤? 集前四卷为赋、诗，后六卷为杂文，附以明太祖手敕四道及《白云茅屋赋》二篇，记一篇。白云茅屋者，讷所筑别墅之名也。讷领成均胄子之任，师道严正，为一时典型，文章亦浑厚典雅。其奉敕制太学碑，极为明祖所赏，今具载集中。又有《壬子岁考试秋闱和北平行省照磨叶叔则诗》及《秋闱即事》诸诗。壬子乃洪武六年，盖讷尝为北平考官，而《本传》《墓志》均之未载。其《过元故宫》诗十九首，缠绵悱恻，有《黍离》《麦秀》之思，读其词，尤足悲其志矣。"

五月

丞相李善长受诛。《明太祖高皇帝实录》卷二〇二"洪武二十三年五月乙卯（二十三日)"："太师李善长自杀。先是善长有过，诏累宥之。善长益恃恩。时京民通惟庸作乱者，法当徙边，善长受奸民赃，数奏请给其亲。又从掌都督府事信国公汤和假卫卒三百人营第宅，和攘臂大怒曰：'非奉命，太师敢擅发兵邪?'善长惭谢。至是事败，善长益危惧。上诏慰谕之，复召诣奉天门，与语开创艰难之际，为之流涕。复至右顺门，上谓群臣曰：'吾欲宥李佑等死，以慰太师。太师年老，且暮无以为怀。'群臣复奏：'善长开国旧臣，任寄腹心，亲托骨肉，而所为如此，臣等考其事，反状甚明，敢以死奉法。'上曰：'法如是，为之奈何?'善长大惭曰：'臣诚负罪，无面目见百官矣。'乃抚遣归第，赐佑及陆亨等死。善长遂自经。上命以礼葬之，厚恤其家。"《明史》李善长传:"十八年,有人告存义父子实惟庸党者,诏免死,安置崇明。善长不谢,帝衔之。又五年,善长年已七十有七,耄不检下。……于是御史交章劾善长。而善长奴卢仲谦等,亦告善长与惟庸通贿遗,交私语。狱具,谓善长元勋国戚,知逆谋不发举,狐疑观望怀两端,大逆不道。会有言星变,其占当移大臣,遂并其妻女弟侄家口七十余人诛之。而吉安侯陆仲亨、延安侯唐胜宗、平凉侯费聚、南雄侯赵庸、荥阳侯郑遇春、宜春侯黄彬、河南侯陆聚等,皆同时坐惟庸党死,而已故营阳侯杨璟、济宁侯顾时等追坐者又若干人。帝手诏条列其罪,傅著狱辞,为《昭示奸党三录》,布告天下。"〔按,胡惟庸谋反案为朱元璋一手策划的冤案,李善长亦受牵连被杀,而实录言其自杀,欲为朱氏推卸罪责〕

八月

程通中举,授辽府纪善。《篁墩文集》卷四九《长史程公传》:"庚午秋,公以尚书举应天府乡试。时遣诸王将兵行边,以《封建》策诸贡士于廷。公所对称旨,亲擢第一,授辽王府纪善。"《贞白遗稿》卷一《封建策一》:"臣闻圣王之治天下也,必联亲疏之谊而权其重,必察安危之故而酌其宜。故选贤任能,不惟其方,而敦睦之恩有独先焉。岂为独私?亦曰重我本支,以示天下不可拔之势。安内攘外,不专用武,而边陲之防有独饬焉。岂其为黩?亦曰谋贵万全,以示天下不可犯之威。三代之盛,率由此道。后世不能推原本始,权厥利病,而妄以己私姗笑之。胡不以往事征焉?……臣愚以为,本支之臣,固不可假之太重,亦不可制之太轻。太重则骄矜而不逊,必有非望之想,汉之七国是已。太轻则懦弱而难立,必无振复之几,唐宋之末造是已。……昔人有言:生子当置之邹鲁礼义之乡,不当置之戎翟之俗。是固有然者。臣则以为当置之艰阻备尝之中,不当置之膏肥美丽之地。方今蒙古虽北徙,犹时侵扰。臣以非诸亲王,莫可镇此地者。……此一举而数善备者,必能为陛下当北顾之忧,垂宗社之宁矣。虽垂流之久,或有意料之所不及者。要之,与其弊之一,不若利之百。而监古揆今,兴衰补弊,陛下又必有经制之宜在也。臣愿陛下取前之所以得,剔前之所以失,惩孤立之祸,收百足之福,绝李斯之刻削,酌主父偃之权宜,毋以姑息恣恩,毋以肺腑生疑,俾阃外之寄常畏周亲,文武之略备自帝胤,则天潢衍庆,盘石永宁,维城维藩,绵之百世而勿替矣。臣草茅之见如斯,伏惟陛下采纳焉。"姚鼐《重雕程贞白先生遗稿序》:"昔明高皇帝定天下,使燕、辽、宁三藩,拥兵居北边,捍御外侮,以强中国之势,岂非为子孙谋虑远哉!然而篡弑之祸由此起,事变无常,非人智所可料也。当其以《封建》策问诸生,而绩溪程长史贞白先生通试为第一。其言'置子当置之艰阻备尝之中,不当置之膏肥美丽之地',此其言最有当于高皇心者。卒又言'垂流之久,或有意料之所不及',此乃足括后世之变,真可谓通人名论矣。然则当燕师之起,其所上封事,必有可观,惜其文逸不传也。长史以矢忠建言,遭成祖之戮,文字禁绝,至嘉靖时,其从孙长等搜集仅得十一,凡诗文二百余篇,而《备燕封事》,虽有目而无文。又载《封建策》乃有二篇。昔董生对策,因汉武帝重问,故有三篇。明高皇试士,岂亦有重问之事乎?抑次篇他人所对,而长等误收之乎?"

十月

童冀送郡庠诸生会试。《尚䌹斋集》卷五《送郡庠诸贡士会试》："圣明纪元首洪武，二十三年岁庚午。北平贡举数已三，南宫科第谁为伍？朝廷在处兴学校，河朔于今似邹鲁。燕城自昔号多士，黉舍书声喧两庑。诸生结发守章句，五夜挑灯坐风雨。十年经传久钻研，一旦云霄共轩轾。……诸子同生圣明世，联镳共上春官部。黄河十月水无冰，高帆大舰鸣双橹。京师人才辐辏地，车马骈阗耀珪组。……老我尚蒙稽古力，岁縻廪粟知何补！圣恩浩荡天地宽，要使疲癃咸得所。朽壤犹能出芝菌，良材自可充梁柱。青云子幸成令名，白首我归老环堵。击壤康衢乐太平，日作歌诗歌舜禹。"

十二月

董纪除夕感慨人世变迁。据《西郊笑端集》卷一《庚午除夕风雨大作，因思壬戌岁除，在按察司官舍，无异今夕，瞬息之间已及九载，慨今念昔，不能无怀，遂赋此》："向来除夕灯前雨，身在他乡忆草堂。今夜草堂还守岁，灯前听雨说他乡。"

本年

苏伯衡过浦江，作戴良像赞。苏伯衡《九灵先生画像赞》："九灵先生捐馆之八年，伯衡过其乡邑，从其子礼拜其遗像，追为之赞曰：绪接二戴之后，道探两汉之上。卓尔为人中之英，隐然负海内之望。威仪文采，尚莫能仿佛；精神心术，矧可以名状。其跋涉道途也，类子房之报韩；其彷徨山泽也，犹正则之自放。世今若山斗之共仰，公遽驾风霆而长往。后死者之瞻遗像，安得不慨斯文之将丧也欤？"

夏原吉初为明太祖所识。《忠靖集》附录《夏忠靖公遗事》："以《诗经》领洪武庚午乡荐，下第，入太学，被选禁庑写诰。太祖幸书所，见公仪闲雅，字又方正，特赐纱衣一袭。复命人至书所察诸书生所为，或谈笑肆放，而独公端坐正书，俨然如在上前。上念之。"

柯暹（1390—?）生。字启晖，一字用晦。池州建德人。永乐乙酉年十七，领乡荐。明年预修《大典》，寻选入翰林，知机宜文字。进《玄兔诗》，授户科给事中。坐言事，出知永新、吉水二县。历官云南按察使。有《东冈集》。

公元1391年（洪武二十四年　辛未）

三月

初十，赐许观等进士及第、出身有差。

五月

解缙以帝命归乡奉亲。曾棨《内阁学士春雨解先生行状》："上以其亲老，二子皆仕，特赐归省。暨还朝，改授江西道监察御史。岁庚午，诏'近臣有父在者皆得入觐',时公父年八十余,即日上道。及谒见太祖,深加礼遇,因悯其老,特命公归侍以终养焉。公至家事亲之暇,闭户读书,率意为古文,其于性命道德之奥,诸子百家之说,以至佛老方技之书,靡不研究。其造诣益深矣。或半酣兴至,落笔数千百言,倚马可待,未尝创稿。人以太白拟之。"《文毅集》卷一二《鉴湖阡表》:"晚遇高皇帝,待以前朝遗老。召与极论元事,甚善其对。既而曰:'国初何不仕?'对曰:'国初以二弟事陛下,今以二子事陛下。'上慰谕叹息。时敕臣缙奉家书上览。屡与吏部尚书李原名、翰林学士刘三吾语而称之。缙尝宴见,必问及安否,至起居细事。缙被特恩,得岁一归省。卒许终养,时洪武辛未五月也。"

七月

钱子正《绿苔轩集》编成。钱子正,名蒙,以字行,无锡人。洪武初知韩城县。有《绿苔轩集》六卷。王达善《绿苔轩集序》:"先生之诗,曷得而弗传耶?譬犹梁之结绿,固不求于贵也,而自不能不贵;丰之太阿,固不求于彰也,而自不能不彰。天蓄至宝,夫岂荒陬秽壤所得而湮灭哉?先生之嗣叔达,犹子仲益,相与纂次成集,俾予序之。余托交于子侄之间,承风接响者非一日矣,姑述其概而为之序,且使后生晚学读先生诗而有所警惕焉。洪武二十四年七月既望,耐轩王达善序。"

十月

黄玄上南京国子监,林鸿为诗以送。《鸣盛集》卷一《送黄玄之京》:"三十为礼官,制作多述因。前年乞骸归,甘作隐逸伦。业穷道岂迁,操危气愈伸。持此欲有授,二玄乃其人。……于时维孟冬,膏车戒征轮。借问子何之?囊书上成均。"《曝书亭集》卷六三《林鸿传》:"闽中善诗者,数'十才子',鸿为之冠。十才子者,闽郑定,候官王褒、唐泰、长乐高棅、王恭、陈亮、永福王偁,及鸿弟子周玄、黄玄,时人目为二玄者也。鸿之论诗大指,谓汉魏骨气虽雄而菁华不足,晋祖玄虚,宋尚条畅;齐梁以下但务春华,少秋实;惟唐作者可谓大成。然贞观尚习故陋,神龙渐变常调。开元、天宝间,声律大备,学者当以是为楷式。闽人言诗者率本之鸿。晋府引礼舍人无锡浦源,字长源,慕鸿名,逾岭访之,造其门,二玄请诵所作,曰:'吾家诗也。'以告鸿,鸿延之入社。……黄玄,字玄之,将乐人。闻鸿弃官归,遂携妻子居闽县。以岁贡官泉州儒学训导。周玄,字微之,闽县人。永乐中以文学征拜礼部员外郎,尝挟书千卷止高棅家,读十年辞去,尽弃其书曰:'在吾腹笥矣。'"

十二月

吴与弼(1392—1469)生。字子傅,号康斋,临川人。天顺初以荐征至京,拜左春坊左谕德,辞不就。有《康斋集》。杨希闵《吴聘君年谱》:"明太祖洪武二十四年辛未十二月十二日,公生。"《明儒学案》卷四《聘君吴康斋先生与弼》:"父国子司业溥。先生生时,祖梦有藤绕其先墓,一老人指为扳辕藤,故初名梦祥。八九岁,已负气岸。十九岁，觐亲于京师，从洗马杨文定学读《伊洛渊源录》，慨然有志于道。"

本年

王绅入蜀王府。《明名臣琬琰录》卷十《博士王君墓志铭》："洪武辛未，蜀王方求士，有以君国初名臣子、其学行文章有称于时，遂遣使以币罗君。既至，蜀王见之喜甚，谓长史黄友义曰：'王征士不远千里而来，卿宜善为馆谷。'复作诗以赐之。因命为成都府文学，使得朝夕见。君念待制公死节云南，远在万里外，乃请于王，乞往求遗殖。王悯其情，许之，为资给其行。既至，访其所在不可得，哭泣悲哀，作《滇南恸哭记》以述其志。既还，蜀王复赐以冠服及带，所以礼遇之者益至。"

王俌入国子监。《国朝献征录》卷二二《翰林院检讨王俌传》："洪武二十三年，俌以经义举于乡。明年，试礼部不第，例就祭酒授业。因而求邹鲁之遗风，与海内贤豪上下其说。"

公元1392年（洪武二十五年　壬申）

正月

更定官学岁贡生员数。《明通鉴》卷十："初，岁贡之制，每学一人。二十一年，定府、州、县学以一、二、三年为差。至是（十一日），定府学岁二人，州学二岁三人，县学岁一人，著为令。"

九月

十二日，立孙朱允炆为皇太孙。

十月

夏原吉授户部主事。《忠靖集》附录《夏忠靖公遗事》："二十五年冬十月，书满，有司奏当署部职，上曰：'夏某端厚君子，勿署。'特实授户部四川司主事。初之任日，同官龚郎中有轻公心，令吏持数疑事请公判。公辞弗获，乃为分处俱当，咸惊伏。尚书郁公与语，大奇之，谓所属曰：'夏某才器，老夫诚不及。诸君亦能右乎？'凡诸曹事有未通者，悉委裁之。于是同官质疑者日环左右，公虽纷冗，必为之尽心，人人德公如师。"

闰十二月

周叙（1393—1452）**生。**字功叙，吉水人。永乐戊戌进士，改庶吉士，授编修，历修撰、侍读，升南侍讲学士。有《石溪集》。《明史》周叙传："年十一，能诗。永乐十六年进士，选庶吉士。作《黄鹦鹉赋》称旨，授编修。历官侍读，直经筵。正统六年上疏言事，帝嘉纳焉。八年夏又上言：'比天旱，陛下责躬虔祷，而臣下不闻效忠补过之言，徒陈情乞用而已。掌铨选者罔论贤否，第循资格。司国计者不问耕桑，惟勤赋敛。军士困役作，刑罚失重轻，风宪无激扬，言官务缄默。僧道数万，日耗户口，流民众多，莫为矜恤。'帝以章示诸大臣。王直等皆引罪求罢。"

董纪已丧妻，景况凄凉。《西郊笑端集》卷一《壬申除夕》："吊影灯前泪满腮，听儿忆母哭声哀。宜春帖子何心写？守岁家筵不忍开。老景此时无可奈，新年明日又还来。梅花笑我头斑白，消得屠苏更几回。"《西郊笑端集》卷一《癸酉岁旦》："献岁先来问有谁，卧听风雨起偏迟。去年举案人犹在，今日沾衣我独悲。禹锡魂消《伤往赋》，安仁情见《悼亡诗》。半生落魄如闲过，头白艰难值此时。"〔按，董纪此时姐亡，弟亡，长兄又亡，兄弟四人，惟己一人在。父死，母死，妻又死。独抚诸儿，家贫身单〕

僧人给度牒。《明太祖高皇帝实录》卷二二三"洪武二十五年闰十二月甲午（十八日）"："命僧录司造《知周册》，颁于天下僧寺。时京师百福寺隐囚徒逋卒，往往易名姓为僧，游食四方，无以验其真伪。于是命造《周知》文册，自在京及在外府州县寺院、僧名，以次编之。其年甲、姓名、字行及始为僧年月与所授度牒字号，俱载于僧名之下。既成，颁示天下僧寺。凡游方行脚至者，以册验之。其不同者，许获送有司，械至京治重罪。容隐者罪如之。"

刘三吾免官。《明太祖高皇帝实录》卷二二三"洪武二十五年闰十二月甲午（十八日）"："免翰林院学士刘三吾官。时三吾诣吏部，自陈婿户部尚书赵勉夫妇坐赃罪，法当死，皆缘素失教诲，致负深恩。近被御史纠劾，虽蒙恩宥，窃思职居近侍，自当引退，以励廉耻。吏部以闻，遂免其官。"

本年

方孝孺再以荐入京。《明史》方孝孺传："二十五年，又以荐召至。太祖曰：'今非用孝孺时。'除汉中教授，日与诸生讲学不倦。蜀献王闻其贤，聘为世子师。每见，陈说道德。王尊以殊礼，名其读书之庐曰'正学'。"

程通以祖丧返绩溪。程敏政《长史程公传》："授辽王府纪善。辛未，从王阅武临清。壬申，从之国辽西时，王府未建，以祖丧免归。复庐墓三年，服阕复任。"《明史》辽王植传："辽简王植，太祖第十五子。洪武十一年封卫王，二十五年改封辽。明年就藩广宁。以宫室未成，暂驻大凌河北，树栅为营。"

童冀《后和陶诗》编成。《列朝诗集》甲集《童校书冀》之《后和陶诗》："中州自序曰，'余往年尝一和陶靖节诗，俯仰垂四十年，浮云世事，何所蔑有。及来河朔，触事感怀，间用其韵，积日既久，辞无诠次，因裒而目之曰《后和陶诗》。然余前所和者，多因其事而寓己意；今所和者，第用其韵，不复用其事云。'中州《前和陶诗》，苏平仲书其后。《后诗》则洪武二十五年壬申，与独庵少师同客于燕，少师用蝇头小楷继写成卷，而题其后云：'中州先生才力老成，问学淹贯，二十年来奔走南北，虽涉历世故，乐天知命，有合于靖节之志趣。其和诗如茧抽泉决，略不见其艰窘，矧有牵强者耶？'"《尚䌹斋集》卷首提要："《尚䌹斋集》五卷，明童冀撰。……此集不知何人

135

所编,分诗文为二集,体例杂糅,殆不可读。就其编目考之,原目当为《金华集》《南行集》《雪川集》《北游集》四种,前三集兼载诗文,惟《北游集》有诗无文。后人不知古法,以诗归诗,以文归文,分为二集,而诗文之中又不各归其类,前后复迭,职此之由。幸其虽经割裂,尚未窜乱,犹有端绪可寻。今详考标题,仍分为四集,中间时有阙文。又《雪川集》末《跋唐五王醉归图》一篇,《书柳子厚〈伊尹五就桀赞〉后》一篇,《书王简死事传后》一篇,《书金节妇传后》一篇,《书集芳诗文卷后》一卷,《卜释》一篇,悉有录无书,盖蠹蚀残缺,今亦仍其旧。冀在明初与宋濂、张羽、姚广孝相倡和,词意清刚,不染元季绮靡之习,虽名不甚著,而在一时作者之中,固亦肩随无愧也。"[按,提要所云有录无书而仍其旧者,实并录亦删去]

石光霁撰成《春秋书法钩玄》。 石光霁《春秋书法钩玄序》:"钦遇圣朝平一万方,隆文教以基盛治。光霁叨蒙齿录,赞教成均,校文之隙,窃拟陆氏所纂之例,辑诸儒至当之论,编《五礼类要》六卷,以二百四十二年之书法汇而分之,萃而会之,俾原始要终,易以探讨。然文辞浩汗,学者未易得其指归。复掇要言,大书以为纲;采精义,细书以为目;名曰《书法钩玄》。盖欲便于初学,使开卷即知一经大旨,而无多岐之惑,冀少裨育材之万一也。若夫微辞奥义,神侔化工,则随事以见,又在学者之用力焉。洪武二十五年岁在壬申,国子博士淮南石光霁书。"《明史》石光霁传:"门人石光霁,字仲濂,泰州人。读书五行俱下。洪武十三年以明经举,授国子学正,进博士,作《春秋钩玄》,能传以宁之学。"

刘球(1392—1443)生。 字求乐,更字廷振,安福人。永乐辛丑进士,授礼部主事,改翰林侍讲。以忤王振,矫旨下狱死。景泰初,赠翰林学士,谥忠愍。有《两溪集》。

苏伯衡卒于本年后。 [按,《苏平仲文集》所录文章,最晚者此年,卒当此年后]刘基《苏平仲文集序》:"见于著作者,语粹而辞达,识不凡而意不诡,亦由其明于理而昌于气也。余与之同朝,每得而读之,未尝不为之击节焉。圣天子龙兴江左,文学之士彬彬然为朝廷出者,金华之君子居多。典册之施,文檄之行,故实之讲,烨然足以华国,所谓如圭如璋,令闻令望,而颙颙卬卬者,则莫能或过于平仲,有由然哉。他日征我朝文章言语之工,有以鸣国家之盛而追配汉唐诸作者,其必于平仲有取也夫。"《文宪集》卷八《送国子正苏君还金华山中序》:"以论乎学术,则嗫嚅乡学之懿,溯渊源于伊洛,蹈轨辙于关闽。义理精微,析如蚕丝;训考是非,判若白黑。亦既心凝而身履之矣,又奚藉于予之言哉?以论乎辞章,则体裁严比,姿态横逸,如春阳被物,或根或荄,或卉或条,或小或大,或圆或扁,各随其物而畅之,无有同者,其视胶滞一体、守常而不变者,何如也?"《霏雪录》卷下:"苏太史伯衡善学人文字,如周书补亡《补范宣子复郑子产轻币书》《师俭》《畏慎》等训,极似古人言语,辞理皆到。吾友蔡惟中谓予曰:'苏平仲文,脱不得他家纵横气习。'"《静志居诗话》卷二《苏伯衡》:"元时,进贺表文触忌讳者,凡一百六十七字,著之典章,使人不犯其法,良善。逮明孝陵,恩威不测,每因文字少不当意,辄罪其臣,若苏平仲、徐大章辈是也。当日有事圜丘,恶祝册有'予''我'字,将遣撰文者。桂正字彦良言于帝曰:'"予小子履",汤用于郊;"我将我享",武歌于庙。以古率今,未足深谴。'帝怒乃释。可谓善于悟主矣。惜未有为平仲调解者，竟瘐死于狱，悲夫！"《苏平仲文集》卷首提要："宋濂序称其'不求似古人而未尝不似'。又《明史·文苑传》称，濂以翰林学士承旨致仕，荐伯衡自代，称其文词蔚赡有法。殆非虚美。郑瑗《井观琐言》病其用意太苦，遣词太繁缛，不可为法，则过高之论矣。"

公元 1393 年（洪武二十六年　癸酉）

二月

初十，凉国公蓝玉伏诛。

四月

王叔英在仙居学馆，病已五十余天。《静学文集·送郑生序》："是时，（洪武二十年春）郑生亦始来就学。余授以《蔡氏尚书》。越四年，以是经登乡试第。明年，当会试于春官，适以病不果行。今年洪武二十有六年夏四月，生以疾愈赴京，来别于余。余时卧病且五旬。余有重病，而生有远行，相顾而别，不觉流涕。……别之日，是月乙酉也。天台王某序。"

方孝孺受命主京师秋闱。孙壿《方正学先生年谱》："四川聘主秋闱，京府移文，诏征分考。辞蜀赴京，取士八十八人，得门下士俞允、任勉等。"《逊志斋集》卷九《上蜀府启》其一："伏以臣于今世儒者中学术才艺最为迂拙，受恩受奖最为深厚。每思遭逢之难，惟恐无以为报。幸属大比，自意得备员校文，因瞻拜左右，诵圣哲之遗言，考帝王之善政，以效愚忠。四月九日，忽天府移文，以同考试见征，且谓'已尝启闻储王，不许厌远就近'，辞旨迫切。本府已与依准，文状去讫。至二十一日，四川公文及使者始至，惓惓之诚，以是不敢自遂。虽京师、藩辅均为国事，奉朝廷之命而弗敢辞，固殿下之所嘉。然臣犬马私情不能自释者，良以恩奖之隆，思报无所，欲重瞻睹清光而未果也。然臣闻受众人之惠者为报易，受人君之恩者为报难。……伏惟原其情，宥其不即趋命之罪，念其愚忠而特赐采纳，不胜大愿。"

六月

释睿略《松月集》编成。释睿略（1334—1412），字道权，号简庵，人称松月禅师。有《松月集》。俞贞木《松月集序》："若松月略禅师，气韵高爽。自幼习儒，早岁从释，遍参老师硕德而有得焉。乃退然阛闠之林下，无慕乎外，喜为唐人诗。禅余则吟咏，与朋游唱和。其徒孙永祯掇集成帙，甚肖唐人体制。中年更历世故，披一衲于三椽之下，究竟直指之学，注注发于言辞，警世俗而薄势利，人争传诵之。及屏居双塔精舍，出入尤简。凡骚人韵士相过，则留连徘徊终日不已。余暇造其室，获观其所谓《松月集》者，展诵数篇，不觉令人洒然脱去尘虑。祯求序于卷端。……夫诗以写情性，为诗而不本乎情性，则亦何为而乐乎？矧林下咏歌，非食肉人所可道。超出尘埃，脱去凡陋，使人朗咏而长歌之，则此身如在烟霞泉石之间，大山深林之下，不知世之有金玉富贵也。……今观是集，乃陶情写性，得其所乐哉。盖师冲襟雅度，与嘉木同其寒暄，与浮云同其纾卷，故发于五言七言，开阖变化，不烦绳削，非抽黄配白者比。……师名睿略，字道权，以'松月'扁其轩居，人呼为松月翁，苏人径山愚庵禅师之高弟云。洪武癸酉六月朔，包山俞贞木序。"四库提要卷一七五："《松月集》一卷，明释睿略撰。睿略字道权，号简庵，苏州人。尝以'松月'扁其轩，人呼为松月翁，因以名集。前有洪武癸酉俞贞木序。后载姚广孝塔铭，称其诗格高趣远，绝肖唐人，制作无一点尘俗气。今观其集，大致亦承九僧、四灵之派，而陶冶之力则不及古人。故边幅浅狭，意言并尽。五首以外，规格略同。广孝之言，未为笃论也。"

胡俨丁母忧。《颐庵文选》卷上《灌城阡碑》："洪武癸酉六月十五日，先孺人卒。"杨溥《国子祭酒胡先生墓碑》："授松江华亭教谕，以内艰去。"

夏

刘绩寓萧山患病。《霏雪录》卷上："洪武癸酉，予寓萧山。夏，忽有河鱼之疾，饮食不入口者信宿矣。忽周君尚谦偕会稽文学缪庆元来访，予蹶然款坐，久之，缪以如京告别甚急，周独留共酌，是日疾遂已。昔者樵与诗皆能愈疾，况倜傥士哉！"

七月

朱元璋撰《周颠仙人传》。《明太祖高皇帝实录》卷二二九"洪武二十六年秋七月辛未（二十八日）"："遣礼部员外郎潘善应、司务谭孟高，往祭庐山，为周颠仙立碑。颠仙姓周，不知其名，自言建昌人。身长，壮貌奇崛，举止不类常人，年十余病癫。尝操一瓢入南昌，乞食于市，久之，至临川。未几，复还南昌。日施力于人，夜卧闾檐间，祁寒暑雨自若。尝趋省府曰'告太平'，人皆异其言，遂呼为颠仙。不数年，天下果乱。陈友谅据江汉，引兵入南昌，颠仙隐迹不见。及上自将伐友谅，既定南昌，将还，颠仙从道左拜谒，潜随上至金陵。每遇上出，辄趋进曰：'告太平，告太平！'间见，或扪虱而谈，击节而歌，词多隐语。上颇厌之，特命饮以烧酒，酣畅不辍。明日复至，上命赐以新衣。视其旧衣带系菖蒲三寸许，曰：'细嚼饮水，腹无痛。'又自言入火不热。乃以巨瓮覆之，积芦薪五尺许，燔瓮四旁，火尽灭，发而视之，端坐如故。如是者凡三。及寓蒋山寺月余，寺僧言颠仙与沙弥争饭，怒，不食半月矣。上幸翠微亭，召之，步趋无异平时，因赐之食，乃食。上问曰：'能不食一月乎？'曰：'能。'乃坐之一密室中，不食者二十三日矣。上将幸寺，赐之食。京师将士闻之，争持酒肴往食之，既食而尽吐之。须臾，上至，与之食，乃复饮食如常。时既醉，上将还，颠仙于道侧以手画地作圈，曰：'破一桶成一桶矣。'是时中原尚未定，友谅复围南昌，上欲亲勒兵往援，问颠仙曰：'陈氏已僭号，吾此行何如？'颠仙仰视良久曰：'可行。上面无此人分。'曰：'与汝偕行可乎？'曰：'可。'即踊跃持杖，摇舞如壮士挥戈状，以示必胜之兆。舟次皖城，无风，不能进。颠仙曰：'行则有，不行则无。'既而行不数里，风果大作。至马当，见江豚戏水，曰：'水怪见前，损人必多。'上曰：'颠者言何妄也？复尔，则弃之江中。'乃自言能入水不濡，遂命投之于江，久之，复来谒见，欲求食。上命赐之食，食已，正衣襟，前引颈，曰：‘今可杀矣。’上笑曰：‘杀尔何为？’乃纵其还庐山。及友谅败死，遣人往庐山求之。至太平宫侧，有言：‘一老人止民舍，曰我告太平来，不食且半月，今去不见矣。’洪武癸亥秋，有僧名觉显者，自言庐山岩中老人使来见上，以其虚诞却之。至是上不豫，饮药未瘳，前僧复徒跣至，云周颠仙遣进药，上不纳。僧具言前事，乃饵其药，觉有菖蒲丹砂之气，是夕疾愈，僧亦去，不知所之。遂亲为文勒石，纪其事，命善应等往祠焉。”黄云眉《明史考证》：“按此为太祖饰一颠人事，以神己之帝业天授者。洪武二十六年七月《实录》：‘遣礼部员外郎潘善应、司务谭孟高往祭庐山，为周颠仙立碑。颠仙姓周’云云，‘遂亲为文勒石纪其事，命善应等往祠焉’。盖《实录》所载，即就太祖文改作第三者语气叙之。传文本《实录》文裁成。永乐元年八月，尝命工部修庐山周颠仙碑亭，亦见《实录》。他书如祝允明《野记》、郑晓《今言》、杨溥《禅玄显教编》等，皆录述之。”

本年

徐贲卒，年五十九。闵珪《北郭集序》：“先生之才，晦必显，诎必信，与时而偕行，信不违乎天者矣。况其诗之清也，秋空皓月，丹桂分香；其右也商鼎周敦，宛存法象，颇类晋、唐诸公。”张习《北郭集后录》：“先生之诗，清淳邃古，弗混尘俗。五言、古律似陶、韦，七言在高、岑间，乐府则上可沂汉魏，回视张籍、王建，其拟伦哉！譬之盘蔬盂饭，日用所需，老圃黄花，幽韵自足，评者当为何如？字体楷健俊逸，类晋王侍中廙。常用水墨写图，疏宕不拘，多诗其上，然巨幅罕见。与高、杨辈游，相唱和，故得齐名，比唐之四杰。或云，张、徐稍不逮。故老云，静居尝题宣和画《瓶中折枝桂》云：‘玉色宫瓶出内家，天香浓浸月中葩。六宫总爱新凉好，不道金风卷翠华。’洎先生咏紫菊之作，诸公咸为之搁笔。如此而谓之并驾，讵有先后耶？”《明诗综》卷十《徐贲》：“王元美云，方伯体裁精密，情喻幽深，颇似钱、郎。顾玄言云，方伯词采道丽，风韵凄朗，殆如楚客丛兰，湘君芳杜，每多惆怅。”《静志居诗话》卷三《徐贲》：“吕志学题幼文所画山水图，谓肆笔遒丽，清润而带书法。于诗亦然。才气方之高、杨、张三君，稍为未逮。然诗法砉然，森有纪律。长篇险韵，极其熨帖，颇有类皮、陆者。张来仪先从吴移居戴山，以诗招幼文云：‘吴兴好山水，子我盍迁居？绕郭群峰列，回波一镜如。蚕余即宜稼，樵罢亦堪渔。结屋云林下，残年共读书。’幼文乃移居蜀山，两山盖相望也。”四库提要卷一六九《北郭集》：“李日华《六研斋笔记》称其楷笔秀整端慎，不为沓拖自恣。詹景凤《小辨》亦称其小楷法钟兼虞，然皆拘拘法内。盖其天性端谨，不逾规矩。故其诗才气不及高、杨、张，而法律谨严，字句熨贴，长篇短什，并首尾温丽，于三家别为一格。”

公元 1394 年（洪武二十七年　甲戌）

二月

钱宰《临安集》编成。钱宰《临安集自序》：“近自成均致事而归，间辑旧所著述，题曰《临安集》，非所谓文也，或得以不坠前人之绪耳。尚庶几知我者，黜其非，正其缪，俾进于道焉。洪武二十七年，岁次甲戌，日长至（初八），临安钱宰叙。"四库提要卷一六九："《临安集》六卷，明钱宰撰。……其集，《明史·艺文志》、焦竑《国史经籍志》俱未著录，则在明代行世已稀。今从《永乐大典》中采掇编排，参以诸选本所录，厘为六卷，以备明初之一家。宰本浙东人，集以'临安'名者，盖自以为吴越武肃王十四世孙，从其旧贯也。"

三月

初一，赐张信等进士及第、出身有差。

朱权之国大宁。《弇山堂别集》卷三二《同姓诸王表》："宁献王权……二十四年四月十三日封，二十七年三月二十三日之国大宁都司。"《明史》宁王权传："大宁在喜峰口外，古会州地，东连辽左，西接宣府，为巨镇。带甲八万，革车六千，所属朵颜三卫骑兵皆骁勇善战。权数会诸王出塞，以善谋称。"

春

方孝孺入蜀府。孙辖《方正学先生年谱》："蜀献王闻先生贤，聘为世子师，尊以殊礼，不名。先生每见蜀王，必以仁义道德之言陈于前，王喜甚，恒曰：'方先生古之贤者也。'"《逊志斋集》卷一四《奉教送宣慰使杨铿还播州诗序》："上帝以我大明能慎德抚民，付畀万方，禹益之所纪，汉唐之所治，弥天际海，罔不来臣。播州宣慰使臣杨铿，当中夏甫定，即来附属，春秋奉方物贡献京师。训教兵民，供徭输税，俗淳盗息，比于内郡。使介行旅，交称其能。洪武二十七年春，入觐蜀都。王嘉其忠于天朝也，燕劳宠锡，礼秩加等。厥既辞，有教曰：'铿甚忠知臣职，长史宜合儒臣赋诗以送之。'且命臣序之。"

四月

钱宰以订正经传复征至京，旋归乡。《国朝献征录》卷七三《国子监博士钱宰传》："是年四月，至京师入见，上语以正定书传之意，命翰林学士刘三吾总其事，礼遇甚厚。……九月己酉，书成，赐名《书传会选》，命亨泰梓行之。赐宰等宴及钞，令驰传归其乡。"《静志居诗话》卷三《钱宰》："二十七年，诏征同揭轨等二十六人定正《尚书蔡氏传》，命开局翰林院。赐绮缯衣被，入朝班侍卫之首，赐饮酒楼。还里，年九十六乃卒。二十四人者，黄观景清在其中，《实录》特删去，盖永乐中以名在奸党故也。"四库提要卷一六九《临安集》："考集中《金陵形胜论》末署'洪武二十七年六月，国子博士致仕钱宰进'，是致仕即在奉召之年，盖留京师者不及一岁也。"《明诗纪事》甲签卷一四《钱宰》陈田按："子予仕履，各家纪载多有错误。《列朝诗集》蹉驳尤甚。……四库提要云，'《临安集》中《金陵形胜论》，末署：洪武二十七年六月，国子博士致仕钱宰进。'九月书成，六月已先署博士，此尤早加博士之确证。又云，'是致仕即在奉召之年'。修书遣归，非致仕也，亦小有误，偶不检耳。"

张美和以订正经传征至京。《明史》张美和传："复与钱宰等并征修《书传》，既成，遣还。"《明诗纪事》甲签卷一四《张美和》陈田按："美和在成均有师法，与聂铉、贝琼号为'三助'。洪武二十七年，帝观《蔡氏书传》论象纬运行，与《朱子诗传》不合，其他注与鄱阳邹季友所论有未安者，征天下名儒订正之。兵部尚书唐铎等举美和等二十七人。帝遣行人驰传征至，特命学士刘三吾总其事。余考《实录》所纪，与美和同征者：国子监博士致仕钱宰，助教致仕靳权，教授高让，学正王子谦，教谕张士谔、俞友仁、何原铭、傅子裕、周惟善，训导唐棐、周宽、赵信、洪初、万钧、王宾、谢子方、吴子恭，儒士解震生、熊剑、揭轨、萧尚仁、萧子尚、王允升、张文翰、张思哲、宋麟。竹垞《经义考》谓：'当时修书者，尚有许观、景清、卢原质、戴德彝，皆以死建文之难删去。'然考今所传《书传会选》旧本，尚有胡季安、门克新、王俊华等十一人，而无靳权、吴子恭、宋麟三人，岂《实录》所纪，但据始事时所征，其后或去或增，互有不同耶？有明一代官书，以此书为最善，顾亭林《日知录》亟称之。"

八月

刘铉（1394—1458）**生。**字宗器，长洲人。永乐初以善书征入翰林，中庚子举人，授中书舍人。升兵部主事，擢翰林侍讲，累官少詹事。卒赠礼部左侍郎，谥文恭。有《假庵集》。《古穰集》卷一三《中顺大夫詹事府少詹事刘公神道碑铭》："公生洪武甲戌八月二十日，卒天顺戊寅十月六日，享年六十有五。"《吴都文粹续集》卷三九《刘文恭墓志铭》："公生五月而失怙，为母陆孺人所鞠。稍长，即知向学，嗜好异于众。授徒里中，已有老师宿儒之誉。以善书征赴京师。"

十月

张以宁文集刊刻。石光霁《翠屏张先生文集刊后序》："先生早登科第，晚名翰苑，为文日益工，而求文者日益众，然篇什浩繁，不无错简，姑以校其无讹者汇而成编，题曰《翠屏张先生文集》。校或未完，嗣为之集焉，稿之遗者，又有望于后之君子也。洪武甲戌冬十月望日，门人石光霁拜手谨书。"

冬

周是修征辟入京。周是修（1352—1402），名德，以字行，泰和人。洪武末举明经，为霍丘训导。擢周府奉祀正，迁纪善，改衡府。靖难兵入，走应天府学，自经死。有《刍荛集》六卷。《刍荛集》卷一《种树诗》："生有种树癖，性禀由孩提。五岁艺菽麦，蒙蒙辄成畦。七岁读书暇，封植靡他为。九岁已悟达，益谙相土宜。百谷暨蔬果，根荄日敷移。行年十三四，把笔耽文词。朝诵《橐驼传》，夕歌《生民》诗。"《刍荛集》卷五《湖天远思诗序》："邓氏之彦曰道龙，质秀而志广，才优而行方。与余交二十年如一日，每过举子冈，开写经轩，商确文字。评论古今人物之暇，复相与历洗砚池，憩涌翠山亭，吟风咏月，更倡迭和，悠然而共适。洪武甲戌冬，以余征辟至京而有周府祠官之命，既而道龙亦以荐领河清县幕职。东西修阻，音问不接者四三载。"

公元 1395 年（洪武二十八年　乙亥）

三月

王行卒，年六十五。杜琼《王半轩传》："年向老，解任，避迹于吴山之石湖，以经训为常。凡碑铭序记等文，求著作者悉归焉。间写图，题其上自适。旁通缁黄家学，与论苦空玄寂，累日忘倦，率致其厌怿，合什稽首，谓：'澹如居士真再世人耶！'尤深契道衍，谓必有知者。晚更号'楮园'。有《楮园集》十五卷，《半轩集》六卷，《学言稿》十二卷，《四六札子》二卷，《通意宜资》十卷，《宋系统图》二卷，人咸誊传。生二子，皆役于京，屡言疏省问，欲见亲以慰。半轩欲往，或尼以法网固密，非儒者泮奂之日，乃微笑曰：'虎穴尚可嬉，吾韦布士，何窒哉？'抵京，主一祝家，因之见重于梁国兰公，延之西塾，诲其子若孙，并资问益。每怅相知之晚，数荐之。召对，反复注欲行王道、正礼乐、简贤立相为首务。忤旨，以其迂阔于事，弗听。未久，公以他事获罪，连坐以殁，实洪武二十八年三月十二日，年六十五云。"《甫田集》卷二三《溪山秋霁图跋》："右《溪山秋霁图》，故乡先生陈汝言所画。汝言字惟允，号秋水，本临江人。父天倪先生明善，得吴草庐之传，流寓吴中。二子汝秩、汝言，并有文学。汝言尤倜傥知兵。……王行字止仲，博学知兵，洪武中为郡学训导。后游京师，坐蓝玉党卒。先是，惟允贵显时，行为门下客。惟允卒后，其子继从行学，故其辞稍倨。惟允婿刘政见之，骂曰：'此吾外父食客，那得称吾友！'以笔抹之。今抹笔隐然犹存。刘政，字用理，建文己卯解元，方正学门人，尝草《平燕策》，病未及上。闻壬午之变，呕血死，无子。祭酒刘文恭，其嗣子也。"四库提要卷一六九《半轩集》："洪武初，有司延为学校师，后馆凉国公蓝玉家。玉荐之太祖，得召见。玉诛，行亦坐死。同时以党祸诛者，惟行与孙蕡最有文名。然蕡特为玉偶题一画，无所攀援于其间，其诗今在蕡集中，亦别无假借溢分之语。而行则性喜谈兵。当元末两浙兵起时，尝默坐筹其胜负，与所亲言之，恒百不失一二。益以自负。及蓝玉延之课其子，遂数以兵法说玉，颇与密议，又与道衍深相投契，尝告以'盍有所待，不当以其法老'。盖负其桀黠之才，有不肯槁死牖下者。故其文往往踔厉风发，纵横排奡，极其意所驰骋，而不能悉归之醇正，颇肖其为人。诗格亦清刚萧爽，在北郭十子之中，与高启称为劲敌。就文论文，不能不推一代奇才也。"

春

周是修擢周府奉祀正。杨士奇《衡府纪善周是修传》："其支裔徙瀍江里，是修所自出也。后徙阳冈里举子冈。是修少孤贫，自奋于学，从游乡先生胡渚樵。渚樵以其孙妻之。又从国子学录萧执先生明《诗经》。初举霍丘县学训导，入见太祖高皇帝，擢为周府奉祠正。"《刍荛集》卷六《墓志铭》："是修读书四十年，洪武乙亥，以明经荐授训导霍丘，陛辞，太祖高皇帝奇之，留与语，改授奉祠。"程通《赠周府纪善序》："泰和周子是修，通之莫逆友也。初任霍丘训导，入见太祖，问曰：'汝年几何？'对曰：'四十有四。'又问曰：'家居何事？'对曰：'导人为善而已。'太祖喜，擢周府奉祠正。"《明史》周王橚传："周定王橚，太祖第五子。……十四年就藩开封，即宋故宫地为府。"

周是修与王尹实定交。王尹实，名伯辉，以字行，四明慈溪人。精篆书，擅名海内。朱谋垔《续书史会要》："王尹实，四明人，永乐时以篆书擅名海内。"《刍荛集》卷五《送同寅尹实王先生诗序》："同寅四明王公尹实，卓荦魁岸士也。其风流潇洒，不减贺季真；文华器识，宛如刘公干。书法冰、斯，而优入其室；诗体元、白，而早升其堂。与贤士大夫游，盖鲜有不心交而腹接者，宜其名之彰彰于时也。洪武乙亥春，俱以明经应郡辟，来京师，握手欢如平生。未几，以同日受官，公则纪善王府，余奉周府祠。虽别去数千里，而云树之思无时不在。"

六月

王叔英游金华永康，作《养志斋记》。《静学文集·送陈克彬归临江序》："今年，余来金华之永康。"《静学文集·涵清轩诗序》："永康钱仲道氏，家居桐谷之上，有溪流在其居室之西，洁清可爱。仲道于是作轩其傍，为燕居读书之所。吾友林先生既为之记，而士友之知仲道者，多为诗歌以美之。余游永康，而仲道持其所得诗若干篇见示，因求为之序。……洪武二十有八年夏六月朔日序。"《静学文集·养志斋记》："武陵彭君德润，由国子生为金华永康县之文学，扁其寓舍之斋曰'养志'，求予文以记之。……余今年游永康，既闻彭君之尊人某以公正信义服其乡人，而又闻彭君尝能奋不顾死脱其尊人于危难之中，其父子皆可谓贤于人矣。故于彭君请记其斋也，是以乐为之记云。"

九月

颁《皇明祖训》于天下。《明通鉴》卷一一："初，上命陶凯等编辑《祖训录》，自为之序，命大书揭于右顺门之西庑，随时损益。至是（十九日）重加更定，名曰《皇明祖训》。……书成，颁示中外，复谕曰：'后世有敢言更制者，以奸臣论，毋赦。'"

十二月

俞祯序王彝诗文集。俞祯《妫蜼子集序》："《妫蜼子集》者，吾苏练川王先生常宗所为之文与诗也。……先生殁余二十稔，愚始得之，惟世之知者寡，故深自为傲，录以序之，后之君子见之，当有以叹斯言之可行而天下不能行，是可与其知道而亶其然哉？先生名彝，常宗字，妫蜼子其别号云。洪武乙亥冬月前载生明，郡晚生俞祯序。"

本年

贝琼《清江集》已刊刻。《东里续集》卷一八《贝清江集》："《清江集》者，槜李贝琼廷臣著。琼尝师杨廉夫。洪武初，预修《元史》，仕为国子助教以卒。余家三册，洪武乙亥得之其子楚府纪善季翔云。"四库提要卷一六九："《两浙名贤录》载琼集二十卷，明万历中所刻乃止三卷。此本凡诗集十卷；文集分《海昌集》一卷，《云间集》七卷，《两峰集》三卷，《金陵集》十卷，《中都稿》九卷，《归田稿》一卷，仅有钞本流传。康熙丁亥，桐乡金坛购得之，始为刊板。"

吴溥入太学。吴溥（1363—1426），字德润，崇仁人，建文庚辰进士，授翰林编修。永乐初，升修撰，迁国子司业。《文敏集》卷二〇《故国子司业吴君墓表》："乙亥，上京师，以试期不及，遂入为太学生。尝奉诏宣谕武臣，使云南，却其元戎文绮之赠。又以阅士伍，使福建，一无毫发之私。人皆称其廉介。其所至，遇古迹名胜，辄赋咏纪之，累至数百篇。比还太学时，太常丞张显宗摄祭酒事，严毅方正，于诸生中罕与可，独以君为贤，而为延誉于公卿大夫间。"

公元 1396 年（洪武二十九年　丙子）

三月

陶宗仪率诸生赴试礼部。《南村诗集》卷四《三日率诸生赴礼部考试》："应试南宫听考研，诸生背读泻鸣泉。清曹仪制端分领，次第编名奏奉天。"《南村诗集》卷四《十日给赏》："讲明三诰阐王言，亿万师生沐湛恩。晓起内廷催给赏，谨持宝楮出端门。"四库提要卷一六九《南村诗集》："又集中《三月朔日至都门》《二日早朝》《三日率诸生赴礼部考试》《十日给赏》《十一日谢恩》诸诗，即《明史》本传所谓洪武二十九年率诸生赴礼部试时作也，是又岂东篱采菊之人所肯为之事？又何必曲相假借，强使与栗里同称乎？"

六月

方孝孺受命典京闱。孙意《方正学先生年谱》："在汉中，闻兄孝闻卒于家，悲悼绝甚。秋试，召典京闱。"《逊志斋集》卷九《上蜀府启》其二："郭千户至，传奉教命作文祭忠武侯。谨已撰就，第以京兆生催促上道，弗能陪观盛礼，为惭负耳。林升久处山林，祇承召命，得与相见，足慰桑梓之思。缘臣起行，书室文籍散漫，欲其料理数日，且录臣旧日所注《武王戒书》及《宗仪十篇》以进，故迟留旬日。升此来携臣昔日所著评论宋事《宋史要言》一册，自太祖至哲宗尚未完，不敢上尘睿览。臣归期未能预定。如试事毕，得遣升，仍至汉中教饬，愈辈守视书室，实望外之恩。……洪武二十九年六月二十二日。"

十一月

楚王除虎患，管时敏歌咏之。《蚓窍集》卷七《射虎行》序："鄂城之南山，有虎为害，其威暴甚，猎者咸莫敢撄。王闻之，挽弓上马，一发毙之，民皆称庆。御灾捍患，古人所重。臣职在纪述，不敢不书。时洪武丙子仲冬既望也。"

夏原吉归省。《忠靖集》附录《夏忠靖公遗事》："二十九年冬十一月，三载满，当陛引。公面陈归省母，且曰：'臣路远乏仆，乞携舆皂行，宽程期。'上特允之，人以为殊典。后公每诵及上恩，必泣下。"

本年

邓林中乡选。林初名观善，字士齐，新会人。洪武丙子，以明经中乡举，官南昌教授，擢吏部验封主事。文皇改名林，后坐法戍保安。遇赦，晚居杭州。有《湖山游咏录》《退庵集》。

周是修从周王北征。《刍荛集》卷五《松庄诗文序》："余尝佐戎清朔圉，策骊黄，拥旌旄，以乱于黄河，经于牧野，历于邯郸，涉滹沱而向幽蓟，度居庸关，出古长城，抵开平旧元都，追迹扣肯海，转黑山，越集宁，而驻于大同焉。大同，秦汉云中大郡也，其地北濒大漠，西界黑水，东接辽阳，南控恒岳。其风气早寒而不至于极，其土平旷，宜黍粟。其山盘回，其水萦带。其人丰伟刚劲，其俗醇朴。由五代赵宋以来，率陷而为北朝。我天朝混而一之，复内地。余留止旬有余日，登高临览，吊古兴怀，悠然慷慨，而思得幽人逸士，以备询畴昔英雄成败，盖邈乎其无有。意独以此为不中华若也。"

胡俨改授余干教谕。《明名臣琬琰录》卷二四《国子祭酒胡先生墓碑》："丙子，改授长垣县。上疏乞近便养亲，诏许之，改饶之余干。自是著为令。"

张美和卒，年八十三。《明儒言行录》卷一《张美和》："嗣后应考江西者二，考福建者一。二十四年，典文礼部。二十七年，再典礼部，会蜀藩之命，不果至。在蜀一年，王深敬礼之。无何，复召校书翰林，力勤，虽蝇头细画，皆出手笔。书成，辞归，赐衣、被各一袭。丙子卒，年八十三。所著《理学类编》八卷，《群书备考》十二卷，《元史节要》十卷。"

公元 1397 年（洪武三十年　丁丑）

二月

陶宗仪率诸生赴礼部读《大诰》，赐钞归。

三月

初一，策会试中试者赐泰和宋琮等于奉天殿，擢陈䢵为第一，赐䢵等进士及第、出身有差。

春

王叔英改德安教授。《静学文集·送洪仲蕃序》："洪武二十四年，朝廷患学校缺师之多，是时方召天下老成人集于京师，于是命择敦雅而有文章者，俾充教职。武昌郡学训导洪仲蕃先生台，黄岩人，始隐居乡里，兀处鸢山中，好与高人逸士交游，独以经文诗歌自娱。而于势利声华，澹然无所嗜。及膺教职，曰：'禄焉而旷其事，君子弗为也。'于是早夜孜孜，专以造成学者为事。……某独念与先生同邑，年虽颇后于先生，然自托交以来，盖二十余岁矣。先生来武昌之七年，而某亦来佐教德安。虽相去远数百里，而二年之间亦两会见。其为喜幸，不啻若骨肉之亲久离而复合也。今者又复远离，未知后会更在何地？固不能无怅然于怀。……洪武三十一年十有一月丁丑日某序。"《静学文集·丹丘旧隐图序》："天台洪仲蕃先生，素以文行著称乡里。宗居丹丘之南，为人笃于亲友之义，惟以读书授徒、吟咏歌诗为乐，未尝求知于人。……余与先生俱为天台人，今年春，亦来佐教德安郡学。德安在武昌西北数百里。……洪武三十年十月日序。"

五月

禁戏剧搬演帝王先贤。洪武三十年五月刊本《御制大明律》："凡乐人搬做杂剧戏文，不许妆扮历代帝王后妃、忠臣烈士、先圣先贤神像，违者杖一百；官民之家，容令妆扮者与同罪。其神仙道扮，及义夫节妇、孝子顺孙，劝人为善者，不在禁限。"

六月

廷试复选北士，刘三吾戍边。《明史》刘三吾传："三十年，偕纪善白信蹈等主考会试。榜发，泰和宋琮第一，北士无预者。于是诸生言三吾等南人，私其乡。帝怒，命侍讲张信等覆阅，不称旨。或言信等故以陋卷呈，三吾等实属之。帝益怒，信蹈等论死，三吾以老戍边，琮亦遭戍。"《御批历代通鉴辑览》卷一〇一"三十年六月"："会试礼部下第举人。是春会试，北士多黜落。既廷试，诸生上言：考官刘三吾、白信蹈皆南人，私其乡。帝怒，命侍读张信等覆阅下第卷，得六十一人以进，不称旨。或又言：三吾、信蹈嘱信等，故以陋卷呈。帝益怒，亲试策问，擢武城人韩克忠为第一，余皆北士。信蹈及信等论死，三吾以老戍边。"

秋

王达善《梅花百咏》流播众口，周王与之争胜。《㴬莃集》卷五《郡王和本中峰梅花百咏诗后序》："洪武丁丑秋，郡王殿下因儒臣得元释本中峰所和《冯海粟梅花百咏》诗一帙。继又有以诗人王达善所和百首进，其语句态度，实与中峰并驱。览毕，问侍臣曰：'百篇同韵，若二者之和，果难乎？'左右咸曰：'非有充裕之才而精通于诗道者，诚不可以易言也。'越二日，召儒臣示以所和百篇，流诵未竟，莫不惊骇嗟羡，以为天资神助，迥非举世所谓能诗者比也。于是储君殿下爱之，辄亲为之序，而本末足征。臣伏观百篇之和，清雅端洁，与梅花而相高，况其音律体制一出盛唐，非惟笼达善而驾中峰，方之和靖之章、广平之赋，殆不是过。又观储君首序，简奥苍古，与百篇而交辉，且于劝励期望之情，亦兼至矣。何其美哉！……奉祀周是修谨序。"

王翰《梁园寓稿》卷五《奉教和王达善学士梅花四咏》，有《梅影》《梅香》《梅魂》《梅格》四首。

方孝孺《逊志斋集》初编成。林右《逊志斋文集序》："当今之学者则异于是。况闻前朝之故习，窃成说为文词，杂老佛为博学，志气污下，龊龊然无复有大人君子之态。吾友方君希直奋然而起曰：'是岂足以为学？不以伊周之心事其君，贼其君者也。不以孔孟之学为学，贼其身者也。'发言持论一本于至理，合乎天道，自程朱以来未始见也。天下有志之士莫不高其言论，将尽弃其所学而从之。鸣呼！岂非豪杰之所用心也哉？常士世生，豪杰之士不多见，而于吾希直见之，又岂非吾之愿也哉？……余故又序其文云。洪武三十年秋八月，同郡林右撰。"

本年

杨士奇居武昌已九年，与丁鹤年甚相得。《东里文集》卷十《题丁鹤年诗》："鹤年其先西域人，西域人多名丁。既入中国，因以为姓。故鹤年亦丁姓。其祖父皆仕元，二兄皆举进士、为显官，鹤年独泊然布素寒士。元亡，归四明，与戴叔能相善，尚节操，有孝行，叔能尝为作传。后隐武昌山中。余在武昌遇之，甚相得，时已老矣。别后数岁卒。此集盖其卒后，得之武昌邓存诚。"《东里续集》卷一四《读杜愚得序》："李、杜，正宗大家也。太白天才绝出，而少陵卓然上继三百十一篇之后。……剡单复阳元，用志于杜，而不足于前注，遂以所自得亦为之注。考事究旨，必归于当，其疑不可通者阙之，凡十八卷，名《读杜愚得》。简直明白，要其得杜之心为多。阳元，洪武中为汉阳湖泊官，谋刻以传，未有所遇而卒。武昌丁鹤年重其书，从其家求得遗稿，欲成阳元之志，又未有遇。前三十余年，余过武昌，鹤年以属余及张从善。余时未暇录，而心恒不忘。"〔按，鹤年父兄皆元臣，鹤年乐为元朝子民。朱元璋既定宇内，鹤年归隐武昌，未尝仕明，故《四库提要》以丁鹤年为元人。《明史》丁鹤年传，以鹤年卒永乐中，此不确。考杨士奇以修《明太祖高皇帝实录》被征于建文朝，遂离武昌，与鹤年别，不数年，鹤年卒。则鹤年之卒，实在建文末永乐初〕

杨士奇与王叔英定交。《静学文集·本传》："余闻诸父老云，杨文贞公布衣时，主塾汉阳村落中。先生行部过之，闻读书声，曰：'兵革之后，久不闻此矣。'异之，入视焉。文贞避去。见案上诗文一编，文贞作也。为题曰：'此公辅器也，何避为？'邀致，荐之。"

王偁由京师归乡。《虚舟集》卷五《自述谏》："上表陈情乞终养，高帝悯之，南归越震泽，徘徊吴会，间不敢留，趋侍汤药膝下。始冀收其实，而从范已物故，闽故老亦凋剥殆尽。四涕毗落，无可与语。晚得晋昌林志相与论学，假以模范，抗颜为多。暇则穷幽极深，徜徉物表，趣豁如也。"解缙《虚舟文集序》："君生于闽，弱冠举进士来京师。陈情归养，太祖高皇帝怜而许之。退而家居，定省之暇，扁舟载月，左右图书，从游者数人，瀹清泉而剥丹荔也，人望之如在天表。其视区区世俗之浅者，为何如哉？"

梁潜授四川苍溪训导。《东里文集》卷一七《梁用之墓碣铭》："洪武丙子选乡试，明年授四川苍溪县学训导。苍溪僻远，过使客终岁无几人，而山水可适。其学者前此未尝遇明师，用之乐得其地，且暮坐讲席，开谕辨析必尽其说，诸生皆忻忻有向进意。稍暇，独行清流茂树间，吟咏自得。"

唐子仪作生日感怀诗。《梧冈集》卷一《初度日有感》："忆昔少年日，父母俱在堂。二弟娱戏彩，怡怡称寿觞。此乐不可得，此景不可常。情深风木感，陨涕空悲伤。每怀鞠育恩，有志苦未偿。今年逾知命，鬓发已半苍。微名误举保，出宰山水乡。妻孥应念我，远在天一方。旅思何郁郁，睽离惨中肠。无为儿女态，气节当慨慷。愿言施政成，居民化循良。焚香重载拜，白鹤方南翔。"

钱宰卒，年九十六。《国朝献征录》卷七三《国子监博士钱宰传》："又三年，宰乃卒，寿九十六。初，宰尝病近代新声太繁，刻意古调，拟汉魏而下诸作及《古诗十九首》，且各补其未纯者，词林称之。所著有《临安集》。"四库提要卷一六九："宰学有原本，在元末已称宿儒。韩宜可、唐之淳，皆其弟子。其诗吐辞清拔，寓意高远，刻意古调，不屑为艳仄一体。徐泰《诗谈》譬以'霜晓鲸音，自然洪亮'。古文虽非所擅长，而谨守法度，亦无卑冗之习。"《明诗纪事》甲签卷一四《钱宰》陈田按："子予诗如画家浅绛法，虽亦著色，不没骨干。"

兰茂（1397—1476）生。字廷秀，号止庵，又号和光道人，云南嵩明人。有传奇《性天风月通玄记》。乾隆《云南通志》卷二一之二："兰茂，字廷秀，嵩明人。读书过目成诵，耻为章句学，返求六经，究心濂洛关闽之旨，欣然有得，乃匾其居曰'止轩'。冲淡简远，以著述自娱。所为诗文，皆高古可法。"今人王永宽、王钢据清袁文典《滇南诗略》，检得兰茂生年。《滇南诗略》录兰茂诗：《正统乙丑年予年四十九用李太白感秋韵》《成化丙戌年予年七十岁近体诗十首》，《乐志赋》自注："成化己丑仲夏初吉，猴山七十三翁和光道人书于止庵之吟室"。

公元 1398 年（洪武三十一年　戊寅）

正月

管时敏《蚓窍集》初成。吴勤《蚓窍集序》："别去二十年，余忝膺教命来是邦，复得朝夕见。读公篇什，愈老愈健，尤见笔力所至，而制作之富，倍于昔时，如碧海冲融，天光万顷，汪洋莫能窥其涯涘。如华峰千仞，翠屏倚空，莫能陟其层颠。如清庙之瑟，朱弦疏越，一唱三叹有遗音。何其快人意欤！……公晚年由纪善升秩长史，其忠诚爱君之心，一于诗歌发之，而学问德业，其所从来者远矣。集中诗凡数百篇，尝名其集曰《蚓窍》，盖取韩子《石鼎联句》之语而名之也。以余观之，公之作铿锵炳耀，流出肺肝，钟山水之秀而鸣治世之音，是奚足以名其集欤？以是名其集者，公之谦德也。……洪武三十一年正月望日，楚府教授庐陵吴勤序。"

三月

刘彦昺《春雨轩集》刊刻。玄虚羽人《春雨轩集序》："每有以刘彦昺诗见示余，多为之赏叹，但弗克与之晤语为憾。丁丑冬，乃惠然过我，欢如平昔，相与唱酬，有谐金石。因取其畴昨所制而观之,有若辟武库而森乎五兵也,聆广乐而扬乎八音也;又若临巨浸而涛波冲激,鱼龙出没,抃舞莫测也。讽之不能去手。匪其才识瑰迈,该涉博备,岂若是哉!可谓肩盛唐而拟诸晋魏者矣,夫谁曰不然?其睥睨词林,高出时辈,固宜有所珍尚。是用锓木,传之将来。洪武著雍摄提格之岁,季春下澣叙。玄虚羽人。"周象初《刘彦昺集后序》:"右《春雨轩诗集》一编,诸体大备,为诗若干首,鄱阳刘彦昺先生之所作也。先生以卓越之才,际文明之运,急英俊之交,职典签草戎橄。解铜墨以归休乎田里,故其发于吟咏,若是其富有也。……先生乃约数子之长,成一家言,以隮夫盛唐之阃奥,其哀余忠宣之类,则又逼夫汉魏矣。盖其言与事称,有不期然而然者,宜夫延誉于大方,高踏乎一时,脍炙乎文人之口。洪武戊寅,先生以为词源之沛夫江汉,而云梦之足观游也,挟其所辑以来,大蒙赏激,虽骏骨之市燕,照乘之宝魏,连城之归赵,不足方也。先生之幸会,可谓厚矣。遂锓梓以传,则先生之精莹将遂不朽,而膏馥于后人者博哉。庸敢摭其崖略,蔽以管窥,编诸末简,以备后序云尔。是岁二月晦日,汝南周象初述。"俞贞木《春雨轩集序》:"窃记仆始冠时,侍杨提学、周侍御,以严事之,叔度则友之也。今亡矣。昺翁与仆俱亦白发矣,而翁竟以诗得名湖海,浪迹江汉,重蒙赏鉴而刻传之,可谓荣矣。然则读其诗者,可不知其用心之独苦耶?凡诗有纪境之实,状景之殊,叙事与写情意之妙,其善于模写,能变化融会,优柔不迫,得情性之正,非功夫之到、造诣之深者,不能也。此则作诗之难,而观诗尤难也。翁且俾仆著一言,自愧衰病之余,其何以措辞,姑书此附姓名于篇末云。俞贞木撰。"《明诗评》卷二《刘中书彦昺》:"彦昺诗篇峻洁,尤多乐府。清绝之气虽可观,凄楚之调为尤甚。"《静志居诗话》卷六《镏〔刘〕炳》:"彦昺诗纯效铁崖,宜铁崖之倾倒也。至其病,过于繁艳。"四库提要卷一六九:"《刘彦昺集》九卷,明刘炳撰。……所著诗文,本名《春雨轩集》,乃其门人刘子升所编。杨维桢尝为评定,其评亦附载集中。维桢及危素、宋濂皆为作序,王祎、俞贞木、周象初,皆为作跋。此本题曰《刘彦昺集》,不知何人所改也。……惟末附杂文一卷,气象萧弱,殊逊其诗。知所长不在此,特以余事及之矣。……又旧本书元国号,皆作'原'字,盖以明初刊板之时,犹未奉二名不偏讳之诏,故以'原'代'元',而传写者仍之欤?事隔前朝,理无避忌,今悉改正,从本文焉。"

闰五月

太祖朱元璋卒,年七十一。《明太祖高皇帝实录》卷二五七"洪武三十一年夏闰五月乙酉(初十)":"上崩于西宫。上素少疾,及疾作日,临朝决事不倦如平时。渐剧,乃焚香祝天曰:'寿年久近、国祚短长、子孙贤否,惟简在帝心,为生民福。'即遣中使持符召今上还京。至淮安,用事者矫诏,即还。上不之知也。疾亟,问左右曰:'第四子来未?'言不及他。闻雨降,喜形于色,遂崩,寿七十一。遗命:丧葬仪物,一以俭素,不用金玉。孝陵山川因其故,无所改;天下臣民出临三日,皆释服,无妨嫁娶。"〔按,朱棣登基后,大肆篡改《明太祖高皇帝实录》,故有太祖传位于四子燕王之语〕《明史》太祖本纪:"遗诏曰:'朕膺天命三十有一年,忧危积心,日勤不怠,务有益于民。奈起自寒微，无古人之博知，好善恶恶，不及远矣。今得万物自然之理，其奚哀念之有。皇太孙允炆仁明孝友，天下归心，宜登大位。内外文武臣僚同心辅政，以安吾民。丧祭仪物，毋用金玉。孝陵山川因其故，毋改作。天下臣民，哭临三日，皆释服，毋妨嫁娶。诸王临国中，毋至京师。诸不在令中者，推此令从事。'辛卯，葬孝陵。谥曰高皇帝，庙号太祖。……太祖以聪明神武之资，抱济世安民之志，乘时应运，豪杰景从，戡乱摧强，十五载而成帝业。崛起布衣，奄奠海宇，西汉以后所未有也。惩元政废弛，治尚严峻。而能礼致耆儒，考礼定乐，昭揭经义，尊崇正学，加恩胜国，澄清吏治，修人纪，崇凤都，正后宫名义，内治肃清，禁宦竖不得干政，五府六部官职相维，置卫屯田，兵食俱足。武定祸乱，文致太平，太祖实身兼之。至于雅尚志节，听蔡子英北归。晚岁忧民益切，尝以一岁开支河暨塘堰数万以利农桑、备旱潦。用此子孙承业二百余年，士重名义，闾阎充实。"《静志居诗话》卷一《明太祖》："孝陵不以马上治天下，云雨贤才，天地大文形诸篇翰。七年而御制成集，八年而《正韵》成书。题诗不惹之庵，置酒滕王之阁，赏心胡闰苍龙之咏，击节王佐黄马之谣。《日历》成编，和黄秀才有作；大官设宴，醉宋学士有歌；顾天禄经进诗篇，披之便殿；桂彦良临池联句，媲于扬言；韵事特多，更仆难数。惟其爱才不及，因之触物成章。宜其开创之初，遂见文明之治。江左则高、杨、张、徐，中朝则詹、吴、乐、宋，五先生蜚声岭表，十才子奋起闽中，而三百年诗教之盛，遂超佚前代矣。"

皇太孙朱允炆即帝位。《明史》恭闵帝本纪："三十一年闰五月，太祖崩。辛卯（十六日），即皇帝位。大赦天下，以明年为建文元年。是日，葬高皇帝于孝陵。"

陶宗仪赋诗赞建文帝。《南村诗集》卷三《洪武三十一年闰五月初十日亥时，大行皇帝崩。十六日，皇太孙即位。十八日，大赦天下，改明年为建文。感而恭赋》："先帝逍遥游碧落，神孙端拱坐明堂。九重统握乾坤大，万国恩沾雨露香。动植飞潜滋德色，都俞吁咈庆明良。老臣舞抃南村底，笑对儿孙两鬓苍。"四库提要卷一六九《南村诗集》："刘体仁《七颂堂集》有《与张实水》尺牍，称'读史不载陶南村，窃谓此君靖节一流人'。今考《十元人集》内，如倪瓒、顾阿瑛，亦皆亲见新朝，然遯遁迹江湖，阿瑛随子谪徙，未沾明禄，自可附《朱子纲目》'陶潜书晋'之例。宗仪则身已仕明，孙作《沧螺集》中有《陶九成小传》可证。晋仍列之元人，非事实矣。观集中《洪武三十一年皇太孙即位诗》曰'老臣忭舞南村底，笑对儿孙两鬓霜'，则宗仪臣明原不自讳。"

王翰作诗颂建文帝。《梁园寓稿》卷七《戊寅大赦》："杂沓欢声遍九垓，金鸡衔赦下天街。鼎湖已堕乘云去，宝座初登禁网开。万姓共朝龙虎地，五云常绕凤凰台。小臣何幸沾恩泽，作颂应惭是菲才。"［按，据《梁园寓稿》卷七："洪武戊寅，予去官平陆，有律诗二章，曾录示宋广文。至洪武辛巳告放归田里。"王翰官平陆，戊寅年尝获罪去官。会太祖崩，新君登极，获赦，且入建文朝为官］

六月

征汉中府教授方孝孺至京。《明通鉴》卷一一："初，上在东宫，素闻孝孺名，甫即位，令驰驿召还，日侍左右备顾问。"

黄子澄兼翰林学士。《明史》黄子澄传："惠帝为皇太孙时，尝坐东角门谓子澄曰：'诸王尊属拥重兵，多不法，奈何?'对曰：'诸王护卫兵，才足自守。倘有变，临以六师，其谁能支? 汉七国非不强，卒底亡灭。大小强弱势不同，而顺逆之理异也。'太孙是其言。比即位，命子澄兼翰林学士，与齐泰同参国政。谓曰：'先生忆昔东角门之言乎?'子澄顿首曰：'不敢忘。'退而与泰谋，泰欲先图燕。子澄曰：'不然，周、齐、湘、代、岷诸王，在先帝时，尚多不法，削之有名。今欲问罪宜先周。周王，燕之母弟，削周是剪燕手足也。'"

夏原吉荐杨荣。《忠靖集》附录《夏忠靖公遗事》："三十一年六月夏，用金举升户部右侍郎，公亦协心佐理。未几，充采访使，巡抚福建，所过郡邑，明公宽大，人咸悦服。尤以表忠贤、拔遗才为首务。时杨文敏公为邑庠生，公一见器之，赋诗期冠秋试，有'莫使祥麟后马牛'以风司考者，文敏遂发解。"

九月

周是修改衡府纪善。《刍荛集》卷五《湖天远思诗序》："戊寅九月，余由汴还朝，改衡府纪善，留京邸。厥明年而道龙亦归辇下。因得聚首都城，交馨别来之衷曲。噫! 固皆有可感者矣。"《明史》周是修传："洪武末，举明经，为霍丘训导。太祖问家居何为，对曰：'教人子弟，孝悌力田。'太祖喜，擢周府奉祀正。逾年，从王北征至黑山。还，迁纪善。建文元年，有告王不法者，官属皆下吏。是修以尝谏王得免，改衡府纪善。衡王，惠帝母弟，未之藩。是修留京师，预翰林纂修，好荐士，陈说国家大计。"

秋

王绅至京为博士。邹缉《博士王君墓志铭》："岁戊寅闰五月，给事中徐诚、监察御史黄凯，复以文行共荐君，君遂入拜国子博士。其时四方贤士皆来集京师，君复与其知名者相游处，其文章益工，而名日益盛。"邹缉《继志斋集序》："洪武三十一年秋，余以荐被召，来京师，官于太学。未几，而金华王君仲缙亦来为博士。仲缙，翰林待制子充之子也。待制公当国初时，与其同郡太史宋公景濂俱以文章名天下。心常慕见其为人，而未之能得也。及与仲缙交，始得其文而读之，为之叹息，以为非今世之人所能及之也。"《继志斋集》卷二《别成都诸友》："窃禄居成都，妒贤心独耻。征书天上来，诏许归帝里。仓皇不俟驾，惕惕戒行李。虽无怀土情，宁不念知己。雄藩众朋旧，一一皆佳士。出钱锦江湄，芳情蔼如醴。话言始云洽，吾事适有指。方舟解维去，咫尺川原异。云山杳茫茫，契阔慨今始。相期岂无言，令德在惇美。"《明史》王绅传："建文帝时，用荐召为国子博士，预修《太祖实录》，献《大明铙歌鼓吹曲》十二章。"

王绅与张显宗、刘三吾游。《继志斋集》卷六《张母黄恭人孝节诗序》："洪武戊寅，予以非才召授国子博士，始谒大司成宁阳张公显宗，瞻其气宇魁岸，文章议论磊落而闳远，未尝不叹服之。及退，拜其母黄氏太恭人于堂上，又获观其孝节之卷，而有以知恭人事姑尽乎孝，夫亡尽乎节，嫠居孤苦而能保守门户以不坠，且善教其子。故公亦以进士三转而典教于成均，于是益羡闽母之多贤，而仁宗之言为至论也。恭人之行，刘太史坦坦翁既为之传，自余名公巨卿莫不喜闻而乐道之。雍容长篇，铿锵短韵，殆且数十百首。公虑其积久而散佚，复俾绅为序。"《明史》刘三吾传："建文初，三吾召还，久之卒。"《明诗纪事》甲签卷一二《刘三吾》引邓显鹤《沅湘耆旧集》："坦翁以文学显，诸家纪载有谓其以罪死于洪武时者。今按诗集中《得告致仕过长沙》诗，结语云：'八十还家能有几？当时书锦亦堪夸。'知其优游故里，以老寿终，诸家所记皆不确矣。"

高棅辑成《唐诗品汇》一百卷。高棅（1350—1423），字彦恢，仕籍名廷礼，别号漫士，长乐人。永乐初，以布衣召入翰林为待诏，久之升典籍，卒于官。有《啸台集》二十卷、《木天清气集》十四卷。高棅《唐诗拾遗序》："予既爱唐诗，喜编录，初采众作，裒为一集曰《唐诗品汇》，凡得唐诸家六百二十人，共诗五千七百六十九首，分为九十卷。自洪武甲子迄于癸酉方脱稿，其用心亦勤矣。切虑见知之所不及，选择之所忽意，犹有以没古人之善者，于是再取诸书，深加捃括，或旧未闻而新得，或前见置而后录，掇其漏，搜其逸。又自癸酉迄戊寅是编始就，复增作者姓氏六十有一，诗九百五十四首，为十卷，题曰《唐诗拾遗》，附于《品汇》之后，足为百卷以成集。……洪武戊寅秋，新宁高棅谨志。"《明文衡》卷八九《漫士高先生墓铭》："盖诗始汉魏，作者至唐号为极盛。宋失之理趣，元滞于学识，而不知由悟以入。自襄城杨士弘始编《唐音正始遗响》，然知之者尚鲜。闽三山林膳部鸿独倡鸣唐诗，其徒黄玄、周玄继之以闻。先生与皆山王恭起长乐，颉颃齐名，至今闽中推诗人五人，而残膏剩馥，沾溉者多。……其选《唐诗品汇》九十卷，《拾遗》十卷，议者服其精博。"

十月

解缙谪河州卫吏。《明史》解缙传："归八年，太祖崩，缙入临京师。有司劾缙违诏旨，且母丧未葬，父年九十，不当舍以行。谪河州卫吏。"《明一统志》卷三七："洪武初置河州卫，五年设河州府，辖宁河一县。七年建陕西行都司，十年立河州左右二卫。十二年省行都司及河州府县，以左卫调洮州，改右卫为河州卫。"《文毅集》卷四《长安别邹生》："西行十月至长安，邹生万里东南还。为言曾度六盘山，山下临洮河与涧。此行不必凋心颜，大雪恐坠层冰间。在城饮酒强自宽，明日东西歧路难。我渐辞家君渐留，君在甘州思越州。一去三年边月苦，归到家时消百忧。我心尤切念庭闱，九十严亲双鬓垂，倚门斜日望子归。临风托寄平安字，寒梅花发报君知。"

梁兰《畦乐诗集》编成。梁兰（1343—1410），字庭秀，一字不移，号畦乐，泰和人，赞善梁潜之父。有《畦乐诗集》。《泊庵集》卷八《先君畦乐先生行实》："生元至正癸未四月初一日，其殁以今永乐八年七月二十六日也，享年六十有八。"《泊庵集》卷八《先君畦乐先生行实》："筑室城西溪上，环植美竹数万竿，中为蔬畦，浅堤近坞，曲折蔽亏。引泉为渠，萦纡町疃之间。土沃壤润，桑麻蔚然。先君日笑傲其中。或新雨初霁，晴日和煦，必策杖蹑屦，深入竹树之间，牵蔓引竿，欣然自得，曰：'观物之生意郁勃，与我心俱快也。'因自号为畦乐翁，里中士称为畦乐先生。其教乡人子弟，精于讲说，推明反复，浅譬近喻，而奥隐明彻。诸生来学者，无不悟悦。间为文，简畅而典则。至于应酬简札、释老醮祭四六之文，亦极工致。其为诗尤尚格调，冲容而雅淡。晚喜陶靖节，曰：'靖节之闲旷恬逸，我素所慕也。'尝赋西畦诗，油然田园之趣。翰林学士解公为书置卷中，名公相属而和者甚众，皆藏于家。集所为诗，题曰《畦乐集》。"杨士奇《畦乐诗集序》："先生之于诗，可谓至矣。然缘趣而作，既罢即弃去，间存其稿，遇有爱重之者，听持去不靳。故虽诗名闻一时，人咸以不得全见为憾。士奇自幼聆先生之教，间记所尝诵记若干篇为一卷。呜呼！世之不考于古者众矣。先生教用乎古者，虽不独其诗，而所以名诸人人者，亦不待诗，顾自有可名者。而使闻先生之名，因诗而求之，以知其性情之正，则是篇乌可少哉？乌可少哉？是以僭冒叙之。洪武三十一年冬十月既望，姻家生杨士奇叙。"四库提要卷一六九："《畦乐诗集》一卷，明梁兰撰。兰字庭秀，又字不移，泰和人，右赞善梁潜之父也。隐居不仕，故以畦乐自号。于杨士奇为姻家，士奇尝从之学诗。此集即士奇所编，前有洪武三十一年士奇序。考士奇所作兰墓志，称卒于永乐八年，则编此集时，兰犹及见之也。旧本列《泊庵集》后，盖用《山谷集》后附刻《伐檀集》之例。今以各自为集，仍分著于录。原目列古今体诗二百三十四首，而五言古诗中注阙七首，实二百二十七首。题中有缺字二处，诗中有缺字二处，均无别本可补，今亦仍之。"

本年

程本立自滇入京。《明史》程本立传："三十一年奏计京师。学士董伦、府尹向宝交荐之，征入翰林，预修《太祖实录》，迁右佥都御史。"

高逊志被征入京。《明诗纪事》乙签卷二《高逊志》陈田按："徐大章《始丰稿》云：'士敏入史馆，擢编修，转秦府纪善，未几引退。今召起试吏部侍郎，以事去官。谪居昀山。'诸家纪载均云'授编修，累迁侍讲学士'，非事实也。又俞贞木《次高太常韵诗》序云：'太常高先生与仆别余三十年，喜闻还朝，入翰林，升太常。'计士敏授编修，改官再入翰林，迁太常余三十年，正建文改元时也。"

朱权《太和正音谱》《琼林雅韵》《务头集韵》成。《太和正音谱》自序："余因清宴之余，采撷当代群英词章，及元之老儒所作，依声定调，按名分谱，集为二卷，目之曰《太和正音谱》。审音定律，辑为一卷，目之曰《琼林雅韵》。搜猎群语，辑为四卷，目之曰《务头集韵》。以寿诸梓，为乐府楷式。……时岁龙集戊寅序。"《琼林雅韵》自序："夫治世隆平，人心和乐，心声之发，自然成文。率多寓于咏歌，而有词典乐章之作，不能无音韵。故曰：声成文谓之音。然而远夷殊俗，缺舌异音，不能循律蹈吕者多，于是有卓氏著为《中州韵》，世之词人歌客，莫不以为准绳久矣。余徐览之，卓氏虽工，然颇多舛误脱落。一日，因琴书清暇，操翰濡墨，审音定韵，凡不切于用者去之，舛者正之，脱者增之，自成一家，题曰《琼林雅韵》。庶使作者有所持循，而不失之纤远也。盖词章犹车也，善御者必范其驰驱。善为词章者，故必正其音韵，犹以诡遇御车，其不能行远也审矣。此韵之设，如使王良造父之御，而射者自无不中。《诗》不云乎，'不失其驰，舍矢如破'，此之谓也。于是乎书。"《蟫精隽》卷七《中原音韵》："北乐府用字皆北音，与沈休文所传四声韵不同。盖地居土中，为阴阳之所和，会五方之杂、亿兆之广，择其通者，曰中原正语，取四海适中、天下同声而无滞者也。其音有平、上、去三声，而无入声，其入声字皆附派入三声。燕山卓从之作《中州韵》，为志亦勤矣。惜其所收不能什百四方未解之音，使后学莫知适从。至如'秉持'之'秉'，'克己'之'克'，'肉食'之'肉'，皆不见录，未得为成书也。若夫《琼林雅韵》，则其收尤驳，杂以南音，谬戾可憎，词人病之。"四库提要卷二〇〇："《琼林雅韵》，明宁王权编。权有《汉唐秘史》，已著录。是书凡分十九韵，大抵袭周德清《中原音韵》体例。一穹窿，二邦昌，三诗词，四丕基，五车书，六泰阶，七仁恩，八安闲，九鳊鸾，十乾元，十一萧韶，十二珂和，十三嘉华，十四砗磲，十五清宁，十六周流，十七金琛，十八潭岩，十九慊谦，与中原音韵十九韵大略相似，特异其名耳。惟《中原音韵》第十韵标曰先天，而此书第十韵则标曰乾元，遂取元韵之半入于一先。又是书每韵皆取平声二字，以括三声，而第六韵泰阶，泰字则兼用去声，是自乱其例。至云北方无入声，以入声附平、上、去三声之后，与《中原音韵》体例全合，而亦微有不同，如第四韵曰丕基，其后附悔字，谓去声作上声，而《中原音韵》第四韵后不载此条。考悔字作上声，其在纸韵，则有《诗》'不我以，其后也悔'可证。其在麌韵，则有陆机《凌霄赋》，悔与旅为韵可证。周德清于此条，似乎失收。然曲韵自用方音，不能据古韵为增减。权之所补，亦知其一，而不知其二也。"〔按，今人王永宽、王钢《中国戏曲史编年·元明卷》云，《太和正音谱》记有永乐元年事，盖书成将梓，会明太祖崩，靖难兵旋起，未及刻印。及献王徙封南昌，始克成梓，故书中偶有补入永乐事者。《太和正音谱》著录《瑶天笙鹤》杂剧十二种，署为"丹丘先生"作。王永宽、王钢又云：丹丘先生即朱权别号，十二种杂剧当成于洪武三十一年前〕

公元 1399 年（建文元年　己卯）

正月

方孝孺进《郊礼颂》。孙慇《方正学先生年谱》："（初一）帝郊祀毕，御奉天殿，受群臣朝贺。先生进《郊祀颂》。"

敕修《太祖实录》。《明鉴》卷二《恭闵惠皇帝》："己卯，建文元年。春正月，修《太祖实录》。以礼部侍郎兼翰林院学士董伦等为总裁官，侍讲方孝孺副之。征布衣杨士奇等充编纂官。"《明通鉴》卷一二："时杨士奇以布衣被荐，征为教授，方行，修撰王叔英复以史才荐，遂同召，俱授翰林，充纂修官。上复命侍讲学士方孝孺总其事。"

二月

方孝孺作《书事》诗。《二月十四日书事二首》其一："斧扆临轩几砚闲，春风和气满龙颜。细听天语挥毫久，携得香烟两袖还。"其二："风软彤庭尚薄寒，御炉香绕玉阑干。黄门忽报文渊阁，天子看书召讲官。"《明史》方孝孺传："帝好读书，每有疑即召使讲解。临朝奏事，臣僚面议可否，或命孝孺就扆前批答。"

更改官制，用方孝孺议。《御定资治通鉴纲目三编》卷四："用方孝孺等议，内外品官、阶、勋，悉仿周礼更定。又撰《礼制》，颁行天下。"《明史》王叔英传："叔英与孝孺友善，以道义相切劘。建文初，孝孺欲行井田，叔英贻书曰：'凡人有才固难，能用其才尤难。子房于汉高，能用其才者也。贾谊于汉文，不能用其才者也。子房察高帝可行而言，故高帝用之，一时受其利。虽亲如樊、郦，信如平、勃，任如萧、曹，莫得间焉。贾生不察而易言，且言之太过，故绛、灌之属得以短之。方今明良相值，千载一时。但事有行于古，亦可行于今者，夏时周冕之类是也。有行于古，不可行于今者，井田封建之类是也。可行者行，则人之从之也易，而民乐其利。难行而行，则从之也难，而民受其患。'时井田虽不行，然孝孺卒用《周官》更易制度，无济实事，为燕王借口。论者服叔英之识，而惜孝孺不能用其言也。"

七月

初五，燕王朱棣举兵反，称其师曰"靖难"。

宋濂文集《宋学士续文粹》刊毕。楼琏《宋学士续文粹序》："当元之衰、国朝之始兴也，地大兵强，据名号以雄视中国者十余人，皆莫能得士。太祖高皇帝定都金陵，独能聘致太史金华公而宾礼之。公始见上，上问以取天下大计，公以不杀对，上甚喜，俾授太子经。每询以治道，公未尝不以仁义为言。是时群雄多嗜杀好货，独上御军有法，命将征讨戒以勿杀，所至民欢乐之，识者已谓天下不足平。及海内平定，上方稽古以新一代之耳目，正彝伦，复衣冠，制礼乐，立学校，凡先王之典多讲行之，而太史公实与其事。在翰林为学士，中尝为国子司业，晚为承旨，先后二十年，以道德辅导皇太子。圣德宽大仁明，而天下归心爱戴，称颂洋洋者，公之功居多。海外殊绝罕至之国朝贡之使，接于国门，至必问公起居安否，购公文集以归，日本至摹刻传诵于其境内。而近则朝廷，远而穷山陋邑，妇人稚子，皆知公为盛德。君子闻其名，见其文，未有不咨嗟敬爱者。公修身于户庭之间，而姓字播于千万里之外，蛮夷异类皆知尊慕之，使中国之美传于无极，其功盖大矣，而当时之人未必能名其为功，此公所以为盛欤！公之为学，博而知要，其德粹然，与世无竞，而端介之气充养有道，不为利害所移，盖仁人长者之风不见于世久矣，乃于公而见之，天之遗斯世不亦厚乎！惜夫世未获尽被公之泽，而公遽以疾终。后十余年，皇太子亦薨于东宫，天下哀痛焉。今上既追崇皇考为孝康皇帝，庙号兴宗，念先皇旧学之臣，悲公之不可作，以近臣荐，召公之孙怿，复官之于翰林，凡兴宗皇帝所欲行而未遂，天下所愿欲而未得者，皇上皆举而行之，善誉洽于万姓，而公之文愈为人所爱重。某早从公游，辱公见知，窃尝叹天下知爱公文，而不能尽得其意，且不能尽观也，以为公昔无恙时，尝择旧文为《文粹》以传矣，因复与同门友浦阳郑楷叔度等，取自仕国朝以来所作，复选录为十卷，名曰《续文粹》，以传于学者。呜呼！斯文也公之所为，虽可以传世，而不足以尽公之为人也。后有贤者考论国朝之所由兴，而追惟兴宗德业之盛，以咏歌今日之治于无穷，太史公之功庶几可白于后世乎！公讳濂，字景濂，金华人，国史有传。岁在辛巳夏六月廿五日，门人楼经序。"郑柏《宋学士续文粹跋》："洪武庚申，潜溪先生宋公有西蜀之行，手持所著文集未刊行者《翰苑集》《芝园集》各四十卷，以授柏曰：'付子斯文，其谨藏之。'柏乃与兄楷约同门友某□，选其精要者，得文一百三十篇，诗赋三十首，缮书为《续文粹》一十卷。今请于家长英斋伯父，命印工应孟性等刊于义门书塾，以广其传。起手于辛巳年春闰月二十一日，毕工于秋七月二十日，凡历一百一十六日云。仰惟先生德业文章，既已传播于天下，衣被于四海，而其精粹纯一之文，学者未能尽见，是书之行，其可不与韩子、欧阳子之文并观也哉？门人郑柏谨记。"《列朝诗集小传》甲集《宋太史公濂》："生平著作最富，《濂溪》前后集，在元季已盛行于世。入国朝者，刘诚意选定为《文粹》十卷，门人方孝孺、郑济等又选《续文粹》十卷，皆孝孺与同门刘刚、林静、楼琏手自缮写，刊于义门书塾。丙戌岁，余于内殿见之。孝孺氏名皆用墨涂乙，盖犹遵革除旧禁也。"

朝廷伐燕。《明史》齐泰传："七月，燕王举兵反，师名'靖难'，指泰、子澄为奸臣。事闻，泰请削燕属籍，声罪致讨。或难之，泰曰：'明其为贼，敌乃可克。'遂定议伐燕，布告天下。"《明史》恭闵帝本纪："诏曰：邦家不造，骨肉周亲屡谋僭逆。去年，周庶人橚僭为不轨，辞连燕、齐、湘三王。朕以亲亲故，止正橚罪。今年齐王榑谋逆，又与棣、柏同谋，柏伏罪自焚死，榑已废为庶人。朕以棣于亲最近，未忍穷治其事。今乃称兵构乱，图危宗社，获罪天地祖宗，义不容赦。是用简发大兵，往致厥罚。咨尔中外臣民军士，各怀忠守义，与国同心，扫兹逆氛，永安至治。"

刘基之孙归乡，方孝孺送行。《逊志斋集》卷二四《送刘士端归括苍》："忆昔高皇定华夏，海内遭屯龙战野，帏幄谋谟三数公，君家中丞最潇洒。……掀髯抚掌谈世事，天子称善群臣惊。寰区混一定勋赏，铁券金符颁土壤。中丞独擅翊赞功，赐号每为诸伯长。青田宰木三十年，高皇仙驭亦宾天。国初故老尚谁在？几人事业图凌烟？忽见闻孙三叹息……"[按，"宰木三十年"乃概说，刘基之卒距此实二十六年]《明诗纪事》乙签卷一《方孝孺》陈田按："希直文章渊源出于宋景濂，而学术纯正则过之。姚江《明儒学案》云：'景濂氏出入于二氏，希直以叛道者莫过于二氏，而释氏尤甚，不惮放言驱斥，有明之学祖也。'诚为确论。太祖诛戮功臣，至末年，文武名臣几尽，使得一二旧勋如宋国公、颍国公者，靖难之师，孰胜孰负，未可知也。希直《送诚意伯孙士端归括苍诗》云：'海内只今无盗贼，幽州兴兵恼邦国。庙堂谋议岂无人，我怀中丞泪沾臆。呜呼志士古所稀，留侯武乡今是谁？九原招公傥可作，为解四海苍生危。'盖亦有慨于是，诵汉祖猛士之歌，同兹三叹。"

八月

方孝孺校文京闱。《逊志斋集》卷一二《京闱小录后序》："皇帝既即位，大诏纪今年元为建文。春三月，上丁车驾幸太学，亲祀先师孔子，拜跽盥献，咸用享庙社礼，缙绅聚观，以为崇文祗圣之典，古所未有。风行万方，小大喜悦，皆思自奋以进庸于世。秋八月，天下当大比，太学暨畿内士集于京府者千五百人。有诏命翰林儒臣及时之名士较其文，御史莅之，而董其庶事则属之府僚佐焉。七月甲辰入院，越九日，己巳而毕。屏芜黜陋，选擢俊良，盖去者几十之八，而登名于籍者二百十四人。非难之也，盖以上初取士天下，后世将于是观盛美焉，而不敢弗慎也。"

十月

燕王劫朱权。《明史纪事本末》卷一六《燕王起兵》："冬十月，燕兵趋大宁。初，太祖诸子，燕王善战，宁王善谋。洪武间，燕王受命巡边至大宁，与宁王相得甚欢。大宁领朵颜诸卫，多降人，骁勇善战。燕王既起兵，谋取之，而朝廷亦疑宁王与燕合，削其三护卫。燕王闻，喜曰：'此天赞我也。取大宁必矣！'乃为书贻宁王，而阴率师兼程趋之。诸将曰：'刘贞守松亭关，急未易破。李景隆兵方盛，不如还师救北平，以为后图。'燕王曰：'今从刘家口径趋大宁，不数日可达。大宁将士悉聚松亭关，其家属在城，皆老弱居守。师至，不日可拔，城破之日，抚绥其家，松亭之众不降且溃矣。北平深沟高垒，纵有百万之众，未易以窥。吾正欲其顿兵坚城之下，还兵击之，如拉朽耳。诸公第从予行，毋忧也。'……大宁既拔，燕王驻师城外，遂单骑入城会宁王，执手大恸，言'北平旦夕且破，非吾弟表奏，吾死矣'。宁王为草表谢请赦。居数日，情好甚洽。燕王锐兵出伏城外，诸亲密吏士稍稍得入城。遂令阴结三卫渠长及间左思归士，皆喜定约。燕王辞去，宁王出饯郊外，伏兵起执宁王，诸骑士卒一呼皆集，遂拥宁王入关。"《明史》宁王权传："王府妃姜、世子，皆随入松亭关，归北平，大宁城为空。权入燕军，时时为燕王草檄。燕王谓权：'事成，当中分天下。'"

本年

王翰在京师寄诗友人。《梁园寓稿》卷七《和丁志善韵》："余去年平陆将入京，志善寄诗作别，余用韵寄志善云：君到吴山我夏城，山斋寂寞砚生冰。每逢夜雨成新恨，伫望停云寄远情。去馆旧书今暂束，闲门无客昼长扃。年来病废知何用，拟结江湖鸥鹭盟。"〔按，细味诗意，王翰入京前，先由平陆归故乡夏城，以病不得行。后离乡入京。是诗追忆当时，作于京师〕

胡俨知桐城。雍正《江西通志》卷六八《人物·南昌府》："建文元年，荐授桐城知县。凿桐陂水溉田，为民利。虎伤人，俨斋沐告于神，虎遁去。桐人祀之朱邑祠。"

龚诩在京师守金川门。王执礼《龚诩传》："年十七，诣阙陈乞就伍。时北兵日近，因留京师守金川门。"

梁潜除广东四会知县，故友彭叔介同行。《东里文集》卷一七《梁用之墓碣铭》："又明年，用荐除广东四会知县，授承事郎。推诚爱民，刬宿弊，崇宽政，临之以平易，导之以礼让，致勤抚字。稍暇，辄就学舍，亲授业诸生，岁余，民咸悦服，而争讼息，学校兴，流徙来归，以累千计。县有泷桥河，世传吏有廉平之政即河水清，自用之至讫其去，河水澄洁可鉴。"《泊庵集》卷一一《彭县丞墓志铭》："永乐六年冬十月，香山县丞彭公叔介以老乞致仕来京师，而主于潜。又一月，公得告而疾作，越几日丙寅，公殁焉。既殁，潜为位哭之而痛。既而乡之故旧之仕于朝者左春坊左谕德杨君士奇、翰林修撰王君直、国子助教欧阳允贤，与凡公之交游，皆来会哭，哭必尽哀而后去。既去而傍徨咨嗟，皆以为乡之老成问学如公者，今而后不可见矣。谋返葬其枢，而谕德君谓余宜铭，修撰王君为状其行。於乎！余自幼而壮，辱公之知尤深。余为令四会，其授官也盖与公同时，又同之官广东，知公之为政，则惟余之宜铭也，其尚可辞哉？公讳志，叔介其字也。……公自少颖敏，问学过人。既壮，浩然负盛气，不肯降意阿色于时，虽屡更困厄，愈而复起，终不变。以此竟不偶一世。而凡与公厚者，皆以是咎公，不但浅于知公者然也。"

公元 1400 年（建文二年　庚辰）

三月

初一，廷试贡士一百一十人，赐胡靖等进士及第、出身有差。《明通鉴》卷一二："是科一甲三人，皆授修撰，入文史馆，预修《太祖实录》。"［按，此胡靖即吉水胡广］

胡广赐名靖。《明史》胡广传："胡广，字光大，吉水人。……建文二年廷试，时方讨燕，广对策有'亲藩陆梁，人心摇动'语，帝亲擢广第一，赐名靖，授翰林修撰。"

吴溥赐进士出身。《文敏集》卷二〇《故国子司业吴君墓表》："岁庚辰，试礼部第一，廷对赐进士出身。擢翰林编修。永乐初，与修《太祖高皇帝实录》，书成，大沐恩赉，升修撰。既又纂修《永乐大典》，充副总裁。"

八月

唐子仪出知兴国县。《梧冈集》卷一《重修安湖书院》引："有宋咸淳十年，临川何时任兴国县令，以衣锦乡僻，远在万山间，去县治百余里，常顽犷，渎乱邦经，号称难治，惕然忧之，思变其习俗。乃建安湖书院于泄龙之地，置师生以训迪其乡，民始知学。距今百五十年，殿庭廊庑俱就倾颓。洪武庚辰秋八月，予因抚安人民至是，以学校之兴废乃守令之责，为教化之源，所当先务也，遂命工重修。经始于是月之十有一日，以俟落成，感而有作。"［按，本编年引文，凡"洪武己卯""洪武庚辰""洪武辛巳""洪武壬午"云云，皆在建文年，因永乐帝登基，文人遵革除例，讳言"建文"而书"洪武"］

秋

瞿佑升国子助教。《归田诗话》卷下《桂孟平题新话》："庚辰岁秋，权停江北五布司学校。予在河南，孟平在山东，各斋学印赴礼部交纳。孟平访予于大中街旅舍，相见甚欢。予置酒，出《纪行返棹》编示之，孟平赠诗，有'江湖得趣诗盈卷，故旧忘怀酒满樽'之句。予后授太学助教，孟平授谷府奉祠，寄小词，末句云：'卷起绿袍袖，舞个大斋郎。'"瞿佑此前的经历，崔江、乔光辉《论瞿佑及〈剪灯新话〉》略云："洪武末任河南宜阳训导。建文二年，由于暂停江北五布政司所属府、州、县学，瞿佑即罢宜阳训导，于该年秋赴京交学官印，擢为国子监助教兼修国史。"

十月

敕诸臣纂《类要》。《刍荛集》卷五《送周判官诗文序》："圣天子即位改元之初，政令一新，励精文治，凡天下侧陋遗逸怀奇抱珍之士，莫不搜罗登进，列于庶位。厥明年，复敕儒臣取古今君道、臣道、人事之载于典籍者，櫽括类聚，分嘉言、善行、惩戒，以为各类之纲，上自唐虞，下逮元季，采辑纂次，辅便观览，因以成一代之制作，亦将以为永世之龟鉴。举中外士流以博洽闻者，会于翰林，开馆武殿之南廊，以从事而草创之。于时，俊髦若天台陈好义、徐好古、叶仲汜、延平郑孟宣，姑熟章谨、建宁苏伯厚、李铎，吴中王汝玉、张拱、高可大，溧水王真，邵武刘仲美，大兴李敏，金华方叔衡、朱子建，宁波史维时，广陵陆伯瞻，浦江赵友同，临江周思，吉郡颜子明、萧用道、杨士奇暨予二十三人，皆与是选。于是天子喜其得人之盛，命文翰博士天台方孝孺总裁之，命侍读绍兴唐愚士、金华楼琏、修撰吉郡胡靖三人者副之，命修撰吉郡王艮、编修荆州杨溥二人董督而讨论之。实建文庚辰十月十二日也。诘旦赐宴馆中，既而大官给酒膳，中使供笔札，事非轻也。居无何，愚士、艮、铎、敏相继物故，友同以丁外艰去，伯瞻以使朝去，子明以辞老去，好义、仲汜、子建、可真、士奇、叔衡、维时升擢国子、王府、翰林官，可大领扶沟令，思领判湖广安陆州。未几，叔衡、仲美又以疾卒于官。"《明诗纪事》乙签卷一《周是修》陈田按："建文二年，敕儒臣取古今君道、臣道、人事之载于典籍可为鉴戒者，纂为《类要》。总裁则方孝孺、唐愚士、楼琏、胡靖。分修则陈好义、徐好古、叶仲泛、郑孟宣、章谨、苏伯衡、李铎、王汝玉、张拱、高可大、王真、刘仲美、李敏、方叔衡、朱子建、史维时、陆瞻、赵友同、周思、颜子明、萧用道、杨士奇，先生与焉。催纂则王艮、杨溥，极一时之选。黄才伯《翰林记》称：'洪武戊寅，诏编辑经史百家之言为《类要》，侍读唐愚士等纂修未成。'即指此事，其曰'洪武戊寅'，盖遵革除令讳也。"《明诗纪事》乙签卷二《唐愚士》陈田按："愚士领书局修《类要》，在建文二年庚辰十月十二日，见周是修《刍荛集》。竹垞《诗话》云：'建文三年同事纂修，是年闰月即病死。'盖误会希直《愚士墓志》'天子即位之三载'语耳。"

解缙得脱河州卫吏。《文毅集》卷一二《鉴湖阡表》："洪武辛未五月初吉，上诏臣父于华盖殿，曰：'是子大才，其以归教训十年而用之。'不幸洪武戊寅五月十日乙酉高后宾天，是岁十一月二十三日乙未，先臣捐馆。遭谗窜逐，泣血万里，几欲无生。今岁庚辰十月，始得归葬先人于所居之鉴湖阡，从治命也。……建文二年岁次庚辰十月朔，越十有六日，男翰林待诏缙表。"曾棨《内阁学士春雨解先生行状》："二亲相继以没，既襄事，用大臣荐起为翰林待诏。"《明史》解缙传："谪河州卫吏。时礼部侍郎董伦方为惠帝所信任，缙因寓书于伦曰：'……奉亲之暇，杜门纂述，渐有次第，浶将八载。宾天之讣忽闻，痛切欲绝。母丧在殡，未遑安厝，家有九十之亲，倚门望思，皆不暇恋，冀一拜山陵，陨泪九土。何图诖误，蒙恩远行。扬粤之人，不耐寒暑，复多疾病，俯仰奔趋，伍于吏卒，诚不堪忍。昼夜涕泣，恒惧不测，负平生之心，抱万古之痛。是以数鸣知感。冀还京师，得望天颜，或遂南还，父子相见，即更生之日也。'伦乃荐缙，召为翰林待诏。"

十二月

王绅卒，年四十一岁。 邹缉《继志斋集序》："君既以世家之学，而又尝游于宋太史之门，所闻者深，而所积者富，言论意气逸发横出，宜其有非人所能及者，则其才气之所至，不既深矣乎。呜呼！可谓能不愧于待制公矣！"《明名臣琬琰录》卷十《博士王君墓志铭》："其文章益工，而名日益盛，其位将益显以大，而君竟不幸以疾卒于金陵之官舍，享年四十有一，时庚辰十二月十六日也。君平生志行修洁，性宽厚，善于取友，有与之契合，辄倾意以接之。人或相忤，亦不与之较，常曰：'吾于坦怀接物、虚己纳人，庶几有焉。'所奉素俭薄，居家亦无所矜饰。酷嗜著述，每夜孤灯独坐，吟咏多忘寝食，虽祁寒盛暑不少变，至于体惫力疲而犹未已也。为文章泓涵演迤，丰蔚雅赡，称其家法。尤善为五言诗，冲澹古雅，有陶、韦风致。"王达《继志斋集序》："先生酷嗜于古选，一字一句必煅炼而后出，故其所作往往高出伦辈，流丽圆转，陶铸乎韦、柳之间，晚唐诸子盖不数也。然余奔走湖海三十年矣，能诗者非一人，知诗者则概乎其未见也。若仲缙者，所谓知诗者欤。"《继志斋集》卷首提要："特以其为名父之子，又师承有自，其文演迤丰蔚，不失家法。诗亦有陶、韦风致，无元季纤秾之习。在洪武、建文之间，尚可卓然成家。"

本年

杨荣授翰林编修。 王直《杨荣传录》："由邑庠生领乡荐第一，遂取进士，入翰林为编修。"《明史》杨荣传："建文二年进士，授编修。"

杨士奇用王叔英荐入翰林。《明史》杨士奇传："建文初，集诸儒修《太祖实录》，士奇已用荐征授教授当行，王叔英复以史才荐。遂召入翰林，充编纂官。"《东里续集》卷一三《潘氏世谱序》："仙居潘叔政以其所作《潘氏世谱》求余叙。谱有其乡先生王原采叙之矣。……余素交先生，相知为深，审理之除，实其所荐。今不作四十年，而无主祀者矣。读所叙潘氏谱，怀旧凄怆，盖不能已于情也。因并及之。"

管时敏年七十，乞致仕未果。 四库提要卷一六九《蚓窍集》："后进左长史，事楚昭王桢二十五年，乞致仕归里，桢请命于朝，留居武昌，禄之终身。筑室黄屯山，命曰全庵。而名其集曰'蚓窍'，盖取韩愈《石鼎联句》语也。"《明一统志》卷五九《管时敏》："洪武中楚府长史，在任四十余年，忠诚谨恪，始终如一。年七十致仕，王奏留居本府，禄养终身。仍赐地黄屯山。"〔按，时敏以洪武九年为楚府纪善，任事二十五年而年七十，则生于1331年可知。《蚓窍集》卷四有《九月廿五日值余初度，诸友以诗酒见寿于舟中，赋五言长律一首以谢云》，其生日在九月二十五日〕

公元 1401 年（建文三年 辛巳）

闰三月

唐愚士卒，年五十二。《逊志斋集》卷二二《侍读唐君墓志铭》："建文三年闰三月二十三日，翰林侍读唐愚士卒于京师玄津街之官舍。……长身巨鼻，博闻多识，练达世故。为文蔚赡有俊气，长于诗，而善笔札，每一篇出，人多传道之。……君无他宗族，李曹公最知之深，而久将兵于外。君久病，念其家以悲，既而甚。公归与语曰：'无以身后为念，吾在能恤君家。'及卒，丧具数百千缗，皆倚以办。……某闻君名二十年，相与往还且十余年。及今乃为僚友，方欲与君同进于学，而君弃予死矣。垂绝之属，其何忍辞？君别号萍居，所著有《萍居稿》数十卷，及集录他书又数十卷，可传。"《列朝诗集小传》甲集《唐侍读之淳》："其诗尤雄俊，而今多不传，可惜也。"《明诗综》卷一八《唐之淳》："王元美云，侍读清丽足称奕世之美。"存诗六首：《禹庙》《秦望山》《柯亭》《严子陵墓》《石鼓诗》《和答孟熙见寄之作》。《静志居诗话》卷六《唐之淳》："萍居亦正学好友。正学称其孝行，谓君父应奉谪死临濠，君辛勤跋履，奉丧归葬，追求父平生题咏荒邮、败壁、高崖、断石之间，纂录收拾，如获金璧，时时伏读，凄切动人。然则应奉所存《丹崖集》，皆出其子所辑也。建文三年，命举文学之士撰《鉴戒录》，正学实荐之。召至，即拜侍读，同事纂修。是年闰月，即病死玄津街官舍。盖正学之友若夷仲、士修、仲缙，皆先正学而亡，故皆不及于党祸也。萍居诗流传特寡，闻松陵一故家有钞本，亟往购之，已转付新安质库，不可得矣！"

十二月

《太祖实录》修成。《明通鉴》卷一二："是月（十二月），《太祖实录》成。"

本年

王翰辞官归乡。《梁园寓稿》卷七《洪武戊寅，予去官平陆，有律诗二章，曾录示宋广文。至洪武辛巳告放归田里，复赓前韵二首，仍简宋广文》：其一："一别吴山又四年，客途流落几扶颠。诸生专业无多子，同宦居官有几员？感旧听残秋夜雨，思乡吟断夕阳天。有时一付掀髯笑，得失原来是偶然。"其二："三年奔走听朝鸡，谁料归来觅旧题。尘暗粉垣诗尚在，雨生苔藓径都迷。天涯远见孤帆小，地底平铺万瓦低。何幸再同三二友，一樽聊为浣愁栖。"《苑洛集》卷一《梁园寓稿序》："山林多隐逸之士，田野多废闲之才，下僚多宏硕之器。此世乱之征也。载观往古，有道之时，圜数千里之远，农商工贾之外无余人，间有一二，则悬车之老，或罪戾之夫也。予读夏台王先生《梁园寓稿》，夷论其世，深有感焉。先生晋之夏人，所著有《敝帚集》《山林樵唱》《克复自验录》及斯稿。《敝帚集》弘治中已刻之木，中宪先君为之序。兹夏尹高君又将刻是稿，先生曾孙继善从予游，请序之稿首。先生问学该博，义理渊微，文章典雅，诗律清新。"四库提要卷一六九："《梁园寓稿》九卷，明王翰撰。……《明史·艺文志》载所著有《敝帚集》五卷、《梁园寓稿》九卷。《敝帚集》今未见。此书卷数与《明史》合。焦竑《经籍志》止称《寓稿》二卷，误也。焦志别载翰《山林樵唱》一卷，今亦未见，殆并佚欤？翰始抗骄王，终殉国事，其立身具有本末。而当时不以文章名，故古体往往有质直语。然自抒性情，无元人秾纤之习。七言近体，声调亦颇高朗。国朝朱彝尊辑《明诗综》，未录翰诗，当由未睹斯集。"

梁潜改知阳春。《东里集文》卷一七《梁用之墓碣铭》："又明年改阳江，又改阳春。"

公元1402年（建文四年　壬午）

六月

燕军下金川门，惠帝不知所终。《明太宗文皇帝实录》卷九下"四年六月乙丑（十三日）"："上至金川门，时诸王分守京城门。谷王橞守金川门，橞登城望，上遂按兵而入，城中军民皆具香花夹道迎拜。将士入城肃然，秋毫无犯，市不易肆，民皆安堵。上虑朝廷事急加害周、齐二王，遣骑兵千余，驰往卫之。周王初不知上所遣，仓卒惶怖，既知，乃喜曰：'我不死矣。'来见，上出迎之。周王见上，拜且哭，上亦哭，感动左右。周王曰：'奸恶屠戮我兄弟，赖大兄救我。今日相见，真再生也。'言讫复哭，哭不止，上慰止之。与周王并辔，至金川门下马，握手登楼，上曰：'身遭危祸，无所容生。数年亲当矢石，濒万死。今日重见骨肉，皆赖天地、皇考、皇妣之祐，得至于此。'周王曰：'天生大兄，戡定祸乱，社稷保全，骨肉不然皆落奸臣之手矣。'时诸王及文武群臣父老人等，皆来朝。建文君欲出迎，左右悉散，惟内侍数人而已，乃叹曰：'我何面目相见耶？'遂阖宫自焚。上望见宫中烟起，急遣中使往救。至已不及，中使出其尸于火中，还白上。上哭曰：'果然若是痴騃耶？吾来为扶翼尔为善，尔竟不亮，而遽至此乎？'时有执方孝孺来献者，上指宫中烟焰，谓孝孺曰：'此皆汝辈所为，汝罪何逃？'孝孺叩头祈哀。上顾左右曰：'勿令遽死。'遂收之。上慰遣周王归第，分命诸将守京城及皇城，遂驻营龙江，发哀，命有司治丧葬如仪。遣官致祭，布告天下。下令京师慰抚臣民。是日，有卒于市取民屦者，立命斩之。先是，京师飞蝗蔽天者，旬余不息，至是顿绝。而中外召募壮丁，闻上入京师，皆解散。远近啸聚山林者，闻之亦皆剑戟曰：'真主出，毋自取灭亡耳。'"［按，《明太宗文皇帝实录》多曲笔，言惠帝欲自出迎，言孝孺叩头祈哀，皆诬］《明通鉴》卷一三："上知事不可为，纵火焚宫，马后死之。传言帝自地道出，翰林院编修程济、御史叶希贤等凡四十余人从。"《明史》恭闵帝本纪："惠帝天资仁厚。践阼之初，亲贤好学，召用方孝孺等。典章制度，锐意复古。尝因病晏朝，尹昌隆进谏，即深自引咎，宣其疏于中外。又除军卫单丁，减苏、松重赋，皆惠民之大者。"

龚诩弃戈遁去。王执礼《龚诩传》："建文四年六月十三日，谷王开门迎降，守者崩溃。时诩年二十一岁，投戈恸哭。回顾宫中火起，传言乘舆巽去。诩即亡命出城，彷徨郊外，莫知所之。乃变姓名称王大章，遁归乡里，伺后兴复。"

燕王入京，榜"奸臣"姓名。《明通鉴》卷一三："寻下令，索齐泰、黄子澄等，榜其姓名曰'奸臣'。计左班文臣凡二十九人：大常寺卿黄子澄，兵部尚书齐泰，礼部尚书陈迪，文学博士方孝孺，御史大夫练子宁，右侍中黄观，大理少卿胡闰，寺丞邹瑾，户部尚书王钝，户部侍郎郭任、卢迥，刑部尚书侯泰、暴昭，工部尚书郑赐，工部侍郎黄福，吏部尚书张纮，吏部侍郎毛泰亨，给事中陈继之，御史董镛、曾凤韶、王度、高翔、魏冕、谢升，前御史尹昌隆，宗人府经历宋徵，户部侍郎卓敬，修撰王叔英，户部主事巨敬。皆悬赏格，购首告及缚送者。"

群臣归附。《明通鉴》卷一三："时文臣叩马首迎附，知名者：吏部侍郎蹇义，户部侍郎夏原吉，侍中刘俊，侍郎古朴、刘季篪，大理寺少卿薛岩，侍讲王景，修撰胡广、李贯，编修吴溥、杨荣、杨溥，侍书黄准、芮善，待诏解缙，给事中胡濙、金幼孜，兵部郎中方宾，刑部员外宋礼，国子助教王达、邹缉，吴府审理副杨士奇等。……时榜中逮捕诸臣，郑赐、王钝、黄福、尹昌隆，自陈'为奸臣所累，乞宥罪'，又以茹瑺、李景隆言，并宥张紞及毛泰亨，皆先后授官，或仍其故职。寻复揭榜于朝堂，增徐辉祖、铁铉、周是修、姚善、甘霖、郑公智、叶惠仲、王琏、黄希范、陈彦回、刘璟、程通、戴德彝、王艮、卢原质、茅大芳、胡子昭、韩永、叶希贤、蔡运、卢振、牛景先，周璿等，共五十余人。"

周是修卒，年四十九。《东里文集》卷二二《周是修传》："太宗文皇帝靖难之师既渡江，驻金川门，宫中悉自焚。明日，是修留书其家，别其友江仲隆、解大绅、胡光大、萧用道、杨士奇，且付后事。暮入应天府学自经，六月十五日也。又明日，臣民推戴文皇帝继大统。数月，御史言是修不顺天命，请加追戮，上曰：'彼食其禄，自尽其心。'一无所问。是修内贞外和，有孝友忠信之行，非其义不苟取，襟怀坦明洒落而冲澹悠然。其学自经史百氏，下至阴阳医卜之说，靡所不通。为文章未尝缔思，援笔立就，而雍容雅赡，词理条达。稍暇，著述吟咏，不虚寸晷。所著有《诗小序》《诗集义》《诗谱》《论语类编》《广衍太极图》《观感录》《纲常懿范》《迩言》《家训》《刍荛集》《进思集》。……是修卒年四十有九。"《静志居诗话》卷五《周是修》："纪善诗最传者《长安古意》一篇，李时远云，可与初唐四子相埒。近陈卧子论诗甚严，选明三百年诗寥寥数卷，是篇特见录。亡友陆丽京亦亟称之，云是神龙景云以前风调。予谓此等诗但似古人骸骼，无关性情，就《刍荛集》中择之，不若《牧童谣》一首犹存张、王遗韵也。"《明诗综》卷一八《周是修》存诗一首《牧童谣》："远牧牛，朝出东溪溪上头。溪头草短牛不住，直过水南芳草洲。脱衣渡水随牛去，黄芦飒飒风和雨。老鸦乱啼野羊走，绝谷无人惊四顾。寒藤枯木暮山苍，同伴相呼归又忙。石棱割脚茅割耳，身上无有干衣裳。却思昨日西边好，旷坂平原尽丰草。短蓑一卧午风轻，长笛三吹夕阳早。"《刍荛集》卷首提要："《刍荛集》六卷，明周是修撰。……燕兵既入，士奇等争先推戴，是修乃独诣尊经阁自经。乾隆丙申，赐谥忠节。事迹具《明史》本传。后解缙为作志铭，但称归京师为纪善，预翰林纂修以死，竟没其殉节事。杨士奇为作传，乃言其自经应天府学。盖缙作志在永乐元年，士奇作传则在宣德四年也。传又称是修数论国家大计，至指斥用事者误国，用事者怒，众共挫折之云云。盖欲明是修非齐、黄之党，以避时忌。然革除之际，取义成仁，但问临难死不死，不问持议同不同。纵使有党，亦不害其为忠臣，不能以是抑是修也。是集为其孙应鳌所刊，凡诗三卷，赋及杂文三卷，非惟风节凛凛溢于楮墨，即以文章论之，亦复无愧于作者。末附缙所作志铭，士奇所作传，可谓白茅之藉矣。姑并存之，益以彰是修也。"《明史》周是修传："其学自经史百家，阴阳医卜，靡不通究。为文援笔立就，而雅赡条达。初与士奇、缙、靖及金幼孜、黄淮、胡俨约同死。临难，惟是修竟行其志云。"《明诗纪事》乙签卷一《周是修》陈田按："先生诗逸情古调，寄托遥深。先生嗣孙希韩，为余妹婿，尝假《刍荛集》于其家录之。"

方孝孺卒，年四十六。《明太宗文皇帝实录》卷九下"［建文］四年六月丁丑（二十五日)"："执奸臣齐泰、黄子澄、方孝孺等至阙下。上数其罪，咸伏辜，遂戮于市。上得群臣建文时所上谋策，悉命焚之。有请上观者，上曰：'当时受其职，食其禄，亦所当言，何必观！'复有言建文所用之人宜屏斥者，上曰：'今之人才，皆皇考数十年所作养者，岂建文二三年间便能成就？'又曰虽仍其官，不宜置之要地。上曰：'致治必资贤才。天生才以为世用，随器任使，共理天工，何必致疑？'"《明通鉴》卷一三："杀兵部尚书齐泰、太常寺卿黄子澄、文学博士方孝孺，皆夷其族。……上之发北平也，道衍以孝孺为托，曰：'城下之日，彼必不降，幸勿杀。杀孝孺，天下读书种子绝矣。'上颔之。然素重孝孺名，召至，使草诏。孝孺衰绖入，悲恸声彻殿陛，上降榻劳曰：'先生毋自苦！予欲法周公辅成王耳。'孝孺曰：'成王安在？'上曰：'彼自焚死。'孝孺曰：'何不立成王之子？'上曰：'国赖长君。'曰：'何不立成王之弟？'上语塞，曰：'此朕家事。'顾左右授笔札，曰：'诏天下，非先生草不可。'孝孺投笔。哭且骂曰：'死即死耳，诏不可草！'上曰：'独不畏九族乎？'孝孺曰：'便十族，奈我何！'上犹欲强之，孝孺乃索笔大书'燕贼篡位'四字，上大怒，命磔诸市。孝孺慨然就死，作《绝命词》曰：'天降乱离兮，孰知其由？奸臣得计兮，谋国用犹。忠臣报国兮，血泪交流。以此殉君兮，抑又何求！呜呼哀哉兮，庶不我尤！'时年四十有六。……是狱也，泰与子澄皆坐族。而孝孺以十族故，并及其朋友、弟子。于是廖镛与其弟铭，皆德庆侯永忠孙也，以曾受业孝孺，为拾遗骸，瘗聚宝门外山上，遂被逮死。太常少卿卢原质，以中表故，与其弟原朴皆坐死。御史郑公智，陕西金事林嘉猷，皆同里弟子，孝儒尝曰'匡我者，二子也'；刑部侍郎胡子昭，以孝儒荐，预修《太祖实录》；河南参政郑居贞，孝孺友也；诸人皆坐党被逮死。又，孝孺主应天试所得士有长洲刘政、桐城方法。政曾草《平燕策》未上，闻孝儒死，遂呕血卒。法官四川断事，以诸司表贺登极，不肯署名，及被逮，行次望江，瞻望先人庐舍，再拜，自沉江死。凡先后坐孝孺党而死者八百余人。……而孝孺既诛，上欲以草诏属侍读楼琏。琏，金华人，尝从宋濂学，承命不敢辞。归，语妻子曰：'我固甘死，正恐累汝辈耳。'其夕，遂自经死。"林右《逊志斋文集序》："希直之文，吾评之矣。譬若春气方至，真液之色充满广宇，飞潜动植之物各有生意，天下之人莫不信之。此特其一事耳。要其大者，不在此也。虽然，文所以达志也，不观其文，何以知其志之所存？"刘大谟《重刊逊志斋集序》："呜呼！先生之文，磅礴若天地，昭著若日星，泛溢若江海，崇峻若岷峨，变化不测若雷电风雨，奇伟异常若麟凤龟龙，温纯无疵若精金美玉，切实有用若布帛菽粟，自宋潜溪而下，称之不容口矣！余何人，斯敢复置喙于其间哉？然尝慨夫世道既降，徒有其名、略无其实者，滔滔皆是也。独先生崛起百代之下，自名其斋曰'逊志'，观其于博识洽闻之中，有潜孚默契之妙，谓非允怀于兹道，积于厥躬者乎！蜀献王称之曰'正学'，观其衍孔子孟轲之说，斥杨墨、佛老之徒，谓非知所祖述，而不陷于邪僻者乎？以'孝孺'为名，观其上书政府，尤代父讼，立身行道，显亲扬名，谓非曾闵流亚，而可以为子者乎？以'希直'为字，观其甘受刀锯、鼎镬而不辞，愿从龙逢、比干以同归，谓非九死未悔、万折必东者乎？又字曰'希古'，观其穷探远绍，欲接百圣之传，竭智殚心，期行三代之政，谓非尚友先民、驰神在昔，而不狃于俗儒之凡陋者乎？噫！循厥名无愧厥实，考厥实式副厥名，千载寥寥，一人而已！亶乎先生之可重者，良不以其文也。然匪文则何以承先生之謦欬、领先生之绪余？是故重其人又不可不重其文也。"唐尧臣《叙刻逊志斋集》："方先生之学，一本于诚，发而为文，凿凿皆实理，是故其大者丽玄黄，而细不遗于蚊蚋之微。明与日月争光，而幽赞默成，若或授之乎造化之柄。近而家庭孝弟雍叙，所横被者，放之四海而皆准也。夫其为志专，故词无枝叶。其行直，故义存而不变。其弘毅，故肤骨凝厚，亦惟仁以为己任者能自得之。"范惟一《重刻逊志斋集序》："夫先生道德士也，其所操志皆三代圣贤轨业，岂暇韩、柳诸家学哉？或称先生文似苏长公，非知先生深者。先生尝奏记太史潜溪公，自谓大者宏廓敷扬其所传于世，其次整齐周公孔子之成法为来今准，下此犹当著一书，摅所蕴蓄，续斯道之无极。嗟乎！斯岂谩言哉！"王可大《重刻逊志斋集序》："文不足以语先生，而先生之蕴蓄底里、操履经略，实因文以见。当元之季，纪网礼教沦荡渐尽，国朝受天明命，诚意、景濂诸君子起而倡率之，礼法聿兴，文命肆布。先生归依诸君子，以讲明道学为己任，以振作纲常为己责，以继往绪、开来学为己事，以辅君德、起民瘼为己业。养植既粹，文彩自沃，以故绪言余论见重当时。而二百年来，不问贤不肖，皆知有先生，皆知有先生之文。……然则先生之文，其有裨于世教名义，宁不重且伟欤！使其继诚意、景濂诸公立在朝廷，考故典、敷文教、荐宗庙，勒为一代之言，以泽国家之盛，则岂使后之人悲先生之心，而益有感先生之文耶！先生之文，醇正如紫阳朱子，理学如濂溪周子、两程子，叙事如司马子长，论议如陆宣公，而精神缜密则与昌黎韩子相上下耳。"孙如游《逊志斋集重刻序》："余自幼闻正学方先生节义，即感慨仰慕，年十五，得先生遗文读之，其气醇庞博朗，沛乎有余，勃乎莫御，若日月光昭、风霆迅发，江海奔流、山岳嶒峻，其根据必准于六经四子，其议论必归于仁义道德，其辨析旁证，折衷群疑，而必要于当，其尽言极意，变态溢出，而必绳于法。有德有言，先生以之。非晚近词卿墨士剿袭雕绘、凭视傲睨、骋臆见而弛矩矱者可同日语。"姚履旋《方正学先生外纪小引》："呜呼！先生缵圣真之绪、扶纲常之大，肩任讵不重哉？于文章求之，进而得其节义；于节义求之，弘而显其道德。盖体备性灵，渊邃自韫，脉分派衍，莫窥其涯际矣！至于染翰摛词，所谓笼天地于形内、挫万物于毫端，夫何所不有？然而黜华存质，是能为长卿而能不为长卿者也。"都穆《南濠诗话》："方正学先生集传之天下，人人知爱诵之。但其中多杂以他人之诗，如《勉学》二十四首，乃陈子平作；《渔樵》一首，乃杨孟载作。又有《牧牛图》一绝，亦元人诗。"游潜《梦蕉诗话》："方孝孺《严子陵钓台长短句》云，'正人先正己，治国先齐家。如何废郭后，宠此阴丽华？糟糠之妻尚如此，贫贱之交安足拟！羊裘老子早见几，独向桐江钓烟水。'直于子陵心上说出。宋诗不及于唐，固也。或者矮观声吠，并谓不及于元，是可笑欤！正学论诗云，'前宋文章配两周，盛时诗律亦无俦。今人未识昆仑派，却笑黄河是浊流。''天历诸公制作新，力排旧习祖唐人，粗豪未脱风沙气，难诋熙丰作后尘。'"〔按，据今人张常明考，孝孺《绝命词》载于明钮氏学楼抄本《立斋闲录》卷二者，较他本为详，词曰：天降乱离兮，孰知其由？三纲易位兮，四维不修。骨肉相残兮，至亲为仇。奸臣得计兮，谋国用猷。忠臣发愤兮，血泪交流。以此殉君兮，抑又何求？呜呼哀哉兮，庶不我尤！〕《艺苑卮言》卷五："苏伯衡、方希古皆出眉山父子，方才似高，然少波澜耳。""方希直如奔流滔滔，一泻千里，而濛洄混漾之状颇少。"《文脉》卷三《文脉新论》："方侯城《逊志斋集》绰有东坡之才，健逸过王，博不及宋。"《明诗综》卷一八《方孝孺》："徐子玄云，希直文章大家。诗亦豪壮，非所长也。李时远云，正学诗浑朴淳正，大率如其文。"存诗十三首：《休日奉陪蜀府诸公宴集》《闲居感怀三首》《次王仲缙感怀韵》《上巳约友登南楼》《感橙树有作》《岁除祭先奉怀家兄次文公先生病中呈诸友韵》《勉学诗》《题王叔明墨竹为郑叔度赋》《蕨箕行》《懿文皇太子挽诗》《题画》。《静志居诗话》卷五《方孝孺》："正学先生文，昌明博大，开阖自如，虽有小韩之名，实与大苏相埒。潜溪学士赠诗云：'方生来海上，玉立而春温。同餐太仓粟，共勘典与坟。溯苍扣无始，溟涬穷无垠。宇宙所管摄，载籍所敷陈，终始钩钳之。若大乐建钩，律吕按高下，宫商肃君臣，黄钟压瓦釜，庭燎灭鬼磷。以兹稽古力，可敌勘定勋。濡毫写雄颢，势足移峨岷。漏泄浑沌窍，出入造化神，尽抽神奇秘，不堕臭腐尘。所以自出之，愈见光景新。振古著作家，后先各缤纷。岂知万牛毛，难媲一角麟。'叶夷仲亦赠诗云：'雄文细字塞巨峡，雅辞宏论开心扃。其险逾云汉，其幽通窈冥。赡如戈甲积晋库，奇如盘鼎镂商铭，丽如勾芒青春布花卉，壮如丰隆白日驱雷霆。千流万派怒奔放，终然帖帖趋东溟。持以用世，不啻如养生之谷粟，济疾之参苓。直须上追《虞书》媲《周雅》，于以作《春秋》之羽翼，为礼乐之藩屏。'其倾倒也至矣。说者谓先生诗非所长，然五言熟精选体，当在潜溪、华川之右。其谈诗绝句云：'举世皆宗李杜诗，不知李杜更宗谁？能探风雅无穷意，始是乾坤绝妙辞。'又云：'前宋文章配两周，盛时诗律亦无俦。今人未识昆仑派，却笑黄河是浊流。'又云：'天历诸公著作新，力排旧律祖唐人。粗豪未脱风沙气，难抵熙丰作后尘。'其意盖瓣香东坡居士也。予谓先生宜配食孔子之庭，尝赞柯纳言耑疏请于朝，廷议以先生但能成仁，不可为道学，且只有文集，而无语录，以是抑之。纳言几获罪。不知语录乃浮屠家法耳。祀典阙如，不能无望于后之君子。"

黄子澄卒。朱睦㮮《革除逸史》卷一："〔六月〕丁丑（二十五日），杀齐泰、黄子澄，皆夷其族。"《明史》黄子澄传："及燕兵渐南，与齐泰同谪外，密令募兵。子澄微服由太湖至苏州，与知府姚善倡义勤王。善上言：'子澄才足捍难，不宜弃闲远以快敌人。'帝复召子澄，未至而京城陷。欲与善航海乞兵，善不可。乃就嘉兴杨任谋举事，为人告，俱被执。子澄至，成祖亲诘之。抗辩不屈，磔死。族人无少长皆斩，姻党悉戍边。一子变姓名为田经，遇赦，家湖广咸宁。正德中，进士黄表其后云。"《明诗综》卷一八《黄子澄》存诗一首：《枯梅》："百千年树未全枯，三五个花何太疏！闻道石门春意动，不知曾有暗香无？"《静志居诗话》卷五《黄子澄》："太常受《易》于欧阳贞，受《书》于周与学，受《春秋》于梁寅。初谒寅时，寅令作《枯梅》诗，立就，甚异之。石门，寅所居也。"《明诗纪事》乙签卷一《黄子澄》陈田按："子澄荐李景隆为将，景隆败走，请诛以厉将士，帝不听。未几江淮诸将相继溃败，子澄拊膺痛哭曰：'误荐景隆，万死不足赎也。'赋诗云：'尚方有剑凭谁借？哭向苍天几堕冠。'余谓子澄首事发难，颇类晁家令，赖其后死事甚烈。朱平涵云：'太常文章泯灭，单词片语流落人间，气焰光华，固不必多。'余检曾宾谷《江西诗征》，录诗甚夥。《赏芍药》一篇，尤清婉动人。"

王叔英卒。《东里续集》卷四七《简问广德州官访王静学葬所》："翰林院修撰王叔英先生，洪武三十五年六月二十七日晚，卒于广德州，就葬于彼。未知在寺中在观中住？但闻临卒时，嘱所下处姓潘师兄为葬之近祠山上下，今烦询问其墓。"《静学文集·本传》："太宗皇帝入继大统，先生与正学皆死之。时先生方募兵广德，将进，适尚书齐泰来奔。知事不可为，遂止。退馆于祠山道士，以死自誓。比死，作绝命辞，有曰：'尝闻夷与齐，饿死首阳巅。周粟岂不佳，所见良独偏。'又书案曰：'生既久矣，愧无补于当时；死亦徒然，庶无惭于后世。'以辞裹金，置道士所治棺。中夜起，沐浴冠带，经于庭之柏。月明犬吠，隶人启户视之，先生死矣。道士遂以其棺敛之，为葬于横山。杨文贞公士奇过广德，题其墓曰：'呜呼，修撰王公之墓。道士姓盛名希年，亦黄岩人，义士也！'隶人上其状，与方先生死先后日耳。"《明史》王叔英传："燕兵至淮，奉诏募兵。行至广德，京城不守。会齐泰来奔，叔英谓泰贰心，欲执之。泰告以故，乃相持恸哭，共图后举。已，知事不可为，沐浴更衣冠，书绝命词，藏衣裾间，自经于玄妙观银杏树下。天台道士盛希年葬之城西五里。其词曰：'人生穹壤间，忠孝贵克全。嗟予事君父，自省多过愆。有志未及竟，奇疾忽见缠。肥甘空在案，对之不下咽。意者造化神，有命归九泉。尝念夷与齐，饿死首阳巅。周粟岂不佳，所见良独偏。高踪渺难继，偶尔无足传。千秋史官笔，慎勿称希贤。'又题其案曰：'生既已矣，未有补于当时。死亦徒然，庶无惭于后世。'燕王称帝，陈瑛簿录其家。妻金氏自经死，二女下锦衣狱，赴井死。"《明诗纪事》乙签卷一《王叔英》引《革朝遗忠录》："文皇渡江，叔英卧病僧寺，知事不可为，沐浴具衣冠，赋绝命词……遂自经死。"

练子宁卒，年三十五。《明史纪事本末》卷一八《壬午殉难》："右副都御史练子宁，名安，以字行。被临安卫指挥刘杰缚至阙，语不逊，文皇大怒，命断其舌曰：'吾欲效周公辅成王耳。'子宁手探舌血，大书地上'成王安在'四字。文皇益怒，命磔之。宗族弃市者一百五十一人。又九族亲家之亲，被抄没戍远方者又数百人。越数年，吉水钱习礼以练氏姻族未及逮，既官中朝，恒为乡人所持。以告学士杨荣，荣乘间以闻，文皇曰：'使子宁尚在，朕固当用之，况习礼耶！'"《御选明诗》卷四七《送练中丞遗裔归家》序："自金川门之变，练公子宁以御史大夫抗节死阙下，阖门荼毒，独有侍媵抱匦岁子，匿民间得免。展转入闽，为人佣保。六世孙绮者，为新宁陈孝廉掌书记。万历戊戌，孝廉计偕入浙，有江右杨生应祥同舟。先一夕，生梦练公持刺谒己，心异之。比入孝廉船，见书记侍侧，雅晢不群。指问：'何姓？'答曰：'练生。'心动，叩之曰：'得非吾里练中丞后乎？'绮不应，而涕泪满面。生益疑骇，穷诘之，具得其状，亟以百金为赠，孝廉不受。遣绮，绮不肯行，曰：'以死殉国，人臣之恒。且九族赤矣，归将何为？'生益贤之。归家，具白当事者，以币来聘，授以衣巾，俾奉公祠。官为置田庐百亩。一时闻者，莫不叹息泣下，以为天道有知云。"《静志居诗话》卷五《练子宁》："革除诗文之禁，甚于元丰。然《逊志》之集，《金川玉屑》之编，久而日星不灭也。是编至正德中始出。其诗娟秀妍雅。七言如'丹梯下压龙蛇窟，铁锁高悬虎豹关'，'司马岂无乘驷日？终军又是入关时'，'旋沽南石桥边酒，走送东风江上船'，'一水东来通汉沔，诸峰西上接岷峨'，'残碑堕泪空秋草，折戟沉沙自夕阳'，'饮马窟深泉脉暖，射雕风急雪花寒'，'天垂巨野河流急，秋尽江南木叶疏'，'莫怪风流谢安石，未应憔悴沈休文'，皆泠然可诵。"《明诗综》卷一八《练子宁》存诗一首：《三月望日与饶隐君子宏游玉笥山谣》。四库提要卷一七〇："《练中丞集》二卷，明练子宁撰。……当燕王篡立之初，诬建文诸臣为奸党，禁其文字甚严。弘治中，王佐始辑其遗文，名曰《金川玉屑》。故徐泰《诗说》有'金川练子宁《玉屑》无多，为世所宝'之语。此本乃泰和郭子章重编，附以遗事一卷。其裔孙绮复增辑之。黄溥《简籍遗闻》尝记集中可疑者三事：一曰《送花状元归娶》诗，谓洪武辛亥至建文庚辰，状元但有吴伯宗、丁显、任亨泰、许观、张信、陈䢿、胡靖七人，无所谓状元花纶。纶乃洪武十七年浙江乡试第二，不应有奉诏归娶事。一曰《故耆老理庭黄公墓志》，谓子宁及第在洪武十八年，此志后题洪武丙辰三月之吉，乃洪武九年，不应结衔称'赐进士及第、授翰林院修撰'。一曰《集后杂考》引叶盛《水东日记》，载长乐郑氏有手卷，练子宁赋，张显宗跋，称显宗状元及第；洪武时亦无此状元。其言颇核。盖子宁一代伟人，人争依托，因而影撰者有之。然终不以伪废其真也。"

卓敬卒，夷其族。《明史》卓敬传："燕王即位，被执，责以建议徙燕，离间骨肉。敬厉声曰：'惜先帝不用敬言耳。'帝怒，犹怜其才，命系狱，使人讽以管仲、魏征事。敬泣曰：'人臣委贽，有死无二。先皇帝曾无过举，一旦横行篡夺，恨不即死见故君地下，乃更欲臣我耶？'帝犹不忍杀。姚广孝故与敬有隙，进曰：'敬言诚见用，上宁有今日。'乃斩之，诛其三族。敬立朝慷慨，美丰姿，善谈论，凡天官、舆地、律历、兵刑诸家无不博究。成祖尝叹曰：'国家养士三十年，惟得一卓敬。'万历初，用御史屠叔方言，表墓建祠。"《明诗综》卷一八《卓敬》存诗一首：《墨竹》。《明诗纪事》乙签卷一《卓敬》存诗一首《墨菊》："我向玄都逢羽士，自言种菊不多根。灌园只汲临池水，岁岁花开见墨痕。"引郁衮《革朝遗忠录》："卓敬为文章精粹峭拔，磊磊落落，似其为人。诗词宏婉，有一唱三叹之遗音。"

程本立卒。《国朝献征录》卷五六《金都御史程公本立传》："乃征入翰林，纂修高庙实录。未几，擢左金都御史。建文三年，坐郊祀失扈从，左迁江右按察副使。以纂修未竣，未行。时靖难兵至，公与吏部尚书张纯自尽。"《静志居诗话》卷五《程本立》："建文诸臣，文莫过方希直，诗莫过程原道。希直之文取法昌黎，下亦不失为苏子瞻。原道之诗刻意杜陵，下亦不失为陈简斋也。"《明诗综》卷一八《程本立》存诗三十二首。四库提要卷一七〇："本立文章典雅，诗亦深稳，朴健颇近唐音，不但节义为足重，即以词采而论，位置于明初作者之间，亦无愧色矣。"《明诗纪事》乙签卷二《程本立》陈田按："明初槜李诗人首推清江，次及巽隐。巽隐诗格浑气遒，七律尤对仗整齐，固当与嶙峋大节并留天地。"

七月

祭天地，诏以明年为永乐元年。《明通鉴》卷一三："七月壬午朔，大祀南郊，以太祖配。赦天下。诏：自今年六月后仍称洪武三十五年，以明年为永乐元年。凡建文中干犯者，一切弗问。"

诏建文时所改官制，一切复之。《明太宗文皇帝实录》卷十下"洪武三十五年秋七月甲午（十三日）："吏部言，建文中所改旧制，如在外文职官，旧制考满，俱亲赴京给由；建文中止令进缴牌册。各处闸坝、驿丞、递运、司狱等官，旧俱三年一考；建文以其非钱谷衙门，徒劳往复，止令申报事迹，九年通考。在外布政司、府、州、县官，旧考满，填写纸牌，攒造《功迹》《功业》《须知》文册三本，亲赉给由；建文止令造进《功业文册》一本，纸牌一面。按察司官并监察御史，旧考满，将任内历问刑名、追过赃罚，录为事迹；建文以建明政事、纠击奸贪、荐举循良、宣扬教化为风宪政绩。各处巡检，旧三年为满，以所获盗贼军囚多寡为黜陟；建文改为九年，仍验其地方冲要僻静、才力优劣为考核。教官，旧九年为满，俱从合于上司考核，要见所考词语，送部覆考，又以科举多寡为黜陟；建文革去考核词语，止论科举多寡。今悉宜复旧。从之。"《明太宗文皇帝实录》卷十下"洪武三十五年秋七月辛丑（二十日）"："上视朝罢，以建文多改旧制，顾侍臣叹息曰：'只如群臣散官一事，前代沿袭行之已久，何关利害？亦欲改易。且陵土未干，何忍纷纷为此。'于是天颜怆然变色，既又曰：'凡开创之主，其经历多，谋虑深，每作一事，必筹度数日乃行，亦欲子孙世守之。故《诗》《书》所载后王之善，必曰：不愆不忘，率由旧章。于戒警后王，必曰：率乃祖攸行。曰：监于先王成宪。此皆老成之言。后世轻佻谄谀之徒，立心不端，以其私智小见导嗣君改易祖法，嗣君不明，以为能而宠任之，徇小人之邪谋，至于国弊民叛而丧其社稷者，有之矣。岂可不以为戒？'乃进吏部尚书张纮、户部尚书王钝，谕曰：'卿二人久事皇考，习知典故，今皆老矣。其解见职务，月给尚书半俸，居京师，视时政有戾旧制者，并向朕直言之勿隐，庶称属望老成之意。'"

谢缙《兰庭集》初成。 周传《兰庭集序》："姑苏自我朝以来，文运与时大兴。以诗鸣者，则有高君季迪、杨君孟载为尤，二君之诗，言选则入于汉魏，言律则入于唐。音响调格，宛然相合，而意趣或有过之，虽识者莫能辨其异也。余友谢孔昭氏，自少即嗜诗，得二君之旨趣，故其为诗不苟，必拟于古人。调格似矣，而音响之不入者，不作也；音响似矣，而意趣之不佳者，不作也。不作则已，作则必欲如古人焉。是将骎骎乎汉、魏、唐者也。今编其稿，分为选诗、律诗、绝句，凡若干首，属余为序。……癸未岁七月既望，汝南周传叙。"《兰庭集》卷首提要："《兰庭集》二卷，明谢缙撰。晋字孔昭，吴县人。工山水，尝自戏称为谢叠山。其名，《明诗综》作晋，而集末《赠盛启东》一首，乃自题'葵丘谢缙'。又附见沈大本诗一首，题作《寄谢一缙》，殆一人而两名者耶？集中有《承天门谢恩值雨》诗，则明初尝以布衣应征者。卷首有汝南周传、浚仪张肯二序。张肯称晋诗二百余篇，而此集所存，乃不下四五百篇。考张序作于永乐甲申，而集末有永乐丁酉十月既望之作，丁酉上距甲申凡十四载，积诗之多，宜其过于张序所云矣。周传谓姑苏之诗，莫盛于杨孟载、高季迪，而孔昭得二君之旨趣；张肯谓其得性情之正而深于学问。虽称许不无稍过，然其雅秀俊逸，要亦足自成一家，固不徒以绘事传也。"

八月

解缙、黄淮入直文渊阁，预机务。《明通鉴》卷一三："八月壬子（初一），命侍读解缙、编修黄淮入直文渊阁，并预机务。缙首迎附，召对称旨，命与淮常立御榻左备顾问，或至夜分，上就寝，犹赐坐榻前，语以机密重务。内阁预机务自此始。"

杀御史大夫景清，夷其族。《明通鉴》卷一三："清本耿姓，讹为景，真宁人。建文初，出为北平参议。上在燕邸，与语，言论明晰，大称赏。还，迁左都御史，与孝孺等约同殉国。及京师不守，清知建文之出亡也，密谋兴复，乃诣阙自归，上喜曰：'吾故人也。'命仍故官。委蛇班行者久之。是日（十五日）早朝，清衣绯怀刃而入。先是，日者奏：'异星赤色犯帝座急。'上故疑清。及朝，清独著绯，命搜之，得所藏刀，诘责，清奋起曰：'欲为故主报仇耳！'上怒，命磔于市。清骂不绝口而死。一日，上昼寝，梦清绕殿追之，上曰：'清犹能为厉邪！'乃夷其九族，尽掘其先人冢墓。又籍其乡，转相攀染，谓之'瓜蔓抄'，村里为墟。"

九月

胡俨入文渊阁预机务。《翰林记》卷二〇《馆阁题咏》："太宗朝内阁七人者，在馆阁相与倡和，有《直阁即事》诸诗。侍讲胡俨尝有句云：清晓朝回秘阁中，坐看宫树露华浓。绿窗朱户图书满，人在蓬莱第一峰。"杨溥《国子祭酒胡先生墓碑》："壬午，太宗皇帝入正大统，闻先生名，召试之，称旨，特授翰林检讨。寻升侍读，直内阁。朝廷推恩，封其父母妻室。永乐甲申，升左春坊谕德，兼官如旧。"《明史》胡俨传："成祖即位，曰：'俨知天文，其令钦天监试。'既试，奏俨实通象纬、气候之学。寻又以解缙荐，授翰林检讨，与缙等俱直文渊阁，迁侍讲，进左庶子。"《明诗纪事》乙签卷四《胡俨》陈田按："宾客于永乐壬午迁侍读，甲申迁谕德，见杨文定所著墓碑。史称直文渊阁，迁侍讲，进左庶子，与碑不合，偶未检耳。"

高逊志卒。《静志居诗话》卷五《高逊志》："太常之死，传闻异辞。《革除遗事》及《吾学编》皆云，'靖难师起，存没无考'。刘琳《拊膝录》谓，'盛庸兵败，自经'。柳瑛《嘉兴府志》谓，'卒于官'。赵太守瀛撰《嘉兴府志》，称'太常卒谥文忠，彭比部辂亦云'，未知何据？亡友蒋之翘楚稚，尝出其族谱，有远祖竞，仕让皇帝为文渊阁侍书，实太常弟子，有祭太常文，其略云：岁在壬午九月晦，吾师士敏高先生卒。师以国破家亡，遁影东瓯雁荡山中，颓龄疾苦，仆从窜逸，只影自矢为西山饿夫。天假之合，小子竞，亦以未死之身来偷息于此，相对若梦寐，泪涔涔下。侍吾师仅五十日，吾师竟长逝。就瞑之顷，指画'恨'字，既而曰：'复何恨！'复何恨者，正吾师泣血椎心万古耿耿之长恨也。竞穷途无以成礼，林有巨木遭伐，其腹枵然，乞诸樵叟，敛而瘗之芙蓉峰北。呜呼！天降丧乱，萧墙祸起，君国殄瘁，臣所当死。博浪无椎，环柱失匕，遁迹空山，洁身以竢。邂逅之间，师师弟弟，命之穷兮，师疾不起。为营一坏，山崖水涘，杖履莫追，涕泗曷已？然则金川门师入之后，太常自洁其身远遁，未尝卒于官。其诗有云：'生死尚无慑，宠辱何足惊！'盖矢之有素矣。《列朝诗集》据《鹤林集》云：'太常作《周尊师传》，后题洪武三十五年岁次壬午春正月初吉，前吏部侍郎太史河南高逊志。又《祈雨诗》后书云河南高逊志，大明洪武吏部侍郎。'因疑革除之后，不署建文职官，故称洪武，第壬午正月，靖难师尚未渡江，让皇帝犹在位岂有预书'洪武三十五年'之事乎？考革除之命，是年七月始下，则二书题名，盖出于道士，未足依据也。《蒿庵遗稿》诗文各一卷，太常十世孙佑钜博采成编。"《始丰稿》卷一一《师友集序》："士敏遵承父训惟谨，本之以超迈之姿，济之以方锐之气，穷日夜之力以务记览，涵揉停蓄，作为文章，多而千言，少或百字，咸中矩度。时士敏年才弱冠，已与老成作者有并驱争先之意。……既入国朝，士敏年日以壮，而文日益有名。凡著作家论当世能言之士，必曰：'高士敏氏不敢后也。'而四方之求文者，亦日辏其门。"《明诗纪事》乙签卷二《高逊志》陈田按："士敏父德，所至与宗工巨儒游，如虞文靖公集、欧阳文公玄、余文忠公阙、贡公师泰、程公文、周公伯琦、张公翥、危公素、张公以宁，士敏皆得亲承其绪论文章，故学有渊源，华年笃志，以善属文称。"

秋

夏原吉以旧臣进户部尚书。《忠靖集》附录《夏忠靖公遗事》："三十五年秋，太宗入正大统，有执公以献者，上以公太祖旧臣，奉公守法，转户部左侍郎。公力以疾辞，弗允。逾月，进户部尚书。凡贡赋役之制，悉命公详定。公酌古今之宜，为经久计，其所议率从仁厚，曰：'不可使后之难继，戕吾民也。'"

十月

诏重修《太祖实录》。《明太宗文皇帝实录》卷一三"洪武三十五年冬十月己未（初九）"："修《太祖高皇帝实录》，敕太子太师曹国公李景隆、太子少保兼兵部尚书忠诚伯茹瑺曰：'昔皇考太祖高皇帝，顺天应人，开基启运，自布衣提三尺剑，十数年间削刈群雄，平一六合，功成治定，制礼作乐，身致太平，垂四十年。功德之盛，亘古莫伦。比者建文所修实录，遗逸既多，兼有失实。朕鉴之，诚有歉焉。今命儒臣重加纂修，务在详备。庶几神功圣德，明昭日月，垂裕万世。尔景隆国之懿戚，自少暨壮服事皇考，庙谟睿略，多所闻知，今特命尔监修。瑺祗事先帝，多历年载，信任弥笃，当时圣政，亦所悉焉。其为之副。尚端乃心，悉乃力，用著成一代之盛典。岂惟仰答先朝宠遇之厚，亦以副予惓惓之孝诚。钦哉！'"

敕谕《太祖实录》修撰原则。《明太宗文皇帝实录》卷一三"洪武三十五年冬十月庚申（初十）"："谕修实录官曰：自古帝王功德之隆者，必有史官纪载，垂范万年。我皇考太祖高皇帝，神功圣德，天地同运，日月同明，汉唐以来未之有也。比建文中，信用方孝孺等纂述实录，任其私见，或乖详略之宜，或昧是非之正，致甚美弗彰，神人共愤，蹈于显戮，咸厥自贻。今已命太子太师曹国公李景隆为监修，太子少保兼兵部尚书忠诚伯茹瑺为副监修，尔等皆茂简才识，俾职纂述，其端乃心，悉乃力，以古良史自期，恪勤纂述，必详必公，用光昭我皇考创业垂统、武功文治之盛，与乾坤相为无穷斯。汝为无忝厥职矣。钦哉！'"

十二月

聂大年（1402—1456）**生**。字寿卿，临川人。用荐为仁和训导，升教谕。景泰初，征入翰林，卒。有《冷斋集》。王直《教谕聂大年墓志铭》："公一目重瞳。幼颖悟，日记数千言。善属文，工诗。行楷精绝，得李北海笔意。……生于洪武壬午十二月初三日，及其卒也，享年五十又五。"朱谋垔《续书史会要》："大年于父卒后五月乃生，母胡孺人抚育之。天资明爽，颖悟绝人。比长，喜读书，日记数千言，通《诗》《书》二经，于诸子史无不读。尤笃意古文及晋唐人诗，书法欧阳、赵松雪，皆臻其妙。由是名动缙绅间，用荐起为仁和训导。藩宪大臣与一时达官显人过杭者，皆礼重之，而大年之文章传于远迩。"

本年

王达《天游文集》初成。《列朝诗集小传》乙集《王读学达》："达，字达善，无锡人。少孤贫力学。洪武中，举明经，除国子助教。永乐中，擢侍读学士。达善有盛名，与解大绅、王孟扬、王汝玉辈，号东南五才子。四人者，先后得罪死，达善独以寿考终。"张宇初《翰林学士耐轩王先生文集序》："予往岁与达善定交锡山，声迹不相闻者稽十载矣。近以二教成均，累会于京。握手寓邸，道说故旧，欢如平生。一何人生之离会，有不可期者若是哉！间示其所著《天游集》若干篇，可谓理造而道著者矣。凡长编巨帙、岳峙川流、雄赡渊雅之音，见之辞表，而视诸名家者相与齐驱并驾，未知孰先后焉？又岂世之夸丽藻绘以取誉一时者可同日语哉！……时洪武壬午秋，方外忝知张宇初识。"

程通随辽王在荆州。《篁墩文集》卷四九《长史程公传》："未几，高皇帝上宾。庚辰，从王渡海南，还。辛巳，进左长史。明年，始从之国荆州。"《明史》辽王植传："建文中，靖难兵起，召植及宁王权还京。植渡海归朝，改封荆州。"

曾棨丧子。《刻曾西墅先生集》卷四《过殇男伟孙坟》："壬午年中哭汝时，至今回首转堪悲。探环往事谁能问？埋玉重泉恨永遗。涧里云寒松寂寂，墙阴露白草离离。伤心千里南归客，泣向西风泪两垂。"

刘璟卒。字仲璟，青田人，诚意伯基次子。授合门使，改谷王左长史。靖难师入，称疾不起，下狱自经死。有《易斋集》。《国朝献征录》卷一〇五《谷王府左长史青田刘公璟传》："刘璟字仲璟，生时月食复光，诚意伯叹曰：'夫坠乃绪而卒或翰之者也。'弱冠咀嚼经传，善谈兵，究极韬略，握奇诸说。二十八师事石楼子。明志式虑，锋棱古人。"《易斋集·诚意伯次子合门使刘仲璟长史传》："生平慷慨多大节，不事产业，稍盈裕，辄以周赈。好书史。山居，聚门生故友，奋议挡跖古今成案。善书法，古碑籀篆剥落辨诵，多金购之为玩。"《静志居诗话》卷五《刘璟》："仲璟为伯温仲子。洪武辛未携兄子廌诣阙，帝命其袭父爵，仲璟谢曰：'有先兄臣琏之子廌在，不敢越礼。'乃设阊门使处之。天台卢廷纲称其诗云：'酒酣落笔词愈工，命意不与常人同。清如冰瓯玉盌贮繁露，和如大廷清庙鸣丝桐，疾如黄河怒风卷涛浪，丽如锦江秋水涵芙蓉。'誉之未免过实。"四库提要卷一七〇："《易斋集》二卷，明刘璟撰。……其遗文久佚不传。明末杨文骢令青田，从诸生蒋芳华兄弟得抄本，始以授梓。考黄虞稷《千顷堂书目》载璟集十卷，疑此尚非完帙。又别有《无隐稿》一卷，今佚不见。其与此本同异，亦莫可考也。璟少通诸经，慷慨喜谈兵，明祖尝以为真伯温之子。而诗文伤于悁率，颇逊其父。天台卢廷纲称其诗云：'酒酣落笔词愈工，命意不与常人同。清如冰瓯玉盌贮繁露，和如大廷清庙鸣丝桐，疾如黄河怒风卷涛浪，丽如锦江秋水涵芙蓉。'朱彝尊谓誉之未免过实，诚为定论。然其气势苍劲，兀傲不群，犹有《犁眉公集》之一体。且其值革除之际，终守臣节，蹈义捐躯，未尝少屈其志，洵能不坠家声，尤宜以其人而重之矣。"《明诗纪事》乙签卷一《刘璟》陈田按："长史《易斋集》，吾乡杨龙友令青田，曾刻之。"胡玉缙《四库未收书目提要续编》卷四《易斋集五卷补一卷》："明刘璟撰。案，是集《四库》著录二卷，《提要》云，'考黄虞稷《千顷堂书目》，载璟集十卷，疑此尚非完帙。'今此本即十卷本，惜仅存前五卷，阙后五卷，为江南图书馆所藏明初刊本。然以《四库》本核之，此多古体诗四十余首，五、七律、七绝诗一百余首，几增三分之二。《补》一卷，即所录《四库》本之诗、赋、琴操、序、传、记、书、铭、箴、颂、题跋也。璟当燕王篡立，捐躯殉节，其人固足重。此集虽残阙，犹是原刻，胜于《提要》所见本，亦足珍已。"

第二章

永乐元年癸未至天顺八年甲申（1403—1464）共62年

· 引 言 ·

陈田《明诗纪事》乙签序：时至建文，龙战玄黄。禁遭革除，几同闰位。……高皇雄猜，诛戮勋臣，波及文士；再经靖难之阨，海内英流，仅有存者。文皇右文，顿改初政，刀锯之余，从事樽俎。永、宣以还，沐浴膏泽，和平啴缓之音作，而三杨台阁之体兴。然《东里文集》《两京类稿》有文无诗，微尚可知。扶舆蕴灵，风雅代兴，在朝则巽隐、琴轩、泊庵、青城、昌祺、士昂、孟仁、松雨、敬轩、白沙、寿卿、元登、老葵，在野则葵丘、鸣秋、孟熙，均不愧作者。

杨士奇《詹事府少詹事兼翰林侍读学士赠嘉议大夫礼部左侍郎曾公墓碑铭》：天之生才甚难也。然高明强毅、宏博奇伟、智能勇略之士，世未尝乏用，惟文章者不易得。夫探造化之阃，征帝王之法，通古今之赜，渟滀融会而后出之。上焉者发挥性道，修正人纪，此圣贤之事，不可几及。次焉者推明义理，纪述功德，作为风雅，以鸣国家之盛。司马迁、相如、扬雄、班固、韩、柳、欧、苏作者之事，然亦代不数人焉。信乎其难也！国家自洪武以来，有文之士，其可以嗣迁、固者，盖有之矣。太宗皇帝御天下，慨然欲作新人才，兴起斯文。而龙飞第一科进士中，简明秀通敏者二十八人就文渊阁，尽出中秘书，俾进所业。朝暮大官供膳，月给内帑钞为膏火费，盖期之于古人。曾君子棨，其首也。

金幼孜《书南雅集后》：予观天下文章，莫难于诗。诗发乎情，止乎礼义。其辞气雍容而意趣深长者，必太平治世之音。然求之古作而征之于今，何其寥寥也。

《抑庵文集》卷一《进士题名记应制作》：我太祖高皇帝受天明命，奄有万方。思建万世太平之业，必以贤才为之本，于是用科举取士。内自卿佐及百执事之臣，率于此焉进。列圣相承，皆用是道。盖自洪武辛亥至于今，凡二十科，其得人多矣。由上有大德，光被于天下，是以万邦黎献皆愿为之臣，惟时举而用之耳。治效之盛，比隆唐虞。虽皆深仁厚泽之所致，而亦得人以为助也。

《敬轩文集》卷一七《会试录序》：汉唐以来，正学绪微。养士不本于复性，往往溺于杂学术数、记诵词章之习，体有不明，用有不周。虽或有杰出之才，亦不过随所学以就功名而已。其视三代之贤才，为何如哉？至宋道学诸君子出，其论养士之法，始皆本于复性，虽其说不得尽行于当时，而实有待于盛世。洪惟天眷皇明，列圣相继，大建学校，慎选师儒，其养士之法必以三代、孔、孟、程、朱复性之说为本，是以九十余年，薄海内外文教隆洽，士习粹然一出于天理民彝之正，而杂学术数、记诵词章之习，划刮消磨，无复前季之陋。虽曰科目以文章取士，然必根于义理，能发明性之体用者，始预选列，类非词章无本者之可拟也。故其得贤致治之效，足以追隆前古。

何宗彦《王文肃公文草序》：夫馆阁，文章之府也。其职专，故其体裁辨；其制严，故不敢自放于规矩绳墨之外以炫其奇。国初以来，鸿篇杰构，映带简册间，猗与盛矣。

陈琎《东墅集序》：诗者，本乎性情也。性情得其正，则辞达情畅，不惟陶冶性灵，而能感召休征，有关治教甚大，岂易言哉！自《三百篇》后，汉魏六朝作者虽以辞调相高，不能兼备众体。至唐作者有以振之，众体始备，其声和平，观杨士弘所选《唐音》可见。以故宋、元诸公以诗鸣者多宗之。洪惟圣朝混一海宇，三光五岳之气完，文运大兴，作者迭起，俱能鸣国家雍熙之治，较诸古人，诚不多让。

吴节《王文安公诗集序》：故观于六经载籍之文，而五帝三王之盛有可知，观于子史先儒之文，而汉、晋、唐、宋之盛咸可考。文之功用若此，则凡有国有家者，又可不崇尚文儒为务哉？我朝自太宗文皇帝正位宸极，即大新文运。尝慕虞周元凯宅俊之选，取进士之尤者二十八人，入翰林为庶吉士，赐之秘书，俾大肆讨论，以追述古作。暇则引至内廷，诲以班、马、欧、苏为程度，屡加赏赉，无负于明时。若临川王先生，其一人也。

《列朝诗集小传》乙集《高典籍棅》：自闽诗一派盛行永、天之际，六十余载，柔音曼节，卑靡成风。风雅道衰，谁执其咎？自时厥后，弘、正之衣冠老杜，嘉、隆之嗢笑盛唐，传变滋多，受病则一。

《翰林记》卷一四《考会试》：天顺间，晚宋文字盛行于时。如论学绳尺之类，士子翕然宗之，文遂一变。侍讲学士丘浚每考试，凡怪词险语皆痛斥之，怨排不恤也。及为祭酒，尤谆谆为学者言之。文体乃复浑厚。

《翰林记》卷四《公署教习》：庶吉士在外公署教习，始自正统初年。《大明会典》云："凡庶吉士，内阁奏请学士等官二员教习本院。仍行户部给灯油钱，兵部拨皂隶，刑部给纸札，工部拨房屋，顺天府给笔墨，光禄寺给酒饭。内阁按月考试，俟有成效，送吏部铨注本院，并除各衙门职事。"……正统以来，在公署读书者大都从事词章。内阁所谓按月考试，则诗文各一篇，第其高下，俱揭帖开列名氏，发本院立案，以为去留之地。致使卑陋者多至奔竞，有志者甚或谢病而去，不能去者多称病不往。将近三年，则纷然计议，邀求解馆。

《敬轩文集》卷一三《论选序》：昔真文忠公编《文章正宗》，厘为四体，其一议论也。议论见于经史者，如唐虞三代君臣之言，孔、曾、思、孟问答之语，以至后世英贤之谈辩，名臣之章疏，儒先之著述。或陈经世之要，或发天理之微，或指切当世之务，或剖析理欲之几。虽所言各殊，而皆所谓议论之文也。然文忠所录，自《春秋》内外传至汉唐而止，于六经、孔、曾、思、孟之书，则不及者。盖以圣贤大训，不当与作者同录，于以示慎重耳。我朝设科取士，罢诗赋。中场易之以论，盖即所谓议论体也。文制既新，士习亦变。由是秉笔缔思者，咸以古人自期，而文章之中程度者，蔚有可观。

王国维《盛明杂剧初集跋》：杂剧惟元人擅场，明代工此者寥寥。宣、正之间，周宪王号为作者，然规摹元人，了无生气，且多吉祥颂祷之作，其庸恶殆与宋人寿词相等。又，元人杂剧止于四折，或加楔子。惟纪君祥之《赵氏孤儿》、张时起之《赛花月秋千记》，多至六折，实非通例。至于不及四折者，更未之前闻。亦无杂以南曲者。《录鬼簿》谓"南北合腔，自沈和甫始，如《潇湘八景》《欢喜冤家》等曲，极为工巧"，乃散套，非杂剧也。宪王杂剧如《吕洞宾花月神仙会》，杂以南曲，殊失体裁。

《古今词话》下卷《明仁宗与周宪王词》：《兰皋集》曰：盛明两祖列宗，好学不倦，染翰俱工。如仁宗《风栖梧·赋九月海棠》云："烟抹霜林秋欲褪。吹破胭脂，犹觉西风嫩。翠袖怯寒愁一寸。谁传庭院黄昏信。明月羞容生远恨。施摘余娇，簪满宫人鬟。醉倚小阑花影近。不应先有春风分。"如周宪王《鹧鸪天·赋绣鞋》云："花簇香钩浅浣尘。轻风微露石榴裙。金莲自是悭三寸，难载盈盈一段春。仙已去，事犹存。阳台何处更为云？相思携手游春日，尚带年时草露痕。"

田同之《西圃词说》："元则曲胜而诗词俱掩，明则诗胜于词，今则诗词俱胜矣。""自元迄明，词与曲分，无复以诗余入乐府歌唱者。""明初作手，若杨孟载、高季迪、刘伯温辈，皆温雅芊丽，咀宫含商。李昌祺、王达善、瞿宗吉之流，亦能接武。至钱塘马浩澜以词名东南，陈言秽语，俗气熏入骨髓，殆不可医。"

公元1403年（永乐元年 癸未）

正月

徙封宁王权于南昌。《明通鉴》卷一四："初，宁王之被诱入关也，上许以'事成中分天下'，比即位，大宁城已空，王乞改南，奏请苏州，上曰：'畿内也。'请钱塘，上曰：'皇考以予五弟不果，建文无道，以王其弟，亦不克享。其他善地，惟弟择焉。'遂封之南昌，上亲制诗送之。诏即布政司为王邸。"

瞿佑擢为周王府长史。《明史》周王橚传："周定王橚，太祖第五子。……建文初，以橚燕王母弟，颇疑惮之。橚亦时有异谋。长史王翰数谏，不纳，佯狂去。橚次子汝南王有爋告变。帝使李景隆备边，道出汴，猝围王宫，执橚，窜蒙化，诸子并别徙。已，复召还京，锢之。成祖入南京，复爵，加禄五千石。永乐元年正月，诏归其旧封。"《归田诗话》卷下《莫士安寄问》："次年，予转擢周府，次子达亦领河南乡荐。"

胡靖复名广。杨士奇《故文渊阁大学士兼左春坊大学士赠荣禄大夫少师礼部尚书谥文穆胡公神道碑铭》："初名广，廷试传胪，更名靖。永乐初，复旧名。其字光大，其斋居名晃庵，因以为号。"

二月

胡广擢侍读学士。杨士奇《故文渊阁大学士兼左春坊大学士赠荣禄大夫少师礼部尚书谥文穆胡公神道碑铭》："太宗皇帝入正大统，升侍讲，逾月改侍读，进承德郎。"

三月

管时敏《蚓窍集》刊刻。胡粹中《蚓窍集序》："时则楚有旧学之臣，曰云间管公时敏。辅翼匡赞，开陈启沃，凡二十五年。而贤王仁厚明恕、寅畏恭俭之德，闻于天下。公自纪善超左长史，属余来备员陪位，得日聆其绪言余论。间出示所自作诗一编，古制、近体通若干首，春容乎其意度，铿鍧乎其节奏，追琢乎其文章。其言丽以则，其思深以远，其义葩而正，温柔敦厚，不迫不切，方诸古人，亦未多让。顾自谦曰《蚓窍集》。……贤王侈公之德，欲寿其传，命刻诸板。余不敏，僭序其朔云。永乐元年岁次癸未春三月望日，奉议大夫、楚府右长史山阴胡粹中序。"《蚓窍集》卷首提要："《蚓窍集》十卷，明管时敏撰。……集为桢所刊行。其诗春和雅淡，风格多近唐音，不染元末雕绘之习。张弼序董纪集，历数松江诗人，而独谓时敏之清丽优柔，足与袁凯方驾。盖不诬也。"

五月

王绅《续志斋集》辑成。王达《继志斋集序》："曩年余承乏国子助教，首与博士仲缙王先生交。……惜乎！用不满其材，年不称其德，观此诗者，不能不发邈焉寡俦之叹也。仲缙之子稌来京师，执此帙求余一言，故书此以告天下之赏音者焉。翰林侍读学士天游道者锡麓王达题。"邹缉《继志斋集序》："已而仲缙复自出其所为《继志斋集》。见其丰茂典则，有追古作者之风，盖能世其家之文者也。……惜其仕不大显于时，而遽赍志以没也。仲缙尝欲余为之序，久而未之能复。今仲缙不可作矣，然朋友之义不可以终泯也，故于是书之。永乐元年夏五月望日，翰林侍讲、承直郎兼修国史庐陵邹缉叙。"《继志斋集》卷首提要："《继志斋集》原目作十二卷。其集残缺失次，仅存九卷。而第一卷所载《铙歌》即已全佚，其他断简缺文不一而足。虽一鳞片甲，要非凡格，不以其缺佚弃之也。"

六月

《太祖实录》成。《翰林记》卷一三《修实录》："永乐元年六月辛酉（十五日），景隆等以实录成，表上之，凡一百八十三卷。大行赏赉，仍赐宴奉天门，命公侯伯、五府、六部、都察院、通政司、大理寺、国子监、应天府、太医院、钦天监堂上官皆预焉。"

梁潜升翰林修撰。《东里文集》卷一七《梁用之墓碣铭》："永乐元年，召修太祖皇帝实录。书成，升翰林修撰，授承务郎，赐白金五十两，织金衣一袭，文币四表里。"

王达文集摘编成。王孚《天游文集撮稿跋》："《天游文集撮稿》，耐轩先生作也。孚由乡贡入太学，获侍先生于馆下，日观先生所作甚多，若《天游小稿》《梅花百咏》《古今孝子赞》，俱已梓行。有《诗》《书》二经心法，学者多传之。《耐轩杂录》五卷、《问津集》一卷、《南归集》一卷、《通书发明》一卷、《天游诗集》十卷、《天游文集》三十卷，编次已完。今于文集中撮其可式者十卷，凡我同志晨夕得用观焉。噫！文以载道，文不载道不可作也。先生之文，清婉详雅，玉洁珠明，扫涤陈言，发挥至理，可谓万斛泉源不择地而出者矣。因目其集曰《天游撮稿》。永乐元年六月初吉，门生王孚录。"

夏

唐子仪擢赵王府纪善。《梧冈集》卷七《跋白云吴公诗》："永乐元年夏，予授赵府纪善。"

八月

补行乡试。《明通鉴》卷一四："壬午大比之岁，以靖难不举，元年八月，始合南、北两京及十二藩补行之。"

解缙、黄淮、胡广等入直预机务。《御定资治通鉴纲目三编》卷四："八月，以侍读解缙、编修黄淮入直文渊阁，侍读胡广、修撰杨荣、编修杨士奇、检讨金幼孜、胡俨同入直，预机务。"王直《抑庵文集》卷一一《少师泰和杨公传》："太宗皇帝即位，遂擢为编修。时方开内阁于东角门内，命解缙、黄淮、胡广、胡俨、杨荣、金幼孜及公七人处其中，典机密。寻升侍讲。上尝谕公曰：'朕知尔文学，亲擢置此。尔但尽心，勿自疑畏。'公感上知遇，忠勤不懈，早夜孜孜以修其职。"

杨荣更今名。《明史》杨荣传："杨荣，字勉仁，建安人，初名子荣。建文二年进士，授编修。成祖初入京，荣迎谒马首曰：'殿下先谒陵乎，先即位乎？'成祖遽趣驾谒陵。自是遂受知。既即位，简入文渊阁，为更名荣。"

九月

《古今列女传》修成。朱棣《古今列女传序》："朕自少时伏睹皇考修身齐家，皇妣辅治同德，训饬整齐，委曲详尽，古人之遗意复见于今日。皇妣每听女史读书至《列女传》，谓'宜加讨论删定为书，永作世范'。请于皇考，命儒臣考正有绪。未就，皇妣违荣，皇考每叹息悲伤，其意竟未及成书。永乐元年六月，朕既上册宝……纂成实录，宫壶复申皇妣之意，朕不敢违，乃命儒臣编次古今后妃、诸侯大夫士庶人妻之事，分为三卷，颁之六宫，行之天下，俾为师氏知所以教而闺门知所以学，庶修身者不至以家自累，而内外有以相成。全体经纶之功，大复虞周之盛，以知天地之化，衍《关雎》《麟趾》之风。朕于是书实有望焉。永乐元年九月朔旦御制。"《古今列女传》卷首提要："《古今列女传》三卷，明解缙等奉敕撰。先是，明太祖孝慈皇后马氏，每听女史读书至《列女传》，谓宜加讨论，因请于帝，命儒臣考订，未就。永乐元年，成祖既追上马后尊谥、册宝，仁孝皇后徐氏复以此书为言，因命缙及黄淮、胡广、胡俨、杨荣、金幼孜、杨士奇、王洪、蒋骥、沈度等同加编辑。书成上进，帝自制序文，刊印颁行。上卷皆历代后妃，中卷诸侯大夫妻，下卷士庶人妻。时徐后作贞烈事实以阐幽微显，颇留意于风教，故诸臣编辑是书稍为经意，不似《五经四书大全》之潦草。所录事迹起自有虞，迄于元明。汉以前多本之刘向书，后代则略取各史《列女传》，而以明初人附益之。去取颇见审慎，盖在明代官书之中犹为善本。此为秀水项元汴家所藏，犹明内府初刊之板。黄虞稷《千顷堂书目》称此书成于永乐元年十二月。今考成祖御制序，实题'九月朔旦'，知虞稷未见原书，仅据传闻著录矣。"

秋

杨荣归建安省亲。《东里续集》卷三六《故少师工部尚书兼谨身殿大学士赠特进光禄大夫左柱国太师谥文敏杨公墓志铭》："明年改元永乐，秋，公请告归省。"

十一月

王偁以征至京，授检讨。解缙《虚舟文集序》："圣天子龙飞初，求斯文之瑰杰，近臣争言君。使使聘之至，待以殊礼，坐之黄阁之下，日传其议，衣冠甚伟，众见皆靡。又辄自陈愿退学校以宏斯文之化，即日有诏擢国史院检讨。以布衣授是官，异数也。而君逡巡其间，如在高帝时，由其文章足以自娱，得乎内者重，而待于外者轻。自期者甚远，而于斯文，亦莫能窥其所至也。"《翰林记》卷五《迁转》："圣祖定本院官为近侍清贵之职，凡迁转皆出自上裁，未尝付诸铨衡，百余年来，遵之不易。然洪武中，自本院官迁转者多大拜。……独元年十一月为异典。时举人王偁以荐为检讨，既命下，上问左右曰：'检讨之下何官？'曰：'博士、典籍、侍书、待诏。'问已除人否？复以'已除'对。上叹曰：'古所谓用人如积薪，此类是也。国家用人以贤以劳。偁之贤既未可知，劳亦未有，而令贤有劳者居其下，何以服士心？'遂命吏部：凡翰林自博士以下，皆升职与偁同，遂升博士张伯颖、王汝玉，典籍沈度、潘畿，侍书苏伯厚，待诏王延龄、刘宗平、解荣皆检讨。"

十二月

诏求太祖遗文于天下。《明太宗文皇帝实录》卷二六"永乐元年十二月壬辰（十九日）"："上宴闻御谨身殿，阅《太祖皇帝御制文集》，顾学士解缙等曰：'皇考文章，固天资超迈，然宜学问所至。观其所著，皆天地之心，帝王之度，语简理至，蔼然可见。'缙等曰：'诚如圣谕。'上曰：'朕于宫中遍寻皇考宸翰，不可得。有言建文自焚，并宝玺皆毁矣。朕深恸之。'又问缙等曰：'意者有散落臣民之家者乎？'缙等对曰：'国初佐命诸臣之家，理当有之。'遂遣书各王府求之，命礼部遣监生三十余人，分诸各布政司、府、州、县，令官员军民之家有收藏高庙御制诗文及宸翰者，皆送官。官别录本予之，仍重赉之。"

本年

龚诩变姓名隐居任阳。张大复《龚诩传》："匿江阴、常熟间，然时闻窃窃追讨声，夜走任阳，寄马、陈二家。二家故多藏书，颇修朱家、郭解之义，乃匿公大囷中。公即读书其间，上讨皇古，下渔百氏，几榻尽穿，多所纂述。而又时时乘夜渡娄省母，彷徨旧游家。冷吟孤啸，尝有‘童汪非怯当年事，为有慈亲在故园’之句，读者伤之。"王执礼《龚诩传》："已而知府姚善被执，乃转匿任阳大姓陈、马二家。常言：‘畜狗尚恋旧主，况于人乎？’道及先朝事，即悲不自胜。时召捕补伍者甚急，昆山四百七十人，诩在其中。义不欲往，族人瑀阴为赂脱。晦处二十余年，卖药授徒以给朝夕。人知王大章即所捕龚詧子也，然怜其志，尚无讦之者。"

夏原吉再逢僧南宗上人。《忠靖集》卷五《赠僧南宗归钱塘诗并序》："永乐初，予奉命理水吴中。时南宗上人携看松楼诗卷谒予索题，冗迫中尝为缀数语于卷末。迨今余二十年，偶会于燕山寓馆，话旧未悉，又复告归，踪迹萍蓬，良用怅惘。行矣无赠，姑辑五十六字歌以送之：二十年前浙水游，题诗曾上看松楼，四檐风月清人骨，万里云烟驻笔头。宦辙只惭同泛梗，尘心徒切仰虚舟。如今又向燕山别，旧日松楼诗在不？"《明史》夏原吉传："浙西大水，有司治不效。永乐元年命原吉治之。"

程通卒，年四十。程敏政《长史程公传》："悉心辅导，王敬礼之。凡一国之事咨焉。府中有卫士纪纲者，用诇得幸，公每召而笞戒之。会文皇帝举兵靖难，遣人至荆州，公草上封事数千言。文皇帝既正大统，纪纲者以入贺留侍，历官锦衣指挥使，被顾问，因乘间及封事。遂有诏械公诣京师，簿录其家。公既死，家人发戍边。……公初读书，即励志圣贤之学，居常恂恂如有弗逮。至临事，则毅然莫能夺。故所立如此，为诗文不求异，而主于理，然辞气超越，专工者反不能及。有稿百余卷，悉毁于官。""公殁世既久，其遗事绝无知者。敏政尝从故老问之，得其概。又见公从孙上林苑监署丞京于京师，因掇拾为传如右。噫！公与方希古、周是修二公同时友善，今希古之文梓行于世，是修又得杨文贞公为之表章，独公事湮没而无闻，此远宗后学所不能自已者欤。"胡松《贞白遗稿序》："予夙昔慕先生之为人，乃今获披遗稿，恍挹前芳，大都先生因心为言，不假雕刻。是故叩阍陈情，脱祖戎伍，而眷渥高皇，则琅琅乎李令伯之遒标也。策对封建，详恳剀切，而匡辅宗社，则缊缊乎贾太傅之遗响也。疏上北防，忠愤激烈，而委身殉国，则凛凛乎胡枢密之卓轨也。其他雄篇伟制，雅调鸿词，则又驾佚欧、苏，躐步甫、白，殆浩乎河渎之涠灂而灿乎日星之炳耀者也。"

公元1404年（永乐二年　甲申）

二月

举行会试。《明通鉴》卷一四："二月，会试天下贡士，以解缙、黄淮为考试官，中式杨相等四百七十人。"

三月

初四，赐曾棨等进士及第，出身有差。

周述、周孟简兄弟及第。《弇山堂别集》卷八一："永乐二年甲申会试，命侍读学士解缙、侍读黄淮为考试官，取礼乐制度为问，欲以求博洽之士。惟曾棨卷记独详，上喜，御批：'贯通经史，识达天人。有讲习之学，有忠爱之诚。擢魁天下，昭我文明，尚资启沃，惟良显哉。'第二、第三人周述、周孟简，从昆季也。亦皆有御批褒许之辞，至谓'兄弟齐名，古今罕比'，授修撰、编修等官。"

庶吉士始为翰林专官。《明通鉴》卷一四："己酉（初八），始选进士为翰林院庶吉士。初，洪武乙丑，始设庶吉士，然择进士为之，不专属之翰林也。至是，既授一甲三人为翰林修撰、编修，复命于第二甲择文学优等杨相等五十人及善书者汤流等十人，俱为翰林院庶吉士，于是庶吉士遂为翰林之专官。"

姚广孝被授太子少师。《逃虚子诗集》卷七《三月二十日钦授太子少师》："分甘岩壑事浮图，此道何曾记有无。自念上天遗一老，谁知今日预三孤。困禽纵翮风云会，枯梽回蒙雨露濡。深荷皇恩无以报，炉香晨夕效嵩呼。"

胡广升右春坊右庶子。《颐庵文选》卷上《文渊阁大学士兼左春坊大学士赠资善大夫礼部尚书谥文穆胡公墓志铭》："永乐二年三月，由侍读升右春坊右庶子。"

四月

复僧道衍姚姓，赐名广孝，以为太子少师。《明太宗文皇帝实录》卷三〇"永乐二年夏四月壬申（初二）"："命僧录司左善世道衍为太子少师，复其姓姚，赐名广孝。赐敕谕曰：'卿秉性笃实，学行老成，事朕藩邸，积有年岁。朕靖难之初，卿侍左右，谋谟弼赞，裨益良多。今建储嗣，简求贤辅，以卿旧人，特授太子少师。夫太子天下之本也，必赖启迪匡正，辅成德器。卿尚勉尽厥职，副朕眷倚之重。钦哉！'"

尹昌隆改左春坊左中允。《明太宗文皇帝实录》卷三〇"永乐二年夏四月壬申（初二）"："改北京刑部主事尹昌隆为左中允。"唐伯元《中允昌隆传》："尹昌隆，字彦璟，灌塘里人也。博学，昌于文辞，洪武中由选贡举应天丙子乡试第一，明年会试第二。廷试赐进士及第第二。……成祖皇帝入正大统，召昌隆至京师，改北平按察知事。时皇储未立，武臣有言汉王有扈从功者，上犹豫驿，昌隆至，叩首曰：'长嫡承统，万世常经。'由是仁宗得为皇太子，进昌隆左春坊中允。"

朱高炽立为太子。《明太宗文皇帝实录》卷三〇"永乐二年夏四月甲戌（初四）"："册立世子为皇太子，封第二子高煦为汉王，第三子高燧为赵王。诸王子未受封爵者，嫡长子封为世子，众子为郡王。册长子妃张氏为皇太子妃，第二子妃韦氏为汉王妃，第三子妃徐氏为赵王妃。《皇太子册》曰：'朕承皇考之基绪，尊临大宝，统御华夷，一日万几，兢兢业业。思惟天序之传，宗祧之重，三王通制；天下为家，有道之长，为万世法。咨尔朕之嫡长，朕奉藩于燕，尔为世子，亦既有年，聪明仁厚，孝友温恭，本乎天性。朕平内难，尔有居守之功。事上恤下，至仁小心。稽古建储之典，授以《册宝》，命为皇太子，正位东宫。尔惟笃君臣之义，隆父子之恩，夙夜祗承。惟能事人，足以使人。为善不难一念无间一念，过亏大德之累。尔寅念之！学通古今，达事变，学勿至迂。明辨是非，审权度变，明勿至察，严勿至猛，宽勿至纵。谦卑逊志，容受忠良，勤俭安详，惠鲜众庶。以承宗庙，以保社稷，永延国家万年之庆。尔其敬之！'"《明史》解缙传："先是，储位未定，淇国公丘福言汉王有功，宜立。帝密问缙。缙称:'皇长子仁孝,天下归心。'帝不应。缙又顿首曰:'好圣孙。'谓宣宗也。帝颔之,太子遂定。"

《文华宝鉴》成。《明通鉴》卷一四:"先是,上命侍臣辑古嘉言善行可为法鉴者,为书以授太子,至是成。上召皇太子谕之曰:'修己治人之要,具于此书。帝王之道,贵乎知要,知要便足为治。'又顾讲臣解缙等曰:'帝王之学,贵切己实用。秦始皇教太子以法律,晋元帝授太子以《韩非》,帝王之道废而不讲,所以乱亡。今此书所载皆大经大法,卿等辅导东宫,日为讲说,庶几成其德业,他日不失为守成令主。'"

解缙升翰林大学士。杨士奇《朝列大夫交阯布政司参议春雨解先生墓碣铭》:"上初与武臣等二三人议建储,文臣惟金忠预,皆靖难时股肱也。武臣咸请立皇第二子高煦,谓其有扈从功,上不听。福等叩首请不已,终不听。遂召预议事已定,然秘未发。明年,册仁宗皇帝为皇太子,高煦为汉王,进公翰林学士,兼右春坊大学士、奉议大夫。"

七月

儒士朱季友以毁程朱理学获罪。《明太宗文皇帝实录》卷三三"永乐二年秋七月壬戌(二十三日)":"饶州鄱阳县民朱季友进书,词理谬妄,谤毁圣贤。礼部尚书李至刚、翰林学士解缙等,请置于法。上曰:'愚民若不治之,将邪说有误后学。'即遣行人押还乡里,会布政司、按察司及府县官,杖之一百,就其家搜检所著文字,悉毁之。仍不许称儒教学。"《圣谕录》卷上:"永乐二年,饶州府士人朱季友献所著书,专斥濂洛关闽之说,肆其丑诋。上览之怒甚,曰:'此儒之贼也!'时礼部尚书李至刚、翰林学士解缙、侍读胡广、侍讲杨士奇侍侧,上以其书示之。观毕,缙对曰:'惑世诬民,莫甚于此。'至刚曰:'不罪之,无以示儆。宜杖之,摈之遐裔。'士奇曰:'当毁其所著书,庶几不误后人。'广曰:'闻其人已七十,毁书示儆足矣。'上曰:'谤先贤,毁正道,非常之罪。治之可拘常例耶?'即敕行人押季友还饶州,会布政司府县官及乡之士人,明谕其罪,笞以示罚。而搜检其家所著书,会众焚之。又谕诸臣曰:'除恶不可不尽,悉毁所著书,最是。'"

杨士奇为皇太子释《易》。《圣谕录》卷中:"永乐二年七月,翰林侍读学士王达讲《乾》之九四,举储贰为说。讲毕,殿下召问臣士奇:'经指于此,必无储贰之说。达不含讥否?'臣士奇对曰:'讲臣非正道不陈,岂敢含讥!此出宋儒胡瑗之说。'殿下云:'对我言此,常人得此爻,亦举此说乎?'对曰:'殿下此问最好。'因举程子云:'凡卦中六爻,人人有用。圣贤有圣贤用,众人有众人用,君有君用,臣有臣用。无所不通。'又举王昭素对宋太祖之言以对,殿下悦。又对曰:'今翰林春坊诸臣分撰诸经讲义,有上旨命内阁之臣阅过,有未当处,悉与改正,然后呈御览,允当,然后以讲。内阁解缙专阅《书》,胡广阅《诗》,金幼孜阅《春秋》,臣士奇阅《易》。昨日进呈此条,上问储贰说有据否,臣士奇对以胡瑗之说,上甚喜。盖讲臣非有据不敢妄出意见。'殿下喜,自是讲义有疑处,必召解、胡等四人相与辨析,畅而后已。遂作数巨册,命春坊司经局臣分录讲章,以备常阅。"

八月

姚广孝年七十，御赐寿诗。《列朝诗集》乾集上《太宗文皇帝》：《赐太子少师姚广孝七十寿诗》有"百龄有余庆，写此寿仙翁"语，注曰："御书用紫粉金龙笺，后题云'八月十三日'，旁有'为善最乐'图书。少师携至常熟，入余庆书院，谒文靖公祠。其守僧净心，少同衣钵，谓之曰：'御诗有余庆二字，留此永镇山门。'今在院中。"

朱有燉《张天师明断辰钩月》杂剧成。据卷首小引末："永乐二年岁在甲申仲秋中浣书"，今存周王府原刻本。《远山堂剧品·雅品》："吴昌龄有《辰钩月》剧，周藩踵之，以桃妖代嫦娥。其序云：'太阴至精之正气，不可诬以幽会之事，故耳风、花、雪、月，必点缀出相，见作者之苦心。'吴梅《辰钩月跋》：'此剧用嫦娥爱少年一语，反演出之，结构颇生动。四折皆旦唱，亦合格式。惟每折各换一人，如首折桃仙唱，二折乳母唱，三折、四折皆嫦娥唱，未免杂凑。余意四折皆用桃仙唱，嫦娥一面不必登场，较为整洁。但古人传作，未便轻议也。'"〔按，今人王永宽、王钢《中国戏典史编年·元明卷》考有燉杂剧作品甚详，本编年用之，所谓"据卷首小引"云云，皆本王氏。后同〕

九月

出胡俨为国子监祭酒，不预机务。《明史》胡俨传："永乐二年九月，拜国子监祭酒，遂不预机务。"雍正《江西通志》卷六八："俨在阁承顾问，应对从容，尝不欲先人。然为人少懖，虽委曲终不俯仰取容悦。同列因言俨学行宜为师表，乃解机务，拜国子监祭酒。时用法严峻，国子生或托事告归，辄坐戍边。俨至，即奏除之。"

公元 1405 年（永乐三年　乙酉）

正月

上年至本月，梁潜三献诗颂瑞。《泊庵集》卷一《驺虞诗》序："乃永乐二年秋八月，皇帝冢弟周王畋于钧州，厥有异兽白质黑章，猊首虎躯，其状孔威，不可迫视。王俾部曲俟之，其性孔仁，遂扰致之。以询之故老，盖古所谓驺虞者，此其是已，夫惟人君有至信之德则见。于是九月丁未，王率厥属表献阙下，皇帝服皮弁服，御奉天殿以观。……臣潜忝职记注，苟不形之歌咏以垂示无穷，厥为不职。谨百拜稽首而献诗。"卷一《神龟赋》序："永乐二年十月，皇上思惟太祖高皇帝成功盛德，将纪功孝陵，以告万世。既得碑，求砆未获。获神龟，乃并得砆焉。臣潜百拜稽首而献赋。"卷一《河清诗》序："维永乐二年十有二月十七日，河水清，自蒲津溯韩城凡三百里。……既明年正月，有司诣阙下言状，群臣皆顿首贺，皆以谓河清者，太平之应也。臣退而考之传记，自古祯祥之臻，必由乎人君功德宏普，默符潜召，而其征应之大，又莫有过于河者。……今河清之祥，昭著倬倬，其可不形之歌咏，垂示万世，以传之无穷也哉？臣谨拜手稽首而献诗。"

夏原吉献诗鸣盛。《忠靖集》卷一《河清并序》："永乐二年冬十二月十七日至永乐三年春正月十八日，黄河水清凡数百里。于是秦王及高平王相继奉表称贺，上谦让弗居。群臣固请，咸谓不可不承天心以虚灵贶，遂俯徇舆情，受贺于奉天殿，庆协神人，欢腾朝野。猗欤盛哉！诚亘古以来非常之奇遇也。……臣原吉忝缀六卿，获瞻盛事，虽匪才浅学，莫克称扬，然忻忭之余，不容自默。谨拜手稽首而献颂。"

选就二十九人读书中秘。《翰林记》卷四《文渊阁进学》："永乐三年正月壬子，先是太宗命学士兼右春坊大学士解缙等，新进士中选材质美敏者，俾就文渊阁进学，至是，缙等选修撰曾棨，编修周述、周孟简，庶吉士杨相、王训、王直、吾绅、彭汝器、刘子钦、余学夔、章朴、卢翰、熊直、王道、罗汝敬、沈升、柴广敬、王英、余鼎、杨流、洪顺、段民、杨勉、章敞、李时勉、倪维哲、陈敬宗、袁添禄二十八人。入见，上谕勉之曰：'人须立志。志立则功就。天下古今之人，未有无志而能建功成事者。汝等简拔于千百人中为进士，又简拔于进士中至此，固皆今之英俊。然当立志远大，不可安于小成。为学必造道德之微，必具体用之全。为文必并驱班、马、韩、欧之间，如此立心，日进不已，未有不成者。古之文学之士岂皆天成？亦积功所至也。汝等勉之。朕不任尔以事。文渊阁，古今载籍所萃，尔各食禄，日就阁中，恣尔玩赏，务实得于己，庶国家将来皆得尔用。不可自怠以辜朕期待之意。'时庶吉士周忱，自陈年少，愿进学。上喜曰：'有志之士也。'命增忱为二十九人。遂命司礼监月给笔墨纸，光禄寺给朝暮膳，礼部月给膏烛钞（人三锭），工部择近第宅居之。且命缙领其事。数召至便殿，问以经史诸子。故实，或至抵暮方退，五日一休沐。使内臣道之，校尉备驺，从人莫不歆其荣艳。上时搜奇书僻事以验所学，棨等多对诵如流。上甚喜之，多所奖赍，恒顾群臣曰：'秀才辈性子，直可亲近。'缙尝以《钟山蟠龙》诗试诸人，甚称彭汝器所作。一日上问《捕蛇者说》，汝器即朗诵于前，上奇其才。王训以《大江绕金陵赋》进，上最称之。且程试课业，大严赏罚之典，而王英、王直尤为侪辈所推让云。盖是时庶吉士隶本院者尚多，如孙子良、洽顺、李昌祺、萧省身、江铁、张宗琏、田忠等，无虑数十人，皆不得与。其与者，皆被选者也。后上尝亲征巡狩，虽有庶吉士之选诏，如甲申例，车驾不及亲莅焉。"

六月

遣中官郑和出使西洋。《明太宗文皇帝实录》卷四三"永乐三年六月己卯（十五日）"："遣中官郑和等赍敕往谕西洋诸国，并赐诸国王金织文绮、彩绢，各有差。"《明史》郑和传："成祖疑惠帝亡海外，欲踪迹之，且欲耀兵异域，示中国富强。永乐三年六月，命和及其侪王景弘等通使西洋。将士卒二万七千八百余人，多赍金币。造大舶修四十四丈、广十八丈者六十二，自苏州刘家河泛海至福建，复自福建五虎门扬帆。首达占城，以次遍历诸番国，宣天子诏，因给赐其君长，不服则以武慑之。"

夏原吉率官江西赈灾。《忠靖集》附录《钦赐敕文》："永乐三年六月二十日，敕户部尚书夏原吉、都察院佥都御史俞士吉、通政司左通政赵居任、大理寺少卿袁复：今岁苏、松、嘉、湖数府之民，复被水患，穷窘艰食，闻之切心，已敕户部定例赈济。

尔等其督令有司即发仓廪，济其急乏，毋得后时。尔毋纵为奸弊以重困之，尔皆为国重臣，宜勉竭思虑，以惠吾民，庶几副朕急民恤患之意。故敕。"《明史》夏原吉传："其夏，浙西大饥，命原吉率俞士吉、袁复及左通政赵居任往振，发粟三十万石，给牛种。有请召民佃水退淤田益赋者，原吉驰疏止之。姚广孝还自浙西，称原吉曰：'古之遗爱也。'"

八月

夏原吉还南京。《忠靖集》附录《夏忠靖公遗事》："三年秋八月，召还掌部事。"

十一月

庶吉士章朴以藏方孝孺诗文被杀。《明通鉴》卷一四："朴坐事与序班杨善同诖误。家藏有方孝孺诗文，善借观之，遂密以闻。上怒，逮朴，戮于市，而复善官。是时诏天下有收藏孝孺诗文者，罪皆至死，故朴及之。"

本年

王绅《继志斋集》尚藏于家。《明文衡》卷九二《国子博士王仲缙墓表》："仲缙不幸卒焉，实洪武庚辰十二月丙午也，享年四十有一。明年三月壬申，子称奉枢归葬象鼻冈之原。仲缙平生无他嗜好，惟喜为文章，有《继志斋集》三十卷藏于家。葬之五年，王汝玉氏悲待制公不昌其嗣，仲缙之不遂其志，而表其墓。"

钱仲益作诗颂圣。钱仲益，名允升，以字行，无锡人。元末中浙江乡试，为杭州路录事。洪武末举明经，为本县训导。建文中以荐入为太常博士，迁翰林修撰。永乐初改汉府长史。有《锦树集》。《三华集》卷一五《神龟诗并序》："皇上即位之三年，将建太祖高皇帝功德碑。选石于龙潭之山，果得巨石，入土深五尺许，得石龟焉，首足尾甲纤悉毕具，冬官进之于廷上，命群臣得纵观于奉天门，莫不嗟叹称颂，举手加额，以为由皇上孝诚所感而致。夫龟者神物，四灵之一，王者有体信达顺之德则至焉，且尤为寿考，问无不知。此又为国家祯祥之应，皇祚万世巩固之征。臣某幸得与观，不胜欢欣踊跃之至，谨拜手稽首而献诗三十韵。"

公元 1406 年（永乐四年 丙戌）

正月

朱有燉杂剧《甄月娥春风庆朔堂》成。据卷首小引："永乐岁在丙戌孟春良日书。"《远山堂剧品·雅品》："范希文亦作是语乎？试观希文'都来此事，眉间心上'之词，则亦一往有深情者。周藩作妓曲，无不极才情之变，此犹少逊之，而浑朴典雅，自非今人可及。吴梅《庆朔堂跋》：'《庆朔堂》四折，记范文正、甄月娥事。剧中情节，本子虚乌有。而词华丰艳，实为王之佳构也。'"

二月

钱仲益蒙御赐观京师便殿。《锦树集》卷八《永乐丙戌二月十二日，伏蒙殿下赐观所建便殿，退而作诗奉进》："鹤禁深严开曙早，玄圃卿云压瑶草。宫门咫尺近蓬莱，长驻四时春不老。旃檀小殿祠金仙，珠灯宝塔珊瑚筵。坐祝洪禧遍寰宇，我皇万寿齐尧天。银塘水暖摇新绿，瑞彩荣光炫晴旭。愿借缑山白玉笙，吹作长生太平曲。"

三月

明成祖于太学祭孔子。《明通鉴》卷一五："三月，辛卯朔，上幸太学，释奠于先师孔子，服皮弁，行四拜礼。御彝伦堂，赐讲官及大臣、翰林坐。祭酒胡俨、司业张智等，皆序进讲《尧典》《泰卦》，毕，赐百官茶，还宫。"

十五日，赐林环等进士及第、出身有差。

四月

命求天下遗书。《明太宗文皇帝实录》卷五三"永乐四年夏四月己卯（十九日）"："命礼部遣使购求遗书。上视朝之暇，辄御便殿阅书史，或召翰林儒臣讲论。尝问文渊阁经史子集皆备否，学士解缙对曰：'经、史粗备，子、集尚多阙。'上曰：'士人家稍有余资，皆欲积书。况于朝廷，可阙乎？'遂召礼部尚书郑赐，令择通知典籍者，四出购求遗书。且曰：'书籍不可较价，直惟其所欲与之，庶奇书可得。'又顾缙等曰：'置书不难，须常览阅乃有益。凡人积金玉，皆欲遗子孙。朕积书，亦欲遗子孙。金玉之利有限，书籍之利，岂有穷也？'

九月

王恭以布衣征入翰林。恭字安中，自称皆山樵者，闽县人，闽中十子之一。永乐初，以儒士荐起，待诏翰林，与修《永乐大典》，授翰林典籍，投牒归。《明史·文苑传》附载林鸿传中。有《白云樵唱集》《草泽狂歌》。林环《白云樵唱集序》："余家居时，闻吾闽之长乐有王先生恭者，以诗鸣。先生时遁于樵，自号为皆山樵者，不欲与世接，予以故未及见。来京师，获与长乐人士通籍于朝者交，间于篇牍中获睹先生所作及有能传诵其一二者，恍若听张乐于洞庭之野，阅武库所藏，不觉茫然自失，已而叹曰：'风雅辍响，大音不完。光岳气全，英俊间出如先生者，天固将使之鸣国家之盛。岂终穷饿其身，使自鸣于山巅水涯，与樵歌牧讴相唱和而已哉？'永乐四年，朝廷方开石渠，广延天下士。先生以荐至，相见于玉堂之署，观其神清体癯，须鬓如雪，葛巾野服，翛然如孤鹤振鹭，知为风尘表物，得造化清气盖多也。"林慈《皆山樵者传》："今季秋，皆山亦以儒士被荐来京，预修书于文渊阁。……永乐丙戌腊，国子博士长乐林慈志仁书于成均之署。"

本年

龚诩授徒言城，有诗寄沈孟舟。 龚绂《野古集年谱》："授徒于言城周敬修氏。有《寄听泉沈兄孟舟》曰：君比参星我比商，相思缩地恨无方。十年湖海同漂泊，两地情怀一感伤。会面未知何岁月，论心安得共杯觞。几回云树穷吟目，千里悠悠思更长。"

胡广升文渊阁大学士。 杨士奇《故文渊阁大学士兼左春坊大学士赠荣禄大夫少师礼部尚书谥文穆胡公神道碑铭》："四年，进翰林学士，兼左春坊大学士，阶奉政大夫。"

公元 1407 年（永乐五年　丁亥）

正月

申太祖禁僧道之令。《明太宗文皇帝实录》卷六三"永乐五年春正月辛未（十六日）"："直隶及浙江诸郡军民子弟私披剃为僧，赴京冒请度牒者，千八百余人，礼部以闻。上怒甚，曰：'皇考之制，民年四十以上，始听出家。令犯禁若此，是不知有朝廷矣。'命悉付兵部编军籍，发戍辽东、甘肃。又叹曰：'朕遵承旧制，一不敢忽，下人尚纵肆如此，何况欲来！此不可宥。且此辈皆民蟊螣，不可蓄育。'"

王偁《虚舟集》初编成。 解缙《虚舟集序》："永乐初，敕修金匮石室之书，继是复有大典之命。内外儒臣及四方韦布士集阙下者数千人，求其博洽幽明、洞贯今古、学博而思深如吾太史三山王君孟扬者，不一二见。然孟扬之为人，眼空四海，壁立千仞，视余子者琐琐，不啻卧之地下。以是名虽日彰，谤亦随之。余每拟荐自代，不果。且孟扬视功名泊如，每有抗浮云之志，期在息机与物无竞，故其集以'虚舟'名，亦可见其志焉。……孟扬在翰林越三年，不欲示其长于人。然一遇知己，与论古今成败、人物贤否、政事得失、治道升降，则目如曙光，辩如悬河，真若超千古而立于独者。孟扬固不欲专以文名。越石父有言：'士绌于不知己而伸于知己。'余其有负于孟扬哉！余其有负于孟扬哉！握手都门，出其集征予言，遂敬书以复之。永乐丁亥春，翰林院学士兼春坊大学士、国史总裁、庐陵解缙书。"

二月

解缙谪广西，寻改交阯。《明通鉴》卷一五："二月庚辰（初五），出翰林学士解缙为广西参议。缙以迎附骤贵，才高，勇于任事。然好臧否，无顾忌，廷臣多忮其宠。又因建储事，独归心太子，与丘福等异议，高煦以此深恨之。会朝议发兵讨安南，缙独以为不可，失上意。而太子既立，高煦宠益隆，礼秩逾适，缙复谏曰：'是启争也。'上不怿，以缙离间骨肉，恩礼浸衰。四年，赐黄淮等五人二品纱罗衣，独不及缙。而福等议稍稍传播外廷，高煦遂谮缙泄禁中语。至是有劾其上年廷试读卷不公事，遂有是谪。礼部郎中李至刚，挟下狱之嫌，谓缙实中伤之，乃奏言缙怨望。寻改交阯，命督饷化州。"《文毅集》卷五《交阯即事》："交阯名藩百雉雄，高骈塔在古城东。弓刀选士军容肃，铙角迎风奏节同。蛮女艳妆争粉黛，夷人村鼓聚儿童。可怜新息犹遗庙，铜鼓荒凉草棘中。"《文毅集》卷六《交阯和友人》:"香罗著体送雪轻,赐出彤庭忆圣君。午夜薇垣清梦里,漏声犹似日边闻。"

尹昌隆改礼部主事。《明太宗文皇帝实录》卷六四"永乐五年二月庚寅(初五)":"黜翰林院学士兼右春方大学士解缙为广西布政司右参议,改左春坊左中允尹昌隆为礼部主事。"《明史》尹昌隆传:"解缙之黜,同日改昌隆礼部主事。尚书吕震方用事,性刻忮。当其独处精思,以手指刮眉尾,则必有密谋深计,官属相戒,无敢白事者。昌隆前白事,震怒不应。移时又白之,震愈怒,拂衣起。昌隆退白太子,取令旨行之。震大怒,奏昌隆假托宫僚,阴欲树结,潜蓄无君心。逮下狱。寻遇赦复官。"

四月

皇长孙朱瞻基出阁就学,年十岁。《明太宗文皇帝实录》卷六六"永乐五年夏四月辛卯(初七)":"皇长孙出阁就学。上御奉天殿,文武群臣称贺毕,上召太子少师姚广孝,翰林院侍诏鲁瑄、郑礼等,谕之曰:'人之学问,常以先入之言为主。朕长孙天资明睿,尔等宜尽心开导,凡经史所载孝悌仁义与夫帝王大训可以经纶天下者,日与讲究。浸渍之久,涵养之深,则德性纯而器识广,他日所资甚大,不必如儒生绎章句、工文辞为能也。'广孝等稽首受命。赐金织罗衣各一袭,命大官给日暮酒馔。"

六月

王达卒,年六十五。《明太宗文皇帝实录》卷六八"永乐五年六月乙未(十三日)":"翰林院侍读学士王达卒。达,字达善,无锡人。自县训导以荐,升国子监助教。上即位,用姚广孝言,升翰林院编修,再升翰林院侍读学士。达性澹泊,为人谦和恭慎,为文章,以诗名。上间问建文君过失事,达对曰:'可与为善,但辅导者非人,故误之耳。'达卒年六十五。命有司归其丧。"陈琏《天游文集序》:"公天分甚高,有志古学,自司训教国子,讲授之余,益得肆力于经史百家之言,故学与识益博,才与气益高,故其文典雅而温润,诗则清丽而工致。逮居翰院,以雄才奥学典司帝制,黼黻皇度,地望清高,文名益著。"《列朝诗集小传》乙集《王读学达》:"今所传《耐轩》《天游》二稿,诗文皆平蔫,不称其名,何也?达善未仕时,与吴门韩奕先生、王绂、孟端、诗僧真性海,偕游慧山,汲泉瀹若,孟端作《四士图》,公望为十六韵题其上。公望、孟端一时高士,不轻许可,而达善得与四子之列,其风流儒雅,必有大过人者,固不当以文辞末技,轻为轩轾也。"《静志居诗话》卷六《王达》:"耐轩与大绅、孟扬、汝玉、希范,号东南五才。诗太便利,不耐咀嚼。然如《送人入都作》起句云:'莺啼细雨中,一骑发城东。'又《送人从军作》云:'细雨都门酒,东风驿路尘。'未尝不矜练也。"《明诗综》卷一九《王达》存诗二首:《题山水》《题扇》。《明诗纪事》乙签卷五《王达》陈田按:"学士七绝,风骨成削,殊堪矜赏。"

王恭辞官归隐。曾棨《皆山樵者辞》序:"皆山樵者,姓王氏,名恭,闽人也。闽地皆山,而恭以文学行谊隐以樵,故以自号。今年六十余矣。工于诗,有盛唐之音。平生罕与世接,黄冠草履,往来闽中。濯清泉,息茂树,引觞独酌,负薪行歌。人莫得见也。乃者朝廷大征天下儒硕，兴石渠虎观之事，闽中以恭应诏。余时代匮词林，得与恭相识，幅巾鹤发，风骨癯然，翛翛乎似非尘世中人也。事毕，告老而归，过予言别。作《皆山樵者辞》以送之。……永乐五年龙集丁亥季夏立秋日，赐进士及第、翰林修撰、承务郎庐陵曾棨，书于京师寓舍之九竹轩。"〔按，是年六月二十五日立秋〕《全闽诗话》卷六《王恭》："《大典》成，试诗高第，授翰林典籍，不就，归。益徜徉丘壑，足迹殆遍。有诗数十卷。庐陵解缙称其'布衣萧然，不慕荣宠，强起决去，若朝阳孤凤'。"《静志居诗话》卷三《王恭》："袁景文以《白燕诗》得名，然如'月明湘水初无影，雪满梁园尚未归'，翻不若琴川时大本之'珠帘十二中间卷，玉剪一双高下飞'也。顾光远以《白雁诗》得名，然如'锦瑟夜调冰作柱，玉关晓度雪侵衣'，亦不若王安中之'夜雨芦花看不定，夕阳枫树见初飞'也。安中整练不及子羽，而风华跌宕，多缥缈之音，固似胜之。""恭与同邑高棅齐名，同以布衣征入翰林。然棅出山以后诗，应酬潦倒，无复清思；恭则历官未久，投牒遽归，迹其性情，本耽山野。此集又作于田居之日，故吐言清拔，不染俗尘，得大历十子之遗意，其格韵远在棅上。当时次第甲乙，以棅居第三，恭居第四，殆亦所谓耻居王后者矣。""《静志居诗话》尝摘举其集中佳句数联，然如'渭水寒流秦塞晚，灞陵残雨汉原秋'、'棕榈叶上惊新雨，砧杵声中忆故园'、'几处移家惊落叶，一年归梦在孤舟'诸句，皆诗家常语。至'云归独树天边小，雪罢孤峰鸟外青'句，则'小'字形容颇拙，'罢'字节次未明。又'鸟外明河秋一叶，天涯凉月夜千峰'句，尤为疵累。夫昼见飞鸟，不见明河，夜见明河，不见飞鸟；上四字自不相贯。一叶落而知秋，不系乎明河，天河夏月已明，不系乎落叶；下三字亦不相属。盖兴之所到，偶然拈及，不足以尽其所长。读恭诗者，毋执是以刻舟求剑可矣。"

七月

张宇初《岘泉集》初成。朱楠《岘泉集序》："《岘泉集》者，嗣汉四十三代天师张真人之所作也。真人学行渊邃，资识超颖，贯综三氏，融为一涂。旁及诸子百家之言，靡不畅晓。故其发为文辞论议，雄迈伟杰，读之令人击节不已。予尝爱其文如行空之云，昭回绚焕，变化莫测，顷刻万状，晔乎其成章也；又如入秋之水，膏停黛蓄，微风兴波，万顷一碧，湛乎其泓澄也。词赋诗歌，又各极其婉丽，清新得天趣自然之妙，可谓兼胜具美矣。且闻龙虎名山，灵气翕聚，钟英毓秀，挺生列真，以道德相传，其来远矣。若道腴内充，华藻外振，以文雄一代者，乃今独于真人见之。……时永乐五年秋七月吉日，辽王拜手谨识。"王绅《岘泉集序》："间出其诗文若干卷，属序焉。其诗之冲邃而幽远，文之敷腴而典雅，读之使人健羡不暇。视世之占毕训诂，拘拘以才艺自足者，为何如哉？矧公领宗门之重任，专以化人诱善，辅国翊祚为心，其见于此者，特其绪余耳。虽然，予尝考公德业，既本于无为，是能游心太初，与道为一。而且沉酣于六艺之文，搜猎于百氏之说，于是发为文辞，理与意会，有不期工而自工者矣。其有补于老庄之道者，又岂神诞之夸者比哉。公以绅有世契，相与极论斯事，必抚掌剧谈而后已。故为序。其曰'岘泉'者，因精舍之称云。国子博士金华王绅。"

程通《岷泉集序》："龙虎嗣汉四十三代天师张真人，神明之胄也，天资超卓，学问渊源。本诸中者有道德之崇，著于外者有文章之懿。铨次其平日所作诗文，凡若干卷，目曰《岷泉集》。英华焕发，照耀简编。以言乎诗，则托物写情，优游不迫，得诗人情性之正。以言乎文，则雄奇汪溔，铺叙有法，得古人述作之体。是以海内文人硕士传诵而称美者比比焉。此非真人学通百氏，道贯三才，体用兼该，精诣独得，安能发而为此耶？及观集中所著《冲道》《慎本》《太极》《河图》《原性》诸篇，义理之玄微，研究之精极，议论之闳肆，其于天地造化、山川人物、礼乐制度，靡不该贯，虽专门擅业、皓首穷经之士，有不能及者。非惟有功于玄教，其于世教亦有裨焉。将见斯集流传于天下后世，与岷泉相为悠久而无穷也必矣。且真人尝为通著《尚义堂记》，俾先祖父之志行亦得托于不朽，敛襟三复深有感焉。因书此于卷末，以致其私意云。永乐五年秋七月甲子，新安程通谨识。"《岷泉集》卷首提要："《岷泉集》四卷，明张宇初撰。……此本皆所作杂文，惟末附歌行数十首。卷首虽载绅序，而二十卷之旧已不复存。其中若《太极释》《先天图论》《河图原》《辨荀子》《辨阴符经》诸篇，皆有合于儒者之言。《问神》一篇，悉本程朱之理，未尝以云师、风伯诸荒怪之说张大其教，以视诵周孔之书而阐扬佛老之说者，相去远矣。"

九月

郑和还，西洋诸国皆遣使随和入朝。《明太宗文皇帝实录》卷七一"永乐五年九月壬子（初二）"："太监郑和使西洋诸国还，械至海贼陈祖义等。初，和至旧港，遇祖义等，遣人招谕之。祖义降诈，降而潜谋，要却官军。和等觉之，整兵堤备。祖义率众来劫，和出兵与战，祖义大败。杀贼党五千余人，烧贼船十艘，获其七艘及伪铜印二颗，生擒祖义等三人。既至京师，命悉斩之。苏门答剌、古里、满剌加、小葛兰、阿鲁等国王遣使。比者牙满黑的等来朝贡方物，赐其使钞币铜钱有差。仍命礼部，赐其王锦、绮、纱、罗、鞍马等物。"

十月

王恭过西安会林仲贞。林仲贞《皆山樵者说》："今天子嗣位，先生舍其斧斤，观光于朝，行步锵如，出言粲如。如华虫黼黻，可以文盛世；如金钟玉磬，可以鸣治音。樵之进于是也至矣，予于是乎观。丁亥冬十月二十日，长乐林仲贞书长安西之公邸。"

十一月

《永乐大典》成。《明通鉴》卷一五："修《永乐大典》书成，上之。初，上即位之元年，谕学士解缙等曰：'天下古今事物，散载诸书，篇帙浩繁，未易检阅。朕欲悉采各书所载事物，类聚之而统之以韵。尝观阴氏《韵府群玉》、钱氏《回溪史韵》二书，事虽有统而纪载太略。卿等其如朕意，凡书契以来经、史、子、集百家，至于天文、地志、阴阳、医卜、僧道、技艺之言，备辑为一书，毋厌浩繁。'缙等奉诏编纂，依韵排次，于二年十一月上之，赐名《文献大成》。既而上览所进书尚多未备，复敕太子少师姚广孝、刑部侍郎刘季篪与缙重修。三人总其事，复命学士王景、王达等五人为总裁，侍读邹缉、修撰梁潜、曾棨等凡二十人副之。既又征儒士陈济，擢为都总裁。又简中外官及四方老宿有文学者充纂修，选国子监及郡县生员能书者缮写。开馆于文渊阁，命光禄寺给朝暮膳。至是书成，凡二万二千九百三十七卷，一万一千九十五册，更赐今名。上亲制序弁其首。"《明太宗文皇帝实录》卷七三"永乐五年十一月乙丑（十五日）"："太子少师姚广孝等进重修《文献大成》，书凡二万二千二百一十一卷，一万一千九百五本，更赐名《永乐大典》。上亲制序以冠之，其文曰：昔者圣王之治天下也，尽开物成务之道，极裁成辅相之宜，修礼乐而明教化，阐理至而宣人文。粤自伏羲氏，始画八卦，通神明之德，类万物之情，造书契以易结绳之治。神农氏为耒耕之利，以教天下。黄帝、尧、舜氏作通其变，使民不倦，神而化之，使民宜之，垂衣裳而天下治。禹叙九畴。汤修人纪之数。圣人继天立极，皆作者之君。所谓制法兴王之道，非有述于人者。暨乎文武相继，父作子述。监于二代，郁郁乎文。孔子生周之末，有其德而无其位，承乎数圣人之后，而制作已备，乃赞《易》，序《书》，修《春秋》，集群圣之大成，语事功则有贤于作者。周衰，接乎战国，纵横捭阖之言兴，家异道而人异论，王者之迹熄矣。迄秦有燔禁之祸，而斯道中绝。汉兴，六艺之教渐传，而典籍之存可考。由汉而唐，由唐而宋，其制作沿袭，盖有足征。然三代而后，声明文物所可称述者，无非曰汉唐宋而已。洪维我太祖高皇帝膺受天命，混一舆图，以神圣之资，广述作之奥，兴造礼乐制度文为，博大悠远，同乎圣帝明王之道。朕嗣承鸿基，劢思缵述。尚惟有大混一之时，必有一统之制作，所以齐政治而同风俗，序百王之传，总历代之典。世远祀绵，简编繁夥，恒慨其难一。至于考一事之微，泛览莫周，求一物之实，穷力莫究。譬之淘金于沙，探珠于海，夐夐乎其不可易得也。乃命文学之臣，纂集四库之书，及购募天下遗籍，上自古初迄于当世，旁搜博采，汇聚群分，著为典奥。以气者天地之始也，有气斯有声，有声斯有字，故用韵以统字，用字以繁事，揭其纲而目必张，振其始而末具举，包括宇宙之广大，统会古今之异同，巨细粲然明备。其余杂家之言，亦皆得以附见。盖网罗无遗，以存考索，使观者因韵以求字，因字以考事，自源徂流，如射中鹄，开卷而无所隐。始于元年之秋，而成于五年之冬，总二万二千九百三十七卷，名之曰《永乐大典》。臣下请序其首。盖尝论之，未有圣人，道在天地；未有六经，道在圣人。六经作，圣人之道著。所谓道者，弥纶乎天地，贯通乎古今，统之则为一理，散之则为万事，支流蔓衍，其绪纷纭，不有统之，则无以一之。聚其散而兼总其条贯，于以见斯道之大而无物不该也。朕深潜圣道，志在斯文，盖尝讨论其旨矣。然万机浩繁，实资观览，姑述其概以冠诸篇，将以垂示无穷，庶几或有裨于万一云尔。"陆釴《病逸漫记》："国朝修《永乐大典》，亦宋朝修《册府元龟》之意。"四库提要卷一三七："《永乐大典》二万二千八百七十七卷，目录六十卷。明永乐元年七月奉敕撰，二年十一月奏进，赐名《文献大成》。总其事者为翰林院学士兼右春坊大学士解缙，与其事者凡一百四十七人。既而以所纂尚多未备，复命太子少保姚广孝、刑部侍郎刘季篪，与缙同监修，而以翰林学士王景、侍读学士王达、国子祭酒胡俨、司经局洗马杨博、儒士陈济为总裁，以翰林侍读邹缉，修撰王褒、梁潜、吴溥、李贯、杨觏、曾棨，编修朱纮，检讨王洪、蒋骥、潘畿、王偁、苏伯厚、张伯颖，典籍梁用行，庶吉士杨相，左春坊左中允尹昌隆，宗人府经历高得旸，吏部郎中叶砥，山东按察司金事晏璧为副总裁。与其事者，凡二千一百六十九人。于永乐五年十一月奏进，改易名曰《永乐大典》。并命复写一部，锓诸梓，以永乐七年十月讫工。后以工费浩繁而罢。定都北京以后，移贮文楼。嘉靖四十一年，选礼部儒士程道南等一百人重录正副二本，命高拱、张居正校理，至隆庆初告成。仍归原本于南京。其正本贮文渊阁，副本别贮皇史宬。明祚既倾，南京原本与皇史宬副本并毁。今贮翰林院库者，即文渊阁正本，仅残阙二千四百二十二卷。顾炎武《日知录》以为全部皆佚，盖传闻不确之说。书及目录共二万二千九百三十七卷，与原序原表并合。《明实录》作二万二千二百一十一卷，《明史·艺文志》作二万二千九百卷，亦字画之误也。考《明实录》载成祖谕解缙等称，'尝观《韵府》《回溪》二书，事虽有统，而采摘不广，纪载太略，尔等其如朕意，凡书契以来，经、史、子、集百家之书，至于天文、地志、阴阳、医卜、僧道、技艺之言，备辑为一书，无厌浩繁'云云。故此书以《洪武正韵》为纲，全如韵府之体，其每字之下详列各种书体，亦用颜真卿《韵海镜源》之例。惟其书割裂庞杂，漫无条理，或以一字一句分韵，或析取一篇，以篇名分韵，或全录一书，以书名分韵，与卷首凡例多不相应，殊乖编纂之体。疑其始亦如韵府之体，但每条备具始末，比韵府加详。今每韵前所载事韵，其初稿也。继以急于成书，遂不暇逐条采掇，而分隶以篇名。既而求竣益迫，更不暇逐篇分析，而分隶以书名。故参差无绪，至于如此。然元以前佚文秘典，世所不传者，转赖其全部全篇收入，得以排纂校订，复见于世，是殆天佑斯文，姑假手于解缙、姚广孝等，俾汇存古籍，以待圣朝之表章。有莫知其然而然者，正不必以潦草追咎矣。今仰蒙指授，裒辑成编者，凡经部六十六种，史部四十一种，子部一百三种，集部一百七十五种，共四千九百二十六卷，菁华已采，糟粕可捐，原可置不复道。然搜罗编辑，亦不可没其创始之功，故附存其目，并具载成书之始末，俾来者有考焉。"

胡广进翰林学士。《颐庵文选》卷上《文渊阁大学士兼左春坊大学士赠资善大夫礼部尚书谥文穆胡公墓志铭》："五年十一月，拜翰林学士兼左春坊大学士，而宠任益隆。"

钱仲益作自寿诗。《锦树集》卷二《丁亥十一月二十八日自寿》："双烛花生晓日晴，年垂八十竟无成。不羞白发逢初度，犹及清朝见太平。往事暗思浑似梦，此身虽在亦堪惊。却惭食禄何由报，只抱丹心答圣明。"

冬

永乐帝赞杨士奇文学。《圣谕录》卷上："永乐五年冬。一日，胡广独于武英门进呈文字，上览之称善再三，既从容问曰：'杨士奇文学，于今难得，而黄淮数不容之，何也？'对曰：'淮有政事才，士奇文学胜，且简静无势利心，盖因解缙重士奇及臣而轻淮，故淮有憾。'上曰：'朕知汝亦不容于淮，惟朕不为所惑。'广叩首，既退与臣言：'上恩如此，当子孙世世不敢忘。'盖自是吾二人待淮愈谨矣。"

本年

杨荣筹边甘肃。《明史》杨荣传："五年命往甘肃经画军务,所过览山川形势,察军民,阅城堡。还奏武英殿。帝大悦。值盛暑,亲剖瓜噉之。"

徐有贞(1407—1472)**生。**初名珵,字元玉,吴县人。宣德癸丑进士,选庶吉士,授编修,历春坊谕德,擢金都御史。天顺初,用夺门功拜华盖殿大学士、兵部尚书,封武功伯。未几下狱,戍金齿,寻赦还,卒。有《武功集》。《家藏集》卷五八《天全先生徐公行状》:"公之先皆树德,遭时沉晦,连世不仕。至孟声[徐孟声,有贞父],甫生三子,以其仲有异质,始教从名师学,即公也。公年十二三入小学,已能古文词,颖敏殊甚,卓然出诸生上。少长,再学于都宪思庵吴先生,学益进,文益奇。公时已有用世意,慨然欲经济天下,其议论所发,往往出人意表。思庵曰:'子欲求仕乎?'乃率之见国子祭酒颐庵胡先生,请授进士业。时颐庵以事称病不出,坐卧一土床,虽亲故至,皆伏枕与语。初见公,颇以幼小易之。既而使面赋一诗,公援笔立就,皆老成句,颐庵为之蹶然起而循床行,极加称赏。遂以其业授之。"

公元 1408 年(永乐六年 戊子)

二月

朱有燉杂剧《惠禅师三度小桃红》成。据卷首小引:"永乐六年岁在戊子仲春良日书。"《远山堂剧品·雅品》:"作手能开辟者,自于寻常窠臼翻出新彩。如此剧,二圣以音乐着魔,即从音乐唤醒,便觉从来传仙佛济度者,同病人说梦矣。《柳枝集》本孟称舜评:气味浑厚,音调复谐,毕竟是本朝第一能手。近时作者虽多,终难望其项背耳。吴梅《小桃红跋》:《小桃红》四折,与元剧《任风子柳翠》相类。而敷演宗门教旨,又极精微,非沉潜内典者不能也。"

三月

钱仲益在南京,寄诗杨、秦两生。《锦树集》卷八《寄杨浩秦彧二生》:"杨秦两生我爱友,忆昔灯窗共相守,诗书过眼不再读,下笔翩翩不停手。……维时三年纪永乐,孟秋七月岁乙酉,子来从试入京闱,一见相亲情愈厚。时过客舍得留连,旋买新醪剪畦韭。杨生高中李三前,秦生暂落孙山后。迩来别去又三年,每念何时复相偶?好及青年加向学,须惜光阴驹过牖。焚膏继晷莫辞劳,计日课功无自苟。棘闱重开在八月,炯炯奎光贯牛斗。明年二月当大比,陶冶良金琢琼玖。伫看一战霸群英,囊底韫才须抖擞。老夫数日迟子来,使我离怀得倾剖。都门三月春正妍,万缕黄金动杨柳。走笔题诗远相寄,遥劝停云一杯酒。子如千里同我心,频写音书报安否。"

四月

始诏云南以是年八月行乡试。《明太宗文皇帝实录》卷七八"永乐六年夏四月丙申(十八日)":"巡按云南监察御史陈敏言:'云南自洪武中已设学校,教养生徒。今郡县诸生多有资质秀美、通习经义，宜如各布政使司三年一开科取士。'又言：'师儒之职为后学矜式，云南郡县学校官多用土人，学问肤浅，容止粗鄙，不称师范，宜别选用经明行修之士，庶几教育有法。'俱从之。"

瞿佑被罪入锦衣卫，后流放保安。《归田诗话》卷下《和狱中诗》："永乐间，予闭锦衣卫狱，胡子昂亦以诗祸继至，同处囹圄中。子昂每诵东坡《系御史台狱》二诗，索予和焉。予在困苦中，辞之不获，勉为用韵作二首。时孙碧云、兰古春二高士，亦同在圜室，见之过相赏叹。今子昂已矣，追念旧处患难，为之泫然。诗云：'一落危途又几春？百忧交集未亡身。不才弃斥逢明主，多难扶持望故人。有字五千能讲道，无钱十万可通神。忘怀且共团圞坐，满灶炉香说善因。''酸风苦雾雨凄凄，愁掩圜扉坐榻低。投老渐思依木佛，受恩未许拜金鸡。艰难馈食怜无母，辛苦回文赖有妻。何日湖船载春酒，一篙撑过断桥西？'"《乐全诗集·至武定桥》注云："永乐六年四月，进周府表至京，拘留锦衣卫。自汴梁起取家小十二口至此，蒙拨赐房屋居信，至今二十一年矣。"徐伯龄《蟫精隽》卷四《吕城怀古》："寻以仁和山长历宜阳、临安二县，既而相藩。藩屏有过，先生以辅导失职，坐事系锦衣狱。寻窜保安为民。"

六月

杨荣丁父忧归，旋起复。《馆阁漫录》卷一："六月戊寅朔。庚寅（十三日），右春坊右庶子兼翰林院侍讲杨荣，丁父忧归，赐钞一千贯。"《东里续集》卷三六《故少师工部尚书兼谨身殿大学士赠特进光禄大夫左柱国太师谥文敏杨公墓志铭》："六年夏，丧父，给传归。既葬，遂命起复。"

梁用行、高得旸、王汝玉聚会。《赵氏铁网珊瑚》卷一四："予官翰林几六年，每与院中群公商榷其乡里之好事者，予必以吾沛郡朱永年氏为称首。因出同郡张溪云先生为予内人从叔父王伯时父所画竹观之，而座中啧啧声不绝诸口。乃知名品当不逃乎鉴赏也。予在童卯时，则尝闻先生善画竹矣。然未知有此精绝耳。此盖深得江南铁钩锁三昧，近代则未之见也。噫！故家文献凋谢散失，子孙不能守其所藏之物者多矣。今此卷获归永年，独何幸耶。是日同观者，侍讲邹仲熙、右赞善王汝玉、检讨苏伯厚、宗人府经历高孟升、待诏滕用亨。予则典籍梁用行也。时永乐六年六月廿八日，书于玉堂之斋室云。"《西湖游览志余》卷一二："高孟升得旸，钱塘人。洪武间，以文学荐，授临安学教谕，升高州学教授。永乐初，召为宗人府经历。纂修《大典》，为副总裁。记闻博洽，诗文纯雅，名重一时。所著有《节庵集》。"四库提要卷一七五："《节庵集》八卷，《续编》一卷，明高得旸撰。得旸，字节庵，钱塘人。迁居临安。洪武间有司以文学荐，三为校官。永乐初，擢为宗人府经历。充《永乐大典》副总裁。是集首《杂著》一卷，次各体诗七卷。邹济墓志谓其生平稿多不存，故所录仅止于此。志又称得旸与修《永乐大典》，分掌三礼，编摩有方。今核所纂三礼诸条，于前人经说，去取尚为精审，盖亦博识之士。其诗文以清丽为宗，如曲洞回溪，莹澈见底，而一往清激，尚少淳蓄之致。姚广孝序乃以江汉奔流、曲折千里拟之，过其实矣。"

七月

王景卒。《明太宗文皇帝实录》卷八一"永乐六年秋七月癸酉（二十七日）"："翰林院学士王景卒。景字景章，处州松阳人。"《明史》王景传："其与伦同时为礼部侍郎者，有王景，字景彰，松阳人。洪武初，为怀远教谕。以博学应诏。命作朝享乐章，定藩王朝觐仪。累官山西参政，与伦先后谪云南。建文初，召入翰林，修《太祖实录》。用张纨荐，除礼部侍郎兼翰林侍讲。成祖即位，擢学士。帝问葬建文帝礼，景顿首言：'宜用天子礼。'从之。永乐六年卒于官。"《殿阁词林记》卷四《翰林院学士王景》："景博学，以古文自擅，亦擅笔札。然不谨细故，与时多忤云。廖道南曰：予考《文衡》，乃见王景彰所撰诸篇，俱春容尔雅，畅茂敷贲。乃知国初浑厚和平之气，不独于运数见之，是有征于文物也已。"《明诗纪事》乙签卷五《王景》陈田按："景彰洪武中以浙江布政使安然荐，直翰林，制《藩王朝觐仪》，改《赐日本书》，作《乐章》与《京城钟鼓楼记》。黄才伯《翰林记》但述永乐元年诏侍臣议作乐章，学士王景等拟述以闻。知其一不知其二矣。景彰谪云南，沐景颙录其诗入《沧海遗珠》。玩其所作，亦当时才士也。所拟《乐章》，已具录首卷。"

八月

夏原吉督工北都三阅月。《明史》夏原吉传："六年命督军民输材北都，诏以锦衣官校从，治怠事者。原吉虑犯者众，告戒而后行，人皆感悦。"《忠靖集》附录《钦赐敕文》："永乐六年八月十三日，敕户部尚书夏原吉：尔精细审度事势动静，可回即回。如未可回，即以其故具本密封，就付差去人，星夜赍来。故敕。"《忠靖集》附录《夏忠靖公遗事》："夏六月，以初建北京宫殿，采木运饷者百万于道，命公暂出巡视……八月行次德州，上思大用公，差锦衣官赍敕召公回，且谕曰：'行止卿自度之，朕不中制也。'盖上将巡幸于北，欲问公民情安否何如耳。"

秋

永乐帝赞杨士奇文章。《圣谕录》卷上："永乐六年冬，巡狩北京，诏书命臣士奇视草。上览之再三，喜曰：'简当，更勿改易。其择日书之，颁下。'又曰：'试与诸尚书观之。'诸尚书皆称善，独兵部刘俊私于士奇曰：'请以有字易自字，如何？'士奇曰：'善！'即以告于众，众曰：'义无相远，不足易，且上既善之矣。'士奇独以闻，请易之。黄淮于上前执不足易，臣曰：'于国家大体，当用俊言。'上顾士奇曰：'从汝，从汝。'明日谕胡广曰：'杨士奇能服善，难得。'"杨士奇《巡幸北京诏》："奉天承运，皇帝诏曰：成周营洛，肇启二都。有虞亲民，尤重巡省。朕君临天下，祗率典彝，统御之初，已升顺天府为北京。今四海清宁，万民安业，国家无事，省方维时。将以明年二月巡幸北京，命皇太子监国。朕所经过去处，亲王止离王城一程迎接，军民衙门官吏人等，于境内朝见。非经过去处，毋得出境。道路一切饮食供给之费，皆已备，不烦于民。诸司毋得有所进献，科扰劳众。布告中外，咸使闻知。永乐六年八月十一日。"［按，将《圣谕录》一则与《巡幸北京诏》合看，两处时间抵牾，揆之于理，《圣谕录》所记时间有误，"六年冬"当为"六年秋"］

冬

杨荣丁母忧，告归不许。《东里续集》卷三六《故少师工部尚书兼谨身殿大学士赠特进光禄大夫左柱国太师谥文敏杨公墓志铭》："是年（六年）冬，丧母，公奏归守制。时已下诏巡守北京，不许。"《明史》杨荣传："又明年（七年），母丧乞归。帝以北行期迫不许，命同胡广、金幼孜扈从。"［按，杨荣母丧在本年末，告归乃越年事。士奇所记与《明史》本传，均不误］

本年

吴溥为国子司业。《文敏集》卷二〇《故国子司业吴君墓表》："戊子，用祭酒胡公若思荐，升国子司业。居官以礼自持，以师道自任，以勤率诸生。每五鼓升堂讲授，终日危坐，无怠容。诸生皆敬畏而心服焉。"《东里续集》卷三四《国子司业吴先生墓志铭》："吏部言国子监阙司业，太宗皇帝曰：'此非可轻授。其令祭酒胡俨，慎举有学行可为师表者以闻。'胡公举先生。即日授国子司业。居无何，祭酒有他命，自是皆先生总监事。时士习日下，学者急于进取，率不究心经传，惟诵习前辈程文以觊侥幸。先生革之。终日危坐堂上，召与讲析义理，且设疑诘之，使退求诸心，庶有自得之益。于为文，必先义理而后辞采。学者始趋实功，不事苟得。……仁宗皇帝知之有素。一日，顾士奇曰：'朕即位以来，两京之臣多以序进。惟南京吴司业未进。盖朕久不见之，故忘之耳。'后三日，宫车上宾矣。先生为司业十有八年，太学生数千人。及天下贤士君子，皆称'吴先生古道''吴先生贤师'，而职铨衡者独若不闻。"

龚诩寄居常熟。龚绂《野古集年谱》："先生时年二十七岁，寓居常熟马字昌氏，母王氏独居昆山。有《客中思亲》诗。"

公元1409年（永乐七年　己丑）

正月

颁元宵节例。《明通鉴》卷一五："春正月癸丑（初十），诏以上元节张灯，弛夜禁，赐百官假十日。著为令。"

二月

初八，以北巡告于宗庙。

初九，车驾发京师。《明通鉴》卷一五："皇太子监国。命吏部尚书蹇义、兵部尚书金忠、右春坊大学士黄淮、左谕德杨士奇留辅太子，户部尚书夏原吉、右谕德金幼孜、翰林学士胡广、右庶子杨荣扈从。"

廷试延期。《明通鉴》卷一五："礼部试天下贡士，中试陈璲等八十四人。以上巡幸北京，诏寄监读书，俟辛卯三月车驾还京，始举廷试。"

夏原吉掌户、礼二部都察院事。《忠靖集》附录《夏忠靖公遗事》："七年春二月，命兼掌行在户、礼二部都察院事，扈从车驾巡幸北京。公日督运饷以给军国，整朝仪以一会同，振纪纲以齐百辟。上嘉之。"

三月

十八日，车驾至北京。

王偁入英国公张辅幕。《虚舟集》卷五《自述谏》："大将军英公覆征交阯，辟居幕下。于是泛洞庭，浮沅湘，历九疑，吊苍梧。征兵南海，既而穷象桂，道五管，观师于日南、九真之交。时有赞勷，大将军待以为揖客。"

朱有燉杂剧《李亚仙花酒曲江池》成。据卷首小引："永乐己丑谷雨前一日书。"[按，是年谷雨为三月二十五日]《远山堂剧品·妙品》："才胆横逸，犹不及石君宝剧，而推敲点染，已极精工，是法胜于才者。一曲两唱，一折两调，自此始。吴梅《曲江池跋》：此即明郑若庸《绣襦记》祖本。惟通剧用五折，与《赵氏孤儿》同，杂剧体例间有之。非如王辰玉《郁轮袍》，合南北词七折成书，非驴非马，斯不可为训耳。"

四月

陈谟《海桑集》在编次中。晏璧《海桑集序》："先生殁之二十年，其孙翰林庶吉士孟洁、孟京，与余同以纂修《大典》召赴京师，出示《海桑集》若干卷。读之，雄词大篇，诚有德者之言也。……永乐七年岁在己丑，四月既望，山东提刑按察司佥事晏璧撰。"《海桑集》卷首提要："《海桑集》十卷，明陈谟撰。……其集诗文各二卷，为其甥杨士奇所编。国朝康熙庚申，其裔孙邦祥重刊。然排律之名，始于高棅，士奇未必即用其例，又《灵山寺》以五言长律入古体，《悼刘生》诗以七言拗律入古体，而《崆峒云居》诗又以古体入律体，士奇亦不如是之陋，殆邦祥又有所窜乱也。"

闰四月

王洪与学馆诸人集会。王洪《夏日文宴诗序》："永乐己丑夏，浙江都指挥使蔡公，合大参易公、翰林检讨王洪，泊学官方外之秀，宴于清湖里第。风日和美，肴羞维时，揖逊献酬，以寿以乐。大参公嘉是会也，举'昌言拜舜禹'之句，俾诸君子各占韵赋诗，而属洪序之。洪窃惟今圣天子在上，德化宏敷，文武效职，时和年丰，民物熙皥。二公以方叔、山甫之材，授藩翰之寄，统有浙东西十一郡之地、百万之众，克宣上恩，忠勤并隆，兵农咸和，于是仰政教之大成，乐休沐之闲暇，征贤合才，设是良宴雍雍，揄扬歌咏太平之风。洪也以闾里细氓，备职词苑，承恩南归，藐焉末学，而齿宾席之次，谢过弗暇，奚敢当是子夏任哉？虽然，抑有不可以不志者。宴而有礼，不吴不傲，一也；加礼末学，使后进知劝，二也；举诗以训，造次弗违义，三也。三善具而咏歌继之，锵乎金石之奏，灿乎珠贝之列，凡在卷者皆可传而诵也。故僭次其诗，自大参公以下凡若干首，而序以弁之。是岁闰四月廿有七日，翰林检讨王洪序。”

六月

诏御史勿用吏。《明通鉴》卷一五：“丁卯（二十六日），召御史张循理等廿八人，询其出身，有洪秉等四人，皆吏也。上曰：‘用人虽不专一途，然御史为朝廷耳目之寄，宜用有学识达治体者。’乃黜秉等为序班。诏：‘自今御史勿复用吏。’逾年，复申谕吏部，著为令。”

夏原吉兼掌刑部事。《忠靖集》附录《夏忠靖公遗事》：“夏六月，命兼掌刑部事。”

八月

刘绩《霏雪录》在编写中。《霏雪录》卷上：“永乐己丑八月，虎入越城之蕺山，指挥使王斯道命军士搏杀之。”《霏雪录》卷首提要：“《霏雪录》二卷，明刘绩撰。……此书多杂志旧闻及辨核诗文疑义。绩尝与元末诸老游，故议论颇有依据，然随手缮录，未加简汰，又每纪梦幻诙谐之事，不能尽纯。如称其远祖马牧君事金太祖，有纪信之节，元修三史时，史臣责赙于其祖，不肯，遂不得书。此事论史者俱未之及，然当时秉笔诸臣如欧阳玄等，皆一时名士，恐不至是，或出于一家之私言，未可概信也。此书成化间尝刊行，有胡谧后序称，绩所著尚有《嵩阳稿诗律》，今俱不传云。”《静志居诗话》卷六《刘绩》：“‘残雪未消双凤阙，新春先入五侯家。’晚唐张蠙诗也。孟熙易‘残’以‘霁’，易‘新春’以‘春风’，攘为己作，遂以此得名，人或少之。然‘竹影横斜水清浅，桂香浮动月黄昏’，非江为诗乎？林君复易‘疏’‘暗’二字，竟成千古名句。所云一字之师，与活剥生吞者有别也。张作全诗不称，若刘之首尾相当。其自题诗本云：‘幼小工刺绣，极知针线难。只缘花样古，不耐俗人看。’是时人争学温、李，宜其以拔俗为嫌耳。”

九月

解缙作诗忆明太祖。《文毅集》卷六《永乐己丑恭遇太祖圣节感旧》：“少事高皇仅十年，每因圣节赐归船。丁宁天语看严父，八十闲居似列仙。瞻望宸游又十年，三年宦辙到穷边。天回地转星河近，夜梦升朝奉御筵。”［按，朱元璋生日为九月十八］

梁潜与朱文冕同适北京。《东里文集》卷一七《梁用之墓碣铭》：“上幸北京，驿召赴行在。八年南还。”《泊庵集》卷四《楮窝记》：“永乐七年秋，予与翰林编修朱公文冕偕被召来北京。既至，于五云坊之东得屋以居。然迫乎车马尘坋之中，寝处之外无尺寸地空。又垆酤之与邻，歌姬舞妓之嘈杂乎朝夕也。文冕病之，不得已，乃背衢反置其户，别为道出入，以稍绝市喧。又恶其弗饰也，束苇梗架座为承尘，而幂以楮墙，壁左右以楮墁之。又向明为楮窗，楮莹洁而窗甚疏达，于是通一室皎然，晨曦所彻，隅奥皆白。入乎其中者，视其貌亦濯濯然。众骇而异之，鄙仆顽童旁睨而不敢入，清宾雅士日至而忘归焉。无可憎之俦，无拂情之务。又甚温而密，故虽隆冬沍寒，醉卧而起，握笔而吟，不知折胶裂指之凛能侵乎其肌也。……惟如是，故文冕居而乐之，因名之曰'楮窝'。其友检讨王君希范既为书二大字，又属予为记。"

梁潜、朱文冕、李时勉、曾棨等重阳聚会。《泊庵集》卷七《九日燕集诗序》："永乐七年九月丙辰，实惟重九之日。合侍从同官之士七人者，就北京旅邸饮酒欢甚。酒半，检讨王君希范摘'江涵秋影雁初飞'之句，即席分为韵，各赋诗，以纪一时之乐。既明日，侍讲曾君子棨以属予序之。於乎！余七人者，亦乐矣。……是皆上之赐也，夫何敢忘！由是七人之作，益宏大演迤，得盛时和平之音，盖所谓关乎风化者，信可观矣。予思钝而材拙，预在席，齿独长，故既赋之矣，又不辞而为之序。七人：王君，钱塘人；曾君，永丰人；侍讲林君崇璧，莆田人；编修朱君文冕，南丰人；庶吉士陈君光世，四明人；李君时勉，安成人；为之序者修撰梁潜，西昌人。"

本年

梁潜与金幼孜、胡广、杨荣唱和。《抑庵文集》卷一三《题梁先生诗后》："右七言近体诗一章，前翰林侍读兼右春坊右赞善西昌梁先生用之所赋，以呈内阁三先生者：胡公，吉水人，名广，字光大；杨公，建安人，名荣，字勉仁；金公，新淦人，名善，字幼孜。皆太宗皇帝所亲任，其文章德行天下所推仰，而与梁公最相好。梁公清修玉立，文字奇古，而每出新意，时辈争传诵之。三先生居宥密之地，在东角门内，故谓之内阁，常人所不能到。其外为文渊阁，梁先生辈处之。虽地位相悬，而四公情好之密，文字之娱，则无间也。当时唱和，盖不止于此。此诗今为刑科给事中廖庄安止所藏。安止与胡公同邑，故爱慕不忍置。诗末言'太液广寒'，盖广寒殿乃前元所建，在太液池上万岁山顶，当时极为华丽。太宗皇帝在潜邸时，去其甚者而存之，以为殷鉴，未尝增饰，恭俭之德，比隆尧舜。其初幸北京，三先生实从，尝特奉诏纵览焉。胡公有五言近体诗十首，诸公皆属和。梁公此诗，犹有羡慕之意。安止若又得之以续于此，使观者得以考见其事，岂不美哉？梁公与胡、金二公相继即世，计赋诗已二十年矣。俯仰今昔，为之慨然。"

杨士奇改白鹊诗。《圣谕录》卷中："太宗皇帝在北京，有白鹊之瑞，行在礼部行南京庆贺。监国下及五府六部，例各进表。时士奇以病在告，监国表命庶子、赞善撰，呈稿，殿下不怿。命尚书蹇义特以示臣士奇，曰：'甚寂寥，且不著题，以贺白龟、白鹿皆可。'命臣士奇改益。臣士奇改一对，云：'望金门而送喜，驯彤陛以有仪。'后增一对，云：'与凤同类，跄跄于帝舜之廷；如玉其辉，翯翯在文王之囿。'义以进，殿下喜曰：'此方是帝王家白鹊。'适内厨进膳，遂命内使陈昂彻以赐臣，且传旨谕臣曰：'其勉进药食，早出。非但倚卿文学，久不闻直谅之言，虑有过不知，急得相见也。'"

皇太子朱高炽与杨士奇论学。《圣谕录》卷中："殿下监国视朝之暇，专意文事，因览《文章正宗》。一日，谕臣士奇曰：'真德秀学识甚正，选辑此书，有益学者。'臣对曰：'德秀是道学之儒，所以志识端正。其所著《大学衍义》一书，大有益学者及朝廷，为君不可不知，为臣不可不知。君臣不观《大学衍义》，则其为治皆苟而已。'殿下即召翰林典籍取阅，既大喜曰：'此为治之条例监戒，不可无。'因留一部朝夕自阅，又取一部命翻刊以赐诸子。且谕臣士奇曰：'果然，为臣亦所当知。'遂赐臣一部。盖殿下汲汲于善道如此。"又："永乐七年，赞善王汝玉每日于文华后殿道说赋诗之法。一日，殿下顾臣士奇曰：'古人主为诗者，其高下优劣何如？'对曰：'诗以言志。《明良》《喜起》之歌，《南熏》之诗，是唐、虞之君之志，最为尚矣。后来如汉高《大风歌》，唐太宗雪耻酬百王，除凶报千古之作，则所尚者霸力，皆非王道。汉武帝《秋风辞》，气志已衰。如隋炀帝、陈后主所为，则万世之鉴戒也。如殿下于明道玩经之余，欲娱意于文事，则两汉诏令亦可观，非独文词高简近古，其间亦有可裨益治道。如诗人无益之词，不足为也。'殿下曰：'太祖高皇帝有诗集甚多，何谓诗不足为？'对曰：'帝王之学，所重者不在作诗。太祖皇帝圣学之大者，在《尚书注》诸书。作诗特其余事。于今殿下之学，当致力于重且大者，其余事可姑缓。'殿下又曰：'世之儒者，亦作诗否？'对曰：'儒者鲜不作诗。然儒之品有高下。高者道德之儒，若记诵词章，前辈君子谓之俗儒。为人主尤当致辨于此。'"《震泽集》卷三五《恭题仁庙监国令旨》："尝读《东里集》，谓汝玉于东宫专讲诗法，似非辅导之义。今观仁宗德音，曰政治之方，曰善政之音，至有如暗逐明之喻，其于圣心必大有开发者邪？当时帷幄启沃之言，可以悬想。独诗法乎哉？"

曾棨《扈跸集》已成。《泊庵集》卷七《扈跸集序》："永乐七年二月，皇上巡幸北京。于时翰林侍讲曾君子棨与二三近臣，以文学得预扈从，因次其道途所经，山河之胜，行宫连营，千乘万骑之壮，见于诗凡若干首，名曰《扈跸集》。余读之而叹曰：'於乎！盛哉！'夫朝廷之事，圣君贤臣之嘉谟雄烈，照耀古今者，史氏能书之。至于一时太平盛观，丰亨豫大之容，民情风俗之美，下至原野鸟兽草木之光华润泽，可以感发歆羡，而史氏之所不书与不及书者，则皆存乎诗人之铺张形容。……子棨既学博而材优，又遭逢圣主之治，故其发于言者宏博深厚，足以极一时之盛。百世之下读之，为之低徊俯仰，想见其时而追慕绎思于无已，则其言与古之作者，夫岂相远哉？於乎！是可传也已。"

公元1410年（永乐八年 庚寅）

正月

刘珏（1410—1472）生。字廷美，号完庵，长洲人。正统戊午举人，除刑部主事，历官山西按察佥事。有《重刻完庵刘先生诗集》。《吴都文粹续集》卷四二《刘完庵墓志铭》："公自幼秀颖出群，天性孝友。父疾，昼夜侍左右，汤液之奉、浣涤之事，皆亲之。母患疽，吮之，良愈。"祝颢《完庵墓志铭》："逝成化壬辰二月初八，生永乐庚寅正月十三日，得年六十有三"。

金幼孜构轩北京，僚友赋诗为贺。《泊庵集》卷一三《冰雪轩赞》："右春坊谕德兼翰林侍讲金公幼孜，以扈从来北京之明年，治其轩以居，而名之曰冰雪轩。轩甚小而四壁皆白，公乐焉。既而自雪中见西山居庸之雄高拔出而壮之，命图之于其轩之壁间。公于是入处乎轩中，如在乎冰崖雪谷之下，至于长松古木纷披欹折之状，飞泉垂瀑淙泻而怒激，涧溪林壑开合而无穷者，皆不出于其轩，可坐而得之于图。故其轩非有高深靡丽之观，而所以擅夫幽逸之胜者，已超然乎尘埃之表矣。"《毅斋集》卷七《冰雪轩铭》："春坊谕德兼翰林侍讲金公幼孜，尝名其燕休之所曰冰雪。交游文学之士，以为幼孜清白之志如此，咸颂而美之。此岂知幼孜之深者乎？夫至清物莫之挠，至白物莫之污，斯固足以自立矣。若夫不挠不污，而其利泽所及，举物莫能加焉者，不尤其大者乎？"《颐庵文选》卷上《冰雪轩诗序》："今幼孜为圣天子侍从之臣，以文章黼黻乎至治……凡造兹轩者，朗然如游山林冰雪之乡，清兴之发有不能自已，故珠玉之富盈于篇翰，而其事之美将垂不朽，岂直为一时咏歌而已哉。"《抑庵文集》卷一二《冰雪轩辞》："右春坊右谕德兼翰林侍讲金公幼孜，以冰雪名其轩，君子有以知其素矣，而惑者弗察也。故予为赋焉：余既好此奇服兮，爰昭昭以自持。历洁清之端操兮，将古人以为期。"《古廉文集》卷一《冰雪轩赋》："客有乘玉虬、驾云车、凭祥风以遐举，将纵观乎名区，遵天路以游遨，倏予至乎帝都。访瀛洲之仙侣，造冰雪之轩居。观其四壁皎洁，中庭廓舒，顾纷浊其何有？开缟素之新图，云凭凭其在户，风冉冉兮飘裾，凌天山于咫尺，俯冰谷于座隅。涧不寒而长冱，林未春而先敷。色炯晃以承日，气凛栗而袭予。乃澹然而忘反，相与偃仰而怡愉。轩中主人乃顾谓客曰：'子知吾之处乎是轩，抑亦知吾名轩之意已乎？'"

夏原吉扈从道上吟诗。《忠靖集》卷四《永乐庚寅春扈从之北京临淮道中口占》："边尘不起海波澄，万乘时巡出帝京。燕子风清仙仗肃，杏花日暖绣旗明。高年首谒均颁帛，良吏郊迎屡问名。銮驭行将驻何处？黄金台畔旧王城。"

二月

以北征诏天下。《明史》成祖本纪："二月辛丑（初四），以北征诏天下，命户部尚书夏原吉辅皇长孙瞻基留守北京。乙巳，皇太子录囚，奏贳杂犯死罪以下，从之。丁未，发北京。"

胡广、杨荣、金幼孜扈从北征。《明史》胡广传："帝北征，与杨荣、金幼孜从。数召对帐殿，或至夜分。过山川阨塞，立马议论，行或稍后，辄遣骑四出求索。尝失道，脱衣乘骣马渡河，水没马及腰以上，帝顾劳良苦。广善书，每勒石，皆命书之。"《明诗纪事》乙签卷四《金幼孜》陈田按："文靖与杨文敏、胡文穆在成祖时最为亲幸，征伐巡幸，常在左右。有句云：'御前视草冰生砚，帐下题诗雪满毡。'又云：'近苑猎回犹赐馔，行宫朝罢更题诗。'文臣荣遇，于斯极矣。"

胡俨受诏留北京。《明史》胡俨传："七年，帝幸北京，召俨赴行在。明年北征，命以祭酒兼侍讲掌翰林院事，辅皇太孙留守北京。"

夏原吉佐皇太孙朱瞻基守北京。《明史》夏原吉传："八年，帝北征。辅太孙留守北京，总行在九卿事。时诸司草创，每旦，原吉入佐太孙参决庶务。朝退，诸曹郎御史环请事，原吉口答手书，不动声色。北达行在，南启监国，京师肃然。帝还，赐钞币、鞍马、牢醴，慰劳有加。"

三月

杨荣、胡广等征途应制。《殿阁词林记》卷一三《应制》："永乐八年，成祖北征至野狐岭，召学士胡广赋《平蛮诗》。杨荣曰：'圣主尊居四海安，天教仇敌自相残。'上甚嘉之。未几，谍知敌帅布尼雅实哩与其下阿噜台仇杀，东西奔遁，乃召荣谕曰：'此贼果自残灭，汝前日之诗，安知不为谶乎？'荣下马叩首谢。上喜，命赐羊酒。三月乙未，次清水源，水皆苦碱不可饮，人马俱渴。明日营西北二三里许，忽有泉涌出，清澈可爱，命广与荣往观，遣中官以银瓶汲取，上亲尝之，味甚甘美。赐广等饮讫，士马争趋之，皆给足。命曰'神应泉'。又明日，应制撰《神应泉》诗、铭，上嘉之，各赐上尊。"

张宇初卒，年五十。《明太宗文皇帝实录》卷一〇二"永乐八年三月辛卯（二十五日）"："嗣教真人张宇初卒。事闻，皇太子遣官赐祭。宇初，洪武间袭父职，赐号正一嗣教、道合无为、阐祖光范真人。建文中，居乡恣肆，数有言其过者，罢去之。上即位，召复之。宇初为人聪敏，涉知儒书，喜为诗、政、画。其道法盖受之刘渊然。后与渊然忤，互为诋訾，人以是少之。"雍正《江西通志》卷一〇四："张宇初，字子璇，正常子，汉天师四十三世。目秀双瞳，面交二斗。……永乐中建玉箓大斋，有庆云覆坛，鸾鹤交舞之瑞。一日，以印剑授其弟宇清，书颂曰：'一点灵明本无生灭，五十年中非圆非缺。今朝裂破大虚空，三界十方俱透彻。'举手向前指而逝。"《列朝诗集小传》闰集《张真人宇初》："永乐八年，示疾，书诵而逝。宋文宪公称宇初颖悟有文学，人称为列仙之儒。王绅仲缙序其集曰：'公于琅函蕊笈、金科玉诀之文，博览该贯；六艺子史、百氏之书，大肆其穷索。篇章翰墨，各极精妙。盖江右文宗，多吴文正公、虞文靖公之遗绪，而公能充伕之也。'今所传《岘泉文集》二十卷，诗居其半。五言古诗，意匠深秀，有三谢、韦、柳之遗响。其文如《玄问》诸篇，极论《阴符上经》之理，而参合于儒家，其所造诣，可谓卓然矣。唐、宋以来，释道二家并重，有元末高道如吴全节、薛玄羲之流，皆显于朝廷。国初名僧辈出，而道家之有文者独宇初一人，厥后益寥寥矣。"《静志居诗话》卷二三《羽士》："古今诗僧，传者不少，黄冠率寥寂无闻。唐惟上官仪、吴筠、曹唐稍能诗，然仪、唐皆不终于黄冠，则不得以黄冠目之矣。惟元时道教特盛，所称丘、刘、谭、马、郝、王、孙七真者，大半有集。迄于至正，如张雨伯雨、马臻志道，是皆伕伦之才。明初仅张宇初、余善二人无戾风雅已尔，余皆卑卑，鲜足当诗人之目。"《明诗综》卷八八《张宇初》："王仲缙云，岘泉诗冲邃幽远，篇章、翰墨，各极精妙。"《明诗综》存诗八首：《拟古》《养疾》《冬日还岘泉》《题夏山过雨图》《乙亥季夏还山居偶兴》《过钱塘》《望吴山》《山行晚眺》。

春

解缙邂逅周彦奇，序其文集。《文毅集》卷七《周金宪彦奇文集序》："永乐庚寅春，予自交广入朝，道经虎头城下。云南金宪周君彦奇奉表行在驿舟，夜呼相见，欢甚。出其文一编示予，诘朝别去。自赣至吉五百余里，昼夜观之，几忘寝食。乡山在望，不暇应接。忽焉泊舟文江，至家而尚在手，宾客皆传观之，共叹。君之仕日显，而文与之俱进也。盖君生名家，自少颖敏为学。官宣城，宣城名郡，君不以为人师自侈也。来试禁中，问五经百史时务，如古所谓宏词科，一挥万言，百解万端，辞义俱伟，廷中莫不叹服。寻除国博，不拜。擢刑科给事中，日与左右司豪辩，昌言力争，百辟皆靡。遂超擢今官，当方面之寄，而奠夷夏之交。勋旧宿将相与共事，较之他方面，实为难能。人有日不暇给者，而君乃从容于文章，若是其富也。非不恃其敏而益勤学，能如是乎？及今又得其全而观之，盖其所经历山川之雄伟，又有以豁其气识，畅其志趣，而煦以发之也。慨予平生所履，与君有小异者。尝登华岳，穷河源，而观于周秦汉唐宋之所经营，亦颇有以豁其气焉。然不若君之所历者远且大也。君之示予，盖甚幸焉。虽然，昔孔子惟南至楚，西至河。予与君之所历者，皆圣人之所未尝睹也，而圣人之文存者可见。议论有《易大传》，叙事有《春秋》，其答问言行有《论语》，是岂有待于外哉？周君以为然乎？"

四月

　　曾棨应制赋《青海天马歌》。《翰林记》卷一二《应制诗文》："三月乙未（二十九），次清水源，水皆苦咸，不可饮，人马俱渴。明日营西北二三里许，忽有泉涌出，清澈可爱，命广与荣往观，遣中官以银瓶汲取，上亲尝之，味甚甘美，赐广等饮讫，士马争趋之，皆给足。命曰'神应泉'。又明日（四月初一），应制撰《神应泉》诗、铭，上嘉之，各赐上尊。又尝命诸文学侍从赋《青海天马歌》，修撰曾棨最先成，为上所褒美。"

五月

　　李昌祺寄诗胡广。《运甓漫稿》卷五《寄胡学士光大二首》，其一："蓟门五月似新秋，易水金台王气浮。行在星辰环帝座，故人霄汉扈宸游。林桑叶尽春蚕老，庭树条空夏果收。良会未期成阔别，几回飞梦到瀛洲。"其二："远别悠悠各一方，思君空有九回肠。披垣梧竹秋生草，官舍琴尊暑退凉。白发庭闱频积念，青云故旧未相忘。滦京今夜云霄月，肯把清光照草堂？"

七月

　　十七日，车驾回北京。
　　梁兰卒，年六十八。《东里续集》卷三九《梁先生墓志铭》："永乐八年七月二十又六日，西昌梁先生卒。邑之贤士君子，皆走哭吊。市廛郊野之氓，多咨嗟伤悼，亦有趋赴哭恸者。中外缙绅大夫知先生者，闻赴亦多叹息，有作为诗文以悼之者。先生讳兰，字庭秀，别字不移。……性俭素，博学明识，教人以《五经》《四书》为本。若《左氏》以下暨荀、扬、刘向之徒所著书，必为辨析是非，孰之当取，孰之当去。诸生听先生讲说旨义，条达精到，皆忻忻如得甘食。为文简而婉，诗驰骋魏晋，而冲澹自然，有陶靖节之趣。"杨士奇《畦乐诗集序》："先生嗜恬澹，屡征不赴，就养官舍，日与名公卿称觞赋诗相乐也。已而叹曰：'吾二儿颇称任使，可上报朝廷矣。盍求吾之所自乐乎？'仍归休柳溪、濠梁之间，有畦数亩，可耕可桑，可渔可酿，可濯可荫。独辟一轩，日督诸孙问学其中。人非缝掖士，不日来至。有慕先生彝范，数来请益者，先生弗类倦，勤诱以德义方正。于圣贤之道，靡弗贯下，至诸子百氏，皆约通大要。为文章，尤乐于诗歌。天气爽朗时，临清坐茂，望玉华、武姥诸峰讴吟，翛翛然以为常。盖先生于诗，自《三百篇》以还，若苏、李、枚、乘，若建安，若六朝，以及盛唐诸名家，无不涵泳融液，如己素有。而又志平而气和，识远而思巧，故见诸篇章，汃汃焉，穆穆焉，简寂者不失为舒徐，疏宕者必归于雅则，优柔而确，讥切而婉。"《明诗综》卷一六《梁兰》："王希范云，先生养高丘园，摅悠远之思，著为诗歌，旷然有古高士之节。王达善云，畦乐先生之诗，出于自然，默契靖节于千载之上。胡若思云，诵先生诗，萧散闲淡之趣，悠然于篇咏之间。邹熙仲云，梁君隐居乐道，其诗冲澹闲雅，有自得之致。"《畦乐诗集》卷首提要："士奇序称其'志平而气和，识远而思巧，汃汃焉，穆穆焉，简寂者不失为舒徐，疏宕者必归于雅则，优柔而确，讥切而婉'，虽自重其师，推重不无少溢，而于元季繁音曼调之中，独翛然存陶、韦之致，固亦不愧于作者矣。"

金幼孜《北征诗集》已成。《颐庵文选》卷上《金谕德北征诗集序》："永乐八年春二月，圣天子亲驾北庭，御群帅以统六师，问罪边塞。维是扈从之臣妙选将相大臣暨文武之士，右春坊右谕德兼翰林侍讲金公幼孜与学士胡公、庶子杨公，实在帷幄，秉代言之政。俨与户部尚书夏公，时被命留北京。……及皇师奏凯而归，幼孜乃出示《北征诗集》，属余为序。余诵之凡若干首，道路之所经，风气之所接，山川关塞之所登，览云霞草木霜露晦明之景，与凡师徒之次，军容之盛，既得以吐其奇气，见之咏歌矣。至于沐道德之光，赞谋谟之密，亲际风云之会，而发挥乎敌忾之义，词雄句杰，富丽铿锵，有以远扬天声如金钟大镛，震乎寥廓之外，而光前振后者，有非他人所得与也。"

十月

初四，车驾由北京返南京。

十一月

夏原吉卸行在所兼职。《忠靖集》附录《夏忠靖公遗事》："冬十一月，扈从车驾还南京。命掌户部事，纳上行在户、礼二部印。"

十二月

袁琪卒，年七十六。《明文衡》卷一〇〇《故承直郎太常寺丞柳庄袁先生墓志铭》："永乐八年，岁在庚寅，十二月初五日，承直郎、太常寺丞柳庄袁先生卒于家，讣至京。明年辛卯正月二十二日，其子中书舍人忠彻奏闻，上为之哀悼，赐钞六百锭营葬事，遣中贵官祭于其家。二十四日，忠彻传：'奉敕旨，命臣广孝撰先生墓志。'臣谨奉命。按赐进士出身、吏部员外郎臣陈宗问行状。……先生性刚毅直方，不泛交于人，安贫养志，粹乎有道之士也。当胜国之季，励精儒业，九流百氏之书，靡不涉究。然时与愿违。遂游历湖海间，遇异僧别古崖于补怛洛伽山，一见而奇之，因授以相人之诀，期先生后必以术显。先生决人贵贱、寿夭、祸福、休咎，如指诸掌。凡求占者，必先察其心志，听其语言，次观其形气，然后断之以吉凶，规之以忠义。虽达官贵人，遇之不以礼，则拂袖而去。岂以势利能动其心哉！圣朝启运，天下和平，先生乃归鄞城之西，聿新其先业所居，前后皆树以柳，扁曰'柳庄'。乡之人皆称为柳庄先生。……先生卒时，年七十有六。"《静志居诗话》卷六《袁珙》："寺丞得相法于别古崖，识文皇于潜邸，遂迁寺秩。然家本士族，其父彦章仕元为翰林国史检阅，世称菊村先生。尝作《布衣歌》云：'我家颇读书，初非田舍翁。'盖道其实也。寺丞于九流百氏，靡不涉究。歌诗亦能入格，不失菊村家数。"

公元 1411 年（永乐九年　辛卯）

二月

林环序王恭诗文集。林环《白云樵唱集序》："其论五七言长歌、律、绝句，则一欲追唐开元、天宝、大历诸君子，而五言、五选，则时或祖汉魏六朝诸作者而为之。宋元而下不论也。……退直之暇，因得先生合集观之。有所谓《白云樵唱》《草泽狂歌》《凤台清啸》，凡若干卷。其谈道理致，则天地造化、道德性命，无不臻其妙。其模写物概，则山川风月、虫鱼草木，无不极其形容。其叙人事，则兴废得丧、戚愉悲乐，无不委曲尽其情。高而不浮，深而不僻，清新而不巧，古雅冲澹而有余味，信能合诸家之长而泛溢旁出者也。……近世学者，多不先以理性情为本，而徒区区于笔蹊墨径之间，至或窃古人之陈言成说而掇拾补缀以为工。是作者愈多，而声愈下也。若先生始自放山水之间，不以势利撄其心，其志趣冲澹，襟度赡豁，固已默契道妙，而又得肆力于学，以充平日之所养，故流坎随遇，不碍于物。盖由先生道明，而涵养性情者得其正故也。是以形之诗，一皆浑涵忠厚之发，不加绳削而自合，是岂寻常雕章镂句者所能仿佛哉？……永乐九年春二月吉旦，赐进士及第、翰林院修撰莆田林环崇璧序。"

三月

补行永乐七年廷试。《明通鉴》卷一六："三月甲子（初四），集己丑礼部贡士补赴廷对，赐萧时中等进士及第、出身有差。"

春

王偁《虚舟集》已编成。王汝玉《虚舟集序》："昔司马子长生龙门，讲道齐鲁之乡，东上会稽，探禹穴，北适燕赵，与其豪俊子弟交游。故其文雄深雅健，跌宕不羁。

孰谓孟扬之于诗，不由是欤？虽然，士生幸遇光岳之气全，则其发于言者敦实浑庞，得性情之正。予老而无能为矣。继清庙生民之什，以鸣国家之隆者，非孟扬谁望焉？俾叙其集，于是乎书。永乐辛卯岁孟春，左春坊右赞善兼翰林院编修前修国史吴下王汝玉序。"

杨荣由南京归乡，合葬父母。《东里续集》卷三六《故少师工部尚书兼谨身殿大学士赠特进光禄大夫左柱国太师谥文敏杨公墓志》："九年春，奏合母丧，遣中使护送。"《明史》杨荣传："还，询闽中民情及岁丰歉，荣具以对。寻命侍诸皇孙读书文华殿。"

五月

杨士奇作《沙羡稿引》。《东里文集》卷四《沙羡稿引》："沙羡，楚壤也。……国朝置布政司临之，以总十七府州之治。余弱冠而游也。……憩此最久，其贤人君子多与之交，文事之讨论，篇什之倡和，多与也。今足迹不至者十五年，旧交零落过半，间发故箧，得往年所为诗文百余篇，虽词旨浅陋无可采，而怀故人之不见，想山川之在目，情之所存，不忍弃也。因萃为一卷，题曰《沙羡稿》云。永乐辛卯夏五月朔，士奇书。"

六月

解缙下狱。《明史》解缙传："永乐八年，缙奏事入京，值帝北征，缙谒皇太子而还。汉王言缙伺上出，私觐太子，径归，无人臣礼。帝震怒。缙时方偕检讨王偁道广东，览山川，上疏请凿赣江，通南北。奏至，逮缙下诏狱，拷掠备至。"《明太宗文皇帝实录》卷一一六"永乐九年六月"："是月，交阯布政司右参议解缙有罪，征下狱。……初，缙之下狱也，狱吏拷治，索所与同谋。缙不胜楚，书大理寺丞汤宗、宗人府经历高得旸、礼部郎中李至刚、右春坊中允兼翰林修撰李贯、赞善兼翰林编修王汝玉、编修朱纮、检讨蒋骥、潘畿、萧引高等塞责，皆下狱。后得旸、贯、汝玉、纮、引高相继死狱中。"

七月

榜禁词曲。《客座赘语》卷十《国初榜文》："一榜：永乐九年七月初一日，该刑科署给事中曹润等奏：'乞敕下法司，今后人民倡优装扮杂剧，除依律神仙道扮、义夫节妇、孝子顺孙、劝人为善及欢乐太平者不禁外，但有亵渎帝王圣贤之词曲、驾头杂剧，非律所该载者，敢有收藏、传颂、印卖，一时拿送法司究治。'奉旨：'但这等词曲，出榜后，限他五日，都要干净将赴官府烧毁了。敢有收藏的，全家杀了。'"

九月

夏原吉考绩受褒奖。《忠靖集》附录《钦赐敕文》："永乐九年九月十一日，皇帝敕谕户部尚书夏原吉：'尚书喉舌之司，户部地官之重，非得异才难堪是任。惟卿练达明敏，才猷茂著。昔事太祖高皇帝，克尽乃心，奉公守法。肆朕即位之初，故特简擢以居兹职。卿素心正直，不附权势，无纵诡随，竭诚无隐，退无后言，于国家有所裨益，诚所谓纯良笃实之臣也。今历任九载，考绩无过，特用嘉奖。卿尚益励直操，以表率庶僚，以辅朕至治。《诗》曰：靡不有初，鲜克有终。职此为戒。钦哉。故谕。'"

申建文时犯禁书无论。《明太宗文皇帝实录》卷一一九"永乐九年九月庚辰（二十二）"："通政司言，黄岩县民告豪民持建文时士人包彝古所进楚王书稿，与众聚观。书中有干犯语，请赴法司治之。上曰：'此必与豪民有怨而欲报之。朕初即位，命百司："凡建文中上书，有干犯语言，皆朕未即位以前事，悉毁之。有告者勿行。"今复行之，是号令不信矣。况天下之主，岂当念旧恶？如唐之王、魏，太宗弃宿憾而信任之，卒相与成治功。帝、王之帝，如海纳百川，无所不容，故能成其大。岂可一一追咎往事？所告勿听。'"〔按，"唐之王、魏"，乃王珪、魏征，尝为太子李建成心腹，数劝建成杀秦王世民。"帝之帝"以德行德，"王之帝"以功行德。"帝、王之帝"，则以德以功兼有之〕

十月

杨士奇作《石台稿引》，尤忆建文年间事。《东里文集》卷四《石台稿引》："岁屠维单阏，石台萧德贲延余教塾馆。石台在吾邑东南一舍所桃源里中。余是时方幸来此，从容优逸，将用其志意以增益所未至。岁余，迫于召命，不遂所欲。然至于今，其心未尝一日不在石台也。当时所为诗文，率出一时应酬，或录或弃，所录者此卷是已。间一展读，抚岁月之如流，念旧学之不进，不能无慨焉于中也。因题之曰《石台稿》云。永乐辛卯冬十月朔，谷轩识。"〔按，"谷轩"，士奇自号。士奇又有《谷轩稿》，集平时应酬文字〕

诏重修《太祖实录》。《明太宗文皇帝实录》卷一二〇"永乐九年冬十月乙巳（十七）"："命重修《太祖高皇帝实录》。上即位之初，命曹国公李景隆等监修，而景隆等心术不正，又成于急促，未极精详。上巡幸至北京之初，命翰林学士胡广等重修。至是，命太子少师姚广孝、户部尚书夏原吉为监修官，翰林院学士兼左春坊大学士胡广、国子祭酒兼翰林院侍讲胡俨、右春坊大学士兼翰林院侍读黄淮、右春坊右庶子兼翰林院侍讲杨荣为总裁官，左春坊左谕德兼翰林院侍讲杨士奇、金幼孜等为纂修官。皆赐敕勉励。"《明通鉴》卷一六："《太祖实录》，自建文至此凡三修，士奇皆预焉。"

解缙丧兄。《文毅集》卷一一《先兄沧江先生行状》："修国子监书板，精校雠，上深眷顾之。一日，召臣缙至内殿，诏之曰：'礼曹有狱，恐累而兄。今出之为应天教授，勿以官为小，京学也。行当大用之时。'缙叩头谢。翌日，遂有是命。诏皇亲子弟皆从学。居三岁余，以素刚忤权贵人。上知其冤，释之。先君子朝于京师，诏曰：'老子以八十之年，跋涉江湖，远来见朕。父子至情，可不令随侍耶？'遂与归。时余先已家居侍。暇日寻旧学，如其素志。此余兄弟自为知己也。其生于侨居吉文水西金滩，祖姚徐夫人钟爱之，教以木笔画地。乱离无书，太夫人手写《孝经》《论语》、古文、杜诗教之。从族父元禄学《易》，族父奇之。又从学高公文声。公疾病，昼夜侍，以尽其情。……素善属文，书法精密。既私叹曰：'吾岂与贤弟争能哉？'遂绝笔不为。高视一世，尝语余曰：'惟贤弟知我，余子皆碌碌耳。'为人雄杰有威严，善谈论，喜于用兵，不如其志焉。……先兄字大经，晚号沧江。曲艺无不通，尤邃数学，尝曰：'吾寿止六九。'已而果然。永乐九年十月二十四日，以疾终。"［按，解缙之学，实由兄授。解氏昆仲，类苏轼、苏辙。解大经所通数学，乃当时天文星象、五行推命之学］

十一月

立皇长孙瞻基为皇太孙。《明太宗文皇帝实录》卷一二一"永乐九年十一月丁卯（初十）"："上御奉天殿，命太子嫡长子为皇太孙，冠于华盖殿。"

公元 1412 年（永乐十年　壬辰）

三月

初四，赐马铎等进士及第、出身有差。

十月

释睿略卒，年七十九。姚广孝《故扬州府僧纲司都纲兼天宁寺住持简庵略师塔铭序》："简庵禅师，当胜国之季，与余同参学于迳山。师之识见高远，议论宏阔，启我蒙昧多矣。余故以兄事之。暇则同游泉石林数，题咏唱和为乐者，甫十载。国朝洪武间，师出，住山行道。余亦应诏北上，不相见者三十余年。永乐改元癸未，余来朝京，上命蓄发冠带，辅导东宫。时师纲教维扬，始获一会，皆老颓荒鬈，握手笑谈如初。维扬去京才一带水，余意与师时得聚首，且尽余生之欢。不期师无疾先我而逝，呜呼痛哉！……洪武六年癸丑，出世，住吴县延庆，次住宝华。三十年丁丑，京都僧省举师住上元县延祥寺，有汤泉，亦一胜境也。于是，师声名日盛。三十五年壬午，任扬州府僧纲司都纲兼天宁住持。……至十年壬辰十月初二日，无疾辞众而终，年七十有九。……永乐十一年岁在癸巳春二月，资善大夫、太子少师、吴郡姚广孝撰。"

冬

杨荣赴陕西赞军务。《东里续集》卷三六《故少师工部尚书兼谨身殿大学士赠特进光禄大夫左柱国太师谥文敏杨公墓志铭》："冬月，肃守帅西宁侯宋琥奏：'边人娄达罕逃居齐勤蒙古卫，将为边患。'丰城侯李彬镇陕西，遂敕彬率师剿之。且命公往，与彬计度。十二月还奏：'饷道险阻，今冱寒人疲，马瘠不可行，且边地不足以烦王师。'遂敕彬旋师。无几，叛者复归。"

本年

龚诩夜渡逢旧友。龚绂《野古集年谱》："先生时年三十一岁，夜归古娄，逢陆渔隐话旧,曰:'十年湖海共飘零,无异纷纷水上萍。今日客中欣邂逅,故人情重眼犹青。'其《过东易遗老故居》有曰:'仙客骑鲸去不回,墨池吟事久尘埃。我来再拜庭前树,为忆先生手自栽。'遗老沈姓,以中其字,先生童子时师也。至是淹忽已久,身后寂寞,凄然感悼,不觉涕零,为诗以志之。"

公元 1413 年(永乐十一年 癸巳)

正月

以孝孺故杀大理寺臣。《明太宗文皇帝实录》卷一三六"永乐十一年春正月辛丑(二十一日)":"大理寺左侍丞王高、右侍丞刘端,以纵奸恶外亲,弃市。"《明通鉴》卷一六:"高与端,皆南昌人。方孝孺之下狱也,二人同在法司,以纵孝孺息树阴,事觉,弃官去。至是捕得之,诘其逃,则曰:'存身以图报耳。'上怒,命劓其鼻,端厉声曰:'鼻虽去,犹留面目,地下见皇祖耳。'上怒,立命诛之。"

诏宥建文诸臣姻党。《明通鉴》卷一六:"时钱习礼,吉水人,以去年成进士,授庶吉士。与练子宁为姻戚。先是逮治奸党,习礼偶获免,然恒为乡人所持,不自安,以告学士杨荣。荣乘间以闻,上曰:'使子宁今日在此,朕犹当用之,况习礼乎!'即日,下令禁止。寻授习礼为检讨。"

春

杨荣、金幼孜、胡广扈从北巡。《东里续集》卷三六《故少师工部尚书兼谨身殿大学士赠特进光禄大夫左柱国太师谥文敏杨公墓志铭》:"十一年春,从狩北京。"《明史》杨荣传:"明年复与广、幼孜从北巡。"

本年

程通遗稿编成。胡松《贞白遗稿序》:"吾邑长史贞白先生,忠孝天植,问学渊深。昔在建文,若方公孝孺、周公是修、黄公观、卓公敬,先生偕之游,虑无不意气相期,凡有著作,辄相酬赏,则先生之为先生,固自有在,而诗若文特其一斑耳。原集百有余卷,当文皇帝靖难兵南下,先生躬冒忌讳,遂逮诏狱,夷其二子,而簿录其家,以故卷帙悉毁于官。即先生之死难,讳而不称者,亦夺于国威也。迨永乐末年,诏释诸死难家属,而厥弟彦迪走谒荆藩,乃王雅重先生,因出所藏遗稿与其画像,授之以归。最后,从孙长公、郡丞伯祥公,访诸戚里,获其赠言并其题咏,哀而集之,仅数卷。盖虽逸者什九,存者什一,而手泽在焉。至是,子姓重加编次,属序于予,以付剞劂而永其传。……藉非天佑忠孝,复振斯文,恶能俾公之遗言绪论重光后祀哉?至若藩王睿翰与诸贤华章,悉附于集,一以彰君臣鱼水之欢,一以昭寮寀金兰之契,庶千百年后知有先生,并知有贤王英哲,不亦旷世相感也乎?或谓披藏盈尺,是恶睹先生之藩篱哉?予曰:凤羽龙甲,夫人而珍之,矧先生忠节,固将与天壤同不朽,安在非稿弗传乎?故因诸公之请,爰为之揭其概,令知古人之言,果有贵于遗者也。胡松拜撰。"四库提要卷一七○："《贞白遗稿》十卷，附《显忠录》二卷，明程通撰。通字彦亨，贞白其斋名也。绩溪人。……事迹具《明史》本传。所著述凡百余卷，悉毁于官。后十年，其弟赴荆州，辽王以所图通像及遗稿授之。嘉靖中，党禁渐弛，其从孙长等乃搜访佚篇，裒为六卷，附以辽王并同时诸人赠言及行状小传等篇，别为四卷。天启中，其裔孙枢及子应阶，又集前后建祠请谥之文，为《显忠录》二卷，附缀于末，即此本也。初通以祖平久戍，陈情乞赐还乡，人称其孝。及建文中，遭逢国难，上防御封事，而卒以是死，人称其忠。今陈情之表具在，而封事独有题无文。盖嘉靖中刻集时，犹有所讳，而不敢存也。封建二策，乃其受知于太祖者，持议颇正。其他诗文，亦俱醇朴有法。虽所存无多，而大节凛然，有不仅以词章论者，固宜与方、练诸集并传不朽矣。"

梁潜适北京。《东里文集》卷一七《梁用之墓碣铭》："十一年复扈从北京。十三年考礼部会试，十四年南还。"

公元1414年（永乐十二年　甲午）

三月

杨荣、金幼孜、胡广从征。《东里续集》卷三六《故少师工部尚书兼谨身殿大学士赠特进光禄大夫左柱国太师谥文敏杨公墓志铭》："十二年三月，从征卫喇特。时皇太孙侍行，上命胡、金及公三人：凡行营有暇，即与讲析理义，开其聪明。尚宝司官阙，命公兼之。"《明史》胡广传："十二年再北征，皇长孙从，命广与荣、幼孜军中讲经史。"

九月

杨士奇、杨溥、黄淮以东宫事受责。《明史》杨士奇传："明年（十二年），帝北征。士奇仍辅太子居守。汉王潜太子益急。帝还，以迎驾缓，尽征东宫官黄淮等下狱。士奇后至，宥之。召问太子事，士奇顿首言：'太子孝敬如初。凡所稽迟，皆臣等罪。'帝意解。行在诸臣交章劾士奇不当独宥，遂下锦衣卫狱，寻释之。"《明史》杨溥传："十二年，东宫遣使迎帝迟，帝怒。黄淮逮至北京系狱。及金问至，帝益怒曰：'问何人得侍太子。'下法司鞫，连溥，逮系锦衣卫狱。"

十一月

命胡广、金幼孜、杨荣等修《五经四书性理大全》。《明太宗文皇帝实录》卷一五八"永乐十二年十一月甲寅（十五日）"："上谕行在翰林院学士胡广、侍讲杨荣、金幼孜曰：'《五经》《四书》，皆圣贤精义要道，其传注之外，诸儒议论有发明余蕴者，尔等采其切当之言，增附于下。其周、程、张、朱诸君子性理之言，如《太极》《通书》《西铭》《正蒙》之类，皆六经之羽翼。然各自为书，未有统会。尔等亦别类聚成编，二书务极精备，庶几以垂后世。'命广等总其事，仍命举朝臣及在外教官有文学者同纂修，开馆东华门外，命光禄寺给朝夕馔。"《明史》金幼孜传："十二年，命与广、荣等纂《五经四书性理大全》，迁翰林学士。"

十二月

姚夔（1415—1473）生。字大章，号损庵，桐庐人。正统壬戌进士，累官礼部尚书，调吏部，加太子少保。卒赠少保，谥文敏。有《姚文敏公遗稿》。《明文衡》卷七九《姚文敏公神道碑》："生一岁而孤，性资颖异，克志于学。十三游邑庠，博通经史，为文雄健有奇气。正统戊午，以《春秋》举浙江乡试第一，会试辞乙榜，入太学。祭酒李公时勉、司业赵公婉，一见器重之。少保杨公溥闻名，且遣子婿从学。而公不自满，复游刘忠愍公之门请益，士大夫莫不高其志。……公生永乐甲午十二月十七日，卒成化癸巳二月九日，享年六十。"

冬

胡广丁母忧，旋夺情治事。《颐庵文选》卷上《文渊阁大学士兼左春坊大学士赠资善大夫礼部尚书谥文穆胡公墓志铭》："十一年春，上复幸北京。明年，再扈从出塞，有功而还。是年冬，公遭母丧，特赐内帑，敕令襄事起复。既至入见，上慰劳甚至。"

本年

龚诩在言城，赠诗吴讷。龚绶《野古集年谱》："避居琴水上。时母氏年六十五岁，独居昆山。适吴文恪公讷，自海虞来教昆庠。送以诗曰：'嗜读先生旧典谟，十年窗下自呀唔。耻随儿辈营青紫，乐与英材作范模。朝醉言城江上酒，暮餐昆学圃中蔬。送君不得随君去，垂泪空怜返哺乌。'后文恪以事止，不果行。"

王偁卒，年四十四。《明太宗文皇帝实录》卷一一六"永乐九年六月"："偁为文独为〔解〕缙所喜，而傲诞不检，士论黜之。"解缙《虚舟集序》："余且第其人品当在苏长公之列，文之奇伟浩瀚亦类。至于诗则凌驾汉唐，使眉山见之，未必不击节叹赏，思避灶而炀。此余之论孟扬者如是，他人未必知也。"桑悦《重刊虚舟集序》："其文如宜僚弄丸，左之而右，右之而左，皆纵横如志，至如西域神马过都历块，微有蹰躅之感，怨而不怒。信能言士哉！……孟扬临终有《自诔词》一篇，与陶渊明、秦少游自挽诗意同，得陶之旷达，兼秦之凄怆，读之至今使人泪下而不禁。"《国朝献征录》卷二二《翰林院检讨王偁传》："偁之诗本于李白，意矫矫然，不可羁也。"《国雅品》士品二《王翰检孟扬》："典雅清拔，绰有天宝俊声。如'诸天花雨遍，双树慧灯悬'，'夜月桓伊笛，秋风骠骑营'，'孤帆乘吹发，一雁渡江迟'，'江路猿声早，山城榕叶凉'，'一灯今夜雨，千里故人心'，并是司空、皇甫之余。"《词林人物考》卷二："〔孟扬〕议论英发，文章伟博，书法遒妙。学士解缙尝称：'其人品在苏长公之列，文亦相类；至于诗，则陵轹汉唐，使眉山见之，未必不避灶而炀也。'所著有《虚舟集》，至今海内重之。"《明诗纪事》甲签卷十《王偁》陈田按："孟扬、安中才藻略同。孟扬以跌宕驰才，安中以雅丽著美。孟扬古诗规抚陈黄门、李翰林,在唐调中特为高格。"

公元 1415 年(永乐十三年 乙未)

正月

　　解缙卒,年四十七。《明史》解缙传:"十三年,锦衣卫帅纪纲上囚籍。帝见缙姓名,曰:'缙犹在耶?'纲遂醉缙酒,埋积雪中,立死。"《东里文集》卷一七《前朝列大夫交阯布政司右参议解公墓碣铭》:"公之文雄劲奇古,新意迭出。叙事高处逼司马子长、韩退之。诗豪宕丰赡,似李、杜。其教学者恒曰:'宁为有瑕玉,勿作无瑕石。'书小楷精绝,行草皆佳。其卒以永乐十三年正月十三日,春秋四十有七。"黄谏《文毅集序》:"自有元运瘝,光岳之气分,至国朝始混一。西江山川,灵秀所钟,而吉水解先生大绅出焉。文章始复大振。故在当时天下之广,人物之众,以及四夷之远,千百世之悠久,皆知有先生者,又非本诸文章之发见乎?……暨得所作上高庙书六十余事,及五七言诗歌,读之,其论切时务,其言格君心,其忠犯人主。其学之赡,才识之高,如布帛菽粟充溢庾藏,视金玉虽贵,锦绣虽美,而卒有益于人国之用,莫若是也;如士师用法,虽不拘拘于律,而权衡轻重之间,自然合乎情而当乎罪也;如削壁万仞,瀑布奔泻而略无滞竭;如勇将雄师,战胜攻取而志不少摄也。其诗如古体诸篇,使入太白集中,孰别其为近时之作?其言非雕琢,其意卓然有见而非泛,其气象严峻,凛然而有不可犯之色也。岂非一代雄伟俊杰,宏博硕大之才也欤?"任亨泰《文毅集序》:"休休乐善爱人之心,一息不间。浩然之气,发心由理。所以年甚少,而巍然有硕大之望。又尝自诵曰:'处其心常在熙春丽日之间,则天下无可怒之人。'咸以为名言。公之文,所以汪洋大肆而无龃龉其间,正直闳深而无偏陂之失。兼说万有,贯通而时出之,浚其源于六经,要其归于周孔,虽不求工,文与行如影响之出于形声,混然天成,卓尔出类,集义养气,挚焉未已。"曾棨《内阁学士春雨解先生行状》:"上方锐意稽古礼文之事,诏修《列女传》《永乐大典》诸书,公为刊定凡例,删述去取,并包古今,搜罗隐括,纤悉靡遗。公在朝专备顾问,言论剀切,无有所隐。弥纶黼黻之功,不可殚述。"邹元标《解春雨先生祠堂记》:"世或以公忧世似沉湘,奏事类宣公,得君后相似张齐贤,诗歌类青莲,草圣类钟、王。不知谊之愤激,太白附永王璘,齐贤不闻相业,何似?而公佐二祖之功,即忠宣处猜疑之朝,其言不能竟十之一,视公不可同日语。而以艺视公者,犹之窥天以管也,必不得之数矣。吾吉州相业,宋称欧阳子,今称杨西昌。然西昌由公进者,而欧阳子在宋朝文彩标致,与公相当。然自夷陵贬后,翱翔皇路,被口语不少。公直以身殉国,未五十卒。天假以年,得展其末路,三杨拜公下风何疑。……万历戊申岁季夏月,姻家后学邹元标顿首拜撰。"晏文辉《解学士全集序》:"公生即颖异,其读书也,五行俱下乎一目;其操觚也,倚马可待乎万言。及其长而总国史也,其笔直;知制诰也,其词醇。问学似董子,封章似陆贽,古文似韩愈,而天分越之。词赋似司马,诗歌似太白,草书似逸少,而正大逾之。"蔡朔《解学士文集序》:"观夫是集诸作,立论措辞各有根据,至于新奇宏壮,豪纵放逸,一自胸中流出,略无适俗韵。譬之长江大河,一泻千里,览者靡不心惊而目骇,非禀天地之正气、出而为世之豪杰者能之乎？呜呼，先生逝矣！先生之作尚足追踪韩、柳，匹乎欧、苏。"《东冈集》卷十《跋解先生草书》："国朝草书，笔力变化，当推学士春雨解先生为独步，少师文贞杨公尝称为'士林中龙'，人鲜知其说也。盖物之能变化者莫如龙，故历家每以此测造化。作《易》圣人，于《乾》之六爻，亦皆言之。先生文章翰墨，发乎天机，莫可窥测。今观行人刘君得所书诗一首，藏锋敛锷，殊有妙趣。又不专于变化，譬犹骥能千里，不待越国过都而步骤自别，有非凡马可并。世有九方皋目，自当识之。"《艺苑卮言》卷五："解大绅文实胜诗，颇自足，发不知所裁。"又："解大绅如递夹快马，急速而少步骤。"《列朝诗集小传》乙集《解学士缙》："倚待辄数万言，未尝起稿。善为狂草，挥洒如雨风。才名烜赫，倾动海内。俗儒小夫，谰言长语，委巷流传，皆借口解学士。"《全闽诗话》卷六："吉水解学士缙，天质甚美，为文不属草，顷刻数千言不难，一时才名甚噪。时杭有王洪希范，吴有王燧汝玉，闽有王偁孟扬，常有王达达善，皆官翰林。四人者，词翰流丽。孟扬尝谓希范曰：'解学士名闻海内，吾四人者，足以撑柱东南半壁。'识者谓为知言。"《明诗评选》卷一《解缙》："永乐初，大绅光大风韵自存，向后诸公采掇，近似套语，以供应制，而诗遂为之中绝，以启景泰十子之陋。将道泰则文否，两者不并立乎？"《明诗综》卷一九《解缙》："廖玄素云，学士兴会所到，肆意成章。水搏蛟蚪，陆剚犀象，渊乎其不穷，浩乎其有余。高皇智屈群策，亲如善长，贵如广洋、惟庸，近侍如安，如濂，如观，如素，雷霆所击，罔不震慑。学士以一少年，万言批鳞，靡所忌讳，而圣度优容，令其进学。才难之叹，犹可想见也。徐子玄云，大绅独驾青鸾，翱翔八极，使谪仙遇之，当悬榻以待。俞汝成云，解学士才冠一时，积学尤富，发为诗文，宜无与敌。乃多率意遣辞，不事磨练，若信笔游戏者然。盖在国初，风会习尚使然也。穆敬甫云，解诗如尘起朱轮，风生绿幰，乃诗中贵游也。李时远云，学士天质甚美，词锋甚锐，但少温厚和平之气。"存诗三首：《彭泽》《寄黄玄斋》《龙州》。《静志居诗话》卷六《解缙》："学士诗敏捷，不大推敲。其言曰：'宁为有瑕玉，莫作无瑕石。'其立意固如是矣。然就近体而论，如'细雨乍过西掖树，熏风遥听上林莺'，'青山拍拍风沙满，红叶萧萧浦树稀'，'三千岁后桃花老，二十四桥秋水通'，'天连铜柱蛮烟黑，地接珠崖海气黄'，'粤女艳妆争卯发，徭人村鼓共鸣铜'，'青山远道遥相送，画舫中流独自归'，'千家竹屋临沙嘴，万斛江船下石头'，未尝不符作者，亦何至叫嚣隳突，若世所传咏物诸诗。众恶皆归，皆由敏捷召之。"《明诗别裁集》卷三《解缙》："永乐以还，尚台阁体，诸大老倡之，众人靡然和之，相习成风，而真诗渐亡矣。故解大绅以下，李宾之以前，所收独略。"四库提要卷一七〇："缙才气放逸，下笔不能自休。当时有才子之目。迄今委巷流传其少年凤慧诸事，率多鄙诞不经，故李东阳《怀麓堂诗话》谓其诗无全稿，真伪相半，盖出于后人窜乱者为多。然其中佳句间存，亦复不减作者。至其奏议如《大庖西封事》《白李善长冤》诸篇，俱明白凯切。黄汝亨《狂言纪略》诋其文议繁偶，使当贾长沙，直是奴隶。苛矣！"《明诗纪事》乙签卷三《解缙》引《国史惟疑》："成祖自平胡、平安南，以及河清、麟见、驺虞、龙马之祥，胡、杨、蹇、夏诸公皆撰为赋颂，惟解大绅作，差可观耳。"陈田按："大绅诗才气纵横，不暇收拾，流传讹杂，又复过之。朱氏《诗综》洗涤太净，但录寥寥短篇，不足见此公真面。今略广为甄录，逸情胜概，可想见风流人豪也。"

二月

初六，行在礼部北京会试贡士。

熊直落第。《泊庵集》卷一二《胡敬方传》："先生之就会试也，适予为考官。既开榜，皆骇然以失先生为问。因亟取其卷读之。其文之壮，浩浩乎如长江之洪流，可惊愕也。以偶脱经题一语，于法不得取。同考者执其文，相视叹息而止。及予出试院，一见先生，先生抚手大笑，因诵东坡送李廌之语，曰：'可不牵羊载酒以谢玉川邪？'欢然不以毫发介意。士大夫由此益高之。不数日，遂去，予因饯之以诗。时永乐十三年二月也。"〔按，胡敬方，即熊直敬方，本姓熊，父早亡，以母适胡姓故，改姓胡，后复原姓〕《东里续集》卷二四《赠资善大夫都察院右都御史熊公神道碑铭》："后充贡入太学。于是其名闻京师久矣，祭酒、司业以下，皆重之。六馆诸生从之者，如向之在吉水学也。永乐十二年，举应天府乡试，遂为《春秋》之冠。是时先生之子及其学者，多擢高科，列要职，而先生年已五十有七。明年会试，复不中。每榜出，士争问先生名列第几，及知其不预而所受教者多预，莫不益贵其学而叹其命。"

三月

初一，于行在北京赐陈循等进士及第、出身有差。

九月

《五经四书性理大全》成。四库提要卷九三："《性理大全书》七十卷，明胡广等奉敕撰。是书与《五经四书大全》同以永乐十三年九月告成奏进，故成祖御制序文，称二百二十九卷，统七部而计之也。……大抵庞杂冗蔓，皆割裂襞积以成文，非能于道学渊源真有鉴别。……以后来刻性理者，汗牛充栋，其源皆出于是书。将举其末，必有其本，姑录存之，著所自起云尔。"《四书大全》卷首提要："《大学章句大全》一卷，《或问》一卷，《论语集注大全》二十卷，《孟子集注大全》十四卷，《中庸章句大全》二卷、《或问》二卷。总名《四书大全》，共四十卷，明胡广等撰。"《东海文集》卷四《书陈金宪先生墓志后》："故国子学录安福李先生本素，司教吾华亭时，尝谓弼言：'台郡陈先生璲提学江西，语学者曰：永乐间修《大全》诸书，始欲详缓为之，后被诏促成，诸儒之言间有不暇精择，未免抵牾。虚心观理，自当得之，不可泥也。'又闻宣德间，章丘教谕余姚李应吉疏于朝，言《大全》去取有未当者。下其议于礼部，礼部下之天下学校，许兼采诸说，一断以理。噫！纂修臣言如此，廷议如此，盖以万世至公之论开来学也。泥者中无权度，执以为断，陋哉！"

金幼孜作《瑞应麒麟赋》《狮子赋》。《金文靖集》卷六《瑞应麒麟赋》序："乃永乐十有三年，秋九月壬寅，西南夷有曰麻林国者，以麒麟来献。夫麒麟，仁兽也，中国有圣人在位则出，王者有至仁则见。……臣备员禁林，职在纪述。叨沐鸿恩，荐睹上瑞，用著其实，美盛德之形容，而为赋以献。"卷六《狮子赋》序："乃永乐十有三年，九月丙申，西域遣使以狮子来贡。……臣忝列班行，躬逢盛美，不可默而无言，谨拜手稽首而献赋。"

梁潜咏狮子、麒麟以颂瑞。《泊庵集》卷一《西域献狮子赋》序："永乐十三年秋九月，西域以狮子来献，雄姿诡状，杰然殊常，顾盼之间，百兽悚伏，前此未之见也。於乎！远物之来，实由皇上德化广被之所致，非偶然者。臣潜睹兹盛美，谨百拜稽首而献赋。"《泊庵集》卷一《瑞应麒麟篇》序："永乐十二年秋九月，榜葛剌国遣使献麒麟于朝。明年秋九月，麻林国复以麟来献。其状皆与《诗》《书》传记所称无以异者。臣惟麟仁兽也，中国有圣人焉而后至。今二国皆西海万里之外，距一岁而麟两至焉，是皇上盛德广覆渐被所至，非偶然者。臣潜睹兹上瑞，不敢以默，辄形之咏歌，为《麒麟篇》一首，百拜上献。"

夏原吉赋麒麟鸣盛。《忠靖集》卷一《麒麟》："永乐十二年秋，榜葛剌国来朝献麒麟。今年秋，麻林国复以麒麟来献。其形色与古之传记所载及前所献者无异。臣闻麒麟瑞物也，中国有圣人则至。……臣忝职地官，屡睹盛美，不揆芜陋，谨拜手稽首而献赋。"

十月

陈诚使西域还，上《使西域记》。《明史》卜花儿传："永乐十三年，陈诚自西域还，所经哈烈、撒马儿罕、别失八里、俺都淮、八答黑商、迭里迷、沙鹿海牙、赛蓝、渴石、养夷、火州、柳城、土鲁番、盐泽、哈密、达失干、卜花儿凡十七国，悉详其山川、人物、风俗，为《使西域记》以献，以故中国得考焉。"四库提要卷六四："《使西域记》一卷，明陈诚撰。诚，吉水人，洪武甲戌进士，永乐中官吏部员外郎。诚尝副中使李达，使西域诸国，所历哈烈、撒马儿罕等凡十七国，述其山川、风俗、物产，撰成此记。永乐十三年返命上之。《明史·艺文志》载有陈诚《西域行程记》，即此书也。末有秀水沈德符跋。其所载音译既多讹舛，且所历之地不过涉嘉峪关外一二千里而止，见闻未广，大都传述失真，不足征信。"

本年

熊直自京师回乡。《东里文集》卷八《送胡敬方序》："去岁试京闱，遂为春秋之冠。既会试礼部，又不偶。而受敬方之教者，累累擢高科，跻清要。岂其学独利于人哉？抑其所存心不急于达乎？……敬方之言曰：'古之君子志在乎内，岂计乎其外也。天下之道，大而君臣、父子、夫妇之伦，细而万事万物之故，凡孔孟以来诸君子所务者，吾不敢已焉。吾何暇计其外乎！'于是知敬方之志远且大也。今自太学归省于乡，士有求余言赠之者，是以书此，使学于敬方者皆知其志。"《东里续集》卷二四《赠资善大夫都察院右都御史熊公神道碑铭》："十三年归省，学者越数百里从之者益众。"

林环卒，年四十。《闽中理学渊源考》卷五二《侍讲林纲斋先生环》："十三年，扈从巡幸，卒于北京，年四十。环负材，晓世务，特为成祖所器，一时儒硕亦厚重之。

没，无不悼惜焉。所著有《绚斋集》二十二卷。"《静志居诗话》卷六《林环》："侍讲未第之先，纵酒自放。虽在玉堂，诗无台阁气。"《明诗综》卷二一《林环》存诗一首：《题林泉清致》。

倪谦（1415—1479）生。字克让，钱塘人，徙上元。学者称为静存先生。正统己未，赐进士第三人，累官南京礼部尚书，赠太子少保，谥文僖，有《倪文僖集》《朝鲜纪事》。[其生年，据《倪文僖集》卷九《乙酉元日立春试笔时五十一》："年华苒苒鬓如银，甲子今朝过五旬。成化新正初改岁，大钧元日正回春。九原先垄关心切，千里乡山入梦频。只待河开便归去，江村耕钓老吾身。"]

公元1416年（永乐十四年　丙申）

二月

王绂卒，年五十五。章昞如《故中书舍人孟端王公行状》："今年春，以病卒于官舍，实二月初六日也。呜呼！痛哉。其在病革，朋友咸相视而泣，顾谓公曰：'子脱有不幸，当以身后事嘱我。'公曰：'余生平无愧，俱无可言者。但忠君之事未尽，实天地间罪人也，复何言为。'语毕而绝。公生于壬寅五月某日，享年五十有五。……公在生时，性倜傥，有卓荦不羁之才，寡交接，重然诺。然好谠言，不匿人过。人有一善必称之，一恶必斥之，正颜极论，不惮权贵。或诋其太过，则曰：'箭在弦上，不得不发。'其峭直类如此。身在显宦，常有烟霞丘壑之想，每论及乘肩舆，登惠山，煮茗僧房，留连日夕之事，则风采顿发，昂肩竦背，若凭高眺远之状。至于声利浮靡之事，则澹然不以芥于中。论他事亦皆脱略颖悟，必先名节大体，不以死生荣辱为心。尤好黄老清虚之术及佛氏之学，亦皆闯其奥窔。然以名教自尊，故一染指而不为其累也。少习右军书，小楷尤精。所作古诗类韦、柳，律诗类晚唐，词语婉媚，驰骋于世。所画山水竹石，古今罕俦。……永乐十四年三月二十日，征事郎、中书舍人章昞如状。"胡广《征事郎中书舍人王孟端墓表》："其友翰林修撰沈度，偕其同寮中书舍人许鸣鹤、朱孔易、朱晖、章昞如、张侗、陈宗渊、庞叙、沈粲，合辞请于予曰：'孟端死，其友太医院御医赵友同既为之铭，埋诸幽者有托矣。而表于外者无文。足下知孟端者，宜赐一言，使其有知，无恨于地下矣。'予与孟端交十四五年，相知有素。孟端殁，既哭之，又祭之以文，而墓石之辞，予焉得而靳。……尤善真行书，笔法出入晋唐间。律诗学大历诸才子，时有警句。间戏墨为山水竹石，用意高古，超然无俗韵。人往往作意求之，或经数岁不能得一笔，偶遇适兴，连扫数幅不辞。精妙入神，态度横出，或就题诗于上，以发其魁垒之气，语皆奇特。观者莫不跌足惊喜，而孟端亦不自知其至此也。然每欲秘之，不欲人知。尝投笔痛恨曰：'误为此也！'雅好博古，于诸书皆搜猎。至于释老之学，亦闯其闉奥。……翰林学士、奉政大夫兼左春坊大学士庐陵胡广撰。"曾棨《王舍人诗集序》："其为诗，触景抚事，即形之于言，随其兴之所至，情之所发，初不计其工拙，而自合矩度。"王进《王舍人诗集序》："无锡王君孟端，自幼负瑰伟之才。游学邑庠时，乡之先进若四辅官周士平、侍读学士王达善、长史钱仲益、教谕吕志学、引礼舍人浦长源辈，皆以诗著名于时。孟端穷经之暇，每相过从，倡酬赓和，甚为诸公所称许。尤善于绘事。长江远山，丛篁怪石，随意所适，无不妙绝。字书深得钟、王笔意，虽兼众长，然当挥洒吟咏之际，援毫立就，未尝见其凝滞也。后被逮，屏处边陲十有余年，而寓物写怀，发于词翰，意趣益工。以知者荐，授中书舍人。玉堂儒硕，咸器重之。"《弇州四部稿》卷一三八《题王孟端竹》："孟端竹为国朝第一手。有石室居士、梅花道人遗意，而清标高格又似过之。余尝记其二事。其一，沐黔公行金帛求孟端画，谢绝之。后忽作一幅，遗其僚素厚黔公者，使致之曰：'姑以是塞公意，毋言我为公也。'其二，月夜闻邻笛，乘兴画幅竹，访遗之。其人乃大贾，甚喜，具驼绒、文绮各二，求孟端一配幅。孟端却其币，手裂画坏之。呜呼，即无论孟端竹，求其人可更得否？"《弇州四部稿》卷一三八《王孟端湖山佳趣卷》："得一卷，初阅之，以为黄鹤山樵也。清思直扑人眉睫间，应接不暇。至题尾，知为九龙山人王孟端。孟端在永、宣间，声价不下黄鹤山樵，今来渐寂寂。然使有真鉴赏者，望而窥其胸中，富丘壑也。吾东吴菰芦人，步武之外，皆卷中境界。晚途复作吏，不觉自远。聊置此卷案头，于春明退朝之暇，时一展看，不令衿裾烟霞色尽也。卷初属陆太宰时，乞李文正篆额，吴文定题字，邵文庄作歌。其为名士所推如此。"《静志居诗话》卷六《王绂》："锡山自倪元镇后，孟端山水竹石，潇洒出尘，笔踪可继，人品亦未多逊。在京邸与一商人邻居，月下闻吹箫声，明日往访之，写竹以赠，曰：'我闻箫声，用以箫材报。'其人不解事，以红氍毹为馈，乞再写一枝为配。孟端大笑，取前画裂之。又尝退朝，黔国公从后呼之，孟端不应，私念曰：'是必索我画尔。'后十年，写尺幅，万里遗焉。予尝见孟端为惠山僧画《竹茶炉图》，群贤题咏甚众，今存顾典籍贞观山庄。当时夏太常昶亦善写竹，储藏家得其十幅，不敌孟端之一也。诗亦清疏，一如其画。章舍人晒如状云：'永乐初，诏求天下文章之士洎善书者，各二十八人，登文渊阁，公被首荐。'盖与吉士并入直者。此国史所未详也。"《明诗纪事乙签》卷六《王绂》陈田按："九龙山人画品超绝，诗亦别有风趣，稍录其矜练之作，如读一幅著色云林画也。"

三月

胡广进文渊阁大学士。《颐庵文选》卷上《文渊阁大学士兼左春坊大学士赠资善大夫礼部尚书谥文穆胡公墓志铭》："十四年三月，进公文渊阁大学士，仍兼左春坊大学士。"

四月

宥建文时罪臣远亲。《明通鉴》卷一六："（初二）诏曰：奸臣齐、黄等恶类已剪，凡远亲未发觉者，悉宥之。"

八月

朱有燉杂剧《关云长义勇辞金》成。据卷首小引："永乐岁在丙申八月朔日书。"

《远山堂剧品·雅品》："不但关公之义勇千古如见，即阿瞒笼络英雄之伎俩，亦现之当场矣。每恨关公未有佳传，得此大畅。吴梅《义勇辞金跋》：《义勇辞金》杂剧，明周宪王撰。元人中赋壮缪事者，如关汉卿《西蜀梦》《单刀会》，戴善甫《红衣怪》外，仅无名氏《古城记》《三国志》稍传述歌场。而汉卿二种科白已不完备，《红衣怪》久佚，《古城》《三国》亦未见全本，其宾白科介无一遗漏者，独有此作而已。剧中事实，虽本稗官，而词语古拙，雅有元剧风格。"

胡俨《颐庵诗集》初成。王洪《颐庵诗集序》："国子祭酒豫章胡公以所著《颐庵诗集》若干卷示洪，俾为之序。……元起于朔漠，文制疏略。至元、天历之间，若赵文敏公、虞文靖公、范文白公、揭文安公，亦各鸣一时之盛。及其衰也，学者以粗豪为壮，以尖新为奇，语言纤薄，音律恓惶。盖自晚唐皆然。末世文弊，固其势之然也。圣明混一四海，肇复先王之制，兴礼立学以风厉学者，至于今五十余年。……公卿大夫文学之士，莫不各奋所长，揄扬盛德，铺张洪休。洋洋乎雅颂之音，盈于朝廷而达于天下。当是时，公以儒学德行，由翰林侍读、春坊谕德为大司成，师表四方之士，而文章卓然名于一时。盖其所作，必欲追踪古人，事核而喻切，辞醇而旨远。沨沨乎春容正大之音，可以无愧于古。而公则欿然自视，若不足也。呜乎！尧舜之盛，《尚书》载之。商、周之兴，诗人颂焉。文章有关于世道尚矣！洪与公同游禁林十有余年，朝夕承公之诲，至论古之作者，未尝不慨然于斯。惜乎，以洪之昏陋而莫能进也。姑序诸卷端，俾观公之诗者有以发焉。永乐十四年丙申八月，翰林侍讲钱塘王洪序。"

九月

熊直卒，年五十九。《东里续集》卷二四《赠资善大夫都察院右都御史熊公神道碑铭》："西涧先生熊公，其所学究圣贤之蕴，通性命之要，所存必欲及诸人人所行，必欲闻诸后世，盖正直明惷君子人也。年五十有九，未尝一试以卒，非其命欤？先生讳直，字敬方。西涧者，其所居之地，学者因以称之。……以疾卒于家，十四年九月二十七也。先生内庄外和，孝友忠义出乎天性，与人交尽诚。闲居，潜心玩微，时出意见，评古人是非，为众所服。文章温雅丰赡。所著有《春秋提纲》《西涧稿》《钟陵稿》《金陵稿》。又有诗、赋、杂录若干篇。盖自壮至老，未尝一日忘用世之心，亦未尝一动心于外之得失。"《东里文集》卷七《西涧集序》："吾友熊敬方先生，其为人阔达和厚，而志于及物。为行孝友忠信，而勇于行义。为学博通诸经，尤长于《春秋》，而诸史百家皆通贯。为文章魁伟辨博，如行云流水，而根于理。"《泊庵集》卷一二《胡敬方传》："其为文词，善论议，意所欲言，辄浩博宏放，而必本之于道。远近知慕其文，而独不知其于义理之学尤深也。凡从之学《诗》《书》《春秋》以决科者，皆中进士高第。"《明诗综》卷一九《熊直》存诗二首：《立秋后有怀京洛诸故旧》《潇湘雨意图》。

十一月

议迁都北京。《明通鉴》卷一六："十一月，上自北京还，迁都意决。工部请择日营建，上曰：'此大事，须集廷臣议之。'壬寅（十五日），诏文武群臣集议迁都之宜。乃上疏曰：'北京乃圣上龙兴之地，北枕居庸，西峙太行，东连山海，南俯中原，沃壤千里，山川形胜，足以控四夷，制天下，诚帝王万世之都也。宜敕所司营建。'从之。"

十二月

《历代名臣奏议》书成。《明通鉴》卷一六："初，上在北京，以玺书谕皇太子，命翰林儒士编辑《历代名臣奏议》。壬申（十五日），书成，上之。上谕侍臣曰：'致治之道，千古一揆。君能纳善言，臣能尽忠无隐，天下何患不治！'遂命刊布，赐皇太子、皇太孙及诸大臣。"四库提要卷五五："《历代名臣奏议》三百五十卷，明永乐十四年，杨士奇、黄淮等奉敕编。自商周迄金元，分六十四门，名目既繁，区分往往失当。又如文王、周公、太公、孔子、管仲、晏婴、鲍叔、庆郑、宫之奇、师旷、麦丘邑人诸言，皆一时答问之语，悉目之为奏议，则《尚书》扬言，何一不可采入？亦殊踳驳失伦。然自汉以后收罗大备，凡历代典制沿革之由，政治得失之故，实可与《通鉴》、'三通'互相考证。当时书成，刊印仅数百本，颁诸学宫，而藏版禁中，世颇稀有。天崇间，太仓张溥号称淹洽，而自言生长三十年未尝一见其书，最后乃得太原藏本为删节重刻，卷目均依其旧。所不同者，此本有《慎刑》一门，张本无之；张本有《漕运》，此本无之。盖溥意为改移，至唐宋以后之文尽遭割裂，几于续凫断鹤，失其本来矣。此本为永乐时颁行原书，犹称完善，固亦古今奏议之渊海也。"［按，此书乃皇太子奉敕令儒臣编类者，及书成进览刊布，既无御制序文，又不列修书诸臣职名，盖是时太子方监国南京，正危疑之际也］

本年

杨荣、金幼孜扈从还南京。《明史》杨荣传："十四年与金幼孜俱进翰林学士，仍兼庶子，从还京师。"

公元 1417 年（永乐十五年　丁酉）

二月

尹昌隆卒，年四十九岁。《尹讷庵先生遗稿》卷八《临刑血诗》："吾今四十九年春，岂料奸权害此身。虎穴定为冤枉鬼，鸡窗空作读书人。妻儿那忍肝肠断，兄弟难忘骨肉亲。寄与家庭诸长者，吾今有屈屈难伸。"唐伯元《中允昌隆传》："竟因汉王谗，黜为礼部主事。初，尚书吕震且入相，昌隆阻之，及是谷王谋逆事觉，震阴令女习昌隆字，杂狱词中，诬昌隆与谋，坐弃市。籍其家。后震梦昌隆数震罪，旋病死，震子亦死。"邹元标《中允讷庵尹公遗稿序》："此故中允讷庵公遗稿，予门人应中氏收拾残简，刻以传者。……万历辛丑岁季春月吉旦，吉水后学邹元标顿首拜撰。"胡裴《中允尹公讷庵先生行实》："先生姓尹氏，讳昌隆，号讷庵，泰和灌塘里人也。……仁宗皇帝即位，闻震父子死状，幸之曰：'是尝杀朕师者。'于是先生冤状始白云。……

先生所著诗文，多散漫无传。仅存稿如干卷，藏于家。其为中允时，进讲有《穿杨集》，先生既死，仁宗有旨，命其家录进，中途舟覆，没于水。晚学生胡裘顿首拜书。"[按，吕震卒宣德元年四月，时仁宗皇帝已崩，无由闻其死状。胡裘所记有误]《明史》尹昌隆传："后数年，谷王谋反事发。以王前奏昌隆为长史，坐以同谋，诏公卿杂问。昌隆辩不已，震折之。狱具，置极刑死，夷其族。"《明史》吕震传："震为人佞谀倾险。……尹昌隆之祸，由震构之。事具《昌隆传》。"四库提要卷一七五："《尹讷庵遗稿》八卷、附录二卷，明尹昌隆撰。……是集为其八世孙应中所梓，邹元标序之。附录二卷，则载其诏、敕、行状、序、传之属也。传中称'为中允时，进讲有《穿杨集》，仁宗命其家录进，中途舟覆，没于水'云云。朱彝尊《明诗综》只称有集而不载其名，盖未见此本。然所选《送孟潜阳先生教授邵武府学》五言古诗一首，是编亦不录，盖采自他书，编此集者又未见也。"

三月

初一，交阯贡士始入京受试。

二十六日，明成祖北巡出京师，胡广、杨荣、金幼孜扈从。太子监国。

杨士奇、梁潜留辅太子。《明史》梁潜传："十五年复幸北京，太子监国。帝亲择侍从臣，翰林独杨士奇，以潜副之。"

四月

颁理学诸书于各学校。《明通鉴》卷一六："夏四月丁巳（初一），颁《五经四书性理大全》于两京六部、国子监及天下府州县学。"

闰五月

梁本之为鲁王府纪善。《坦庵先生文集》卷一《到任谢恩启》："纪善臣本之，伏蒙膺恩擢授今职，已于永乐十五年闰五月十三日到任，敬蒙给赐衣服、田宅、鞍马等物，谨奉笺称谢者。"

谢缙病目。《兰庭集》卷下《丁酉岁闰五月病目》三首。其一："伏暑萧斋浃二旬，眵胶双目汗粘身。案头笔研都抛却，暂谢门前索画人。"其二："金风昨夜送秋来，病眼今朝稍觉开。阶下决明垂小美，呼儿摘取进茶杯。"其三："病目将来一月余，背窗愁卧废观书。黄连洗尽浑无效，苦入肝肠几日除。"

八月

梁潜主南京乡试。《泊庵集》卷七《京闱小录序》："永乐十五年秋，应天府考试乡贡士，府丞臣铎谨奉故事以闻。于时皇上巡守北京，皇太子监国事，命臣潜、臣全等为考官，命监察御史臣儒、臣贤俾严察之。自京师以及畿内属郡之士，试者几二千人，拔其精粹者得一百人。盖其文辞之美，明白而辉光，清深而宏雅；其气之和平而进于礼义者，亦英英乎其达而硕硕乎其充也。"

九月

太子朱高炽赐诗梁潜。 王直《恭题梁氏所藏仁宗皇帝赐诗后》："右《重阳》《冬至日》二诗，赐翰林侍读梁潜者，皆仁宗皇帝御制。永乐十五年，太宗皇帝复巡幸北京，仁宗皇帝在东宫监国。今少傅、兵部尚书兼华盖殿大学士臣杨士奇，时为翰林学士兼左春坊左谕德，臣潜亦兼右春坊赞善。皆留辅导仁宗皇帝，缉熙圣学，道德日新，而又笃意文事。臣潜忠亮清谨，学问该博，而文词雅正，其言多契于上心，上深重焉。二诗盖是年所赐者，皆上所自书。观诗之所谓，则知潜之所以受赐者非苟然也。其后臣潜坐累，赴北京以卒，而诸子不在侧，于是二诗皆失之。云汉之章，奎璧之文，必有所丽，终不沦晦。然梁氏之子孙，与凡知梁氏者，皆深惜焉。今年臣潜之子楘会试来北京，记忆圣制，求吏部郎中程云南缮写成卷，俾直识一言。臣闻孔子作《春秋》以寓王法，百世之下不必亲见其书，凡经之所予者，莫不以为荣。今宸翰虽逸，而睿词具在，所以宠荣梁氏而贲饰之者，岂有穷哉？梁氏之子孙尚永保之。"

修曲阜孔庙成，成祖自撰碑文。《明太宗文皇帝实录》卷一九二"永乐十五年九月丁卯（十五日）"："修孔子庙讫工。上亲制碑文刻石，其词曰：'道原于天，而具于圣人。圣人者，继天立极而统斯道者也。若伏羲、神农、黄帝、尧、舜、禹、汤、文、武、周公，圣圣相传，一道而已。周公殁，又五百余年而生孔子，所以继往圣开来学，其功贤于尧、舜，故曰：自生民以来，未有盛于孔子者也。夫四时流行，化生万物，而高下散殊，咸遂其性者，天之道也。孔子参天地，赞化育，明王道，正彝伦，使君君臣臣、父父子子、夫夫妇妇，各得以尽其分与天，诚无间焉。故其徒曰：夫子之不可及，犹天之不可阶而升也。又曰：仲尼日月也，无得而逾焉。在当时之论如此，亘万世无敢有异辞焉。於乎！此孔子之道所以为盛也。天下后世之蒙其泽者，实与天地同，其义远矣。自孔子没于今千八百余年，其间道之隆替，与时陟降。遇大有为之君，克表章之，则其政治有足称者，若汉唐宋，致治之君可见已。朕皇考太祖高皇帝，天命圣智，为天下君，武功告成，即兴文教，大明孔子之道。自京师以达天下，并建庙学，遍赐经籍，作养士类。仪文之备，超乎往昔。封孔子氏孙世袭衍圣公，秩视二品，世择一人为曲阜令，立学官教孔、颜、孟三氏子孙。尝幸太学释奠孔子，竭其严敬，尊崇孔子之道，未有如斯之盛者也。朕缵承大统，丕法成宪，尚惟孔子之道，皇考之所以表章之者若此，其可忽乎？乃曲阜阙里在焉，道统之系，实由于兹，而庙宇历久，渐见堕敝，弗称瞻仰。往命有司，撤其旧而新之，今兹毕工，宏邃壮观，庶称朕敬仰之意，俾凡观于斯者有所兴起，致力于圣贤之学，敦其本而去其末，将见天下之士皆有可用之材，以赞辅太平悠久之治，以震耀孔子之道，朕于是深有所望焉。'遂书勒碑，树之于庙，并系以诗。"

十一月

梁潜作赋颂瑞。《泊庵集》卷一《瑞应赋》："永乐十五年十一月癸丑，皇上营建北京宫殿，瑞光频见，辉映殿柱之间。金水河、太液池冰凝结，众像千态万状，奇巧精妙，不可殚举。丙辰之日，复有卿云五色，中见瑞光团圆如日，正当御座。瑞光中灿五色天花，已而腾辉上升，西度宫苑，映照皇上所御殿庭，浮彩氤氲，终日不收。其时密云来献瑞，冰如水晶含玉者凡七，与金水河所结无以异者，工师执事之人万众共睹，莫不欢忻踊跃。既而皇上命以示南京小大臣民，瞻望咨嗟，都城人士骈肩累迹，交相称庆，盖前此未尝有也。……於乎盛哉！臣睹兹盛美，不胜欣踊之至，谨百拜稽首而献赋。"

本年

杨士奇作《周易直指》《周易大义》。《圣谕录》卷中："永乐十五年，上在东宫，卜筮专用揲蓍而断以《周易》，凡后世俗占法皆不用。尝命臣士奇纂六十四卦三百八十四爻、朱氏《本义》要旨为一编。既进，上悦，名曰《周易直指》。臣进曰：'周易固为卜筮作，然文王、周、孔《彖》《象》《十翼》之辞，凡修齐治平为君为臣之道悉具，请编辑以进，用备览阅。'从之。逾年，辑成以进。上览之大喜，名曰《周易大义》。赐臣士奇绣衣银带。"

龚诩两次寄诗袁宗鲁。龚绂《野古集年谱》："与友人袁宗鲁别几二十载。十月望日，一旦邂逅琴川寓舍。追论畴昔，不胜慨叹。既而《寄怀》有曰：'窜伏江乡二十年，艰难生计总无便。童汪非怯当年事，为有慈亲在故园。'其《寄友人》有曰：'音书何处觅鳞鸿，二十年来杳不通。槽枥有谁怜老骥，江湖无不羡元龙。皋鱼风木君心苦，仁杰云山我兴浓。欲问相逢定何日，只今萍梗正西东。'"

公元 1418 年（永乐十六年　戊戌）

二月

行在礼部试天下贡士。

三月

朱高炽致书徐善述。徐善述（1353—1419），字好古，天台人。以荐授桂阳州学正。仁宗为皇太子，简入宫僚为左春坊左司直郎，升右赞善。卒于官。洪熙间，赠太子少保，谥文肃。《水东日记》卷一一："皇太子致书赞善好古先生：'余今欲学作表，卿可一如诗题，立例意思，余为构文请益。'好古具诗题与表题，间日封进，以广琢磨。'今晨览卿为余所改之诗，甚是丰采清雅，真有益于日新。但卿疾不痊，未及存问，日见扰烦，岂尚古优待高年才望之士乎？然优待之心，岂忘今朝夕？但卿今年迈，恐余为学有日。似卿朴直苦口者，百无一二。面谀顺颜者，比比有之。故特相为观缕者，为卿才德直謇。趁卿康健，笃于其事，卿无惮劳，弼余成业。惟望药石之言日甚一日，毋务犯鳞触讳之虑。若余成学，报答之礼，岂得忘之！春暖犹寒，当善为汤药，顺时将息，以慰余怀。旨不多及。永乐十六年三月初二日。'"

初四，赐李骐等进士及第、出身有差。

姚广孝卒，年八十四。以僧礼葬，成祖亲制神道碑志其功。《明太宗文皇帝实录》卷一九八"永乐十六年三月戊寅（二十九日）"："太子少师姚广孝卒。广孝，苏之长洲人。初从释氏名道衍，嗜学，喜为诗文。少与高启、杨孟载为莫逆交。朝之缙绅如宋濂、苏伯衡辈，皆奖重之。洪武十五年，僧宗泐荐其学行，命住北平庆寿寺。事上藩邸，甚见礼遇。上每出师，命侍世子居守，严固备御，抚绥兵民，与赞谋策。上即位初，命为僧录司左善世。及册立皇太子，赐名广孝，授资善大夫、太子少师，俾辅道焉。至是，自南京来朝，车驾临视者再。既卒，上悼惜之，辍视朝二日，赐祭，赠推忠辅国协谋宣力文臣、特进荣禄大夫、柱国、荣国公，谥恭靖。命有司治丧葬，亲制碑文于墓。广孝尝著《道余录》，诋讪先儒，为君子所鄙。若其论文曰：'惟韩退之、欧阳永叔、曾子固真儒者之文，今之为释老文字，往往剿取释老之说，甚至模仿其体以为儒者，不克卓立。'其意盖谓宋、苏辈，识者亦有取焉。"《凫藻集》卷二《独庵集序》："其词或闳放驰骋以发其才，或优柔曲折以泄其志，险易并陈，浓淡迭显，盖能兼采众家，不事拘狭。观其意，亦将期于自成而为一大方者也。"《清江文集》卷一九《送衍上人序》："吴中衍斯道者，工于诗。凡千余篇，皆无剽拾腐熟语。其大篇之雄健，如秋涛破山，鼓千军而奔万马，浩乎莫之遏。其短章之清丽，如菡萏初花，净含风露，洒然无尘土气。盖骎骎乎贯休之阃奥，琴聪、蜜殊不能及焉。噫！诗变而至中洲，诗之义已泯焉不存。工于诗者非一，未见其能复古者。幸于不可见之时，获见斯道之诗，所谓夸昧杂陈，忽聆大雅之奏，恶得不为之惊喜邪？"《明诗评》卷四："少师栖遁禅宗，束缨世纲，既参佐命，卒返初服，互逃儒释之间，未获进退之所。其诗如入忉利天，虽自快乐，未就解脱，魔障既深，终当坠落。"《国雅品》士品二《姚恭靖广孝》："性空思玄，心寂语新。其兴弥僻，其趣弥远。如'笼驯传信鹤，池蓄换书鹅'，'翠低承雨竹，绿碎受风蕉'，'过林才见日，到渡不逢山'，此例已到彼岸。惠休法振，不得专誉禅藻矣。且公以慧智翊赞靖难，勋极公阶，乃萧然缁衣以终其身，了无慢憧，不贤于悻悻功名之士乎？"《明诗综》卷一九《姚广孝》："俞汝成云，少师诗纵，浅近宜传。"存诗四首：《答杨孟载》《送友人之松江》《题秋寺晚晴图》《秋蝶》。《静志居诗话》卷六《姚广孝》："少师与十高僧同征，当时孝陵知人则哲，何不移来复之诛诛之？考前代桑门得预军谋者，若佛图澄、道安、鸠摩罗什、支昙猛、竺朗，皆非盛世之事。少师独早著才称，晚参帷幄，文与'北郭十友'之林，武居靖难诸臣之首。咄咄怪事！观其入燕两谒刘太保墓，赋诗云：'良骥色同群，至人迹混俗。知己苟不遇，终世不怨讟。伟哉藏春公，箪瓢乐岩谷。一朝风云会，君臣自心腹。大业计已成，勋名照简牍。身退即长往，川流去无复。佳城百年后，何人敢樵牧？斯人不可作，再拜还一哭。'盖早以藏春子自况矣。"四库提要卷一七五："其诗清新婉约，颇存古调。然与严嵩《钤山堂集》同为儒者所羞称，是非之公，终古不可掩也。《道余录》二卷，持论尤无忌惮。《姑苏志》曰：'姚荣国著《道余录》，专诋程、朱。少师亡后，其友人张洪谓人曰：少师与我厚，今死矣，无以报之。但每见《道余录》，辄为焚弃'云云。是其书之妄谬，虽亲昵者不能曲讳矣。"

四月

李昌祺除广西左布政使。《明太宗文皇帝实录》卷一九九"永乐十六年夏四月丁未（二十七日）"："升云南按察司佥事周彦奇为大理寺右少卿……李昌祺为广西左布政使。"《运甓漫稿》卷四《四月二十七日拜广西之除赋此志喜》："紫殿沉沉禁漏稀，金铺齐启掖垣扉。已知侧席求贤俊，讵料抡才到贱微。选榜乍题香墨湿，朝官初退软尘飞。南藩此去中州远，敢惮驱驰骊牡骓。"

五月

重修《太祖实录》成。《明太宗文皇帝实录》卷二〇〇"永乐十六年五月庚戌朔"："监修实录官行在户部尚书夏原吉、总裁官行在翰林院学士兼右春坊右庶子杨荣等，上表进《太祖高皇帝实录》。上具皮弁服，御奉天殿受之。披阅良久，嘉奖再四，曰：'庶几少副朕心。'又顾原吉等曰：'此本朝夕以资览阅，仍别录一本，藏古今通集库。'"《明通鉴》卷一七："五月庚戌，重修《太祖实录》成，尚书夏原吉等上之，共二百五十七卷，为二百五十册。又《宝训》十五卷，为十五册。上御殿以受，令别录藏古今通集库，颁赏有差。《实录》自是始定。"

胡广卒，年四十九。《明史》胡广传："十六年五月卒，年四十九。赠礼部尚书，谥文穆。文臣得谥，自广始。"杨士奇《故文渊阁大学士兼左春坊大学士赠荣禄大夫少师礼部尚书谥文穆胡公神道碑铭》："所撰进文字，上知出公笔，辄称善。所奏对语及所治几务，退未尝出口，虽亲厚不敢私涉有问，盖自守之严有素。……其学博究经史百氏，下逮医卜老释之说，亦皆旁通。而用志性命道德之旨，晚益有造诣。为文援笔立就，顷刻千百言，沛然行云流水之势。赋诗取适其性情，近体得盛唐之趣。工书法，行草之妙，独步当世。四方重其文翰，求者日接踵户外，虽无厌倦意，然非其人不苟予。其卒以永乐戊戌五月八日，春秋四十有九。……所著文章有《晃庵集》《扈从集》若干卷。公与士奇同郡同官，知契最深。未卒前二年，有后死则铭之约。既卒，其孤又奉临终之命，索文刻墓石。呜呼！士奇先公生五年，岂谓竟铭公墓哉？盖今九年，乃克成之。"《颐庵文选》卷上《文渊阁大学士兼左春坊大学士赠资善大夫礼部尚书谥文穆胡公墓志铭》："既卒，翰林侍讲邹公缉状公之世代履历。其孤穆奉状来请铭。……公既以文章为职业，于群书百家之言，博极其底里，停蓄深广，发而为文，志趣高迈，沛然若决江河，莫之能御。而制诰命令，讽谕告戒，文辞尔雅，上宣德意，下达人情，莫不悚动感悦，故倚注之重，赐赍之厚，加于等伦。……公平生所著，有文集若干卷，诗若干卷，藏于家。"金幼孜《大学士胡公挽诗序》："公雅善笔札，而才思敏速。其为文温润典则，每数敕俱下，公索笔一挥，恒数千百言顷刻而就，略无血指汗颜之态。至于典册之施，诏诰之播，故实之讲，所以黼黻赞襄而裨益于国家者，公可谓兼尽其美者矣。"米嘉绩《胡文穆先生文集序》："夫道莫大于仁，论莫定于孔子。余读《明史》，尝掩卷三复而叹。……盖于胡文穆先生重有感焉。方公之魁多士也，在洪武大定之后。洎乎建文，齐、黄诸人，变更祖制，皆汲汲如狂，而公独无所建白，得毋有百里奚之见欤？逮永乐而后，初登卿贰，再入奎阁，大文胜美，迭出不穷，庙堂资其运筹，间阎受其惠泽。数百年之下，诵其文章，想其风采，休休之度，跃然纸上。伟哉！其利济之仁人乎！或不能无求焉，或又为之考其日月以辨之，余皆无取也。孔子之论管仲曰：'如其仁，如其仁！'又曰：'岂若匹夫匹妇之为谅也，自经于沟涂而莫之知也。'孟子之论百里奚曰：'知虞公之不可谏而去之，知穆公之可与有为而相之，可不谓贤乎？'穆公犹可相，而况其子若弟耶？若青田阿璟之辩发，魏国勋戚之闭户，则士各有志，人各有能有不能耳，要皆与于仁而用不同者也。方邑诸君子重辑《邑乘》日，余持是义久矣。暨书成，公之嗣孙张书将重梓公集，而求言于余。余即以是义授之。乾隆十五年岁次庚午季冬月，关中米嘉绩题于文江官衙。"上官谟《重修胡文穆先生文集序》："吾邑文穆胡先生，遭遇明时，躬逢圣主，擢甲第，位卿相，生有令名，死有荣谥，可谓前明一代之福人矣。及读《明史》所载，先生预禁苑读秘书，置身清华论思之地十有七年。而又以扈从北征，深入沙漠，一切山川所经，风雨所过，尽涵濡于得心应手之趣，与夫鸟语卉叙，探其奇状，恣情记臆，时流露于歌思翰墨之余，而其体格风蕴，类多司马子长、欧阳文忠之遗意焉。盖天所以笃厚其才，每于功名福泽之中，隐寓有忧戚玉成之道，此古今来克胜大任者，就令富贵素履，未有不动心忍性，以增益其才能者也。欣逢志书告成之前二年，合邑同志人士广求先贤著作，而先生孙嗣赴局缴卷，余翻阅之下，惜其字画脱落疑误，而以及时重铸为劝。今其令嗣张书君等捐资重修，不数月而工告竣，而又持其卷帖，偕余四弟诰以求弁端于余。……时乾隆十六年辛未孟春月良旦，赐进士出身、原任江南芜湖县知县、邑后学上官谟撰。"张书《重修文穆祖集序》："吾祖有明大魁当代祠臣。弱冠入庠序，廿二成状元。文章彬彬郁郁，光朝宁而映龙日。其生平所纂《四书五经性理大全》及《周易备观》诸书，当世固已颁行天下，稿存秘府。其他从行吟咏、献纳歌谣，与夫一切承制裁答、应酬时务，有文若干，嗣祖稑、穆、穗汇而刊刻行世。明末兵燹，集版毁没，仅有纸刻存留于家，因时际衰微，未获重镌。己巳岁，邑修志乘，需吾祖集入局证佐。自惭祖德深厚，后世弗克继述，而琅玕珠玑可任其日即消亡乎？且一二姻友亦以词助，因不揣贫乏，谋为重新。计其原本一十九卷，仍前编定。其扈从诗四小卷，未入卷内，兹将此卷合为一卷，足成二十。其中二次扈从北京北征，照原分别。吾祖精英，庶几其与河汉并流矣。但中有残缺，曾为广求补葺，一时未获，俟得原本，原加刊凑。宝气定光牛斗，明珠岂或晦暗。祖德自辉，后嗣又何劳乎？今雕镂告竣，爰立数语，俾知美玉自不磨也。后裔张书等谨识。"四库提要卷一七五："《胡文穆集》二十卷，明胡广撰。是集其裔孙张书等所刻，凡诗八卷，应制诗文一卷，各体文七卷，题跋二卷，扈从诗及扈从北征日记一卷。其第十九卷，即所谓《杂著》。米嘉绩序，极论靖难之事，斥死节诸臣之非，而以广之迎降为是。然公论久定，要非可以他说解也。"四库提要卷一二二："《胡文穆杂著》一卷，明胡广撰。……此书乃其随手札记，已载入《文穆集》中。此其别行之本也。……深明时势，亦颇有考据。广文集未足名家，而此书在明初说部之中犹为可取者。"

杨荣代胡广掌翰林院事。《东里续集》卷三六《故少师工部尚书兼谨身殿大学士赠特进光禄大夫左柱国太师谥文敏杨公墓志铭》："十六年夏，进《高庙实录》，赐宴赍。胡公没，公掌翰林院事，益见亲密。"

诏修《明一统志》。《忠靖集》附录《夏忠靖公遗事》："十六年夏五月，命提调修纂《大明大一统志》。"〔按，此次修撰未毕功〕

九月

梁潜卒，年五十三。《东里文集》卷一七《梁用之墓碣铭》："永乐十五年，车驾巡狩北京。仁宗皇帝在春宫，监国南京。凡南方庶务，惟文武除拜、四夷朝献、边警调发，上请行在。若祭祀赏罚，一切之务，有司具成式启闻施行，事竟，则所司具本末，奏达而已。上既有疾，两京距隔数千里，支庶萌异志者内结嬖幸，饰诈为间，一二谗人助于外。于是禁近之臣侍监国者，惴惴苟活朝暮间，赖上明圣，终保全无事。小人之计不能行，然其意不已也。会南京有陈千户者，擅取民财，事觉，令旨谪交阯。数日，念其军功，贷之，召还。有言于上曰：'上所谪罪人，皇太子曲宥之矣。'遂杀陈千户，事连赞善梁潜。司谏周冕既逮至，上亲问之，潜等具实对，上顾翰林学士杨荣等曰：'事固无预潜。'他日，又谕礼部尚书吕震曰：'事亦岂得由潜？'然犹未悉陈千户非出上命谪之也。两人者皆未释。有毁冕者，数言其佻薄放恣不可用，遂并潜皆死非命，十六年九月十七日也。……用之之学，通诸经，尤长于《诗》《易》。自十五六，已用意周、程、朱、张之书，壮而益探其微。为文章驰骋司马子长、韩退之、苏子瞻，亦间出《庄》《骚》为奇，务去陈言，出新意。古诗高处，逼晋宋。所著有史论若干篇，碑、传、记、序、铭、颂、赞、述若干篇，五七言古近体诗若干篇，皆可传后。"《抑庵文集》卷六《梁先生文集序》："先生于泰和为儒家，代以文学显，至先生尤俊迈不群。尝从直之叔祖金宪公子启受《诗经》，而其伯舅陈公仲述亦以古文有盛名。先生皆获承教。凡经史百氏之书无不究，而于《左氏传》、司马《史记》、班固《汉书》每注意焉。性命道德之奥，文章著述之妙，多其所自得，而充之以奇气，发之以逸才，沛然莫之能御，遂以文名缙绅间。同游虽多，独与少师杨公士奇最相好，有丽泽之益。……及朝廷有所述作，先生与二三阁老实冠绝一时。四方求文字者，必求之先生。盖先生之文，温厚和平，而豪壮迭宕之势寓焉。如江河之流，汪洋衍迤，一与风遇，则波澜勃兴，鱼龙百怪出没隐见，可喜可愕，真当代之杰作也。"四库提要卷一七○："潜文格清俊，而兼有纵横浩瀚之气，在明初可自成一队。故郑瑗《井观琐言》称其丰赡委曲，亦当代一作家。杨士奇作潜墓志，称其为文章驰骋司马子长、韩退之、苏子瞻，亦间出庄、列为奇，务去陈言出新意，古诗高处逼晋宋。"《明诗纪事》乙签卷七《梁潜》陈田按："用之五言，《选》体为多，近体有唐人格律，而时参宋派。永乐诗家最为杰出。诗集鲜传，钱牧斋、朱竹垞皆未见，故所录寥寥。余所获《泊庵诗钞》，乃用之曾孙廉嘉靖中刻于辰州者。用之《滦水琼芽》诗序云：'前代揭学士称滦水琼芽，盖芍药芽也。以代茶最胜。惜在北京时不及采而尝之。'诗云：'每忆京台事事佳，还闻滦水产琼芽。玉肤簇簇轻含雪，红甲重重潜映霞。阳羡初尝须并美，骞林新赐可同夸。倘教采掇封题去，自是春泉煎雪花。'骞林，武当茶也，明初入贡品。今丰台芍药盈畦弥陇，园丁捆载入市，士大夫家供瓶盂者，在在皆是。倘掇芽而烹之，为芍药增一故实，亦为我辈添一韵事也。"

金幼孜作《瑞象赋》。《金文靖集》卷六《瑞象赋》序："乃永乐十六年秋九月庚戌，占城国以象来进，其状瑰诡雄壮，元肤玉洁，文有白章，粲若华星，郁如云霞，拜跪起伏，驯狎不惊。斯实希世之上瑞，天下太平隆盛之征。……臣忝职词垣，幸际圣明，屡睹嘉祥之盛，不可无纪述以咏歌太平。谨拜手稽首而献赋。"

本年

岳正（1418—1472）生。字季方，号蒙泉，漷县人。正统戊辰赐进士第三。天顺初，以左赞善兼修撰，直文渊阁，降钦州同知，谪戍肃州。成化初复官，未几出为兴化知府。卒谥文肃。有《类博稿》。《怀麓堂集》卷七一《蒙泉公补传》："公长身美须髯，神采秀发，气屹屹不能下物。举京闱乡试，卒国子业。李忠文公为祭酒，简四方名士置讲下，公与商文毅、彭文宪、王三原诸公皆预焉。正统戊辰会试，礼部同考误置落卷，侍讲杜公宁见之曰：'此我辈中人。'遂擢第一。廷试赐进士及第。"

公元 1419 年（永乐十七年　己亥）

正月

陈敬宗应制诗夺魁。《双槐岁抄》卷三《观灯应制》："永乐己丑，令自正月十一日为始，赐元宵节假十日。壬辰正月，赐文武群臣宴，听臣民赴午门外观鳌山，岁以为常。户部尚书夏原吉侍母往观，上闻，遣中官赍钞二百锭即其家赐之，曰：'为贤母欢也。'自是，车驾驻两京，皆赐观灯宴。上或御午门示御制诗，使儒臣奉和，览而悦之，赐以羊酒钞币。时评应制诸作，以陈侍讲敬宗五首为工。"《明诗综》卷二〇《陈敬宗》录《元夕赐观灯诗》一首："剑佩清宵近，峰峦翠阁重。花明金殿月，香度玉楼风。拜舞诸蕃集，欢娱万国同。遥闻歌吹发，五色度云中。"［按，陈敬宗升翰林侍讲，在《太祖实录》修成后。其应制诗夺魁当在本年或之后］

三月

明成祖撰成《为善阴骘》。朱棣《御制为善阴骘序》："朕惟天下之理一而已矣。《书》曰：'惟天阴骘下民。'盖谓天之所以默相保佑之于冥冥之中，俾得以享其利益，有莫知其然而然者。此天之阴骘也。人之敷德施惠于人，不求其知而又无责报之心者，亦曰阴骘。且人之阴骘固无预于天，而天之所以报之者其应如响。尝博观古人，往往身致显荣，庆流后裔，芳声伟烈传之千万世，与天地相为悠久者，未有不由乎阴骘之所致也。然而代有先后，时有古今，简籍浩穰，难于编阅。万几之暇，因采辑传记，得百六十五人，复各为论断以附其后，并系以诗，次为十卷，名曰《为善阴骘》。特命刻梓以传，俾皆有以显著于天下，且令观者不待他求，一览而举在目前，庶几有所感发，勉于为善，乐于施德。而凡斯世斯民，皆得以享其荣名盛福于无穷焉。故序。永乐十七年三月十三日。"

八月

金幼孜作《驰鸡赋》。《金文靖集》卷六《驰鸡赋》："永乐己亥秋八月吉旦，西南之国有以异禽来献者，稽往牒而莫征，考载籍而难辨。……臣日睹于盛美，愧陈词之弗臧，颂圣寿于万年，同地久而天长。"

夏原吉应制颂盛。《忠靖集》卷二《圣德瑞应诗》序："永乐己亥秋，海外忽鲁谟斯等国遣使来进麒麟、狮子、天马、文豹、紫象、驼鸡（昂首高七尺）、福禄（似驼而花纹可爱）、灵羊（尾大者重二十余斤，行则以车载其尾）、长角马哈兽（角长过身）、五色鹦鹉等鸟。又交阯进白乌、山凤、三尾龟等物。赐观于庭，承制赋此。"

十月

徐善述卒，年六十七。《东里文集》卷一八《故左春坊左赞善徐公墓志铭》："永乐甲申春，博士天台徐善述好古升左司直郎助教，郓城晁铸景范升右司直郎。其学问之正，操履之笃，温厚而简静，为缙绅君子所重，以为辅臣之良也。后十年，景范年八十，奉命致事归，好古升左赞善。永乐己亥九月，景范卒于家，十月己亥（二十八日），好古亦卒于官。……好古一志儒者之学，尤邃《书经》，其讲说及作为经义皆精确，非众所及。少为郡学生，已有声誉。洪武中初行岁贡法，首充贡人太学，六馆之士皆推之。祭酒宋讷严不可近，独礼接好古。岁余，诏选太学生为州县教官，好古为首，授桂阳州学正，赐敕符。后丁父忧。服阕，改和州学正，用荐升国子博士。经其教者，率有成。尝预纂修翰林者累年。考乡试者一，考会试者二，士服其公。其在春坊，一用所学。进对之际，简明质直，必据正理，故尤见礼遇。而卒之日，皇太子亲为文祭之，极褒惜之意。"《水东日记》卷一一："皇太子特以牲醴之奠，致祭于故赞善徐好古之灵曰：卿伟量渊宏，博览古今，正宜佑余文学，匡余政治，岂期一疾遽然而逝。兹者黄钟应候，天道伊周。顾诸寮吏，不见于卿，使哀哉痛哉！不复闻卿赞益之言矣。今特遣庶子邹济奠于灵筵，卿其不昧，庶克飨之。皇帝遣天台县某官谕祭于故赞善赠太子少保谥文肃善述曰：'卿昔从朕于储宫，有启沃匡辅之益。嘉念不忘，兹惟仲特致常奠，用伸怀旧之情，尚其飨之。'"《经义考》卷八七："徐氏《尚书直指》六卷，存。……黄虞稷曰：'仁宗在东宫，徐赞善善述纂《尚书直指》六卷，上进。'按，是书徐文肃为东宫讲官时所进，未曾刊行。亦不列撰书姓名。其后中珰钱能从宫中携出，遂为镂版。于时钱溥、刘宣序之，童轩跋之，皆不知为文肃所著。予从同里曹侍郎溶家见之，因为标出。"《明诗综》卷一朱高炽《冬至赐赞善徐好古》："清朝盛文治，辅德资儒者。念彼筋力倦，趋朝谅非宜。赋诗有佳致，纳诲多良规。起予德深趣，欢怀浩无涯。新阳届初复，况此承平时。酬劳有尊酒，庶以劳期颐。"

公元 1420 年（永乐十八年　庚子）

正月

李昌祺《剪灯余话》初成。曾棨《剪灯余话序》："近时钱塘瞿氏著《剪灯新话》，率皆新奇希异之事，人多喜传而乐道之，由是其说盛行于世。余友广西布政李君昌祺，于旅寓之次，取近代之事得于见闻者，汇为一帙，名之曰《剪灯余话》。余得而观之，初未暇详也。一夕，燃巨烛翻阅，达旦不寐，尽得其事之始终，言之次第，甚习也。一日退食，辄与同列语之，则皆喜且愕曰：'迩日必得奇书也，何所言之事神异若此耶？'既而昌祺以属余序。夫圣贤之大经大法载之于书者，盖已家传人诵，有不可思议，有足以广材识、资谈论者，亦所不废。昌祺学博才高，其文思之敏赡，不啻泉之涌而山之积也。故其所著秾丽丰蔚，文采烂然；读之者莫不为之喜见须眉，而欣然不厌也。又何其快哉？昌祺于余为姻家，且有同年之好，因观是编之作，遂为之序焉。永乐庚子春闰正月下澣，翰林侍读学士、奉训大夫兼修国史永丰曾棨书。"罗汝敬《剪灯余话序》："《剪灯余话》凡四卷，计二十篇，广西布政使昌祺李公继钱塘瞿氏之作也。公尝以明经擢高第，又尝以名进士纂修中秘书，其雄辩博洽，盖有素矣。故其发为文章，昭诸翰墨，皆足以广心志，扩见闻，而资益学识，往往搜奇剔异，详书而备录之，亦岂无意乎？而或者乃谓所载多神异，吾儒所未信。余曰：'不然！夫圣经贤传之垂宪立范，以维持世道者，固不可尚矣。其稗官、小说、卜筮、农圃，与凡捭阖笼罩，纵横术数之书，亦莫不有裨于时。矧兹所记，若饼师妇之贞，谭氏妇之节，何思明之廉介，吉复卿之交谊，贾、祖两女之雅操，真、文二生之俊杰识时，举有关于风化，而足为世劝者。彼其《齐谐》之记，《幽冥》之录，《搜神》《夷坚》之志述，务为荒唐虚幻者，岂得一经于言议哉！若布政公之所记，征诸事则有验，揆诸理则不诬，政人人所乐道，而吾党所喜闻者也，神异云乎哉！且余闻之：昌黎韩公传《毛颖》《革华》，先正谓其珍果中之查梨，特以备品味尔；余于是编亦云。'或者唯唯。因次第之于简末，庶资薇垣高议之一喙焉。永乐十八年正月朔吉，翰林修撰行在工部右侍郎同年友罗汝敬书。"王英《剪灯余话序》："余读庐陵李君昌祺所著《剪灯余话》，所载皆幽冥人物灵异之事，窃喜昌祺之博闻广见，才高识伟，而文词制作之工且丽也。或有诘余者曰：'某事幽昧恍惚，君子所未信，子何为而喜耶？'余曰：'不然！经以载道，史以纪事；其他有诸子焉，托词比事，纷纷藉藉，著为之书。又有百家之说焉，以志载古昔遗事，与时之丛谈、诙语、神怪之说，并传于世。是非得失，固有不同，然亦岂无所可取者哉！在审择之而已。是故言之泛溢无据者置之，事核而其言不诬有关于世教者录之。余于是编，盖亦有所取也。其间所述，若唐诸王之骄淫，谭妇之死节，赵鸾、琼奴之守义，使人读之，有所惩劝；至于他篇之作，措词命意，开阖抑扬，亦多有可取者，此余之所以喜也。抑岂不闻之，昔者王充之著论，叹赏于蔡邕；张华之博洽，称美于阮籍；而干宝之撰记，见称于刘惔乎？操觚执翰，以著述为任者，人之所难能也。古之人盖重之，余何敢不企慕古人，而无所取于斯耶？'于是诘者乃退。因书以序其端，俾世之士皆知昌祺才识之广，而勿讶其所著之为异也。昌祺所作之诗词甚多，此特其游戏耳。初为礼部郎中，今仕为广西左布政使，盖与余为同年进士云。永乐十八年春正月既望，翰林侍讲临川王英书。"［按，上诸序据上海古籍出版社 1981 年周楞伽校注《剪灯新话》一书所附《剪灯余话》，标点有改动］《菽园杂记》卷一三："《剪灯新话》，钱塘瞿长史宗吉所作。《剪灯余话》，江西李布政昌祺所作。皆无稽之言也。今各有刻板行世。闻都御史韩公雍巡抚江西时，尝进庐陵国初以来诸名公于乡贤祠。李公素著耿介廉慎之称，特以作此书见黜。清议之严，亦可畏矣。闻近时一名公作《五伦全备》戏文印行，不知其何所见，亦不知清议何如也。"

瞿佑在保安，作《望江南》五首。《归田诗话》卷下《塞垣风景》："予谪保安，周府教授滕硕亦以事累继至。见予，每诵元遗山《送李参军赴塞上》长篇，谓'旧读此诗，备悉塞垣之苦，岂料今日亲涉此境'！辄潸然堕泪，若不能堪者。…… 滕与予同庚，到此不半载，竟以忧卒。而予犹留滞于此，未得解脱云。"《列朝诗集小传》乙集《瞿长史佑》："其在保安，当兴河失守，边境萧条。永乐己亥，降佛曲于塞下，选子弟唱之。时值元宵，作《望江南》五首，闻者凄然泣下。"

闰正月

以学士杨荣、金幼孜为文渊阁大学士。《明太宗文皇帝实录》卷二二一"永乐十八年闰正月丙子（初九）"："上命行在翰林院学士兼右春坊右庶子杨荣、翰林院学士兼右春坊右谕德金幼孜并为文渊阁大学士兼翰林院学士，赐宴于礼部。"

三月

王洪卒，年四十一。《明文衡》卷八八《王希范墓志铭》："永乐十八年三月辛未（初三），礼部仪制司主事王希范卒。予既吊哭还，其孤锡持状来乞铭，将归葬纳墓中以诒诸后。予与希范永乐初同被选擢入翰林，又同日拜恩命为检讨。时希范年甚少，气甚锐，学通而才敏，于人少许可，独以余齿少长，颇推让。相与几二十年，始终如一日。今已矣，铭不可辞。"《列朝诗集小传》乙集《王侍讲洪》："当时词林称四王，皆有才名，希范与闽人王偁、王恭、王褒也。而希范早入，偁最自负，推重希范，不敢以雁行进。希范尝与修撰张洪论诗，自诵所作，窃比汉魏，张哂而未答，复自谓曰：'终不作六朝语。'张曰：'六朝人岂易及？无论士衡、灵运，且自视江、沈云何？子诗傍大李门墙，犹未窥其奥也。'希范始屈服，曰：'平生喜读大李诗，君评我甚当。'修撰，吴中宿儒也，作《学古诗叙》，备载其语，以为学诗者夸诞之戒云。"《曝书亭集》卷六三《王洪传》："洪敏于才，在翰林时，帝方怀柔远人，属国以方物贡者不绝，麒麟、白泽、驺虞、芝草、醴泉，凡有歌颂以命洪，辄立就。与解缙、王偁、王班、王达号东南五才子。偁最自负，独推重洪，不敢与齿。"《静志居诗话》卷六《王洪》："希范诗最为孟扬所重，至不敢与雁行。其对张宗海论诗，自诵所作，窃比汉魏，张哂而未答。复曰：'终不作六朝语。'张曰：'子诗傍大李门墙，犹未窥其奥也。'希范始屈服。今诵其诗，率规仿唐人具体而已，品当在孟扬下。"《明诗综》卷一九《王洪》："徐子玄云，希范诗清雅，惜气不足。吴明卿云，希范《拟陶》，风味似晋。《舟中杂兴》，声调似唐。皆非人所易及。"存诗五首：《歌风台》《拟刘公干》《拟陶彭泽》《畦乐诗》《舟中杂兴》。四库提要卷一七〇："《毅斋诗文集》八卷，明王洪撰。……杂文皆朴雅，骈体亦工。诗尤具有唐格，而不为林鸿、高棅之钩摹。其序文及序书二篇，立论具见根柢。其序胡俨诗集，谓至元、天历间，赵、虞、范、揭各鸣一时之盛，及其衰也，学者以粗豪为壮，以尖新为奇，语言纤薄，音律怗懘。论元末之弊，至为切中。则洪之所见，高出当日远矣。虽名位不昌，要为有明初年屹然一作者。《明史·文苑传》称王偁预修《永乐大典》，学博才雄，自负无辈行，独推让同官王洪。则洪之文章，概可见矣。"

五月

李昌祺自序所撰《剪灯余话》。 李昌祺《剪灯余话序》："往年余董役长干寺，获见睦人桂衡所制《柔柔传》，爱其才思俊逸，意婉词工，因述《还魂记》拟之。后七年，又役房山，客有以钱塘瞿氏《剪灯新话》贻余者，复爱之，锐欲效颦；虽奔走埃氛，心志荒落，然犹技痒弗已。受事之暇，捃摭谀闻，次为二十篇，名曰《剪灯余话》，仍取《还魂记》续于篇末。以其成于羁旅，出于记忆，无书籍质证，虑多抵牾，不敢示人。既释徽缠，寓顺城门客舍，学士曾公子棨过余，偶见焉，乃抚掌曰：'兹所谓以文为戏者，非耶？'辄冠以叙，称其'秾丽丰蔚，文采烂然'。由是稍稍人知，竞求抄录，亟欲焚去以绝迹，而索者踵至，势不容拒矣。因思在昔圣人谓：'饱食终日，无所用心。不有博弈者乎？为之犹贤乎已！'矧余两涉忧患，饱食之日少，且性不好博弈，非藉楮墨吟弄，则何以豁怀抱，宣郁闷乎？虽知其近于滑稽谐谑，而不遑恤者，亦犹疾痛之不免于呻吟耳，庸何讳哉？虽然，《高唐》、《洛神》，意在言外，皆闲暇时作，宜其考事精详，修辞缛丽，千载之下，脍炙人口；若余者，则负谴无聊，姑假此以自遣，初非平居有意为之，以取讥大雅，较诸饱食博弈，或者其庶乎？遂不复焚，而并识其造作之由于编末，俾时自省览，以毋忘前日之虞，而保其终吉。好事者观之，可以一笑而已，又何必泥其事之有无也哉？永乐庚子夏五初吉，庐陵李祯昌祺甫叙。"《野记》卷三："李布政昌祺，为人卓异不同于时，才学亦瞻雅。少睹其作《剪灯余话》，虽寓言小说之体，其间多讥讽，皆有为作也。同时诸老，多面交而心恶之，李不屑意也。其《弹琴记》有'江南旧事休重省，桃叶桃根尽可伤'之句，亦别有所指。叶文庄公《水东日记》亦稍纪其行概。及韩公雍按江西，亦以公有此书，不入乡贤祠。盖时独以文人，且病其怪乱乃尔，未知此也。纵未知此，公大节高明，安得以笔墨疵戏累之！"〔按，《四库全书存目丛书》影印本偶有假借字。此一则，原作"寓言小说之靡"，今改本字，为"寓言小说之体"；原作"节有为作也"，改本字，为"皆有为作也"〕

八月

置东厂于北京。《明通鉴》卷一七："初，上命中官刺事。皇太子监国，稍稍禁之。至是，以北京初建，尤锐意防奸，广布锦衣官校，专司缉访。复虑外官瞻徇，乃设东厂于东安门北，以内监掌之。自是中官益专横，不可复制。"

九月

定都北京。《明太宗文皇帝实录》卷二二九"永乐十八年九月己巳（初四）"："北京宫殿将成，行在钦天监言，明年正月初一日，上吉，宜御新殿受朝。遂遣行在户部尚书夏原吉赍敕召皇太子，令道途从容而行，期十二月终至北京。原吉陛辞，赐钞二百锭。"《明太宗文皇帝实录》卷二二九"永乐十八年九月丁亥（十二日）"："上命行在礼部，自明年正月初一日始，正北京为师，不称'行在'。各衙门印有'行在'字者，悉送印绶监，令预遣人取。南京衙门皆加'南京'二字，别铸印，遣人赍给。"

本年

叶盛（1420—1474）**生**。字与中，昆山人。正统乙丑进士，授兵科给事中，出为山西右参政，累官吏部左侍郎。卒谥文庄。有《水东日记》。《明文衡》卷七九《侍郎叶文庄公神道碑》："公天资颖异，自少博学强记，下笔惊人。同邑知名士张和见其所业文，曰：'此其志不可量。'因劝游邑庠，遂骎骎有成矣。"

公元 1421 年（永乐十九年　辛丑）

正月

瞿佑第二次校订《剪灯新话》，越年完成。永乐十八年五月十日盱江胡子昂《剪灯新话卷后纪》云："因谈及《剪灯新话》，今失其本，喜余存是稿，遂赋诗留别。缱绻之情为何如也。一日，瑞守唐孟高氏公事抵边城，以斯集奉寄，又得先生亲笔校正，出于一手。不二旬，唐守仍缄回原稿。展玩久之，不能释卷。就中舛误颇多，特为旁注详明，遂俾旧述传记如珠联玉贯，焕然一新，斯文之幸耶。"瞿佑《重校剪灯新话后序》："自戊子岁获谴以来，散亡零落，略无存者，投弃山后，与农圃为徒。念夙志之乖违，怜旧学之荒废，书中默坐，付之长太息而已。间遇一二士友，求索旧闻，心倦神疲，不能记忆，茫然无以应也。"又云："今岁胡君子昂以《剪灯新话》四卷见示，则得之于四川之蒲江。子昂请为校正，而唐君孟高、汪君彦龄皆亲为誊录之。字划端楷，极为精致。盖是集为好事者传之四方，抄写失真，舛误颇多，或有镂板者，则又脱略弥甚。故特记之卷后，俾舛误脱略者见之，知是本之为真确，可可从而改正云。……永乐十九年岁次辛丑正月灯夕，七十五岁翁钱塘瞿佑宗吉甫书于保安城南寓舍。"瞿佑于《重校剪灯新话后序》后又录《题剪灯录后》绝句四首，其一云："午酒初醒啜茗余，香消金鸭夜窗虚。剪灯濡笔清无寐，录得人间未见书。"其二云："风动疏帘月满苔，敲棋不见可人来。只消几纸闲文字，待得灯花半夜开。"其三云："花落银釭半夜深，手书细字苦推寻。不知异日灯窗下，还有人能识此心？"其四云："辛苦编书百不能，搜奇述异费溪藤。近来徒觉虚名著，往往逢人问《剪灯》。"诗后又有小字云："昔在乡里编辑《剪灯录》前、后、续、别四集，每集自甲至癸，分为十卷。又自为一诗，题于集后。今此集不存，而诗尚能记忆，因阅《新话》，遂附写于卷末云。"[此注署名"存斋"。由此注可知，《剪灯录》四十卷在瞿佑生前即已亡佚]

三月

萧仪、陈艮《南行纪咏》成。邹缉《南行纪咏序》："《南行纪咏》者，吏部主事乐安萧君仪、三山陈君艮之所作也。二君俱以才学见擢，用坐事谪南交。既出都门，自潞河泛舟而南，由汶水逾彭城，渡淮涉江而上。凡道途目之所触，及其朋友故旧之相过，有感于心，皆于诗发之，凡百余篇。未至中途，复被命追还，至是蒙恩得还官。二君既喜不自胜，思尽职以报于上也。因以其所作示余，余受而读之，爱其词和平温厚，有古诗人风雅之遗意，间时发于感激，以致其忠君爱国之情，恋慕不忍忘之意，皆有可喜者。余以为此殆不失其性情之正者欤？盖古之君子，或有行后，其忧忠之所激发，多徘徊顾念，思怀恩宠，欲去而不忍，凡若此者，诚其情之所在，有不能以自已也。今二君之所作，其亦有几于是乎？故其发于情，著于思，见诸篇什，无非其所思念在乎此也。是宜其有可取矣。今者又蒙圣恩，复其职任，则其感激思念之所存，且当见之于行事，竭忠效智，以尽其报于无穷。诚若是焉，则其和平温厚之气，岂特于其歌咏而已哉？故书是说于篇端，以竢其验于他日。永乐辛丑三月五日，翰林侍讲兼左春坊左中允邹缉序。"

十九日，赐曾鹤龄等进士及第、出身有差。 刘球《侍讲学士曾公行状》："既冠，与其兄椿龄以《书经》同领永乐乙酉乡荐。明年会试，留养未行。其兄遂第进士，为庶吉士，翰林以没。仰事俯育之责，萃公一身。继遭父丧，内外斩然，无足赖者。又以间右龃龉，弗克康厥居。积学之余，稍出所有授学以自给。久而从学者众，赀入益不赀。乃营故业邑城之西，为久安计。诸子颇长，足事事。遂辞太安人，赴永乐辛丑会试。时今少师庐陵杨公司文衡，务先典实之作，以洗浮腐之弊，喜公诸篇悉优，多梓行之。至今评程文者，以是科为最。廷对居第一，擢翰林修撰。"

四月

萧仪初编《袜线集》。 陈循《袜线集序》："吏部主事临川萧君德容，示予以其所为诗文一编，曰：'子，予同年友也。幸为评之。'予不能文，不知所以赞也。然尝与德容同荐而来，阅其文词熟矣。其学问通博，议论多根于理，知其志有不在于文词而已也。别去数年，今又得是编而读之，其述作之体，既变乎科举，而其文之勇跃骤进，有不可以寻尺计者。至其根于理者，则未尝少变也。其真要于实用者欤！方德容举进士，即以外艰去，穷居隐约几三年矣。比来京师，又连蹇于命。欧阳文忠公谓'穷者之言易工'，然则德容文之能工，岂非于此得以苦心危虑、研精极思而致之耶？亦天将降大任，故劳苦之于先，又非特欲其文之工故也？而德容能以工于文，其亦异乎他人之处困矣。穷与达而不以累其心，士君子所能也。德容知命者也，其肯以穷达自累乎哉？翰林院大学士泰和年弟陈循顿首拜撰，时大明永乐辛丑岁孟夏月下澣日。"

十一月

丘浚（1421—1495）生。字仲深，号深庵，学者称琼台先生，琼山人。景泰甲戌进士，选庶吉士，授编修。历侍讲、侍讲学士，进翰林学士，改国子祭酒。拜礼部侍郎，进尚书，加太子太保兼文渊阁大学士，参预机务，加少保。卒赠太傅，谥文庄。有《重编琼台稿》二十四卷。王国栋《丘文庄公年谱》："明永乐十九年辛丑十一月初十日，公生。"

户部尚书夏原吉下狱。《明太宗文皇帝实录》卷二四三"永乐十九年冬十一月丙子（十七日）"："上以北虏携贰，命尚书夏原吉、方宾、吕震、吴中等议，将亲征。原吉等共议：宜且休养兵民而严敕边将备御。来奏，会上召宾，宾言：'今粮储不足。'遂召原吉问边储多寡，对曰：'仅给将士备御之用，不足以给大军。'即命原吉往视开平粮储，而吴中入对，与方宾同。上以边廪空虚不怿，召原吉颂系之。"

侍读李时勉下狱。《明太宗文皇帝实录》卷二四三"永乐十九年冬十一月辛巳（二十二日）"："翰林院侍读李时勉坐累下狱。"《明史》李时勉传："十九年，三殿灾，诏求直言。条上时务十五事。成祖决计都北京，时方招徕远人。而时勉言营建之非，及远国入贡人不宜使群居辇下，忤帝意。已，观其他说，多中时病，抵之地，复取视者再，卒多施行。寻被谗下狱。"

本年

胡俨改北京国子祭酒。《明史》胡俨传："十九年，改北京国子监祭酒。"

杨士奇题胡广诗遗草。《东里文集》卷九《题胡学士遗墨》："此亡友赠。礼部尚书文穆胡公为翰林学士时，送进士刘咸士皆为四川金宪近体诗一首。忠爱之意溢乎辞气之表。君子之于人，其道固如此也。古称仁者赠人以言，言苟不出于忠爱，可以为仁乎？公为人简肃，不苟交处。与余同郡，又同在翰林十七年，交好最厚。余齿少长，然余有过举，公未尝不言。余或有言于公，亦未尝不欣然见纳也。两人者恒以此相亲。盖公于交际，必欲彼此相益，故为文章亦务进人于善道。尝曰：'吾不能效俗辈为损友矣！'与公永别今四年。三复此诗，追念平昔，不觉涕泪之交颐也。士皆宝藏此诗，其爱重公之意固与余同。夫重其人而不违其言，庶几幽明之良友哉。"

公元 1422 年（永乐二十年 壬寅）
二月

朱有燉杂剧《李妙清花里悟真如》成。据卷首小引："永乐岁在壬寅仲春良日书。"《远山堂剧品·妙品》："向词曲中谈禅，遂令子夜、红儿为散花天女。此剧于证果、妙清则尽矣，于哈元善略欠发挥，惟茶三婆一折，于闲中见景，是作手高绝处。"

三月

成祖亲征阿鲁台。《明史》成祖本纪："丁丑（二十日），亲征阿鲁台，皇太子监国。戊寅，发京师。辛巳，次鸡鸣山，阿鲁台遁。"

七月

王绂遗稿《王舍人诗集》整理初成。曾棨《王舍人诗集序》："故中书舍人毗陵王君孟端，自少以聪敏闻，好读书，喜吟咏，尤工山水墨竹。中更多故，厄穷连蹇于羁旅道路之间者，十有余年。其后乃用荐以善书选入翰林者，又十余年，始得拜官。未几，遂以疾殁于北京之官舍。……其所著凡若干篇，君没若干年，其长子阴阳训术默持以至京师，请余为序。嗟夫，诗之道大矣。以其时之高下，世之治乱，而音调见焉，是岂细故也哉？古之人常因此以观世道，尚矣！君之生也，幸际国家无事泰平之时，以得有官于朝，假之以年，则其惕厉奋发于和平之音，以鸣当世之盛者，宜何如其至耶？惜其仅止于此也。君讳绂，孟端其字，其别号曰友石生，又曰九龙山人云。永乐二十年壬寅秋七月下澣，翰林侍读学士、奉训大夫兼修国史庐陵曾棨书。"

八月

贾仲明补《录鬼簿》成。贾仲明《书录鬼簿后》末署："永乐二十年壬寅中秋，淄川八十云水翁贾仲明书于怡和养素轩。"

大捷班师。《明史》成祖本纪："八月戊戌，诸将分道者俱献捷。辛丑（十七日），以班师诏天下。"

初八，成祖车驾至京师。

大学士杨士奇下狱。《明太宗文皇帝实录》卷二五一"永乐二十年九月癸亥（初九）"："重阳节，赐文武群臣宴。以左春坊大学士杨士奇辅导有阙，下锦衣卫颂系。"《明通鉴》卷一七："时皇太子屡遭谗构，上以士奇辅导有阙。会吕震婿张鹤朝参失仪，太子以震故，宥之。上闻之，怒义不能匡正，于是并震及士奇等，俱先后下狱。寻皆释之。逾年，皆复官。"

十一月

韩雍（1422—1478）**生。**字永熙，吴县人。正统壬戌进士，累官总督两广军务右都御史，卒谥襄毅，有《襄毅集》。《明名臣琬琰续录》卷一七《都御史韩公言行录》："公生秀颖异常，书过目辄成诵。成童，选补顺天府学生。"《吴都文粹续集》卷三九刘玕《都察院右都御史致仕韩公墓志铭》："大明成化戊戌十月十五日，致仕右都御史韩公以疾卒于家。……［生］壬寅十一月九日。卒年五十有七。"

公元 1423 年（永乐二十一年　癸卯）

二月

高棅卒，年七十四。《明文衡》卷八九《漫士高先生墓铭》："永乐二十有一年二月三十日，翰林典籍漫士高先生廷礼卒于南京之官舍，年七十有四。……先生博学能文，尤雄于诗。虽谈笑奋笔，而精思力搴莫及。"《列朝诗集小传》乙集《高典籍棅》："膳部之学唐诗，搴其色象，按其音节，庶几似之矣。其所以不及唐人者，正以其搴仿形似，而不知由悟以入也。神秀呈偈黄梅，谓依此修行，免堕恶道。昔人亦谓，日模《兰亭》一纸，终不成书。……漫士诗所谓《啸台集》者，其山居拟唐之作，音节可观，神理未足，时出俊语，铮铮自赏。《木天集》凡六百六十余首，应酬冗长，尘坌堆积，不中与宋元人作奴，何况三唐。漫士既以诗遇，出山之后，遂无片什可传，所谓'不复能歌渭城'者乎？余于漫士诗，仅录《啸台集》者以此。"《静志居诗话》卷三《高棅》："廷礼拟唐，如薛稷、钟绍京之双钩，终下真迹一等。五古若'长空一飞雁，落日千里至'，'夜色不映水，微风忽吹裳'，'衔杯双树间，百里见海色'，'飞雨一峰来，微云度疏竹'，不失唐人遗韵。"《明诗别裁集》卷三《高棅》："典籍诗以五言古为胜，俞汝成盛推歌行，非笃论也。至拟唐诸作，初无君形者存。"

七月

萧仪卒，年四十。《明史》夏原吉传："十八年，北京宫室成，使原吉南召太子、太孙。既还，原吉言：'连岁营建，今告成。宜抚流亡，蠲逋负，以宽民力。'明年，三殿灾，原吉复申前请。亟命所司行之。初以殿灾诏求直言，群臣多言都北京非便。帝怒，杀主事萧仪，曰：'方迁都时，与大臣密议，久而后定，非轻举也。'"谢铎《萧仪传》："辛丑夏，有灾事。诏求真言，德容应诏曰：'处夷狄，息营造，苏民困，远小人。'或有止之者，德容毅然曰：'食君之禄，当输忠殉国，若避害为身图，非君子也。'激刺权臣太甚，遂下狱。三载，遘疾不起，遗书妻子，惟终养祖母，别无所云。所为诗文《袜线集》二十卷，《南行纪咏》二卷，门人录而传之。享年四十而已。呜呼！乃次第其事以为传。……赐进士、正奉大夫、正治卿、浙江布政司右布政使致仕同邑谢铎拜书。"陈艮《萧仪墓志铭》："大明永乐二十一年七月十九日，承直郎、吏部文选清吏司主事萧仪德容，卒于金台狱中，其侄收遗骸归。"《明史》成祖本纪："夏四月庚子，奉天、华盖、谨身三殿灾，诏群臣直陈阙失。以言迁都不便，杀主事萧仪。"

成祖复亲征阿鲁台。《明史》成祖本纪："秋七月戊戌（二十日），复亲征阿鲁台。……辛丑，皇太子监国。壬寅，发京师。……九月戊子，次西阳河。癸巳，闻阿鲁台为瓦剌所败，部落溃散，遂驻师不进。……庚午，班师。"

李时勉出狱。《明太宗文皇帝实录卷》二六一"永乐二十一年秋七月庚子（二十二日）"："释李时勉，复翰林院侍读。"《明史》李时勉传："岁余得释，杨荣荐复职。"

十一月

初七，成祖回至京师。

十二月

柯潜（1424—1473）**生。**字孟时，莆田人。景泰辛未赐进士第一，授翰林修撰，历右春坊右中允、洗马，迁尚宝少卿，升詹事府少詹事，兼翰林学士，有《竹岩集》。吴希贤《中顺大夫詹事府少詹事兼翰林院学士竹岩柯公行状》："公生有异质。周岁，家人示睟盘，一无所顾，惟取书展玩久之，若有所悟者。祖父异之曰：'是儿必以文章大吾门。'十岁就外傅，喜赋诗。十五能为举子文。……其生永乐癸卯十二月初六日。"

闰十二月

凌云翰《柘轩集》编成。夏节《柘轩集行述》："予幼从存斋瞿公，得侍先生几杖，见其谈笑议论，虽古今传记、稗官小说、卜筮阴阳杂家，一切诸书，莫不历览记诵。今先生已殁四十年，旧稿再经兵燹，所存者十不一二。其孙文显能不坠其业，命子昱为邑庠弟子员，数过从予，间至其家报谢。与文显昆仲谈往昔，因出所存稿，盖辑于癸亥之岁者。其间涂注点窜，不可尽识。归至夹城别业，时平地积雪数尺，门无杂宾，推测文义，补缀残缺，其间不能无舛讹之憾。乃次第诗文为若干卷，命长子暹缮写成帙，俾藏于家，以传将来。呜呼！世固有以诗文名世，及其身后遗文旧稿托之门生故吏，期锓梓以传不朽之名，不幸厄于虫鼠、童孺、水火者甚多。孰得如先生有子若孙，使手泽不废，其仪刑謦欬，俨然如在，复加缮写，将垂不朽之誉。予也后生末学，于先生制作之工拙，不敢妄议。今因凌氏之请，姑书此于末简，候知者为之序。永乐二十年岁在壬寅，冬闰十二月望日，乡贡进士、同知寿春里生夏节拜手谨述。"王羽《柘轩集序》："羽比冠，叨廪府庠。先生适司训事。朔望谒先圣毕，会讲堂，侧闻众先生谈论。虽剧谈吐语，咸根理要，在先生折衷居多。今越去三十余寒暑，仰前贤之丰采与先生之道德，恍犹昨日。适先生孙宗载持《柘轩文集》见示，复求予言。呜呼，小子何能为役哉！喜先生之有后而遗稿幸托有传也。姑述其行业所自，际遇明时履历之略，系于后简，庶几观者有可考而得之。……宣德元年夏五月五日，中顺大夫、太常寺少卿后学王羽述。"

本年

曹安（1423—?）生。字以宁，号蓼庄，松江华亭人。正统九年举人，官安丘教谕。有《谰言长语》。《谰言长语》："宴集诗古今尤多。正统初，鸿胪杨善《东郭草亭宴集诗》一册，予时年十三四，独喜少师杨士奇一首，有杜意：'帝城南畔寻韦曲，浩荡风光三月中。衢路尘埃过雨净，园林草木竞春红。主人置酒兴非浅，众客题诗欢不穷。一杯一曲日西下，莫待银蟾生海东。'"

公元 1424 年（永乐二十二年 甲辰）

正月

议决征阿鲁台。《明史》成祖本纪："二十二年春，正月甲申（初七），阿鲁台犯大同、开平，诏群臣议北征，敕边将整兵俟命。"

三月

成祖亲征阿鲁台。《明史》成祖本纪："三月戊寅（初二），大阅，谕诸将亲征。……夏四月戊申，皇太子监国。己酉，发京师。"

初三，赐邢宽等进士及第、出身有差。

七月

以旋师告天下。《明史》成祖本纪:"秋七月庚辰(十五日),勒石于清水源之崖。戊子,遣吕震以旋师谕太子,诏告天下。"

成祖朱棣卒,年六十五。《明史》成祖本纪:"庚寅,至榆木川,大渐。遗诏传位皇太子,丧礼一如高皇帝遗制。辛卯(十八日),崩,年六十有五。太监马云密与大学士杨荣、金幼孜谋,以六军在外,秘不发丧,熔锡为椑以敛,载以龙轝,所至朝夕上膳如常仪。壬辰,杨荣偕御马监少监海寿驰讣皇太子。壬寅,次武平镇,郑亨步军来会。八月甲辰,杨荣等至京师,皇太子即日遣太孙奉迎于开平。……文皇少长习兵,据幽燕形胜之地,乘建文孱弱,长驱内向,奄有四海。即位以后,躬行节俭,水旱朝告夕振,无有壅蔽。知人善任,表里洞达,雄武之略,同符高祖。六师屡出,漠北尘清。至其季年,威德遐被,四方宾服,明命而入贡者殆三十国。幅员之广,远迈汉、唐。成功骏烈,卓乎盛矣。然而革除之际,倒行逆施,惭德亦曷可掩哉!"《列朝诗集小传》乾集上《太宗文皇帝》:"上靖难犁庭,神武丕烈,戎马之余,铺张文治,敕修《经书大全》及《永乐大典》,昭代文章,度越唐宋。御制集藏弆天府,不传人间。恭录御赐荣公二诗,以见神龙之片甲云。"《静志居诗话》卷一《成祖文皇帝》:"长陵称兵靖难,践位之后,加意人文,成均视学有碑,阙里褒崇有述。以及姑苏宝山之石、武当太岳之宫,靡不亲制宸章,勒之丰碣。而又《五经四书性理大全》有书,《圣学心法》有书,《大典》有书,《文华宝鉴》有书,《为善阴骘》有书,《孝顺事实》有书,《务本之训》有书,不独纪之以事,抑且系之以诗。至于过兖州,则赐鲁藩;于吴,则寿荣国。交阯明经甘润祖等一十一人,庶常吉士曾棨等二十八宿,咸承宠渥。三勒石于幕南之廷,四建碑于海外之国,此谥法之所以定为'文'欤?由是文子文孙,复加继述。内阁则有三杨,翰林则有四王,尚书则东王西王,祭酒则南陈北李,观灯侍宴,拜手赓歌,呜呼,盛矣!"《明诗综》卷一《成祖文皇帝》存诗一首:《勃泥长宁镇国山诗》。

八月

释杨溥于狱。《明名臣琬琰续录》卷一《少保文定杨公言行录》:"先生在狱中十余年,家人供食数绝粮,又上命莫测,日与死为邻。愈励志读书不辍。同难者止之曰:'势已如此,读书何为?'曰:'朝闻道,夕死可也!'五经诸子读之数回,已而得释。晚年遭遇为阁老大儒,朝廷大制作多出其手,实有赖于狱中之功。盖天玉成之如此。"

释黄淮于狱。《明史》黄淮传:"十一年再北巡,仍留守。明年,帝征瓦剌还,太子遣使迎稍缓,帝重入高煦潜,悉征东宫官属下诏狱,淮及杨溥、金问皆坐系十年。仁宗即位,复官。"陆釴《病逸漫记》:"仁宗在东宫时监国,为汉府所潜。盖太宗初有易储之意,而高煦实觊觎之故也。于是,使给事中胡濙往伺察仁宗,令书其不轨事以闻。时梁潜、黄淮、杨士奇等皆东宫官,善于保护,教太子守礼法,而濙亦不敢曲意上承。回朝但言皇太子敬天孝亲,上意稍解。后终见谗,乃征诸东宫官,悉下狱。士奇引咎得免,黄淮等系狱十年。潜语家人云:'此长麻线也,不足岁虑。'后竟被害。"

释夏原吉于狱。《明史》夏原吉传："还至榆木川，帝不豫，顾左右曰：'夏原吉爱我。'崩闻至之三日，太子走系所，呼原吉，哭而告之。原吉伏地哭，不能起。太子令出狱，与议丧礼，复问赦诏所宜。对以振饥，省赋役，罢西洋取宝船及云南、交阯采办诸道金银课。悉从之。"

十五日，皇太子朱高炽即位，诏以明年为洪熙元年。

复置三公及三孤馆。《明通鉴》卷一八："初，洪武置三公官，以李善长为太师，徐达为太傅，三孤无兼领者。建文、永乐间，罢公、孤官。至是（十七日）复设，以公、侯、伯、尚书兼之。"

金幼孜、黄淮、"三杨"晋级。《明仁宗昭皇帝实录》卷二"永乐二十二年八月己未（十七日）"："升文渊阁大学士兼翰林院学士杨荣为太常寺卿，金幼孜为户部右侍郎，俱仍兼前职。左春坊大学士杨士奇为礼部左侍郎兼华盖大学士。升前右春坊大学士兼翰林院侍读黄淮为通政使司通政使兼武英殿大学士。荣、幼孜、士奇、淮，俱掌内制，不预所升职务。升前司经局洗马兼翰林院编修杨溥为翰林院学士。"

杨士奇奏减枣赋。《圣谕录》卷中："永乐二十二年八月十七日，臣士奇新改华盖殿大学士，谢恩毕，闻析薪司奏准循岁例，赋北京山东枣八十万，宫禁香炭之用。士奇入将奏之时，蹇义、夏原吉奏事未退，上望见士奇，笑谓蹇、夏曰：'新华盖学士来奏事，必有理，试共听之。'臣言：'诏下裁两日，今闻析薪司传旨赋枣八十万，得无过多？虽是岁例，然诏书所减除者皆岁例。'上喜曰：'吾固知学士言有理。吾数日来宫中事丛脞，此是急遽中答之，不暇致审。'即命减除四十万。又顾蹇、夏及士奇曰：'汝三人，吾所倚非轻，但有事须尽言，庶几以辅吾不逮。'"

夏原吉上疏乞归，不允。《明史》夏原吉传："仁宗即位，复其官。方原吉在狱，有母丧，至是乞归终制。帝曰：'卿老臣，当与朕共济艰难。卿有丧，朕独无丧乎？'厚赐之，令家人护丧，驰传归葬，有司治丧事。原吉不敢复言。"

诏文臣年七十者致仕。《明仁宗昭皇帝实录》卷二"永乐二十二年八月己巳（二十七日）"："少保兼吏部尚书蹇义等奏，'文官有年七十者，请遵洪武旧制，令致仕还乡。如其人鄙猥阘茸，或有疾，而年未及七十者，请罢免为民。'上曰：'然。'著为令。"

诏归解缙妻儿宗族。《明史》解缙传："仁宗即位，出缙所疏示杨士奇曰：'人言缙狂，观所论列，皆有定见，不狂也。'诏归缙妻子宗族。"

九月

黄淮《省愆集》成。黄淮《省愆集序》："惟我太宗文皇帝莅阼之初，诞兴文治，规致太平，慎简儒臣，设内阁以处之，俾职论思，典内外制，参预机要，而臣淮猥以未学忝与列焉。永乐己丑，车驾巡狩北京，今上皇帝居春宫尽国，臣淮偕二三辅臣承朝命，俾侍左右。癸巳再巡狩，亦如之。受命兢惕，不遑夙夜，誓竭驽钝，图惟报称，然而质素愚戆，以故处事乖方，有不副上意旨者。明年秋，逮诣北京，自分当被显辟，乃复蒙恩矜恤，但置之狱，俾自省过，一何幸也！在狱逾十年，惩艾之余，他无所事，凡触于目而感于心者，一皆形于诗。甲辰秋，伏遇今上皇帝即位，覃恩肆赦，臣淮获全喘息，复从诸大夫后，退食之暇，绸绎腹稿，得诗赋词曲合若干篇，汇次成帙，名之曰《省愆集》，志不忘也。呜呼！先儒论诗，以为穷而后工，近古以来若李白、杜甫、柳子厚、刘禹锡诸名公，其述作皆盛于困顿郁抑之余，至今脍炙人口。淮也才不逮古人，处困日久，而囹圄禁且严，目不睹编简，手不亲笔札，口不接宾客之谈，旧学日益耗落，气愈昏而趣愈卑，志愈穷而辞愈拙，深可愧也！然而篇什所载，或追想平昔见闻，以铺张朝廷盛美，或怀恩恋阙，以致愿报之私，或顾望咨嗟，以兴庭闱之念，至于逢时遇景、遣兴怡神，一皆出于至情，盖亦不可废也，是用藏之巾笥，以贻子孙，俾览者知予处困之大略，工拙云乎哉？是年九月朔日，介庵居士黄淮序。"

杨士奇、杨荣、蹇义、金幼孜获银章之赐。《明通鉴》卷一八："上既设公、孤官，乃进蹇义少傅，杨士奇少保，又进杨荣太子少傅兼谨身殿大学士，金幼孜太子少保兼武英殿大学士。增设谨身殿大学士，自荣始为之。戊戌（二十六日），赐义等四人银章各一，曰'绳愆纠缪'，谕以'协心赞务，凡有阙失宜言者，用印密封以闻'。"

十一月

诏宥建文诸臣家属罪。《明仁宗昭皇帝实录》卷七"永乐二十二年十一月壬申朔"："御札付礼部尚书吕震曰：建文中奸臣，其正犯已悉受显戮，家属初发教坊司、锦衣卫、浣衣局并习匠及功臣家为奴今有存者，既经大赦，可宥为民，给还田土。凡前为言事失当谪充军者，亦宥为民。"《明通鉴》卷一八："上谓诸臣曰：'建文诸臣，已蒙显戮。然方孝孺辈，皆忠臣也。'越日，遂有是命。"

夏原吉入三孤衔。《明通鉴》卷一八："丙戌（十五日），进蹇义少师，杨士奇少傅。夏原吉以太子少傅进少保，亦赐'绳愆纠缪'印章。"

十二月

宥建文诸臣外亲全家戍边者，留一人戍，余悉放还。《明仁宗昭皇帝实录》卷八"永乐二十二年十二月癸卯（初二）"："上闻建文奸臣齐、黄等外亲全调戍边者，有田在乡悉荒废。令兵部：每家存一丁于戍所，余放归为民。"

杨荣进为工部尚书。《明仁宗昭皇帝实录》卷九"永乐二十二年十二月甲寅（十三日）"："加太子少傅兼谨身殿大学士杨荣工部尚书。敕曰：'兹为胡虏梗化累犯边强，我皇考太宗文皇帝为宗社子孙天下臣民长久之计，不得已躬擐甲胄，率六部往行天讨。岂期丑虏畏威远遁，班师之日，不幸中道皇考上宾。六军在外，朕又远违膝下，及其崩殂，儿孙亦莫能知。惟卿尽忠为国，报先帝皇恩德，独为果断，至有今日家国宁谧，宗社奠安。今辰奏告，忽思至此，实感不已。卿当重赉。曩者哀悼怆惶之际，报卿甚微。今追前愆，加赐卿白金五十两、彩弊表里各十、宝钞二万贯、白米工十石。特升卿为工部尚书，前官如故，三俸俱支全支。尚书本色，卿当领服，以慰朕怀。'"

文渊阁职尊崇。《明通鉴》卷一八："初，解缙等入文渊阁，皆编、检、讲、读之官，不得专制诸司，诸司奏事亦不得相关白。上践阼以来，士奇、荣等皆东宫旧臣，俱掌内制，不次超迁。然居内阁者，必以尚书为尊。自荣后，诸入文渊阁者皆相继晋尚书，于是阁职渐崇。"

本年

丁鹤年卒，年九十。《明史》丁鹤年传："鹤年自以家世仕元，不忘故国，顺帝北遁后，饮泣赋诗，情词凄恻。晚学浮屠法，庐居父墓，以永乐中卒。鹤年好学洽闻，精诗律，楚昭、庄二王咸礼敬之。正统中，宪王刻其遗文行世。"四库提要卷一六八："其诗本名《海巢集》，此本题《丁鹤年先生集》，不知何人所编。末附有鹤年长兄浙东佥事都元帅吉雅摩迪音诗九首，次兄翰林应奉阿里沙诗三首，又鹤年表兄樊川吴维善诗五首；亦不知何人所续入也。鹤年既绝意于功名，惟覃思吟咏，故所得颇深，尤长于五、七言近体，往往沉郁顿挫，逼近古人，无元季纤靡之习。至顺帝北狩以后，兴亡之感一托于诗，悱恻缠绵，眷眷然不忘故国。瞿宗吉《归田诗话》所称'行踪不异枭东徙，心事惟随雁北飞'句，及《逃禅室与苏生话旧》一篇，可以知其素志。宗吉又称其《梧竹轩》诗，谓其时作者已满卷，此诗一出，皆为敛衽。今考其诗，中二联堆砌无味，徒以起二句用凤凰事，以栖梧桐、食竹实关合，末二句用蔡邕事，以焦尾桐、柯亭竹关合，颇为工巧耳；以是求鹤年之诗，失之远矣。"

公元 1425 年（洪熙元年　乙巳）

正月

建弘文阁，杨溥掌阁事。《殿阁词林记》卷一《武英殿大学士杨溥》："洪熙元年正月己卯（初八），建弘文阁于思善门之左，命溥掌阁事。选侍讲王进侍直，改儒士陈继为博士，学录杨敬为编修，训导何澄为给事中。俱轮班奏对。上亲握阁印授溥曰：'朕用卿等于左右，非止助益学问，亦欲广知民事，为理道助。卿等有所建白，即用封识以进。'"《殿阁词林记》卷九《弘文》："洪武三年四月庚辰，置弘文馆，设学士一员及校书郎等官。九年闰九月，定官制，遂罢之。居是职者，刘基、詹同、罗复仁、胡镃也。仁宗即位，建弘文阁于思善门外，盖法国初遗意。永乐二十二年八月，命本院学士杨溥掌之，与侍讲王进时承顾问，讨论经籍。又擢编修杨敬、给事中何澄俾预焉。又起用检讨陈继。凡在阁者五人。驾尝临幸，讲论经史不倦。洪熙元年闰七月，溥等奏纳弘文阁印，各还原任。储闱可之，仍命溥与杨士奇等同治内阁事。"

陈继入弘文阁。《明史》陈继传："仁宗即位，开弘文阁。帝临幸，问：'今山林亦有名士乎？'杨士奇初不识继。夏原吉治水苏、松，得其文，归以示士奇，士奇心识之。及帝问，遂以继对。召为国子博士，寻改翰林五经博士，直弘文阁。"《东里续集》卷九《送陈嗣初诗序》："仁宗皇帝初御天下，顾问少保臣士奇曰：'东南文献邦，尚有老于文学而潜未用者乎？'士奇顿首言：'臣愚不足以知。盖闻苏有陈继焉。'即日遣使者驰驿征之。初至，授国子博士，以为四方学者之资。既而上欲自资，改翰林五经博士。时初建弘文阁，召置阁中。得恒侍燕闲效裨，益加亲密焉。"

夏原吉加荣禄大夫。明仁宗《钦赐敕文》："洪熙元年正月十一日，奉天承运，皇帝制曰：朕祗绍鸿图，懋兴至治，永言翊赞，眷在老成。矧傅元良，必简于忠贤；总邦赋，必资于惇实。兼是三职，属我旧人。咨尔太子少傅、户部尚书夏原吉，和厚坦亮，雍容详雅，事我祖考三十余年，勤慎靖共，久而不懈，秉德执义，夷险一心。惇爱民之志，达为国之经，温然君子之风，蔼然众臣之表，今特命尔为荣禄大夫、少保兼太子少傅、户部尚书。惟予急治之时，尤切倚毗之意，勿虑崇高而难入，勿以有所从违而或怠。《书》曰'予违汝弼'，汝惟钦哉！若辅太子必以德，厚民生必以仁，维时显庸，皆原先帝之意。懋尔令绩，庶副治平之期。汝惟懋哉！"

追赠王汝玉。《明仁宗皇帝实录》卷十"洪熙元年春正月己亥（二十八日）"："赠故左春坊赞善兼翰林院编修王汝玉为太子宾客，谥文靖，遣官祭。汝玉，长洲县人，自翰林院五经博士进右春坊右赞善兼翰林院检讨，坐事谪戍边。时上在东宫，特宥之，命为翰林院典籍。后复右春坊右赞善，升兼翰林院编修。坐累下狱死。汝玉少从杨廉夫、鲁道原治《春秋》，未尝举乡贡。文章笔札清粹典则。然为人附势近利，在春坊多所干请，上尝厌之。至是，念其文学启益之功，故恩意加厚云。"《馆阁漫录》卷一："初，缙之下狱也，狱吏拷治，索所与同谋，缙不胜箠楚，书大理寺丞汤宗、宗人府经历高得旸、礼部郎中李至刚、右春坊右中允兼修撰李贯、赞善兼编修王汝玉、编修朱纮、检讨蒋骥、潘畿、萧引高等塞责，皆下狱。后得旸、贯、汝玉、纮、引高相继死狱中。贯，甲科进士，为翰林修撰兼中允，负清介之操，其死也，士类惜之。"正德《姑苏志》卷五二《人物十》："汝玉颖敏强记，年十七，中浙江乡试，洪武末以荐摄郡学，授应天府学训导，擢翰林五经博士。永乐初，进检讨，再进春坊赞善，预修《永乐大典》。仁庙在东宫，特深眷注。尝与学士解缙应制撰《神龟赋》，汝玉第一，名大振。然忌者众，竟以他事下狱死。洪熙初，追赠太子宾客，谥文靖，遣官祭于其家。汝玉为文兼古今体制，而赋尤赡丽。诗语俊永，得唐人风格，举笔数千言，顷刻立就。所著有《青城山人集》。"魏骥《青城山人集序》："余弱冠时，已闻青城王先生刻厉于诗之名矣。及游京师，获拜先生于给事中天台蒋君所，辱先生不以后生待余，而与之进。顷之，蒋君以《送宋侍书归金华》诗求于先生，先生即伸卷濡墨，题曰：'少小离乡国，归时及壮年。三巴百指住，万里一家全。青琐荣新秩，金华复旧田。圣恩何以报，晚节保贞坚。'题竟，即掷笔而去。予时异先生于诗不涉构思，才之敏、句之新也，有如此而不负昔之所闻也矣。……若先生者，自少负聪明特达之资，才清趣洁，宜其平日之诗之文，辄与海内作者齐驱而并驾，间有或之而先者也。若兹集不沦虚寂，不流靡漫，洋洋乎渢渢乎，缘情指事，驾苏、李而凌元、白，其慨而不激，直而不肆，殊得诗人温柔敦厚之旨，诚不负为一代之名家也。"《静志居诗话》卷六《王汝玉》："翰林四王并称，而汝玉弟琏汝器、琏汝嘉，一门又有三焉。其诗不费冥索，斤斤唐人之调。吴人徐用理集永乐后诗家三百三十人，以汝玉压卷焉。"《青城山人集》卷首提要："朱彝尊《静志居诗话》称其诗'不费冥索，斤斤唐人之调。吴人徐用理集永乐后诗家三百三十人，以璲压卷'。今观其诗音节色泽皆力摹古格，颇近于高棅、林鸿一派，诚有拟议而不能变化之嫌。然当元之季，诗格靡丽，往往体近填词。璲能毅然以六代三唐为模楷，亦卓然特立之士，又不得以后来王、李之流弊，预绳明初人矣。"

张弼（1425—1487）生。字汝弼，松江华亭人。成化丙戌进士，授兵部主事，转员外，出知南安府。有《张东海先生诗集》四卷、《东海先生文集》五卷。《震泽集》

卷二六《中议大夫江西知南安府张公墓表》："读书不治章句，独慕古奇节伟行，慨然思与之齐。视世之龊龊，无足动其意，而世亦莫之用也。其瑰奇卓荦之气无所泄，则时发之于文，发之于诗，发之于草书。而发之事业，殆不能十之一二，而亦足以名世矣。公少为弟子员，已博览无不观。"

二月

王绂遗稿《王舍人诗集》将付梓，其子求序于王琎。王琎《王舍人诗集序》："其子默裒辑遗稿，得诗若干首，汇次成帙，题曰《友石先生诗集》。将寿诸梓，求余序之。余自弱冠，与孟端交处，虽中更契阔，后复同仕朝著，情好尤深。今孟端不可复作，有子表章其所著述以传于久远，可谓能继志者矣。兹承其请，宁可以芜陋辞？余闻诗以理性情，贵乎温厚和平，固不以葩藻富丽为尚也。今观集中长篇短章，舂容尔雅，无斧凿痕，而理趣兼至，盖其心志坦夷，故词语浑成而不假于雕琢也。然非学识之超迈，曷能臻于此哉？孟端名绂，友石盖其别号云。洪熙元年龙集乙巳，仲春朔日，翰林院侍讲、承直郎吴门王琎汝嘉书。"都穆《南濠诗话》："王孟端舍人作诗清丽。尝有人作客京师，乃别娶归，孟端作诗寄之云：'新花枝胜旧花枝，从此无心念别离。可信秦淮今夜月，有人相对数归期？'其人得诗感泣，不日遂归。"《王舍人诗集》卷首提要："《王舍人诗集》五卷，明王绂撰。绂字孟端，无锡人，别号友石生，又曰九龙山人。洪武中征至京师，寻坐累戍朔州。永乐初，用荐以善书供事文渊阁。久之，除中书舍人。卒于官。事迹具《明史·文苑传》。集为其子默所编，又名《友石山房稿》。前有曾棨、王琎序，后附章昞如、胡广等所作行状、墓表。绂博学，工书画，所作山水竹石，风韵潇洒，妙绝一时，说者谓可继其乡倪瓒。其诗虽结体稍弱，而清雅有余。盖其神思本清故。虽长篇短什，随意濡染，不尽计其工拙，而摆落尘氛，自然合度。周亮工《书影》曰：'王绂诗画双美。近见其诗集百余篇，声律不在高、杨、张、徐之亚。如"旧业暂归翻似客，异乡重到即为家"，"通仙要得悬壶术，遗世聊存荷锸风"，"草色池塘看细雨，杏花帘幕动轻寒"，"邻家酒熟邀春社，钓艇鱼来助晓餐"，"鸟从万木阴中响，人在乱山深处行"，皆对偶精工，意新而调逸。绝句《题静乐轩》云："前溪冰泮绿生波，好雨催花向晚过。宿酒未醒眠未起，半窗红日鸟声多。""竹几藤床小砚屏，熏风帘幕篆烟青。闲斋几日黄梅雨，添得芭蕉绿满庭。""秋声早已到梧桐，露气凉生湛碧空。独倚阑干待明月，紫箫吹散玉樨风。""斗帐藏春日醉眠，静中惟与懒相便。寻常甲子无心记，看得梅花又一年。"又《画竹寄友》云："我昔寻君扣竹扉，醉中曾写竹间诗。别来几度空相忆，多在青灯听雨时。"不独笔墨工竹石而已。此孟端之画所以贵重于后世也。'盖其集传本颇稀，故亮工录其佳句存之。其品题颇允。至都穆《南濠诗话》，独称寄别娶妇者一绝，则伧父面目，不足以见绂之长矣。"

命中官郑和领下番官军守备南京。《明通鉴》卷一八："和使旧港，以去年还，而文皇已晏驾，至是（初八）命之。"

胡俨致仕。《明仁宗皇帝实录》卷一一"洪熙元年二月戊午（十八日）"："升国子祭酒兼翰林院侍讲胡俨为太子宾客，仍兼祭酒致事。赐敕谕曰：'卿以文学事我太宗皇帝，首居翰林，继升谕德，辅朕春宫。……朕嗣位以来，笃念旧人，而卿以疾不见者数年。昨因命卿侍皇太子讲读，乃闻卿疾日增，弗任厥劳。朕用悯然，特进卿为太子宾客，仍兼祭酒，致其事还乡。已敕户部，免卿子孙杂泛差役，令侍卿终身。卿其端志垣怀，以率乡里，优游桑梓，以乐余年，用副朕始终礼待之意。钦哉。'"《明通鉴》卷一八："俨以桐城知县为副都御史练子宁所荐，谓其'学达天人，足资帷幄'，建文帝召之。比至，燕师渡江，文皇即位，以解缙荐，授翰林检讨，同直文渊阁。已而有忌之者，谓俨学行堪师表，遂改祭酒。俨居国学二十余年，以身率教，动有师法。至是乞休，上赐敕奖劳，进太子宾客，仍兼祭酒，遣归，并复其家。"

三月

杨士奇丧妻。《东里文集》卷二一《故妻夫人严氏墓志铭》："夫人严氏，讳琇。年廿有三归余，余时甚贫。……余侍从赴北京，夫人挈其男女归乡里。归四年得疾，岁余卒，洪熙改元三月十三日也，距其生洪武戊午之岁，四十有八年。呜呼，惜哉！夫人早丧父，未尝学问，而天资温静明淑，所为往往近道。自用以俭，处族姻以忍为和，敬长慈幼，咸当其分。男女非己出者，恩爱均一，人莫知其非己出也。而助益余尤多。余或有过举，必曰：'君常教人以无为是也。'或公退不怿，曰：'事求无愧耳。成败祸福听之命，何用不泰然哉！'间与客论辩，夫人自内闻之。客退，谓余：'君面折人侃侃不少让，此为盛德耶？且人之乐闻过者寡矣，不见某某，其于今何如也？'随事相规类此。呜呼，岂谓遽丧吾贤妻哉！"《东里文集》卷二三《亡妻严夫人遗像赞》："处余之贫，泰焉以欣。从余而贵，不改俭勤。盖布裳提汲，无怍乎鲍宣之妇；男女效绩，有闻于文伯之母。规过不及，辅我中道，曷不永年，于我偕老？噫！"

春

金幼孜归省。《东里文集》卷六《送礼部尚书兼大学士金公归省诗序》："洪熙初元，岁事肇新，春阳布和，万汇咸豊。天子御明堂，敷仁泽，罩被天下。载念臣工久勤职务，未遑于私，有诏：亲在者归省，否亦归展桑梓，咸有锡赍，视其秩而等差焉。于是太子少保、礼部尚书兼武英殿大学士临江金公幼孜，其太夫人春秋八十，首奉命以行。词林诸君子相率赋诗，歌咏圣天子之大德，及太夫人之盛福，以为公赠，而谓士奇为之序。"《文敏集》卷二《送太子少保金公归省》："宣公议常奏，宗伯礼攸司。不忘忠国志，还切倚门思。圣朝崇孝理，推恩诚匪私，锡号太夫人，归省当此时。……伊我竟无似，椿萱久已摧。因君念罔极，茫然心独悲。临分无以赠，感叹伸此辞。"

谢缙送别盛寅。《兰庭集》卷上《客金陵送盛寅还吴》："宫柳笼阴半已青，俄闻归棹发金陵。秦淮雪尽春潮长，楚甸云开晓日升。先我还家缘客久，如君多艺更谁能？莫辞同醉长干酒，明日相思恨不胜。"《明史》盛寅传："盛寅，字启东，吴江人。受业于郡人王宾。初，宾与金华戴原礼游，冀得其医术。原礼笑曰：'吾固无所吝，君独不能少屈乎？'宾谢曰：'吾老矣，不能复居弟子列。'他日伺原礼出，窃发其书以去，遂得其传。将死，无子，以授寅。寅既得原礼之学，复讨究《内经》以下诸方书，医大有名。永乐初，为医学正科。坐累，输作天寿山。列侯监工者，见而奇之，令主书算。先是有中使督花鸟于江南，主寅舍，病胀，寅愈之。适遇诸途，惊曰：'盛先生固无恙耶！予所事太监，正苦胀，盍与我视之。'既视，投以药立愈。会成祖较射西苑，太监往侍。成祖遥望见，愕然曰：'谓汝死矣，安得生？'太监具以告，因盛称寅，即召入便殿，令诊脉。寅奏，上脉有风湿病，帝大然之，进药果效，遂授御医。…… 寅与袁忠彻素为东宫所恶，既愈妃疾，而怒犹未解，惧甚。忠彻晓相术，知仁宗寿不永，密告寅，寅犹畏祸。及仁宗嗣位，求出为南京太医院。宣宗立，召还。"《吴都文粹续集》卷二《城池人物》："谢孔昭讳晋，号兰庭生，一号深翠道人。晚年遂称葵丘翁。与金耻庵、陈怡庵同里闬，为髫年交。善诗，有唐人格律。作画，初师王蒙、赵原，既精诣，则益以烂熳，千岩万壑，愈出愈奇。奋袂挥毫，无所凝滞，寻丈之轴，不日而成。其画遂名世。性乐，易与人交，人人得其欢心。稠人广坐，谈诗论文之余，变为谑浪，满座为之绝倒。所著有《兰庭集》二十卷行世。"《列朝诗集小传》乙集《谢葵丘晋》："晋字孔昭，吴县人。号葵丘。工画山水，重叠烂熳，寻丈之间，不日而就。尝自戏为谢叠山，吴原博诗云：'风流前辈杳难扳，谑语空传谢叠山。'为此也。性耿介，里人疾之。以绘工起贡京师，侨居金陵廿余年，以目眚放归。亦能诗，有《兰亭集》。"《静志居诗话》卷六《谢缙》："孔昭画入能品，予尝见其山水真迹，华亭董尚书称为胜国名流。然其诗集刊于永乐中，汝南周传、浚仪张肯序之，卷末有《送盛启东还吴》诗，并写《云阳早行图》以赠，题云'永乐丁酉十月'。徐用理选其诗入《湖海耆英集》，不得谓之元人矣。"《明诗综》卷二二《谢缙》存诗五首：《修竹坞访萧隐士》《春思》《寄王廷桂》《寒食村中》《漫兴》。《明诗纪事》乙签卷六《谢缙》陈田按："孔昭画流传甚少。诗特蕴藉，在宋人中似陆游一派。"

四月

赐蹇义、杨士奇"忠贞"印。《明史》蹇义传："已，复赐玺书曰：'曩朕监国，卿以先朝旧臣，日侍左右。两京肇建，政务方殷，卿劳心焦思，不恤身家，二十余年，夷险一节。朕承大统，赞襄治理，不懈益恭。朕笃念不忘，兹以己意，创制蹇忠贞印赐卿，俾藏于家，传之后世，知朕君臣共济艰难，相与有成也。'时惟杨士奇亦得赐'贞一印'及敕。"《明史》杨士奇传："是年四月，帝赐士奇玺书曰：'往者朕膺监国之命，卿侍左右，同心合德，徇国忘身，屡历艰虞，曾不易志。及朕嗣位以来，嘉谟入告，期予于治，正固不二，简在朕心。兹创制杨贞一印赐卿，尚克交修，以成明良之誉。'"

五月

诏修《太宗实录》。《明仁宗皇帝实录》卷十"洪熙元年五月癸酉（初四）"："敕行在礼部、行在翰林院修太宗体天弘道高明广运圣武神功纯仁至孝文皇帝实录，曰：恭惟皇考太宗文皇帝以元圣大德，顺天应人，君临万邦，为臣民之主者二十有三年。

……上比隆于列圣，下宜范于万年。甫毕山陵，永怀继述。仰惟实录未有成书，卿等咸逮事先朝，职典斯事，往集贤俊，博稽简书，协恭纂修，务尽精恳，用宣昭我皇考盛德大业，华覆被于无穷。其以太师英国公张辅、少师兼吏部尚书蹇义、少保兼太子少傅户部尚书夏原吉为监修；少傅兵部尚书兼华盖殿大学士杨士奇、少保户部尚书兼武英殿大学士黄淮、太子少傅工部尚书兼谨身殿大学士杨荣、太子少保礼部尚书兼武英殿大学士金幼孜、太学寺卿兼翰林院学士杨溥为总裁。所有合行事宜，条列以闻。"

侍读李时勉以上疏获罪。《明史》仁宗本纪："五月己卯（初九），侍读李时勉、侍讲罗汝敬以言事改御史，寻下狱。"《明史》李时勉传："洪熙元年复上疏言事。仁宗怒甚，召至便殿，对不屈。命武士扑以金瓜，肋折者三，曳出几死。明日，改交阯道御史，命日虑一囚，言一事。章三上，乃下锦衣卫狱。时勉于锦衣千户某有恩，千户适莅狱，密召医，疗以海外血竭，得不死。"《野记》卷三："李先生在翰林时，一岁上元夜，朝廷结鳌山，一驺控先生马而行，中道拾一堕钗，以呈先生。视之，金也，怀之归。少酬驺以钱，大书揭于门。既而失钗妇往寻不获，仓皇闻人告以李翰林家有示帖，妇遽往。先生叩之，妇言：'夫为锦衣千户，勾当海外。妾昨出看鳌山，失去一金钗，尚存其一，可验也。'先生出验之，良是。即以归之，亦不问其姓氏。既久，千户还，妻述失钗事。夫言：'非李公，汝当忧思成疾，或且致绝。汝绝，吾亦不聊生。是二命所关也。亟往扣谢之。'因具仪物酬先生，先生悉却之。其人曰：'公不受不能强。此一匣药，乃海域所产，初非伤财所得，而幸罕贵。公幸受之。'先生问何物，曰：'血竭也。'乃受，付夫人言：'此为血竭，当识之。'既而先生被击，肋折，舁至锦衣，适此千户莅狱，惊曰：'此李翰林先生也，圣旨固未尝令死。'因密召良医师入视。医云：'可为，第须真血竭。'千户曰：'吾曩固尝贻公。'立命索之夫人，夫人取弁（辨）之。医治药，以板夹肋，附之。越一日夜，遂苏焉。"

仁宗朱高炽卒，年四十八。《明通鉴》卷一八："庚辰，上不豫，召蹇义、杨士奇、黄淮、杨荣至思善门，命士奇书敕，遣中官海寿驰召皇太子于南京。辛巳（十一日），大渐，遗诏传位皇太子。是日，帝崩于钦安殿，年四十八。"《艺苑卮言》卷五："仁宗皇帝在东宫时，独好欧阳氏之文，以故杨文贞宏契非浅。又喜王赞善汝玉诗。圣学最为渊博。"《明史》仁宗本纪："当靖难师起，仁宗以世子居守，全城济师。其后成祖乘舆，岁出北征，东宫监国，朝无废事，然中遭媒孽，濒于危疑者屡矣，而终以诚敬获全。善乎其告人曰'吾知尽子职而已，不知有谗人也'，是可为万世子臣之法矣。在位一载，用人行政，善不胜书。使天假之年，涵濡休养，德化之盛，岂不与文、景比隆哉。"《静志居诗话》卷一："献陵天禀纯明，雅志经术。……又尝与曾少詹棨赓和，如《江楼秋望》诗云：'蘋洲晴亦雪，枫岸昼常霞。'绝似唐太宗。设享年加永，则成功文章，巍焕何如焉？"《明诗综》存诗二首：《池亭纳凉》《冬至赐赞善徐好古》。

王英归省。《明文衡》卷六一《尚书王文安公传》："甲辰，上复亲征北部，还次榆木川晏驾。时仁宗皇帝在东宫，命尚书蹇义、夏原吉，学士杨荣、杨士奇，侍读王直与公同定丧礼，议国政，宿内阁凡七日。仁宗皇帝嗣位，加恩赐白金、彩段。八月，进秩侍讲学士，寻升右春坊大学士兼翰林侍讲学士。明年乞归省，赐钞二千缗，俾驰传而还。"

六月

十二日，皇太子朱瞻基即位，诏以明年为宣德元年。

七月

本月前，瞿佑丧妻。《归田诗话》卷上《一日归行》："荆公《一日归行》云：'贱贫奔走食与衣，百日奔走一日归。生平欢意苦未尽，正欲老大相因依。空房萧飒施缂帷，青灯半夜哭声稀。音容想像知何处，地下相逢果是非。'刘须溪云：'此悼亡作也，古无复悲如此者。'傅汝砺《忆内》云：'湘皋烟草碧纷纷，泪洒东风忆细君。浪说嫦娥能入月，虚疑神女解为云。花阴昼坐闲金剪，竹里春游冷翠裙。留得旧时残锦在，伤心不忍读回文。'真致虽不及，而凄惋过之。予自遭难，与内子阻隔十有八年。谪居山后，路远弗及迎取，不意遂成永别。《祭文》云：'花冠绣服，享荣华之日浅；荆钗布裙，守困厄之时多。忍死独居，尚图一见，叙久别之旧事，讲垂死之余欢。促膝以拥寒炉，齐眉以酌春酿。'盖祖荆公诗意也。及读汝砺诗，而益加悲恻焉。"

胡俨奔讣北京，途中作诗若干。《颐庵文选》卷上《北上倡和诗序》："洪熙元年春三月，俨以衰疾休致而归。既阅月，伏承宫车晏驾，遂奔讣北行。时江西按察佥事云间黄翰汝申考绩天官，于是同舟而往。汝申念余力疾远道，调护极至，朝夕殷勤，过于寻常师友之礼。余甚赖之。然感痛无聊之怀，当高秋摇落之际，江山景物触目惊心。舟中无事，辄有鄙述。汝申从而和之，清词秀句，实多起余者。顾余之寂寥衰飒，诚有愧于珠玉之璀璨，汝申不以余之虚薄见弃，而反以得与同舟为喜。故凡有作，登之简编，命曰《北上倡和诗》，且俾余序之。嗟乎！然明之遇叔向，执手于收器之间，伍椒之逢声子，倾盖于班荆之地。古人邂逅，一言契合，尚能输写。况余于汝申父子宿昔相亲，岂徒邂逅之情也哉？总诗若干篇，序以为之引，非敢传示于人，聊以笃斯文之好耳。"

闰七月

敕修《仁宗实录》。《明宣宗章皇帝实录》卷五"洪熙元年闰七月乙巳（初八）"："以纂修《仁宗昭皇帝实录》，敕礼部曰：朕惟皇考仁宗昭皇帝聪明睿智之圣，刚健中和之德，广大配天地，诚孝通神明，……自皇考仁宗昭皇帝留守南京，至嗣承天位，二十余年，圣德圣政。尔礼部悉恭依修皇祖《太宗文皇帝实录》事例，通行中外，辑采事实，送翰林院编纂《实录》。其以太师英国公张辅、太子太保成山侯王通、少师吏部尚书蹇义、少保兼太子少傅户部尚书夏原吉为监修，少傅兵部尚书兼华殿盖大学士杨士奇、少保户部尚书兼武英殿大学士黄淮、太子少傅工部尚书兼谨身殿大学士杨荣、太子少保礼部尚书兼武英殿大学士金幼孜、太常寺卿兼翰林院学士杨溥为总裁。夫述先朝之盛典，用垂宪于永世，所系甚重，勉罄厥诚。钦哉！"〔按，今人谢贵安《明实录研究》第四章第二节《〈太宗实录〉〈仁宗实录〉的并行修纂》云：仁宗虽有心为太宗修实录，但已力不从心。《太宗实录》修纂一个月后，这位继位才十个月的皇帝驾崩。于是，为太宗修实录的任务落到了宣宗身上。宣宗只好将《太宗实录》与《仁宗实录》一并修纂。宣宗继位后并未另组修纂《太宗实录》的班子，而是沿用了仁宗敕定的写作班子，故《宣宗实录》及其他史书未见有宣宗下诏修《太宗实录》的记载。修《仁宗实录》的纂修官，实际上是修《太宗实录》的原班人马。于是，在明宣宗时代，便第一次出现了一套写作班子同时修纂两朝《实录》的状况]

罢弘文阁，召杨溥入直文渊阁掌机务。《明宣宗章皇帝实录》卷六"洪熙元年闰七月乙丑（二十八日）"："行在太常寺卿兼翰林院学士杨溥奏：仁宗皇帝临御时，命臣与侍讲王进、编修杨敬、五经博士陈继、给事中何澄于思善门外弘文阁侍，讨论经籍。今当纳上弘文阁印，各还原任。上曰：'然。溥与杨士奇等同治内阁事，王进等四人各以原职隶翰林。'"

八月

瞿佑《归田诗话》成。瞿佑《归田诗话》自序："予久羁山后，心倦神疲，旧学荒芜，不复经理。每闲居默坐，追念少日笃于吟事，在乡里侍尊长，游湖山。及胜冠以来，结朋侪，入场屋。迨尸教席，登仕途，至履患难，谪塞垣。少而壮，壮而老，日迈月征，骎骎晚境，而呻吟占毕，犹不能辍。平日耳有所闻，目有所见，及简编之所纪载，师友之所谈论，尚历历胸臆间，十已忘其五六。诚恐久而并失之也，因笔录其有关于诗道者，得百有二十条，析为上中下三卷，目曰《归田诗话》。置几案间，时加披览，宛然如见长上而接师友，聆其训诲之勤，而受其劝勉之益也。不觉忻然而喜，喜极而悲，悲而掩卷堕泪者屡矣。……洪熙乙巳中秋日存斋瞿佑序。"四库提要卷一九七："《归田诗话》三卷，明瞿佑撰。佑永乐中以作诗事系狱，成保安，至洪熙乙巳始赦归。据所自序，援欧阳修《归田录》为例，则似成于放还后。而末一条叙塞垣事，称尚留滞于此，未得解脱，又似成所之语。殆创稿于保安，归乃成帙欤。……此书所见颇浅，其以'槌碎黄鹤楼'作李白语，以王建《望夫石》诗为陈克。讥张耒《中兴碑》'玉环妖血无人扫'句，谓杨妃缢死未尝溅血，是忘《哀江头》'血污游魂'句也。于考证亦疏。而犹及见杨维桢、丁鹤年诸人，故所记前辈遗文时有可采焉。"

冬

瞿佑回北京，入英国公府为塾师。瞿佑《乐全诗序》："向以洪熙乙巳冬，蒙太师英国张公奏请，自关外召还，即留居西府。"徐伯龄《蟫精俊》卷四《吕城怀古》："太师英国张公辅起以教读家塾。"

本年

始更定科举法。《圣谕录》卷中："元年五月，礼部引郡县岁贡生入奏，请如例翰林出题考试。上召士奇至奉天门，谕之曰：'监生之不可用，皆由翰林不严试所致。此弊已数十年，非一朝夕之故。今不可复循旧弊，必严试之。即其中皆下，惟得一人亦可。即皆无可取，亦不妨。但须得实才。'上又言：'科举弊亦须革。'臣士奇对曰：'科举须兼取南北士。'上曰：'北人学问远不逮南人。'对曰：'自古国家兼用南北士。长才大器多出北方，南人有文多浮。'上曰：'然将如何试之？'对曰：'试卷例缄其姓名，请今后于外书南北二字。如一科取百人，南取六十，北取四十，则南北人才皆入用矣。'上曰：'北士得进，则北方学士亦感发兴起。往年只缘北士无进用者，故怠惰成风。汝言良是。'往与蹇义、夏原吉及礼部计议，各处额数以闻，议定，未上，会宫车晏驾。宣宗皇帝嗣位，遂奏准行之。"

柯暹贬知永新。雍正《江西通志》卷六一《吉安府》："柯暹，字用晦，池州人。洪熙元年知永新州。讼牒盈庭，徐折以一二语，唯唯詟服。暇召诸生讲究经史，废修坠举，民不知劳。改吉水，治犹永新。"《东冈集》卷四《永新修学纪序》："余初来永新，见学宫废而隘，有志廓新。指画其规，更变故址殆尽。有见之者哂曰：'自国家修创至于今，六十余年。其间贤令丞簿相继不乏，然未有如所规，非无意斯文也。欲自为之，力不胜；欲假人为，民心难集耳。'余闻之郁郁，几弛厥志。户侯胡公敏谓：'永新之民，素尚义。悦以使，人则从。有开其先，必兴群作。敏当自效一力，以君所欲告之众。'明日，邑士萧可道请新大成殿，逾旬工材并集，不三月而成。"

童轩（1425—1498）生。字士昂，鄱阳人。以天官学入钦天监，家于南京。中景泰辛未进士，以吏科给事中抚川寇，谪知寿昌县。久之，以太常少卿掌钦天监，以右副都御史总制松江，历升吏部尚书致仕。有《清风亭稿》。《怀麓堂集》卷七八《明故资政大夫南京礼部尚书致仕赠太子少保童公神道碑铭》："本鄱阳巨族也。祖讳金友；考讳碧瑄，号玉壶，以号显。皆用公贵，累赠南京礼部尚书。玉壶在永乐初征为钦天监天文生，始居秦淮之西，为南京人，而公生焉。"《青溪漫稿》卷二三《明故资政大夫南京礼部尚书致仕赠太子少保童公墓志铭》："幼颖敏异常儿，读书过目成诵。玉壶（童轩父，号玉壶）乃召其仲子惠来继役，而一意教公，俾攻进士业。博学笃行，文誉日著。"

公元 1426 年（宣德元年　丙午）

正月

黄瑜（1426—1497）生。字廷美，香山人。景泰丙子举人，长乐知县。有《双槐岁钞》。黄佛颐《双槐公年谱》："先双槐公讳瑜，字廷美，号友琴。晚更号双槐老人，学者称双槐先生。在先相传为蜀汉将军忠之裔。……雍生元西台侍御宪昭，以直谏谪南海，逾岭卒。子从简，始子身入广，居南海西濠，是为始迁祖。以卫乡闾功，明太祖拜宣慰司副使。次子教，徙居叠滘，生温德，侨寓东莞。温德生源远公泗，即双槐公父，再徙居香山，遂为著籍。明宣宗宣德元年丙午正月六日，公生。母伍太孺人感赤马入室之祥，故命公小字马儿。"

三月

杨溥归省。《明名臣琬琰续录》卷一《少保文定杨公言行录》："宣德元年春三月既望，太常卿兼翰林学士杨公弘济被命归省其母太夫人于江陵，时不得见者十有八年矣。先是公由翰林编修为太子洗马，侍仁庙于春宫，丁先太常府君忧，诏夺起侍讲经筵。后屡欲归宁，而竟不果行。荐以迍晦，十年不得快适。太夫人年高，强食益壮，教诸孙综理家政，裕如也。公在羁远，念不得见母，中抱沉郁，食息几废，然闻其康强，冀他日必复得见，辄用自解。"

五月

诏修永乐、洪熙两朝实录。《明太宗文皇帝实录·进实录表》："宣德元年五月，敕修两朝实录，命臣辅、臣义、臣原吉监修，臣士奇、臣荣、臣幼孜、臣山、臣瑛、臣溥总裁，臣荥、臣英、臣直、臣述、臣时勉、臣习礼、臣学夔、臣循、臣从善、臣骥、臣衷、臣鹤龄、臣洪、臣永清、臣叙、臣日恭、臣敬、臣翰、臣雅、臣鸶、臣继、臣中、臣叔刚、臣文奎、臣节、臣锡、臣萼纂修。"〔按，由仁宗早崩，《太宗实录》未成，而《仁宗实录》之修踵至，前虽各有敕修，此则正式下诏，两朝实录同修〕

七月

始立内书堂。《明鉴》卷四《宣宗章皇帝》："秋七月，始立内书堂。洪武中设内官监典簿，掌文籍，以通书算小内使为之。又设尚宝监，掌玉宝图书，皆仅识字，不明其义。及永乐时，始令听选教官入内教习。至是，开书堂于内府，改刑部主事刘翀为翰林修撰，专授小内使书。其后大学士陈山、修撰朱祚，俱专是职。选内使年十岁上下者二三百人，读书其中，后增至四五百人。翰林官四人教习，以为常。于是内官始通文墨，掌章奏照阁票批朱，与外庭交结往来矣。"

八月

初一，汉王朱高煦反。

宣宗谕诸将亲征。《明通鉴》卷一九："初，议遣阳武侯薛禄往讨之。夜，召诸大臣入，屏左右密语。大学士杨荣首劝上亲征，曰：'彼谓陛下新立，必不自行。今出其不意，以天威临之，事无不济。'时英国公张辅在侍，奏曰：'高煦素懦。愿假臣兵二万，擒献阙下。'原吉曰：'独不见李景隆之事邪？臣昨见所遣将，命下即色变，退语臣等泣，临事可知。且兵贵神速，卷甲趋之，所谓先人有夺人之心。荣言是也。'议遂决。"

宣宗车驾发京师。《明通鉴》卷一九："辛未（初十），车驾发京师。命薛禄等率兵二万为先锋，少师蹇义、少傅杨士奇、少保夏原吉、太子少傅杨荣、太常卿杨溥扈行。"

二十一日，朱高煦降。

九月

吴溥卒，年六十四。《明宣宗章皇帝实录》卷二一"宣德元年九月甲午（初四）"：

"国子监司业吴溥卒。……为人清慎严重，造次必以礼。其教学者，必致力本源，曰：'若事口耳之学以取近利，非士也。'每旦坐堂上，视诸生所习，为之讲说，恳恳不倦，而革其涉猎蹈袭之弊。学者皆心服之。前后监学之师，以实心古道为教如溥者少矣。在翰林及国学二十余年，操守如一日，未尝一涉足权贵人之门，权贵人亦莫或知溥。或念溥久次不升，劝其少贬以徇俗者，答曰：'遇不遇命也。吾知安命而已，安能枉己哉。'自号古崖，天下之为士者皆高之。家素贫，然笃于义，故人有遗寡孤贫无依者，溥每分俸给之。及卒，无以为殓云。"《文敏集》卷二〇《故国子司业吴君墓表》："君生元至正癸卯四月四日。少游于乡先生前渭南令邓伯恭门。……宣德丙午，通政使陈琏奉命掌国子监事，九月三日设宴公堂，君从容言笑如平时。酒阑，忽得风疾，异归私第，以是夕卒，享年六十有四。临终无一语及身后事，但属治丧不用浮屠。所著述有《古崖稿》若干卷。……鸣呼！君之孝友笃行，出自天性。清修苦节，至老弗替。其为诗文，词畅理明，足追古作者。第以不媚当道，官太学几二十年而不获叙迁。卒之日，身无以为殓，家无以为丧，子孙无以为衣食资，而缙绅之流持乎公论者，莫不为之悼叹也。"《东里续集》卷三四《国子司业吴先生墓志铭》："一日，会宴太学，得风疾，遽革异归。顾其子曰：'吾死，勿用浮屠老子法治丧。'无一语及他事而卒。卒之日，家无一缗之储。"《静志居诗话》卷六《吴溥》："博士，聘君尊人，诗格楚楚，不若聘君之尘腐满楮也。"《明诗综》卷一九《吴溥》："胡若思云，先生志不事浮藻，故其诗质实不浮，殆所谓布帛菽粟，而温厚和平之意，蔼然见于辞气之表。其视世之纤媚工巧者，不侔矣。"存诗三首：《寄宋子环》《自叹》《悼外侄戴积善》。

初六，车驾凯旋至京师。

十月

释李时勉于狱。《明宣宗章皇帝实录》卷二二"宣德元年冬十月戊寅（十八日）"："复李时勉行在翰林侍读。时勉在洪熙初，以言事改交阯道掌道御史。仁宗皇帝上宾后数日，用事者下时勉锦衣卫狱。至是，上闻其文学，遂释之而复其官。"《明史》李时勉传："仁宗大渐，谓夏原吉曰：'时勉廷辱我。'言已，勃然怒，原吉慰解之。其夕，帝崩。宣宗即位已逾年，或言时勉得罪先帝状。帝震怒，命使者：'缚以来，朕亲鞫，必杀之。'已，又令王指挥即缚斩西市，毋入见。王指挥出端西旁门，而前使者已缚时勉从端东旁门入，不相值。帝遥见骂曰：'尔小臣敢触先帝。疏何语？趣言之。'时勉叩头曰：'臣言谅暗中不宜近妃嫔，皇太子不宜远左右。'帝闻言，色稍霁。徐数至六事止。帝令尽陈之。对曰：'臣惶惧不能悉记。'帝意益解，曰：'是第难言耳，草安在？'对曰：'焚之矣。'帝乃太息，称时勉忠，立赦之，复官侍读。比王指挥诣狱还，则时勉已袭冠带立阶前矣。"

本年

朱有燉袭封周王。《弇山堂别集》卷三二《同姓诸王表》："周定王橚，太祖第五子，母高皇后。……洪武三年四月初七日封吴王，十一年正月初一日改封周王。十四

251

年十月之国河南开封府。二十二年弃国来凤阳，迁之云南，未行，还国。建文元年，窜云南，寻锢京师五年，复之国。永乐十九年，以嫌上还三护卫。洪熙元年闰七月二十日，薨。子宪王有燫，以宣德元年嗣。"

金幼孜夺情起复。《明史》金幼孜传："洪熙元年进礼部尚书，兼大学士、学士如故，并给三俸。寻乞归省母。明年，母卒。宣宗立，诏起复，修两朝实录，充总裁官。"

胡俨构别墅于南昌城南，后集宾主唱和诗为《城南别墅杂咏》。《颐庵文选》卷上《城南别墅杂咏诗序》："洪熙元年春二月，俨以老疾拜休致之命。三月辞归，逾月而抵家，又逾月伏承献陵宾天，遂复北上。心期同轨之会，至则宫车发引矣。乃匍匐诣天寿，谒二陵。竣事告还，时天子新践祚，闵念旧臣，垂眷劳之恩，赐道里之费。既归，获营护先陇，毕子平之愿。而城市嚣尘，故人寥落，不可以居。于是监察御史毗陵许公胜，为余物色得废官舍于城南灌城乡悬榻里，去家十里而近。……俨以不肖，荷蒙列圣之恩遇，得终老于家，为幸多矣！凉暑风，曝冬日，玉堂天上，惟有抱孙击壤，咏歌圣化于无穷也。因阅旧箧，得谢环所为画图，遂命为《城南别墅》，而序其所以。凡有鄙述，书于左方云。"

丘浚作《五指山诗》。王国栋《丘文庄公年谱》："甫六岁，作《五指山诗》，矢口成章，复异绝伦，识者知为国器。"《重编琼台稿》卷五《五指参天》："少时曾作《琼台八景》，郡侯程公已刻之梓，今不复存。惟记其首一章，谩录于此：五峰如指翠相连，撑起炎州半壁天。夜盥银河摘星斗，朝探碧落弄云烟。雨余玉笋空中现，月出明珠掌上悬。岂是巨灵伸一臂，遥从海外数中原。"

虞谦《玉雪斋集》初成。虞谦（1366—1427），字伯益，金坛人。洪武中由太学生擢刑部郎，出知杭州府。永乐中，召为大理寺少卿。仁宗监国，奏除都察院左副都御史，转大理卿。《方麓集》卷十《大理虞公传》："公姓虞氏，名谦，字伯益。其先河南陈留人，宋南渡后，徙金坛。公少有异质，识度过人。洪武中，以《春秋》明经贡入太学。太祖见而奇之，策试称旨，擢刑部山东部郎中。三载迁杭州府知府。成祖靖内难，公自免归，都指挥贺驴儿执公赴阙，谓其既知天命有归，托疾不朝，请诛之。成祖释不问。寻擢大理少卿。永乐己丑，车驾幸北京，侍仁宗监国，升都察院右副都御史，寻转左。甲辰，进大理卿。"《东里文集》卷五《玉雪斋诗集序》："居两京二十余年，所得公卿大夫之作，今大理卿京口虞公伯益，盖其杰然者也。近得观其《玉雪斋集》，古近体总若干首，皆思致清远，而典丽婉约，一尘不滓。如玉井芙蕖，天然奇质，神采高洁。又如行吴越间，名山秀水，而天光云影，使人应接不暇者，而皆得夫性情之正。虞公盖将上追盛唐诸君子之作。而论今公卿大夫之作，足以鸣国家之盛者，亦鲜有过于虞公者焉。公学优才裕，生当治平熙洽之运。洪武中以儒发身，历事四圣，出入中外者三纪，所治皆要职，更事多而精，斯其诗之所由昌欤。今公以明刑为上所信任，下则四方视以为平，盖古皋陶之职也。夫明良喜起之赓歌，皋陶所以弼成有虞之治者，吾何幸尚于公晚岁见之乎。辄书诸简首而归之。"

王英还朝。《明史》王英传："宣宗立，还朝。是时海内宴安，天子雅意文章，每与诸学士谈论文艺，赏花赋诗，礼接优渥。尝谓英曰：'洪武中，学士有宋濂、吴沉、朱善、刘三吾。永乐初，则解缙、胡广。汝勉之，毋俾前人独专其美。'"

张宁（1426—1496）生。字静之，号方洲，海盐人。景泰甲戌进士，官礼科给事中。两使朝鲜，转都给事中，出知汀州府。有《方洲集》。《槜李诗系》卷九《张汀州先生宁》："七岁题《画龙》，有'莫点金睛恐飞去'之句。景泰甲戌登进士，受知于少保谦、姚尚书夔，授礼科给事中。内阁陈循、王文以子不得举，中伤考官，宁疏言其失大臣体。又疏请裁止曹石、陈乞等事，闻者悚然。天顺中奉使朝鲜，馈遗一无所受。朝鲜为树亭曰'却金'。陪臣朴元亨从游太平馆，宁赋百韵诗，朴随手和之，殊不相下。宁得'溪流才白春前雪，柳折新黄夜半风'，朴乃阁笔曰：'不能和矣。'"

都卬（1426—1508）生。字维明，号豫轩，苏州吴县人。都穆父。有《三余赘笔》。《圭峰集》卷一七《故封都水主事豫轩翁墓志铭》："翁生异质天成，目数行俱下，十二三能赋诗鼓琴，日陪诸老宿杖屦为适。长遂酣饫，超越太异度，非支离陆沉，莫救败然。苦苏故吴会，易声张，曰：'吾以浅示之。'乃挟《易》《诗》《礼》三经，从乡业举子者游幸，一不利，即诿曰'难如是'，弃去。去就里塾，集群蒙，训声律，高门大姓争招致，悔曰：'是谓畏影而逃日中，可乎?'又谢去。以医浮湛闾里，或少露芒颖，已病如掇萌然，旬日喧腾神之，诡曰：'古方偶中尔。'阴自掷饵剂，掉手詈曰：'乃几败吾事。'遇为道士说者过境，喜乃便旋与之周游讲说，服食卦气，支吾岁年。"

公元 1427 年（宣德二年　丁未）

二月

杨士奇为滁州醉翁亭作记。《东里文集》卷二《滁州重建醉翁亭记》："欧阳文忠公以古文奥学、直言正行，卓卓当时。……我仁宗皇帝在东宫，览公奏议，爱重不已，有生不同时之叹。尝举公所以事君者，勉群臣。又曰：'三代以下之文，惟欧阳文忠有雍容醇厚气象。'既尽取公文集，命儒臣校定刻之。永乐庚子冬，被召赴北京，过滁，登琅琊山，问醉翁亭，但见寒芜荒址，惟'醉翁亭二贤堂'六字隐隐岩石间。顾时滁之守臣无足语者，顾其从臣曰：'邦先贤之迹，弃不治如此，其政可知矣。'太息去之。后六年，太仆寺卿赵君至。赵君素慕公之贤，又知滁之人思公不忘也。出俸倡其僚及滁人复作醉翁亭，而刻公所为记置亭中。……百费所需，不出于公，而加于旧规。……相斯举者，太仆少卿苏实、庞埙，丞杨文达、孙昌、宋载、刘璧，主簿舒伯治及滁人褚士良等十人。经始于洪熙元年四月，成于宣德元年正月。于是士良等请文记岁月，其成之又明年二月甲子（初六）记。"何乔远《名山藏·臣林记·永乐臣二》："士奇文法欧阳修，韫丽夷粹虽不逮之，质而理，婉而显，备有先正典型，当时号馆阁体。至校雠古书，辨正舛误，称博洽焉。"《圣谕录》卷中："上在东宫，稍暇即留意文事。间与臣士奇言：'欧阳文忠文雍容醇厚，气象近三代。'有生不同时之叹。且爱其谏疏明白切直，数举以励群臣。遂命臣及赞善陈济校雠欧文，正其误，补其阙，厘为一百五十三卷，遂刻以传。廷臣之知文者，各赐一部。时不过三四人，而上恒谕臣曰：'为文而不本正道，斯无用之文。为臣而不能正言，斯不忠之臣。欧阳真无忝庐陵有君子，士奇勉之。'臣叩首受教。"《东里续集》卷一四《王忠文公文集序》："近数百年来，士多喜读韩文公、欧阳文忠公、苏文忠公之文，要皆本其立朝大节炳炳焉，有以振发人心者也。"《东里续集》卷一六《恭题赐本欧阳文忠公集后》："《欧阳文忠公集》在宋有数本，惟周益公家所编刻者最精备。此本近年新刻于春坊。时东宫殿下监国之暇，究心经史，而凡历代名臣奏疏悉取览阅，尤爱文忠议论切直，文章淳雅，遂命刻之。板成，詹事臣义、臣忠，谕德臣士奇，皆获赐一本。"《东里续集》卷一九《艾氏谱后》："儒先君子之为谱，莫善于欧阳文忠公。"《东里集》又有《题欧阳文忠公诰命后》《题欧阳文忠公事迹》等。《东里集》卷首提要："仁宗雅好欧阳修之文，士奇文亦平正纡余，得其仿佛，可称春容典雅之音。"

三月

赐马愉等进士及第、出身有差。《东里文集》卷一《宣德二年进士题名记》："宣德二年三月朔，廷试进士得马愉等百有一人。国朝廷试，天子御正朝，亲出制策。既第其高下，明日陈卤簿传胪。天子服皮弁绛纱袍御正朝，文武群臣朝服东西序立。传胪既，群臣上贺，其词曰：'天开文运，贤俊登庸。'士之与于斯者，其荣矣哉。自设科兼取南北士，而前十有五科，南士往往数倍于北。皇上嗣统之初，诏礼部科举岁取百人，南士什六，北士什四，著为令。盖简用人材南北并进，公天下之道也。至是合前科未廷试者一人，而其第一人出山东。前此南、北士合试，未有北士占首选者，有之实自今始。"

虞谦卒，年六十二。《东里文集》卷一四《故嘉议大夫大理寺卿虞公墓碑铭》："一日朝退，得风疾。上命医往视赐药，历半岁竟不起，宣德二年三月廿四日也。讣闻，赐祭，给舟还其丧，命有司治坟。其生以丙午岁正月二日，享年六十有二。其居家，善事父母。父母殁，丧祭咸尽礼。于其弟友爱。与人处，温恭怡怡。其仪观伟然，风采凝洁，潇洒绝俗也。其文章以诗名于时。所著有《玉雪斋稿》若干卷。喜写山水木石，幽澹简远，有倪云林韵致。嗜蓄法书名画，邂逅心之所好，辍赠不靳。"

七月

陈敬宗迁南京司业。《东里续集》卷九《送陈司业诗序》："宣德二年秋七月，吏部言：南京国子监官阙。上命翰林侍讲陈敬宗往任司业，于是京师士大夫皆为太学得人喜。"

八月

黄淮致仕。《明宣宗章皇帝实录》卷三〇"宣德二年八月甲子（初九）"："少保、户部尚书兼武英殿大学士黄淮以疾求退，上疏曰：'臣历任以来，荷国厚恩，勉竭驽钝，莫报涓埃。数载之间，形神羸弱，众疾交攻，手足痿痹，动若拘挛，心胁气冲痛如刀刺，食下咽而呕逆，语过耳而莫闻。凡若此类，不可殚述。窃尝自计，犬马之齿奄过六旬，所患病症，息则稍苏，劳即旋复。今年三月以来，疾势大作。荷蒙圣恩命医治疗，缘臣疾已沉痼，难遂痊愈。虽欲黾勉供职，奈何力不能支。伏望圣仁俯垂矜悯，赐臣扶疾还乡，以终余年，不胜至幸。'上览奏恻然，顾谓少傅杨士奇、太子少傅杨荣、太子少保金幼孜曰：'淮与卿等同事皇祖、皇考，今三十年，勤劳多矣。而其疾若此，固留之，则情有不可，宜令暂还家养疾。若稍平复，即当复来。卿等以朕意谕之。'遂遣中官赐纱万贯。"《东里文集》卷七《送少保黄公归永嘉诗序》："太宗皇帝初临御，擢文学之臣七人侍从左右，任遇甚厚。公及士奇皆与焉。仁宗皇帝嗣位，七人者五人在。无几，太子宾客豫章胡公引疾去，其四人任遇益厚。皇上嗣位，一循祖宗之旧，以任遇四人。公今又引疾去。四人士奇犬马齿最先，又最病，既不能分寸裨益当时，徒尘缙绅之间，观公之去，其能无愧乎？公今年始六十，上有九十之亲。既归，无所累其心，而日奉天伦之乐，神怡气平，将复于康和，必然之理也。然则上之宠命，公能终忘之也哉？赠行诗九篇，词不一旨，其同于余者三之一云。"

十一月

沈周（1427—1509）生。字启南，号石田，晚号白石翁，长洲人。景泰中，郡守以贤良应诏，辞不赴。有《石田诗选》。《甫田集》卷二五《沈先生行状》："生而娟秀玉立，聪朗绝人。少学于陈孟贤先生。孟贤，故检讨嗣初先生子也。诸陈皆以文学高自标致，不轻许可人，而先生所作辄出其上，孟贤遂逊去。"《西村集》卷六《赞言寿沈启南》："长洲沈君启南，丙午之岁寿六十，冬十有一月下旬之一，其始生之日也。"

本年

何乔新（1427—1503）生。字廷秀，一云字天笛，江西广昌人，冢宰文渊子。景泰甲戌进士，授南礼部主事，改刑部，历员外郎中。升福建按察副使，改河南，擢都察院右佥都御史，巡抚山西，召为刑部左侍郎。进尚书，卒。赠太子少傅，谥文肃。有《椒丘文集》。林俊《刑部尚书赠太子少傅谥文肃何公神道碑》："少颖异，年十一二，《通鉴》道首尾无遗，病陈子桱《续编》书法——卒曹彬、包拯，不书官；吕文焕降元，不书叛；张世杰溺海，不书死节；纪羲轩，附不经之谈；书辽金，失《春秋》内外之辨——为周殿撰中规所奇。而沉晦周谨，时然后出，言动必儒贤为准。其学以穷理为先，博物洽闻为辅，正心修身而措之家国天下为期。"

尹直（1427—1511）生。字正言，江西泰和人。景泰五年进士，官至兵部尚书、翰林学士。有《謇斋琐缀录》。

公元 1428 年（宣德三年　戊申）

二月

初六，立皇长子朱祁镇为皇太子。

赵㧑《效颦集》初成。赵㧑（1364—？），字辅之，号雪航，重庆府巴县人。永乐间，因荐入仕，历任新繁、资县、汉阳教谕。宣德中致仕。《闽中理学渊源考》卷八四《赵雪航先生弼》："赵弼，字辅之，南平人。博学多识，清洁自好，邃于《易》。教授乡邑，学者称为雪航先生。所著有《雪航肤见》等集。今《通鉴》内'雪航赵氏'史评，即其人也。"赵弼《效颦集自序》："予尝效洪景庐、瞿宗吉，编述传记二十四篇，皆闻先辈硕老所谈与己目之所击者。初但以为暇中之戏，不意好事者雅传于士林中。每愧不经之言，恐贻大方家之诮，欲弃毁其稿，业已流传，收无及矣。因题其名曰《效颦集》，所谓效西子之捧心而不觉自炫其陋也。……宣德戊申二月乙卯，南平赵弼辅之书。"

五月

张以宁《翠屏集》刊刻。 陈琏《翠屏集序》："闽中近代诸儒多以文章知名，惟国子监丞陈公众仲，翰林直学士林公清源，与国子祭酒张先生志道，其尤著者。……先生平昔著述甚富，后多散佚。文则其子孟晖汇次，太史宋公景濂序之；诗则其门人国子博士石仲濂编次，学士刘公三吾、长史陈公南宾序之。今诸孙南雄教官隆复以《使安南稿》续板行世，先生著述至是始克全见。文采烂然，足以垂后著世，与陈之《安雅堂集》、林之《觉是集》并传无疑矣。……宣德三年戊申五月朔，掌国子监事、嘉议大夫、通政使司通政使羊城陈琏书。"四库提要卷一六九："《翠屏集》四卷，明张以宁撰。宁有《春王正月考》，已著录。是集为宣德三年所刊，陈琏为之序，称以宁文集为其子孟晖所编，宋濂序之；诗集为其门人石光霁所编，刘三吾、陈南宾序之；其孙南雄教官隆复以《安南稿》续板行世。今三序皆冠集首，而诗文集总题'光霁编次，嗣孙德庆州训导淮续编'，与序不同，未喻其故。"《四库全书总目提要补正》卷五三《翠屏集四卷》："吴氏《绣谷亭薰习录》有《翠屏集》四卷，《至宝集》一卷。云：'其文子孟晖编，洪武三年宋濂序。其诗门人国子博士石光霁编，有后序；洪武己巳长史陈南宾、甲戌学士刘三吾并序。后诸孙南雄教官隆复以《使安南稿》续编，宣德三年通政使陈琏序。成化十六年，嗣孙德庆州训导淮重刊，广东提学赵瑶后序。《至宝集》者，以宁使安南，太祖所降御制也。洪武三年诏封安南，以宁为正使，典簿牛凉副之，至国，其主既卒，国人请封其子，以宁奏请更诏，帝嘉其能用礼，因御制十诗褒之，并为之序。竟卒于安南，有临终诗并哀挽之作，附于玉音之后。弘治元年，福建按察司佥事杨泽序。'玉缙案：《提要》所见，为宣德三年本，而题淮续编。而吴氏所见，为成化十六年本，则称淮重刊，后宣德五十三年，岂至是始改正耶？不然，何以吴氏但言重刊，不言续编也？真不可解！《至宝集》有弘治元年杨序，又后八年。当是续刊。"

八月

王英升南京礼部尚书。 《明文衡》卷六一《尚书王文安公传》："丙寅，公奏：'京师去冬少雪，今年自春徂夏，雨泽不降，种不入土，小民缺食。此皆臣等政事不修，激怒上苍所致。伏望陛下施赈恤之恩，臣等宜益省愆戒饬，仍乞斋沐祈祷，以格天心。'上从其言，果大雨五日。先是公奏请致仕，不许。至是，年七十，复上章乞罢政。吏部言公精力未衰，上是其言，不允。戊辰八月，上特旨升公南京礼部尚书。明日谢恩毕，内传旨曰：'上以卿久仕先朝，多效勤劳，升秩南京，得安佚。'"

九月

瞿佑自北京启程还乡。 瞿佑《乐全诗集》自序："《乐全稿》者，自金台抵金陵水路纪行所作也。向以洪熙乙巳冬，蒙太师英国张公奏请，自关外召还，即留居西府。今及三载，又蒙少师吏部尚书蹇公奏准，恩赐年老还乡，太师仍以家舰送至南京。自九月十一日起程，至十月十五日抵武定桥长子进舍。历燕赵之郊，经齐鲁之境，过徐扬二州，溯长淮，逾大江，凡三千七百余里。舟中无事，览景兴怀，临风吊古，饭余酒后，技痒不能自抑，辄形诸吟咏，大小长短，积至一百二十首。皆率口而出，妍媸错杂，未经锻炼，因其先后次第，不复删改。汇成编帙，藏之于家。时出观览，以追想旧游之迹，用以自遣也。噫，予去乡三十五载，抛家亦二十一载矣。今以余生归见乡党，优游暮景，以享治平之乐。爵至五品，寿逾八帙，不亏其体，不辱其亲，俯仰两间，自谓无愧，庶几得为乡里之全人，未审识者许之否？姑以'乐全'题稿以自勖，抑亦卫武公求箴警之意也。宣德三年岁在戊申，阳月吉日，八十二岁翁钱塘瞿佑宗吉书。"

十月

夏原吉辍户部尚书职。《忠靖集》附录《钦赐敕文》："宣德三年十月初九日，皇帝敕谕少保兼太子少傅、户部尚书夏原吉：卿祗事祖宗，多历年所，忠谟谠议，积效勤诚。朕嗣统以来，尤资赞辅，夙夜在念，图善始终。盖以卿春秋高，尚典剧司，优老待贤，礼非攸当。况师保之重，寅亮为职，不烦庶政，乃副倚毗。可辍户部之务，朝夕在朕左右，相与讨论治理，共宁邦家，职名俸禄悉如旧。卿其专精神，审思虑，益致嘉猷，用称朕眷注老成之意。钦哉。故谕。"

陈献章（1428—1500）**生。**字公甫，新会人。正统丁卯举人，用荐授翰林检讨。卒谥文恭，从祀孔庙。有《白沙集》。《明儒学案》卷八《文恭陈白沙先生献章》："身长八尺，目光如星。右脸有七黑子，如北斗状。自幼警悟绝人，读书一览辄记。常谓孟子所谓天民者，慨然曰：'为人必当如此。'梦拊石琴，其音泠泠然。一人谓之曰：'八音中惟石难谐，子能谐此，异日其得道乎？'因别号石斋。"《陈白沙集》附录《行状》："以宣德三年戊申十月二十有一日生于都会村。"

本年

金幼孜出使宁夏。《明史》金幼孜传："三年持节宁夏，册庆府郡王妃。所过询兵民疾苦，还奏之，帝嘉纳焉。"

公元 1429 年（宣德四年　己酉）

正月

　　朱有燉杂剧《群仙庆寿蟠桃会》成。据卷首小引："宣德岁在己酉正月良日书。"《远山堂剧品·雅品》："诚斋向有【南吕】一曲，值其初度，因足成之。炼气养神之诀，至第二折已津津道尽，但一味填填词，觉词溢于格。吴梅《蟠桃会跋》：此亦庆贺祝寿之词。宣德己酉，为王初度，因就旧作《南吕宫》一套，演成剧本也。剧情以金母设蟠桃宴，邀集群真，又以仙乐歌舞，俾通场不致寂寞。结构之冷热，恰到好处。又以东方朔偷桃，为仙女侦察，略涉诙谐，亦复蕴藉。"

春

　　夏原吉献颂鸣瑞。《忠靖集》卷一《瑞应驺虞》序："恭惟皇帝陛下缵承大统，克勤庶政，声教诞敷，仁恩旁洽，天地既位，万物自育，而瑞应骈臻不可殚记。乃宣德四年春，滁之来安有驺虞，二见于石固山。……臣虽拙于文词，然躬睹盛美，不敢以默。谨拜手稽首而献颂。"

四月

　　宣宗书谕宁王朱权。《明通鉴》卷二〇："时宁王自以大父行，数有干请，上皆以理裁之。至是又以'宗室将军不宜以禄米定品级'奏言：'高皇帝笃念亲亲，凡宗室子孙，旧无品级。不与异姓同。'又言：'靖江王府将军与诸王同班，不论品级，皆行君臣礼。'又请：'不避斧钺，乞赦高煦。'语多忿戾。上乃自为书责之。"《明宣宗章皇帝实录》卷五三"宣德四年夏四月戊寅（初三）"："复书宁王权曰：'承谕以禄米定品级非旧制，忿切之情，溢于言表。再三披阅，骇愕良深。盖事有非然，理应明白。所言太祖高皇帝子孙旧无品级之说，今考《祖训录》，内凡郡王之子，授镇国将军三品，孙辅国将军四品，曾孙奉国将军五品，玄孙镇国中尉六品，五世孙辅国中尉七品，六世孙以下世授奉国中尉八品。是郡王子孙未尝无品级也。又云，靖江王府将军，比正支递减一等，亦无比品，凡朝贺祭庙皆与诸王同班。必若此言，则诸王兄弟子侄，同为行列，是无尊卑之分，曷为而可？……予自嗣位以来，恭体祖宗之心，恭循祖宗之法，非敢毫末有所增损，况于诸叔祖、诸叔及诸兄弟上。念祖宗之重亲亲之意，未尝敢薄，亦未尝辄有咈逆之事。往者逆贼高煦，在太宗文皇帝时屡造大罪，及予嗣位，加厚待之，而包藏祸心，终谋不轨。然求朝廷之遇未得，辄妄称太祖高皇帝时未尝颁给群臣敕诰，以为擅改旧制，具本指斥，遂举兵。及被执至京，出洪武中诸司职掌示之，逆煦俯首无言，愧悔不及。今叔祖辄有不避斧钺乞为赦免之说，宗庙神灵鉴临在上，何冤何抑而忿恨不平乎？予览毕，以示公、侯、伯、五府六部文武大臣，咸谓叔祖意非在此，盖托此为名耳。不然，何以宣德元年八月之事，而至今始发也？予已悉拒群臣之言不听。尚望谨之。或后不谨，非独群臣有言不已，天下之言皆将不已。是时予虽欲全亲亲之义，有未易能。今故毕陈本末，惟叔祖虚心听察，庶几君臣之分定，尊卑之序明。而所议品级又何系于轻重，何系于礼法哉？若以谓族属之长必诬执为朝廷之遇，天理人心不可罔也。惟叔祖亮之。"

夏原吉应制赋诗。据《忠靖集》卷五《宣德己酉夏四月二十四日早朝应制二首》。

五月

瞿佑抵松江。《乐全集》附《东游诗》跋："次子达遣孙环来取，遂与孙婿刘琳以四月廿六日登舟，风雨所阻，于五月初十日方到。沿途纪行，得古今诗共五十首余，附吟卷以记岁月。"

九月

汰南北国子监生。《明宣宗章皇帝实录》卷五八"宣德四年九月甲寅（十一日）"："放南北两京国子监生年五十五以上学无成效及老疾者姚哲等二百五十三人还乡为民。"

令生员兼习书算。《明宣宗章皇帝实录》卷五八"宣德四年九月乙卯（十二日）"："北京国子监助教王仙言：'学古入官，忠孝为本；重禄劝士，宠命为先。稽诸古昔九品官人之法，自三载至于三考，明者咸有进秩，幽者各有降黜，由是百工惟时，庶绩其凝。唐虞成周之世，用此道也。钦惟圣朝稽古建官，考课得宜，劝惩有道，伏睹诸司职掌，凡在京五品以下官已实授者，三年考满，即给诰敕封赠，永为成规。今国子监博士、助教，从八品，三考任满称职，止加从七品俸，俾之复职，散官仍旧。及至六考任满称职，又不加俸升用，老于学官，情实可悯。乞如诸司职掌，赐应升从七品散官，敕命仍掌博士、助教事，得承显父母之恩，当益励忠孝之道。'又言：'学校教养人材，固当讲习经史，进修德业，至于书数之学，亦当用心。近年生员止记诵文字以备科贡，其于字学算法，略不晓习。既入国监，历事诸司，字画粗拙，算数不通，何以居官莅政？乞令天下学校生员兼习书算，从提调正官按察司巡按御史考试。庶几生徒才可致用。'上谓行在吏部臣曰：'其言皆有理。自今国子监博士、助教考满称职者，必升用。生员亦令兼习书算。'"

十月

宣宗临文渊阁赐诗。《明宣宗章皇帝实录》卷五九"宣德四年冬十月庚辰（初七）"："上临视文渊阁，少傅杨士奇，太子少傅杨荣，太子少保金幼孜，学士杨溥、曾棨、王直、王英，侍读李时勉、钱习礼，侍讲陈循等侍。上命典籍取经史，亲自披阅。与士奇等讨论已，询以时政，从容密勿者久之。命中官出尚膳酒馔，赐士奇等，并赐纂修实录官。士奇等叩首谢。上曰：朕闻有道之朝，愿治之主，崇礼儒硕，讲求治道。卿等为朕傅保与诸学士，皆处秘阁，朕躬至访问，冀有所闻耳。稍暇当复至。卿等必有所陈论也。'已而亲制诗赐士奇等，诗曰：'秘阁弘开当巽隅，充栋之积皆图书。仙家蓬山此其处，上与东壁星相符。罢朝闲暇一临视，衣冠左右环文儒。琼琚锵锵清响振，宝鼎馥馥香烟敷。维时日上扶桑初，始看瞳昽绚绮疏。忽已粲烂明金铺，从容燕坐披典谟。大经大法古所训，讲论启沃良足娱。朝廷治化重文教，旦暮切磋安可无。诸儒志续汉仲舒，岂直文采凌相如？玉醴满赐黄金壶，勖哉及时相励翼。辅德当与夔龙俱，庶几致治希唐虞。”

宣宗赐诸臣《猗兰操》。《明宣宗章皇帝实录》卷五九"宣德四年冬十月丙戌（十三日）"："上出御制《猗兰操》，赐诸大臣。序曰：'昔孔子自卫反鲁，隐居谷中，见兰之茂，与众草为伍。自伤不逢时，而托为此操。朕虑在野之贤，有未出者，故亦拟作其词。'曰：'兰生幽谷兮，晔晔其芳。贤人在野兮，其道则光。嗟兰之茂兮，众草为伍。於乎贤人兮，汝其予辅。'又谕之曰：'荐贤为国大臣之道，卿等宜勉副朕意。'"

夏原吉献诗鸣盛。《忠靖集》卷三《瑞雪诗》序："钦惟皇帝御宇以来，天地清宁，雨旸时若，民康物阜，政肃化行，诚雍熙太平之盛世也。乃宣德己酉冬仲十一月，正一阳之将复，日丁乙卯，上天彤云，瑞雪随降，盖以彰来岁丰稔之兆。天道孚应，圣心悦怡，遂制歌诗，昭示臣下，仍赐以酒馔，共乐清时。臣等叨列班行，躬睹盛事，虽薄德谫才，不足以赞扬休美，然欣忭之余，不容自默。谨拜手稽首而献诗。"

本年

邓林谪杭州。雍正《广东通志》卷四七："考绩至京，大学士杨士奇、祭酒李时勉见其诗文，以为岭南人文在是。留史馆修书，寻出教南昌。被荐，迁吏部主事。宣德四年，以事谪杭州。名士多从之。久之，放归田里，卒。生平慷慨自命，尤笃友谊。所著有《退庵集》，传于世。"《国朝献征录》卷二六《吏部验封司主事邓林传》："晚坐事谪居杭州，学士大夫多从之游。林尝自谓其学诗于陶、韦、李、杜，学文于《史》、《汉》、韩、柳，学书于晋、唐诸名家。初无所知名，作《怀春赋》以寄意。……后官于朝，大学士杨士奇、祭酒李时勉阅其诗文，曰：'岭南一代文人也！'"《明诗综》卷二二《邓林》存诗一首：《二月九日大驾北巡赋诗纪事》。四库提要卷一七五："《退庵遗稿》七卷，明邓林撰。林初名彝，又名观善，字士斋，后成祖为改今名。新会人。洪武丙子举人，任浔州府贵县教谕，秩满，入京预修《永乐大典》，凡五年，出为南昌教授。后又秩满，试高等，迁吏部主事。宣宗时，以事谪杭州。在杭多湖山之游，倡和甚富。田汝成作《西湖志》，多采之。此本乃太常寺少卿会稽陈赞为广东参议时，掇拾遗稿而成也。"

公元1430年（宣德五年 庚戌）

正月

太宗、仁宗两朝实录成。《明宣宗章皇帝实录》卷六一"宣德五年正月壬戌（二十一日）"："进两朝实录。"《东里文集》卷二三《两朝实录成史馆上表》："发左右史臣之所记，阅中外官府之所上，兼考章疏，参之见闻。编载事功，必备著其本末；纂述谟训，必致谨于精微。关制度者，虽细不遗；切几务者，虽明必审。于纪叙圣神之道德，如绘画造化之功能，拟诸形容，诚难仿佛。乃若附录臣下，必在究明是非。讫五年正月，恭成《太宗文皇帝实录》百三十卷，《仁宗昭皇帝实录》十卷，合百五十四册，谨缮写上进。"

陈继进检讨。《东里续集》卷九《送陈嗣初诗序》："今上嗣大宝，诏修两朝实录，简为史官。嗣初操存正，识见明。所叙述，直而约，婉而严，得《书》《春秋》之法。信良史也！书成，进官检讨。"

夏原吉卒，年六十五。《东里文集》卷一二《少保户部尚书赠特进光禄大夫太师谥忠靖夏公神道碑铭》："两朝实录成，赐白金、织金罗衣、文绮表里、鞍马，赐宴。明旦，入谢，暮归第得疾，遂薨，宣德五年正月廿七日也。寿六十有五岁。上闻讣震悼，遣礼部尚书胡濙赐祭，赠特进光禄大夫、太师，赐谥忠靖。……喜为诗，四方士重公名，得其一篇一咏，藏以为荣。"杨溥《忠靖集序》："诗文平实雅淡，不事华靡。观者亦可想见其为人也。"《七修类稿》卷三八《宋徽宗画诗》："夏忠靖公《咏徽庙墨竹》曰：'宝殿无心论治安，碧窗著意写琅玕。枝枝叶叶真潇洒，争奈金人不爱看。'此责徽宗之不君也。"《静志居诗话》卷六《夏原吉》："长陵靖难而后，瑞应独多。黄河清，甘露降，嘉禾生，醴泉出，庆云见，野蚕成茧，麒麟驺虞，青鸾青狮，白雉白燕，白鹿白象，玄兔玄犀，史不一书。甚矣！天之难谌也。当时词臣争献赋颂。夏公长律会粹而详书之，具见闳丽。其辞云：……。读之如览西周王会之图，披北魏、南齐符瑞之志，亦可云诗史矣。特'鱼''虞''模'并用，殆犹遵《洪武正韵》乎？"《明诗综》卷一九《夏原吉》存诗一首：《圣德瑞应诗》。《忠靖集》卷首提要："虽原吉以政事著，不以文章著，洪、永之际作者如林，固不能与宋濂、王祎诸人齐驱方驾，然致用之言，疏通畅达，以肩随杨士奇、黄淮等，殆可无愧色矣。"《明诗纪事》乙签卷四《夏原吉》陈田按："忠靖诗恳质有味。《谕讥乌》云：'饥乌来屋头，轩然振双翼。哑哑向我啼，其意欲得食。我行顾我厨，余粮颇云积。足可疗乌饥，尽与非所惜。缘以目前人，困乏动千亿。况此所余粮，粒粒出民力。我食尚怀愧，饲乌宁不惕？饥乌勿此啼，山林有榛栗。'蔼然德人之言也。"

三月

瞿佑启程适杭州，旋还松江。《乐全续集》跋："宣德五年三月初一日，自松庠登舟回杭。师生留别，舣舟超果寺。初三日，始解缆趋程。初八日抵北关，初九日入城，至荐桥旧居从弟宗传家安歇。十九日过湖，访南山，祭先垄。四月十五日，余生昌以舟来取，遂于五月初六日辞别诸亲友，出城至夹城巷甥施敬家相留，于初九日与孙环、孙婿刘琳同舟，至十二日仍回松庠次子达舍。往还得诗共大小八十首。录附行卷，以见吟趣云。"

朱有燉杂剧《洛阳风月牡丹仙》成。据卷首小引："宣德五年三月谷雨前五日书。"[按，是年三月十八日谷雨]《远山堂剧品·艳品》："六一先生曾作《洛阳风俗牡丹记》，诚斋即以此记作剧。其摹描处，如目击东都花事之盛。第于永叔欣赏之意，稍未畅耳。吴梅《牡丹仙跋》：此亦歌舞剧。宪藩府中，牡丹最盛。观《诚斋乐府》赏花诸词，以牡丹为多。故曲剧亦多及此。"

赐林震等进士及第、出身有差。《明宣宗实录》卷六四："丁未（十七日），上亲阅举人所对策，赐林震等一百人进士及第，出身有差。"

春

余学夔致仕，杨士奇为作《送余侍讲序》。《东里文集》卷三《送余侍讲序》："宣德五年春，翰林进《两朝实录》，赐宴赉既，敕吏部进纂修以下官。士大夫之与于斯者，皆忻忻仰戴德意。侍讲余学夔不俟吏部覆奏，不谋于相知，即入疏自陈：'臣年将六十，虽未老，而缠于疾病，不堪事事。幸天地大德，赐矜悯，俾归依园田以终老，则臣未死之年皆陛下赐之也。'上察其诚，命致事。……士奇交学夔逾三十年，同在京二十五六年，志同道契，方资旦暮相慰藉，于视其去，能无情乎哉？夔明经博古，负直气侃侃，遇事径发，不肯苟有阿徇，贵而能贫，利不当其义不取，而于赴患难如饥渴于食饮，有岁寒之操焉。"

四月

起复李昌祺河南左布政使。《明宣宗章皇帝实录》卷六五"宣德五年夏四月癸未（十三日）"："因奏河南左布政使李昌祺在河南久，廉洁宽厚，民悦其政。前以丁父忧归。计将服阕，亦请起复。上从之，命昌祺驰驿赴任。"

杨荣进少傅。《明宣宗章皇帝实录》卷六五："甲申（十四日），升太子少傅、工部尚书兼谨身殿大学士杨荣为少傅，尚书、大学士兼职如故。"

五月

刘基《覆瓿集》重刊，罗汝敬为作序。罗汝敬《覆瓿序》："今既九京不作，后进之士景休风，仰末照，幸先生之文章犹有存者耳。先生之作有《郁离子》，有《春秋明经》，有《犁眉》《覆瓿》诸集，寿诸梓者久矣。惟《覆瓿》一编未有序之者，其孙刑部照磨貊间以嘱余。嗟夫！先生之心志于道，先生之道著于文，人皆知先生见知当时者以其文，而不知太祖高皇帝知先生于侪人中者以其心，人皆知先生之事高皇帝能尽其心，又不知天以先生辅佐圣神、肇建鸿图者惟在于道。然则是编也，将以五味之藏，饮斯民于饥顿颠踣者也，覆瓿云乎哉！……宣德五年冬十月，嘉议大夫、工部右侍郎、前翰林侍讲兼修国史吉水罗汝敬书。"

六月

复遣郑和使西洋。《明通鉴》卷二〇："上以践阼岁久，而诸番国远者尚未朝贡，乃命和及中官王景弘等，复奉命历忽鲁谟斯等十七国。和历事三朝，凡先后七奉使，所历凡三十余国，所取无名宝物不可胜计，而中国耗费亦不赀。故俗传'三保太监下西洋'，为明初盛事云。"

八月

帝与杨溥论人才。《日知录》卷九《人才》："《实录》言，宣德五年八月丙戌（十八日），上罢朝御文华殿，学士杨溥等侍。上问：'庶官之选，何术而可以尽得其人？'溥对曰：'严荐举，精考课，何患不得。'上曰：'近代有罪举主之法。夫以一言之荐，而欲保其终身，不亦难乎？朕以为教养有道，人材自出。汉董仲舒言，素不养士，而欲求贤，犹不琢玉而求文采。此知本之论也。徒循三载考绩之文，而不行三物教民之典，虽尧舜亦不能以成允厘之治矣。'"

九月

于谦巡抚山西、河南。《明宣宗章皇帝实录》卷七〇"宣德五年九月丙午（初八）"："升行在吏部郎中赵新为吏部右侍郎，兵部郎中赵伦为户部右侍郎，礼部员外郎吴政为礼部右侍郎，监察御史于谦为兵部右侍郎，刑部员外郎曹弘为刑部右侍郎，越府长史周忱为工部右侍郎，总督税粮。新，江西；伦，浙江；政，湖广；谦，河南、山西；弘，北直隶府、州、县及山东；忱，南直隶、苏、松等府县。"《忠肃集》附录《行状》："五年，河南、山西两省各奏灾，廷议欲命大臣经理，上亲署公名，特升行在兵部右侍郎，巡抚二处地方。时年三十有三，公感上知遇，昼夜经画，遍历河南、山西，问民所疾苦，为之兴利除害，二省之民获苏。"

周忱巡抚苏、松。《明史》周忱传："忱有经世才，浮沉郎署二十年，人无知者，独夏原吉奇之。洪熙改元，稍迁越府长史。宣德初，有荐为郡守者。原吉曰：'此常调也，安足尽周君。'五年九月，帝以天下财赋多不理，而江南为甚，苏州一郡，积逋至八百万石，思得才力重臣往厘之。乃用大学士杨荣荐，迁忱工部右侍郎，巡抚江南诸府，总督税粮。"

彭韶（1430—1495）生。字凤仪，莆田人。天顺丁丑进士，除刑部主事，历官都察院右佥都御史。巡抚苏松，召入为大理寺卿，累转刑部尚书。卒赠太子少保，谥惠安。有《从吾滞稿》。《椒丘文集》卷二八《赠太子少保彭惠安公祠堂碑》："世家莆田之涵口，自少庄重好学。稍长学问该洽，议论醇正，一时学者皆推重之。"《见素集》卷一九《明资善大夫太子少保刑部尚书彭惠安公神道碑》："生宣德庚戌九月二十二日。"

十二月

杨士奇赋诗颂瑞。《东里续集》卷五四《瑞星诗》序："宣德五年冬十二月二十有一日夜，含誉星见于九游，大如弹丸，色黄白，光耀有彗。钦天监言，'占法：含誉瑞星，为君上施孝德，兴礼乐，人民和悦，夷狄奉化来朝之应。'于是群臣忻悦抃舞，皆以为皇上圣德所感，国家隆盛永远之庆。奉表上贺，圣心谦抑，推而弗居，且赐玺书，戒励弥至。盖与夏禹之不矜不伐，商宗之严恭寅畏，同一大德也。臣忝执笔预侍从，敬赋四言诗一篇，纪述盛美，谨录上进，伏惟电览焉。"何孟春《余冬序录》卷六〇之

《阳闰五》："晋《天文志》，'瑞星凡五'。宋中兴《天文志》，'瑞星十有二'。详减不一，其三则皆曰'含誉'。宣德五年冬，是星见于九游。朝臣表贺，上谦不居，赐之玺书，相为戒饰。时杨文贞公在阁，进诗一章，有曰'宣德庚戌，月维己丑，其日丁亥，夕瑞在西。大星如丸，九游之旁。有彗若射，金玉其煌。厥名含誉，太史敷奏。百辟嵩呼，贺祥献寿。皇德仁圣，谦让是崇。归功穹祇，归功祖宗。归功圣母，亦及臣子。申命饰励，敬哉无怠'数句，善写圣君之心。"

本年

龚诩归昆山，上书巡抚周忱。《野古集》附录《上周文襄公书》："直隶苏州府昆邑老生龚诩上言钦差巡抚大人执事前：诩窃闻古人有言：'千人之诺诺，不如一士之谔谔。'又曰：'物不得其平则鸣。'盖诺诺者，本无忠敬之心，惟徇己私，所以事上者，惟务阿顺曲从。上人乐其言之甘，如饮醇醪，不觉自醉，遂至日积月深，养成大患。如昔人始顺王安石之旨，而卒发其所短者，吕惠卿也。若夫谔谔之士，心无憸邪，志秉忠直，其所以尊上者，无非至诚，故论事无所回隐，不无迫切过激之语。上人骤闻之逆耳，静思利行，如饮药饵，虽不适口，其病获瘳。如古人始而目魏文侯为不仁，而卒成仁君之名者，任座也。是皆往事之明验，理势必然。以此推之，凡当大任行大事者，诺诺之人不可一日有，谔谔之士岂可一日无哉？今执事以豪杰之才，经济之学，特膺圣天子宠命，巡抚东南。自下车，首以风俗民瘼为事，诚所谓不世之贤，而能体圣天子爱恤军民之盛心者也。然诩窃见在下之人，诺诺者常多，谔谔者常少。又有等恃执事宽仁厚德，而敢为悖理伤道之事，以虐民坏俗者有之，军民苦楚之情壅于上闻，不能自诉。诩区区管见，恐不能不为执事高明盛德累，是以郁郁心怀，不恤众怨，而敢于执事前一一痛陈之也。倘不以人废言，或有补于万分之一，伏愿矜其愚，不录其罪，而施善处之道焉，幸甚，幸甚！"张大复《龚诩传》："仁宗即位，诏宽军伍，公始仍侍母昆山。而是时周文襄忱籍田江南，具礼相就。公为条上便宜二十事，次序行之，东南以安居。"

熊直《西涧文集》编成。《东里文集》卷七《西涧集序》："会试礼部虽不中，从敬方学者，试辄高中。其子概已登第，为监察御史，敬方犹列名太学生。仁宗皇帝在春宫，闻之嘉叹。由是日奖任概，而敬方文名益重于时。然卒未沾一命以行其道，人皆为敬方惜。……嗟乎！昔何蕃居太学，太学诸生推颂之，不敢与齿。上至祭酒司业，皆推之，然终不及于禄。敬方，其今之何蕃欤？苏明允父子，一时皆有文名，而明允老成岿然，时号老苏，其官位竟不显。暨子贵乃进身后之命，敬方亦今之明允乎？蕃因韩退之，明允因欧阳永叔，皆遂不泯。念余言不足致敬方之不泯也，然今之知敬方深者莫如余，故为序其所著《西涧集》，使世之览者知其人之大略云。"四库提要卷一七五："《西涧文集》十六卷，明熊直撰。直，字敬方，吉水人。永乐中举人，以子概贵，赠右都御史。是集诗二卷，文十四卷，有宣德五年杨士奇序，称'苏明允父子，一时皆有文名，而明允老成岿然，时号老苏，其官位竟不显。暨子贵乃进身后之命，敬方亦今之明允乎？'今观其文，视宋濂、王祎，去之尚远，似未容上拟眉山也。"

周瑛（1430—1518）生。字梁石，号翠渠，又号蒙中子，莆田人。成化己丑进士，授广德知州。迁礼部郎中，出为抚州知府，改镇远，历四川参政，擢布政使。有《翠渠摘稿》七卷。《翠渠摘稿》卷八《自撰蒙中子圹志》："蒙中子，兴化府莆田县人，姓周氏，名瑛，字梁石。自谓学无所就，其中蒙，故号蒙中子。又喜《贲》上九，敦尚质素，不为华伪，学而未能，号曰贲道人。又与族人凿渠种莲以居，号'翠渠'。'翠渠'之号，颇行于时。"《见素集》卷一九《明进资善大夫四川右布政使致仕例进一阶翠渠周公墓志铭》："公生镇海，长于莆，神鉴耀古，博学善文，往往有奇悟。"

公元 1431 年（宣德六年　辛亥）

正月

罗伦（1431—1478）生。字应魁，改字彝正，永丰人。成化丙戌赐进士第一，授翰林修撰。坐论事贬泉州市舶副提举，寻召还复职，改南京。有《一峰文集》。《明史》罗伦传："五岁尝随母入园，果落，众竞取，伦独赐而后受。家贫樵牧，挟书诵不辍。及为诸生，志圣贤学，尝曰：'举业非能坏人，人自坏之耳。'知府张瑄悯其贫，周之粟，谢不受。居父母丧，逾大祥，始食盐酪。"《医闾集》卷四《一峰罗先生墓志铭》："以宣德辛亥正月十一日生，先生生时有奇祥。甫五岁，尝随母入园收果，长幼竞取，独赐而后受。年七岁，善耕先生训于庭，不匝月而童蒙诸书咸遍。明年学于里师，时乏书，里师令遍逐诸生授读，诸生未成句读，而先生皆已成诵。尝牧樵则携书读之。自幼勤学，定省之余，未尝释卷。年十四，授徒于乡，以资亲养。"

二月

董越（1431—1502）生。字尚矩，宁都人。成化己丑第三人及第，授编修。历侍读、庶子、太常少卿，擢南京礼部侍郎，进南京工部尚书。卒赠太子少保，谥文僖。有《朝鲜赋》一卷。《怀麓堂集》卷八五《明故资政大夫南京工部尚书赠太子少保谥文僖董公墓志铭》："生五岁失怙，为母氏所鞠。及弱冠，极力供养。以其暇学举子业，补府学生。天顺己卯，举乡贡。试礼部辄不利，卒业国监。攻苦力学，虽敝巾垢服，名隐隐起侪辈间。……其生宣德辛亥二月十六日。"

七月

宣德帝微行过杨士奇宅。《东里别集》卷二："宣德六年七月。时上颇好微行。一夕漏下二十刻，以四骑出过臣前。报者言范太监来，臣仓惶出迎，上已入门，立月中。臣俯伏悚惧，言：'陛下奈何以宗庙社稷之身而自轻？扰扰尘埃，昏暗中谁识至尊。万一或有识者，变起仓卒，何以备之？'上笑曰：'思见卿一言，故来耳！'遂屏左右。语竟，顾谓臣曰：'此居且弊，当为尔葺理。'臣叩头恳辞曰：'陛下宫殿未建，臣必不敢当。且车驾今夕俯临，外间明日必有知者。万万自此慎出。事变不测，当虑也！'驾还宫。明旦，遣太监范弘密问臣：'车驾幸临，曷不谢？'对曰：'至尊夜出，愚臣迨今中

265

心惴栗未已，岂敢言谢！'又数日，遣弘问臣曰：'今天下平静，上时一微行，何足过虑！尧不微行乎?'臣对曰：'陛下尊居九重，恩泽岂能遍洽幽隐！万一有冤夫怨卒，窥伺窃发，诚不可无虑。'后旬余，锦衣卫获至二盗。盖盗尝杀人，官捕之急，遂私结约，候车驾之玉泉寺，挟弓矢伏道边林莽中作乱。时有捕盗校尉，亦变服如盗，入盗群不疑。以其谋告之，遂为所获。上既诛二盗，叹曰：'士奇言不虚。'即日遣范太监赐白金、文绮。士奇明旦入谢。上谕以盗谋，且曰：'爱朕莫如汝。自今如汝言，不复微行。'士奇叩首。"

十二月

金幼孜卒，年六十四。《明宣宗章皇帝实录》卷八五"宣德六年十二月丁未（十六日）"："太子少保、礼部尚书兼武英殿大学士金幼孜卒。……幼孜为人简易沉默，温裕有容。论事必正，泛爱无所忤。其学该博，文章和平宽厚，类其为人。不伐善，不骛名。其在朝廷论思献纳，预有裨益。眷遇虽隆，而自处益谦，名其燕休之室曰退庵。临终，家人属求恩泽于子，正色曰：'君子所耻。'迄终清明，一语不乱。年六十有四。"李龄《金文靖公文集序》："公世为临江新淦人，生而岐嶷，英迈夙成，奇伟秀出，父雪崖先生喜而遣从前进士聂先生铉授《左氏春秋》，钩玄剖微，得属词比事之旨。既长入邑庠，与诸士子游，涵煦陶养，德器大就，遂韫匮六经，博极群书，引觚吐辞动千百言，条达疏畅，若决江河而注之海，滔滔汩汩，冲风激石，喷薄泂洑，而奇变自生，卒本于仁义道德之渊源，此公之文所以骎骎乎前作，而非近世之务为工巧者可拟伦也。洪武庚辰，由乡荐登进士第，授户科给事中，恭遇太宗文皇帝即位，首以文名与少师杨公士奇等擢入内阁，参掌机密，弼亮四圣，公忠鲠亮，勋业巍然，而凡典章训诰之制、赋颂诗歌序记之作，温润而丰缛，典雅而清丽，诚足以宣扬皇泽，发明功德，播管弦，垂翰简，以昭一代文明之治于无穷，其有裨于世道也大矣！"《明诗综》卷一九《金幼孜》存诗一首：《元夕观灯应制》。四库提要卷一七〇："幼孜在洪武、建文之时，无所表见。至永乐以迄宣德，皆掌文翰机密，与杨士奇诸人相亚。其文章边幅稍狭，不及士奇诸人之博大。而雍容雅步，颇亦肩随。盖其时明运方兴，故廊庙赓扬，具有气象，操觚者亦不知也。"

本年

董纪《西郊笑端集》已编成。《檇李诗系》卷七《董金事良史》："雅好吟咏，多率己意，曰：供一笑而已。每不留稿，间有存者，自题为《西郊笑端》。其诗闲整流利，诸体俱可观。"《明诗综》卷一四《董纪》："张汝弼云，良史诗率漫，若弗冀有传者。"《静志居诗话》卷四："述夫，元之耆旧，其诗赖善卿编之《大雅集》中。题海屋云：'过桥云磬天台寺，泊岸风帆日本船。'亦不为率漫也。"《西郊笑端集》卷首提要："《西郊笑端集》一卷，明董纪撰。……筑西郊草堂以居，因即以名其集。然未及锓板，稿藏其门人周鼎家。成化中，鼎孙光禄寺少卿庠始为刊印。此本有宣德辛亥鼎后跋，又有成化戊子钱溥序，盖又从庠刻本传写者也。"

公元 1432 年（宣德七年　壬子）

正月

　　曾棨卒，年六十一。《明宣宗章皇帝实录》卷八六"宣德七年春正月辛巳（二十一日）"："詹事府少詹事兼翰林侍读学士曾棨卒。……棨为人儒雅英迈，喜推荐士。士穷流落不偶者，多赖以济。学博才赡，为文章沛然莫御，无问贵贱幽远，求辄应之，诗文布于四方。善行草书，得者咸贵重之。卒年六十一。"杨士奇《詹事府少詹事兼翰林侍读学士赠嘉议大夫礼部左侍郎曾公墓碑铭》："子启为文章，如源泉混混，沛然奔放，一泻千里。又如园林得春，群芳奋发，组绣烂然，可玩可悦。赋咏之体，必律唐人。兴之所至，笔不停挥，状写之工，极其天趣。他人不足，己尝有余。四方求者，无间贵贱，日集庭下，靡不酬应。一时文人所作碑碣记序、表赞传铭、诗赋，流布远迩，盖未有如子启之富者。工书法，草书雄放，有晋人风致，自解大绅、胡光大后，独步当世。"《抑庵文后集》卷八《曾子启挽诗序》："公之质端厚凝重，其存心也仁，其处友也周，其待物也宽而惠。其学于书无所不读，至其为文，则思发如涌泉，大篇短章各极其趣。诗词尤雄放清丽，出入盛唐诸大家。精于草书，笔势纵逸，若秋隼奋扬，天骥决骤，不可追蹑，四方之人爱之若拱璧。"《古廉文集》卷八《与同年曾学士书》："蒙示高作《巢睫集》。读之，长篇多春容演迤，短篇亦皆精严雅丽，信乎四方播诵如南金美玉。足以垂世传远也无疑矣。日昨会语，间言不及唐人有活法，自以为歉。愚闻专祖蹈袭者谓之死法，脱胎换骨者谓之活法。昔吕居仁序江西诗派，言灵君有自得之妙，忽然有入，然后惟意所得，万变而不穷。是即真活法也。合下之作，已皆曲尽其妙，盖自活法中来，奚必屑于唐人之轨辙而后谓之造诣也耶？但在优游厌饫，以培其本尔。如愚辈，奚足以攀乎逸驾者耶？不宣。"曹安《谰言长语》："曾学士棨《巢睫集》绝似唐人。予天顺六年校文江西，舟回，泊鄱阳湖女儿港。舟人下舟，问予读何书。予呵之，其人曰：'我少从曾棨学士泊此港，有一诗。'予索一诵，其人即诵，予笔之。诗云：'彭蠡湖边女儿港，秋水未干湖水长。女儿一去今几秋，时有行人来系舟。岸柳汀花湿红翠，柳似颦眉花溅泪。茅屋参差石径斜，港口人烟凡几家。当初知是谁家女？后来嫁作谁家妇？嫁时湖上堕弓鞋，至今尚想凌波步。我欲回头问小姑，小姑迢迢隔重湖。我欲前从大姑问，大姑默默凝新恨。红颜薄命真堪惜，女儿名姓无人识。年去年来湖水春，空使行人吊陈迹。君不见，古来多少大丈夫，老死湖山名亦无！'《巢睫集》中无此，岂非沧海遗珠？"《野记》卷三："曾内翰棨之饮，亦太户也。有虏使至，称善饮。有司推能伴者，才得一武弁，犹恐不胜。上令廷臣自荐，曾请往。上问：'卿量几何？'对曰：'无论臣量，且当陪过此虏。'上喜，令往。二人默饮终日，初不可计，虏使已酣，武人亦潦倒，内翰爽然复命。上笑曰：'无论文学，此酒量岂不为大明状元乎？'赐以内醇甚厚。"《艺苑卮言》卷六："曾学士子启，上尝召试《天马歌》，援笔立就。佳之，赐宝带。又因醉遗火，延烧民居，上弗罪也。后病卒，且气绝，呼酒饮至醉，题曰：'宫詹非小，六十非夭，我以为多，人以为少。易箦盖棺，此外何求？白云青山，乐哉斯丘。'"吴期照《刻曾西墅先生集序》："公博览群籍，神采

267

天授，藻思瀚然。凡馆阁奏对，以至扈从吟咏，无一不称上旨。世之学士大夫相传其事而侈谈之者，盖犹有艳慕之心焉。公真史局之宗工、儒臣之盛轨哉。乃至于今，则其华章大篇不可尽睹矣。兹集也，录杞宋之遗，盖存什一于千百，非其全也。……曾公厚于德，尤工于文，读其大廷一对，已可想见其蕴。言固有足重者，独求其所不朽之事，则仅仅此集之文已焉？岂当时之所以赞圣谟而弘典制，凡有关于理乱与兴衰之大者，尽在秘阁清严之地，而民间未之见耶？……丰阳故多儒硕，惟公与罗文毅公先生状元及第。今两公之集，余皆并刻以传，盖欲存此邦之文献，庶几哉不朽云尔。后之继两公而作者，仰止前修，惟所愿学，尚图所以不朽者哉。时万历辛卯岁，季秋望后二日，知永丰县事德清吴期照顿首书。"《列朝诗集小传》乙集《曾少詹棨》："诏选进士二十八人进学文渊阁，子棨为之首。尝召问典故，奏对如响。应制赋《天马海青歌》于上前，子棨独先成，赐宝带名马。躯干丰硕，饮酒至数石不醉。……子棨为文章，才思奔放，顷刻千百言，文不加点。杨文贞称其诗文'如园林得春，群芳奋发，锦绣烂然，可玩可悦。状写之工，极其天趣。他人不足，彼尝有余。'而王元美《诗评》则云：'曾子棨如封节度募兵，精华杂沓，殊少精骑。'合两公之论，则子棨之所造，为可见矣。"《静志居诗话》卷六《曾棨》："子棨下笔不休，不事推敲，偶合绳墨。五言如'断云京口树，残月广陵钟'，'暝色迎官舫，春寒到客衣'，'雨从江北少，山到宿州多'，'残烛明官舫，疏钟出郡楼'，'寒潮瓜步月，残雨秣陵舟'；七言如'云中鸾凤扶雕辇，水底鱼龙识翠华'，'草绿野塘多是水，雨晴沙路不成泥'，'平铺碧甃连驰道，倒泻银河入苑墙'，均不失唐人风格。"《明诗综》卷二〇《曾棨》："徐子玄云，曾诗如天马行空，不可控御。袁永之云，曾公浩若悬河，所乏严洁。项子长云，子启天才雄丽，所乏者谨严精洁耳。穆敬甫云，曾诗富于才情，涌泻如泉。在永乐中，可称独步。顾玄言云，少詹才长七古，该博逸荡，惟以健捷为工，颇以緜靡为累。蒋春甫云，少詹词锋艳发，若青萍倚天；韵语清华，如红蕖透水。又如金羁玉勒，微有蹄啮之恨。"《明诗别裁集》卷三《曾棨》："子启五言如'断云京口树，残月广陵钟'，有中唐风致。"四库提要卷一七五："《西墅集》十卷，明曾棨撰。棨，字子棨，永丰人。永乐甲申进士第一，官至少詹事。棨文章捷敏，信笔千百言立就。刘昌《悬笥琐探》称成祖尝御试《天马歌》，棨文先成，词旨浏亮，成祖赐以玛瑙带。其思速可见。然集中一题百首，往往才气用事，而按切肌理，不耐推敲。是亦速成之过也。此本乃万历中永丰知县德清吴期照所选录，虽颇为简汰，而菁华终鲜。郑瑗《井观琐言》曰，曾子棨诗佳处，不减昆体。曹安《谰言长语》亦曰，曾学士棨《巢睫集》，绝似唐人。殆未确焉。"

胡俨《颐庵文选》初成。朱权《颐庵文集序》："是书者，豫章颐庵先生国子祭酒胡公之文集也。观先生之文，则知先生之德之行之才之志，出于人也尚矣！盖文可以观人，可以取士。故圣王之所以得人，未有不由于斯。……尝谓文章乃天下之公器，其高下浅深，盖有不可掩者矣。故君子欲成人之美者，岂无一言以述之乎？是谓桴布鼓于雷门，击瓦缶于宣室，诚可愧耳。宣德壬子正月十六日，涵虚子癯仙书。"朱权《颐庵诗集序》："今是诗五百三十余篇，皆得诗人之体。而其言无一字为浮屑之说，得儒者之正。孟子曰：'我知言。'吾故于是诗喜而有取焉。使后之作者不流于淫辞诐说，则亦可以思无邪矣。故为之序。宣德壬子正月十九日，涵虚子臞仙书。"［按，文渊阁《四库全书》所存诸序，篇题不存原名，概以"原序"系之。《颐庵文选》存朱权序文两篇，存熊钊、胡广、邹缉、杨士奇序文各一篇，俱系在《颐庵文选原序》下，失其原题。今以序文内容拟题］

五月

陈继致仕。《东里续集》卷九《送陈嗣初诗序》："以目眚求致其事归，诏从之。士奇与嗣初同在馆阁，同史事。嗣初博古知要，尤长于《礼》，予资之多矣。于别也，不能已于情，故赋诗送之，且致讯张宗海、尤文度云。"《抑庵文后集》卷八《赠陈嗣初谢病归姑苏序》："时方修两朝实录，杨公遂与总裁之任，诸公皆执笔其间。嗣初以目眚，勉修其职，而不能尽如其志。书成，有白金、文绮袭衣之赐，进秩为检讨。君子亦以为宜。然嗣初常语人曰：'吾受国厚恩，当尽心以图报，而目日加剧，不能复有所为。吾其归哉！与田夫野叟击壤皷腹，咏歌圣化，不亦可乎？'今年遂上章请焉。天子许之。"

七月

宣宗作《豳风图诗》。《明宣宗章皇帝实录》卷九三"宣德七年秋七月庚辰（二十四日）"："上燕闲，阅内库书，尽得元赵孟頫所绘《豳风图》，而赋长诗一章，召翰林词臣示之曰：'《豳诗》，周公陈后稷、公刘致王业之由，与民事早晚之宜，以告成王，使知稼穑之艰难。万世人君皆当鉴此。朕爱斯图，为赋诗，欲揭于便殿之壁，朝夕在目，有所儆励。尔其书于图之右。'"

冬

黄淮入京觐见。《明史》黄淮传："父性年九十，奉养甚欢。及性卒，赐葬祭，淮诣阙谢。值灯时，赐游西苑，诏乘肩舆登万岁山。命主会试。比辞归，饯之太液池，帝为长歌送之。"《黄文简公介庵集》卷十《御制恩赐诗赞》序："宣德壬子冬，臣淮谨以谢恩诣阙。赐宴内阁，俯留累月。赐游西苑，悯臣疲弱，许乘肩舆，循太液池，遍览胜丽。宴于万岁山麓。至荣至幸，诚出非常。"

朱有燉杂剧《八仙庆寿》《踏雪寻梅》成。《八仙庆寿》卷首小引："庆寿之词，于酒席中，伶人多以神仙传奇为寿。然甚有不宜用者，如《韩湘子度韩退之》《吕洞宾岳阳楼》《蓝采和心猿意马》等体，其中未必言词尽善也。故予制《蟠桃会八仙庆寿》传奇，以为庆寿佐樽之设，亦古人祝寿之意耳。……宣德七年季冬良日，锦窠老人书。"《踏雪寻梅》卷首小引署"宣德七年季冬中浣书于兰雪轩"。《远山堂剧品·雅品》："境界是逐节敷衍而成，但仙人各自有口角，从口角中各自现神情，以此见词气之融透，字字发《光明藏》矣。吴梅《八仙庆寿跋》：《八仙庆寿》四折，纯为祝嘏佐尊之词。观宪王《小引》，以神仙传奇为不宜用，知当时忌讳之深。无怪清嘉、道间，官场忌演《邯郸梦》，以为不吉也。通本以西王母蟠桃宴集，邀福、禄、寿三星，八洞天仙，庆贺桃实，而以香山九老作陪，即取人瑞之意，合天地人同庆也。剧中第三折前毛女上唱，用〔出队子〕四支。以渔筒简子合歌，最为可听。"《远山堂剧品·艳品》："以殊艳之词，写出淡香疏影，而艳不伤雅，以是见文章之妙。但孟浩然以'不才明主弃'之句，终身放逐，何必拜官天禄，乃为文人胜事乎？吴梅《踏雪寻梅跋》：此谱孟襄阳、贾浪仙事，而以李白、罗隐为辅，未免荒唐。惟用《忆秦娥》《清平调》诸作联缀成套，亦复可喜。此盖从《集异记》旗亭故事变换成文，词藻亦能浑协，洵可传也。末以孟浩然由太白举荐，得入翰林，尤想入非非。"

本年

丘浚已能作律诗。蒋冕《琼台诗话》卷上："年甫十二，即偶成唐律一首，云：绝岛穷荒面面墙，偶从窗隙得余光。浮云尽敛天还碧，斗柄初昏夜未央。燕语莺啼春在在，鸢飞鱼跃景洋洋。收来一担都担着，肯厌人间岁月长？"

唐子仪卒，年八十六。《梧冈集》卷五《溪居图序》署"宣德四年己酉夏五月朔，八十三翁唐子仪书"，四库提要卷一七〇云"卒年八十有六"。程敏政《唐氏三先生集序》："梧冈制作，专以上世为法，而克肖之，不复以高视阔步为能。"四库提要卷一七〇："《梧冈集》十卷，明唐文凤撰。……文凤与祖元、父桂芳俱以文学擅名，时号小三苏。其诗文丰缛深厚，刊落纤浮，犹为不失家法。其五世孙泽撰墓表云：'先生著述，在乡校者曰《朝阳类稿》；在兴国者曰《政余类稿》，又曰《章贡文稿》；在藩府者曰《进忠类稿》；在洛阳者曰《洛阳文稿》；归田后曰《老学文稿》。'今此编所存者，止诗四卷，文六卷，盖不逮十之三四矣。"《明诗纪事》乙签卷一三《唐文凤》陈田按："纪善诗骨干老苍，如豫章凌云，非复寻常近赏。"

公元 1433 年（宣德八年 癸丑）

正月

杨士奇作《太平圣德诗》。《东里续集》卷六一《太平圣德诗》序："宣德八年正月上元之夕，敕张灯于御苑。制作精丽，铺张宏大，辉焕繁盛，殆非言语所能形容，太平之盛致也。上先侍圣母皇太后往观中宫，皇太子咸侍。奉觞上寿，极天伦之乐。越一日，敕群臣往观，赐宴苑中。又一日，命文武大臣以四夷朝贡之使往观，仍赐宴苑中。自是，悉赐京城内外及郊野之民咸往观焉。臣民观者靡不目眩心骇，应接不遑。欣喜之至，皆以为千万世盛事，何幸遭遇而亲睹也。欢腾嵩呼，声振连夕。臣某伏自思惟，太平者本于皇上之圣德，幸睹盛乐，敢忘所本？敬赋《太平圣德诗》十章，各有序引，以著事实。谨缮写上进，伏惟电览云。"

三月

初三，赐曹鼐等进士及第、出身有差。

四月

黄淮乘舆游西苑。《黄文简公介庵集》卷十《赐游西苑诗》序："臣淮谨以谢恩诣阙，首蒙赐宴内阁，礼成奉辞，过承宠眷。赐留月余，光禄时颁廪饩。四月二十六日，钦奉敕旨，命太监臣诚导臣游览西苑，仍命成国公臣勇等十有四人偕往。又蒙特恩，悯臣疲弱，许乘肩舆。勇等乘马。径至白玉桥，舍舆马，徒步先诣南圆殿，是为皇上祗奉皇太后之所。伏见圣诚纯孝，亘古莫伦。臣等拜稽感悦，谨呼万岁。次诣清暑殿，迤逦遍观奇胜。抵万岁山，臣诚宣奉圣旨，谓曰：'山巅下瞰宫庭，人迹所不敢到。诸大臣皆心腹股肱，登高眺远，一无所禁。'臣勇等又皆拜稽称谢。遂循翠岭盘桓而上，历仁贺、介福、延和诸殿，金露、玉虹、方壶、瀛州四亭，直造广寒，置身于层霄之上。周览坼甸，获睹太平繁华之盛。于是下宴山，趾绿阴之中，酒颁、法酝、果馔，皆出天厨之珍。窃臣淮一介儒士，叨逢隆遇，兹者复蒙宠以非常之恩，天高地厚，莫馨名言。自愧才庸质懦，不能补涓埃，辄效康衢之谣，撰述近体五章，祝圣寿于万万年。"《翰林记》卷一六《赐游观》："八年四月二十六日，上以时清气和，特命勋旧辅导文学之臣游西苑。翰林惟少傅杨士奇、杨荣，少詹事王英、王直，侍读学士李时勉、钱习礼。时少保黄淮来自退休，与焉。自成国公朱勇而下，凡十五人。敕中官导自西安门入，听乘舆马，及太液池而步。遂得同览奇胜。"

五月

陈继卒，年六十五。朱谋垔《画史会要》卷四："陈嗣初，东吴人，以文章擅名翰林，任检讨。写竹尤奇，仲昭、士谦皆师之。"叶盛《水东日记》卷五："张学士士谦、夏太常仲昭，两人同登第，乡谊甚款密，皆及与陈嗣初、王孟端诸人游，皆有志作文、写竹。一日馆阁命石渠阁赋题，士谦稿先就，仲昭见之，即不复下笔。既而士谦以仲昭写竹石愈己也，亦然。两人竟各以所长名世。"正德《姑苏志》卷五二："继为人端恪，其学自经史百氏皆博考深究。文章根义理，辩体制，严矩矱，不肯苟率。一时称为作者。所著有《怡庵集》。"《静志居诗话》卷六《陈继》："嗣初为惟允遗孤，惟允坐法诛，家无长物，惟阅过书二万余卷。其母吴教之成学，以荐授五经博士。时献陵于大内之西思善门辟弘文馆，命杨学士溥主之。嗣初与王侍讲琏入直焉。其诗本之家学，持论以为：诗者，非得乎天地之清气，则无以极其妙。今所存《怡庵集》一十五卷，诗未之录。尝见《题渔父图》，有云'夕阳渐红江转绿'，分明画出一幅渔村晚景也。"《明诗综》卷一九《陈继》存诗二首：《秋夜雨中怀施孟端》《乌夜啼》。

六月

宣宗作《闵旱诗》。《明宣宗纯孝章皇帝实录》卷一〇三"宣德八年六月乙酉（初四）"："上以天久不雨，祷祠未应，忧之，作闵旱之诗，示群臣。诗曰：亢阳久不雨，夏景将及终。禾稼纷欲槁，望霓切三农。祠神既无益，老壮忧忡忡。饘粥将不继，何以至岁穷？予为兆民主，所忧与民同。仰首瞻紫微，吁天摅精衷。天德在发育，岂忍

271

民瘰痌。施霖贵及早，其必昭感通。翘跂望有淹，冀以苏疲癃。"

七月

李昌祺《剪灯余话》始刊。刘子钦《剪灯余话序》："洪熙初，余蒙恩归自岭表，访旧于庐陵忠节之邦。客有以《元白遗音》来示曰：'《至正妓人行》，乃吾同年广西布政使李公祯寓房山时所作，暨翰林诸先生所跋也。'读而感之，慨我同志，遂因其人，即其事，致其咏叹之意，书其后而归之。明日又得其《剪灯余话》之编，首阅玉堂大手笔诸公之序，凡三首；其卷四，其编二十，皆湖海之奇事，今昔之异闻。漱艺苑之芳润，畅词林之风月，锦心绣口，绘句饰章，于以美善，于以刺恶，或凛若斧钺，或褒若华衮，可以感发人之善心，可以惩创人之佚志，省之者足以兴，闻之者足以戒，斯岂博岩之近词，实乃薇垣之佳制也。快吟而细读之，连日达曙，惊喜不已，为之叹曰：'何吾李公于房山之暇，得肆其力于翰墨如是哉！'昔人谓作史有三长，曰才、学、识。今观公之卓冠时髦，如玉宇澄秋，云汉昭回，可望而不可及，而其学问之该博，识鉴之精通，又不啻如川汇河输，而四海一委：鉴空衡平，而理无不烛也。有是哉，公之能事乎！兼是三者之长，而本之以圣贤之学，抑何言之不立，何书之不著耶？然此特以泄其暂尔之愤懑，一吐其胸中之新奇，而游戏翰墨云尔，岂公之至哉？亦岂士之望于公哉？嗟乎！以公之硕学令望，暂试于方面，已善其治矣。使其异日登庸庙堂，职专辅弼，则其论道经邦，黼黻皇猷，又当何如也？虽然，谓之《剪灯余话》，则日论嘉言之不足，于以继其晷，而续其绪余，抑岂不有以醒人之耳目而涤其昏困耶？是编也，侔诸垂世立教之典，虽有径庭，然士固有一饭不忘其君者。伏惟皇上宵旰图治，九重万几，日昃不遑，异时斯言傥获上闻，一尘圣聪，亦未必不如《太平御览》之一端，以少资五云天畔之怡颜也。敬不敏，什袭所录，欲刊而未能。宣德癸丑夏，知建宁府建阳县事盱江张公光启，锐意欲广其传，书来，谓'子所录得真，请寿诸梓'，遂序其始末，以此本并《元白遗音》附之，以同其刊云。是岁七月朔旦也。赐永乐甲申进士、前翰林庶吉士、承直郎、秋官主事文江刘敬子钦书。"张光启《剪灯余话跋》："右《剪灯余话》一帙，乃大儒方伯李公之所撰也。公学问该博，文章政事，大鸣于时。暇中因览钱塘瞿氏所述《剪灯新话》，公惜其措词美而风教少关，于是搜寻古今神异之事，人伦节义之实，著为诗文，纂集成卷，名曰《剪灯余话》，盖欲超乎瞿氏之所作也。既成，藏诸笈笥，江湖好事者，咸欲观而未能，余亦憾焉！遂请于我师文江子钦刘先生以之示余。开合数四，不能释手，玩文寻义，益究益深，诚足以见方伯公道积厥躬，而胸敷锦绣也。吁！是编之作，虽非本于经传之旨，然其善可法，恶可戒，表节义，砥风俗，敦尚人伦之事多有之，未必无补于世也。及观玉堂巨公之序文，方伯先生之佳作，其雄词丽句，则旋转如乾坤，辉映如日月者，亦有之矣。余甚嘉之，命工刻梓，广其所传，以副江湖好事者观览。"《水东日记》卷一四："庐陵李祯，字昌祺，河南左布政使。为人耿介廉洁，自始仕至归老，始终一致。人颇以不得柄用惜之。尝自赞其像曰：'貌虽丑而心严，身虽进而意止。忠孝禀乎父师，学问存乎操履。仁庙称为好人，周藩许其得体。不劳朋友赞词，自有帝王恩旨。'盖亦有为之言也。景泰中，韩都御史雍以告之故老进列先贤祠中，祯独以尝作《剪灯余话》，不得与。祯他为诗文尚多，有《运甓》等集行世。其《余话》诚谬，而所谓《至正妓人行》，亦大袭前人，虽无作可耳。"

闰八月

郑纪（1433—1508）生。字廷纲，别号东园，仙游人。天顺庚辰进士，改翰林庶吉士，授检讨。历官至户部尚书致仕，给驿还乡，奉诏进阶荣禄大夫。有《东园文集》。《东园文集》附录《名公叙述》："幼庄重警敏，趋向不凡，与孝子刘闵居云洞山中，以居敬穷理为学，一时名士翕然归仰。泉南陈剩夫来谒，留阅月，自言：'得见郑子，方觉荒疏。'"

十一月

试庶吉士艺文，徐有贞占魁。《翰林记》卷四《文华殿考艺》："永乐中，召试庶吉士文艺，多在文华殿。宣德八年冬，宣宗御文华殿，召诸庶吉士诣文渊阁，试以《诸葛孔明可与兴礼乐论》，亲第其高下，取十三人。翰林以徐珵为首，赐宝锭百锭，余有差，盖因永乐之旧也。已而别选尹昌等六人、萧镃等二人，及斋宫所选者八人，以足二十八人之数。"

冬

朱有燉杂剧《宣平巷刘金儿复落娼》《赵贞姬身后团圆梦》《刘盼春守志香囊怨》《紫阳仙三度常椿寿》《豹子和尚自还俗》成。《复落娼》卷尾题"宣德八年岁在癸丑孟冬中浣锦窠老人书"，《团圆梦》卷尾题"十一月长至后八日锦窠老人书"，《香囊怨》末题"宣德八年十一月下浣锦窠老人书"，《常椿寿》小引署"宣德八年龙集癸丑季冬良日全阳道人书于黍珠丹室"，《豹子和尚》小引末题"宣德八年岁在癸丑腊月初吉锦窠老人书"。《远山堂剧品·妙品》："句句是痛骂。骂得快时，不知其为文字矣，但见金儿一辈人，啼笑纸上，即阅者亦恍然置身戏场中。吴梅《复落娼跋》：《复落娼》四折，记刘金儿事。通本情节颇奇诡，摹写伎女丑状，至可喷饭。余案：宁献王权亦有《复落娼》一剧，未知与此剧何若。但献王作题《杨姨复落娼》，则非刘金儿事可知。惜献王书已佚，未能持校此本耳。""只是淡淡说去，自然情与景会，意与法合。盖情至之语，气贯其中，神行其际。肤浅者不能，镂刻者亦不能。吴梅《团圆梦跋》：此剧写义夫烈妇，甚为可敬。"《远山堂剧品·雅品》："紫阳之度椿，与纯阳之度柳相似。惟谷子敬剧，局更变幻，词则相伯仲耳。"

本年

沈周从陈宽学。据今人陈正宏《沈周年谱》："七岁，从陈宽学。"［按，宽父陈继嗣初，以宣德七年五月致仕，详本编年。《沈周年谱》引《吴都文粹续集》卷四○

《仲兄醒庵先生墓志铭》："汝言生翰林检讨继，先生之父也。先生幼颖异，读书过目即成诵。既长，益力学。先生性严毅，教训甚笃。凡天人性命之奥，礼乐名物度数之详，得于耳提面命，而会于归。由是清誉勃勃然动人口矣。母金孺人殁，先生执丧，哀毁过礼。父官翰林，走省侍之，时南郡杨少保见而奇之，曰：'他日独步东南。'及还士林，争延师席，以不得为歉。"]

瞿佑卒，年八十七。瞿佑《重校剪灯新话后序》："少日读书之暇，性善著述，萤窗雪案，手笔不辍，每为乡丈柏轩凌公所称许，不知者有玩物丧志之讥，而决意不回，殆忘寝食，久而长编巨册，积成部帙。治经则有《春秋贯珠》《春秋捷音》《正葩掇英》《诚意斋课稿》，阅史则有《管见摘编》《集览镌误》，作诗则有《鼓吹续音》《风木遗音》《乐府拟题》《屏山佳趣》《香台集》《采芹稿》，攻文则有《名贤文粹》《存斋类编》，填词则有《余清曲谱》《天机云锦》，纂言纪事则有《游艺录》《剪灯录》《大藏搜奇》《学海遗珠》等集。"《蟫精俊》卷四《吕城怀古》："晚回钱塘，以疾终。所著有《通鉴集览镌误》《香台集》《剪灯新话》《乐府遗音》《归田诗话》《兴观诗顺承稿》《存斋遗稿》《咏物诗》《屏山佳趣》《乐全稿》《余清曲谱》《保安新录》《保安杂录》等集，一见存其目，丧乱以来，所失亡者，往往人为惜之。如《剪灯录》《采芹稿》《春秋贯珠》《春秋捷音》《正葩掇英》《诚意斋稿》《管见摘编》《鼓吹续音》《风木遗音》《存斋类编》《天机云锦》《游艺录》《大藏搜奇》《学海遗珠》等集，兹不可复得也。一子读先生《香台集》，惜其引据奇僻而无释之者，后学病焉。菊庄乃命予：'宜为之注。'承命，三阅月而书始成。是以益仰先生博雅之才为不可量也。夫先生于流离颠沛丧乱之余，晚值多故之秋，而其著述不衰，学问益富，视彼饱食终日无所用心者，有愧多矣！"《沙溪集》卷一三《无用闲谈》："瞿宗吉与李昌祺所著《剪灯新话》《余话》，瞿笔路固敏劲，然剽窃者多，甚至全篇累行誊录。李虽用事险僻，少涉晦涩，要之皆其胸臆中语，非窃之他人也；其诗集所谓《运甓漫稿》者，其中亦多佳句。《余话》中则'惜花春起早'四词之外，吾无多取焉。《新话》中亦惟《四时词》与二三《竹枝词》耳。其他如《香台集》《存斋诗话》之类，皆鄙俚语言，无足为道。然则学术识见，瞿不逮李远甚。世竞优瞿而劣李，其异于矮人观场者无几。"《静志居诗话》卷六《瞿佑》："明初诗家，以杨廉夫为祭酒。廉夫见同调，缀以评语，不曰牛鬼，则曰狐精。此王常宗论文，即以狐比廉夫也。宗吉幼为廉夫所赏，拾其唾余，演为流派。刘士亨、马浩澜辈争效之。譬诸画仕女者，肌体痴肥，形神猥俗，曾牛鬼狐精之不若矣。其稍有风骨者，如'射虎何年随李广？闻鸡中夜舞刘琨'，'蹈海莫追天下士，折腰难事里中儿'，庶与凌彦翀、李宗表相近。当时尝取宋元金三朝律诗一千二百首，编为《鼓吹续音》，惜乎不得见矣！"《明诗综》二二《瞿佑》录诗十二首：《天魔舞》《春社词》《高门叹》《义士行》《看灯词》（六首）《清明》《过苏州》。

公元1434年（宣德九年 甲寅）

春

黄淮入京觐见。《明史》黄淮传："比辞归，饯之太液池，帝为长歌送之，且曰：

'朕生日，卿其复来。'明年入贺。"

六月

曹端卒，年五十九。《明儒学案》卷四四《学正曹月川先生端》："宣德甲寅六月二日，卒于霍州，年五十九。"四库提要卷一七〇："明初理学以端与薛瑄为最醇。瑄诗文集及读书录等，皆传于世，而端之遗书散佚几尽，其集亦不复存。此本为国朝仪封张伯行衷辑而成。首以《夜行烛》，次《家规辑略》，次《语录》，次《录粹》，次序七篇，次诗十五首。《夜行烛》《家规》二序，不冠本书，而别移于后。诗之中间以《太极图说赞》一篇，皆非体例，盖编次者误也。末附诸儒评语及张信民所纂《年谱》。端诗皆《击壤集》派，殊不入格，文亦质直朴素，不以章句为工。然人品既已醇正，学问又复笃实，直抒所见，皆根理要，固未可绳以音律，求以藻采。况残编断帙，掇拾于放失之余，固儒者所宜宝贵矣。"

朱有燉杂剧《清河县继母大贤》成，散曲集《诚斋乐府》成。《继母大贤》卷前小引题"宣德甲寅季夏中浣老狂生书"，卷末署"宣德九年长至日锦窠老人制"。《诚斋乐府引》署"宣德九年岁在甲寅长至日锦窠老人书"。《远山堂剧品·妙品》："贤者继母，传之有关风化。其词融炼无痕，得镜花水月之趣。然元人多于风檐中作剧，故至第四折往往力弱。周藩至此，亦觉笔阵少减，何耶？吴梅《继母大贤跋》：此剧情节颇佳。"

七月

梁本之卒，年六十五。《东里续集》卷三九《梁先生墓志铭》："宣德甲寅七月丙子朔，鲁府纪善梁本之卒于官。……本之讳混，以字行。晚号坦庵。自幼嗜学，始从其父兄，稍长出就乡先生质疑请益。弱冠，即穷日夜研钻传注，力求诸古人，不畅不止，遂贯通《四书》及《诗》《书》二经。乡之号前辈者，或不及也。……瑞州府学聘训导。瑞学久缺师，士习卑陋，本之力作新之。……九年，升溧阳县学教谕。溧阳学亦久弛，本之笃于教，不减在瑞。……蜀献王闻其贤，奏举为纪善。……母丧，服阕改鲁府纪善。蜀僖王嗣立后，因使存问，赐白金等物。在鲁府五年卒，春秋六十有五。"四库提要卷一七五："《坦庵文集》八卷，明梁本之撰。……本之与其兄潜齐名。萧镃称所作浤涒澄深，端重典则，盖庄人学者之文。然规模与其兄相近，骨力根柢则皆不及其兄也。"

八月

杨溥升礼部尚书。《明宣宗章皇帝实录》卷一一二"宣德九年八月丁巳（十三日）"："升行在太常寺卿兼翰林院学士杨溥为行在礼部尚书，仍兼学士。"

选译书学生。《明宣宗章皇帝实录》卷一一二"宣德九年八月戊辰（二十四日）"："选习四夷译书学生。初，上以四夷朝贡日蕃，翻译表奏者多老，命尚书胡濙同少傅杨

275

士奇、杨荣，于北京国子监选年少监生，及选京师官民子弟有可教者，并于翰林院习学。至是，选监生王瑄等，及官民子弟马麟等各三十人以闻。命指挥李诚、丁全等教之，翰林学士程督之。人月支米一石，光禄寺日给饭食。习一年，能书者与冠带，惰者罚之，全不通者黜之。"

九月

令生员老者考送国子监。《日知录》卷一七："九年九月戊寅（初四），行在礼部奏取天下生员年四十五以上者考试，其中者入国子监读书，不中者罢归为民。宣庙精勤吏治，一时澄清之效如此。后人不知，即知之亦不肯言矣。"

杨士奇等扈从巡边。《明宣宗章皇帝实录》卷一一二"宣德九年九月庚辰（初六）"："上将率师巡边，……命少师蹇义，少傅杨士奇、杨荣，礼部尚书胡濙、杨溥，工部尚书吴中等扈从。癸未，重阳节，赐文武群臣宴。车驾发京师，驻跸唐家岭。"

十月

初三，宣宗车驾还宫。

十二月

朱有燉杂剧《东华仙三度十长生》成。卷末署"宣德九年岁在甲寅冬十二月初八日全阳道人制"。

本年

徐有贞特进翰林院编修。《家藏集》卷五八《天全先生徐公行状》："有诏简进士绩学翰林为庶吉士，数视列宿，公与其列，所以作养而期待之者甚至。久之，一日宣宗御便殿，召所简二十八人者，亲命之题试之。上览公文粲然成章，擢居第一，即日授翰林编修。公之入翰林也，一时前辈若杨文贞、文敏诸公，皆雅知公名而器重之。而公不屑以文名也，益欲为有用之学，凡军旅、刑狱、水利之类，无不讲求其法而一欲通之。或曰：'公职业在文字，事此奚为？'公曰：'此孰非儒者事？使朝廷一日有事用我辈，吾恐学之已无及矣。'闻者以公有远大志。"《弇州续稿》卷八八《徐有贞传》："是岁（宣德八年）以三月选进士，尹昌等为庶吉士，仅六人。至十月而复选庶吉士，得十三人，有贞居首。命学士王直教之。上甚属意焉。居二载，特为御文华殿试之，有贞仍居首，即授翰林院编修，预修实录。"

胡居仁（1434—1484）生。字叔心，饶之余干人。学者称为敬斋先生。弱冠时奋志圣贤之学，游吴与弼之门。万历己酉，追谥文敬，从祀孔庙。《明文海》卷三九八《胡敬斋传》："颖异有大志，家世业农，至叔心益窘，鹑衣蔬食，若将终身焉。方童年，得邻家遗物，还之。尝从于同知准受《春秋》，知无所得，曰：'学讵止此乎？'及闻吴聘君与弼讲学崇仁，徒步从之游，聘君亟称叹，以为非常人。退而益加充广，尽弃旧学，以斯道自任。"

公元 1435 年（宣德十年　乙卯）

正月

宣宗朱瞻基卒，年三十八。《明宣宗章皇帝实录》卷一一五"宣德十年春正月乙亥（初三）"："上崩。"《艺苑卮言》卷五："宣宗天纵神敏。长歌短章，下笔即就。每遇南宫试，辄自草程序文，曰：'我不当会元及第耶？'而一时馆阁诸公无两司马之才，衡、向之学，不能将顺斧斨，良可叹也。"《明史》宣宗本纪："即位以后，吏称其职，政得其平，纲纪修明，仓庾充羡，闾阎乐业，岁不能灾。盖明兴至是历年六十，民气渐舒，蒸然有治平之象矣。若乃强藩猝起，旋即削平，扫荡边尘，狡寇震慑，帝之英姿睿略，庶几克绳祖武者欤。"《古今说海》卷一三六梅纯《损斋备忘录》："宣庙诗多六言，如《过史馆》云：'荡荡尧光四表，巍巍舜德重华。祖考万年垂统，乾坤六合为家。'《上林春色》云：'山际云开晓色，林间鸟弄春音。物意皆含春意，天心允合吾心。'二诗今人家往往有石刻摹本，盖石不在禁中，故人多得之。臣又尝于一故家获睹《咏撒扇》一首，云：'湘浦烟霞交翠，剡溪花雨生香。扫却人间炎暑，招回天上清凉。'与前二诗皆一视同仁气象，而此一章尤有克治之意。大抵皆以天地万物为一体。真帝王之言也！"《列朝诗集小传》乾集上《宣宗章皇帝》："帝天纵神敏，逊志经史，长篇短歌，援笔立就。每试进士，辄自撰程文，曰：'我不当会元及第耶？'万机之暇，游戏翰墨，点染写生，遂与宣和争胜，而运际雍熙，治隆文景。君臣同游，赓歌继作，则尤千古帝王所希遘也。"《珊瑚网》卷四五《名画题跋二十一》："《景陵九鸳图》，宣德年制。又《芦雁图》，宣德年制。……章皇帝圣能天纵，一出自然，若化工之于万物，因物赋形，不待矫揉而各遂生成也。敬观二图，柳丝鸟喙细过于发，一种生动之致，又居然写意家神逸品。"《静志居诗话》卷一《明宣宗》："景陵当海宇承平之日，肆意篇章。尝于九年元夕群臣观灯，各献诗赋，汇成六册。惜今已无存。即所遗御制集诸诗，视民如伤，从善不及。宜薛禄武人，比之南仲、山甫，而拊心感泣也。"《明诗综》卷一《宣宗章皇帝》："何乔远曰，章皇寤寐思贤，未尝一日去书。下笔蜂涌，皆传修齐治平之道。翰墨图画，随意所在，尽极精妙。"存诗九首：《猗兰操》《思贤诗》《赐许廓巡抚河南》《悯农诗示吏部尚书郭琎》《示户部尚书夏原吉》《捕蝗诗示尚书郭敦》《减租诗》《悯旱诗》《草书歌赐程南云》。

太子朱祁镇即皇帝位，诏以明年为正统元年。《明英宗睿皇帝实录》卷一"宣德十年春正月壬午（初十）"："上即皇帝位，颁诏大赦天下。"《御批历代通鉴辑览》卷一〇三："遗诏：'国家重事白皇太后行。'时太子方九龄，外廷传言，太后取金符入内，欲召立襄王。杨士奇、杨荣率百官入临，请见太子。太后即至乾清宫，携太子泣曰：'此新天子也。'士奇等伏谒呼万岁，浮议乃息。"

吴宽（1435—1504）**生。**字原博，长洲人。成化壬辰第一人及第，授修撰。历谕德、庶子、少詹，兼侍读学士，擢吏部侍郎，掌詹事府，入东阁专典诰敕，进礼部尚书。赠太子太保，谥文定。有《家藏集》七十七卷。《家藏集》卷三四《次高进之生辰韵》："老夫初度元正节，六十三回月廿三。白发欺人不可奈，青山对酒欲辞酣。"

七月

敕修《宣宗实录》。《明英宗睿皇帝实录》卷七"宣德十年秋七月丙子（初七）"："少傅兵部尚书兼华盖殿大学士杨士奇等言：'臣等仰惟宣宗皇帝临御十年，大功大德在国家在生民者，必当纪载，垂于万世。今宜依祖宗故事，纂修实录，以彰盛美。'上从之。敕谕礼部曰：'朕惟古昔帝王功德之实，载诸简册，光昭万世。我皇考宣宗章皇帝，聪明睿智，文武圣神，备君德之大成，嗣祖宗之丕绪。仁惠黎元，威戡叛乱。在位十年，中国奠安，四夷宾服。太平之绩，允光前烈。宜有纪述，以示来世。朕以菲德，图惟继述。尔礼部宜遵祖宗故事，纂修实录。其以太师英国公张辅为监修，少傅兵部尚书兼华盖殿大学士杨士奇、少傅工部尚书兼谨身殿大学士杨荣、礼部尚书兼翰林院学士杨溥、詹事府少詹事兼侍讲学士王英、少詹事兼侍读学士王直为总裁。遴选文儒，协相纂述。其有合行事宜，条列以闻。钦哉！'"

十二月

朱有燉杂剧《吕洞宾花月神仙会》成。据卷首小引："宣德十年十二月朔日全阳子制。"

本年

谢铎（1435—1510）**生。**字鸣治，号方石，天台人。天顺甲申进士，选庶吉士，授编修，历官南京国子祭酒，移疾归，起为礼部右侍郎，掌祭酒事。卒赠礼部尚书，谥文肃。有《桃溪净稿》。《王氏家藏集》卷三一《方石先生墓志铭》："生而资性澄朗，机神警悟。童时即能为韵语。年十四，叔父逸老先生授以《四子书》《毛诗》，辄通大义。将冠，游邑校，与同邑黄文毅公孔昭友契，服膺儒素，日相砥励，以古人自期，乃并有时名。"李东阳《桃溪杂稿序》："先生姓谢氏，名铎，字鸣治，台之太平人，累官翰林侍讲，号方山，后更号方石，桃溪其所居地也。"

傅瀚（1435—1502）**生。**字曰川，号体斋，新喻人。天顺甲申进士，入翰林为庶吉士，授检讨。弘治中为礼部尚书，赠太子太保，谥文穆。博学强记，为诗文峻整有格，书法亦遒美。《震泽集》卷二五《礼部尚书赠太子太保谥文穆傅公行状》："少颖秀拔异，读书过目成诵。始就外傅，则往往推究奥义，人多奇之。"

黄仲昭（1435—1508）**生。**名潜，以字行，莆田人。举成化二年进士，与罗伦、章懋、贺钦、庄昶等同榜，以名节相激励。改庶吉士，授编修。坐谏鳌山烟火，予杖，谪湘潭知县，迁南京大理评事，进寺副。乞休。弘治初，起江西提学金事，寻致仕。有《未轩集》。

公元 1436 年（正统元年　丙辰）

四月

王达《天游文集》编成。翟厚《书天游文集卷后》："右《天游文集》十卷，先师翰林学士耐轩先生王公之所作也。先生以清雄卓越之才，渊源精微之学，道明德立，发于文章，辞理兼到。……呜呼！先生平生著作甚多，已载于给事中山阳门人王孚之辞。惜夫所采者，如《诸子辨》及馆阁巨制，咸未见录。厚比见诸乡校，恐久湮坠，乃假归，重为增补编次，仍为十卷。慨力绵薄，欲刊未能。迄有南平令尹胡均季渊，道经故里，均，先生之门人，又居姻亲家，一见兹集，语余曰：'先生之文，幸子集之。使弗入刊，终亦湮坠。予官所去建阳书坊不远，盍以此予余，往为入梓，行之四方，以嘉惠后学，使天下后世之士，读先生之文，知先生之道，如此不亦可乎？'余曰：'此吾素心也。'用述数语，识岁月以拱俟其刊云。正统元年孟夏朔旦，厦亭翟厚书。"四库提要卷一七五："《王天游集》十卷，明王达撰。达有《笔畴》，已著录。是集乃其门人王孚所编。卷末又有其门人翟厚跋，谓其馆阁巨制及《诸子辨》等篇，咸未见录，乃重为增补编次，仍为十卷云云。则厚所重定，非孚之旧本矣。据孚称，达所著有《天游小稿》《梅花百咏》《古今孝子赞》，俱已梓行。《诗》《书》二经《心法》，学者多传之。又有《耐轩杂录》五卷、《问津集》一卷、《南归集》一卷、《通书发明》一卷、《天游诗集》十卷、《文集》三十卷，今皆未见。惟《景仰撮书》一卷、《笔畴》二卷，附于此集之末者，今尚有别本行世，盖即从此集抄出云。"

五月

始置提督学校官。《御定资治通鉴纲目三编》卷九："夏五月，始置提督学校官。南京户部尚书黄福言，比来生员学艺疏浅，宜令布政、按察二司遍历考试，庶得真才。于是两畿及十三布政司各置提督学校官一员，两畿以御史，十三布政司以按察司佥事。著为令。"

七月

赵羾卒，年七十二。《明英宗睿皇帝实录》卷二〇"正统元年秋七月戊申（十五）"："行在刑部致仕尚书赵羾卒。……仁宗皇帝嗣位，改刑部尚书。宣德庚戌，以疾致仕。至是卒，遣官谕祭，命有司治丧葬。羾在襁褓，母抱避寇，林莽间卒遇虎，置于地，虎熟视而去，闻者异之。及长，英伟多才，善属文，喜歌咏。历事五朝，多所裨益。虽贵位列卿，自奉如寒素云。《文敏集》卷一八《故资政大夫刑部尚书赵公神道碑铭》："惟公仪度英伟，倜傥多才，善属文，喜歌咏。有《伧父集》二卷，藏于家。"于谦《赵尚书诗集序》："刑部尚书大梁赵公，以鸿才硕学遭际盛时，扬历华要，声实著闻。其雍容庙堂之暇，旬宣方岳之余，怡情适趣，发为辞章，长篇短什，操楮立就。有沉雄而典重者，有舒徐而优柔者，有平衍而冲澹者，有光彩焕发而豪宕放逸者，有清新流丽而慷慨凄惋者，变态纵横，不一而足。如八音迭奏而毕中其节，如百货具陈而各适于用，如五味相资而各适诸口，岂区区拘泥声律而摹仿前人于万一者之可拟哉。是皆清明纯粹之气，自肺腑中流出，有莫知其所以然而然者。嗟夫！公一代伟人也！才与位称，出与时会，功在朝廷，泽被生民，而辞章特余事耳，固未足以尽公。然欲知公之出处与其人品才气者，亦可于此而概见。且以知天地之气所以钟于公者，固不偶然也。"《静志居诗话》卷六《赵羾》："尚书识于忠肃于弱龄，可谓具知人之鉴。忠肃序其诗云：'尚书雍容庙堂之暇，发为辞章，长篇短什，操楮立就，有沉雄而典重者，有舒徐而优柔者，有平衍而冲淡者，有光采焕发而豪宕放逸者，有清新流丽而慷慨凄惋者，变态不一，岂区区拘泥声律、摹仿前人于万一者之可拟哉！'其称许未免过情。盖知己之感深矣。"《明诗综》卷一九《赵㧑》存诗一首：《城南书事》。

十一月

《沧海遗珠》辑成。杨士奇《沧海遗珠序》："诗本性情，关世道，《三百篇》无以尚矣。自汉以下，历代皆有作者，然代不数人，人不数篇，故诗不易作也。而尤不易识，非深达六义之旨而明于作者之心，不足以知而言之。萧统之选古，高适、姚合辈之选唐，下逮宋元，亦各有选。其采之不详，选之不当，皆不免于后来之讥。盖选之不当者，识之不明也。近代，选古惟刘履，选唐惟杨士弘，几无遗憾，则其识有过人者矣。我国家文运隆兴，诗道之昌追古作者，选录者不啻十数家，然惟刘仔肩、王偁所录，为庶几焉。仔肩过略，偁录虽精且详，而犹未免于有遗也。都督沐公以其所得名人之作，择其粹者，通古、近体三百余篇，皆前选所不及者，名《沧海遗珠》，将刻以传，属余序。余阅其诗，大抵清楚雅则，和平婉丽，极其趣韵，莹然夜光明月之珍，可爱可玩而可传也。有以知都督公之识之明矣。公字景颙，黔宁王仲子，方以忠谟宏略佐兄黔国公为朝廷镇抚西南一方，而绥靖余暇，适情吟咏，以及斯事，非兼文武之智而能之哉？然今好文之朝，天下之广，制作之富，有遗而可录者，未必止此，此殆其权舆者乎？正统元年岁次丙辰十有一月七日，荣禄大夫、少傅、兵部尚书兼华盖殿大学士庐陵杨士奇序。"《沧海遗珠》卷首提要："旧本不载撰人名氏。前有正统元年杨士奇序，称都督沐公所选，又称其'字曰景颙，黔宁王之仲子，佐兄黔国公为朝廷镇抚西南一方'。考《明史》黔宁王沐英子三人：长春，字景春；次晟，字景茂；次昂，字景高。无字景颙者。考正统元年晟为黔国公镇云南，昂为右都督，领云南都司，与佐兄镇抚西南者合。疑昂初字景高，仁宗即位以后，避讳而改为景颙，则此书当为昂所撰矣。所录凡朱经、方行、朱绂、曾烜、周昉、韩宜可、王景彰、楼琏、王汝玉、逯昶、平显、胡粹中、杨宗彝、刘叔让、杨子善、张洪、范宗晖、施敬，僧天祥、机先、大用二十一人之作，共三百余首，皆明初流寓迁谪于云南者。每人姓名之下，各注其字号里居。以其为刘仔肩、王偁诸家诗选所不及，故曰《遗珠》。其去取颇为精审，在明初总卷之中，犹可称善本，非万历以后诸选声气标榜、珠砾混淆、徒灾梨枣者比也。"四库提要卷一八九："《沧海遗珠》四卷，不著编辑者名氏。……二十人皆无专集，此编去取颇精审，所录多斐然可观。自古以来，武人能诗者代代有之，以武人司选录而其书不愧善本者，惟此一集而已，是固不可不传也。"

十二月

章懋（1437—1522）生。字德懋，号闇然翁，晚号瀫滨遗老，兰溪人。成化丙戌进士，累官南京礼部尚书，赠太子少保，谥文懿。有《枫山集》。《枫山集》卷四《传略》："自其幼时颖异，师授书辄成诵，比成童则已遍综群籍，为博士弟子。而嗜学精深，盖盛寒暑未尝辍持卷。其学根据六经，而尤邃于《易》。"阮鹗《枫山章文懿公年谱》："正统元年丙辰十有二月乙丑（初四），先生生"。

本年

黄淮入京觐见。《明史》黄淮传："英宗立，再入朝。"

黄淮《介庵集》初成。《明文衡》陈敬宗《明故荣禄大夫少保户部尚书兼武英殿大学士谥文简黄公墓志铭》："所著文有《介庵集》《归田稿》，藏于家。"四库提要卷一七五："《黄介庵集》十一卷，明黄淮撰。淮有《省愆集》，已著录。案《千顷堂书目》载，淮所著有《介庵集》《归田稿》，均不著卷数。此本总名《介庵集》，而分《退直》《入觐》《归田》三稿。疑黄虞稷未见此本，但据传闻载入也。据目录本十二卷，今第七卷已佚，故以十一卷著录焉。"黄群《介庵集跋》："《温州经籍志》卷二十五，案黄文简《介庵集》，世间流传绝少。焦氏《国史经籍志五》、《明史·艺文志四》所著录者，并止《省愆》一集。朱锡鬯、黄俞邰广搜明代别集，而《明诗综》十七及《千顷堂书目》十八所纪文简集，并以《介庵集》《归田稿》并列，知亦未见其书。同治辛未，余以应试入都，假得翰林院所储明刻小字本，验其册面印记，即乾隆三十八年浙江巡抚三宝所进汪启淑家藏本也。既移录其副，复精勘一过。乃知明刻本十五卷缺第四至七四卷。进本经书贾移易窜改，以十四卷为第四卷，十五卷为第五卷，十三卷为第六卷。又撤去前后叙跋及所缺四卷之目，以泯其迹。故《四库提要》遂以十一卷著录，而以为仅缺第七一卷。幸其每卷鱼尾下所记卷第及目录叶数未尽改，重为排比，尚可见明椠本旧式也。印本每卷首行题'黄文简公介庵集'，其刊刻当在文简卒后。叙跋既亡，今亦无从考核。卷一至卷三为《退直稿》，皆永乐间在都所作；卷八至十三为《归田稿》，皆宣德二年以疾乞休以后所作；卷十四至十五为《入觐稿》，则宣德壬子文简父性卒，赐葬，诣阙谢时所作。《明史》本传载：值灯时，赐游西苑，诏乘肩舆登万岁山。比辞归，饯之太液池。此集卷十四有《赐游西苑诗序》，记其事甚详。又有《赐游太液池》《观荷诗》二首，即辞归赐饯时所作，足与本传互证。至永乐十二年，文简以汉王高煦谮，系狱十年。其间所作诗词，则别为《省愆集》，故不入。此三稿，其所缺四卷目录亡失，其仍为《退直稿》，抑已为《归田稿》，未能臆定也。文简诗文，和平雅正，不愧王元美所谓'台阁体'者，惟取材稍隘，故其文数首以后，词旨每多重复。较之东里诸集，盖稍亚焉。余少即闻远祖文简公著有《介庵》《省愆》诸集及《自省录》诸书，博访久之，而未有得。盖文简始居永嘉之黄府巷，子孙迁徙不一其处，其在平阳郑楼者，谱谓文简次子中书公采之后，至今十数传矣。时易境迁，先世遗著，至不能保守。询之移徙他处者，则亦皆然。然网罗散佚，岂非后人责乎？前闻瑞安玉海楼有影钞《介庵集》，清翰林院本。又有《省愆集》，明椠本。因假钞得之。而《自省录》仍付阙如。《介庵集》分十五卷，内缺四卷，与《四库存目》卷数不符。《温州经籍志》既已辨之。窃意《介庵》初刊，不并《归田稿》在内。陈敬宗文简墓志《介庵集》《归田稿》并举，是其切证。然自永乐甲辰八月复官以后，宣德丁未八月致仕以前，所著之稿，固应统在《介庵集》中，迨后人并入《归田》《入觐》两稿，而佚其中四卷。未审此四卷中，皆系甲辰、丁未间诸作，抑或并《省愆》《自省》诸著在内，均无可考。今《省愆》仍别为集。而集中所缺卷数如仍照原编，卷三以后径接卷八，骤阅者不无骇然。故今改编卷八为卷四，其卷九至十五以次改作卷五至十一，而附注其原卷数于每卷之下，以存其旧，亦两得也。是书孙仲容先生已精勘一过。展转传钞，鲁鱼亥豕仍复不少。群托先生从孙演万取原影本重校之，群复自加审正，并于文简同时乡人及朝列往来名字、爵里有可考者，略加注记，以资审览。今编三辑，遂付印行。所有注记，亦附不删。以虽多挂漏，而尚足供参考也。《提要》谓：'文简文章雍容典雅，体格与三杨略同。《退直》《归田》《入觐》三稿，门径与三杨不异，东里诸集既已著录，是可姑置。特存《省愆》一集，以见梗概。'此自为四库著录言之。若衷集乡哲遗著，则非尽刻其书无以考一生之事迹也。文简学出于黄岩徐静斋氏，《宋元学案》系之木钟。卷末所著《自省录》一卷，动心忍性，谅多精到之语。其缺佚不无足惜云。民国二十年六月黄群记。"

杨士奇修订《解缙传》。杨士奇《朝列大夫交阯布政司参议春雨解先生墓碣铭》："呜呼！此解公大绅之墓葬二十有二年矣，其友杨士奇始克序而铭之。解公没，光大约余各为文字，未及为，而光大殁。余初为《解公传》。去年，得周恂如所录公洪武中奏对稿。近得祯亮将来《世谱》，又改传为此文。虽于公平素磊落轩豁意度有未悉然，所为可传于后者，在此不在彼也。遂以授祯亮。祯亮淳笃有为，今幸蒙天恩，悉还其故庐园田，则奉亲敬长之余，一志于进学进德，庶几称公之子，而亦以副吾辈之望。祯亮勉之！"《明史》解缙传："缙初与胡广同侍成祖宴。帝曰：'尔二人生同里，长同学，仕同官。缙有子，广可以女妻之。'广顿首曰：'臣妻方娠，未卜男女。'帝笑曰：'定女矣。'已而果生女，遂约婚。缙败，子祯亮徙辽东，广欲离婚。女截耳誓曰：'薄命之婚，皇上主之，大人面承之，有死无二。'及赦还，卒归祯亮。正统元年八月诏还所籍家产。"《文毅集》附录《明阁学记》："缙襟宇阔略，绝无城府，喜引拔士类。为御史家居时，见杨士奇所作，奖曰：'此公辅器也。'邂逅与语，遂特疏题荐。他如曾棨等二十八人，俱所奖进。"

杨士奇跋陈谟《竹林清隐记》。《东里续集》卷一九《竹林清隐记后》："先师海桑先生以《易》《书》《诗》教授学者，从之者甚众，而求文者亦众。然文未尝苟予，予者未尝苟许可，而启道诱掖之意恒若不及。春秋八十余，施教不倦。是时邑中老师宿儒多在，而先生齿德文学皆尊。仲敬于先生同里，授徒之暇，盖未尝一日不造诣侍教。盖先生为此文时，年七十有七。后五年，仲敬举孝廉，得荔波县丞，先生作诗送之。盖明年先生捐馆，其改贺县丞，先生不及见已。仲敬字一敬，平生与先生之孙孟省及余最交厚，今独余在，览此文不胜感怆。先生没今五十年，仲敬没二十有七年，其子常州府学训导永，宝藏先人手泽，皆完好如新。而先生平生著述满家，诸孙不能什袭，今无一笔存者。人贤否不齐，念之益重感怆也。用敬识于下，以归永。"［按，《竹林清隐记》不存《四库全书》本《海桑集》］

赵弼《效颦集》定稿。王静《效颦集序》："南乐辅之赵先生，又效之为文二十五篇，厘上中下三卷，名曰《效颦集》。……诚有助于为学、有功于世教不小也。予故徒羡而订正之，为之序。宣德壬子三月，中顺大夫、知湖广汉阳府事、前广□兼监察御史、新安王静序。"潘文奎《效颦集序》末署："宣德辛亥冬十月，赐进士第、福建等处承宣布政使司右参议、同修国史永嘉潘文奎书。"［按，今人李剑国、陈国军撰《赵弼生平著述考》，刊《文学遗产》2003 年第 1 期。文章大意，据《效颦集》卷上《张绣衣阴德传》记南郡张纯"宣德癸丑秋丁内艰，守制于家"及"自春至夏凡四月余"，时间已至宣德八年和宣德九年。另篇《愚庄先生传》所记愚庄先生，即宣德六年为《效颦集》作序之潘文奎，传中记文奎"宣德乙卯秋，主广西文衡，彻棘之后……又三日，沐浴更衣，端坐而逝。……南平赵弼尝叨先生治下，故述其存殁之事，用垂不朽云。"推测《效颦集》最后定稿约在正统元年，共包括 27 篇作品，今实存 25 篇。文章说，所谓"宣德间刻本"或"明宣德王静刻本"，皆由赵弼自序而推论，实误。并考定赵弼生年及致仕年。其说多可从，本编年因之］《沙溪集》卷一三《无用闲谈》："宣德中南平赵弼，成化弘治间山西丁伯通、余杭周礼，皆敢于著述。其所谓《通鉴广义》《续纲目发明》《雪航肤见》《效颦集》诸书，肤浅卑陋，直可付之一火。"四库提要卷一四四："《效颦集》三卷，明赵弼撰。弼有《雪航肤见》，已著录。是编皆纪报应之事，意寓劝惩，而词则近于小说。第三卷中缺《疠鬼对》《梦游番阳传》二篇，殆传写佚之。"［按，《四库全书存目丛书》所收《效颦集》，为南京市博物馆藏明嘉靖二十七年赵子伯重刊本，存二十五篇，非二十六篇。《疠鬼对》《梦游番阳彭蠡传》二篇，不缺。古典文学出版社 1957 年 8 月，曾排印出版《效颦集》。其《出版说明》云：本书《四库全书存目·小说类》曾著录，系两淮盐政采进本，第三卷中缺《疠鬼对》《梦游番阳彭蠡传》二篇。日本内阁文库藏有旧抄本，孙楷第先生曾见到过。我们是根据上海市文物保管委员会所藏明宣德年间原刻本印行的。原刻本印刷不佳，有好几处字迹模糊，无法辨认。虽经竭力搜求有关材料校补，仍无法补缀完全，只好从阙］

陆容（1436—1494）生。字文量，太仓州人。成化丙戌进士，授南京吏部主事，改兵部。坐言事出为浙江右参政。有《菽园杂记》。《篁墩文集》卷五〇《参政陆公传》："九岁赋诗有奇语。十六为县学生，大肆力于经史百家，至废寝食。而凡摴蒲博弈之戏，一不挂目。"《家藏集》卷七六《明故大中大夫浙江等处承宣布政使司右参政陆公墓碑铭》："姓陆氏，先世冒徐氏，至公始复。未生，其母梦紫衣人以笏击其首，曰：'当生贵子。'已而得公。弱岁颖敏笃学，游乡校，不专治举子业，日取诸经子史，程诵不辍。同辈谓非所急，曰：'聊以抵诸君戏耳。'独与故翰林修撰张亨父、太常少卿陆鼎仪友善。三人俱以文行闻于乡，而公尤为叶文庄公所知。"

张泰（1436—1480）生。字亨父，太仓人。天顺甲申进士，选庶吉士，授检讨，迁修撰。有《沧洲集》。

公元 1437 年（正统二年　丁巳）

七月

钱仲益《锦树集》编成。魏骥《锦树集序》："翰林修撰无锡钱先生仲益，余尝忆往年谒先生于京师之官舍，见求先生之诗者，户外之屦恒满。及窥其稿，则连编累牍，盖莫计其篇章何许也。予曰：'先生之作富矣哉？'先生曰：'吾非务此以为名家，第不过应人之求之耳。'复曰：'吾藉此亦聊足以适吾之兴也。'别来有年，尝念其言之不置。今先生已矣，倏其族之贤者有曰公善、公治，得其遗稿曰《锦树集》者，诗凡若干篇，以余尝交先生也，征序于其首。予闻先生盛年时博览强记，惟场屋之文是务。后当元季，以进士擅名于时。及作县华亭，以学推之政事，至今有遗爱存焉。若夫诗者特其余事耳。矧其作也，丽而不浮，奇而不僻，易而不俚，而有诗人之体裁者乎？是宜为其族之子孙褒辑之，以脍炙人口也。余尝见前辈焦心劳思，务于著作，其作有可传者不鲜，奈有卒至于湮没无闻者焉，何也？良由子孙不能有以成其志耳。今公善昆季，为先生族之子孙，而能不泯先生之所作，亦可谓之贤矣乎！是则先生也亦奚憾焉。是为序。时正统二年岁次丁巳，秋七月初吉，中宪大夫太常寺少卿萧山魏骥序。"

《三华集》编成。四库提要卷一八九："《三华集》十八卷，明无锡钱子正及弟子义、侄仲益合刻诗也。子正《绿苔轩集》六卷，前有王达善序。子义《种菊庵集》四卷，前有洪武八年自序。仲益《锦树集》八卷，前有魏骥序。三集初各自为书，正统中仲益族子公善等始合而刻之，其曰'三华'者，盖以三者皆钱氏英华也。按：子正诗，朱彝尊《明诗综》不载，但附见其名于子义之下。然二人出处始末，均无可考，独仲益以元末进士知华亭县，后为翰林修撰，见于魏骥序中。而《明诗综》载仲益永乐初以翰林编修转周王府长史，与骥序互有异同。又称'仲益诗格爽朗，惜遗集罕传。予从秦对岩购得，亟录八首，犹未尽其蕴'云云，然则彝尊仅见仲益遗集，未见斯本也。盖亦罕觏之笈矣。"《明诗纪事》甲签卷一六《钱子正》陈田按："钱氏《三华集》，子正及弟子义、族子仲益诗也。子正、子义名见徐子玄《诗谈》，而不及仲益。《诗综》录仲益诗，谓得之秦对岩。顾氏《梁溪诗抄》亦称得自岩中允绳孙手书本。盖三钱诗始各单行，故所见互有不同。《三华集》为两淮盐政采进《四库》本，正统中钱公善等合刻也。《提要》称子正、子义出处始末均无可考。《梁溪诗抄》谓子正名蒙，以字行，洪武辛亥进士，官韩城知县。余考洪武辛亥《题名录》，无子正名，则顾氏所考亦未确矣。姑从阙如，以俟知者。"

九月

杨士奇跋胡广遗墨，思绪萦怀。《东里续集》卷二二《题雪夜清兴倡和后》："右永乐七年正月，胡文穆公雪夜见过，倡和之诗。是年二月，公扈从太宗皇帝巡狩北京，予侍仁宗皇帝监国。时善画者皆诣北京。公言至北京必作一图，附录二诗，以示后人。公既至北京，属时职务繁，不果作。及南还，又皆靡职务。既久，遂不复在念。忆公尝语予：'术者言同官中吾两人将老得退。果若其言，即各具小舟可二僮操者，舟中贮书册、楮笔、壶觞、棋局。如广访君，舣舟君门外一里所，遣童子招君，君径入舟，同沂流至五云驿，望夫容峰，则返棹及君入舟处，君独归，广不过，君竟去。君访广亦然，但沿流至玉峡而返。岁必五六过访，用此共适余年。'他日又语予曰：'吾两人情义实兄弟，后死则铭。'予诺之，顾时亦谩言耳。岂谓公溘先予没也。公没后半岁余，夜梦偕公泛舟，自快阁至郡城下，同载甚乐，共联诗。公起首句，仆续第二、第三，公续第四、第五，仆又续第六、第七、八终结句。既觉而忘第五至第七三句，余悲怆不胜，遂补之，诗曰：'金螺潇洒对夫容，鹭渚鱼洲窈窕通。远树白云秋色净，故人清兴酒船同。河山梦冷讴吟后，生死交深感慨中。犹想胜缘如凤昔，并骑黄鹄过江东。'则又思具舟过访之约，皆梦中语也。空余后死，亦何乐哉？盖公没九年始克撰述公墓碑，又十一年理旧书，得公雪夜过访之诗，遗墨如新。永嘉谢君庭循观之，为作《雪夜清兴图》，遂录予所和诗附公诗之后，冠以谢图而识其末，遂因以及吾交友存没之情云。正统二年秋九月七日，某识。"《明诗纪事》乙签卷三《杨士奇》，陈田节录此文太半，按云，"文贞晚年思归"。又按云："厥后年几七十，又作《归田趣四时满江红》词四首，今录其《春牧》云：'霜鬓萧萧，皇恩重、赐归田里。郊郭外、草亭四面，青山绿水。好鸟好花春似昔，同时同辈人无几。一布袍、棕帽，任逍遥，东风里。芳草岸，平如砥、垂杨径，清如洗。散牧处，冉冉晴霞飞绮。江色比于怀抱净，都无一点闲尘滓。更小儿，牛背有书声，清入耳。'《秋渔》云：'七十归来，西江上、堪游堪钓。秋水共、长天一色，也堪吟啸。稳坐木兰渔艇子，大儿能网中儿棹。小儿自理会爇香炉，烹茶灶。蘋花渚，云争耀，枫叶岸，霞相照。山无数、清比方壶员峤。放浪不知天地外，萧闲底用玄真号。听数声，长笛白鸥前，江南调。'正统初，数以年高辞，弗许，仅得还乡展墓，数旬即来京。"

十月

周述卒。《明英宗睿皇帝实录》卷三五"正统二年冬十月壬戌（初六）"："左春坊左庶子兼翰林院侍读周述卒。述字崇述，江西吉水县人，永乐初曾荣榜进士，述第二。从弟孟简第三。御批云：'兄弟齐名，古今罕比。'士林荣之。除翰林院编修。与修《永乐大典》《四书五经性理大全》。秩满升侍读，寻升左春坊左谕德，仍兼侍读。宣帝在青宫时，奉命往谒祖陵于南京，以述随侍。仁宗召述至榻前，问其所以匡弼储君者，'必须尽言无隐，庶称付托'，述所对称旨。宣宗登极，述预修两朝实录，书成，进左春坊左庶子，仍兼侍读。卒于官。述为人厚重简静，有雅量，性孝友。尝隆冬迎父丧于辽东以归，复迎养其母于官邸。其文章雅赡，字体苍劲，为时所重。"陈琏《东墅诗集序》："所作歌诗，众体兼备，其辞醇而雅，其声和而平，盖由性情之正，出于自然，有非刻意雕琢以为奇者比，可不谓善鸣者与？矧其文章高古，有经济之才，惜夫不及升庸，以疾卒于官也。"《静志居诗话》卷六《周述》："唐人燕集，赋诗每推一人擅场。如升平公主席上，李端擅场；送王晙镇幽朔，韩翃擅场；刘相巡江淮，钱起擅场。他未暇悉数。永乐中，命翰林赋白象，则胡庶子广第一；赋神龟，则王赞善汝玉第一；午门观灯，则陈员外宗第一。然员外观灯之作，比之周庶子、陈祭酒，似犹逊之，实非擅场也。"《明诗综》卷二○《周述》存诗三首。四库提要卷一七五："《东墅诗集》六卷，明周述撰。……述及第时，与从弟孟简同榜，成祖至比之二苏，史亦称其文章雅赡。然其诗不出当时台阁之体。"

十一月

庄昶（1437—1499）生。字孔旸，江浦人。成化丙戌进士，改庶吉士，授检讨，以谏谪桂阳判官，迁南京行人司副，终南京吏部郎中。天启初，追谥文节。有《定山集》。唐守勋《明定山庄先生墓碑铭》："先生生于正统二年丁巳十一月十二日。为儿甚异,十一岁充邑庠生,十三补廪膳,景泰丙子领乡荐。成化丙戌举进士,选庶吉士,授翰林检讨。风志慕古,文尤奇伟。与之交游者,皆一时名儒,如白沙陈先生、一峰罗先生,其尤者也。"

十二月

章敞卒,年六十二。《明英宗睿皇帝实录》卷三七"正统二年十二月己未(初四)":"礼部左侍郎章敞卒。"《明名臣琬琰录》卷二二《章尚文传》："尚文为人尚谊气,赒恤朋友曲尽其道,不以患难死生为轻重。平居简静,遇朋友谈笑戏谑,襟度豁如。然绝口不道政事,及临事井然有条。为文简洁。所著有《质庵稿》藏于家。"陈用宾《重刻质庵章先生文集序》："以文论,世称洪、永之际,士质如元气之在浑蒙,其文厚重渊弘,沉郁邃深,绝无浮靡佻浅之态。今以先生文阅之,又其杰然者邪。先生集凡四十卷,兹摘十之二三,而韵句盈帙矣。"诸大绶《明通议大夫礼部左侍郎质庵章先生文集序》："诸大绶《明通议大夫礼部左侍郎质庵章先生文集序》："夫国家之兴,必有魁人硕士,抱才而负猷者,奋庸而起。其在史馆,则敷张神翰,润色洪谟,以文章耀圣世之精华。其在台阁,则羽翼庙廊,赞襄密勿,以政事理天下之太平。若乃佩纶音,持使节,赋政遐方也,则又数专对之才,大抚绥之猷,于以尊中国,镇四夷,扬声灵于要荒之表。盖云蒸而风生,龙吟而虎啸,势固然也。若质庵先生其人欤!先生生应昌期,萃东越山川之秀,星华凤彩,班情马思,翘然首举。"《静志居诗话》卷六《章敞》："侍郎两使南交,却金不受,以清德闻。其诗不费雕锼,间合矩度。"四库提要卷一七五:"《质庵文集》,明章敞撰。……其集本四十卷,其子瑾等所编。因倭乱失散,兹编所存不及十之二三,乃其裔孙元纶所搜辑也。凡赋四篇,诗百余首;文仅三篇,二篇为记,一篇为叙,又一篇并不标题,皆错杂于诗中,殊无伦次。又《明诗综》载敞《长安雪夜归兴》绝句,集中无之,则舛漏亦殊不少。末附录《祝寿诗》一卷,亦非古法也。"

本年

张元祯(1437—1507)生。字廷祥,号东白,南昌人。天顺庚辰进士,累官吏部左侍郎,兼翰林院学士,掌詹事府事。天启初,追谥文裕。有《东白集》。《怀麓堂集》卷八九《明故通议大夫吏部左侍郎兼翰林院学士掌詹事府事张公墓志铭》："公五岁精爽过人,书过目成诵。其父松亭翁名之曰'文魁'。宁靖王召见,令作俪对韵语,大加赏叹,书'元征'二字赐之,因易名'元征'。松亭携入闽,观者塞道。公至考亭拜朱晦翁遗像,辄有志所谓道学者。松亭谓曰:'彼儒先曷尝不由科举进邪?'乃入南昌县学为生,都御史韩公雍奇之曰:'此人瑞也。'复易其名曰'元祯',字之曰'廷祥'。"

公元 1438 年(正统三年 戊午)

三月

于谦仍旧巡抚山西、河南。《明英宗睿皇帝实录》卷四〇"正统三年三月己酉(二十五日）"："行在刑部尚书魏源等奏：宣府、大同一带，城池军马多不齐备，乞将行在兵部右侍郎于谦改副都御史，于宣府、大同镇守，参赞机务，整搠军马。并乞召还催粮金都御史卢睿及参谋副使蔡锡别用。上以谦巡抚山西、河南，督征粮草，事亦不轻，睿等亦无私弊，皆不必动。"

四月

周功叙丧父，请刘球为状。《两溪文集》卷二二《故奉直大夫兵部职方员外郎周先生行状》："先生生元至正甲辰十月六日，终大明正统戊午四月五日，享年七十五。娶彭氏，赠宜人；继王氏，封宜人。俱有妇德。子男三人：长勉；次叙，字功叙，以永乐戊戌进士官翰林，累升至侍读；次广。……初先生疾作，功叙在官，得其兄书，即陈乞归省。朝廷以《宣宗皇帝实录》垂成，功叙职在纂修，理不宜去。及《实录》进呈，功叙思归志益切，而先生讣且至。功叙将归，卜是年月日，即其里锦峰山王宜人之兆合葬焉，谓宜有状，谒诸大人君子，以图其不朽。而哀戚不忍文，乃以属球。球因具述先生历官行事之实，庶几立言君子有所采摭。"

《宣宗实录》成。《明英宗睿皇帝实录》卷四一"正统三年夏四月乙丑（十二日）"："进《宣宗皇帝实录》。"《抑庵文集》卷一二《进实录表》："臣闻自昔帝王，有大德以及于万民，则必有信史以传于千古。……钦惟宣宗尊谥章皇帝，刚健中正，广大高明，缵祖宗之鸿图，隆慈圣之至养。……恭惟皇帝陛下聪明睿智，文武圣神，尊祖敬宗，继志述事。上念先皇之德业，必著简册以流传，爰敕儒臣纂修《实录》。……恭成《宣宗章皇帝实录》一百十五卷，《宝训》十二卷，及《目录》《凡例》，合一百二十九册，谨缮写上进。"

八月

顺天贡院火。《翰林记》卷一四《考两京乡试》："正统戊午，侍讲学士曾鹤龄主考顺天府乡试。初试之夕，场屋火，试卷有残缺者，有司惧罪，不敢以更试为言，惟欲请葺场屋以终后两试。鹤龄曰：'必更试，然后百弊涤，至公著。不然，虽无所私，亦招外谤。朝廷何惜一日之费以成此盛举哉！'有司具二说以进。命下，悉如鹤龄所言。"

十月

习嘉言丁母忧。《文敏集》卷二三《习母孺人吴氏墓志铭》："若故习母孺人吴氏，可谓克相夫教子而信为贤者矣。……既笄，父母以归于故封翰林编修文林郎习君。怀恭恪，持妇道，孝养舅姑。洪武中，文林君用荐分教南雄、浏阳、平江诸学，家政一以委孺人。……永乐丁酉，文林君擢掌教湘潭，始从官居，衣服饮食率从俭节，日工女事如少壮时。洪熙乙巳，以子嘉言贵，朝廷赐恩封，于是文林君去职就封，与孺人偕老于家。冠服煌煌，乡里瞻望以为荣。宣德丙午，文林君捐馆，嘉言归终丧制。尝语之曰：'吾闻郡邑仕者，往往以清慎致远大，贪墨就颠覆，尔宜知所劝惩，庶上不负国家，下不忝尔父。'嘉言服除，仍厥职疏，乞分禄为养。得请，遂月给于县庾。孺人遗书谕曰：'荷蒙国家恩封，又获禄养，此固汝克立所致然。汝当勉图报称，以殚臣子之道。'嘉言服训惟谨。将乞假归省，奉觞膝下，为八秩之庆，而孺人以正统戊午十月廿有九日得疾，卒于家。距生年七十有九。子男三，长曰经，字嘉言，登戊戌进士，官翰林，累升侍读。"

十一月

定入监事例。《明英宗睿皇帝实录》卷四八"正统三年十一月丁亥（初七）"："国子监祭酒陈敬宗言：'旧制监生视在监年月浅深，以次拨诸司历事。比来有因事故予告者，辄迁延累岁，伺拨历之期方行复监。往往入监虽先，在监实浅。苟循常例，实长奸惰。请计其肄业月日多寡以为浅深，其予告者于原限之外，如有过违，并同虚旷。则勤者早得从政，而怠者有所惩劝矣。夫监生所以必待其年久资深而后授之以政者，盖欲其渐涵滋久，增长识见，实祖宗之良法。近者，复有愿就杂职之例，不拘资历。幸途一启，纷然兢逐，至有朝廷太学暮隶铨曹者，是直假监学为入仕之捷径而已。士风卑陋，诚非细故。请痛加禁止，照旧取拨，养育熏陶，务期大任，庶抑奔兢之风，以收实才之用。'上是其言，命行在礼部行之。"

本年

罗汝敬致仕。《东里续集》卷五六《送罗汝敬侍郎致仕南归》序："汝敬侍郎归自秦中，奉命致仕。濒行，出秦人所为写像，属余一言。像未必似也，余于汝敬往还三十有五年，知之盖深，方作五言四十韵诗送之，以荣其得退。遂用书于像之端，俾世之欲知汝敬者，观吾诗足矣。不必泥像也。"

公元 1439 年（正统四年　己未）
二月

朱有燉杂剧《南极星度脱海棠仙》成。据卷首小引："正统四年二月花朝日全阳道人书于海棠圃之海棠亭"。［按，花朝日乃夏历二月十五日］

杨士奇返乡省墓。《东里续集》卷四九《南归纪行录上》："正统四年二月初九日，进奏本，陈乞致事。初十日，经筵讲读毕，讲官皆退，上召臣士奇还，谕曰：'何不勉尽辅导，而求致事？'士奇叩首言：'非敢求闲，但老疾不能任事。'上曰：'虽老，未可言致事。朕知卿久不到乡里，今命卿归省坟墓。事毕，速来，朕日望卿。'士奇叩首谢。上命司礼监官选一诚实内使送归，士奇复叩首谢。是日，范太监传圣旨：'命兵部缘途给行廪，水路给驿船、递运船，陆路给驿马、运载车。从者皆给行粮、脚力。往复并给。'十一日早，谢恩。十五日，范太监以钦差送行。内使阮澄来相见，约十八日会通州同院诸公宴钱。十六日，经筵侍讲读毕，上召士奇，赐玺书、白金、彩币表里、米酒厨料、牲腊咸备。上谕士奇曰：'省墓毕，即来，毋久恋乡土。'士奇敬惟，叩首退。十七日早，具本谢恩。公侯六部豫约祖饯朝阳门外，恳辞再三，乃止。十八日早，奉天门陛辞，上复谕'速来'，士奇敬惟，叩首退。光禄寺奉旨：'赐酒食，经筵诸公不得饯送。'遂别。"

朱有燉杂剧《河嵩神灵芝庆寿》成。据卷首小引"正统四年二月十九日，全阳老人年六十一岁，书于存心殿"。

三月

初四，赐施盘等进士及第、出身有差。

吴讷致仕。《明英宗睿皇帝实录》卷五三"正统四年三月己巳（二十一日）"："都察院左副都御史吴讷，以年逾七十，有疾，上疏乞致仕。从之。"《吴都文粹续集》卷四四徐有贞《明故通议大夫都察院左副都御史思庵吴公神道碑》："宣宗时，以南都留台为重，求可任者，佥以公应诏，进右佥都御史，寻升左副都御史，阶通议大夫。公执法体刚而用正，侃侃之言，卓卓之行，论者谓其得大臣体。未几，有与不合者诉之朝，公遂以疾求去，吏部方奏留之，而其辞益力不可夺。上宴劳而遣之。公既归，家事一不问，日惟著述以终所志，闭门绝扫，而士益归向焉。"《弇州续稿》卷一四六："吴文恪公讷，字敏德，别号思庵，常熟人。公生失恃。弱冠，白父冤，且雪，而以丧归。苦节砺行，益究心理性之学，发为文章有根柢。以昆山令荐至京。……公先后所莅皆台职，凛凛有风裁，而不轻为操切，以是获正直忠厚称。年未满七十，乞致仕归。"

四月

李昌祺致仕。《明英宗睿皇帝实录》卷五四"正统四年夏四月癸未（初六）"："河南布政使司左布政使李昌祺以老病乞致仕，从之。"

杨士奇邂逅致仕吴讷。《东里续集》卷五〇《南归纪行录下》："［四月］廿日。早四鼓，至仪真坝下。时吴敏德赐致事归，至坝上邂逅，露坐坝上，清论至明，未尽所怀。公差御史、运官、卫官、邑官、学师生皆来，既见，即别。予邀敏德早饭，赠之双绨，送坝下，入舟，皆有依依不舍之意，遂别。"

五月

朱有燉卒，年六十一。《明英宗睿皇帝实录》卷五五"正统四年五月甲戌（二十七日）"："周王有燉薨。王，周定王嫡长子，母妃冯氏。洪武十二年生，二十四年册封为世子，洪熙元年袭封周王。王博学善书，所著有《诚斋集》，所临有《东书堂法帖》。至是薨，享年六十有一。讣闻，上辍视朝三日，遣官致祭，谥曰宪，命有司营葬。"《艺苑卮言》附录一："周宪王者，定王子也。好临摹古书帖，晓音律。所作杂剧凡三十余种，散曲百余。虽才情未至，而音调颇谐，至今中原弦索多用之。李献吉《汴中

289

元宵》绝句云：'齐唱宪王新乐府，金梁桥上月如霜。'盖实录也。"《顾曲杂言·填词名手》："本朝填词高手，如陈大声、沈青门之属，俱南北散套，不作传奇。惟周宪王所作杂剧最夥，其刻本名《诚斋乐府》，至今行世，虽警拔稍逊古人，而调入弦索，稳叶流丽，犹有金元风范。"《列朝诗集小传》乾集下《周宪王》："王遭世隆平，奉藩多暇，勤学好古，留心翰墨，集古名迹十卷，手自临摹，勒石名《东书堂集古法帖》，历代重之。制《诚斋乐府传奇》若干种，音律谐美，流传内府，至今中原弦索多用之。李梦阳《汴中元宵》绝句云：'中山孺子倚新妆，赵女燕姬总擅场。齐唱宪王新乐府，金梁桥外月如霜。'由今日思之，东京梦华之感，可胜道哉！王诗有《诚斋录》《新录》诸集传于世。"《静志居诗话》卷一《周宪王有燉》："宪园留心翰墨，谱曲尤工。中原弦索，往往藉以为师。李景文梦阳诗云'齐唱宪王新乐府，金梁桥外月如霜'，牛左史恒诗云'唱彻宪王新乐府，不知明月下樊楼'是也。其诗不事呕心，颇能合格。梅花、牡丹、玉堂春，一题动成百咏，才思不穷。诚宗藩之俊矣。"《明诗综》卷二《周宪王有燉》存诗《竹枝歌》二首。

十月

罗汝敬卒，年七十一。《明英宗睿皇帝实录》卷六〇"正统四年冬十月己亥（二十四日）"："行在工部右侍郎致仕罗汝敬卒。汝敬，江西吉水人。永乐甲申进士，选为翰林庶吉士。时太宗注意作养，忽召汝敬背诵古文，不能称旨，遂谪戍江西，即日遣出城。越数日，召回释之。汝敬自是奋力进学。寻擢为修撰。九年满，升侍讲。仁宗时，上言时政十五事，有忤旨者，乃左迁云南道监察御史，在任多所平反。宣宗登极，交阯黎利弗靖，成山侯王通等用兵无功。升汝敬工部右侍郎，赍玺书往谕之，利惶惧，遣使献方物诣阙称谢，且请立陈氏之孙暠。复命汝敬往立之，既至而暠死，利张燕列女乐，汝敬不悦，尽碎其饮器。适大风雨，雷火焚利居室，利益惧，遣使驰谢于朝。汝敬还，命督两浙漕运，又理陕西刑狱，克举其职。有疏汝敬贪墨者，降为为事官。西虏寇边，诏复其官，往督粮饷，至红城子遇贼，吏卒皆被害。汝敬中流矢坠马，得免。寻以多病召还，致仕。明年，卒于家，遣官谕祭。汝敬文学才干，皆有可称。巡抚侍郎于谦尝戏汝敬，闭于空室，令作诗三十韵放之。汝敬援笔顷刻而就，人服其敏云。"四库提要卷一七五："《寅庵集》三卷、《外集》四卷、附录一卷，明罗肃撰。……是集为其元孙廷相所编。诗文无诡僻之习，亦无精深之致。《外集》四卷皆诰敕、像赞、诔祭之词，附录一卷，为桃林四景诗文，盖罗氏聚族之地也。"

本年

龚诩辞聘。龚绂《野古集年谱》："正统四年己未，先生时年五十八岁。巡抚周文襄公忱钦其才节，两荐之为淞江太仓学官，不就，以书辞之。"张大复《龚诩传》："既久之，文襄欲处公师儒之任，已定议苏松间，公不可。文襄躬辟之，公泫然曰：'即诩非食禄之臣，仕亦无害，但恐负往日城门一恸耳。'遂去不复见。筑逸老庵虞浦上，读书鼓琴其中，著《野古集》若干卷，大都忠愤之气，光芒陆离，不可磨灭云。"

公元 1440 年（正统五年　庚申）

二月

翰林学士马愉、侍讲曹鼐入阁预机务。《御批历代通鉴辑览》卷一〇三："王振至内阁，语杨士奇、杨荣曰：'朝廷事久劳公等。公等皆高年，倦矣。当若何？'士奇曰：'老臣尽瘁报国，死而后已。'荣曰：'不然。吾辈衰残，无以效力。当择后生可任者，报圣恩耳。'振喜而退。士奇咎荣，荣曰：'彼厌吾辈矣。一旦内中出片纸，令某人入阁，且奈何？及此时进一二贤者，同心辅政，尚可为也。'士奇以为然。翌日，列愉、鼐及侍讲学士苗衷、侍讲高谷名以进。愉、鼐遂先被擢用。"

王直转礼部治事。《明英宗睿皇帝实录》卷六四"正统五年二月乙酉（十二日）"："命行在礼部左侍郎兼翰林院侍读学士王直理部事。"《明诗综》卷二〇《王直》："沈景倩云，王文端以庶常为文，召入内阁，书机密文字，授修撰。驾幸北京，太子监国，与黄淮、杨士奇三人辅导，俨然宰相职矣。帝再幸北京，公扈从，进侍读。仁宗朝，为侍读学士。又以庶子兼侍读学士。宣宗时，进少詹事兼侍读学士。英宗即位，充实录总裁，寻进礼部左侍郎兼翰林院学士。正统六年，礼部阙人，始命出部治事。自此以后，虽拜吏部尚书加保傅，不复兼学士矣。公墓志、本传中云公自言，'西杨不欲我同事'，'内阁出我理部事'。据此，则公在内阁凡历五朝，为东里所挤，始出理部事。其初固阁臣也。而海盐郑氏、丰城雷氏、太仓王氏纪述宰辅，更不及此公，何邪？"《弇山外集》卷一一《玉堂漫笔》卷上："闻前辈翰林先生尝道，抑庵先生王文端公直为吏部尚书，颇致憾于杨文贞公，盖以挤之也。今《抑庵集》中有《东里翰墨卷引》，正记其事。其序杨文敏公集，谓'直在翰林三十七年，其出也，惟公深惜之，而反为忌者病焉'，意亦有所指。又《题梁用之诗后》谓'内阁在东角门内，常人所不能到，其外为文渊阁，则翰林诸公之所处也'，今内阁傍文渊而不在东角门之内。诸学士所处者，则在左顺门之南廊，而旁为东阁云。"《静志居诗话》卷六《王直》："东王不得爱立，西杨之力也。观其撰东杨文集序云：'直之去翰林，惟公深惜之，而反为忌者所病。夫士之进退出处有命焉，非人力所能胜。奚以病为哉？'又题东里翰墨卷云：'杨氏与王氏世有连，予窃禄翰林，从先生者三十七年，教益多矣。予之事先生，负恃亲爱，于凡所当言者，尽言不讳则有之，非理而谇语，则奚敢？后予去翰林，或谓出先生意。盖言语以为阶，岂旁观侧听者固能知其情邪？而予实不自知也。'绎其辞虽隐，而情事跃如矣。特其人长者，故为东里作传，止扬其善已。君子哉若人乎！"《明诗纪事》乙签卷八《王直》陈田按："史称东王自内阁出治部事，盖西杨挤之。《水东日记》云，《杨文贞公传》，王抑庵尚书作。公尝三致书商榷书削，再致润笔，且求其亲书，俾子孙宝藏。田谓：此西杨恐其有憾，故于生前预求作佳传，以掩其迹。其谲于取名如此。"

杨荣归乡展墓。《东里续集》卷三六《文敏杨公墓志铭》："正统五年二月十八日，少师工部尚书兼谨身殿大学士建安杨公奉敕归展先墓。"

三月

杨荣《两京类稿》已编成。胡俨《两京类稿序》："今少师建安杨公寿跻七帙，子弟得公平生所为诗文，汇以成编，名曰《两京类稿》，以书来属为之序。思昔太宗文皇帝龙飞之初，余与公等七人首被拔擢，膺词命之寄，继修国史，又同笔研。从事两京，相与者二十余年，无一日之间，然则知公之深者，余固有不得辞焉。……正统五年春三月，前史官、国子祭酒兼翰林侍讲、嘉议大夫、太子宾客致仕，豫章胡俨序。"

七月

杨荣卒，年七十。《明英宗睿皇帝实录》卷六九"正统五年秋七月壬寅（初二）"："少师、工部尚书兼谨身殿大学士杨荣卒。……荣立朝凡四十年，未尝一日不趋朝。考京闱乡试者一，廷试读卷者九。修四朝实录，皆与总裁。累朝眷遇赐赍之隆，元勋世戚不及也。是岁春，以久违先茔，乞归祭扫，上命中官偕往，欲其速来。还至杭州，得疾卒，年七十。……尤喜宾客，善交际。虽贵盛，无崖岸，士多归心焉。或谓荣处国家大事，随机应变，无愧唐姚崇，而有所不检亦似之云。"胡俨《两京类稿序》："盖尝见公制作之暇，应四方之求，执笔就书，若不经意，及其成也，江河演迤、平铺漫流，言辞尔雅、不事雕琢，气象雍容、自然光彩，譬之春日园林，群英竞秀，清风涧谷，幽兰独芳。及余休致而归，间得见公所作，笔力愈健，波澜老苍，尤深起敬。此诚公遭遇列圣太平雍熙之运、声明文物之时，故得摅其所蕴，以鸣国家之盛，足以传世示后矣！至于锵金鸣玉，从容庙堂，黼黻皇猷，奉扬天声，布之遐迩，赐辐斯民者，则有《玉堂》之稿在。"周叙《文敏集序》："吾观赠光禄大夫、左柱国、太师、谥文敏杨公诗文集，有以见公之不可及焉。公建安人，少颖悟绝伦，自游校庠，已有经纶天下之志，暨登高科，入翰林，遭遇太宗皇帝，委以心腹之寄，居则参掌机密，出则谋谟惟幄，笼眷优厚，群臣鲜俪。逮事仁宗、宣宗、今上皇帝，付托愈隆，爵位益尊，声望弥著，缙绅士夫瞻仰其休光，四夷八蛮想闻其风采，丰功伟烈，铿鍧炳耀，天下诵之，猗欤盛哉！复以其宏博之学、敏赡之才，发为文章，与古之作者颉颃后先，高文大册施诸朝廷，雄词直笔著于国史，嘉猷说论达于经筵。凡文武大臣勋绩之所纪述，中外名流先德之所表扬，以及海内逢掖之士欲有所借誉者，得片言只字莫不以为至幸，公亦随其人之所求，乐然应之不倦，皆各适其意以往，何其富哉！"王瓒《重刻杨文敏公集序》："蔚乎懿哉！由其计虑之精审，而知识局之纯正；由其议论之英发，而知建立之超卓。其讽咏之清畅，则和顺之充也；其铺张之雄赡，则涵蓄之富也。虽事丛势遽，而未尝不暇整；虽泛酬曲应，而未尝不瑰达也。明经术以洪其原，博世故以通其变，虽不屑屑于雕绘，而体制气焰未尝不俊逸而妍缛也。夷考是时，惟公量能有容而无忌克之私，亦往往于词焉见之。其勋秩之崇、胤嗣之昌，腾重望于一时，流弘誉于百世，宁无所自而然哉？"王直《建安杨公文集序》："歌颂圣德，施之诏诰典册，以申命行事，与凡官署民居所以施政教、适性情，而欲纪载其实、序述其故，孝子慈孙欲铭著其祖考之美，以垂诸不朽者，多请求于公，公皆有以应其求。其学博，其理明，其才赡，其气充，是以其言汪洋弘肆、变化开阖，而自合乎矩度之正，盖飒飒乎盛传于天下，得之者不啻若南金拱璧，宝而藏之，而今不可复得矣。"钱习礼《两京类稿序》："至为文章，见于诏诰命令、训饬臣工、誓戒军旅、抚谕四夷、播告万姓，莫不严正详雅，曲当人心。出其绪余，作为碑铭、志记、序述、赞颂，以应中外人士之求，又皆富赡温纯，动中矩度。诗亦备极诸体，清远俊丽，趣味不凡。"《静志居诗话》卷六《杨荣》："东杨诗温丽，上拟西杨不及，下视南杨有余。"四库提要卷一七〇："《杨文敏集》二十五卷，明杨荣撰。荣有《后北征记》，已著录。荣当明全盛之日，历事四朝，恩礼始终无间，儒生遭遇，可谓至荣。故发为文章，具有富贵福泽之气。应制诸作，沨沨雅音。其他诗文，亦皆雍容平易，肖其为人。虽无深湛幽渺之思，纵横驰骤之才，足以震耀一世，而逶迤有度，醇实无疵，台阁之文所由，与山林枯槁者异也。与杨士奇同主一代之文柄，亦有由矣。柄国既久，晚进者递相摹拟。'城中高髻，四方一尺。'余波所衍，渐流为肤廓冗长，千篇一律。物穷则变，于是何、李崛起，倡为复古之论，而士奇、荣等遂为艺林之口实。平心而论，凡文章之力足以转移一世者，其始也必能自成一家，其久也亦无不生弊。微独东里一派，即前后七子，亦孰不皆然？不可以前人之盛，并回护后来之衰；亦不可以后来之衰，并掩没前人之盛也。亦何容以末流放失，遽病士奇与荣哉。"

八月

王达《天游文集》刊刻。陈琏《天游集序》："予记洪武季年，助教国子，与公同寅，友谊甚笃。太宗文皇帝嗣登大宝之初，公由助教入翰林为编修，不逾年升院长，盖由公才名素闻于上，致有斯擢也。公警敏过人，志趣高迈。初，礼部尚书同邑张公筹未仕时，开门授徒，公从之游，得闻绪论，所为诗文有古作者意，大为张器重。洪武中，历无锡、大同儒学训导，师道尊严，学者咸有矜式，文学之誉大辟于时矣。……念昔与公交谊之笃，因昭之请，不容固辞，遂书为序云。正统庚申秋八月既望，正议大夫、资治尹、礼部左侍郎羊城陈琏序。"

杨士奇文集初刊成。黄淮《少师东里杨公文集序》："淮也屡弱无似，旦夕相聚处，聆笑语，接矩范，禆益良多。属以抱疾急事，上疏乞骸，蒙恩赐归调息。旋轸之后，云泥迥隔，离群索居，荒落殆甚。公不遐弃，贻书以文集序见属。辄以平昔之所知、公论之共推者，序述如右。昔昌黎之文，李汉序之；欧阳之文，苏轼序之。交辉迭映于千百世之远。淮岂知言者哉，公命也其奚敢辞。正统五年岁次庚申，秋八月既望，荣禄大夫、少保、户部尚书兼武英殿大学士永嘉黄淮序。"《怀麓堂诗话》："若杨文贞公《东里集》，手自选择，刻于广东。为人窜入数篇。后其子孙又刻为《续集》，非公意也。"四库提要卷一七五《别本东里文集》："是集记二卷，序六卷，题跋四卷，碑铭十卷，杂文三卷。末一卷题曰《方外》，凡为二氏所作，悉别编焉。盖用杨杰《无为集》例。疑即《怀麓堂诗话》所谓士奇自定之本，以不及全集之完备，故附存其目焉。"

萧仪《袜线集》文集初编成，尚缺诗部分。曾鹤龄《袜线集序》："去古既远，士习益降，攻文章不徇流俗者鲜矣。前三十年，予家居时，见学者惟科举之文是务。究理趣，稽程式，摘裂先圣贤遗言，融以己意，以就篇章，差可属读，善矣。至于卓然自立，欲追古作以名家者，非惟弗之习，亦弗暇也。其后至京，访于所知，仅得乐安萧君德容可尚焉。德容自乡荐以及会试，皆有程文在录，以行于世。至擢进士，授吏部文选主事，其古作益盛出一时。缙绅大夫士皆奇之，以为非习之于众所不暇之日、卓然欲追古作，不至是也。方是时，予仅一二见之，未获尽窥其所有。今年其子超、进编次其遗稿，仅盈帙。不远数千里，因进士杨贡诣予求序。予披而览之，始末合数十篇。其文纡徐曲折，绸缪反复，出新意而去腐语，骎骎乎古人规模，信善作者也。问其余，则曰：'藏于家者，犹存四百余篇。诗歌、长短句在外。'噫，何其能哉！向使不罹不幸而至于今，其多固不止是，其进又岂特如是而已耶？为文诚本于学，而亦由艰难困苦然后成。予闻德容生士族，上世多善人。至其祖母张，遭世变而凛然有节操，见董长史所为传。其先君躬孝行，夷险一致，见今少师杨公所撰墓志。德容自少失恃，鞠于祖母，以长以教。晚乃幸其先君自谪所还，无几复卒。则其学之所成，至于多且美者，良由艰苦中得，非偶然也。惜乎！天与之以是才，而不使之展于用，而又竟啬其寿。永乐末，诏求直言，德容性素刚，问学蕴蓄素深，于是言过切直，中伤任事之臣，众构陷之，遂坐是以死。死时年四十。呜呼！读其文者，思其人而悲其志，良亦可深慨也夫，良亦有景仰也夫。正统五年，秋八月辛巳，翰林侍讲学士、奉训大夫兼修国史泰和曾鹤龄顿首拜撰。"萧镃《袜线集序》："吏部文选主事萧君既没之十有八年，其子超、进录其遗文所谓《袜线集》者为六卷，将锓诸梓。而超走京师，持以示予，属为序。余受而读之，盖序、记、赋、颂、铭、赞、杂著总之若干篇。其庄厉峭拔，如秋空泰、华，壁立千仞，有苍然不可犯之色；其容演辩博，如春江波涛，淘漱奔放，有渺然千里之势。而其要归，则必依乎礼义之正，盖其志之所发也。志之所发，必形于言。文也者，言之粹精者也。惟其志趣有高下，故其为文有纯驳，观其文，则其志趣所存可知矣。君生甫二岁，其父谪戍辽左。又二岁，而其母卒。独祖母张，茕茕与居，以长以教。君既有知，即感激自励，日诵千百言。自经史百氏，靡不淹贯。由是为文章，下笔立就，籍然有声闾巷间。永乐甲午，以《诗经》魁乡选。明年，擢进士第。盖其声流于缙绅间益甚，及有文选之命，于是慨然以功名自命，其志以为事在尽吾所当为而已矣，穷达祸福有不计也。故累上书陈得失，欲有所裨益。于时卒之不酬其志，以龃龉终。盖君自其少时，颠顿挫抑，其志已奋然有所立。及既得名位，则自以为千载一时也，其大意不至于有所造就不止，故虽不得遂所愿，而其志固壮也。推此志而发于文字之间，则其名今而传后，岂过也哉！况又有贤子汲汲以图其不朽，安得而不传也？然则君虽没，亦可以无憾矣。君讳仪，字德容，学者称为冰蘖先生。其州里、世次、行事、卒葬之详，则有少保黄公宗豫所为墓表可考，故不复著于此。正统五年庚申岁，八月下澣日，赐进士第、翰林院编修、文林郎泰和宗弟镃拜手撰。"《千顷堂书目》卷一八："萧仪《袜线集》二十卷。"注云："仪尝为《石中美传》，杨士奇谓可比韩愈《毛颖传》。"四库提要卷一七五："《袜线集》十五卷，明萧仪撰。……是集乃其子超、进所编。据其原目，凡文十卷、诗十卷，此本仅十五卷，盖诗佚其五卷矣。其文有纡徐曲折之致，而意境不深。其诗为朱彝尊《明诗综》所不录，殆偶未见欤。"

本年

沈周随父入苏州城，宿西禅寺，识寺僧明公。《汪氏珊瑚名画题跋》卷一三著录《溪峦秋色图》，跋云："'每忆西禅地，城中人不知。香炉供课佛，茗碗博题诗。嗜淡黄金远，心闲白发迟。劳生堪自薄，令我羡吾师。'予虽江乡人，岁入郭无虚月。然未尝一假居廛市，假必明公所，往来逾三十年。明公无烦于余，余亦无所惮也。今年夏五月一别，迨十月下浣始相见。出纸索画与题，以志契阔，因写《溪峦秋色》应之。写毕，瀹篱豆茶为供，时夜已过半矣。庚寅，沈周。"陈正宏《沈周年谱》按：庚寅当成化六年，则据启南跋中"往来逾三十年"之语逆计，其识明公至迟在本年。

陆钜（1440—1489）生。字鼎仪，昆山人。天顺甲申赐进士第二，授翰林编修，迁修撰，升太常少卿、翰林侍读。时与张泰、陆容称"昆山三凤"，有《病逸漫记》。

公元 1441 年（正统六年 辛酉）

二月

杨溥回家省墓。《抑庵文集》卷六《送少保杨公省墓归南郡序》："正统六年二月，少保、礼部尚书兼武英殿大学士南郡杨公以去坟墓之久也，请于上，得归省焉。一时仕者皆以为公荣。"

三月

曾鹤龄卒，年五十九。《明英宗睿皇帝实录》卷七七"正统六年三月戊午（二十一日）"："翰林院侍讲学士曾鹤龄卒。……鹤龄为人和厚易直，交际以诚。作文典实，似其为人。"《两溪文集》卷二二《故翰林侍讲学士奉训大夫曾公行状》："其文有诗歌、词赋、颂赞累千篇，传记、序说半之，行状、墓铭、碑诔、杂文三百，皆出新意，得古法，无所袭于外，而有益于道德仁义之说为多。可谓没而有不可没者矣。"《抑庵文集》卷九《翰林侍讲学士曾君墓志铭》："君优游翰林二十年，文章之美，中外称之无异词。其与人言，必依于道德仁义。交朋友，久而益亲。有求教于君而经口授指画者，多成名。平生著述至千余篇，皆为人所爱重。"四库提要卷一七五："《松癯集》二十八卷，明曾鹤龄撰。鹤龄，字延年，一字延之，泰和人，永乐辛丑进士第一。官至侍讲学士。诗多牵率之作，命意不深，而措词结局往往为韵所窘，殆非所擅长。文则说理明畅，次序有法，大抵规模欧阳，颇近王直《抑庵集》，而沉著则不及也。直为作墓志，于其文章亦无所称誉云。"

九月

杨士奇祭王叔英。《东里续集》卷四六《祭王原采文》："维正统六年岁在辛酉，九月甲午朔，越十有六日己酉，庐陵杨士奇敬遣清酌庶羞，致祭于故翰林修撰静学先生王公原采之墓。於乎！先生之学，圣贤是师；先生之行，纲常允持；先生之心，金石其贞；先生之志，霜雪其明。浩然归全，乘云翩翩。我怀先生，崇山长川。桐川之藏，既固且深。遥致筋奠，神乎其歆！"《静学文集》黄绾《本传》："又闻云：乡人张玑者，尝游先生之门。正统间，岁贡入太学。文贞询其后，乡吏以玑见，公待之甚厚。后为定、涿二州同知。初，先生有幼子名某，谪戍大同，因玑语知，文贞以百金与乡人孟范，访得之。又以金若干遗扬州教谕某人，使教诲之。久而学不成，返诸文贞。又益金若干，再使教之，卒无成。文贞曰：'奈何！'抱之痛哭，乃复与金若干遣之，遂不知所终。孟范后为治中云，亦云文贞荐之。呜呼！先生不负国，文贞亦不负先生矣。"

本年

沈周代父听宣南京。《甫田集》卷二五《沈先生行状》："年十一，代其父为赋长，听宣南京。时地官侍郎崔公雅尚文学，先生为百韵诗上之。崔得诗惊异，疑非己出，面试《凤凰台歌》。先生援笔立就，词采烂发。崔乃大加激赏，曰：'王子安才也！'即日檄下有司，蠲其役。"〔按，依今人陈正宏《沈周年谱》。其据嘉靖刻本及明刻清补本，皆云"年十五"，而《四库全书》本《甫田集》云"年十一"。陈氏云：今《石田稿·送邵明府》有："昔公贰政长洲苑，我时卯角在童稚。家君率拜厅事所，梧竹高标能省记。家君执事米盐末，青眼相看见高谊。十年存录如一日，一家负荷无不至。"则邵氏"贰政长洲苑"时，启南父恒尚"执事米盐末"，即在粮长任上。邵氏名昕，余姚人，正统二年起，连续三考均任长洲丞。正统二年启南正届十一岁，若沈恒其时得释粮长之役，则显与启南诗所云不合。若沈恒释粮长役在启南十五岁时，则邵昕先一年已三载考满，是年再任长洲丞，与"贰政长洲苑"合。钱谦益辑《石田先生事略》，引《行状》云"年十五，代其父为粮长，听宣南京"〕

刘髦作《石潭八景诗》。《抑庵文集》卷四《石潭八景诗序》："刘先生髦，居永新禾川上。川水自义山来百余里，至先生所居，汇为潭，泓澄静深，洞见毛发。尤于良夜观月为宜，心甚乐之。学者因号为石潭先生。先生讲授之暇，即往坐潭上。县之巽隅，有两峰巍然，正在前，众山莫之敢抗。云浮两峰间，悠扬上下，盖所谓无心于出者。先生有契焉。……时先生年几七十矣。间取其景物，命为题曰《巽岭云闲》《石潭月皎》《小桥流水》《芳草残碑》《江船渔唱》《林屋书灯》《丛祠暮鼓》《道院晨钟》，与士大夫歌咏之。先生子定之为翰林编修，诸公闻先生之风者，亦多为赋诗。定之取而书之册，复请予序其端。"

罗伦从邓表臣学。《一峰文集》卷四《牧庵先生画像记》："牧庵先生姓邓氏，名淮，字表臣，以字行。漕溪里人……先生学成，试有司不合，拂袖归，曰：'何混一第为哉！城阙山林，各适其性而已。'不复就试。正统壬戌，聘师于水心书院，伦髦卯，先生视之子如也。语人曰：'必此子者其有成乎！群从富骄而好弄。'先生曰：'汝视我出入焉。'伦受教，视先生出则挟书，归视其入，复如之。先考大山府君自外归，问曰：'儿可教乎？'先生曰：'惟此子也，吾其成！吾其成！'因授以胡氏《春秋》学。先生教人，以礼为先。……成化庚寅，伦自广昌归谒，史有貌先生像者，伦曰：'不类也。'吾貌其中，赞曰：'不汲汲于名，不役役于利。矜而不争，同而能异。逍遥乎大化，不知老之将至。'"

公元 1442 年（正统七年　壬戌）

二月

十七日，赐刘俨等进士及第、出身有差。

三月

国子监祭酒李时勉请禁毁《剪灯新话》等小说。《明英宗睿皇帝实录》卷九〇"正统七年三月辛未（初十）"："国子监祭酒李时勉言五事：'……一，医学所以疗疾全生，不为不重。本监虽有官医二名，每遇监生患病，省令医治，缘无官给药料，多有艰难，不能措办。乞敕太医院量给药饵，陆续送监收贮，监生有病，令医者对证修治。一，近年有俗儒假托怪异之事，饰以无根之言，如《剪灯新话》之类。不惟市井轻浮之徒争相诵习，至于经生儒士，多舍正学不讲，日夜记忆，以资谈论。若不严禁，恐邪说异端日新月盛，惑乱人心，实非细故。乞敕礼部，行文内外衙门及提调学校佥事、御史并按察司官：巡历去处，凡遇此等书籍，即令焚毁；有印卖及藏习者，问罪如律。庶俾人知正道，不为邪妄所惑。'诏下礼部议，尚书胡濙等以其言多切理，可行；但欲取太医院药于本监治病，原无旧例，难从。上是其议。"

九月

兰茂《韵略易通》成。《千顷堂书目》卷三："兰廷秀《韵略易通》二卷。"注云："字止庵，正统壬戌序。"钱曾《读书敏求记》卷一，著录《韵略易通》一卷，"正统壬戌九月，和光道人止庵编《韵略易通》成而序之。……止庵不知何人，观其书可以免羊芋之笑矣。"四库提要卷四四："《韵略易通》二卷，明兰廷秀撰。廷秀，字止庵，正统中人，爵里未详。……尽变古法，以就方音。其凡例称惟以应用便俗字样收入，读经史者当取正于本文音释，不可泥此。则固已自言之矣。"四库提要卷八七："《读书敏求记》四卷，国朝钱曾撰。曾字遵王，自号也是翁，常熟人。家富图籍，多蓄旧笈。此书皆载其最佳之本手所题识，仿佛欧阳修《集古录》之意。……以至《北梦琐言》本小说，而入史；《元经》本编年，《碧鸡漫志》本词品，而皆入子。编列失次者，尤不一而足。其中解题大略，多论缮写刊刻之工，拙于考证，不甚留意。如《韵略易通》至谬之本，而以为心目了然。"

十月

杨士奇建言修《建文实录》等。《御批历代通鉴辑览》卷一〇三："太皇太后大渐，命中官问杨士奇、杨溥，国家尚有何大事未举？士奇举三事：其一，言建文君虽亡，曾临御四年，当修实录，仍用建文年号。其二，言太宗诏'有收方孝孺诸臣遗书者死',宜弛其禁。其三未及上,而太后已崩。"〔按,《明英宗睿皇帝实录》卷九七"正统七年冬十月乙巳(二十日)":太皇太后崩〕

十二月

　　杨士奇《三朝圣谕录》已成。《东里别集》卷二《三朝圣谕录序》:"当时共事之臣,或亡或退,独士奇今年七十有八,衰病昏耄,犹滥玷朝行未已也。……追念旧恩,五内摧痛,因记忆榻前所得玉旨之详者,辑而录之,厘为三卷。永乐居首,洪熙次之,宣德又次之。有疑之者曰:'廷陛之密,可存于私乎?'辄应之曰:'吾惟懔乎虑泯吾君之盛美是惧,而遑他恤哉!不观于古乎,欧阳文忠公著《奏事录》及《濮议》,司马文正公著《手录》,具记当时君臣问对之辞,委曲而详尽,所以著一代明良契合之盛事。盖昔之大臣君子往往皆然,义之所不能已也。况臣之所录有圣德焉,有圣训焉,有特恩焉。臣惟惧录之不能详也,而奚暇他卹哉!'疑者既释,敬号曰《圣谕录》云。正统壬戌冬十二月乙卯(二十九日),臣杨士奇谨序。"四库提要卷五三:"《三朝圣谕录》三卷,明杨士奇撰。是编乃自录其永乐、洪熙、宣德三朝面承诏旨及奏对之语。盖仿欧阳修《奏事录》、司马光《手录》之例。《明史》士奇本传多采用之。序题'壬戌十二月',为正统七年,乃士奇未卒之前二年也。"

本年

　　周是修《刍荛集》稍出。王世贞《刍荛集叙》:"文皇既绍大位,追戮死难者甚惨,至先生名,忽曰:'彼食其禄,自尽其心耳,何问为?'于是先生独以其遗体完,又能完其族,而于先生之遗诗文,其禁亦独宽。然流窜艰难之余,所存者无几矣。文贞际风云、登宰辅,后先生死四十一年,乃始能志先生之墓,而微露其歉。于是先生之集稍出,有梓而行之者,余故尝卒业焉。"
　　梁潜遗稿《泊庵集》编成。王直《泊庵集序》:"梁先生之没既二十五年,其子侯官令叔蒙、刑部员外郎叔车,编次遗文,为十六卷,属直为之序。直与先生居同里,且有连,少从先生游而辱教为多,其何敢辞!……孟子曰:'诵其诗,读其书,不知其人可乎?是以论其世也。'直故详而书之,以为文集序,使读者有考焉。里生王直序。"四库提要卷一七〇:"《泊庵集》十六卷,明梁潜撰。……是集前有王直、胡俨二序。俨序称为潜子棨所编。考萧镃《尚约居士集》有陈循墓志,称梁公潜以职务违错被逮,且籍之。梁平日所作诗文,悉估书册卖钱入官。循遣人访求,倍价赎还。今锓梓以传者,循所赎也云云。则其稿为潜所自编,因循而传于世。俨序不载其事,而但称其文章遭际,盖讳言其赐死耳。潜文格清俊,而兼有纵横浩瀚之气,在明初可自成一队,故郑瑗《井观琐言》称其'丰赡委曲,亦当代一作家'。杨士奇作潜墓志,称其为文章驰骋司马子长、韩退之、苏子瞻,亦间出庄、列为奇,务去陈言出新意,古诗高处逼晋宋。此本有文无诗,集末有康熙辛酉潜裔孙天清续刻家集小引云:'泊庵公诗集已瘗文冢,不复存人间。'则旧本久佚矣。"

公元 1443 年（正统八年　癸亥）

二月

夏原吉文集刊刻。杨溥《忠靖集序》："少保兼太子太师户部尚书长沙夏公诗文遗稿，常州太守桂林莫君子朴以其俸余锓梓，公之子尚宝司丞瑄请予序。……公在永乐中摄冬官政，子朴尝为冬官郎中，相知为深。在常俎豆之事，则有司存。子朴历官已四考，政和民浃，用心于此，良厚矣。又能使公诗文得传闻于人，殆知言者哉。予亦湖湘人，尝得与公同事，用是书之简首云。正统八年岁次癸亥，春二月谷旦，光禄大夫、柱国、少保、礼部尚书兼武英殿大学士、国史总裁、同知经筵事南郡杨溥序。"《忠靖集》卷首提要："《忠靖集》六卷，明夏原吉撰。原吉诗文集六卷，载于《明史·艺文志》，与此集卷数相合。盖即旧本。后附《遗事》一卷，为其孙廷章所辑。刊板久佚。此本乃国朝康熙乙酉潘宗洛提督湖广学政时，得其裔孙所藏，重为校刊。前有杨溥序，称其诗文平实雅淡，不事华靡。"

六月

刘球卒，年五十二。《明史》刘球传："八年五月雷震奉天殿。球应诏上言所宜先者十事。……疏入，下廷议。言球所奏，惟择太常官宜从，令吏部推举。修撰董璘遂乞改官太常，奉享祀事。初，球言麓川事，振固已衔之。钦天监正彭德清者，球乡人也，素为振腹心。凡天文有变，皆匿不奏，倚振势为奸，公卿多趋谒，球绝不与通。德清恨之，遂摘疏中揽权语，谓振曰：'此指公耳。'振益大怒。会璘疏上，振遂指球同谋，并逮下诏狱，属指挥马顺杀球。顺深夜携一小校持刀至球所。球方卧，起立，大呼太祖、太宗。颈断，体犹植。遂支解之，瘗狱户下。璘从旁窃血裙遗球家。后其子铖求得一臂，裹裙以殓。"《念庵文集》卷一三《刘忠愍公死事状》："洪先读先行人如塘手记，公下狱在正统八年六月十二日，至二十一日而变作。二十三日，家人始得闻之。又二日，乃敢发丧。当是时，亲朋无相吊者。逾月而归。此事固秘，莫得其详。公家讳祭，自二十一日后，连三举，盖亦疑之，不知实二十一日也。先行人手记，日载晴雨诸细碎，此事甚大，且经目击，其必审不谬。"张瑄《两溪文集后序》："孔子曰：'有德者必有言，有言者不必有德。仁者必有勇，勇者不必有仁。'今观先生之文，皆自其胸中浩然之气发而为忠义正大之词，丰缛而不失之泛，简约而不失之略，寄至味于平澹，寓纤秾于高古，视彼夸毗无实大言无当者，奚啻霄壤。信乎有德者必有言、仁者必有勇矣！"《明诗综》卷二一《刘球》："李时远云，忠愍金春玉映，如月眈天犀，人共宝之。"

七月

李时勉荷枷于国子监门。《明英宗睿皇帝实录》卷一〇六"正统八年秋七月戊午（初五）"："国子监祭酒李时勉坐伐文庙树，枷于监门。监生李贵等千余人诣阙请：时勉衰老，且言其教诸生有方，乞贷之，俾终其教。有石大用者，复请代枷。上乃释之。

初，中官王振诣监，时勉不为之屈，振故因而罪之。”

八月

胡俨卒，年八十三。《明英宗睿皇帝实录》卷一〇七“正统八年八月己酉（二十七日）”：“太子宾客、国子祭酒兼翰林侍讲致仕胡俨卒。”《文敏集》卷一四《颐庵文集序》：“天地间一元气之流行，惟人得其正而至理具焉。善养是气，足以配乎道义，而后发之为文章。六经卓矣。后之作者，醇正莫如孟子，雄健莫如司马子长，辨博宏深莫如昌黎韩子。其文之所至，亦各从其气之所至也。故曰：气，水也；言，浮物也；气盛言从。江河之水浩然充溢，而物之小大莫不浮。此其可见矣。予于颐庵胡公之文有取焉。公豫章世家，少以颖异之资，锐志古圣贤之道，于群经罔不精究，其他子史百家亦探索无隐。且生文献之邦，得贤士大夫相师友。熊伯机以古文辞自高，一见公文，亟称其有所养，悉以古文法授之。公既入翰林，受知圣主，侍讲经筵，主典成均，位望益进，所养益深。其文之正者，有得于孟之绪；雄健宏深，有以造于司马、昌黎之奥，伟然成一家言，足以追古之作者。”《画史会要》卷四：“［胡俨］以水墨秃笔写羊鹿，甚有生动，亦能竹石兰蕙。”《艺苑卮言》附录三：“胡文穆善真行草，名不及解大绅，而遇过之。北征诸镇，皆其勒石。”康熙《御定渊鉴类函》卷一九六《文章二》：“《吾学编》曰：胡俨字若思，学问该博，文章简直，不事浮藻。”《明史》胡俨传：“当是时，海内混一，垂五十年。帝方内兴礼乐，外怀要荒，公卿大夫彬彬多文学之士。俨馆阁宿儒，朝廷大著作多出其手，重修《太祖实录》、《永乐大典》、《天下图志》皆充总裁官。居国学二十余年，以身率教，动有师法。”杨溥《国子祭酒胡先生墓碑》：“先生虽掌国学，朝廷有大制作，若纂修《太祖皇帝实录》及《永乐大典》《天下图志》诸书，皆为总裁，未尝去馆阁。……先生闲居廿余年，日与学者讲求性理之学。亲藩礼遇之，方岳重臣咸待以师礼而师。生未尝一言及私，自处甚淡薄，岁时仅足衣食。尝表许逊韦丹庙，请春秋致祭；修白鹿书院。此其处退闲之有道也。先生达于报施之理，凡处是非利害可否之间，咸审度以求至当，惟恐贻患于人。群论中有不合，即引退不与辩，以故所至能全交。此又其守身之概也。其为文以理为主，不尚辞藻，所著有《颐庵诗文》若干卷，行于世。”《明诗综》卷一九《胡俨》：“熊伯几云，若思笃学好古，辞气英迈，足以追踪作者。胡光大云，若思温厚雅赡，而有疏宕之气。邹孟熙云，宾客铺张至治，富瞻不穷。杨东里云，若思体物缘情，端厚微婉。李时远云，宾客诗丰蔚，为时所重。”存诗四首：《远将归》《村居秋兴》《姑苏》《直阁即事》。《静志居诗话》卷六《胡俨》：“长陵靖难之后，简词臣入赞机务者七人。逾年而解大绅、胡若思出，续入者王行俭、杨弘济，久而王亦出。以是相业盛称三杨。论世者谓，解、王、胡三公才品学术，在三杨之右，使其不出，发于事业，必更有可观者。然揆之以时，度之以势，有所不能也。宾客学文于乡先生熊钊伯几，伯几学于虞集伯生，故其文有源本，诗亦近西江派。”《颐庵文选》卷首提要：“《颐庵文选》二卷，明胡俨撰。……俨学问该博，于象纬、占候、律算、医卜之术，无不通晓。其在朝称馆阁宿儒，朝廷大著作多出其手。修《明太祖实录》《永乐大典》，皆为总裁官。而以议论戆直，为同僚所不容，故久于国学，未能悉究其用。其诗颇近宋江西一派，词旨高迈，寄托深远，与三杨之和平安雅者气象稍殊。文章则得法于熊钊，钊学于虞集。师授相承，渊源极正。故其气格苍老，可以追踪作者。为明初之一家焉。《明史·艺文志》载《颐庵集》本三十卷。此集诗文各止一卷，乃后人选本，非其全帙。然尝鼎一脔，亦足以知其概矣。"《明诗纪事》乙签卷四《胡俨》陈田按："宾客诗，词格轩爽，较胜晃庵，惟大篇不耐多吟。《颐庵集》末附诗话数则，述虞伯生《写韵轩》《滕王阁》等诗，多《在朝稿》《归田稿》所未载者。大兴翁覃溪阁学辑《虞文靖集》，搜罗颇富，于《滕王阁》诗仅录二首，盖未见斯集也。李文正《麓堂诗话》云：'胡文穆《澹庵集》载虞伯生三诗。'今检文穆集无此诗。文穆别号'晃庵'，无'澹庵'之号，盖偶误记也。"

本年

周瑛徙莆田。《翠渠摘稿》卷八《自撰蒙中子圹志》："父讳举，字尚哲，赠知州。母潘氏，太宜人。家故民籍。洪武初，以备倭改戎籍。知州公执戎镇海，生予与二弟曰环曰顼。予年十四，挈归莆，依叔父讳从以居。从赠刑部主事。"

公元 1444 年（正统九年　甲子）

二月

新建太学成，杨溥、杨士奇作记。《明通鉴》卷二三："是月（二月），新建太学成。先是太学因元陋，吏部主事李贤上言：'国家建都北京以来，太学日就废弛，佛寺时复修建，举措乖舛，何以示天下！请以佛寺之费修举太学。'李时勉亦言之。诏始营建，至是遂成。"《明名臣琬琰续录》卷一《少保文定杨公言行录》："正统九年春，修国子监讫工，杨文定公奉旨御制碑文。文定以《重建太学》为题，具稿进呈。命范太监持示杨文贞公，时文贞已卧病，乃作一篇，以《新建庙学》为题，封进，用之。文定不悦，执用其题，文贞具本论：凡言重建者，谓已作之后又作之。庙学虽前元所建，非国朝事，此不可论。今既悉彻而新作之，只当云新建。且庙与学二者，若只书建太学而不云庙，于礼未安。请通改作'新建庙学'四字为宜。廷议虽韪文贞之言，然已刻石，无及矣。二公之学识，于是可见。"

三月

王袆文集刊刻。刘杰《王忠文公文集题后》："予昔在乡校时，获睹金华太守同邑方公素易所集翰林待制子充王先生《华川集》刻本，凡若干卷，披阅终日不能释手，未尝不叹先生之文醇正典则，而喜方公好事而能成人之美也。正统戊午秋，予来官先生之乡邑，始得知先生出使滇南临难不屈忠义之详，又恨弗能起先生于九原之下，于是具行实疏，请于朝。寻蒙圣恩赠翰林院学士、奉议大夫，赐谥忠文，闵悼褒崇，极其华显，是则先生孤忠大节自足以传不朽矣。然先生平素著作，惜其刊板多历年所，

301

遗失真存。既而先生之孙叔丰出示遗稿六帙，复得四川宪佥王公迪所藏前集，予因备录而增广之，分为二十四卷三十七类，以篇计之总六百二十有奇，姑以继吾先正方公纂集之素志耳。又赖同寅大尹庐陵刘公同重为校正，佥谓宜绣诸梓以永其传。辛酉春，予述职京师，敬以是编质诸缙绅。今柱国、少师东里杨先生展玩之余，深嘉叹赏，慨然序诸卷端，名曰《王忠文公文集》。其所以发幽潜之光而为之表著，风厉于天下后世之为臣子者，未必无小补云。正统甲子春三月朔旦，鄱阳三台刘杰仁杰谨识。"

杨士奇卒，年八十。《明英宗睿皇帝实录》卷一四一"正统九年三月甲子（十四日）"："少师、兵部尚书兼华盖殿大学士杨士奇卒。……为人秉谦执虚，薄利笃义。文章谨严有法，议论往返卒归于理，表然为一世之望。临终自志其墓云：'越自授官，所觊行道，心存体国，志在济人。惟理无穷而学殖未充，事有至难而智虑弗逮，故进慕陈善，退勤省躬，而施以公，而守以约。始终一意，夙夜不忘。'考之平日，盖无愧其言云。"黄淮《少师东里杨公文集序》："天生间世之才，必予之以清明粹温之资，际夫重熙累洽之运，发为事业，参赞经纶，辅成国家之盛。著为文章，宣金石，垂汗简，以彰文明之治。夫岂偶然哉！观于今少师东里杨公士奇，可见矣。……芳润内融，彪炳煜乎外见。濡毫引纸，力追古作。于是声名洋溢，受荐而起。际遇太宗文皇帝正位宸极，建内阁以严禁密，公与淮等七人首膺拔擢之命，典中秘，兼知外制。历事四圣熙洽之朝。凡大论议、大制作，出公居多。肆其余力，旁及应世之文，率皆关乎世教，吐辞赋咏，冲澹和平，渢渢乎大雅之音。其可谓雄杰俊伟者矣。公之立心制行，本之以忠贞亮直，持之以和厚谦慎，以故清议咸归重之。洪惟我朝自太祖高皇帝肇开文运，儒雅彬彬辈出，以公述作征诸前烈，颉颃下上能几人焉？方之当时，齐驱并驾复几人焉？谓之间世之才，其信然哉。"李时勉《东里续文稿序》："少师、兵部尚书泰和东里杨先生未仕时游湖湘，与楚府教授吴壹翁为莫逆交。壹翁乡前辈，尝为予言：'先生博学而有志，不矜己傲物，为文章独追古作者，后来当必鸣世，而其才德可大任。'予闻而识之。……韩子曰：'入以告其君，出不使人知者，大臣宰相之事。'于先生见之。先生以其余力，发为文辞，浑涵温润，谨严而静密，如精金粹玉，自足以见重于世。夫文章之见重于世，以其人也。苟非其人，虽美而传，反以为病矣。扬雄、柳子厚、王安石，文非不美也，人或因是而訾之，由其所行悖焉耳。董仲舒、诸葛孔明、陆贽、范希文之流，读其书，思其人，恨不生其时，听其议论，以求其益，则其文章之存，虽与日月争光可也，谁得而议焉？先生之志行，固无异乎四君子者。而仕宦四十余年，历事四朝，其功在国家，德在生民，所谓'先天下之忧而忧，后天下之乐而乐'者，庶乎其无所愧焉。其文章之足以垂世而传后者，岂偶然之故哉？先生病在床，以其《续文稿》授予曰：'其为我序之，以付孺子藏于家。'予文未成，而先生没。呜呼！先生其可死也耶？"韩雍《书东里文集续编后》："嗟乎，太羹玄酒不资姜桂，雅有真味。泰山华岳，奇峰迭拥，不觉其繁。玉云行空，流丽自然，初若无意，而能成雨，泽被万物。此公之冠绝一世，予不能不乐为天下道也。"《诗源辨体》后集纂要卷二："宣庙尚文，五言古大多古体。东里五言古多法汉魏，正是风化所及。献吉《送昌谷诗》云'伟哉东里廊庙珍'是也。但较于鳞稍为浅易，又不免多用古句。律诗较杨、张诸子始渐入阔大，但以全集观，气格不甚高耳。"《艺苑卮言》卷五："杨尚法，源出欧阳氏，以简澹和易为主，而乏充拓之功。至今贵之曰'台阁体'。"《列朝诗集小传》乙集《杨少师士奇》："国初相业称'三杨'，公为之首。其诗文号'台阁体'。今所传《东里诗集》，大都词气安闲，首尾停稳，不尚藻辞，不矜丽句。太平宰相之风度，可以相见。以词章取之则末矣。"《明诗综》卷一九《杨士奇》："杨弘济云，东里歌颂太平，未尝不致儆戒之意。至于触物起兴，亦莫不各极其趣。体制音响，皆发乎性情，非求之工巧者比。李宾之云：文贞学杜，间得魏晋遗意。徐子玄云，东里格调清纯，实开西涯之派。王元美云，杨东里如流水平桥，粗成小致。蒋仲舒云，少师韵语妥协，声度和平，如潦倒书生，虽酬酢雅驯，无复生气。"存诗十七首：《送尤文度归吴中》《汉江夜泛》《同蔡尚远尤文度朱仲礼杨仲举蔡用严游东山》《永丰曾氏龙潭》《题刘逸人乐耕卷》《雨中寄邹仲熙》《题费同知松树障子》《赋得沧浪送陈景祺守襄阳》《答黄宗载》《夜发清江口》《过谷亭》《夹沟遇邑人》《题鄂渚赠别》《三十六湾》《宣德丙午谒二陵二首》《过城陵矶》。《静志居诗话》卷六《杨士奇》："东里优游按衍，诸体皆蕴藉可观。其自序云：'古之善诗者粹然一出于正，用之乡间邦国，皆有裨于世道。夫诗，志之所发也。三代公卿大夫，下至闺门女子，皆有作以言其志，而其言可传。余早未闻道，既溺于俗好，又往往不得已而应人之求，即其志之所存者无几也。'亦可谓能自讼矣。"《东里集》卷首提要："《东里集》九十三卷，明杨士奇撰。……明初三杨并称，而士奇文笔特优。……制诰碑版多出其手。当时馆阁著作，遂沿为流派。李梦阳诗所云'宣德文体多浑沦，伟哉东里廊庙珍'者，盖亦推本于士奇而言。其后效尤既久，或病其渐入于肤庸，然亦不善学者索貌遗神之过。若就其所作论之，实能不失古格者。其转移一代之风气非偶然也。"《四库全书简明目录》卷一八："士奇诗文为明代台阁之祖，末流日敝，至于肤廓庸沓，万口一音，遂为艺苑口实。然士奇著作，自有典型，未可以李斯罪荀卿。"《明诗纪事》乙签卷三《杨士奇》引《西江诗话》云："何乔远《文苑记序》云：'士奇台阁之体，当世所推，良以朝廷之上，但取敷适，相沿百余年，有依经之儒，而无擅场之作。'似讥其稍涉浅显也。然以语文贞制诰文字，则有然。若其诗，清真丽则，悠然而有余思，逼真唐人气格，殊非苟学所能到者。当有知音味余此言。"

春

高启《凫藻集》刊刻。周忱《高太史凫藻集序》："其诗有《缶鸣集》，有《娄江吟稿》，有《姑苏杂咏》，皆已久传于世。四方之人莫不知其诗名，而独未见其文也。予来姑苏，访求于先生之内侄周立，得其手抄先生之文曰《凫藻集》，凡五卷。因取而读之，爱其意精而深，辞达而畅，有温纯典则之风而不流于疏略，有谨严峻整之度而不涉于险僻，该洽而非缀缉，明白而非浅近，不粉饰而华彩自呈，不追琢而光辉自著。盖由其理明气昌，不求其工而自无不工也。读之不忍释手，自是其集留予所者十有余载。今年春，监察御史钱塘郑公士昂过予公馆中，论及先生之诗，而亦以未见其文为慊。予因出是编相示，郑公读之既卷，而叹曰：'古人论文章，谓一代不数人，一人不数篇。先生没已七十年，是数篇者，幸而尚存，岂易得哉！是不可以无传。'乃属司训

303

张素略加校正,命长洲县丞邵昕以公钱刻置郡学,且征予为之序。"郑颙《书凫藻集后》:"予在京师,尝得高先生季迪所著诗曰《缶鸣集》《姑苏杂咏》者读之,爱其清淳典雅,得诗人之旨趣,意其文当称是。既而奉命出按吴中,暇日因过巡抚亚卿周公寓所,又得先生之文曰《凫藻集》观之。反复再四,见其能阐造化之秘,发义理之微,穷人事之变,引物连喻,导扬规讽,贯穿经史百氏之言,一本诸至理,而气以昌之。……爰命锓梓,欲其与诗而并传也。"四库提要卷一六九《凫藻集》:"是集不知谁所编,以其诗集例之,殆亦启所自定。末有《魏夫人宋氏墓志铭》。魏夫人者,苏州知府魏观母也。按《明史》本传,启坐为观作《上梁文》见法,则为其末年之作。盖平生古文尽于此集矣。初无刻本,周忱为苏州巡抚时,始得抄本于郡人周立。立之姑,即启妇也。正统九年,监察御史钱塘郑士昂又得本于忱,因命教授张素校刊之,而忱为之序。此本为雍正戊申桐乡金檀所刻,即因郑本而正其讹,多所校正。檀即注启诗集者,故并刻是集,成一家完书云。"

四月

翰林学士陈循入直文渊阁。《明英宗睿皇帝实录》卷一一五"正统九年夏四月丙戌(初七)":"命翰林院学士陈循内阁办事。"《蹇斋琐缀录》卷二:"宣庙最好词章,选南杨与陈芳洲二先生日直南宫应制。杨思迟,陈思敏。一日,命御制《寿星赞》,陈援笔赞云:'渺南极兮一星,灿祥光兮八纮。兆皇家兮永龄,我怀思兮治平。赖忠贞兮弼成,宜寿域兮同升。'南杨以指圈画'寿域'二字,欲易而未就。时中官促进甚急,曰:'先生有则改,无则罢。'遂取去。赐内阁,问二杨先生曰:'"寿域"二字如何?'西杨应曰:'八荒开寿域。'中官还诘南杨:'"八荒开寿域",此句诗如何?'南杨曰:'好诗。'中官曰:'先指"寿域"为未好,何也?'南杨默然。少顷,陈退食,遇西杨于端门,西杨语陈曰:'适赐《寿星赞》甚佳,必大手笔也。'陈唯唯。后正统间,朝钟一日不受杵,命内阁制《祠钟文》。南杨入室中翻旧稿不得,太监候久,促陈芳洲曰:'先生何不作?'陈乃白南杨曰:'旧无此稿,先生第口占我写。'南杨乃起一语,陈遂续成之。"

八月

曹安中南京乡试。《谰言长语》:"《松江府志》云:三泖乃古由拳县沉没。每天晴月朗,舟过者分明见其中井栏街砌宛然。正统九年夏,予赴举之南京,舟过泖中,予适倚舷,忽见水清处井栏街砌如故。是亦一遇,古迹不泯有如此。"任顺《谰言长语跋》:"[曹安]登正统甲子乡第。"

十二月

程敏政(1445—1499)生。字克勤,休宁人。成化丙戌第二人及第,授编修。历左谕德、少詹事,兼侍读学士,以事罢官。寻起复,改太常卿,仍兼侍读学士,进詹事，再进吏部侍郎。卒赠尚书。有《篁墩文集》。《殿阁词林记》卷六《詹事兼学士程敏政》："生而早慧，侍父襄毅公官蜀。巡抚侍郎罗绮以神童荐，英宗召至便殿，试以春联，应对如响。馆阁覆试赋《圣节》及《瑞雪》诗并经义，援笔立就。诏诣翰林读书。李文达公妻以女。"［按，据《篁墩文集》卷八一："小女以乙巳岁腊月八日生，与予生辰隔一日，人以为奇。至弥月之旦，予适署左春坊印。百晬之旦，又有赐诰之荣。人益以为不偶。因请于母夫人，小字之曰'恩姐'。并赋一诗，简尚宝、锦衣二贤舅及宫簿弟，以私识喜，不足为外人道也。"卷六三云："成化癸巳腊月十日，予生盖三十年矣，适有史事，不克归省，怅然有怀，谨步韵家君《守寿》诗一章，录示克俭、克宽二弟。"可知，程敏政生于十二月初十］

本年

丘浚中举。王国栋《丘文庄公年谱》："公领乡荐第一。主试为舒宗辰、王来，录其五策，传诵当时。"

沈周妻陈慧庄来归。《沈启南妻陈氏墓志铭》："孺人陈氏，字慧庄，常熟沙头人。祖从道，父原嗣，皆博书好礼，虽富，号儒门。……吾之妻，吾良友也。……是名家子，性夷澹柔静，略涉书史。吾祖母好佛典，必先使句读，然后从而诵之。侍起居惟谨，无故未尝去左右。事吾父母亦如之，致交称之曰贤妇。"［按，沈周经历，采择今人陈正宏《沈周年谱》，后同］

朱存理（1444—1513）**生。**字性父，长洲人。有《珊瑚木难》八集、《楼居杂著》一卷、《野航诗稿》一卷、《野航文稿》一卷、附录一卷。文征明《朱性甫先生墓志铭》："吾苏有博雅之士，曰朱性甫存理、朱尧民凯。两人皆不业仕进，又不随俗为廛井小人之事。日惟挟册呻吟以乐，求昔人理言遗事而识之，对客举似，如引绳贯珠缅缅弗能休。素皆高赀，悉费以资其好，不恤也。"

倪岳（1444—1501）**生。**字舜咨，南京礼部尚书倪谦子，由钱塘徙上元，遂为上元青溪里人。天顺甲申进士，累官太子少保、吏部尚书，卒赠少保，谥文毅。有《青溪漫稿》。沈晖《青溪漫稿序》："公金陵上元青溪里人，南京礼部尚书、赠太子少保文僖公之子。文僖尝奉诏代祀北岳，夫人姚氏梦绯袍神人入室，悟而生公，文僖以为岳神所感，因名岳，字舜咨，身长七尺，丰颐广颡，而天性明敏，读书一目数行俱下，为文章初不经意，而才思沛然若有神助者。"

公元 1445 年（正统十年 乙丑）

三月

十七日，赐商辂等进士及第、出身有差。

十月

刘髦卒，年七十三。《抑庵文后集》卷二七《封编修刘公墓表》："公刘氏，讳髦，字孟恂，永新人，以子定之贵封翰林编修文林郎。正统乙丑十月九日，以疾终于家，年七十三。"四库提要卷一七五："《石潭存稿》三卷，明刘髦撰。髦有《易传撮要》，已著录。是编上卷为诗，中卷即《易传撮要》，下卷为《义方录》。《义方录》者，皆寄其子定之之手札，而定之汇萃成编者也。"

本年

文林（1445—1499）生。字宗儒，长洲人。成化壬辰进士，除永嘉知县，改博平，升南京太仆寺丞，迁知温州府。文征明父。有《文温州集》十二卷。

公元 1446 年（正统十一年　丙寅）

三月

马中锡（1446—1512）生。字天禄，故城人。成化乙未进士，授给事中。出为云南按察佥事，改陕西，入为大理少卿，擢右副都御史，巡抚宣府，引疾归。起抚辽东，召拜兵部侍郎，以忤刘瑾改南工部，寻勒致仕，逮系诏狱，斥为民。瑾诛，起抚大同，迁右都御史，提督军务，进左都御史，以师老无功下狱，寻死狱中。有《东田集》。《沙溪集》卷六《资善大夫都察院左都御史东田先生马公行状》："公生于正统十一年三月十六日。幼警颖不群，三岁识字，八岁能赋小诗。时处州方为唐府长史，王多不法。处州每谏，不能为委曲语，王怒处州，械送京师。姚淑人以下，皆下之狱，公以幼免。分巡刘佥事按部适至，公具牒投诉，辞语清辩若成人。刘悯泣，乃诣王，晓譬伏以法。王悟，家得释。公依母走讼于朝，事卒得白。"

四月

柯暹起复。《明英宗睿皇帝实录》卷一四〇"正统十一年夏四月丙午（初九）"："召致仕浙江按察使柯暹至京。先是暹以疾致仕还乡，至是，巡按监察御史刘甄言其年六十，精力未衰，仍堪任使。故召之。"

六月

李昌祺作自寿诗。《运甓漫稿》卷一《丙寅初度作》："蹉跎逾七十，勤苦曾备历。误蒙明圣知，谬忝中外职。……叩阍乞残骸，休退恩旨赐。遂令犬马躯，获返田野迹。长揖画省僚，重负从此释。今辰届初度，厨传仍岑寂。傍人竞嗤笑，穷约犹曩昔，妻孥颇愧赧，而我固悦怿。平生守儒素，晚节敢变易！……长歌自为寿，坐对远山碧。"〔按，昌祺初度在六月二十六日〕

七月

杨溥卒，年七十五。《明英宗睿皇帝实录》卷一四三"正统十一年秋七月庚辰（十四日）"："少保、礼部尚书兼武英殿大学士杨溥卒。……溥在内阁，与士奇、荣，皆杨姓，时号'三杨'。三人者各有所长，士奇有学行，荣有才识，溥有雅操，天下引领望焉。溥尤谦恭小心，趋朝循墙而走，儒之淳谨者也。"《古穰集》卷八《杨文定公文集序》："及观其所为文章，则辞惟达意而主于理，言必有补于世而不为无用之言，论必有合于道而不为无定之论。严重老成，有台阁之气象焉。然则公之志伸于事业，学著于文章，方之古人，岂多让哉？金宪董君应轸于公为乡后学，得公之文，寿梓以传，求予序。呜呼！公之文章以事业而见重于世必矣，何以序为？第予素慕公之为人，序公之文，固所愿者，独以晚进孤陋，不能发公之所蕴耳。遂三复其稿而归之。"《静志居诗话》卷六《杨溥》："三杨位业并称，南杨诗名独不振。"《明诗纪事》乙签卷三《杨溥》陈田按："世称西杨文学，东杨政事，南杨雅操，犴狱十年，养晦愈明。汉庶人反，南杨《从征》诗云：'欃枪耀齐分，龙御勤六师。出门驰马去，不暇告妻儿。亲友送我行，欲语难为辞。死生岂不恤，国事身以之。'可谓社稷臣矣！《文定集》世所罕见，余从真定梁氏购得，甄录较他集为多。"

九月

周忱《双崖文集》编成。周叙《双崖文集序》："公所居在吉水槎滩双崖之麓，因以自号，故其平生所作名曰《双崖集》。间汇编之，属序其端。公之子仁俊将复刻梓以传，亦可谓能孝也已。……正统丙寅秋九月望日，翰林侍读、承德郎兼修国史兼经筵官宗人周叙序。"

十二月

言官弹劾柯暹。《明英宗睿皇帝实录》卷一四八"正统十一年十二月乙巳（十二日）"："吏科给事中张固言四事。……优老致仕，国家之典也。曩者浙江按察使柯暹起复到部，告病致仕。迩者，又膺巡按御史刘甄谬举，赴部。且暹始则纵偷安之计而求退，倏焉肆贪饕之心而求进，进退自由，岂曾以圣上恩命介意？乞敕大臣将暹甄鞫问情由，重加贬斥。"

公元 1447 年（正统十二年 丁卯）

正月

柯暹除云南按察使。《明英宗睿皇帝实录》卷一四九"正统十二年春正月辛卯（二十八日）"："命致仕按察使柯暹为云南按察使。"

三月

国子监祭酒李时勉致仕。《御批历代通鉴辑览》卷一〇四："时勉以王振擅权，不能诣事，屡疏乞休，至是始得命。朝臣及国子生出饯都门外者几三千人。鼓乐前导，观者塞途，商贾为罢市，或远送登舟，俟舟发乃还。无不泪下。"彭琉《朝列大夫翰林学士国子祭酒兼修国史知经筵官致仕谥忠文安成李懋时勉行状》："丙寅（初四），先生屡以老疾乞致仕。诸生伏阙请留，上以太学师资之地，方倚老成，不许其去。丁卯，先生年七十有四，病益深，上章乞骸骨。上览其言甚恳切，遂许之。诏兵部具舟。陛辞之日，赐钞一千贯，命光禄具酒馔饯之。及行，达官显人多出崇文门外以叙别，太学师生以彩币制旗帐，各为文词。诸生亲厚者，又命工绘《恩荣归老图》，取其事为十题，求诸名公识以为赠，以颂先生之德。翰林旧知，亦各为文为诗。教坊诸乐工椎大鼓，杂以金石丝竹之音，喧然前导。送者凡三千余人，远近观者塞路，一时行旅不得往来，商贾为之废业。莫不啧啧焉称羡以为荣，至有为泣下者。诸生又以先生平日廉洁自守，行李萧然，乃集白金数百两为赆，先生悉却之。今太师吏部尚书王公直为十题，称先生'汉之疏广、唐之杨巨源不能过也'。其余若礼部尚书胡公濙，工部尚书高公谷，左都御史陈公鉴，礼部尚书王公英，国子祭酒萧公镃，侍讲陈公询、徐公珵，修撰刘公俨，检讨钱公溥，司业赵公琬，南京祭酒陈公敬宗，皆有文为赠。先生自北归，以故居去城稍近，倦于逢迎，遂卜邑西三十里，其地曰梅耷，创隐居焉。远方慕名以求文至者，踵踵相继，先生以病，多谢去。"

萧镃升国子祭酒。《明英宗睿皇帝实录》卷一五一"正统十二年三月癸未（二十一日）"："升翰林院侍读萧镃为国子祭酒。"

始置附学生员。《钦定续文献通考》卷五〇："洪武初，生员虽定额，至二十年即命增广，不拘额数。至是定制，在京府学六十人，在外府学四十人，州三十人，县二十人。于是，初设食廪者谓之廪膳生员，增广者谓之增广生员。英宗正统十二年，凤阳府知府杨瓒言：民间子弟可造者众，宜增置生员，毋限额。帝采瓒言，令于额外增取，附于诸生之末，谓之'附学生员'。凡初入学者，皆谓之'附学'。廪膳、增广，则以岁科两试等第高者补充之。非廪生久次者，不得充岁贡。"

六月

钱习礼致仕。《明英宗睿皇帝实录》卷一五五"正统十二年六月丁卯（初七）"："礼部右侍郎钱习礼复乞致仕，从之。"《明史》钱习礼传："正统九年乞致仕，不许。明年，六部侍郎多阙，帝命吏部尚书王直会大臣推举，而特旨擢习礼于礼部。习礼力辞，不允。王振用事，达官多造其门，习礼耻为屈。十二年六月，复上章乞骸骨，乃得归。"

李东阳（1447—1516）**生。**字宾之，茶陵州人。天顺甲申进士，改庶吉士，授编修。累迁侍讲学士，历左庶子、太常少卿，擢礼部侍郎，直文渊阁，参预机务。进太子少保、礼部尚书、文渊阁大学士，加少傅，再加少师。卒赠太师，谥文正。有《怀麓堂集》。朱景英《李文正公年谱》："正统十二年丁卯，一岁。是年六月初九日，公生。"

七月

于谦丁父忧。《明英宗睿皇帝实录》卷一五六"正统十二年秋七月辛癸巳（初三）"："巡抚河南、山西大理寺少卿于谦闻父丧，上命谦往奔丧，即起复视事。"

十一月

于谦始革山西、河南巡抚官。《明英宗睿皇帝实录》卷一六〇"正统十二年十一月庚寅（初二）"："升大理寺左少卿于谦为兵部右侍郎。先是谦巡抚山西、河南，以父忧奔丧。及是起复至京，适革山西、河南巡抚官，乃有是命。"〔按，自宣德五年巡抚山西、河南，至此始得还朝〕

本年

张宁丧妻。《方洲集》卷二四《亡妻唐氏墓志铭》："亡妻姓唐氏，讳贞真，字淑英。……淑英年十四纳吾家聘，后四年始克成礼，为吾妻。妇道有足称者。然以闺门爱女，未遑整理内务。吾母盖常教之。惜乎，未尽其懿而疾作矣。先是，其父以兵机失律，挈家谪戍浙东。淑英以少年，远父母，心常怏怏。至是有疾，益加忧懑，驯至不起。是虽天命有定，亦人事酝酿之也。自奠雁及属纩之辰，首尾才十月耳。……中心之痛，曷日而已乎！"

桑悦（1447—1503）生。字民怿，常熟人。举成化乙酉乡试，除泰和训导。迁长沙通判，调柳州。有《思玄集》。《艺苑卮言》卷六："桑民怿家贫，亡所蓄书。从肆中鬻得，读过辄焚弃之。敢为大言，不自量。时铨次古人，以孟轲自况，原、迁而下弗论也，而更非薄韩愈氏曰：'此小儿号嘎，何传？'问翰林文今为谁，曰：'虚无人。举天下亦惟悦，其次祝允明，又次罗玘。'悦髻椎而补博士弟子，部使者按水利下邑，悦前谒之，书刺'江南才人桑悦'，博士弟子业不当刺，又厚自誉。使者大骇，已问知悦索，乃延之校书，而预刊落以试。悦校至不属，即索笔请书亡误，使者大悦服，折节交悦矣。"

罗玘（1447—1519）生。字景鸣，南城人。成化丁未进士，改庶吉士，除编修，历南太常少卿、吏部右侍郎。赠礼部尚书，谥文肃。有《圭峰集》。《东洲初稿》卷一四《礼部尚书罗文肃公行状》："先生生正统丁卯岁，母淑人传夜梦红光烛天，有物轮困若牛，旋五色云而下，膜拜呼'天熊天熊'云。娠动三日，乃生。稍长，负异质，奇气奋发，出语作事恒欲上行辈。初视书，涉猎不经意，数行而下，惟务解其旨，不事记忆。随群儿走道上，遇遗金，他儿争趋且攫且掷之，竟不视去。西庄遣入学，初谒尹，尹以少易之，试以偶句曰：'蟋蟀入床下。'应声曰：'麒麟出郊坰。'人以是期之远大。"

公元 1448 年（正统十三年 戊辰）

正月

屠勋（1448—1516）生。字元勋，平湖人。成化己丑进士，授工部主事，改刑部，历员外、郎中、南大理寺丞，进大理寺少卿，擢右副都御史，巡抚顺天，召拜刑部侍郎，改左副都御史，复为刑部侍郎，历右都御史，进刑部尚书。忤刘瑾，引疾求去，加太子太保致仕。卒赠太保，谥康僖。有《太和堂集》。《东江家藏集》卷二八《故刑部尚书致仕东湖屠公行状》："公生正统戊辰正月初十日。"

四月

陈献章入国子监读书。阮榕龄《编次陈白沙先生年谱》："入京赴春闱。四月中副榜进士，告入国子监读书。"

五月

于谦丁母忧。《明英宗睿皇帝实录》卷一六六"正统十三年五月辛亥（二十七日）"："兵部右侍郎于谦母淑人刘氏卒，遣官致祭，命有司营葬。"《明英宗睿皇帝实录》卷一六七"正统十三年六月丁丑（二十三日）"："兵部右侍郎于谦闻母丧，上命乘传奔丧毕，回任视事。"

九月

朱权卒，年七十一。《明英宗睿皇帝实录》卷一七〇"正统十三年九月甲申朔戊戌（十五日）"："宁王权薨。……王天性颖敏，负气好奇。绩学攻文，老而不倦，方之古贤王，迨不多让。所著有诗赋杂文及天运绍统录、医卜、修炼、琴谱诸书，又有博山炉、古制瓦砚，皆极精致云。"《国朝献征录》卷一《宁献王权》："晚节益慕冲举，自号臞仙。建生坟缑岭之上，数往游焉。江右俗故质朴，俭于文藻，士人不乐声誉。王乃弘奖风流，增益标胜。海宁胡虚白以儒雅著名，王请为世子师傅者七年，告老而归，王为辑其诗文，序而传之。凡群书有系风化及博物修词人所未见者，莫不刊布国中。所著《通鉴博论》二卷、《汉唐秘史》二卷、《史断》一卷、《文谱》八卷、《诗谱》一卷，《神隐》《肘后神枢》各二卷，《寿域神方》四卷，《活人心》二卷、《太古遗音》二卷、《异域志》一卷、《遐龄洞天志》二卷，《运化玄枢》《琴阮启蒙》各一卷，《乾坤生意》《神奇秘谱》各三卷，《采芝吟》四卷。其他注纂，数十种。经子九流、星历医卜黄冶，诸术皆具。古今著述之富，无逾献王者。又作《家训》六篇、《宁国仪轨》七十四章。"《静志居诗话》卷一《宁献王权》："献王助长陵靖难，以善谋称。及徙封豫章，颇多觖望。晚乃折节读书，开雕秘籍。囊云庐山之巅，鼓琴缑岭之上，其有淮南八公之思乎？"

十月

梁湜文集编成。萧镃《坦庵先生文集旧序》："永乐中，泰和有两梁先生，皆以文章名当世。伯氏盖泊庵先生，仲氏则坦庵先生也。泊庵先生之文，雄浑浩汗，如万里长江，沿洄百折，而层澜迭波，激射起伏，观之使人心掉胆栗，茫然失守；少而视之，则清丽峻洁，一尘不涴，如泰华芙蓉，参绝霄汉，深于辞者也。坦庵先生之文，泓渟澄深，如千顷之陂，茫无际涯，而微风恬波，文采焕发，观之使人正襟敛容，肃然起敬；徐而察之，则端重典则，不矜不肆，如庄人正士，动合矩度，称其伯仲者也。然泊庵先生入翰林，在论思之地，故其名炜然闻天下，天下之人识与不识，皆知梁翰林之文，当时所贵重者。而坦庵先生自少为学官四方，晚乃历王府为僚属，其与人相接者寡，故其文章惟尝得见者知之，而天下之不知者尚多也。独泰和后进，推二先生之文，比之二苏，识者以为知言。镒自少从游坦庵先生之门，先生尝言：'作古文当本诸六经，而参之《左氏》《公》《谷》、先秦两汉之书。'镒当时亲见先生六籍无所不通，而尤长于《书》《诗》，一时门人经指授，出而掇高科、跻膴仕者接迹。心窃慕效之，而于古文之说，尚未深喻也。昨者，先生之子国录叔庄，汇集先生之文，属镒为序。因得庄诵焉。然后知先生所教镒者，皆其所自得者也。……先生讳混，字本之，坦庵其别号也。泊庵先生讳潜，字用之云。正统十三年冬十月朔旦，朝列大夫、国子祭酒门人萧镒序。"

十二月

杨荣文集《两京类稿》刊刻。据台湾省《"国立中央图书馆"善本序跋集录》集部（二），《两京类稿》二十卷，十二册，明杨荣撰，明正统十三年建安杨氏家刊本，王直《两京类稿序》："直在翰林三十七年，辱与处者盖多，惟公相好为最深，……於戏！公之文岂待序而传哉？独感公之知有不能已于言者，故序诸其首简。公赐名荣，字勉仁，历官至少师、工部尚书、谨身殿大学士，赠太师，谥文敏云。正统十一年冬十二月望日，资政大夫、吏部尚书兼经筵官、前国史总裁泰和王直序。"

本年

曹安设馆海盐。《谰言长语》："《资治通鉴》仿《春秋》而作，杨文贞公谓'有关治道之书'。予少不知。正统十三年，授徒海盐，主翁专以《纲目》为问。遂日手之不释。盖左史记言，《书》是也；右史记事，《春秋》是也。《纲目》，所以接《春秋》。今《续资治通鉴》，于宋、元二代亦备。"

公元 1449 年（正统十四年　己巳）

六月

黄淮卒，年八十三。《明文衡》卷八九《谥文简黄公墓志铭》："荣禄大夫、少保、户部尚书兼武英殿大学士黄公既致政，寿八十有三，以正统十四年六月三日终于正寝。"金幼孜《省愆集序》："公在馆阁时，予实与同事，凡四方万国制命之下，日不下数十，固未暇于诗，虽间有所作，不过黾勉酬应，亦不暇于求工也。"杨荣《省愆集序》："惟国家戡除暴乱，而开大一统文明之运，人才汇兴，大音复完。自洪武迄今，鸿儒硕彦，彬彬济济，相与咏歌太平之盛者后先相望，公以高才懿学，凤膺遭遇，黼黻皇猷，铺张至化，与世之君子颉颃振奋于词翰之场者多矣！"四库提要卷一七○《省愆集》："淮当革除之际，身事两朝，不免为白圭之玷。史又言淮性颇隘，同列有小过，辄以闻。解缙之死，淮有力焉。人品亦不甚醇。然通达治体，多所献替。其辅导仁宗，从容调护,尤为有功。虽以是被谤获罪,而赐环以后,复跻禁近,迨至引年归里,受三朝宠遇者,又数十年。遭际之隆,几与三杨相埒。其文章春容安雅,亦与三杨体格略同。"

七月

十一日,瓦剌也先犯边。

十五日,英宗下诏亲征。

八月

十五日,英宗被俘于土木堡。

十八日,皇太后令郕王朱祁钰监国。

二十三日,朱祁钰摄政。

九月

初六,朱祁钰即皇帝位,诏以明年为景泰元年。遥尊英宗为太上皇。

十二月

谢迁(1449—1531)生。字于乔,余姚人。成化乙未第一人及第,授修撰。历谕德、庶子、少詹、兼侍讲学士,入阁参预机务。进詹事,擢兵部尚书、东阁大学士,加太子少保、太子太保。改礼部尚书,进武英殿大学士、少傅兼太子太傅。请诛刘瑾忤旨,致仕,除名。瑾诛,复职,再致仕。起户部尚书,兼谨身殿大学士。赠太傅,谥文正。有《归田稿》。费宏《谢公迁神道碑》:"正统己巳十二月二十八日,甫迁新居而公生,直庵公因以为公名,后字之曰于乔。……及公生而聪慧异常。年数岁,属对即有奇句,且志趣不凡,皆以远大期之。"

公元 1450 年(景泰元年 庚午)

闰正月

诏会试取士无拘额。《明英宗睿皇帝实录》卷一八八"景泰元年闰正月癸亥(十八日)":"巡抚直隶大理寺左寺丞李奎言:'往年进士多为解额所拘,未免有沧海遗珠之叹。皇上统驭之初,广收贤才,用图治礼。乞令礼部会议,今后会试天下举人,宜照永乐年间事例,三场文字合程格者,不举多寡取中,仍通具名数,临期奏闻定夺,庶有学之士不为定额所拘。'从之。"

三月

周叙《石溪集》初编成。萧镃《石溪周先生文集序》:"《石溪集》者,翰林侍讲学士周功叙先生之作也。先生吉水人，石溪其所居之地，集以地名者，所以著其世也。先生年二十余，以《书经》掇高科，声动场屋。比入翰林，尤以古文、诗歌擅名当时，馆阁诸前辈长者皆爱重之。而天下之人识与不识，皆知周翰林之文章，求者之屡日满外户，而先生所以应酬之者，沛然有余。其诗歌清肆典则，若金石之奏，轻重疾徐，各中音律；而书疏、序记、碑铭之制，演迤闳博，若江河之放，纡余百折，瞬息千里。盖永乐以前诸先辈，以古文名家者不啻十数，而自宣德以来，所以继起而和应者，先生其杰然者也。先生在翰林三十年于今，其所作甚多，不自收拾。此集盖其子滁州学正蒙所编次，殆什之三四而已。然观此则其他固可以想见也。窃尝以为士君子之文章系乎志，志之高卑，文所由以工拙也。先生之曾祖以立，当元修三史时，上书言：'宜以宋为正统，辽金附书。'不合去。先生承其家学，切切以是陈之诸名公，至以言之于朝。及见时政之得失，亦历历有所条奏，皆关生民之休戚、国家之大计、人所不敢言者。盖先生少有大志，尝欲致君上为尧舜，而泽必被天下生民而后已。及既荷眷遇，居禁近，不得施诸行事，于是乃始见于言语之间，其载诸集中者可概见焉。然先生大意，所欲论著，固不止此也。虽然，观此亦足以知其志之所存。予特为论次之，列诸首简，非敢僭也。先生之命也。景泰元年三月上巳日，赐进士出身、朝列大夫、国子祭酒、前翰林侍读兼修国史同郡泰和萧镃顿首拜书。"曾同亨《重刻周学士石溪先生文集序》："今世士大夫学古文辞，孰不期于可传哉？然有意于传而卒莫之传者，何其众也。斗靡夸多，搜奇拾怪，自以为凌驾古人，即司马子长、班孟坚而下，且陋不为比。考其言，不过与好音繁华同于渐尽，甚则覆瓿灾木之诮所由以起，此曷故也哉？古之君子之立言也，或以明道德，或以阐性灵，或以维世教而陈风俗，皆非苟作者。后之君子本之，则无徒恣其才性之所近以为言。其于数者，固不能有益于发明，是以使人读之，若聚珍宝而斗优伶，非不足以骇心夺目，然而真意亡矣。三代而上，无论柳、韩以还六七名家，其于议道之际，虽不可以概其浅深，至其言之关乎风俗世教，其具一也。杜子美之诗，说者谓为诗史，岂非以其歌咏之际，当时之朝政与夫风俗民物，有足考见者乎？夫观往昔数子之言，其各有所系如此，即令词之不工，亦足以传，况其杰然以文名家者耶！此古今人文章可传不可传之大较也。吾邑在国朝文章之士，莫盛于文皇帝及英、献之世。于时作者凡数人，而数人尤推学士周石溪公。……当公在翰林时，尝有赠别李氏子归宁之作，中谓予家先世能以诗礼教子弟，其后必有兴者。不数年，而先御史公举于乡，人谓公之言若为予家先兆云。往先大夫记忆其词甚悉，间举以示同亨，辄曰：'此先辈文也，足以备吾家故实，小子识之。'顷岁，公诸裔孙集公遗文，将寿诸梓，而属同亨校订其讹舛。予受而卒业，则赠别李氏子之作实在焉，为之憬然于怀。已而尽取公他文读之，凡吾里名家世族、盛衰相寻之迹，与乎当时朝廷四方之故，往往而在。因掩卷叹曰：'嗟乎！是殆予之所谓可传者乎？'昔人以杜工部之诗为诗史，予谓公之文为时政记，可也。公为文根据经传，不事雕刻为工，以示今之作者，宜不足以当乎其心。不知公之文，其寓夫风俗世道之大者，即欲不传之久远，不可得也。同亨慕公数十余年之久，始得执编次之役，因附书己见，以志今昔之感，且使后之读斯集者，知公之文之可传，在此不在彼也。是集为五、七言古体若干首，近体若干首，碑铭、序记、杂著若干首。首事为公之裔孙承超、汝启、汝达、德光、德辅等。因备书左右，以见公之子若孙，能世公诗书之泽，虽久而不替也。万历乙未，春正月吉旦，赐进士出身、资德大夫、正治上卿、太子少保、工部尚书、侍经筵、蒙恩予告归耕泉湖别业、姻家后学泉南曾同亨顿首拜书。"

春

倪谦《朝鲜纪事》撰成。《倪文僖集》卷二八《守备塔山指挥使李希仁墓志铭》："正统己巳冬，余尝奉诏往使朝鲜。"《倪文僖集》卷一八《赠陈编修归葬诗序》："景泰纪元之春，予与黄门司马先生自朝鲜使还。至辽阳，闻编修陈先生奉命来祀北镇。"四库提要卷五三《朝鲜纪事》："是编乃景泰元年，谦奉使朝鲜颁诏纪行之作。自鸭绿江至王城，计一千一百七十里，所历宾馆凡二十有八。语意草略，无足以资考证。时朝鲜国王、世子，并称疾不迎诏，谦争之不得，亦无如之何。盖新有土木之变，正国势危疑之日也。亦足见明之积弱，虽至近而令亦不行矣。"

四月

李时勉卒，年七十七。《明英宗睿皇帝实录》卷一九一"景泰元年夏四月甲申（十一日）"："国子监祭酒致仕李时勉卒。……时勉刚毅正直，表里一致。孝友仁慈，本于天性。父有疾，躬视汤药，不离侧。恤孤救难，无间亲疏。少师杨士奇尝称时勉文学老成，操行修洁，节仪足以表俗，刚正足以任事，量足以容物，而志则不可夺。人以为确论。然不及大用，士林惜之。"王直《故祭酒李先生墓表》："景泰元年四月十二日，以疾卒于家。事闻，上命礼部致祭。远近士大夫皆吊哭，往来不绝者数月。其生以洪武甲寅八月十三日，享年七十有七。"彭琉《朝列大夫翰林学士国子祭酒兼修国史知经筵官致仕谥忠文安成李懋时勉行状》："先生在别墅病作，四月十二日谢世，享年七十有七。……其在朝，尤为公卿大夫所推重。少师东里杨先生尝称于人曰：'时勉当今第一流人也。'故于经济大略，密与商论者居多。侍讲邹先生缉曰：'时勉可追配古人。'学士高公谷曰：'先生文学足以媲美乎陆贽，忠义足以追踪乎汲黯，道德足以比肩韩愈。'世以为知言。先生学问奥博，词翰兼美。有得其片言只字者，宝重之如拱璧，故平生文稿多为好事者持去，所存于家者殆十一二耳。"《静志居诗话》卷六《李时勉》："忠文，古之遗直，不以诗名。而《扶风》数篇，虽未远拟《秋胡》，要非拙手可办。予尝获公致汤都阃手书，楷法遒劲，乃知书亦能品也。"《明诗综》卷二〇《李时勉》：存《古诗为扶风窦滔妻作》七首。［按，时勉之卒，《实录》记为十一日，彭琉、王直皆记为十二日。明代起居注久废，《实录》为后来补记，可能有误］

五月

王英卒，年七十五。《明英宗睿皇帝实录》卷一九二"景泰元年五月庚申（十七日）"："南京礼部尚书王英卒。……其文章典赡，一时重之。尤善草书，解缙以后，一人而已。然豪纵跌宕，不拘小节，颇有晋人风度云。"陈敬宗《尚书王文安公传》："公在翰林，屡为会试考官。海内名士，多出门下。为文章典赡，朝廷制作，经其笔居多。四方求金石铭、志、碑、记者，接踵其门，公酬应不倦。世多珍之。论曰：抚自为州以来，多出名儒显官，若宋之晏殊、王安国，元之吴澄、虞伯生诸君子。其文章、名位、功业，皆炳然当世而垂耀竹帛者，岂偶然哉！玉笥宝盖，诸名山秀气之所钟也。公亦抚之人也，其文章、名位、功业，莫不相似然。"《明史》王英传："英端凝持重，历仕四朝。在翰林四十余年，屡为会试考官，朝廷制作多出其手，四方求铭志碑记者不绝。性直谅，好规人过，三杨皆不喜，故不得柄用。"《明诗综》卷二〇《王英》："蒋春甫云，尚书诗雄壮宏大，气象自好。"存诗七首：《自励》《哀义士周益诗》《赠伍子正还嶕山旧隐》《秋初有怀呈曾侍讲彭修撰二公》《榆林直宿有怀邵庵学士对月之作》《舟过盂城》《淮安别回御史》。《静志居诗话》卷六《王英》："西王密切谨严，句无浮响。如'别路斜阳京口树，他乡明月洞庭船'，'挽得雕弓射飞虎，赐将宫锦绣盘螭'，'旧馆空余秦地月，古坛犹似汉宫秋'，皆琅然清圆可诵也。"

八月

初二，瓦剌释英宗回京。

王鏊（1450—1524）生。字济之，吴人。成化乙未第二人及第，授编修。历侍讲、谕德、少詹，兼侍讲学士，擢吏部侍郎，入阁参预机务。进户部尚书、文渊阁大学士，加少傅，兼太子太傅。赠太傅，谥文恪。有《震泽集》。《甫田集》卷二八《太傅王文恪公传》："光化（鏊父为光化知县，故称）未仕时，公已有名。年十八，随光化在太学，声称益藉。时叶文庄在礼部，召与相见，公体干纤弱而内蕴精明，举止静重。文庄大奇之，挑试所学，益以为非近时经生所能。时王忠肃公翱新逝，文庄以公嫌名相近，戏曰：'失一王某，复一王某，安知非后来忠肃乎？'越日，亲具仪帛，遣从陈音先生学。时陈官翰林有声，从游者众，独许公善学。无几，尽得其肯綮。……初性悒怯，一日读程子'明理可以治惧'之言，恍然有得，曰：'在我者有理，在天者有命，吾何畏乎哉？'自是刚果自信，遇事直前无少系惮，虽势利在前，不为屈折，植志高明，下视流俗，莫有当其意者。与人处，不为翕翕热，而默然之间，意已独至。"《震泽集》卷九《六十初度自寿四首》注："正德己巳八月十七日，予六十初度之辰，时归自内阁，醉填四词。"

王汝玉《青城山人集》编成。魏骥《青城山人集序》："兹吴门华君汇粹先生之诗，凡若干卷，欲命工以锲于梓，征予序其首简。……辱华君之请序，顾余之昏庸肤陋，奚足以当！特念不拜先生者垂五十年余，因睹斯集而感慨系之，姑强言以弁其端者，用识予景仰之私云尔。先生名璲，字汝玉，姑苏人。青城，其号也。官至右春坊右赞善兼翰林院检讨，赠太子宾客，谥文靖。华君名靖，字彦谋，读书惇行士也。以先生没，而欲不没先生之善，将刊是集以行于世，亦可见其为人云。故并序之。景泰元年八月初吉，资善大夫南京吏部尚书萧山魏骥书。"《青城山人集》卷首提要："《青城山人集》八卷，明王璲撰。……所著诗稿，在当日已多散佚。正统十二年，其孙镗始裒次为编，其姻家华靖删定为八卷，即此本也。"

九月

陈敬宗、魏骥致仕。《明史》陈敬宗传："景泰元年九月，与尚书魏骥同引年致仕。家居不轻出。有被其容接者，莫不兴起。"

十二月

高启《高太史大全集》编成。刘昌《高太史大全集叙》："故嘉议大夫、户部侍郎、前翰林国史院编修官、授诸王经青丘先生高启文集二十四卷，旧一千若干篇，今二千若干篇，儒士徐庸字用理之所广也。用理既以类广先生文集，乃以示昌。昌谨为序之曰：……先生生元丙子，少禀神慧，长读六经诸家之言，融而通之，会而成之，又取而力行之。其发之于言，则浩乎如大川之决防也，锵乎如洞庭之张乐也，倏乎如幽壑之舞蛟也；致之于用，则如射者之于的，准乎其无疑也。……先生死始三十有九，使少优游而待之，则得将止于是乎？言将止于是乎？行将止于是乎？呜呼！天实为之，谓之何哉。用理师学于先生之言，得之既深，遂勤图传之，亦使闻者考之而可知，见者用之而可行，以明其言之果有赖于世也。呜呼，厚矣！景泰元年庚午冬十二月望日，赐进士出身吴刘昌序。"四库提要卷一六九《大全集》："所著有《吹台集》《江馆集》《凤台集》《娄江吟稿》《姑苏杂咏》，凡二千余首。自选定为《缶鸣集》十二卷，凡九百余首。启没无子，其侄立于永乐元年镂板行之。至景泰初，徐庸掇拾遗佚，合为一编，题曰《大全集》，刘昌为之序，即此本也。"

本年

李东阳四岁，入京见帝。法式善、唐仲冕《明李文正公年谱》："凌迪知《名世类苑》：东阳四岁能作大书，顺天府以神童荐。入见文华殿，过门限，太监云'神童脚短'，李高声答云'天子门高'。上命给纸笔，作'麟''凤''龟''龙'字；抱置膝上，赐上林珍果及内府镪宝。"

郭登封定襄伯。字元登，武定侯英诸孙。景泰初，官都督金事，守大同，以功封定襄伯。英庙复辟，谪戍甘肃。成化初，复爵。卒赠侯，谥忠武。有《联珠集》。《明史》郭登传："郭登，字元登，武定侯英孙也。幼英敏。及长，博闻强记，善议论，好谈兵。洪熙时，授勋卫。……景帝监国，进都督同知，充副总兵。寻令代安为总兵官。十月，也先犯京师，登将率所部入援，先驰蜡书奏。奏至，敌已退。景帝优诏褒答，进右都督。登计京兵新集，不可轻用，上用兵方略十余事。景泰元年春，侦知寇骑数千，自顺圣川入营沙窝。登率兵蹑之，大破其众，追至栲栳山，斩二百余级，得所掠人畜八百有奇。边将自土木败后，畏缩无敢与寇战。登以八百人破敌数千骑，军气为之一振。捷闻，封定襄伯，予世券。"

公元 1451 年（景泰二年　辛未）

正月

张吉（1451—1518）生。字克修，号翼斋，又号默庵，又号怡窝，晚号古城，余干人。成化辛丑进士，除工部主事，坐上疏贬景东通判，历官贵州左布政使。有《古城集》。《国朝献征录》卷一〇三《贵州布政使司左布政使张公吉神道碑》："公生有美质，四五岁闻父母之命，即不敢违。训之故事，辄记不忘。比长，耻同流俗，信古好义，以名节自砥砺。初从乡先生学，见诸生简择经传以资捷经，意谓士当兼治五经，今业一经而所遗如此，岂圣人之言亦有当去取者耶？遂归而屏绝人事，力购诸经及宋儒诸书，读之，既见大意，喟然叹曰：'道在是矣。'于是益自奋厉，以穷理致知为务，体之于身，验之于心，朝斯夕斯，略无懈惰。……生于景泰辛未正月壬子（十二日）。"

柯暹免职。《明英宗睿皇帝实录》卷二〇〇"景泰二年春正月辛亥（十一日）"："吏部言，朝觐官布政使宋兴、阮存，按察使王瑄、柯暹，参议罗恪、李柰，知府姚本、吴崖、王曼，俱老疾；参政柳芳、李瑾，参议李源、张维，佥事王通，知府富敬、郭瑾、陈勋、黄平，俱政绩无闻。宜令冠带闲住。从之。"

三月

柯潜状元及第。《明名臣琬琰续录》卷一三《少詹事柯公传》："正统甲子，领乡荐，当赴会试，以未忍离亲，未果行。遂携书入莲峰僧舍，讲读不辍。戊辰会试，中乙榜，辞弗就教职，入胄监，攻苦敷淡，益肆力于学。景泰辛未，再至礼部，遂中甲榜，进对大廷，赐状元及第，赐朝服冠带。公上表谢，越数日，授翰林修撰。"吴希贤《中顺大夫詹事府少詹事兼翰林院学士竹岩柯公行状》："公丰神秀颖，资性持重，言笑不苟。其所与游必斯文雅谊，至倾倒无间。非其类虽达官要人，气焰熏灼，遇之不交一语。当是时，翰林诸老多为之引誉。自是凡朝廷有选任，有制作，公皆与焉。"

十二月

萧镃入阁预机务。《明英宗睿皇帝实录》卷二一一"景泰二年十二月庚寅（二十六日）"："命礼部左侍郎王一宁、国子监祭酒萧镃俱兼翰林学士，于文渊阁，参预机务。"

本年

陈循荐韩雍。《明史》韩雍传："景泰二年擢广东副使。大学士陈循荐为右佥都御史，代杨宁巡抚江西。岁饥，奏免秋粮。劾奏宁王不法事，王府官皆得罪。时雍年甫三十，赫然有才望，所规画措置，咸可为后法。"［按，韩雍终其生，感戴陈循知遇之恩。据尹直《都御史韩公言行录》："尝念陈芳洲先生为举主，赴镇经泰和，躬祭墓下，流涕不已曰：'士为知己者死，何能报也？'"］

龚诩作《偶题逸老庵》。据龚绂《野古集年谱》。《野古集》卷中《偶题逸老庵》："居临流水萦纡，门对青山突兀。四时风月云烟，总是吾家旧物。但知安分休休，不作书空咄咄。且喜盈樽有酒，何羡满床堆笏！君不见朝来檐日暖融融，笑看梅花坐扪虱。"

丘浚再试不第，归又丧妻。岳正《送丘仲兴归岭南诗序》："吾友丘仲兴，岭南之进士也。甲子之秋，以有司首荐，进于春官，得乙榜，辄辞不就。……于是薄游太学，友天下之善，得丽泽之益为多。再举而再屈焉。议者谓其抱高世之见，擅逸伦之才之行，立要津，掮取青紫，宜如俯拾芒芥。顾乃徘徊逡巡，抑而弗升，虎豹之炳蔚未彰，而章缝之服缁如也。岂天道之信乖邪？所谓贵寿者真不可必也。抑恶知祸福倚伏、得失乘除者，乃大道之常哉。或者天将玉吾仲深于大成，如孟氏所谓授以大任而先困苦之，以增益其所未至焉者。但未能逆知之耳。……吾恐仲深于此有不能忘情于天者也。仲深将南归琼山，省二亲于故里。所与厚者各为诗以宣其怀，吾因推天人之理而为序以畅之。"王国栋《丘文庄公年谱》："十一年丙寅二十六岁，是年公娶崖州金百户桂公之女。""公二十七岁赴试春官不第，留读太学。至景泰二年，再试不第。归省亲，遂有金夫人之丧。"《重编琼台稿》卷一《悼亡》十首其八："结发六星霜，欢会恰岁半。平生止一息，而我不及见。归来空闻名，目中无其面。天乎人何尤，抚膺坐长叹。"

梁储（1451—1527）**生**。字叔厚，号厚斋，晚号郁洲，广东顺德人。成化戊戌进士，选庶吉士，授编修，进侍讲、洗马，掌翰林院学士，选吏部侍郎，进尚书，累官至少师兼太子太师、华盖殿大学士。卒赠太师，谥文康。有《郁洲遗稿》。雍正《广东通志》卷四五《人物志二》："梁储，字叔厚，顺德人。生有异质，丰仪秀伟，音如洪钟。识者知其公辅器。"

公元 1452 年（景泰三年　壬申）

二月

林俊（1452—1527）**生**。字待用，莆田人。成化戊戌进士，授刑部主事，历员外。下狱，谪姚州判官。复官南京刑部员外，擢云南按察副使，进按察使，调湖广，转广东右布政使。以佥都御史巡抚江西，改四川，升右都御史、工部尚书，改刑部。加太子太保，谥贞肃。有《见素集》。《见素集》附录上《编年纪略》："云庄公讳俊，字待用，号见素，晚号云庄。父讳朝，字元旭，以字行，号菊庄，晚号联桂逸老。……是生菊庄公，孝友端慎。配黄氏，梦三神人凌空飞绕，中一人手一卷，授之而妊公。以景泰壬申年二月十一日乙亥午时，生于联桂里，喜雀集鸣，祥光腾耀。公生秀朗玉润，颖敏异常。甫离襁褓，即知孝敬。年五岁，随母归宁，食外祖母，有乳饼圆如月，客试曰：'恰似吞皓月。'对曰：'何不挂青天？'识者奇之。读书里塾，九岁作联字对，十三岁即善属文词。成化二年丙戌，公年十五，郡守岳蒙泉异之，谓大父教授公曰：'是孙不作先生官矣。'"

李昌祺卒，年七十七。《明英宗睿皇帝实录》卷二一三"景泰三年二月戊子（二十四日）"："致仕河南左布政使李昌祺卒。昌祺名祯，江西卢陵县人，少颖异，以进士进为翰林院庶吉士，预修《永乐大典》，号称博洽。书成，擢礼部主客司郎中，廉慎效职。宣德荐升广西左布政使，以德化人，溪洞诸蛮闻风敛迹，不复为患。未几以注误谪役房山，己酉宥还，改河南左布政使，亦有惠政及民。寻丁内艰，诏特起之。正统中，疏乞致仕，从之。至是卒。家事萧然，几不能敛。其诗文敏赡流丽，时辈称之。"《古廉文集》卷四《李方伯诗集序》："河南布政李君昌祺集其平生所作之诗，凡若干卷，不远千里以示予。反复观之，有典则温厚如正士立朝，有流丽动快如明珠走盘，有春容浩瀚如长河大海滔滔不息。论方今之作者，李君固其人也。夫诗本情性，学问以实之，仁义以达之，笃敬以足之。学问其力也，仁义其气也，笃敬其诚也。学问不足，则其力不固。仁义不至，则其气不充。笃敬或间，则其神不清。三者不备，不可以言诗。三者备矣，又必先明体制，审音律。体制明矣，音律审矣，又必辨清浊，去固陋。清浊辨矣，固陋去矣，又必得夫兴象。则其发也沛然矣。夫如是，虽处富贵荣华烦扰之中，贫贱羁孤无聊之际，发于其心而见于言辞者，无不得焉。何也？其本立也。君自少学问，入郡庠为弟子员，孜孜焉穷昼夜不息。官府货利之场，不一迹至，故其学甚高，其守甚正，其量宽宏而物莫能撄之。自为进士迁郎官而位方伯，三十余年，其操履如一日。虽政务倥偬中，而吟咏不废，非其本领之厚、讲贯之精者，能如是乎哉？"曹安《谰言长语》："国朝诗人不一，多有刻本，其间好诗亦多不入。如李昌祺《题文丞相砚》云：'已矣斯人不可见，留得忠肝涅不缁。千载空遗补天石，一泓正是化龙池。黄帝绿幕承恩日，残照西风倚马时。寄语玉堂挥翰手，他年留写首阳碑。'"《明名臣琬琰录》卷二四《河南左布政使李公墓碑铭》："会修《永乐大典》，礼部奉诏选中外文学之士以备纂修，公在选中。例凡经传子史下及稗官小说，悉在收录。与同事者僻书疑事有所未通，质之于公，多以实归。推其该博。精力倍人，辰入酉出，编摩不少懈。退，复以其余力发为诗文，应人之所求者，皆典瞻非苟作。隐然声闻馆阁间。……逝时盖景泰壬申三月二十五日，距生洪武丙辰六月二十六日，寿七十有五岁。"［按，景泰壬申距洪武丙辰，实七十七年，非七十五］《静志居诗话》卷六《李昌祺》："方伯务谢朝华，力启夕秀。取材结体颇与段柯古相似。"《明诗综》卷二〇《李昌祺》："陈德遵云，公于诗本之以理，充之以气，故其雅淡清丽，宏伟新奇，无所不备。不必远较于古，就今而论，千百之中，不过数辈而已。郑德新云，先生诗清新富丽，音调爽澈，隐然有一唱三叹之音。蒋仲舒云，方伯诗亦清新，要非作手。"四库提要卷一七〇："史称昌祺预修《永乐大典》，凡僻书疑事，人多就质。其诗清新华赡，音节自然。陈循序称其本之以理，充之以气，故雅淡清丽，宏伟新奇，无不该备。不必远较于古，就今而论，千百之中不过数辈。曹安《谰言长语》极推其《题文丞相砚》一首。朱彝尊《静志居诗话》亦谓李祯诗务谢朝华，力启夕秀，取材结体颇与段柯古相似，盖由其一变绮靡纤巧之习，而以流逸出之。故别饶鲜润，迥异庸芜。郑瑗《井观琐言》乃曰，李布政昌祺，人多称其刚毅不挠。尝观其《运甓诗稿》，浮艳太逞，不类庄人雅士所为。所谓枨也欲焉得刚云云。是梅花一赋，足累宋璟之生平矣。执《文章正宗》一编，以进退古今之作者，不亦隘乎？惟其中《驺虞歌》《汴城》《阅武》诸篇，或稍伤俚俗。然论一篇之诗，当字铢句两而求之。论一家之诗，则当统观其全局，不以一二章定工拙也。"《明诗纪事》乙签卷九《李昌祺》陈田按："方伯诗色新意古，诸体并工。在永乐诗家中，独标一格。当时选二十八士进学文渊阁，有才如此，不与其列，操鉴衡者，能辞其咎乎？"

三月

周叙卒，年六十一。陈循《翰林院侍讲学士周公墓碑铭》："君讳叙，字功叙，自号石溪，姓周氏。……未几，应诏，以疾辞归田，不许。所修诸书，皆有可观。惜乎未尽弘绪而卒，时景泰三年三月廿七日也。距生洪武二十五年闰十二月，享年六十有一。"《列朝诗集小传》乙集《周讲学叙》："国初馆阁，莫盛于江右，故有'翰林多吉水，朝士半江西'之语。而文集流传，自《东里》《西墅》《颐庵》之外，可观者绝少。如《石溪》，又其靡也。"四库提要卷一七五："《石溪文集》七卷，附录一卷，明周叙撰。……是编诗三卷，赋颂词一卷，文三卷，又以诰敕、志传为附录一卷。史称叙初选庶吉士，作《黄鹦鹉赋》称旨，得授编修。今观所作，虽有春容宏敞之气，而不免失之肤廓。盖台阁一派，至是渐成矣。其集编次无法，至以五言六句别标一体，区之古诗之外，而五言长律反入于古诗之中，殊乖体例。"

九月

习嘉言卒，年六十五。《明英宗睿皇帝实录》卷二二〇"景泰三年九月丙申（初七）"："詹事府詹事习嘉言卒。……与修《宣宗实录》，升侍读。用荐升太常少卿。尝建言六事，皆切时病，多见采纳。景泰壬申，升詹事。五阅月而卒。遣官谕祭安葬。嘉言温厚谦和，居官勤慎，诗文雅淡，为时所尚。"《国朝献征录》卷一八《习詹事嘉言传》："今上即位，升太常少卿。壬申夏五月，皇太子正位东宫，升詹事府詹事，诏赠其父太常少卿，母、妻皆恭人。越三月，得疾，终于官，享年六十有五。公为人识优材赡，而温恭典重，未尝少矜于人。虽浑无崖岸，而确然自守，不妄承随而苟止也。书无所不读，自经传、子史、百氏，下至阴阳、医卜、天文、地理之说，横竖钩贯。为文章弘博演迤，若无际涯。而于诗尤长，清肆闲雅可喜。当时求者接踵于户，而公应之恒有余然。雅负经济，尝陈六事。……其他尊主安民之略尤多。盖公汲汲以康天下为心，不但专文学而已。"四库提要卷一七五："其文结构颇有法，而意境太狭，往往失于枯寂，未可云似澹而腴。诗则七言长句清婉颇似东阳，而他体未能悉称也。"

本年

胡居仁从于准受《春秋》。杨希闵《胡文敬公年谱》："十九岁，是年从于世衡先生准受《春秋》学。"《胡文敬集》卷一《奉于先生》："生自壬申岁沐先生教育，似乎愚蒙稍开，善端不昧。癸酉拜别之后，日以《四书》《春秋》温习，冀或少有所进。但气质凡庸，又无师友之助，兼以家贫亲老，于科举之业既不获专精，治心修身之学又不知所以用力，是以昏昧愈甚。日用常行之理，一无所见，况敢望其有日进之功乎?"

王直《抑庵文集》初成。萧镃《抑庵文集序》："太宗皇帝临天下，首选进士二十八人入翰林为庶吉士，使尽读中秘书，为文章必欲其上追古之作者，厚其既禀，而责其成。当是时，凡在选者莫不奋励磨濯，争先恐后。而表然特出于众者，不过三数人。泰和王先生其一也。宣德初，二十八人显者无几，独先生与永丰曾公、临川王公偕拜詹事府少詹事。于时，三公之文章内而京邑，外而远方，不独缙绅士，虽庸人小子往往传诵之。而三詹事之名，隐然擅天下。既而曾公先物故。正统中，先生与临川王公先后由馆阁出任列卿，其位益尊，其文益重，于是当时称'二王'者，无间言焉。无何，临川王公又物故。景泰以来独步当世，先生一人而已。……于是，其子翰林检讨希稷汇次之为若干卷，属予序。夫韩退之文，李汉序之；欧阳公文，陈师道序之；皆见诮于当世。今先生之文，而镃为序，得无陈、李类耶？虽然，陈、李之序，因韩、欧而传，则镃为序，未必非幸也！故序而不辞。先生名直，字行俭，别号抑庵。清忠大节，岿然当朝老成人，今任少傅兼太子太师、吏部尚书，年七十有四云。"

公元 1453 年（景泰四年　癸酉）

三月

　　习嘉言《寻乐文集》编成。刘俨《寻乐习先生文集序》："詹事府詹事新喻习先生殁之明年，其子襄自家来归其丧，得先生所遗诗文于寓馆，萃为若干卷以示予，属序其后。……先生永乐十六年进士，入翰林为庶吉士，累官编修、修撰、侍读，在翰林三十余年，所事惟承顾问、备纂述、考试士类，他不以烦焉。故得尽读天下之书，尽友天下之士，尽考天下土地人物风俗之实。其所养殆苏子所谓弱至于刚、虚至于充者矣。宜其发为文章，驰骋上下，光壮庞蔚，足以媲美乎古作者，是固非寻常之可及矣。晚岁始自翰林升太常少卿。今上皇帝初建储，简文臣学术材行为时所高者为辅导，先生进今官，方将推其所养见诸事业，而大故及矣。然文章所存，功业所存也。观先生之文章，足以见先生之功业矣，况以之鸣国家之盛，则规规事为之末者，又不足为先生道也。予以是知先生信无负国家之所养矣。先生名经，字嘉言，晚号寻乐，故是编曰《寻乐文集》云。景泰四年岁次癸酉三月望日，赐进士及第、奉议大夫、左春坊大学士兼翰林侍讲经筵官吉水刘俨序。"四库提要卷一七五："《寻乐文集》二十卷，明习经撰。……经于成祖时，亦以试《黄鹦鹉赋》称旨，擢授编修。其赋今在集中。又有《皇都大一统赋》。朱彝尊撰《日下旧闻》，未经收入，盖未见此集也。集为其子兴化府同知襄所编。"

六月

　　蔡清（1453—1509）生。字介夫，晋江人。成化甲辰进士，历官南京国子监祭酒，卒赠礼部侍郎。万历中诏特祀于乡，追谥文庄。有《虚斋集》。《明儒学案》卷四六《司成蔡虚斋先生清》："孱脆骨立而警悟绝人。总发，尽屈其师。裹粮数百里，从三山林玭学易，得其肯綮。"《见素集》卷一八《明中顺大夫南京国子祭酒晋江虚斋蔡先生墓碑》："生景泰癸酉六月十有八日"。

八月

　　张弼偕同事游南京东山。《东海张先生文集》卷一《游东山诗序》："景泰癸酉秋八月，予来南都，试毕领荐。东山俞氏文贵，致简饬骑，邀予同荐诸君作东山之游。于时联辔徐行，委蛇山阳，遥见浮图一尖，耸出林杪，逮趋而前，入灵谷寺。寺据钟山之胜，高皇帝尝赐其额曰'第一禅林'。"

秋

陈镒致仕，韩雍送之。《襄毅文集》卷一一《庆柏轩先生致政荣归序》："景泰癸酉夏，太子太保兼都察院左都御史姑苏柏轩陈先生有风疾，不能造朝，上命医诊治之，数阅月未瘳。先生上章恳言：'臣年逾六望七，衰病日深，诚不克事事。乞骸骨归田里。'上慰留之者再，因察其诚，悯其贤劳之久，不忍烦以政，乃赐优诏可之，宠赉有加，给驿以归。……雍也乡之晚辈，向为台属庸塞，直懑不能俯仰于人，人多鄙弃。独辱先生知遇，教诱扶植甚至，幸致同升。古人云：'士为知己者死。'又云：'遇以国士，报以国士。'雍既无能以死报而待罪一方，又未获亲炙先生以求教益，因致一言以写感仰之忱，斯言也，非雍一人之私言，天下之公论也。"〔按，《明史》陈镒传："陈镒，字有戒，吴县人。永乐十年进士，授御史，迁湖广副使，历山东、浙江，皆有声。……景泰二年，陕西饥，军民万余人'愿得陈公活我'。监司以闻，帝复命之。镒至是凡三镇陕，先后十余年，陕人戴之若父母。每还朝，必遮道拥车泣。再至，则欢迎数百里不绝。其得军民心，前后抚陕者莫及也。三年春召还，加太子太保，与王文并掌都察院。文威严，诸御史畏之若神。镒性宽恕，少风裁，誉望损于在陕时。明年秋，以疾致仕。"〕

十月

周忱卒，年七十三。《明英宗睿皇帝实录》卷二三四"景泰四年冬十月丙戌（初三）"："致仕工部尚书周忱卒。忱字恂如，江西吉水县人。八岁，读书过目即成诵。登曾棨榜进士。时选庶吉士二十八人，忱自陈愿与其列进学，太宗嘉其有志，从之。预修《永乐大典》诸书。……景泰初，升户部尚书，寻改工部，仍旧巡抚。未几，累上章乞致仕，从之。至是卒。赐葬祭，谥曰文襄。忱为人宇量恢弘，才识通敏，莅事精勤，临民和易。有善谋者，虽卑官贱隶，无不接纳。性尤机警，善筹画诸。郡钱谷巨万，一屈指间无遗算。每视地之丰凶、事之缓急，以为弛张变通，是以赋足而民不困。前后理财赋者，率不能及。但其多费余财以结权贵，兼之信任群小，为时所短云。"周叙《双崖文集序》："发为词章，宏深典丽，追媲古作，非但越乎今人也已。而擢职郎署，扈跸两京，明慎刑罚之余，连篇累牍，益肆厥词。明太宗皇帝在位日久，思弘治理之功，明先圣之道，厘正《五经四书性理大全》，公与纂修。四方万国祥祯叠臻，有所铺张，公多应制。"《明史》卷一五三附《考证》："《周忱传》，'忱有经世才，沉浮郎署二十年。'臣方炜按，《今献备遗》云忱预修《永乐大典》《五经四书性理大全》诸书。史俱不载。岂因忱以经济著，而略其文学耶？"《静志居诗话》卷六《周忱》："文襄镇抚江南，凡二十二年，以经济名世。诗非所长。然性好储书，其《藏室诗》云：'群经既并著，百氏无弃捐。所至每充栋，来往劳车船。'嗜学如此，宜其吟讽亦未远逊二十八人也。故彭惠安赞云：'学博而邃，沛乎有容。二十八宿，谁能右公？'"《明诗综》卷二〇《周忱》："王行俭云，公诗文出入唐宋诸大家。"存诗二首：《徐州过桓山宋司马桓魋之墓》《寻天台李道士斋》。

本年

李东阳从展毓习文。《怀麓堂集》卷四五《明故文林郎河南道监察御史展公墓志铭》："公与家君友且二十年。东阳七岁时，始知读书为文，皆藉公启迪。稍长，因公为外傅，从之游，食饮于公数年。东阳举进士仅五年，而公卒。卒之日，门人进士李绅为状，东阳乃泣而铭之。呜呼！公生无伯叔昆季，家故贫，始为蓍卜术，已而弃不事。事举子业，游顺天府学。天顺丁丑举进士，擢江南道监察御史。三载阶文林郎，两按藩镇，皆有人誉。……公风裁凝重，嶷然不挫于物，其有不合者，虽贵必与之抗，人皆以为难。公真能御史哉！公讳毓，字钟一。"

周瑛受聂大年赏识。《翠渠摘稿》卷八《自撰蒙中子圹志》："景泰癸酉，以卫学生荐于有司，与族子辙同时取乡第。"《见素集》卷一九《明进资善大夫四川右布政使致仕例进一阶翠渠周公墓志铭》："景泰癸酉，为主司聂大年所知，置魁亚。"

公元 1454 年（景泰五年　甲戌）

三月

初一，赐孙贤等进士及第、出身有差。丘浚以二甲第一名登进士。

何乔新登进士第。蔡清《椒丘先生传》："景泰庚午，赴江西乡试。时姑苏韩公雍巡按江右，欲私见之，先生辞不往。及入试，主司天台章先生辄得其文，擢置第一。监察御史周君孔明以东园方典铨衡，惧招物议，乃移置第六。明年会试礼部，名在甲榜。翰林学士江先生渊亦避嫌，移置乙榜，例授教职，辞不受。及东园致仕，乃登进士第。"

张宁举进士，与梦兆符。《方洲集》卷二六《杂言》："正统丁卯，予年二十二，初赴乡举。中场之日，老父于中庭得桂一枝，葩叶新茂，不知所从来，因置瓶，沃以水，祝曰：'倘吾子获荐，花其发荣。'淹宿盛开，香气满室。是年八月二十四日揭晓。先一夕，先母孺人梦一老叟自外入中庭，持笔如掾，蘸毫沃水缸，书'孙'字于挹清楼外粉墙，字崇广专堵。母自捧泥，依字画墁圬之。翌日，报书至。后学士吕逢原尝作《瑞应记》。自是两试春官，皆下第。辛未二月，入场之夕，沐浴焚香，再拜祷于都城隍之神，曰：'宁亲老家贫，千里弃养以求尺寸之进，今两举矣。如功名可期，神赐显梦。如命分浅薄，神幸昭示。宁当领教一方，不复有意于进士矣。'祷毕，局促就寝，夜半梦登海盐县障海石塘前亘大山，一老叟指谓余曰：'此昆仑山也。'凡三指三语，方欲诘问，忽惊悟遽起，呼家童索烛，取《禹贡》'织皮昆仑'研省紬绎，因不复寐。亟趋试院，与支中夫遇于道，共相劳苦，叹进取未遂。余曰：'中夫今日看《书经》题，若有"昆仑"字，是余佳候也。'中夫固问所以，遂以梦语之，中夫笑曰：'人尝言痴人信梦，靖之良是焉。'及得题，果'织皮昆仑'。是年《书经》举人多为所窘，桐乡杨给事青，席舍相近，走予所，疾言曰：'六题皆得旨，惟《禹贡》一题不能通洽。'因为开陈意义，详述注疏。是年青登第，名在第七，录其文一篇。余竟下第。甲戌二月初三日，予方抵京，匆促侨寓，不暇检阅旧业，自分此行又成画饼。初五日夜，梦前状元柯孟时过舍，以梅花见遗，方受花，柯曰：'足下今年状元耶！'予方谦让问答间，忽雷电交作，予素畏雷，正惊怖，顷有霹雳声击同座一人仆，遂瘖。是年，予幸登榜，名亦在第七。……况先母梦兆于七年之前，已有'孙'字之应。予为孙贤榜下士，盖数定也。又遗梅雷震之事，先后同符，不足多讶。"

六月

邓林文集编成。陈贽《退庵先生遗稿序》："翰苑诸公多与之为文字，名烨烨起缙绅间。维时郎署中以古文鸣者考功郎中张彻、刑部主事陈亢宗众先生，而先生尤长于诗，人之求诗与文者无虚日。然守职公，律己严甚，不肯随时俯仰。宣德初年，为憸人所诬，屡陈而枉未白，遂谪于杭，人知先生者，莫不惜之。……先生曰：'吾少闻钱塘湖山之胜，非他处所及，思欲一游而不可得。今得来此，偿我夙愿，岂非不幸中之至幸乎？天之遇我良厚矣，吾复奚憾？'贽时为杭学训导，先生不鄙，许为忘年交，往还犹密，三阅寒暑。后先生谪满还家，诸缙绅皆恋恋不忍别，时宣德八年之秋也。贽既入翰林，相去万里，音问不相闻者十有余载。景泰纪元，出参议广藩，始询先生，观化已久。次年，董事至新会，问其长子时敏为庠生，亦物故。见其仲子时习，读书好礼，乡人则之，尊为社学师。……取观先生平昔遗稿于时习，得数册，皆模糊残缺，无次序。因持归，录出纂辑成编，欲梓行而未遑。去年，留任太常，职事颇暇，因手自抄录，得诸体诗四百五十八首，文三百六十六篇，编为二册，题曰《退庵先生遗稿》。仍录二册，并其旧稿，附使归之时习。而寿梓则尚有待也。……先生有大报负，而蹭蹬弗达，赍志以没，可胜惜哉！至其郁抑不平之怀，往往于诗焉发之。而遗稿几乎零落，俾泯泯无闻，岂非重可惜乎？贽所以倦倦于此编者，慨昔托交之谊，不容于自己也。……时景泰五年岁在甲戌夏六月吉旦，中顺大夫、太常寺少卿、前翰林五经博士会稽陈贽序。"

十二月

杨一清（1454—1530）**生**。字应宁，云南安宁州人。成化壬辰进士，授中书舍人，升山西提学佥事，迁陕西副使。召为太常卿，拜左副都御史，巡抚陕西。历户部尚书，入直内阁，进少师兼太子太师、吏部尚书、华盖殿大学士。卒赠太保，谥文襄。有《石淙稿》《关中奏议》。《国朝献征录》卷一五《特进光禄大夫左柱国少师兼太子太师吏部尚书华盖殿大学士赠太保谥文襄杨公一清行状》："父讳景中，永乐癸卯乡试，初判霸州，改澧州，迁广东化州同知。景泰甲戌十二月初六日生公于化州。……公甫八九岁，颖悟绝伦，经书一览不忘，文义一经指授，即能成章。时岳州同知胡公升大奇之，荐于湖藩当道，遂以奇童荐入翰林，读中秘书。宪庙命内阁选师教之，受业于黎文僖公。"

冬

胡居仁从吴与弼学。《胡文敬集》卷一《奉于先生》："甲戌冬，将《小学》习读，略有所感。于是往受教于临川吴先生之门，乃知古昔圣贤之学以存心穷理为要，躬行实践为本，故德益进，身益修，治平之道固已有诸已。是以进而行之，足以致君泽民，退而明道，亦可以传于后世，岂记诵词章、智谋功利之可同日语哉？某自知昏昧，不足以与于此，然亦不安于自弃而为下民之归，是以不胜戒惧，力将《诗》《书》《易》《礼》勉强玩索，而日用事亲接物之间，亦不敢不尽力于所当为。深恨不获面会以求质正。今岁因家尊久疾，不敢远游，故在鸦山习学，拟来岁复游吴先生之门。但不肖之质，不知终能有所进否？"

本年

诏修《寰宇通志》。《重编琼台稿》卷二〇《金侍郎传》："公讳绅，字缙卿。……登进士第，选入翰林为庶吉士，会诏修天下地志。公充纂修官。书成，赐名《寰宇通志》。"《重编琼台稿》卷一九《愿丰轩记》："予少有志用世，于凡天下户口、边塞兵马、盐铁之事，无不究诸心意。谓一旦出而见售于时，随所任使，庶几有以藉手致用。及登进士第，选读书中秘，即预修《寰宇通志》，又于天下地理远近、山川险易、物产登耗、赋税多少、风俗嫩恶，一一得以寓目焉。"《明英宗睿皇帝实录》卷三三五"天顺五年十二月庚寅（二十四日）"："纂修《寰宇通志》，［陈］循为总裁。……纂修《寰宇通志》，［萧］镃为总裁官。"［按，据《明清进士题名碑录》，金绅中景泰五年三甲第 157 名进士。本编年收入金绅，以概见《寰宇通志》所与修撰者。陈循、萧镃为总载，事在本年，《英宗实录》系"天顺五年"者，以他事追述过往，故及之］

陈献章始从吴与弼学。《陈白沙集》卷二《复赵提学佥宪》："仆才不逮人，年二十七，始发愤从吴聘君学。其于古圣贤垂训之书，盖无所不讲，然未知入处。比归白沙，杜门不出，专求所以用力之方，既无师友指引，惟日靠书册寻之。忘寝忘食，如是者亦累年，而卒未得焉。所谓未得，谓吾此心与此理未有凑泊吻合处也。于是舍彼之繁，求吾之约，惟在静坐。久之，然后见吾此心之体，隐然呈露，常若有物，日用间种种应酬，随吾所欲，如马之御衔勒也。体认物理，稽诸圣训，各有头绪来历，如水之有源委也。于是涣然自信，曰：'作圣之功，其在兹乎？'有学于仆者，辄教之静坐。盖以吾所经历、粗有实效者告之，非务为高虚以误人也。执事知我过胡先生而独不察此，仆是以尽言之，希少留意。余不屑屑。"

沈周决意隐遁。《甫田集》卷二五《沈先生行状》："景泰间，郡守汪公浒欲以贤良举之，以书敦遣。先生筮《易》，得《遁》之九五曰：'嘉遁，贞吉。'喜曰：'吾其遁哉！'卒辞不应。"［陈正宏《沈周年谱》，据正德《姑苏志》卷一二《水利》下："景泰五年夏，大水淹浸田禾，经久不退。侍郎李敏、知府汪浒，议当开浚白苑等塘以泄之。"意沈周之隐，约在此年。可从］

公元 1455 年（景泰六年 乙亥）

春

兰茂传奇《性天风月通玄记》成。乾隆抄本《性天风月通玄记》卷前小引："予于甲戌春暇，一日风月子持《风月通玄》以阅，予览之，佳其言，用意曲折纤徐，叙事且有条理，遂以叙之。”

八月

童轩作《感寓》诗六十八首。《清风亭稿》卷三《感寓》序：“景泰乙亥秋八月，予家居无聊，乃稽往事，述旧闻，因而勉赋五言古诗六十八首，谩录于此云。”跋：“予既作《感寓》诗，览者率以出韵为言。余惟孙恒《唐韵》大抵为近体而作，非所以施于古诗者也。古诗如《十九首》及汉魏诸名家之作，或二三韵，或上下韵，俱不嫌于并押，是有考于《三百篇》之体也。近代吴才老作《韵补》，亦以‘江’‘阳’‘真’‘庚’诸韵相通，岂不以古今之诗不同而古今之韵亦不同与？且唐之诗人杜甫最号大家，律诗中《玉山草堂》一首，亦用‘真’‘文’二韵，其古诗三四韵者如《潼关吏》《彭衙》《春陵》《义鹘行》之类，尚多有之。余故不可以不辩也。时景泰乙亥冬十月上浣日，轩识。”

九月

孙原贞《岁寒集》初编成。魏骥《岁寒拙稿序》：“是集者，今镇守浙江兵部尚书番阳孙公之所著，公尝自题曰《岁寒拙稿》者是也。公自少游庠序，进德之余，于经史子集无所不读，以其蕴蓄之富，发之为文章，其步骤率多出入韩柳欧苏，不立异以倍道，不骋奇以衒俗，温厚和平，明白正大，悉于仁义道德是归。俾置诸今作者之林，有不知孰为先孰为后者。……景泰六年九月初吉，资善大夫、南京吏部尚书致仕萧山魏骥序。”王伟《大司马孙公文集序》：“景泰岁之乙亥，公自浙来朝京师，予往拜于寓舍，请益不鄙，谓予庶几可进于道者，出示平昔所为文章，及在兵间区画一切贼情、戎事、方略、奏议、书数。捧诵再四，何其言之蔼和意之曲尽其妙也。夫志得意满者，其辞夸以浮；抑郁不平者，其辞怨以怼；是皆不得其工，虽工不足以传。公功大而位高，形于语言文字之间，严重典实，初不诘屈聱牙以为奇、放旷流荡以为达，而理与意了然明白而无疑。……景泰六年乙亥九月之吉，赐进士第、嘉议大夫、兵部侍郎湘川王伟序。”四库提要卷一七五：“《岁寒集》二卷，明孙瑀撰。……是编乃其孙孚吉等所编，凡文一卷，诗一卷，前有李东阳序，称其诗平正通达，无钩棘险怪之态。”

公元1456年（景泰七年　丙子）

二月

聂大年卒，年五十五。《抑庵文后集》卷三三《教谕聂大年墓志铭》：“景泰六年秋，朝廷有史事，征诣翰林将用之，而大年以疾告退就医药。凡与善者，数往来问候，冀速愈。而势日危殆，大年知不能起，呼子章取纸笔，书曰：‘吾上负朝廷之恩，下负平生之志。尔兄弟尚勉学为士人。’掷笔而逝，盖景泰丙子二月二日也。观其所书如此，则其抱负可知矣。”姚夔《挽聂大年先生》：“胸中风月浩无边，每见诗文世共传。诗逼苏黄气吞海，文追韩柳笔如椽。芹宫久惜淹胡瑗，史馆方看得马迁。才未及施人已化，士林谁不一潸然。"《水东日记》卷二："聂大年诗，三十年来作家绝唱也，有文集若干卷。袁衷主事爱其《醉后跌起口占诗》云'老我不胜金谷罚，傍人应笑玉山颓'之句。王翰林称其'愿得明朝又风雨，免教行李出都门'。而吾友张筱庵喜诵其《选僧》'十年湖海孤舟别，万里云霄一锡飞'，以为不能忘之。但未知大年曾以此为极致否？"卷五："聂大年诗翰著名一时，不得预京衔。或曰：大年尝署桃符云：'文章高似翰林院，法度严如按察司'，以此见忤达官。其然岂其然乎？晚年被征修前史，至京而卒。予尝比之梅圣俞，宜也。"俞宪《聂教授集跋》："临川聂寿卿大年，正统间人，盖达士也。其诗仍袭元调。尝为郡司训，故吾常图画中得其题咏为多。又尝应聘四省主乡试，不赴。后以荐入京纂修史书，绰有文名，于时集中自咏'九载儒官迁学谕'，盖迁仁和掌教也。然不知终于何官。钱塘尹施君昂编其诗为《东轩集》，予近得之，采录如干篇，刻置家塾。"《弇州续稿》卷五五："吾尝屈指明兴以至于今能为古文辞者，亡虑数百千家，其卓然名世者，亦可数十百家，要皆庙廊山林之杰。乃欲举博士广文而称之，则不过临川聂大年、吾郡黄应龙、戴章甫、陆象孙三四君子而已。大年、象孙以诗胜，应龙、章甫以文胜。然皆廑廑肤立，而至用其子有名位。优游素封者，钟记室之品，不能名一人。"《七修类稿》卷三四："成化间，仁和教谕聂大年以诗书名世。人来乞书，多以东坡《行香子》、马晋《满庭芳》应之，二词一言不必深求问学，一言仕宦亦劳，皆不如隐逸之乐也。后聂召至京，修史而死。贫不能敛，似若预为己言者然。"卷三九："吾杭市井，夹城巷口其一也。永乐间，其地有翰林侍讲王希范洪，号毅斋，一时学士推重之，朝廷亦尊宠焉，疾而赐药，卒也赐棺，惜四十二而终。尝以其地为八景，作《卜算子》八章。成化间，仁和教谕临川聂大年，亦有声当时者，又每题作《临江仙》一章，皆工致也。然王、聂二集少刻板，志收亦不全。"《静志居诗话》卷七《聂大年》："聂大年掌教武林，揭对联示诸生云：'文章高似翰林院，法度严于按察司。'以是见忤达官，九年不调。泰和王行俭掌铨衡，以诗寄戴文进索画，自叙十年始成。大年题其后云：'公爱文进之画，十年而不忘也。使公以十年不忘之心，待天下之贤，天下岂复有遗才哉！'语稍闻于王，而王不介意也。天顺初，被征入史局。病中以诗别行俭，曰：'镜中白发难饶我，湖上青山欲待谁？千里故人分橐少，百年公论盖棺迟。'行俭得诗，泣下，曰：'大年欲吾铭其墓耳。'明日而大年卒。行俭为作墓志曰：'吾以大年之才，必能自振，故久不拟荐，而乃止一校官邪。大年诸体平熟，惟绝句小诗差有韵致，比于刘泰士亨、陆昂元偁、马洪浩澜、王澄天碧诸子，似胜之。'"《明诗综》卷二《聂大年》："俞汝成云，寿卿诗尚袭元调。"雍正《江西通志》卷一六一："其诗在国初颇为人传诵，有《辞四省校文》诗云：'名藩较艺遣征书，使者频烦走传车。老大难过太行路，平生厌食武昌鱼。五羊城古仙游远，八桂林寒木叶疏。寄语青云旧知己，莫因辞赋荐相如。'"《明诗纪事》乙签卷二二《聂大年》陈田按："临川甘彦初以律体见长，寿卿古诗不多见，岂挹其流风耶！《东轩集》词新调爽，竹垞议其平熟，非公论也。"

春

何乔新任南京礼部。蔡清《椒丘先生传》："景泰七年春，擢南京礼部主客司主事。

政务甚简，终日闭户读书。"

五月

《寰宇通志》成。《明英宗睿皇帝实录》卷二六六 "景泰七年五月乙亥（初七）"："少保太子太傅、户部尚书、文渊阁大学士陈循等官，进《寰宇通志》，赐白金、彩币有差。御制《寰宇通志序》，文曰：昔孟轲氏之意以谓，天之高也，星辰之远也，苟求其已然之迹，则其运有常，虽千岁之久，其日至之度可坐而致。朕亦以谓，地之大也，山川之邈也，苟求其已然之迹，则其理有定，虽万邦之广，其事物之实可坐而得。故古之人，求博于其约，求难于其易，务简以尽烦，务迩以尽远，率由是也。嗟乎！深居九五而欲究古今兴替之悉，自非大有所从事焉，则虽役耳目于宵旰，疲精神于编简，安能'得传且难、尽烦且远'于务求之顷哉？是必如尧舜之志，不遍物，急先务，乃可耳。於戏！《禹贡》不可尚矣！《周礼·职方氏》亦成周致治之书。至于后世纪胜之类尤多，然皆迷于偏方，成于一手，非详于古则略于今，非失于简便则伤于浩繁，不足以副'可坐而得'之意。肆朕皇曾祖考太宗文皇帝，尝思广如神之智，贻谋子孙以及天下后世，遣使分行四方，旁求故实之凡有关于舆者，来录以进，付诸编辑。事方伊始，而龙驭上宾，因循至今，而先至未毕，则所以成夫继述之美者，朕焉得而缓乎？窃尝观之，善其事者莫先于智，智者所谓务其已然之迹也，是故语上而不察日月星辰之丽乎天、四时五行之成乎岁，则徒见夫形而上者，其何以参高明覆帱之功？语下而不察百谷草木之丽乎土、山川岳渎之别其区，则徒见夫形而下者，其何以赞博厚持载之功？语人而不察圣愚贤否之殊：其情可予可夺、可亲可疏；语物而不察洪纤高下之各其类：可培可倾，可载可覆；以至语为天下，而不察古今事物之异其域与时：可兴可观，可因可革，可损可益，可劝可惩，而志其实。其何以副祖宗'思尽财成之道、辅相之宜，以左右民之志于悠久'哉？此朕之于是编所为惓惓而不敢少缓也。间与二三儒臣商之，使或先后有一未备，不足以全其美，乃复遣人采足其继，俾辑成编，为卷凡百一十有九，名曰《寰宇通志》。藏之秘府，而颁行于天下，盖不独以广朕一己之知，而使偏方下邑、荒服远夷素无闻见之人，咸得悉睹而遍知焉。则知之尽，仁之至，庶几乎无间于远迩先后矣。"

六月

王直乞致仕不获允。《明英宗睿皇帝实录》卷二六七 "景泰七年六月癸卯（初五）"："少傅兼太子太师、吏部尚书王直，以老疾复上疏乞致仕。帝曰：'卿之老迈，朕所素知，但朝廷不可无老成人。卿宜勉进药物，以副朕怀。所请不允。'"

七月

柯潜主应天乡试，却贿。 吴希贤《中顺大夫詹事府少詹事兼翰林院学士竹岩柯公行状》："丙子五月，升司经局洗马，仍兼修撰。七月，命往应天考试，舟经淮扬。士有暮夜投公鬵私者，公叱之曰：'尔急去，毋自速罪戾。'其人谓公阳却之，固以请，以所赂遗公前。公怒，命执之付有司治以法。是科场屋肃然，录成，称得人为天下先。"

本年

李东阳十岁，丧母。《怀麓堂集》卷十《哭舍弟东山十首》其二注云："先孺人弃世时，东阳十岁，山四岁，川仅两岁耳。"

公元 1457 年（天顺元年　丁丑）

正月

十二日，代宗舆疾宿南郊斋宫。

徐有贞谋使英宗复辟。《明史》徐有贞传："八年正月，景帝不豫。石亨、张轨等谋迎上皇，以告太常卿许彬。彬曰：'此不世功也。彬老矣，无能为。徐元玉善奇策，盍与图之。'亨即夜至有贞家。闻之，大喜曰：'须令南城知此意。'轨曰：'阴达之矣。'令太监曹吉祥入白太后。辛巳（十六日）夜，诸人复会有贞所。有贞升屋览乾象，亟下曰：'时至矣，勿失。'时方有边警，有贞令轨诡言备非常，勒兵入大内。亨掌门钥，夜四鼓，开长安门纳之。既入，复闭以遏外兵。时天色晦冥，亨、轨皆惶惑，谓有贞曰：'事当济否？'有贞大言必济，趣之行。既薄南城，门锢，毁墙以入。上皇灯下独出问故，有贞等俯伏请登位，乃呼进举。兵士惶惧不能举，有贞率诸人助挽以行。星月忽开朗，上皇各问诸人姓名。至东华门，门者拒弗纳，上皇曰'朕太上皇帝也'，遂反走。乃升奉天门，有贞等常服谒贺，呼万岁。"

英宗夺复皇位。《明英宗睿皇帝实录》卷二七四"天顺元年正月壬午（十七日）"："上复即皇帝位。时武臣总兵官太子太师武清侯石亨、都督张轨等，文臣左都御史杨善、左副都御史徐有贞等，内臣司设监太监曹吉祥等，知景泰皇帝疾不能起，中外人心归诚戴上，乃于是日昧爽，共以兵迎上于南宫。上辞让再三，亨等固请，乃起，升辂，入自东华门，至奉天门升御座，文武群臣入，行五拜三叩头礼。上曰：'卿等以景泰皇帝有疾，迎朕复位，其各仍旧用心办事，共享太平。'群臣皆呼'万岁'朝退。上御文华殿，命徐有贞兼翰林院学士，于内阁参与机务。召内阁臣少保兼太子太傅户部尚书华盖殿大学士陈循等，面谕之，遂命循等与有贞俱就文华殿左春坊草宣谕，顷之进呈，上览毕，以付礼官，于午门外开读。其文曰：'上皇帝宣谕文武群臣：朕居南宫，今已七年。保养天和，安然自适。今公侯伯皇亲，及在朝文武群臣，咸赴宫门奏言：当今皇帝不豫，四日不视朝，中外危疑，无以慰服人心。再三固请复即皇帝位，朕辞不获，请于母后，谕令勉副群情，以安宗社，以慰天下之心。就以是日即位，礼部其择日改元，诏告天下。'群臣听宣谕毕，遂各具朝服以入，奉上登奉天殿，行即位礼。时日已正午矣。"

于谦下狱。《明英宗睿皇帝实录》卷二七四"天顺元年正月壬午（十七日）"："命执少保兼太子太傅、兵部尚书于谦，少保兼太子太保、吏部尚书、谨身殿大学士王文于班内，执司礼监太监王诚、舒良、张永、王勤等于禁中。出付锦衣卫狱。时谦等甫听宣谕毕也。"

二十一日，诏赦天下，改景泰八年为天顺元年。

于谦卒，年六十。《明英宗睿皇帝实录》卷二七四"天顺元年正月丁亥（二十二日）"："命斩于谦、王文、王诚、舒良、张永、王勤于市，籍其家。谪陈循、江渊、俞士悦、项文曜充铁岭卫军。"《明史》英宗本纪："景泰八年正月壬午，亨与吉祥、有贞等既迎上皇复位，宣谕朝臣毕，即执谦与大学士王文下狱。诬谦等与黄玹构邪议，更立东宫，又与太监王诚、舒良、张永、王勤等谋迎立襄王子。亨等主其议，嗾言官上之。都御史萧惟祯定谳，坐以谋逆，处极刑。文不胜诬，辩之疾，谦笑曰：'亨等意耳，辩何益？'奏上，英宗尚犹豫曰：'于谦实有功。'有贞进曰：'不杀于谦，此举为无名。'帝意遂决。丙戌改元天顺，丁亥弃谦市，籍其家，家戍边。"叶向高《太傅于忠肃公奏议序》："公之言论丰采，其大者已见于史书，惟奏议之文，史不能尽收，令其时所为持危定倾匡济之谟谋，后世不得尽见。少保温阳李公尝得其遗草于大司马项公家，诠次而传之。岁月既久，字画漫漶。客部吴君立甫偶从公署架中检得旧本，复遍搜他牍，增益其所未备，共若干卷，与其乡之缙绅共付之梓，来请余一言。余尝慨年来章疏诞谩繁猥、浮淫无当，甚失人臣告君之义。今读公奏议，指事陈词，明白晓畅，宁质毋漫，宁径毋支，使人主见之，洞然得其颠末曲折之详，而划然明于利害得失之故，言必听，计必行，是亦纳牖之准绳，而投艰之舟筏也。其最难者，赵充国老将也，犹言兵势国之大事，当至金城，图上方略。公一屦书生耳，身不出国门，而南征北伐，凡有陈奏，无不曲中机宜，即悍弁猾帅如石亨、杨洪辈，皆俯而受公之鞭棰，无敢越佚。此非天佑国家，笃生伟人以维世运，安有此哉？"《西湖游览志余》卷八："于肃愍公高风大节，不在词华，而其断简残篇得于煨烬之余，往往脍炙人口。如'剩喜门庭无贺客，绝胜厨傅有悬鱼'，'谢客只容风入户，卷帘时放燕归梁'，'亦知厚禄惭司马，且守清斋学太常'，'萧涩行囊君莫笑，独留长剑倚青天'，'金鞍玉勒寻芳者，肯信吾庐别有春'，即此可以知其孤介绝俗之操。如'香蓺雕盘留睡鸭，灯辉青琐散栖鸦'，'风穿疏牖银灯暗，月转高城玉漏迟'，'岸帻耻为寒士语，调羹不用腐儒酸'，即此可以知其经略闳典之才。如'天外冥鸿何缥缈，雪中孤鹤太清癯'，'醉来扫地卧花影，闲处倚窗看药方'，'渭水西风吹鹤发，严滩孤月照羊裘'，即此可以知闲雅恬淡之思。其他忠直之气，奖与古今。如《咏苏武》则曰：'富贵倘来君莫问，丹心报国是男儿。'《送人致仕》则曰：'解组还乡未白头，身安意适更何求？'《题十八学士图》则曰：'都将治世安民策，散作裁冰剪雪词。'《喜高金宪病起》则曰：'一团清气难随俗，百瓮黄虀足养廉。'此皆直写胸襟，不当以风云月露比拟也。"《明诗评》卷四："少保负颖异之才，蓄经纶之识，诗如河朔少年儿，无论风雅，颇自奕奕快爽。"《列朝诗集小传》乙集《于少保谦》："公少英异，过目成诵，文如云行水涌，诗顷刻千言，格调不甚高，而奕奕俊爽。田叔禾《西湖志余》摘其七言今体，如'香蓺雕盘笼睡鸭，灯辉青琐散栖鸦'，'紫塞北连沙漠去，黄河西绕郡城流'，'风穿疏牖银灯暗，月转高城玉漏迟'，'天外冥鸿何缥缈，雪中孤鹤太凄清'，'醉来扫地卧花影，闲处倚窗看药方'，'渭水西风吹鹤发，严滩孤月伴羊裘'，'野花偏向愁中发，池草多从梦里生'，皆佳句也，惜不能全篇耳。"《明诗综》卷二一《于谦》："陆子渊云，于公有社稷功。其诗亦足冠冕时辈。夏时正云，诗文多至千篇，皆填抚余间、车马道涂寄兴之作。及秉邦政，不复经心，所见仅一二尔。语皆自胸次流出，思亲恋阙，忧人及物，眷眷不忘，溢于言表。"存诗十三首：《自叹》《暑月将自太行巡汴》《游春》《春日大风感怀》《除夕夜坐感怀》《秋风》《偶题》《春夜》《平阳道中》《上太行》《夏日忆西湖风景》《暮春客涂即景》《拟吴依曲》。《静志居诗话》卷六《于谦》："少保社稷之臣，其诗特多秀句。如'风来疏牖银灯暗，月转高城玉漏迟'，'紫塞北连沙漠去，黄河西绕郡城流'，'野花偏向愁中发，池草多从梦里生'，'千里逢人俱是客，十年持节未还家'，'鸟飞不过岩头石，人渴难寻涧底泉'，'风约暗云难作雨，渠分流水不成河'，'炕头炙炭烧黄鼠，马上弯弓射白狼'，'天外青山围故国，雨中黄叶下空潭'，皆意态自然，不烦雕琢。其论诗曰：'诗岂易言哉！发于心，形于歌咏，尽乎人情物变。非深于理而适于趣，则未易工也。'观其持论，造诣深矣。"四库提要卷一七○："《忠肃集》十二卷，明于谦撰。……倪岳撰谦神道碑，称谦平生著述甚多，仅存《节庵诗文稿》《奏议》各若干卷。祸变之余，盖千百之什一云云。是其没后，遗稿已多散佚。世所刊行者，乃出后人掇拾而成，故其本往往互有同异。《明史·艺文志》载谦奏议十卷，李宾编；又文集二十卷。又嘉靖中河南刊本，诗文共八卷，而无疏议。此本前为奏议十卷，分北伐、南征、杂行三类，当即李宾所编。后次以诗一卷，杂文一卷，附录一卷，与《艺文志》所载多寡不合。然核其篇什，亦已罕所遗脱。盖编次者分析之不同也。谦遭时艰屯，忧国忘家，计安宗社，其忠心义烈，固已昭著史册，而所上奏疏，明白洞达，切中事机，尤足觇其经世之略。至其平日不以韵语见长，而所作诗篇类多风格遒上，兴象深远，转出一时文士之右，亦足见其才之无施不可矣。又案，王世贞《名卿绩记》及李之藻皆谓，谦尝再疏请复储，今集中并无此疏，《明史》亦不著其事，惟倪岳神道碑称景帝不豫，谦同廷臣上章乞复皇储，是当时所上乃廷臣公疏，非谦一人，故集中不载其稿。世贞等乃专属之谦，殆亦考之未审欤。"《明诗纪事》乙签卷一一《于谦》："《珊瑚网法书题跋》卷中载于忠肃《落花吟》云：'昨日花开树梢红，今日花落树头空。花开花落寻常事，未必皆因一夜风。人生行乐须少年，老去看花亦可怜。典衣沽酒花前饮，醉扫落花铺地眠。风吹花落依芳草，翠点胭脂颜色好。韶光有限蝶空飞，岁月无情人自老。眼看春尽为花愁，可惜朱颜变白头。莫遣花飞江上去，残红易逐水东流。'忠肃墨迹世不多见，此诗为汪玉水所藏，今不知归于何所矣！"陈田按："忠肃绝句，极有风致。"

二月

王直致仕。《抑庵文后集》卷三三《自撰墓志》："累疏乞身，未蒙矜许。皇上复正大位，其仁如天，特悯而宥之，使得以病退归。赐敕书一通，白金三十两，织金绮衣一袭，新钞三千缗；兵部给驿舟、廪食以行。天顺元年二月初四日也。"《明史》王直传："比家居，尝从诸佃仆耕莳，击鼓歌唱。诸子孙更迭举觞上寿，直叹曰：'曩者西杨抑我，令不得共事。然使我在阁，今上复辟，当不免辽阳之行，安得与汝曹为乐哉。'"

代宗朱祁钰卒，年三十。《明史》景帝本纪："二月乙未（初一），废帝为郕王，迁西内，皇太后吴氏以下悉仍旧号。癸丑（十九日），王薨于西宫，年三十。谥曰戾。毁所营寿陵，以亲王礼葬西山，给武成中卫军二百户守护。……景帝当倥偬之时，奉命居摄，旋正大位以系人心，事之权而得其正者也。笃任贤能，励精政治，强寇深入而宗社乂安，再造之绩良云伟矣。而乃汲汲易储，南内深锢，朝谒不许，恩谊恝然。终于舆疾斋宫，小人乘间窃发，事起仓猝，不克以令名终。惜夫！"

三月

初十，徐有贞封武功伯。

吴讷卒，年八十六。《明英宗睿皇帝实录》卷二七六"天顺元年三月己卯（十六日）"："致仕南京都察院左副都御史吴讷卒。……讷自少颖悟异常，甫七岁能背诵五经，及长，博恰群书，发为文章，率根据理致，不为浮靡之习。所著有《思庵集》《小学集解》《性理群书补注》《详刑要资》诸书，及编《文章辨体》《草庐文粹》传于世。乡人仰慕之，列于言偃祠。"杨子器《思庵先生文粹叙》："其平生性度文雅，辉光宣著，至于发言为诗，抒言为文，连篇累牍，莫不根据道理、关系名教，无一点风云月露之态，读是集者，岂徒可以言语文字视之哉？本朝文章，自方正学而下，则先生与薛文清而已。"《澹然先生文集》卷四《思庵稿序》："都察院右佥都御史思庵吴先生，集其平生著作，分为前后二稿，总若干卷，属予读而序之。先生之文，端实简严，雅健典则；其议论皆根据六经，而雕镂怪异之言无自入于其中。诗词歌颂，又皆优柔冲澹，敦厚和平。各极其性情之正，信所谓有德之言也。"

十七日，赐黎淳等进士及第、出身有差。

四月

何乔新丧父。《明名臣琬琰续录》卷七《吏部尚书何公行状》："公讳文渊，字巨川，姓何氏，江右广昌人也。……公生于乙丑十二月三十日，幼而英迈，年七岁入社学，从乡先生读书，过目成诵。群儿或窃瓜果以奉，公却之曰：'童稚之年，讵可习为盗贼哉？'识者叹其不凡。永乐初，选补邑庠生。时父兄继丧，公昼则经营家事，夜则刻苦读书。涵濡既久，经史百氏无不贯通，发为文章，咸中矩度。岁戊戌，登李骐榜进士第。……［正统］辛酉六月旱，诏公审覆在京罪囚，多所平反。……时公以疾屡欲告归，而少师杨公士奇、少保杨公溥勉留之，且拟大拜，公以疾力求罢，上乃许之。既归，杜门不出，惟课童仆耕垦、教子读书而已。己巳八月，车驾北狩，郕邸摄位，诏起之。遂驿召于家，既至，以为吏部左侍郎。……天顺元年四月十一日，得疾，语诸子曰：'吾尝为温守，温民戴吾亦深。今去温数十年，然心未尝不在温也。我死，神气必归温矣。'越三日，正衣冠而坐，索纸笔，书口占律诗一首，付长子宗，投笔而逝。……章某亲受业于公者也，故述其梗概为行状，以俟名公志而铭诸竁。谨按：恭毅章公为公之门人，故道公之盛德为详。呜呼！亦伟人也。惟景泰间易储一事，不免为盛德之累耳。"《明史》何乔新传："父文渊，永乐十六年进士，授御史，历按山东、四川。……景帝即位，起吏部左侍郎，寻进尚书，佐王直理部事。东宫建，加太子太保。……英宗复位，削其加官。而景泰中易储诏书'父有天下传之子'，语出文渊，或传朝命逮捕，惧而自缢。"《明孝宗敬皇帝实录》卷一九四"弘治十五年十二月己亥朔庚申（二十二日）"："乔新，性刚介寡与，自少好学，至老不倦。为文精采，有矩度。尤长于吏事，然量颇隘，议法颇深。初景泰谋易皇储，草诏大学士陈循起句云'天佑下民作之君'，而窘于对。乔新父吏部尚书何文渊适在侧，即应声曰'父有天下传之子'。迨天顺改元，与谋易者多斥，遂罢归。乔新时为刑部主事，因见黄竑、徐正处以极刑，恐祸及己，乃贻书劝其父自引决，文渊果自尽。士论耻之。"《弇山堂别集》卷二四《史乘考误五》："史于何文肃公乔新卒条下谓：'乔新时为刑部主事，因见黄竑、徐正处以极刑，恐祸及己，乃贻书劝其父引决，文渊果自尽。士论耻之。'此亦焦泌阳恣笔也。正德中，柄史者力为辩其诬。然考之《天顺录》云：'致仕后，上复位，革宫保，文渊自以与议易太子，首发"父有天下"之言，虑有奇祸。时副都御史陈泰左迁广东按察副使，道经广昌，人有传泰来抄提文渊者，惧即自缢死。后为人所奏，差官启椁验之，果然。'则劝文渊引决之说诬，而自尽之说实也。野史以为出江渊，大概以文势考之，恐先有'父有天下传之子'，而借'天降下民作之君'以对之耳。又文渊以四月卒，而黄竑、徐正以五月诛。大抵未可信。"

六月

徐有贞被下锦衣卫，旋获释。《英宗睿皇帝实录》卷二七九"天顺元年六月己亥（初七）"："武功伯兼华盖殿大学士徐有贞、吏部尚书兼翰林院学士李贤下锦衣卫狱。"《明史》徐有贞传："有贞既得志，则思自异于曹、石。窥帝于二人不能无厌色，乃稍稍裁之，且微言其贪横状，帝亦为之动。御史杨瑄奏劾亨、吉祥侵占民田。帝问有贞及李贤，皆对如瑄奏。有诏奖瑄。亨、吉祥大怨恨，日夜谋构有贞。帝方眷有贞，时屏人密语。吉祥令小竖窃听得之，故泄之帝。帝惊问曰：'安所受此语?'对曰：'受之有贞，某日语某事，外间无弗闻。'帝自是疏有贞。会御史张鹏等欲纠亨他罪，未上，而给事中王铉泄之亨、吉祥。二人乃泣诉于帝，谓内阁实主之。遂下诸御史狱，并逮系有贞及李贤。忽雷雹交作，大风折木。帝感悟，重违亨意，乃释有贞，出为广东参政。"

岳正入阁预机务。《怀麓堂集》卷七一《蒙泉公补传》："天顺丁丑，英宗复辟，改修撰。上廉知其名，吏部王忠肃公亦荐之。六月，召见文华殿，上遥见，遽曰：'好!'既升陛，登殿，连曰：'好，好。'问年若干，对曰：'四十。'上曰：'正好。'问何处人，对曰：'漷县。'上曰：'又是此北方人。'问治何经，曰《尚书》，上曰：'是《书经》，尤善。'问何科进士，对曰：'正统十三年。'上益喜曰：'又是我所取者。'乃顾谓曰：'今用汝内阁参预机务，凡事为朕主张。许彬老矣，不足恃也。'公顿首辞至再，乃出赴阁。至左顺门，石亨、张轫自外入，愕然曰：'何以至此?'公不敢对。时亨、轫已不平。比入见，上曰：'今内阁朕自访得一好人。'亨、轫请为谁，上曰：'岳正。'亨、轫阳贺曰：'诚佳。'上曰：'但官小耳。今须与吏部左侍郎兼翰林院学士，如何?'亨、轼因奏曰："陛下欲升正，亦甚易。但姑试之，果称职，未晚也。'上默然。盖亨辈以事非己出，故挠之云尔。自是宣召赐赉，络绎于道，公感上知遇，锐意功业，知无不言，言必尽肝腑。"

七月

徐有贞复下狱，被放金齿。《明英宗睿皇帝实录》卷二八〇"天顺元年秋七月乙丑（初四）"："广东右参政徐有贞下狱。"《明史》徐有贞传："亨等憾未已，必欲杀之。令人投匿名书，指斥乘舆，云有贞怨望，使其客马士权者为之。遂追执有贞于德州，并士权下诏狱，榜治无验。会承天门灾，肆赦。亨、吉祥虑有贞见释，言于帝曰：'有贞自撰武功伯券辞云"缵禹成功"，又自择封邑武功。禹受禅为帝，武功者曹操始封也，有贞志图非望。'帝出以示法司，刑部侍郎刘广衡等奏当弃市。诏徙金齿为民。"《石田先生诗钞》卷五《送徐武功南迁》："落日西风万里舟，布衣凉冷独惊秋。楼台细雨飞玄鸟，江汉闲云卧白鸥。天上虚名知北斗，人间往事付东流。金滕莫道无人启，休把羁愁赋远游。"下注："天顺元年丁卯，先生（沈周）年三十一。"

岳正谪为钦州同知。《明英宗睿皇帝实录》卷二八〇"天顺元年秋七月辛未（初十）"："调翰林院修撰岳正为广东钦州同知。"《怀麓堂集》卷七一《蒙泉公补传》："公间为上言曹、石势太盛，虑有变，宜早为节制。上曰：'汝以朕意告之。'公径造亨，讽令稍自敛戢。二人怨之益深。会承天门灾，上下诏罪躬。公视草，历陈弊政，词极切直，天下传之。遂有飞语指为谤讪，七月内批，降广东钦州同知。道潮，以母老留阅月。尚书陈某者，曹、石党也，憾公尝言其不可用，至是嗾逻者以私事中之，逮系诏狱，考掠备至。谪戍肃州镇夷所，所居京第为幸臣都督李铎所夺。至涿州，夜宿传舍，手梏急，气奔且死。涿人杨四者，颇尚意气，为祈哀解人，其人怒不肯，杨醉以醇酒，伺其酣睡，谓公曰：'梏有封印，奈何?'公教之曰：'可烧鏊令热，以酒将纸。'就炙之，纸得燥皆昂起，因去钉，脱梏剔其中，复钉封之。其人觉有异，杨说之曰：'业已然矣。今奉银数十两为寿，不如纳之。'公乃得至戍。时太监猛虎石镇甘肃，相传有密谕：'须生不须死。'镇巡而下，亦雅重之，致客礼焉。"

九月

储巏（1457—1513）生。字静夫，泰州人。成化甲辰进士，授南京吏部主事，历郎中，改北司考功，升大仆寺少卿，进本寺卿，转都察院右佥都御史，历户部左右侍郎，改吏部。卒谥文懿。有《柴墟文集》。《息园存稿文》卷六《通议大夫南京吏部左侍郎储公行状》："公生而颖异，六岁读书，过目成诵。九岁善属文，选克州学弟子员。十六食廪，应乡试，名闻京师。……生于天顺丁丑九月二十一日亥时。"

十二月

罗亨信卒，年八十一。《明英宗睿皇帝实录》卷二八五"天顺元年十二月乙卯（二十五日）"："致仕都察院左副都御史罗亨信卒。……亨信明敏负才，遇事敢为，然时颇议其廉谨不足云。"丘浚《乐素罗公觉非集序》："公为文和平温雅，类其为人，而尤喜为诗。其诗不事锻炼，用眼前语写心中事，讽咏之，可以知其心洞达明无城府町畦也。"祁顺《觉非集序》："文章固其余事，然世之能是者几何人哉，而称其文当不在颜公书法下。"

本年

谢铎与张弼定交。《国朝献征录》卷八七《江西南安府知府张公弼墓铭》："始予天顺初与吾友今亚卿黄君世显、故方伯陈君士贤、佥宪林君一中识君于礼部，盖三十年于兹矣。"

柯潜归省。吴希贤《中顺大夫詹事府少詹事兼翰林院学士竹岩柯公行状》："英庙复辟，改元天顺，更授公尚宝司少卿，兼职如故。仍许归省。戊寅十月，还京。"

公元 1458 年（天顺二年 戊寅）

正月

议皇太子发蒙读书。泰昌《礼部志稿》卷六七："天顺二年，礼部请皇太子出阁读书。上命吏部、礼部会翰林院定拟讲读等官及讲读以闻。礼部进《皇太子出讲学仪注》。"李贤《天顺日录》："礼部请太子出阁读书，上召贤谓曰：'先读何书？'贤对曰：'《四书》、经、史，次第讲读。宜先《大学》《尚书》。'上曰：'《书经》有难读者。朕昔读至《禹贡》及《盘庚》《周诰》诸篇，甚费心力。'贤曰：'读《书经》法，先其易者。如二《典》、三《谟》、《太甲》《伊训》《说命》诸篇，明白易晓，可先讲读。'上曰：'然。写字亦须用心。朕初习字，侍书者不曾开指下笔法，任意写去，及写毕，令其看视，又不校正。以此，写字不佳。'贤对曰：'写字亦不必求佳，但点画不苟且率易为善。'"

八月

诏修《明一统志》。《御定资治通鉴纲目三编》卷一二："帝谕李贤、彭时、吕原曰：'朕欲览天下舆图之广。我文祖太宗尝命儒臣，未究厥绪。景泰间虽有成书，繁简失当。卿等尚折衷精要，继成初志。'于是命贤等为总裁官。《明一统志》所载修撰《职名》略云：资政大夫吏部尚书兼翰林院学士李贤，中宪大夫太常寺少卿兼翰林院学士彭时，翰林院学士奉政大夫吕原、林文、刘定之，侍读学士钱溥，侍讲万安、李泰，左中允孙贤，右中允刘翔，翰林院修撰陈鉴、刘吉、童缘、黎淳，左赞善牛纶，司经局校书徐溥，翰林院编修文林郎王㒜、戚澜、李本、丘浚、彭华、尹直、徐琼、陈秉中、杨守陈，翰林院检讨邢让、张业，太常寺卿夏衡，顺天府府丞余谦，礼部郎中王叔安，礼部员外郎陈纲、凌耀宗、林章、叶玫、何遄，征仕郎中书舍人韩定、谢宇、曹冕、温良，从仕郎中书舍人马麟、刘珙、黄清、焦瑞、凌晖、王暕，登仕佐郎鸿胪寺序班李惠、陈福、蔚瑄、周璟、吴震、陈经、王礼，将仕佐郎鸿胪寺序班门升、刘询、梁俊、毛显，翰林院秀才姜立纲。

十月

刘铉卒，年六十五。《明英宗睿皇帝实录》卷二九六"天顺二年冬十月庚申（初六）"："詹事府少詹事刘铉卒。……铉为人介特自守，言行不妄。与人交，一于诚敬。权贵之门绝迹不到。平生耽嗜群书，至老弥笃。为诗文浑厚典雅，所著有《假庵稿》若干卷。"高谷《刘文恭墓志铭》："平生耽嗜群书，至老弥笃。为文浑厚雄伟，务极理趣。诗春容丰雅，咸有典律，皆足以追配古作。四方求者日集户外，一时文人咸推服之。"《古穰集》卷一三《中顺大夫詹事府少詹事刘公神道碑铭》："平生耽嗜文籍，博极群书，素有酝藉。为文纡徐演迤，务造至理。诗古澹春容，自有余味。方众贤聚于朝，以意气相雄长，公独用心于内，退然沉毅，略不与较。"吴宽《刘文恭公诗集序》："文名既著，有求者辄酬应之，若不辞拒；然平生慎许可，少假借，言之所施，未尝徇俗以悦人，人亦未敢易而求之也。盖公为人俭质无华而少玩好，静退不竞而绝奔趋，故形于著作者，不以险怪侈靡为工，往往于和平简淡之中而有温纯典雅之意，知公者以为似其为人焉。"文征明《刘文恭公诗集叙》："公刚方博大之气、端居自守之节，盖尝以古人自期，文章翰墨特其余事耳。然所论著精深博雅，当其时亦未见有以过之者。尝言：'前辈为文，杨文贞公必历时乃就，而王汝玉日可数篇，然精驳杂出，非杨公比也。今曹文襄、张士谦文亦易成，而余非岁月不可。'其意隐然有自负者。至其为诗，一字不安，更数月必改定乃已。其慎重如此，殆非苟作也。"皇甫冲《刘文恭公诗集题后》："今之谈诗者，竞藻争妍，失其雅纯，则妍藻出而浮靡入之矣！贞松劲柏，扶疏偃蹇，岂必凝丹缬蒨、逸艳飘芳而后为可睹耶？公之诗抒思敦厚，吐词和平，可以语教，可以观德。语云，'虽无老成人，尚有典刑。'于斯诗见之。其所用多今韵，则犹从周之意云。"刘璞《刘文恭公诗集跋》："近世之士，德行文章难于兼备，璞尝考公之行，刚方清雅，朝野推重，有古人之风，读公之诗，沉郁雄浑，而格调高古，殆与盛唐诸家相雄长，二者实兼之矣。"《列朝诗集小传》乙集《刘少詹铉》："平生端谨静退，老而好学，诗文为词林所推。文征仲称其为诗，一字不安，更数月必改定。其矜重如此。其家刻《假庵诗集》，殊寥浅，不满人意。或云公诗毁于火，所传皆非其佳者。"

十一月

朱诚泳（1458—1498）**生。**号宾竹道人，惠王庶第一子，为太祖五世孙，愍王楼之元孙。成化四年封为镇安王，十年进封秦王。有《小鸣稿》。[按，诚泳生于十一月十五，《小鸣稿》卷五有《初度自庆十一月十五日》]

杨循吉（1458—1546）**生。**字君谦，吴县人。成化甲辰进士，除礼部主事，以病乞归。有《松筹堂集》十二卷。《吴都文粹续集》卷四三《明礼曹郎杨君自撰生圹碑》："君姓杨氏，名循吉，字君谦，于望弘农郡周宣王子、杨侯之后，汉太尉震之远裔也。……君少习《易》，弱冠登科。又七年，宪祖御天，成化甲辰科，幸叨黄榜，擢拜仪曹，为京官末职，幞简青袍，入参朔望，人生之极荣。"文末注："公生天顺戊寅十一月五日，卒嘉靖丙午七月二日，享年八十有九。"

冬

童轩下狱，旋获释。《青溪漫稿》卷二三《明故资政大夫南京礼部尚书致仕赠太子少保童公墓志铭》："天顺戊寅冬，劾户部张尚书凤下狱，有诏宥之。明年，丁嫡母章夫人忧。辛巳服阕，改户科给事中。"

公元 1459 年（天顺三年　己卯）

三月

叶盛《菉竹堂稿》编成。叶盛《文庄公自序》："《菉竹书房诗文》二册，凡八卷，文若干首四卷，诗若干首四卷，多官岭北时所作。韩文公《五箴》，何如其文也！文哉，文哉！后虽有作，无以加矣。方公之为此文也，年财〔才〕三十有八。而余为此编，盖始于壬申，终于丙子，年亦上下于公，而其于文也，范〔泛〕乎其若槎行海中，莫知所之；幽乎其若雏禽之言，莫能惊人；漠乎其若浮沤、野马，无所于用。何哉？文以道为本，无公之道，斯无公之文。顾余小子，学不加进，德不加修，年愈滋而道愈远，其卒为小人而不为君子，如公之谓乎？呜呼！其不惧而俯为可也。天顺己卯三月廿日仲，盛书于西广之冰玉堂。"〔按，原刻本中"财"、"范"，属通假字〕四库提要卷一七五："《菉竹堂稿》八卷，明叶盛撰。盛有《叶文庄奏议》，已著录。是集乃盛所自订，凡诗词四卷，文四卷。诗、词皆非所长，文有劲直之气，稍胜于诗，然亦无杰构。惟碑志诸篇尚颇整饬有法耳。"

五月

陈敬宗卒，年八十三。《明英宗睿皇帝实录》卷三〇三"天顺三年五月壬午朔庚戌（二十九日）"："南京国子监祭酒陈敬宗卒。……景泰初，致仕还家。至是卒，寿八十三。讣闻，遣官谕祭。敬宗敏学能文，善草书。仪观甚伟，美须髯，见者竦敬。性严重，终日端坐，不妄出一语，动止有常度。饮酒至百杯，亦不乱。其学规肃整，请谒不行，诸生进退步履，无敢违者。每会馔有失仪者，即自请罪。登显要来见者，犹执诸生礼。然性颇残忍，于诸生少恩云。"潘汝桢《重刻澹然文集序》："只字片语，总根理要，关世教，而从实敷华，其华自腴。"陈子龙《澹然先生文集后序》："今公之文具在，其应制诸作，诗则赡藻温厚，颂不忘规，有曲终雅奏之风；文则敦重春容，文质并茂，出言有章，即未知与相如、孟坚何如，而以视沈宋、燕许，斯无愧矣。"《皇明诗选》卷七："陈子龙曰：文定诗典质和平，盛世之风。"《静志居诗话》卷六《陈敬宗》："祭酒清德，与李忠文并重，号南陈北李。诗特雍容温粹，洵称盛世之音。"《明诗综》卷二〇《陈敬宗》存诗二首：《元夕赐观灯诗》《白莲》。四库提要卷一七五：

"《澹然集》五卷，明陈敬宗撰。……敬宗与李时勉同举进士，同时为南北祭酒。时勉立朝刚劲，而待诸生则平恕；敬宗亦立身端直，而待诸生则甚严。然同以德望为士林师范，世不得而优劣之。惟文章质朴太甚，又逊于时勉耳。所著诗文集，《明史·艺文志》作十八卷。此本乃万历四十四年慈溪知县吴门陈其柱所编，仅诗三卷文二卷，亦非完本也。"《明诗纪事》乙签卷九《陈敬宗》陈田按："光世学行为六馆师表，与李祭酒时勉称南陈北李。中官王振欲纳交光世，求书程子《四箴》，署名而已。官太学二十余年，诸生多位卿贰，独久不调，意翕如也。向推其应制诸作，余谓五字诗尤冲澹，有韦、柳遗意。"

九月

杨廷和（1459—1529）生。字介夫，新都人。成化戊戌进士，官至华盖殿大学士，谥文忠。事迹具《明史》本传。有《杨文忠三录》八卷。《文章辨体汇选》卷六七八《特进光禄大夫左柱国少师兼太子太师吏部尚书华盖殿大学士赠太保杨文忠公神道碑》："母叶氏，以天顺己卯九月十九日生公。幼以奇颖举于乡，少年读中秘书，才器恢廓。乡先达司马余肃敏凤重之，归老之日，独持《大明律》与别，曰：'介夫当相天下，为我熟此，以助他日谋断。'盖居馆三十年，修文讲读，声誉茂籍，时辈视之，已若麟角凤毛然。"

柯暹《东冈集》刊刻。吴节《东冈文集序》："在昔太宗文皇帝时，茂选天下英儒聚于馆阁，纂修《永乐大典》，以备一代之制。亲承车驾临幸，诲以'文必韩欧，字必钟王'，盖取古人以期待之也。是以当时簪笔纪述之臣，咸争相淬砺，精修职业，衣冠文物，彬彬洋洋，可谓盛矣。若宪使柯公其一也。……晚而致政家居，汇其先后所著之文，并为一帙，目曰《东冈集》。一日，巡按绣衣刘公泰、太平太守俞公端，得其本读而悦之，将刻梓以传，走书征为序。予忝交于公，知公之抱负有素。盖公之为学有源，故其文思深沉而幽永；为政有纪，故其文理微密而优长；为人好持论古今事变、人品高下、得失优劣，故其文气俊伟光华，如星纬杂陈，光芒而不可掩，真学海之蜚英而藩臬之豪杰也。……天顺三年岁在己卯秋七月中吉，赐进士、朝议大夫、南京国子祭酒、前翰林侍讲、同修国史兼经筵官安成吴节与俭序。"俞端《书东冈文集卷后》："右《东冈集》一帙，乃池阳柯廉宪先生所著也。……暨谢事归老林下，裒平昔著述为斯集。间承侍御嘉禾刘公按临姑孰，公退，出示先生之文，称道甚至。端获遂遍阅，诚惬于中，谓宜刻板以传，无致湮灭焉。谨捐俸资，命工刊成。未有序，窃思旧宦寓京口时，国子祭酒安成吴公偶顾盼，聆教益，意必得其序，斯足以彰先生之美也。于是致书请言，果副所愿，弁诸首简。……时天顺三年龙集己卯菊月初吉，中顺大夫、南直隶太平府、括苍俞端□表谨识。"

秋

韩雍救倪谦。《殿阁词林记》卷五《学士拜礼部侍郎倪谦》："己卯主考顺天乡试，以举子奏发阴事，下诏狱，谪戍开平。"《国朝献征录》卷五八《都察院右都御史韩公雍墓志铭》：“翰林院学士倪谦主考乡试，得罪于当路，缉事校尉发其结交辽府仪宾事，下狱坐重典。公复力诤，得戍宣府。”

本年

陆容始作词。《菽园杂记》卷十：“予未第时，未尝作诗余。天顺己卯，赴会试，梦至一寺，老僧出卷求题。予为一阕与之。既觉，犹记其半，云：‘一片白云，人留不住，一坐湖山，人移不去。翠竹吟风，苍松积雨，此是怡情处。’及下第归，读书海宁寺，僧文公出《白云窝》卷求题，宛如梦中。”

李昌祺《运甓漫稿》编成。四库提要卷一七〇：“《运甓漫稿》七卷，明李昌祺撰。……是编皆古近体诗并诗余，乃天顺三年吉安教授郑纲所编。”

都穆（1459—1525）生。字玄敬，吴县人。弘治己未进士，授工部主事，历礼部郎中。乞休，加太仆少卿致仕。有《南濠诗话》。《吴都文粹续集》卷四三《明中宪大夫太仆寺少卿致仕都公墓志铭》：“公七岁能诗，及长，不习章句，泛滥群籍，杜门笃学者几二十年。屡空晏如，绝意进取，名声大噪。吴下巡抚都御史何公某、提学御史林公某重其名，强之应举，公乃出。以是秋乙卯领应天乡荐，己未第进士。”

公元 1460 年（天顺四年　庚辰）

正月

顾清（1460—1528）生。字士廉，松江华亭人。弘治癸丑进士，改庶吉士，授编修，进侍读。忤刘瑾，调南京车驾员外郎。瑾诛，还侍读，进少詹事。引归为南礼部侍郎，进本部尚书，致仕。谥文僖。有《东江集》。《文简集》卷五四《故南京礼部尚书顾文僖公墓志铭》：“公生而颖异，九岁从友兰张先生受《小学》，过目成诵。继受《诗》于泾府长史。怡庵任先生一见即奇之，字以甥女。怡庵即薇庵孙也。年十五，谒张庄简公，公以元老负重望，即衣冠出见，退语人曰：‘大器也！’弱冠，游县庠，与钱太史鹤滩先生福、沈惟忻先生悦交最厚。奋志于学，钻研讨论，广阅群籍，而业日进。三人者艺皆颉颃，而公独以沉实，识者占其远到。尤为督学司马公垔所器重，每期以公辅。家本儒，素值岁侵，有常情所不堪者，而公安贫固守。有富家欲结纳公，公书座右曰：‘毋徇物而为所溺，毋狎物而为所乘。’自少立志已如此。……公生于天顺庚辰正月二十三日。”

二月

张宁使朝鲜。《明史》张宁传：“朝鲜与邻部摩琳卫仇杀，诏宁同都指挥武忠往解。宁辞义慷慨，而忠骁健，张两弓拓之射雁，一发坠，朝鲜人大惊服。两人竟解其仇而还。”《方洲集》卷一二《辽东复奏题本》：“钦差正副使礼科等衙门给事中等官臣张宁等，谨题为公务事。臣等先奉敕旨往朝鲜国公干，天顺四年二月十一日行至辽东都司。”《方洲集》卷一二《朝鲜国回还复命题本》：“钦差礼科等衙门给事中等官臣张宁等。臣等先蒙差往朝鲜国，敕谕国王李琛，责问诱杀毛怜卫都督金事郎卜儿哈等十六人缘由。李琛迎接礼仪，一尽藩国之体，开读之际，跪伏战兢。……臣等诚恐带去通事序班语言讹舛，当取纸笔与李琛，作字问答，先后相同，的是实情，无所矫饰。臣等毕事回还，李琛已差陪臣户曹参判金淳、庆昌府尹梁诚之，于三月初十日赴京谢恩。"

梁本之《坦庵先生文集》刊刻。梁栗《跋先公坦庵文集后》："先公坦庵自筮仕瑞学，迄考终鲁藩，历任甫四十年。著述亦颇繁夥。在瑞与溧，文稿间存一二；惟蜀鲁所作，赖弟枢随录，亦不能无遗。先公弃背之五年，栗学录北监，遂以暇日编集成卷。既十年，乃求国子祭酒萧君孟勤选择其精粹者，分为八卷，又为序以弁之。欲锓梓以传，而力有弗逮。又十年，子宪分教镇江满考，懋丞建阳之三载，始克市板刊行。……天顺庚辰春二月朔旦，不肖男栗百拜谨识。"陈德鸣《跋坦庵先生梁公文集后》："皇明肇兴，文运益隆。而泊庵、坦庵二先生，伯仲齐名，烨然为西昌首称。……坦庵公之文，子国录简讷尝编集欲梓行，未果。比二孙接武仕途，乃克成先志，而文益盛行于世。迨今百余年，板刻字迹或有蠹蚀湮讹，几不可辨，观者病焉。玄孙谱等深为此惧，佥谋补刻，计若干叶，文字凡若干篇，遂为全书。……嘉靖辛丑岁夏五月吉旦，奉政大夫、山东提刑按察司金事、前巡按浙江监察御史内姻晚生陈德鸣拜手谨述。"

三月

初三，赐王一夔等进士及第、出身有差。

春

郑纪以乞养归。《东园文集》卷二《致仕疏》："臣年三十二岁，系福建兴化府仙游县人，由天顺四年进士改翰林院庶吉士。天顺六年九月十六日，授本院检讨，中秘读书，史馆共职，两年于兹矣。今年正月以来，染患风湿证候，腰腿疼痛，步履拘挛，朝参不便，侍从维艰。兹奉《册封慈懿皇太后诏书》内一款：'两京文职官员，年未及七十，有愿自陈致仕者，听。钦此钦遵。'臣窃惟人材国家之元气也，元气衰，则四肢百骸莫能运动；人材衰，则万几庶政孰与弥缝？国朝自景泰以来，市童有'两京三祭酒，一部两尚书。侍郎、都御史，贱似景山猪'之谣，人材之衰极矣。陛下登极之初，不遑他图，首惟是念。此诏之颁，乃涵养人材、保全元气之良策。其为国家长远虑，渊乎微乎？臣年虽才三十有奇，亦是未及七十之数，禀赋衰薄，疾病缠绵。且父母俱已逾六望七之年，近得家书，衰老尤甚。臣因思慕成疾，旬月不能侍朝。今进无以尽忠，退无以尽孝，尸居职守，心切忧惶。伏望圣恩俯念诚悃，特许致仕，俾臣父母得仰余生之赐，而国家元气实荷无穷之休，士风幸甚，天下幸甚！"《东园文集》卷二《养病疏》："臣年三十二岁，由天顺四年进士授翰林院检讨，历俸将及二年。不意自本年三月内，因本身患病，父母年老，自陈致仕，不蒙俞允。原病转加，莫能共职。近得家书，父母卧病在床，昼夜忧念，病势愈增。窃惟人生天地间，惟忠与孝二者而已。是虽难以两全，然亦不可偏废。臣若父母未老，本身无恙，而托病偷闲，固不可谓之忠；若父母已老，身且多病，而恋禄贪位，岂得谓之孝乎？况亲无百岁期，国有万年计，臣当此时，甘旨久违，养亲之日甚促。倘继此后，疾病稍痊，报国之日尚长。伏望陛下容情，恳切俯赐哀怜，乞敕吏部许臣暂归原籍调病养亲，病愈亲终，回任共职，则忠孝之道得以两全，臣子之职不至偏废。感戴天恩，宁有极耶？"《东园文集》附录《名公叙述》，引周瑛《行状》："公年三十二，即引疾归养，侍松庵翁林下，甘旨必亲。翁乐善好施，尝因公贵，焚券数千两，公先意承之。泉南豪家杀人，以千金属翁，翁曰：'尔知吾儿不可，乃欲吾以是语儿！'麾使亟去。公闻之益自砥砺，尝偕刘孝子闵学道云峒。公归，孝子数以手札问难，公甫陈先生取而跋之，今在《白沙集》。"〔按，此《行状》，今不存《翠渠摘稿》。又《东园文集》卷一二《文林郎监察御史井庵林公墓志铭》有"予与公乡荐同年，养疾同归，疾痊同起，以兄弟相视者三十有五年矣"，林井庵"壬辰复疏养疾，遂奉母以归"，则郑纪亦当于1460年以养疾归，后起复〕

六月

童轩守制中逢苦雨。《清风亭稿》卷五《久雨一百韵》序："庚辰六月，淫雨四十余日。大水弥望，坏人屋壁。轩忧病中值此，困惫可知。因成五言排律一百韵，以写予怀。"

十二月

祝允明（1461—1527）**生。**字希哲，号枝山，又号枝指生，长洲人。弘治壬子举人，除兴宁知县，迁应天府通判。有《怀星堂集》《野记》。陆粲《祝先生墓志铭》："母徐氏大学士武功公女。先生少颖敏，五岁作径尺字，读书一目数行下。九岁能诗，有奇语。既天赋殊特，加内外二祖咸当代魁儒，耳濡目染，不离典训。稍长，遂贯综群籍，稗官、杂家、幽遐鬼琐之言，皆入记览，发为文章，崇深巨丽，横纵开阖，茹涵古今，无所不有。或当广坐，谈笑杂沓，援毫疾书，思若泉涌。一时名声大噪。"《艺苑卮言》卷七："祝希哲生而右手指枝，因自号枝指生。为人好酒色六博，不修行检。尝傅粉黛，从优伶酒间度新声。侠少年好慕之，多赍金游，允明甚洽。"据《怀星堂集》卷二一《丁未年生日序》，祝允明生日在本年十二月初六。

徐有贞获释为民。李贤《天顺日录》："四年十二月六日，上于奉天门朝罢，召贤曰：'吏部右侍郎不可久缺，况尚书王翱年老，早得一人习练其事。'命与翱访其人。得巡抚南直隶副都御史崔恭，明日早于文华殿具奏。上喜，以为得人。以山东布政刘孜代巡抚。因论人才高下，上曰：'若徐有贞，才学亦难得，当时有何大罪？只是石亨、张轨辈害之，宁免后世议论？可令原籍为民。'贤与翱曰：'圣恩所施最当。'即传旨下之户部。"沈周《喜徐武功伯召归》："万里南出远，三年归路通。江山无逐迹，天地有春风。往事金滕里，伤心玉璞中。九重他夕梦，难忘渭川翁。"

本年

杨一清来巴陵。《国朝献征录》卷一五《特进光禄大夫左柱国少师兼太子太师吏部尚书华盖殿大学士赠太保谥文襄杨公一清行状》："天顺庚辰，父致仕，携公便道访前母刘氏家于巴陵。"

谢迁从父受《礼经》。倪宗正《文正谢公年谱》："四年庚辰，时年十二。父简庵公以《礼经》授之，初作经义即成章，不烦改削。直庵公见之甚喜，自是学日益进。"

邵宝（1460—1527）生。字国贤，号二泉，无锡人。成化甲辰进士，知许州，入官户部，历郎中，出为副使，以副都御史总漕江北，再起巡抚贵州，升户部侍郎，终南礼部尚书。卒谥文庄。有《容春堂集》。《东林列传》卷二《邵宝传》："年十九，学于江浦庄昶，昶深器之。……宝三岁而孤，事母过氏至孝。母疾，为奏告天，愿减己算延母年，时甫十岁。终养归，尝得疾，左手不仁，犹朝夕侍亲侧不懈。生平潜心理学，躬行实践，而不肯居道学名，尝曰：'愿为真士夫，不为假道学。'"

公元 1461 年（天顺五年　辛巳）

四月

《明一统志》成。《明英宗睿皇帝实录》卷三二七"天顺五年夏四月乙酉（十五日）"："《大明一统志》成。御制序。"明英宗《天下一统志序》："虽历代地志具存可考，然其间简或脱略，详或冗复，甚至得此失彼，舛讹殽杂，往往不能无遗憾也。肆我太宗文皇帝慨然有志于是，遂遣使遍采天下郡邑图籍，特命儒臣大加修纂，必欲成书，贻谋子孙，以嘉惠天下后世。惜乎书未就绪而龙驭上宾。朕念祖宗之志有未成者，谨当继述，乃命文学之臣重加编辑，俾繁简适宜，去取惟当。务臻精要，用底全书，庶可继成文祖之志，用昭我朝一统之盛。而泛求约取，参极群书，三阅寒暑，乃克成编。名曰《天下一统志》，著其实也。"

钱习礼卒，年八十九。《明英宗睿皇帝实录》卷三二七"天顺五年夏四月壬辰（二十二日）"："致仕礼部右侍郎钱习礼卒。习礼名干，以字行，江西吉人。才敏思深，文多腹稿，以江西解魁，登永乐辛卯进士第，选为庶吉士。……卒年八十九。敕有司营葬祭，谥曰文肃。习礼恬静少欲，笃于伦谊，处己待人，恭而有礼。在翰林三十余年，以文章议论为士类所推重。引年退休，不废文墨。"《抑庵文后集》卷二四《礼部右侍郎谥文肃钱公神道碑》："凡所著述论思，联为大卷，有《应制集》《词垣稿》《词垣续稿》《归田稿》藏于家，后世传焉。"《静志居诗话》卷六《钱习礼》："王元美以钱文肃六典文衡为明盛事。考文肃永乐甲辰业为会试同考官，宣德丁未再入会场分考，而正统丙辰、己未两次殿试，皆充读卷官，辛酉复为顺天主考，是主文衡者十次矣。其诗虽非作家，然亦无尘坌气。"《明诗综》卷二一《钱习礼》存诗一首：《新桥和余简讨韵》。康熙《御定渊鉴类函》卷一九六《文章二》："《吾学编》曰：钱习礼，字习礼，吉水人。为文如源泉浑浑，沛然千里，又如园林得春，群芳烂然。状写之工，极其天趣。他人不足，己乃有余。"

九月

方良永（1461—1527）生。字寿卿，莆田人。弘治庚戌进士，官至右副都御史。抚治郧阳告归，再起巡抚应天，于途疾作，乞致仕。旋除南京刑部尚书，而良永已先卒，谥简肃。《国朝献征录》卷四八《南京刑部尚书谥简肃方公良永墓志铭》："天顺辛巳九月十五日生公于莆。幼有异禀，能言即异常儿，质庵公奇而爱之。有《方简肃文集》。"

十二月

陈循获释为民。《明史》陈循传："英宗复位，于谦、王文死，杖循百，戍铁岭卫。"《明英宗睿皇帝实录》卷三三五"天顺五年十二月庚寅（二十四日）"："释辽东铁岭卫军陈循为民。循自军中遣人上疏自陈：'臣恭事列圣历三十五年，官至户部侍郎兼翰林院学士。正统十四年八月，因赞立东宫，升臣尚书，仍兼学士。老年遭逢郕王，因臣原在内阁办事，能晓制书体式，仍旧任用。其实可否事情，自有亲信后进之人，臣论事不能迎合，每见疏外。天顺元年正月十四日，因郕王不出临朝，即与高穀等议请复立东宫，令礼部集百官具题本以进，内批不允。臣言必须连进数本，至允乃已。十七日，本已具，未及进，而各官已奉迎圣驾登宝位矣。臣等当时虽知郕王有疾，然实不知其不可起。惟石亨一人，于十二日夜宣至斋宫榻前，受命代祀，亲见病势难起。是以十四日会议时，亨佯言上有病，休去烦渎，阴与所亲厚者密议迎复，可得大功赏。臣今思亨等，但欲济一己私情，不顾全国家大体。况神器大位，皆皇上亲受，固有之业，谁得干预？六军万众，皆皇上素所抚养之人，谁不归戴？当天与人归之时，使亨果肯以郕王病重言之，群臣各具朝服进表备法，驾大乐恭诣南宫，迎请皇上，下副群情，临朝以安万姓，非但使宫禁内外不至惊骇，且有以显天与人归之盛美，为天下万世之伟观。而亨等阴谋诡计不及乎此，卒之自取祸败，宜矣。臣服事累朝，曾效微劳，实为亨等所挤排。今幸亨等结为表里者相继灭亡，朝廷清肃，可伸冤枉，伏乞皇上矜悯，放回原籍为民，使得老死乡邑。'疏入，上曰：'循历事朝廷年久，曾效勤劳，而为石亨等挟私诬害。今览其所奏，是非明白，情实可矜，其放回原籍为民。'"

本年

宋濂《宋学士文集》刊刻。魏骥《宋学士文集序》："今浙藩左参政黄公以圣朝翰林学士宋公平生所著述，有曰《潜溪前集》《潜溪后集》《潜溪续集》《潜溪文粹》等集，皆一时门人故旧各出己见集者，其间若朝廷大论撰与应酬公卿大夫士庶之碑铭序记之类，公病其不能各以其类而会萃之，乃于政事之暇，于各集之所载者抉择之，俾各类从，以归于一。既成，易其各集之名，而题之曰《宋学士文集》。将锓梓以广其传，征予序其由。……由是而观，则公之文可不谓之一代之文雄也耶？宜参政公获公之集，不啻犹拱璧，且必抉择其著述，各以类从，不惟免学者东搜西索之劳，殆欲其集与韩、柳、欧、苏之集并传于世，抑又岂不欲天下之人知圣朝文运之兴而有公之文如是，足以追配乎古人？盖甚盛举也。参政公名誉，字廷永，莆田人，由闽藩解元登进士第，拜监察御史，累官至今职云。天顺五年二月初吉。"

王直自撰墓志。《抑庵文后集》卷三三《自撰墓志》："王直，字行俭，其先琅琊人，晋太傅导之后。……直早丧母，而父以事去。家贫力薄，独赖继祖母李夫人抚育

教训，以底成立。永乐初，试于有司，取进士。时太宗皇帝笃意古学，诏选与进士曾
棨等二十八人为翰林庶吉士，俾读中秘书，师古为文辞。未几选入内阁，凡政务之密，
亦使执笔其间。升翰林修撰。……直今亦八十三，身老而气益衰，思敛手足以归于考
妣，而效结草之报于朝廷。平生事为可见者，当世君子自有公论。其芜词蔓说，不足
以示人者，则藏于家。惟我子孙，宜勤学问，以忠孝友悌、诚敬宽厚为本，庶几德立
名扬，无愧先哲。予不足法也。予生既无益于世，死亦无可称道。朝廷谥法，事出至
公，不可妄求以干宪典。因仿白乐天自述圹志，俾置之墓中，录之家乘，后世子孙由
是而知有我，足矣！"

公元 1462 年（天顺六年　壬午）

八月

李东阳十六岁中举。《怀麓堂集》卷二六《京闱同年会诗序》："天顺壬午，予同
举顺天乡试者百三十有五人。"

曹安江西为乡试官。《谰言长语》："天顺六年，予校文江西。新建县乏举，予以落
卷中取一可者。其卷不批，倒随取之，乃李士实也。李登进士，筮仕刑部主事，升郎
中，今为提学副宪，有文名。"

屠勋名闻两浙。《东江家藏集》卷二八《故刑部尚书致仕东湖屠公行状》："公少
而颖异，该览群籍，为文辞典赡闳肆。天顺壬午，试乡闱，时年十五。提学副使筱庵
张公奇之，谓可魁一省。既而下第，筱庵搜落卷得公文，称叹久之，曰：'考官主偏见
而不识义理，兹士之不遇。命也！'由是两浙皆知公名。"

九月

柯暹《东冈集》重刊。刘定之《东冈集序》："太学生池阳柯薰以《东冈集》谒
余，盖其父宪使公诗文也。公名暹，字启晖。少师杨文贞公士奇尝更字以'用晦'。
……平生诗文甚多，其尤在人耳目者，言阙政章也，今不在集中。岂公自削其稿，不
欲卖直取名乎？其来永新时，出所作巨编与予先君相讲评，予犹未冠，得从旁观听，
有《文房楮笔砚墨四友记》，辞义宏美，若将攀昌黎《毛颖》而相与应和。予时方习虞
字，以公此文书诸乌丝素笺，公取以去。其后再见公于京邸，语及之，公慨然曰：'子
曩所书者，吾官满吉水归，过彭蠡，童子失手坠波间。惟吾手稿在。然此外他作或出
少壮时，不甚满吾意，亦不欲多存之。'公之言若此，故今薰所示予，特其千百之一二
也。有予先君像赞，与予家藏者微有同异，而予家藏者公墨迹也，词翰兼妙，信可宝
焉。……东冈，公所隐居，有龙池、芝亭之胜，与九华山屏峙画列，迢递映属。自大
江秋浦之滨，舍舟而入。其文与诗，奇崛出人意表，漱涤万类，清莹无滓，观于山川，
知其毓秀所从，而宜其流出笔端之相仿佛也矣。公为人鹤臞松古，饮酒濡唇辄止，食
啖不过圭撮。今年七十有四，犹能读书云。天顺六年壬午重九，前赐进士及第、翰林
院学士、奉政大夫、国志副总裁永新刘定之序。"柯株林《跋东冈文集》："原集浩瀚，
难于尽刻。故太平守俞公稍梓之。未几，持版以去。兹先生孙思，南经府株林一奎岳

翁也，与其兄耆民樟林、上舍棚林，谋复梓行，而其弟檴林辈克任其劳，始终乃事。诸曾玄若炜、辉以下，赞襄惟勤。太学生熇、乡进士焘、庠生燨、炉、炁、圭，编次惟谨。一奎则滥校正之委。斯集也，视俞版颇增，然全美尚俟后续。闻昔南坡君大渐时，遗言曰：'《东冈集》未刻，吾目且不瞑。'今日之举，不惟彰东冈之文于百世，兼以慰南坡之心于九原云。"四库提要卷一七五："《东冈集》十卷，明柯暹撰。……是集乃暹晚年所手订。刘定之序称其诗文奇崛，出人意表。今观所作文，豪迈有余，而落笔太快，少渟潆洄蓄之致。诗亦矢口即成，不耐咀咏。是亦登科太早，才高学浅之效欤。"

王直卒，年八十四。《明英宗睿皇帝实录》卷三四四"天顺六年九月壬甲寅（二十三日）"："致仕吏部尚书王直卒。……直伟貌修髯，端谨持重，望之如神仙中人。在翰林三十余年，屡为考官，得人为盛。经筵进讲，辞旨明畅。在吏部，廉慎自守。居家俨然，子弟不敢近。为诗文条畅简洁，在二十八宿中登显位成大器者，惟直为取。与学士王英齐名，而行检过之。"萧镃《抑庵文集序》："盖先生资性敏绝过人，而又会上之作养，充之以问学，自六经、子史、百氏之言，横坚钩贯，靡不为己有。故其为文章，浩乎沛然，不必劳心苦思，而千数百言下笔立就。其汗漫演迤，若大河长川沿洄曲折，顷刻之间输写万状，略无凝滞之意。其闳肆高古，如连峰迭嶂，层峦间出，秀气之发，上薄霄汉，不见刻削之态。盖其体之巨，故其声之震也洪；其蓄之深，故其流之及也远。所以成一家言，而为当世所推重，岂偶然哉！"《诗源辨体》后集纂要卷二："王行俭诸体共二千六百三十首，然应酬仓卒者多，故字句时有未妥。五言古汉魏体甚少，然较东里，实能稍变唐体。全集实多肤浅，入录者颇亦称工，然不及东里之大。七言古惜少变化，中数篇才力实胜东里。"又云："行俭五、七言律，全集实多浅近。然五言入录者冠冕典雅，大变国初之习，余亦唐调。七言律凡一千一百二十一首，入录者仅三十之一，可次五言。其他题咏亦颇称工。声响色泽与五言俱胜东里，前人俱不称述，未晓。"《明史》王直传："性严重，不苟言笑。及与人交，恂恂如也。在翰林二十余年，稽古代言、编纂纪注之事，多出其手。与金溪王英齐名，人称'二王'，以居地目直曰'东王'，英曰'西王'。"《明诗综》卷二〇《王直》："李原德云，抑庵诗文清致，追古作者。钱原博云，王公含咀英华，出入经史，文辞典雅，超迈今古。"存诗十六首：《驺虞诗》《艳歌行》《吴城山阻风雨》《发仪真道中登岸延览忆前行曾侍读王修撰》《题山水赠杨熙节》《题夏珪风雪江村图》《题周永新所画山水》《顾进士所藏画虎》《秋江独钓图》《谢庭循自画秋景》《帝京篇赠钟中书子勤》《雪》《月下对酒》《景陵挽歌》《得兄行敏书知在临清将北上》《雨》。《静志居诗话》卷六《王直》："其论诗有云：'诗者，志之所发也。方其动于中而形于言，虽各有自然之机，然非取法于前人，而欲从容中度，不失其正，亦难矣！'览集中诗，未遽出西杨下。顾元美、元瑞诸公，品骘诗家甚广，独不及焉，何与？"《抑庵文集》卷首提要："直器识厚重，有大臣之度。在铨曹十六年，奉职公允，为一时之最。当英宗被留漠北，景帝惮于奉迎，直首请遣使，力持正议，大节尤不可夺。其诗文典雅纯正，有宋元之遗风。自永乐时，即承命入阁，典司制诰。凡朝廷著作，多出其手。当时与王英齐名，有西王、东王之目。而直尤为老寿，岿然负一代重望。萧镃称其文汗漫演迤，若大河长川沿洄曲折，输写万状。盖由蓄之深，故流之也远。其扬诩未免稍过。然明自中叶以后，北地、信阳之说兴，古文日趋于伪。直当宣德、正统之间，去明初不远，淳朴之习未漓，所作貌似平易，而温厚和平，实非后来所及。虽不能追古作者，亦可谓尚有典型者矣。"《明诗纪事》乙签卷八《王直》陈田按："东王诗冲融雅饬，可肩随西杨。"

十一月

陈循卒，年七十八。 王翔《芳洲年谱》："十一月十七日，公以疾终于家，享年七十有八。"柯挺《芳洲文集序》："乃阅公所为文集，若陈说上前，则三代礼乐六经精微之旨；若代天言，则典谟训诰之体；若抒性灵，则风雅之遗；若所酬答、按事属辞、扬微阐幽，则玄酒之味、太音之声。"陈以跃《刻先公遗集小引乞言》："先公平日诗文甚多，今所梓者，收之散逸之后，仅什一耳，大都布帛菽粟，国初浑噩之气自存，摅情止理，不事文彩，以表见于后世。"郭子章《陈芳洲先生文集序》："公生而清惠，称神童。乡试、廷试俱第一人，南宫第二人，文章妙天下，咳唾熙笑，人争传写。官侍从三十年，拜相五年，元相八年，国家大诏令、大典册多出公手。黼黻宪猷，鼓吹休明，具载集中，奚俟予言？"《静志居诗话》卷六《陈循》："裕陵复辟，吴人盛夸徐元玉社稷之功。然'夺门'二字，岂可示天下后世？李文达之言当矣。予尝见少保《讼冤疏》手稿，具陈元玉之逞，斯亦纂国史者所当知也。少保诗绝意规摹，饶越石清刚之气。"《明诗综》卷二一存诗六首：《开平》《客寓怀来有诏自行在达京师候誉黄不至有感》《野望二首》《鸥阁》《东轩》。四库提要卷一七五："《芳洲集》十卷，明陈循撰。……是编其裔孙以跃所辑，附录一卷则谕祭文、志铭、祭文、挽诗、乞恩复官疏及祀乡贤文移。首列奏对而无章疏。其自讼疏，本传尚载其略，乃削而不存，未喻何故？殆久而佚其稿耶？"

徐霖（1462—1538）**生。** 字子仁，号九峰，晚号髯仙，松江华亭人。徙南京，补诸生，坐事削籍。武宗南狩召见，欲官之，固辞。赐飞鱼服，扈从还京。后归里，有《丽藻堂稿》。《国朝献征录》卷一一五《隐君徐子仁霖墓志铭》："先世苏之长洲县人，高祖蔚州守伯时，始迁松之华亭。祖公异以事谪戍南京。考思诚仍居松。君六岁见背，实从兄震而来。前母祭母沈，祷于南禅寺，梦神僧投见，有娠。将诞，复梦登浮屠坠而寤，遂生君，广面长耳，体貌伟异，机神凤解，不同常儿。五岁日记《小学》千余言，七岁能赋诗，九岁大书辄成体，通国呼为奇童。"［按，朱彝尊《明诗综》以霖为吴人，朱谋垔《书史会要》并韩昂《图绘宝鉴续编》以霖为金陵人。今人王永宽、王钢以徐霖为华亭人，盖以其高祖迁居华亭，至霖，已历五世。其言可从］

杭淮（1462—1538）**生。** 字东卿，宜兴人。弘治己未进士，官至南京总督粮储右副都御史。淮与兄济，并负诗名。与李梦阳、徐祯卿、王守仁、陆深诸人相唱和。有《双溪集》八卷。

公元1463年（天顺七年　癸未）

二月

贡院火，死举子多人。《明史·五行志》："二月戊辰（初九），会试天下举人。火作于贡院，御史焦显扃其门，烧杀举子九十余人。"

八月

童轩识倪岳。《青溪漫稿》卷二三《明故资政大夫南京礼部尚书致仕赠太子少保童公墓志铭》："天顺癸未，予忝科第，公实司考校，顾以乡后进在门生之列，其敢以不文辞？"

龚诩《野古集》成。龚诩《野古集序》："世之骂疏俗粗鄙者，类曰野；而目方直廉介者，类曰古。余生草野间，所交与者黄童白叟而已。是故，踪迹罕涉乎势利之途，谈论不越乎耕牧之事，衣冠不随乎时，礼貌不徇乎俗。与夫一言一动举不谐人耳悦人目而适人意也，或者以野骂之，或者以古目之。余闻而窃自揣焉：骂我野者，诚得我实，不足深过；而目我古者，虚誉过情，非余所敢知也。于是，兼取二字以命其斋，庶为晨夕接目警心之助，以求去其野而驯致其古已耳。然余平生好吟，所成就仅百余篇，其鄙俚迂诞直所谓吴歈巴唱也。他日不耻贻骚坛作家之笑，录以成编，因斋名而题之曰《野古集》。区区之心，非敢以自拟也。传有之曰：'诗言志。'余之命意措辞之拙，固悬绝于古人，而野人拳拳之意，或可少见矣。天顺癸未八月中秋日，逸老龚诩大章自序。"

本年

吴宽访沈周于相城。《式古堂书画汇考》卷五五《沈启南有竹居图卷》："'系舟高柳下，又是十年余。遥踏无媒径，重寻有竹居。笔精知宋画，器古鉴商书。前辈诗题在，风流邈不如。'曩余访启南，一宿有竹别业。今复过之，不觉十五年矣。偶见阁老徐先生之作，为次其谓，以写慨叹。是日，启南命其子维时出商乙父尊并李营丘、董北苑画为玩，故及之。岁戊戌二月十八日吴宽书。"《明史》沈周传："所居有水竹，亭馆之胜，园书鼎彝，充牣错列。四方名士过从无虚日，风流文彩，照映一时。"

赵洪刊刻方孝孺诗文集。徐阶《重刊逊志斋集序》："逊志先生集，其初刻于蜀，有临海林公右、金华王公绅所为序，然林序称洪武三十年，而不书辑者之姓名，亦不著卷数，王序则直题为文稿。今以传考之，洪武之末，先生时犹教授蜀藩，则殆先生所自辑且未成之书也。厥后先生树奇节，罹惨祸，集因讳不传。天顺癸未，临海教谕赵君洪始购遗文二百六十首，以属梓人，而集乃行于世。"〔按，孝孺文集，在宣德间始流出。《明史》方孝孺传："孝孺工文章，醇深雄迈。每一篇出，海内争相传诵。永乐中，藏孝孺文者罪至死。门人王稌潜录为《侯城集》，故后得行于世。"《列朝诗集小传》甲集《方正学先生孝孺》："正学殁后，文字之禁甚严，门人王稌叔丰收其遗文藏之。宣德后，稍传于世。"〕

张元祯识陆钺。李东阳《明故通议大夫吏部左侍郎兼翰林院学士掌詹事府事张公墓志铭》："壬午授编修，考校精核，岁贡士鲜入格者。癸未，同考礼部，得太仓陆钺为省元。人始未信，后果有大名。"

周伦（1463—1542）**生。**字伯明，晚号贞翁，昆山人。弘治己未进士，官至南京刑部尚书，谥康僖。有《贞翁净稿》十二卷拾遗一卷。据《甫田集》卷二八《周康僖公传》。

公元 1464 年（天顺八年　甲申）

正月

十七日，英宗朱祁镇卒，年三十八岁。《明史》英宗本纪："英宗承仁、宣之业，海内富庶，朝野清晏。大臣如三杨、胡濙、张辅，皆累朝勋旧，受遗辅政，纲纪未弛。独以王振擅权开衅，遂至乘舆播迁。乃复辟而后，犹追念不已，抑何其感溺之深也。前后在位二十四年，无甚秕政。至于上恭让后谥，释建庶人之系，罢宫妃殉葬，则盛德之事，可法后世者矣。"

二十二日，朱见深即位，诏以明年为成化元年。

郑纪上《太平十策》。《东园文集》卷二《太平十策》条下注："天顺八年正月上。时宪宗皇帝登极，优旨采纳。今无存稿，俟求补入。"

兵部侍郎韩雍谪为浙江参政。《明史》韩雍传："宪宗立，坐学士钱溥累，贬浙江左参政。"《明史》陈文传："侍读学士钱溥与文比舍居，交甚欢。溥尝授内侍书，其徒多贵幸，来谒，必邀文共饮。英宗大渐，东宫内侍王纶私诣溥计事，不召文。文密觇之。纶言：'帝不豫，东宫纳妃，如何？'溥谓：'当奉遗诏行事。'已而英宗崩，（李）贤当草诏。文起夺其笔曰：'无庸，已有草者。'因言纶、溥定计，欲逐贤以溥代之，而以兵部侍郎韩雍代尚书马昂。贤怒，发其事。是时宪宗初立，纶自谓当得司礼，气张甚。英宗大殓，纶衰服袭貂，帝见而恶之。太监牛玉恐其轧己，因数纶罪，逐之去。溥谪知顺德县，雍浙江参政。"

三月

十八日，赐彭教等进士及第、出身有差。

傅瀚赐同进士出身。《震泽集》卷二五《礼部尚书赠太子太保谥文穆傅公行状》："癸未会试，科场灾，寝疾几殆，忽神人见梦曰：'勿忧也。公前程远大，疾今愈矣。'其年八月，中会试。甲申，赐同进士出身，改庶吉士，除翰林院检讨。宪宗一日于内得古帖，断烂不可读，命中使持至内馆，适公在直，次为韵语，须臾授中使以复。上大悦，有珍馔法酝之赐。"

谢铎为庶吉士，初知名。《怀麓堂诗话》："谢方石鸣治出自东南，人始未之知。为翰林庶吉士时，见其送人兄弟诗曰：'坐来风雨不知夜，梦入池塘都是春。'争传赏之。及月课《京都十景》律诗，皆精凿不苟。刘文安公批云：'比见张亨父《十景古诗》甚佳，二友者各相叩其妙可也。'"

柯潜教李东阳等十八人。吴希贤《中顺大夫詹事府少詹事兼翰林院学士竹岩柯公行状》："甲申，今上即位，以侍从恩升翰林院学士。三月，有旨选进士十八人，李东阳等入翰林为庶吉士。命公教以古文词学。希贤不肖，预执业焉。"

四月

解缙《解学士文集》重刊。蔡朔《解学士文集序》"天顺癸未秋，予以南京户部郎中出知湖广宝庆，越明年春，挥使姚侯深得内翰金城黄先生所编先生全集，不自私，捐赀锓梓以广其传，其用心亦仁矣哉！工完，请余序。予惟姚侯武将也，尚能尊信而表章之，顾余自幼而壮、壮而老师慕于先生者，得无一言以成姚侯宗儒之志哉？……天顺八年岁在甲申夏四月望，中顺大夫、湖广宝庆府知府潮郡蔡朔书。"《列朝诗集小传》乙集《解学士缙》："今其集存者，出自后人掇拾，往往潦草牵率，不经意匠，巧迟拙速，遂令学士蒙谤千古，则后死者之过也。"《静志居诗话》卷六《解缙》："明初诗传者多失真。如杨廉夫题《钟山作》，此吾乡朱山人纯诗也。解学士题《虎顾众彪图》，则又廉夫之诗也。"

五月

唐肃《丹崖集》刊刻。沈琮《丹崖集跋》："《丹崖集》八卷，翰林应奉越唐先生处敬所著也。刘师邵箧录本至南京以视余，因录之，余又箧而至广。先生在国初以文章推重江南，有'唐、刘、毛、蔡'之称。曰'唐'者，盖谓先生与先生之子愚士也。先生入翰林时，又游于宋太史公景濂、王忠文公子充诸先生间，而宋、王之文梓行久矣，而使先生一代制作可以无传乎？爰为捐俸，以寿诸梓。若先生之文，则诸先生序之并附录中论之已详，无俟余赘。天顺八年夏五月朔旦，平湖沈琮识。"《四库未收书目提要续编》卷四《丹崖集八卷附录一卷》："明唐肃撰。……案，《明史·艺文志》载是集八卷。此本卷一赋；卷二五、七言古诗；卷三乐府、歌行、五言律诗；卷四七言律诗，五、七言绝句；卷五记；卷六序、赞；卷七箴、铭、杂著；卷八题跋、墓志。卷数与《明志》合。附录则行状、像赞、挽章也。前有洪武四年宋濂、戴良、八年申屠衡序，后有天顺八年沈琮刊版跋。为江南图书馆所藏。肃与上虞谢肃齐名，有'会稽二肃'之目。当其挈家居檇李，徐贲送以诗云'路出三江外，程淹一日间'，高启诗云'舟重全家去，诗多一路题'。肃亦有《留别诗》。今观斯集，其诗文大致淡而弥旨，质而不俚，确守绳墨，无元季纤诡之习。故宋濂诸人推挹甚至。其子之淳，有《愚士诗》，《提要》云'肃之子也'。陆氏《仪顾堂集》有是集跋云：'《提要》全书，凡父之著作收于前，则于子之著述下云"某之子也"，如《清溪漫稿》云"岳，谦之子也"之类。今肃集不收，则"肃之子"一语为无根。窃意唐氏父子皆以文名，《丹崖集》当时必收，想为后来编次所遗，故《提要》云云耳。不然，附《存目》中，何以亦无其名邪'云云。其言良是，特附识之。"

六月

薛瑄卒，年七十六。杨鹤《薛文清公年谱》："八年甲申，先生七十六岁，在里。夏六月十五日，先生卒。先生平日削所奏疏，稿皆不存。是日，忽检旧书及《读书二录》，诗文诸集束置案上。为诗曰：'土炕羊褥纸屏风，睡觉东窗日影红。七十六年无一事，此心惟觉性天通。'写毕，粘壁间，忽遭疾。弥留，衣冠危坐于正寝，精神不乱，悠然而逝。适暴雷震屋，白气上升薄天。"《明宪宗纯皇帝实录》卷十"天顺八年冬十月甲申（初四）"："致仕礼部左侍郎兼翰林院学士薛瑄卒。……家居八年，至是卒，年七十三。讣闻，遣官谕祭，命有司营葬事，赐谥文清。所著有《读书录》《河汾集》行于世。瑄志学甚笃，趋向甚正，践履平实，不为伪言华貌，其事亲孝，其教人词气恳款，终日无惰容。出其门者颇众。其居官持法不挠。事有便于民，不顾利害为之。卒后，往往有建请从祀者，下翰林议。学士刘定之议谓：'瑄直躬慕古，谈道淑徒。进不附丽，退不慕恋，允为一代名臣。然论其于朱熹之道，所得尚未若黄幹、辅广之亲承微言，金履祥、许谦之推衍绪论，而遽言从祀，恐建言者非愚则谀。'一时公论，谓所议允当云。"〔按，瑄致仕时，年已六十九，家居八年卒，当为七十六。卒日当以《年谱》为准〕张鼎《敬轩文集序》："布帛之文，菽粟之味，朱子尝以是而赞程子矣。布帛可以常衣，菽粟可以常食，圣贤著述立言，亦犹是也。舍此则奇怪隐僻，不经于世，若左氏浮夸，庄周荒唐，是已君子所不与焉。先师敬轩薛先生，有见于此，故其著述立言，浅近平易，使人易知，岂奇怪隐僻、不经于世者所可拟哉？……其诗文平易，冲澹浑成，不假雕刻，诚所谓布帛菽粟，切于民生日用而不可缺者也。"《明诗综》卷二一《薛瑄》："蒋仲舒云，文清以理学名，其诗则非宋调。"《静志居诗话》卷六《薛瑄》："文清《读书录》专以宋儒为师，其诗有云：'吾意六籍外，尚多古人书。一朝秦焰烈，焚荡无遗余。掇拾煨烬者，补缀诚区区。讹阙固已多，尽信宁非愚？独有群圣心，昭哉难翳如。多谢宋诸老，万世开迷涂。'宜于诗亦宗《击壤》矣。而集中五言醇雅，有陶、孟、韦、柳之风。予尝谓：宋之晦庵，明之敬轩，其诗皆不堕宋人理趣，未见有碍于讲学，又何苦而必师《击壤》派也。"四库提要卷一七〇："考自北宋以来，儒者率不留意于文章。如邵子《击壤集》之类，道学家谓之正宗，诗家究谓之别派。相沿至庄昶之流，遂以'太极圈儿大，先生帽子高'、'送我两包陈福建，还他一匹好南京'等句，命为风雅嫡脉，虽高自位置，递相提唱，究不足以厌服人心。刘克庄集有《吴恕斋文集序》，曰：'近世贵理学而贱诗赋，间有篇咏率是语录讲义之押韵者耳。'则宋人已自厌之矣。明代醇儒，瑄为第一，而其文章雅正，具有典型，绝不以俚词破格。其诗如《玩一斋》之类，亦间涉理路，而大致冲澹高秀，吐言天拔，往往有陶、韦之风。盖有德有言，瑄足当之。然后知徒以明理载道为词，常谈鄙语无不可以入文者，究为以大言文固陋，非笃论也。"《明诗纪事》乙签卷一二《薛瑄》陈田按："文清古体淡远，律体雄阔，绝句极有风韵，非一时讲声律者所能及。"

八月

明宪宗首开经筵，丘浚与焉。《重编琼台稿》卷五《经筵进讲》："经筵之设，其讲官以翰林院官充，每月旬遇二日。上朝退，御文华殿；知经筵官及同知经筵官、六部尚书、左右都御史、通政使、大理卿、国子祭酒、翰林学士，皆服绯袍，分左右班侍。其展书官及执事官，立其后。给事中、御史各二员，北面立。讲官每日轮二员。先日，具讲章二，前署直讲官职名，进入内臣。以一置御案，一置讲案。至日，各官行叩头礼毕，鸿胪寺官二人捧案至，御前二人捧讲案置殿正中。鸿胪寺官唱'进讲'，翰林院展书官二员对立御案前稍南以进，跪案前，展所讲书，铺章其上，用金界尺镇之。二讲官诣讲案前，并叩头，起立，展书，讲。讲毕，合书，复同叩头，退，就班。上命赐酒饭，众官齐声承旨，出就殿外，叩头退。飨于左顺门毕，北望叩头谢恩而退。天顺甲申八月二日，今上首开经筵。时知经筵官太保、会昌侯孙继宗，少保、吏部尚书兼华盖殿大学士李贤，浚于是时叨充讲官。"

诏修《英宗实录》。《明宪宗纯皇帝实录》卷八"天顺八年八月戊戌（十七日）"："上敕谕礼部曰：朕惟古昔帝王功德之实，莫不载诸简册，以昭于后世。我皇考英宗睿皇帝，以圣哲之资、文武之德，继承祖宗大业，先后二十余年，仁泽被于四海，功业昭于两间，宜有纪述，垂示无穷。尔礼部宜遵祖宗故事，通行中外，采辑事实，送翰林院修纂实录。其以太保、会昌侯孙继宗为监修，少保吏部尚书兼华盖殿大学士李贤、吏部左侍郎兼翰林院学士陈文、吏部右侍郎兼翰林院学士彭时为总裁官，礼部右侍郎李绍、太常寺少卿兼翰林院侍讲学士刘定之，南京国子监祭酒吴节为副总裁，学士等官柯潜等为纂修等官。"

九月

复岳正官。《明史》岳正传："宪宗立，御史吕洪等请复正与杨瑄官，诏正以原官直经筵，纂修《英宗实录》。初，正得罪，都督金事季铎乞得其宅，至是敕还正。"《明宪宗纯皇帝实录》卷九"天顺八年九月甲子（十四日）"："复翰林院修撰岳正官，预纂修实录。"

吴讷《文章辨体》刊成。彭时《文章辨体序》："三代以下名能文章者众矣，其有补于世教，可与天地同悠久者，代不数人，人不数篇，可不精择而慎传之欤！今传于世，若《梁昭明文选》《唐文粹》《宋文鉴》，固已号为掇其英、拔其粹矣，然《文粹》《文鉴》止录一代之作，《文选》虽兼备历代，而去取欠精，识者犹有憾焉。至宋西山真先生集为《文章正宗》，其目凡四，曰辞命，曰议论，曰叙事，曰诗赋，天下之文诚无出此四者，可谓备且精矣。然众体互出，学者卒难考见，岂非精之中犹有未精者邪？海虞吴先生有见于此，谓文辞宜以体制为先，因录古今之文入正体者，始于古歌谣辞，终于祭文，厘为五十卷；其有变体，若四六律、诗词曲者，别为《外集》五卷，附其后。名曰《文章辨体》。辨体云者，每体自为一类，每类各著序题，原制作之意而辨析精确，一本于先儒成说，使数千载文体之正变高下，一览可以具见，是盖有以备《正宗》之所未备，而益加精焉者也。非先生学之博、识之正、用心之勤且密，宁有是哉！先生之孙淳为监察御史，尝携是编至京。今都宪万安刘公显孜，昔与淳同官，获一见焉，而爱好之不忘。至是奉命巡抚南畿，访求于先生仲子铨、曾孙木，得之，亲为校正讹谬，将刻诸梓以广其传。于是邑人之尚义者争捐赀为助，而板刻遂成。……天顺八年秋九月既望，赐进士及第、嘉议大夫、吏部右侍郎兼翰林院学士、知制诰、同知经筵事、国史总裁安成彭时序。"四库提要卷一九一："《文章辨体》五十卷，《外集》五卷，明吴讷编。讷有《祥刑要览》，已著录。是编采辑前代至明初诗文，分体编录，各为之说。《内集》凡四十九体，大旨以真德秀《文章正宗》为蓝本。《外集》凡五体，则皆骈偶之词也。程敏政作《明文衡》，特录其叙录诸体，盖意颇重之。陆深《溪山余话》亦称，《文章辨体》一书号为精博，自真文忠《文章正宗》以后，未有能过之者。今观所论，大抵剽掇旧文，罕能考核源委，即文体亦未能甚辨，如《内集》纯为古体矣。然如陆机《文赋》、谢惠连《雪赋》、谢庄《月赋》，已纯为骈体，但不隔句对耳；至骆宾王《讨武曌檄》纯为四六，而列之《内集》；又孔稚圭《北山移文》亦附之古赋，是皆何说也？古乐府备列吴声歌曲、西曲歌、江南曲诸体，淫词艳语并登简牍，而独斥律诗为变体，非耳食欤？《外集》收及词曲已为泛滥，而以王维《渭城曲》、刘禹锡《竹枝词》、白居易《杨柳枝词》缀于简末，谓之附录。夫《渭城曲》本题为《送元二使安西》，当时伶人采以入乐耳，遽别之于绝句之外，已为愦愦。且唐歌曲乃宋元词曲之先声，反附录于宋元人后，真本末倒置矣。其余去取，亦漫无别裁，不过取盈卷帙耳。不足尚也！"

沈周作画赠周庚。《珊瑚网》卷三七《山居图》："甲申菊月，仿黄鹤山樵《山居图》，余诗以赠原己先生。'秋山骨棱层，秋树枝槎牙。尚有余霜叶，点缀如春花。缓步亦足赏，何须坐亭车？行行日将夕，微吟酬物华。'"正德《姑苏志》卷五四："周庚，字原己，初名京，吴县人。家世业医，而庚喜读书，工古文词，隐居养亲。初无仕意，成化中以名医征，辞不获，勉强赴京，简入御药房，寻授太医院御医，迁南京太医院判卒。庚为人清慎文雅，状貌瞿然。虽官为医，而业文不废。其诗沉郁腴丰，有奇气，尤善行楷。然皆不苟作。"〔陈正宏《沈周年谱》，据《怀麓堂集》卷一三《贺周原己得男再用瓜祝韵》题下注："原己，匏庵外甥。"知周庚为吴宽外甥，盖吴宽号匏庵〕

十月

二十四日，立武举法。

本年

马中锡始为诸生。《沙溪集》卷六《资善大夫都察院左都御史东田先生马公行状》："年十六，丁内艰。服阕，入邑庠为诸生，……酷嗜读书。始为诸生，厌弃俗学，日取六经百氏骚人才士之作及史牒治乱得失之迹，讽咏而玩索之，以求驰骋贯穿于古作者之域。事或毛密，随机应酬，手抄口诵不辍。同舍生颇讶其迂，亦有窃笑之。公不顾。提学阁御史禹锡见其文，极口称叹，公益自信。"

龚诩题己居为"逸老庵"，沈鲁为作记。龚绂《野古集年谱》："先生时年八十三岁。自题其居为'逸老庵'。沈鲁记曰：'钝庵先生早罹世故，遁迹于穷途涸辙者五十余年，而后归老桑梓，筑室虞浦之湄，题曰"逸老"，俾余记之。余以先生年逾八秩，身历多艰，始忧己之不能一朝居其室，终忧民之不能一日遂其生，仅留余息于圹之未属，而犹汲汲皇皇日不暇给，奚其老之能逸乎？先生怃然叹曰："子未知余哉！昔余先人以直道不谄，沦没羁旅，吾欲执鞭从之而不可得。垂髫隶戎伍，补黑衣之缺，以卫王宫。方事之殷而遽焉倒戈束手，徒涕泣而不能为之致命。犬马识其故主，念之悲不能已如昨日。呜呼！伤哉！痛也其如吾情何！……昔者蔡中郎之留心汉典，赵太仆之温故轲书，二子卒老于行，犹不免于当世。吾则声利不入于耳，荣辱不惊于心，以终吾余日，其为逸又何如耶？"……末予小子稔闻先生之言，而得其志之所在，遂述其概，记诸"逸老庵"之壁。'"

萧镃卒。《重编琼台稿》卷九《尚约先生集序》："先生之诗文，皆有为而作，达意而止，质实之中而有自然文彩，醇然其无滓，绎如其无颣，淡乎其有余味，得孔子从先进之意。噫！世无复斯人，亦无复斯文矣！"《明史》萧镃传："镃学问该博，文章尔雅。然性猜忌，遇事多退避云。"《静志居诗话》卷七《萧镃》："萧鹏举学诗于刘槎翁，当日宋景濂、乌继善、刘仲修交称之。宫师，鹏举之子，家法不坠。"《明诗综》卷二四《萧镃》存诗二首：《乐隐为尹克俊赋》《题九鹭图》。

第三章

成化元年乙酉至正德十五年庚辰（1465—1520）共 56 年

·引　言·

邓原岳《郑继之先生传》：明文章至弘治而一变，于是作者百数十家，而北地李梦阳、信阳何景明、吴徐祯卿及吾闽郑善夫先生最著。

章纶《畏庵周先生集序》：於乎！文岂易言哉！文，言之精者，所以足言。诗，又文之精者，所以言志。皆所谓载道之器，出乎心而本乎道，足以关世教之劝惩，系风俗之美刺，斯为知道之言，而垂法于天下后世者也。《易》《书》《春秋》《礼》《乐》之文，《国风》《雅》《颂》之诗，《论》《孟》《庸》《学》之书，莫非圣贤心智神明妙契斯道，故发而为言，皆天经地义、经天纬地之文，亘万古而不磨，与天地四时日月相为悠久，以道鸣者也。

顾璘《谢文肃公文集序》：夫文章盛衰，关诸气运而发乎其人，非运弗聚，非人弗行，岂小物也哉！昔周之盛也，文、武、成、康迭兴，谟、训、雅、颂之辞，尔雅深厚，意若有圣人之徒操觚其间，何其若是善也！幽、厉以降，辞命寝繁，《黍离》《板》《荡》之篇，气索然矣，非行人史官矫诬眩众，则羁臣弃士哀思悲鸣以纾其愤懑者也。即国家何赖乎？是故观文体之险易，可以知气运之盛衰，而人材由之矣。惟我皇明圣祖神宗，体道敦化，至宪、孝二朝盛矣，礼乐声教之泽，醇庞湛泞。盖天地一大运会也，时则有鸿儒宿学出乎其间，吐发正义，抒扬宏辞，以润色治理，培植道脉，何其符合欤！如丘文庄公、程篁墩公、吴文定公、李文正公及谢文肃公与！今存者不述。皆馆阁之望，儒林之宗也。考量德艺，其浅深厚薄何如哉？盖不俟百世乃可知也。

罗玘《馆阁寿诗序》：今言馆，合翰林、詹事、二春坊、司经局，皆馆也，非必谓史馆也。今言阁，东阁也，凡馆之官，晨必会于斯，故亦曰阁也，非必谓内阁也。然内阁之官，亦必由馆阁入，故人亦蒙冒概目之曰"馆阁"。云有大制作，曰"此馆阁笔也"。有欲记其亭台，铭其器物者，必之馆阁；有欲荐道其先功德者，必之馆阁；有欲为其亲寿者，必之馆阁。由是，之馆阁之门者，始恐其弗纳焉，幸既纳矣，乃恐其弗得焉。故有积一二岁而弗得者，有积十余岁而弗得者，有终岁而弗得者。噫！其岂故自珍哉？为之之不敢轻，而不胜其求之之众也。

陆深《北潭稿序》：惟我皇朝一代之文，自太师杨文贞公士奇实始成家，一洗前人风沙浮靡之习，而以明润简洁为体，以通达政务为尚，以纪事辅经为贤。时若王文端公行俭、梁洗马用行辈，式相羽翼。至刘文安公主静崛兴，又济之以该洽。然莫盛于成化、弘治之间。盖自英宗复辟，励精治功，一代之典章纪纲，粲然修举。一二儒硕若李文达公原德、岳文肃公季方，复以经纶辅之。故天下大治，四裔向化，年谷屡登。一时士大夫得以优游毕力于艺文之场。若李文正公宾之、吴文定公原博、王文恪公济之，并在翰林，把握文柄，淳庞敦厚之气尽还，而纤丽奇怪之作无有也。

《明诗评选》卷二《孙蒉》：成化以降，姑苏一种恶诗，如盲妇所唱琵琶弦子词，挨日顶月，谇诼不禁，长至千言不休，歌行愈贱，于斯极矣。非但如杜默瘟中村酒之讥而已。

姚希孟《壬申文选序》：尝叹今之人，未必无古人也；而今之文，必不能为古文。夫古人而文人者，必曰忠挚如灵均，旷览如蒙庄，秉直如丘明，负气如迁，而今未必无其人也。洵有之，而有屈亦无《骚》，有庄亦无《南华》，有丘明有迁亦无《左》《史》。此其故有三：古创而今袭；古以朝气，而今皆暮气；古人以文词相高，而熙朝敦本课实，于古文辞若诗皆骈枝也。何以明其然？弘、正之季，变欧、曾而宗秦、汉，变中、晚、宋、元而归初、盛。今则祧主仍还泰祝，而千金之享等于刍灵。递相诋，实递相师，其为优孟等也。凿蚕丛之路、启筚篓之山者为谁？故曰袭也。古者父兄教，子弟学。肇革象勺之年，以六籍为乳潼，而诸子百家皆糜饵也。今则以帖括生涯，浸渍于老生之宿唾。峨峨进贤，多不免伏腊金根之诮。其好为诗文者，犹是凤生结习未忘。窃其塾师肄习之余，以代纸鸢棘猴之戏；否则谢去训诂，乃从事焉。如闺中之秀，既操井臼，始习粉朱，风华韶令半销亡矣，故曰暮气也。古之人主，强半右文，所以长卿、太白、子瞻各有真知己。其他标彩扬英者，非当陆为之扶轮，则同声代其植帜。至今日，而文则谁怜谁忌？人亦可有可无。作者或鸡口自雄，旁观则鼠肝非贵。文章之不尊，未有甚于此日者！其谁传之而又谁攻之？故曰骈枝也。

《息园存稿文》卷九《与陈鹤论诗》：国朝自弘治间，诗学始盛。其间名家可指而数，今亡去有集传世者三人，李献吉、何仲默、徐昌谷三人。各有所长，李气雄，何才逸，徐情深，皆准则古人，锻琢成体，纯驳优劣可略而言，大抵皆作家也。今虽后贤翘起，孰不同声归许哉？然三贤皆余友，尝共讲习而商订之者，知其渊源所自，未尝不择法于古人。李主杜，何主李，徐主盛唐王、岑诸公，皆因质就长，各勤陶铸。是以立体成家，咸归伟丽，夫岂苟然而已哉！诗之为道，贵于文质得中。过质则野，过文则靡，无气弗壮，无才弗华，无情弗蕴。

《对山集》卷三《渼陂先生集序》：我明文章之盛，莫极于弘治时。所以反古昔而变流靡者，惟时有六人焉：北郡李献吉，信阳何仲默，鄠杜王敬夫，仪封王子衡，吴兴徐昌谷，济南边廷实。金辉玉映，光照宇内，而予亦幸窃附于诸公之间，乃于所谓孰是孰非者，不溺于剖劂，不怵于异同，有灼见焉。于是后之君子言文与诗者，先秦两汉、魏晋、盛唐，彬彬然盈乎域中矣。

《洹词》卷一一《漫记》：弘治以前，士攻举业，仕则精法律，勤职事，鲜有博鉴能文者。间有之，众皆慕说，必得美除。自孝皇在位，朝政有常，优礼文臣，士奋然兴高者，模唐诗，袭韩文。阁老洛阳刘公恶之，教人看经穷理。弘治末，颇知习《左氏》《史记》矣。

劳堪《明诗十二家序》：明兴以来诗，大方无虑百家，然拟之天宝、开元诸人，世固莫有许者，盖未究其指本云。左使李公，准唐诗十二家，诠次近代李崆峒诸氏，亦为十二家，属余校刻焉。溯自弘治，化渐复古，士大夫敦本好修，耻言机利，相与贞志维风，有唐人所弗能及者。其诗命意，大都多鳃鳃忧国之诚，植身之义，间有隐君子，亦能睥睨一世，凤翥鸿冥，爵禄不入其心。嗟乎！是岂徒诗者耶？固王化之符而鸣盛之音也。

徐泰《诗谈》：信阳何景明，上追汉魏，下薄初唐，大匠挥斤，群工敛手。惜其立论甚高，亦未能超出蹊径。明惟姑苏徐祯卿媲美。若王廷相、许宗鲁、石宝之古，边贡、郑善夫、孟洋之醇，孙一元之逸，林钺之奇，王宠之充蔚，皆一时之选。独惜郑师杜，宛然一生愁也，殊乏欢惊耳。若薛蕙、马汝骥、杨慎之俊丽，晋康乐、唐四杰，殆不是过。云我朝诗，莫盛国初，莫衰宣、正间。至弘治，西涯倡之，崆峒、大复继之，自是作者森起，虽格调不同，于今为烈。

乔世宁《何先生传》：国初尚袭元习，宣、正以来，骎骎如宋矣。至弘、正间，先生与诸君子始一变趋古，其文类《国策》《史记》，诗类汉魏、盛唐，于是明兴诗文，足起千载之衰，而何、李最为大家。今学士家称曰"何李"，或称曰"李何"，屹然为一代山斗云。

蔡汝楠《创建大复何先生祠记》：明兴百六十余年，而文章迄无定体。自先生崛起汝南，始与关中李献吉发愤词林，超览古始，乃排斥群疑，归之大雅，何其雄也！即使来哲代兴，不无侵侔，然其开先基始之功，揆之羲和授时，神禹治水，同一久远矣。

张炜《谈艺录》：弘、正之间，豪杰汇征百余人焉，其最著者李献吉、何仲默、郑继之、徐昌谷辈。献吉雄豪壮丽，如长江巨浪，滔滔千里，虽有枯槎败筏，无妨飘荡，又如龙翔虎变，骇人耳目。仲默雅丽新奇，如洛园一开，姚魏掩映，又如凤仪韶阙，麟出周郊，诚希世之瑞也。继之沉郁之思、慷慨之词，如苍松挺秀，古梅含芬，又如贾生之献《治安》，虽过于感怆，终不失为识时务之俊杰焉。徐昌谷渊致秀语，天然独步，又如唐玄宗《霓裳羽衣》于月下，袅尔仙乐。此四子者，撰述备矣。

邵经邦《艺苑玄机》：弘治中，右文尚儒，海内熙皞，王臣既无鞅掌，台阁特尚清宴。时则西涯、篁墩豪作于翰林，邃庵、白岩起于省寺，二泉、双溪奋于郎曹。

《洹词》卷六《江西按察司副使空同李君墓志铭》：弘治中，空同子兴，陋痿文之习，慨然奋复古之志，自唐而后无师焉已，汝南何景明友而应之。空同子之雄厚，仲默之逸健，学者尊为宗匠。又咸激厉风节，敢上直谏，安于冗散，鄙忽骤贵。空同子方雅简默，稍饬廉棱；仲默恬淡温孙，不露才美云。

公元 1465 年（成化元年　乙酉）

四月

陈循《东行百咏集句》刊刻。陈循《东行百咏集句引》："余承恩谴东行之日，省躬思咎而已，余何所营？然顾行坐萧索，俗习粗鄙，加以携无一物，欲求寸简旧文，销遣烦郁，亦莫能致，因忆古人诗篇有在心者，遇可以咏所存所历所感，不恤原题之意，篇摘一句，集以成绝，得三百首。其中间有地名及数目字之类，拘拘不可用者，则易一二字以从实，亦十百中不过一二。复各和为韵语，通千余首，均分十卷，或赓原韵而咏别题，则又因感遇而然也。是编虽为以自吟咏而作，然赋比兴一皆发乎性情，实非有他，第恨疏浅不能多识前言，虽识，而老眊于遗忘，或有差误，穷荒之地，无从质正，不足以尽言志之兴，为可愧耳。天顺壬午春二月朔，七十八翁庐陵陈循志。"陈瑛《年谱跋》："先公平生行实，载诸此谱，兹附录于诗之后者，盖惧散迷于方来也。呜呼！先公年四十七而生不肖，未几先夫人卒，仰赖先公抚育，母道兼备，劬劳之德未报，今先公亦见背矣，终身重罪有弗能逃，徒切肝肠，莫之克尽其心也。谨奉前诗与谱，倾己所承家资，命工锓梓，传之不朽，以效分寸之大节，且使子孙皆有以知先公忠孝之尽，而荷朝廷天地大恩如此，庶几勉图报称于万一，然亦使人欲从知先公者，得于此而采焉。成化元年乙酉夏四月望，不肖男陈瑛泣血顿首谨书。"四库提要卷一七五："《东行百咏集句》九卷，附《芳洲年谱》一卷，明陈循撰。是编乃其被谪东行时，集古人诗句以成。七绝初得三百首，复迭和其韵至千余首。集句皆不著姓名，颇多窜易牵就，和韵诸作更多累句。后附《年谱》一卷，乃其门人王翔所录。当时敕谕及循所进诗颂，俱加载其中，亦非体例也。"

岳正出知兴化府。叶盛《故中宪大夫兴化府知府致仕岳君墓志铭》："适兵部清黄官阙，部院大臣会荐。君遂以成化元年四月，俾知兴化府以行。"《怀麓堂集》卷七一《蒙泉公补传》："越四五年，曹、石俱以不轨败。上谓内阁李文达公曰：'向岳正固言之。'文达因请曰：'正有老母，得放归乡里，幸甚。'乃命释为民。甲申，宪宗嗣位，有御史杨宣者，亦以劾亨谪戍广东，台谏请复二人官以励忠直，吏部拟调南京，有旨：'勿调，令在院供职，充经筵讲官，纂修先朝实录。'文达欲荐为南京国子祭酒，公不应。有急者伪为公劾文达疏草。会廷荐公为兵部侍郎清理贴黄，与都给事中张宁名并上。宁负才气，亦被谮，遂皆补外。公得知兴化府，时论哗然，为之不平。"

八月

李东阳进编修。《馆阁漫录》卷五略云："八月辛丑，擢庶吉士李东阳为翰林院编修。"

秋

张宁出守汀州，便道过家。《方洲集》卷二四《王处士墓志铭》："成化元年十一月十六日，与倪氏合葬于城南先垄。是年秋，宁自礼科都给事中出守汀州，便道过家，会公葬期。"《方洲集》卷一七《寄王用诚书》："自吾兄之官湖广，仆不久既为部院诸大臣谬有卿佐都宪之举，坐是出守汀州。甫二月，患风疾，逗留期年而还。后累为浙中巡按诸公所荐，部文催行，缘才力素薄，宿疾未除，至今不能办。此休老之怀，谅无所更矣。"《明史》张宁传："宪宗初御经筵，请日以《大学衍义》进讲。是年十月，皇太后生辰，礼部尚书姚夔仍故事，设斋建醮，会百官赴坛行香，宁言'无益，徒伤大体'，乞禁止，帝嘉纳之。未几，给事中王徽以牛玉事劾大学士李贤得罪，宁率六科论救，由是寝与内阁忤。会王竑等荐宁堪佥都御史清军职贴黄，与岳正并举得旨。会举多私，皆予外任。宁出为汀州知府。以简静为治，期年善政具举。宁才高，负志节，善章奏，声称籍甚。英宗尝欲重用之，不果。久居谏垣，不为大臣所喜。既出守，益郁郁不得志，以病免归。家居三十年，言者屡荐，终不复召。"《明史》岳正传："成化元年四月，廷推兵部侍郎清理贴黄，以正与给事中张宁名并上。诏以为私，出正为兴化知府，而宁亦补外。"

冬

童轩谪浙江寿昌县。《怀麓堂集》卷七八《明故资政大夫南京礼部尚书致仕赠太子少保童公神道碑铭》："四川盗起，公承敕往治，遍历贼巢，宣布威德，谕以福祸。贼数十辈迎拜请命，公召同食饮，示以不疑，降者渐众。进都给事中，偕巡抚及守臣分兵掩捕，亦多斩获，奏功还朝。未几，盗复作，廷议乃归咎于公，致以重辟。公请用守臣奏疏为验，犹坐免官。上察其情，不忍重谴，调寿昌知县。"《清风亭稿》卷八《题墨兰》叙："岁乙酉冬，予谪官寿昌，邑庠徐生俊出此图以索诗。予迁客也，不无去国怀乡之念，因题此以归之。轩识。"诗云："忽向空山见国香，冷烟凄雨自苍苍。虚堂夜永琴声歇，一段骚人别恨长。"

本年

罗钦顺（1465—1547）生。字允升，号整庵，泰和人。弘治癸丑进士，官至南京吏部尚书，谥文庄。事迹具《明史·儒林传》。有《整庵存稿》二十卷。据《明儒学案》卷四七《文庄罗整庵先生钦顺》。

石珤（1465—1528）生。字邦彦，号熊峰，真定槁城人。成化丁未进士，官至文渊阁大学士，谥文隐，改谥文介。事迹具《明史》本传。有《熊峰集》十卷。据雍正《畿辅通志》卷一〇七《大学士石公神道碑》。

公元1466年（成化二年 丙戌）

二月

明宪宗遣人祭于谦。《忠肃集》附录《谕祭文》："维成化二年岁次丙戌，二月戊戌朔，越十一日戊申，皇帝遣行人司行人马璇，谕祭故少保兼兵部尚书于谦。曰：'卿以俊伟之器，经济之才，历事先朝，茂著劳绩。当国家之多难，保社稷以无虞；惟公道而自持，为权奸之所害。在先帝已知其枉，而朕心实怜其忠。故复卿前官，遣人谕祭。呜呼！哀其死而表其生，一顺乎天理；厄于前而伸于后，允惬乎人心。用昭百世之名，式慰九泉之意。灵爽如在，尚其鉴之。'"

三月

初三，赐罗伦等进士及第、出身有差。

罗伦对策名闻天下，与黄仲昭、庄昶、章懋、贺钦同榜。《明史》罗伦传："成化二年，廷试，对策万余言。直斥时弊，名震都下。擢进士第一，授翰林修撰。"《未轩文集》卷十《丙戌登第有作》："雷奋春声动九区，群龙变化上云衢。奎躔午夜文星聚，日驭中天瑞彩扶。经济未能攀董策，姓名深愧滥齐竽。平生一片丹心在，拟献君王赞庙谟。"

四月

邹智（1466—1491）生。字汝愚，号立斋，又号秋困，四川合州人。成化丁未进士，改庶吉士，坐诬下狱，免死，谪广东石城所吏目。居四年，得疾暴卒。有《立斋遗文》。金祺《广东石城千户所吏目邹君汝愚墓志铭》："君生而颖敏过人，孝友之行，廉隅之节，固其性也。髫龀时巉然如老成人，十二岁能文章。学于舅氏，得《书》之精传，又大肆力群经子史，一经目即不忘。尝居龙泉庵，贫无继晷之给，则扫树叶蓄之，焚以照，读书达旦。如是者三年，文思警拔，虽数千言可立就。蜀虽多才，未能或之先也。……君生成化丙戌四月十五日。"

五月

罗伦谪泉州。《明儒学案》卷四五《文毅罗一峰先生伦》："举成化丙戌进士，对策大廷，引程正公语'人主一日之间，接贤士大夫之时多，亲宦官宫妾之时少'，执政欲节其下句，先生不从。奏名第一，授翰林修撰。会李文达夺情，先生诣其私第，告以不可，待之数日，始上疏，历陈起复之非：为君者当以先王之礼教其臣，为臣者当据先王之礼事其君。疏奏，遂落职，提举泉州市舶司。"《一峰文集》卷一《奏状》："五月内，为建言事，钦蒙调除福建泉州府市舶提举司副提举。"《一峰文集》卷一五有《成化丙戌夏五月，予得罪谪泉南提举，道经金鳌。门生彭宜鉴梦中有作，意若为予者。时九月二十一日也》诗。

六月

丘浚上两广用兵事宜。《古穰集》卷二《缴进两广事宜》："为征剿两广贼寇事。有本院编修丘浚，系广东人，深知彼处贼势强弱、民情休戚。为见朝廷遣将出师前去征剿，且喜且惧，备将用兵事宜开写揭帖，呈示。臣切看得丘浚所言利害得失，明切详尽，用之必可成功。以此不敢隐蔽，谨录一本缴进。伏乞圣明俯赐睿览，仍发下遍行总兵等官知会。是亦平贼之一助也。"

秋

陈献章出游。《陈白沙集》卷四《湖山雅趣赋》："丙戌之秋，余策杖自南海循庚关而北，涉彭蠡，过匡庐之下，复取道萧山，泝桐江，舣舟望天台峰。入杭，观于西湖。所过之地，盼高山之漠漠，涉惊波之漫漫，放浪形骸之外，俯仰宇宙之间。当其境与心融，时与意会，悠然而适，泰然而安，物我于是乎两忘，死生焉得而相干。亦一时之壮游也！"

本年

倪谦致仕。《清溪漫稿》卷二三《大明敕封孺人亡妻卢氏墓志铭》："成化丙戌，先君自礼部侍郎休致南还。"《殿阁词林记》卷五《学士拜礼部侍郎倪谦》："成化初，复学士职。预修英庙实录，擢南京礼部侍郎。御史陈选劾之，致仕。"

湛若水（1466—1560）**生**。字元明，增城人。弘治乙丑进士，历官南京吏、礼、兵三部尚书。事迹具《明史·儒林传》。有《湛甘泉先生文集》三十二卷。据《明儒学案》卷三七《文简湛甘泉先生若水》。

公元 1467 年（成化三年　丁亥）

春

陈献章南归。据阮榕龄《编次陈白沙先生年谱》。

五月

林鸿诗集《鸣盛集》刊刻。邵铜《鸣盛集后序》："膳部员外郎子羽林先生，吾闽善赋者之巨擘也，国朝诗派起于先生。当时若郑孟宣、黄玄之、周又玄、高廷礼、林伯璟汉孟辈，号称十才子，皆出于其门嗣。是流于王皆山及中美、孟扬、陈仲完、郑公启、张友谦、赵景哲诸公，绳绳继继，尤不乏人。是皆先生残膏剩馥，沾溉后来者益多矣。惜乎其诗集所存者，遗编断简，字多鲁鱼亥豕之失，为可恨耳。余自出守东瓯，每于听政之暇，览其旧稿，慨然兴思。因详加校勘，补其阙略，缮写成编。乃捐己俸，召工锓梓以传。……观先生之诗，知先生之所蓄富矣。其吐辞流丽，春日煦而百卉斗妍也；造语清奇，秋雨霁而群峰壁立也；气焰铺张，武库宏开而剑戟光芒也；句法豪荡，洪涛汹涌而鱼龙出没也。融情于景物之中，托思于风云之表。寓意命辞，兼得其妙。读之使人感发而兴起，非伟杰之士，其能致然与？予同郡人也，藐焉晚出，不及见先生之仪容而亲炙之，独赖斯集之存，讽咏抚摩，庶几可以私淑而仿佛其一二也。谨述先生诗学相传之懿，僭书于末简云。时成化三年丁亥五月蒲节，赐进士出身、中宪大夫、浙江温州府知府邵铜序。"四库提要卷一六九："《鸣盛集》四卷，明林鸿撰。……明初闽中善诗者有长乐陈亮、高廷礼，闽县王恭、唐泰，郑定王褒、周玄，永福王偁，侯官黄玄，而鸿为之冠，号十才子。其论诗惟主唐音，所作以格调胜，是为晋安诗派之祖。李东阳《怀麓堂诗话》曰：'林子羽《鸣盛集》专学唐，袁凯《在野集》专学杜，盖能极力摹拟，不但字面句法并其题目亦效之，开卷骤视，宛若旧本，然细味之，求其流出肺腑卓尔自立者，指不能一再屈也。'是在弘、正之间，已有异议。周亮工《书影》曰：'闽中才俊辈出，彬彬风雅，亦云盛矣。第晋安一派流传未已，守林仪部、高典籍之论，若金科玉条，凛不敢犯。动为七律，如出一手'云云，是其末流且驯至为世口实。然鸿倡始之时，固未尝不春容谐雅，自协正声，未可以作法于凉，遽相诋斥。况高栋尚不免庸音，鸿则时饶清韵，尤未可不分甲乙，一例摈排矣。此本为成化初鸿郡人温州知府邵铜所编，末有铜跋，称览其旧稿，慨然兴思，因详加校勘，补其缺略。然如张红桥唱和诗词，事之有无不可知。即才人放佚，容或有之，决无存诸本集之理，此必铜摭小说妄增之。《梦游仙记》一首，疑亦寓言红桥之事。观其名目，乃袭元稹《梦游春诗》，可以意会，铜亦附之简末，殊为无识。叶盛《水东日记》载铜天顺中为御史，以言事忤权奸，左迁知县，则其人亦铮铮者，或平生以气节自励。文章体例，非所素娴欤?"

八月

《英宗实录》成。《明宪宗纯皇帝实录》卷四五"成化三年八月"："己酉（初六），礼部上《进英宗睿皇帝实录仪注》。……丁巳（二十四日），上御奉天殿。监修官太保会昌侯孙继宗、总裁官礼部尚书兼翰林院学士陈文等率纂修等官行礼，进《英宗睿皇帝实录》，上起立受之。"《千顷堂书目》卷四："《明英宗睿皇帝实录》三百六十一卷。成化三年八月，书成，进御。宣德十年正月迄天顺八年正月，首尾三十年。附泰帝事实于中，称'废帝郕戾王'。附录凡八十七家。"《明史》尹直传："成化初，充经筵讲官，与修《英宗实录》。总裁欲革去景泰帝号，引汉昌邑、更始为比。直辨曰：'《实录》中有初为大臣，后为军民者。方居官时，则称某官某，既罢去而后改称。如汉府以谋逆降庶人，其未反时，书王书叔如故也。岂有逆计其反，而即降从庶人之号者哉。且昌邑旋立旋废，景泰帝则为宗庙社稷主七年。更始无所受命，景泰帝则策命于母后。当时定倾危难之中，微帝则京师非国家有。虽易储失德，然能不惑于卢忠、徐振之言，卒全两宫，以至今日。其功过足相准，不宜去帝号。'时不能难。既成，进侍读，历侍读学士。"

杨一清中乡试。《国朝献征录》卷一五《特进光禄大夫左柱国少师兼太子太师吏部尚书华盖殿大学士赠太保谥文襄杨公一清行状》："年十四，中顺天乡试。时已抗言为人师，有文中子之风。"

十一月

王直文集刊刻。张时启《抑庵文集续编后序》："《抑庵文集前后》五十卷，太保王文端公所作也。前集公之长子翰林检讨希稷所编，集既锓梓以传矣，四方之士病其讹舛者多，盖有掩卷而叹息者。公之次子存斋居士希诚深知其然，亟取公遗稿精校而重刻焉。篇目虽如故，而讹舛则无矣。是为前集十三卷者也。然公平日于文章不经意，存稿其散在四方而为士林所传诵，固有多于所存者，此希诚所为尤惓惓也。乃广求博访，得公真迹辄录焉，盖积久益多，遂续加编集以刻，是为后集三十七卷也。方其校也，希诚穷日之力以至夜分；其刻也，督视左右惟恐有误，未尝少以诿诸人，盖其精专而慎重如此。其所费不赀，皆自己出，虽亲故好义者有所助遗，一切谢绝。士君子得于见闻者，莫不叹羡而称其笃孝。……成化丁亥冬十一月望日，蜀府教授、里生张时启拜手书。"《抑庵文集》卷首提要："《抑庵文集》十三卷，《后集》三十七卷，明王直撰。……集为其子检讨稹所编，成化初其次子稹复加校订，而以原集未录及致仕家居后所作，别为《续集》，附之于后云。"

十二月

黄仲昭、章懋、庄昶受杖刑。《御定资治通鉴纲目三编》卷一三："十二月，杖谪翰林院编修章懋、黄仲昭、检讨庄昶。以明年上元张灯，命词臣撰诗词进奉。懋、仲昭、昶同疏进谏……帝以元夕张灯祖宗故事，责懋等妄言，杖之。谪懋、仲昭，知县；昶，通判。时以懋等与罗伦同称为翰林四谏。"《日知录》卷二四《翰林》："成化三年，以明年上元张灯，命翰林院词臣撰诗词。编修章懋、黄仲昭、检讨庄昶上疏言：翰林之官以论思代言为职，虽曰供奉文字，然鄙俚不经之词，岂宜进于君上？固不可曲引宋祁、苏轼之教坊致语，以自取侮慢不敬之罪。臣等又尝伏读宣宗章皇帝御制翰林箴，有曰：'启沃之言，惟义与仁。尧舜之道，邹孟以陈。'今张灯之举，恐非尧舜之道；应制之诗，恐非仁义之言。臣等知陛下之心即祖宗之心，故不敢以是妄陈于上。伏愿采刍荛之言，于此等事一切禁止。上怒，命杖之。谪懋昭武知县、仲昭湘潭知县、昶桂阳州判官，各调外用。已而谏官为之申理，乃改懋、仲昭南京大理寺评事，昶南京行人司司副。自此翰林之官重矣！"

本年

罗伦回京。《明史》罗伦传："谪福建市舶司副提举。御史陈选疏救，不报。御史杨琅复申救，帝切责之。尚书王翱以文彦博救唐介事讽贤，贤曰：'潞公市恩，归怨朝廷，吾不可以效之。'亡何，贤卒。明年以学士商辂言，召复原职，改南京。"贺士谘《一峰罗先生墓志铭》："在泉时，秋毫无所与，惟讲学鬻文以自给。配梁氏安人卒，泉守李宗学遗以棺，先生以其求文未偿，受之。明年召还，复修撰。当道者语人曰：'某之复官，我之力也，乃无片言谢。'先生闻之，曰：'渠非有私于我也。'"

张元祯致仕。李东阳《明故通议大夫吏部左侍郎兼翰林院学士掌詹事府事张公墓志铭》："成化丁亥，谢病归，示无复仕进意。名益重，从之游者四远而至，藩臬、郡县至者，未始不往见，见则恤然自失。诸言事者累荐起之，不果。"

公元 1468 年（成化四年　戊子）

正月

何乔新预同年会。《椒丘文集》卷九《同年燕集诗序》："成化戊子春正月，上以元夕令节，百官各予假十日。员外郎广信周宗用，语凡同年官秋台者曰：'吾曹终岁讯鞫，不遑燕私。今天子幸赐休暇，盍相与为会，以馨一日之欢乎？'众咸以为然。期以是月十八日，合醵治具于宗用之家。至期毕会，会者永丰刘宽仁、永新刘主敬、古嵊谢永清、丰城范彦声、南昌熊迪吉、华亭王廷玉、羊城韩阜民、庐陵陈时庄、会稽吴文谟暨予与宗用也。是会也，坐以齿为序，尚齿也；酒以醉为度，极欢也；献酬进退必以礼，违礼者辄罚一巨觥，崇礼也。……予在京师者八年，公卿贵人酒食伎乐之燕，未尝赴。虽寮友之会，亦鲜预。预焉而乐者，莫兹会若也。于是诸君子取苏子卿《赠李陵诗》'愿言崇令德，随时爱景光'之句为韵，各赋诗一章以志之而退。予为序，予因循未暇为。又二月，而予有福建宪副之命，念暌违之有日，而兹乐之不可再也。乃序之以归宗用。"

二月

金幼孜文集刊刻。李龄《金文靖公文集序》："龄自早岁闻公之名，即尝诵公之文，恒以不得见其全集为恨。今年春，督学至临江，公之冢嗣给事君昭伯始以斯集见示，且俾序其首简。晚学浅闻，授而读之，累月不能窥其门墙，敢引乘韦于吴鼎之前也耶？固辞弗获，谨述所见，以俟后之知言君子云。时成化四年岁在戊子，春仲月谷旦，奉议大夫、江西等处提刑按察司、奉敕提督学校佥事、前监察御史、詹事府府丞兼史馆官后学潮阳李龄书。"《金文靖集》卷首提要："《千顷堂书目》载《幼孜集》十卷，又《外集》一卷，又《北征集》一卷。今《外集》未见。朱彝尊《静志居诗话》称其《北征集》，'大漠穷沙靡不身历，时露悲壮之音'，则彝尊犹及见之。今亦未见。是编为其子昭伯所辑，诗文多应制之作，盖即黄虞稷所谓十卷之本。别冠以《三朝恩荣录》一卷，则其敕谕、诰命、祭文、像赞、神道碑之属。幼孜事迹已详《明史》，核以本传，此录多其子孙夸侈之词，无关考证，今删去不载。惟以本集著录焉。"

三月

何乔新迁福建副使。《明宪宗纯皇帝实录》卷五二"成化四年三月壬申（十二日）"："升刑部郎中何乔新为福建按察司副使。"丘浚《赠何君廷秀赴福建按察司副使序》："予友盱江何君廷秀，以秋官正郎擢副闽宪，朝之荐绅大夫士咸赋诗赠行，虚首简俾予言，以叙其相赠之意。噫！予何言？……矧廷秀励行嗜学，发于文章，典重有法，凡今之政务法比，无不精炼，夫人能知之，予何言？"《椒丘文集》卷二五《初度有感时寓宁德行台》："五年初度客中过，不似今晨感最多。先垄在盱身在粤，《蓼莪》咏罢泪悬河。"

四月

罗伦改南京翰林修撰。《一峰文集》卷一《奏状》："臣原籍江西吉安府永丰县人，由成化二年进士出身，钦除翰林院修撰。……成化四年四月内，钦蒙复南京翰林院前职。"

罗亨信《觉非集》初编成。丘浚《乐素罗公觉非集序》："《觉非集》者，故通议大夫、都察院左副都御史罗公之诗文也。……公之孙珙哀集公遗文，得四百五十余首，用公别号名之曰《觉非集》，来京师求予文序其首。呜呼！公岂待此诗文而显于世哉？

时成化四年岁舍戊子，夏四月中浣，奉训大夫、翰林院侍讲学士、修国史总裁、经筵官琼台后学丘浚识。”祁顺《觉非集序》：“集中古诗、歌行、律、绝共二百余首，序记、名赞、杂文共一百九十篇。公平生著述虽多，恒不留稿。其孙琪收拾于散逸之余，仅得斯耳。……时弘治五年秋七月之吉，赐进士、中顺大夫、江南布政司左参政改知贵州石忏府、前户部郎中、赐一品服同邑后学祁顺书。”四库提要卷一七五：“《觉非集》十卷，明罗亨信撰。……生平著述每不留稿，是集乃其后人收拾散逸，而丘浚、祁顺为之诠次。其中颂美中官之文至十余篇，编录者略不删汰，殊不可解也。”

秋

罗伦归家养病。《一峰文集》卷一《奏状》：“南京翰林院修撰臣罗伦谨奏：为乞恩养病事。……臣一介微贱，超受宠荣，旋以狂愚罪当诛戮，仰赖皇仁曲赐容宥，尚加叙用，寻辄收录，此天地罔极之恩，慈父爱子之情不是过也。若非草木，罔不知恩。臣鞠躬尽瘁，死而后已，以图报称，万不能一。独念臣命穷福薄，病痰连延。元患吐红，误为积热，屡服寒药，由此虚耗，积成内冷。自去年力疾赴命，日服医药，暂得苟安。及秋之任，抵冒热邪，辄发痰疟。”《医闾集》卷四《一峰罗先生墓志铭》：“乃改南京，供职三月，以疾辞，朝廷不允。二年章三上，始得归。戊子秋，抵家。卧病养心之余，苦《礼记》注说之繁，命门人录其要以便观，曰：‘庶不失所执守也。’”

本年

陈献章入京。据《编次陈白沙先生年谱》。《陈白沙集》卷六《九月送吴廷介归开化七绝》序：“戊子秋，开化吴廷介县博校文于我省，念太夫人初度之辰在十月八日，撤棘之后，幸公程之便，趋归。为寿诗以送之。”

桑悦除泰和训导。《艺苑卮言》卷六：“十九举乡试，再试，礼部奇其文，至阅《道统论》则曰：‘夫子传之我。’缩舌曰：‘得非江南桑生耶？大狂士！’斥不取。时丘浚为尚书，慕悦名，召令具宾主，已出己文令观，给曰：‘某先辈撰。’悦心知之，曰：‘公谓悦为逐秽也耶？奈何得若文而令悦观？’浚曰：‘生试更为之。’归撰以奏，浚称善。已，令进他文，浚未尝不称善也。悦名在乙榜，请谢不为官，俟后试，而时竟以悦狂，抑弗许，调邑博士。悦为博士逾岁，而按察视学者别丘浚，浚曰：‘吾故人桑悦幸无以属吏视也！’按察既行部抵邑，不见悦，顾问长吏：‘悦今安在？岂有恙乎？’长吏素恨悦，皆曰：‘无恙。自负不肯迎耳！’乃使吏往召之，悦曰：‘连宵旦雨淫，传舍圮，守妻子亡暇，何候若？’按察久不待，更两吏促之，悦益怒曰：‘若真无耳者？即按察力能屈博士，可屈桑先生乎？为若期三日先生来，不三日不来矣。’按察欲遂收悦，缘浚不果。三日，悦诣按察，长揖，立不跪。按察厉声曰：‘博士分不当得跪耶？’悦前曰：‘汉汲长孺长揖大将军，明公贵岂逾大将军？而长孺固亡贤于悦，奈何以面皮相恐，寥廓天下士哉！悦今去，天下自谓明公不容悦，曷解耳。’因脱帽径出。按察度亡已，乃下留之，他日当选两博士自随，悦在选。故事，博士侍左右立竟日。悦请曰：‘犬马齿长，不能以筋力为礼，亦不能久任立，愿假借且使得坐。’即移所便坐。御史闻悦名，数召问，谓曰：'匡说诗解人颐，子有是乎？'曰：'悦所谈玄妙，何匡鼎敢望？即鼎在，亦解颐。公幸赐清燕，毕顷刻之长。'御史壮之，令坐讲。少休，悦除袜，跣而爬足垢，御史不能禁，令出。"《怀麓堂集》卷一二《送桑民怿训导泰和》："十年三度试春闱，新见声名满帝畿。甲第久惭唐李合，奇才终误宋刘儿。功名岁晚非蓬鬓，湖海官贫尚布衣。试看孤鹰下林落，甘心还向碧天飞。"题下注云："民怿，苏人，会试春闱，策有'胸中有长剑，一日几回磨'等语，为晏检讨汝贤所黜。又作《学以至圣人之道论》，有'我去而夫子来'等语，为丘学士仲深所黜。今年得乙榜，年二十二，籍误以二为五，用新例，辞不许，遂有是命。"《明史》桑悦传："年十九，举成化元年乡试。试春官，答策语不雅驯，被斥。三试得副榜，年二十余耳，年籍误二为六，遂除泰和训导。"

程敏政开始编辑《新安文献志》。《篁墩文集》卷五九《新安文献志凡例》："一，编次以本郡先达时文为甲集。先达行实中兼有外郡人撰次者，以类相从，为乙集。一，甲集悉遵西山先生《文章正宗》例，凡先达时文，务取其平正醇粹有关世教者，否虽脍炙人口，不在录也。一，朱子诗文不敢多入，止取有关于新安者及本集所遗阙者，及尝流传故乡而刻石锓梓者。一，二程夫子之先虽新安人，然迁居河南已久，惟载其行实于乙集。其二程夫子子孙从南渡居池徽者，凡有文字，谨采附入。一，六朝及唐五代文字，率用骈俪，间载一二，以备一代之体。一，先达时文，多有晚年手自窜定之本，致与刊本、石本异者，又有经后贤所删润者（如朱子文有建安祝氏节本，洛水文有定宇陈氏节本，虚谷文有东山赵氏节本，师山文有义乌王氏节本），今参伍相校，务从善本。一，朱子注书凡先达称官（如云范太史）、称爵（如云吕荣公）、称谥（如云范文正公）、否则称字（如云吕伯恭）、或兼以号举（如云张南轩），今悉遵此例，不敢称名，亦景仰忠厚之一端也。一，先达时文，有经名公题跋评品者，随所见附书。一，国初先达文字有纪述高庙创业时事者，谨备载之，使观者不敢忘于帝力，非独以其文而已。一，近世闻人已捐馆者，其诗文随所见附入，余俟续编。一，乙集不分行状碑铭志传，止云行实，以朝代先后为次，乃遵西山《续文章正宗》例，分道原等类，以便观览。一，行实中有文字冗长或牵书者，遵朱子《伊洛渊源》例，略加删节，不复识别，取备事也。一，行实中有纪载弗详，他文可以互见者，附书其下。其先达行实简略不能成章者，止于编首总目中见之。"《篁墩文集》卷五五《简杨维立谕德》："宋尚书汪庄靖公大猷，其先新安人，迁居四明，为南渡名臣，而友朱子。平日诗文、奏议之类，皆不曾见。其碑文是楼政愧撰，亦寻录未之获也。昨闻其宗后人与先生联姻，敢乞备作一书，为达此意，得据家藏者书录，岂惟可以资寡陋而已？盖仆近编《新安文献志》，凡出新安者皆欲登载，以为山川之光。若公者，诚不可遗也。千万！幸甚。"

王九思（1468—1551）生。字敬夫，号渼陂先生，鄠县人。弘治丙辰进士，选庶吉士，授检讨，调吏部主事，升郎中。坐刘瑾党，降寿州同知，寻勒致仕。有《渼陂集》《渼陂续集》。《国朝献征录》卷二二《渼陂王检讨九思传》："居近渼陂，因以为号。生而警敏，眉目清秀，颜色充和，如神仙中人，尝自夸'居官日，为当朝人物第一流'。年十四五，随任读书蜀中，勤励，日犹不足，夜以膏灯继。"

郑岳（1468—1539）生。字汝华，号山斋，莆田人。弘治癸丑进士，官至兵部右侍郎。岳素著风节，官江西按察使时，首折宸濠逆谋，反为所诬构，逮问。及官兵部，复以议兴献祔庙，忤旨，力请致仕。后议礼诸臣皆蒙追恤赐谥，而独不及岳。盖孤介寡援，其天性然。事迹具《明史》本传。有《山斋文集》二十四卷。据《闽中理学渊源考》卷五四《侍郎郑山斋先生岳》。

公元1469年（成化五年　己丑）

正月

龚诩预知将死，寄诗告亲友。龚绂《野古集年谱》："先生时年八十八岁。年虽高而聪明不废，矍铄健步，出入未尝乘舆马，劳物力。一旦，小有不安，顾左右谓曰：'吾将逝矣！早跋涉艰危，劳苦万状，濒九死，幸获全遗骸于今日，复何憾。'因为诗以别亲知。其寄亲友曰：'鬼录吾知久有名，但须符到即时行。只惭知己无能报，一一烦公为致声。'其寄所亲有曰：'近百衰龄瞬息过，已知枯叶待辞柯。只惭未报阳春德，暖日和风受惠多。'辞世有曰：'气短痰深夜不眠，语言伸缩总无便。屈腰只欲将扒地，仰面何曾怕见天？点点黑花生两眼，纷纷白雪被双肩。一生事业风中烛，虚度春秋九十年。'"

龚诩卒，年八十八。王执礼《龚诩传》："成化三年正月二十八日癸未，寿终，整衣端坐，口诵《大学》首章而逝。有白气起屋极，上冲霄汉。自号钝庵逸老，诗名《野古集》。生平忠愤，时或不掩。"龚绂《野古集年谱》："所著有《野古集》，又有《因革事宜》。大抵关风教，道民情好恶，恻怛忠厚，有少陵忧恤之心焉。"沈鲁《钝庵先生墓铭》："为文抑扬反复，曲折详尽，读之愈繁而愈密。尤长于诗。诗多关风教，道民情好恶，而恻怛忠厚，有少陵忧恤之心焉。晚筑室于小虞浦，艺卉木蔬果，题为'逸老庵'，日以吟咏耕稼自娱，而声利纷华泊如也。"《明诗综》卷一八《龚诩》存诗二首：《为彦中题画》《竹枝歌》。《野古集》卷首提要："《野古集》三卷，明龚诩撰。……是集乃崇祯乙亥其八世从孙挺所刻。前有李继贞序，称删其十之二三。盖诩诗格调在《长庆集》《击壤集》间，其伤于鄙俚浅率者，继贞稍汰之也。要其性情深挚、直抒胸臆，律以选声配色、雕章琢句，诚不能与文士争工；律以纲常名教之旨，则不合于风人者鲜矣。末附《上周忱书》及王执礼、张大复等所作家传、墓志、谥议、像赞等篇。又有《年谱》，称诩族侄绂所编；于建文四年，称传言乘舆逊去；于正统七年，称旧君还京，先生作《落叶吟》见意。按绂之作谱，在成化十三年，杨应能事应久已论定，不应有旧君还京之语，且《落叶》一诗，本无明指，安知非别有托讽？而顾据此断为惠帝出奔还京之作，亦未见其然。此谱于康熙乙巳，挺得本于其族弟维，则故崇祯乙亥原刻总目不与墓铭家传等并列。观是一条，其真为绂作与否，犹在两可间也。疑以传疑，姑并存之而已。"

二月

兴化知县岳正入觐，遂致仕。《怀麓堂集》卷七一《蒙泉公补传》："公亦厌苦吏职，以成化己丑入觐京师，因引疾致仕。时李铎已败，朝廷还其故第。"

闰二月

龚诩下葬，墓志铭出沈鲁。 龚绂《野古集年谱》："是岁闰二月十七日壬申，绂与彦中叔父、缙绅二弟经理襄事，葬先生于鹿城先茔之昭。沈鲁铭其墓曰：'早罹世故多危疑，中更困伏几不支，虽有利器将安施？诗书之乐慰我饥，文章节义慰我悲。年垂九十志不移，呜呼先生后进师。'门人私谥曰'安节先生'。以谥议刻之墓道。"

三月

十七日，赐张升等进士及第、出身有差。

陈献章会试再下第，归乡。《陈白沙集》卷一《乞终养疏》："臣原籍广东广州府新会县人，由本县儒学生员应正统十二年乡试，中式。正统十三年，会试礼部，中副榜，告入国子监读书。景泰二年会试，下第。成化二年，本监拨送吏部文选清吏司历事。成化五年，复会试，下第。告回原籍。累染虚弱自汗等疾，又有老母朝夕侍养，不能赴部听选。"

五月

陈献章过南京，遇罗伦。 罗伦《送白沙陈先生叙》："先生南归，道金陵，诸君各为四韵诗以别，谓余言，余顾谓诸君：'自立其大者，余何言？'成化五年己丑夏五月廿又四日，永丰罗伦书。"

七月

陈沂（1469—1538）**生。** 初字宗鲁，后改鲁南，号小坡，又号石亭居士，其先鄞县人，徙家南京。正德丁丑进士，改庶吉士，授编修，进侍讲，出为江西参议，历山东参政，转行太仆寺卿。有《拘虚晤言》《询刍录》《畜德录》。《凭几集续编》卷二《明故山西行太仆寺卿石亭陈先生墓志铭》："先生吾南都文人也。颖异早见，躯不甚长，神采朗秀，眸子可照。少好苏氏之学，笔势澜溢，人谓其类东坡，亦自号曰小坡。……母金安人，以成化己丑七月二日，迟宜公先梦释氏奉明珠入室，旦生公。五岁能属对，八岁能摹古人画，十岁能诗，十二岁能举业，率奇拔，惊动长者。总角著《孔墨辩》《赤宝山赋》诸文，传诵人口，自是行谊、文学，日益隆茂。……戊戌秋，忽以讣闻，实卒于六月二十六日。"

罗伦致仕。《明宪宗纯皇帝实录》卷七一"成化五年九月壬午（初二）"："南京翰林院修撰罗伦以疾去任。"《一峰文集》卷一《奏状》："到任以后，诸症侵加，头目昏晕，四肢痹软，形貌虽人，精华已竭，实难任事。叨冒荣禄，因于十月内告南京通政司转送南京吏部行应天府，拨医调治，未见痊可。本部勘覆是实，于成化五年二月内，移咨吏部定夺。缘前病日增，加以左股湿痛，若不陈恳，恐残躯难保，后报无期。伏望皇上体上天好生之德，终慈父爱子之情，曲为矜悯，容臣暂还田里，寻医调治，少俟痊愈，随即赴朝以备任使，以图报称。臣不胜悚惧待罪之至。为此，令义男董鉴谨具亲赍奏闻，伏候敕旨。"

十月

吴与弼卒，年七十九。《明儒学案》卷四《聘君吴康斋先生与弼》："己丑十月十七日卒，年七十有九。"《静志居诗话》卷八《吴与弼》："龟山之出由蔡氏，未足为龟山玷也。聘君荐自石亨，与聘君何损焉？独是鹤书一至，亟令弟子表迎恩之桥、彩云之山，建皇华天使集庆之亭，焚芰裂荷，惟恐不速。而又跋石亨族谱，自称'门下士'，则龟山义不屑出此也。诗亦俗劣，非惟不及白沙，方之定山亦不逮。"《列朝诗集小传》丙集《吴聘君与弼》："公潜心理学，欲尽削词章笺注之烦，而为诗则沾沾自喜，以为能事，识者哂之。诗集七卷，不下千首。白沙之学得之于康斋，以其诗观之，则不啻智过于师也。余录康斋诗二首，附见于白沙之后，非敢微康斋也，以其诗而微之耳。"四库提要卷一七〇："《康斋集》十二卷，明吴与弼撰。……其及门弟子，陈献章得其静观涵养，遂开白沙之宗；胡居仁得其笃志力行，遂启余干之学。有明一代，两派递传，皆自与弼倡之，其功未可尽没。其诗文亦皆淳实近理，无后来滉漾恣肆之谈。又不得以其急于行道，躁于求名，遂并其书而诋之也。"

本年

倪谦复职。《殿阁词林记》卷五《学士拜礼部侍郎倪谦》："己丑，阶正议大夫资治尹，复侍郎职。"

曹安在云南。《谰言长语》："吾松张弼以草书擅名，不知其古文诗超迈。《等夷禽言》一首寄予，云：'得过且过，饮啄随时度朝暮。得陇望蜀徒尔为，未知是福还是祸。'跋云：'此禽，寒号虫也。古人未作，予故补之。予与以宁先生万里相思，无以寄意，聊书一通云。'时予在滇之临安，成化五年也。"又："予于成化五年之沅江学署，一夷人家多藏书，盖洪武迄今不遗。内一诗乃浙江道提举临川艾性夫作，贯酸斋作叙。予手钞之。歌行语多关世教，如《赋铜雀砚》末句云：'请君唾去勿复用，铜雀犹在吾当摧。'《扑满吟》云：'区区小器安足怜，黄金塞坞脐亦然。'《临邛道士招魂歌》云：'安得天上蓬莱宫，却著人间马嵬鬼。'"又："沅江邻于缅国，多榕树，其风俗大异。予赋一诗以纪之，曰：'日舂日结作生涯，土屋平铺几百家。地软黄牛都睡足，草深灰象并张牙。飞来鹦鹉浑身绿，嚼罢槟榔满口霞。瘴疠不堪三伏暑，谁知腊月尚穿纱。'言之鄙俚，姑道其实。"

屠勋为都水主事，司浙江清江浦。《东江家藏集》卷二八《故刑部尚书致仕东湖屠公行状》："成化己丑，擢进士，授工部都水主事，分司清江浦。督修造运舟，持廉秉公，通融物力。未几，百废具兴，有题诗驿亭以美其事者。总督漕运涞水张公鹏、丰城李公裕、总理河道三原王公恕交章荐之。满考，改刑部。"

童轩擢云南按察佥事，提调云贵学校公务。《怀麓堂集》卷七八《明故资政大夫南京礼部尚书致仕赠太子少保童公神道碑铭》："成化己丑，述职京师。礼部尚书姚文敏公荐之，擢云南按察金事，兼督贵州学政，多所造就，为御史所旌。"《清风亭稿》卷六有《癸巳岁，予齿四十九矣。宦绩无成，道德日负，怅然有感，因作》："久客怀归尚未归，半生尘土浣征衣。买臣每叹行年困，伯玉空知往事非。春雨又苏边地草，秋风应老故山薇。太平时世身难补，会向沧江问钓矶。"《清风亭稿》卷七《庚寅中秋对月》（原注：在滇南作）："去岁中秋夕，维舟楚水滨。可怜今夜月，犹照异乡人。"

丘浚丁母忧。《重编琼台稿》卷九《张文献公曲江集序》："岁已丑，始得公《曲江集》于馆阁群书中。手自抄录，仅成帙，闻先妣太宜人丧，因携南归。期免丧后，自备梓刻之。"

公元 1470 年（成化六年　庚寅）

二月

唐寅（1470—1524）生。字伯虎，一字子畏，吴县人。弘治戊午，举南京乡试第一，坐事下狱，放归。有《唐伯虎先生全集》。今人周道振、张月尊辑校《唐伯虎全集》，汇订明清所刻唐寅文集，收入诸家评赞，又作唐寅《年表》。持此一编，唐寅生平文章性情概览无余。《怀星堂集》卷一七《唐子畏墓志并铭》："子畏性绝颖，利度越千士。世所谓颖者，数岁能为科举文字，童髫中科第，一日四海惊称之。子畏不然。幼读书，不识门外街陌，其中屹屹有一日千里气，不或友一人。余访之再，亦不答。一旦以二章投余，杰特之志铮然。……唐氏世吴人，居吴趋里。子畏母丘氏，以成化六年二月初四日生子畏，岁舍庚寅，名之曰寅，初字伯虎，更子畏。卒嘉靖癸未十二月二日，得年五十四。"

何乔新偕友游鼓山。《椒丘文集》卷二五《鼓山纪游诗序》："鼓山在福州治城东二十里，其气雄势秀，为附郭诸山冠。予与寮友约同游者屡矣，辄为事所夺。成化六年春二月辛未（二十二日），监察御史清漳陈君弥旦，将之京，过福城，乃相与游焉。是日，陈君肩舆先抵山下寺。予从宪使永新刘君叔荣、副使四明钱君廷珍、淮西潘君景澄、金事羊城康君文瑞、泰和康君主一、淦川周君守谟，视事罢，乃行。共饭寺中，遂登山，过圆通庵，历半山亭约五里许，乃至山上寺。林樾苍润，岩壑谽谺，真佳境也！抵寺，出酒共饭，寺僧亦汲泉瀹茗以饮客。酒酣，童子歌雅词数阕，宾主欢甚。陈君首赋律诗一章，诸君子亦相继有作。薄暮乃归。刘君谓清游不可数得也，命侍史录诸作刻诸壁间，而予为之序。"

六月

·　**刘基《诚意伯刘先生文集》重刊**。杨守陈《重梓诚意伯刘先生文集序》："国初诚意伯刘公伯温，尝著《郁离子》五卷、《覆瓿集》并《拾遗》二十卷，《犁眉公集》五卷、《写情集》暨《春秋明经》各四卷，其孙廌集御书及状序诸作曰《翊运录》，皆锓梓行世。然诸集涣而无统，板画久而寝堙，学者病之。巡浙御史戴君用与其采薛君谦、杨君琅谋重锓，乃录善本，次第诸集，而冠以《翊运录》，俾杭郡守张君僖成之，属守陈序。……成化六年夏六月吉，赐进士出身、奉训大夫、太子洗马兼经筵讲官、同修国史、前翰林侍讲四明晚学杨守陈序。"

十月

柴奇（1470—1542）生。字德美，昆山人。正德辛未进士，授吏科给事中。历南禄少卿、应天府丞，进府尹。有《黼庵逸稿》十卷。陆深《应天府府君柴公奇行状》："公以成化庚寅十月十有九日生，以嘉靖壬寅六月七日考终于正寝，年七十有三。"柴胤璧《黼庵遗稿后言》："府君生而颖悟，读书过目不忘。髫齿时，与祠部盛公钟、济阳令杭公东谒夏太常。太常未出，相约默识屏间文数千言。府君归，援笔疾书，亡一字脱误，侪辈叹弗如。稍长，博极群书，原本经传，发为诗文，一洗六朝金粉习，抒自性灵，绝去斧凿，风来月落，光籁自生，故未易追仿也。"

刘球《两溪文集》刻成。彭时《两溪文集序》："公没后二十有八年，其子广东参政钺、浙江副使钎，相与类集公文，锓梓以传，属时序之。时于公为后进，鄙言何足以重公，然公亦何待予言以为重。惟公之文步趋圣贤之途，根本道德之实，严整雅洁，无一浮靡怪诞语。若此者自足以取重于世。加之死于忠谏，其精神耿耿乎天地间，凌厉山岳，荡摩日月，与寒暑俱运而无穷，其所以增重斯文者有在，人将视为商敦周鼎而宝重之。虽微予言，可必传于世无疑也。……成化六年岁次庚寅，夏五月朔，赐进士及第、资政大夫、太子少保、吏部尚书兼文渊阁大学士、知制诰、同知经筵事、国史总裁里生彭时序。"张瑄《两溪文集后序》："僚友广东参政安成刘公仗德，以其尊府忠愍两溪先生平生所为文锲梓以传世。先生盖余试礼部时同考官也。……仗德以余为先生所取士，又尝为言，刻板既成，谓不可无一言，谨论列如此。若夫先生之平生履历、出处大节，则有彭、刘两阁老之文在，益足以信后传远。晚生末学，毋庸赘为。成化庚寅冬十月朔旦，正统壬戌进士、正奉大夫、广东左布政使江浦张瑄谨题。"

十一月

文征明（1470—1559）生。初名璧，以字行，更字征仲，长洲人。父林为温州守。征明受文法于吴宽，受书法于李应祯，受画法于沈周，以诸生岁贡入京，授翰林院待诏，寻告归。有《甫田集》。文嘉《先君行略》："公讳璧，字征明，后以字行，更字征仲。以世本衡山人，号衡山居士，学者称为衡山先生云。少时外若不慧，然敦确内敏，虽在童稚，人不敢易视。稍长读书作文，即见端绪，尤好为古文词。时南峰杨公循吉、枝山祝公允明，俱以古文鸣，然年俱长公十余岁。公与之上下其议论，二公虽性行不同，亦皆折辈行与交，深相契合。或有问先君于祝君者，君曰：'文君乃真秀才也。'"［按，《甫田集》卷七有《十一月六日初度，与客饮散，独坐诵太白紫极宫诗，有感次韵》，征明生日在十一月初六］

本年

倪谦住宅遭火，稿失甚多。《清溪漫稿》卷二三《大明敕封孺人亡妻卢氏墓志铭》：

"己丑，予乞省觐，君在行，归杭展墓，亦请偕往。明年，家值回禄，居业荡然，先君弗怿。予图所以慰释其意者甚切，而未得计。君谓予曰：'吾舅甫脱忧患，岂可重扰其心？君虽初仕甚贫，然非有以安之不可也。吾尽斥簪珥属，或可资费。其先置屋数楹，奉居之，而急就职，藉禄以养，何如？'予曰：'然。'明日即携以出，市大屋三楹，建之故基，规制弘敞，先君大悦。乃还任，得请禄以归于亲。"李东阳《倪文僖公集序》："东阳辱青溪倪先生舜咨为同年，交最深，获见其先文僖公，乐与天下士诵公所为文旧矣。公居南京，有火厄，手掇旧稿数帙以出，青溪复力检得之。惜乎散佚尚多，不能尽录。"

丘浚在琼山为母守制。《重编琼台稿》卷一九《野花亭记》："岁己丑，闻先妣丧，归自禁林。明年抵家，又明年始免丧。"

庄昶由南京归乡。《明史》庄昶传："与编修章懋、黄仲昭疏谏内廷张灯，忤旨廷杖二十，谪桂阳州判官。寻以言官论救，改南京行人司副。居三年，母忧去。继丁父忧，哀毁，丧除不复出。卜居定山二十余年，学者称定山先生。"唐守勋《明定山庄先生墓碑铭》："调湖广桂阳判，行间，用给事中毛弘御史陈壮言，改南京行人司左司副。迎二亲就养，寻遭二艰。丙申服阕，不起复，超然肥遁。有示门人徐光岳《无弦太极》之诗。"《定山集》卷四《鸢飞鱼跃亭晚坐和光岳》："领略无弦太古风，孤亭小坐意何穷。自知鱼跃鸢飞妙，都在云闲水淡中。玄默不言天本静，清光无我月能公。细看太极当年说，老子而今意偶同。"

彭韶升四川按察副使。《椒丘文集》卷二八《赠太子少保彭惠安公祠堂碑》："成化庚寅，升四川按察司副使，寻升按察使。"

公元 1471 年（成化七年　辛卯）

四月

柯潜以守制辞祭酒职。吴希贤《中顺大夫詹事府少詹事兼翰林院学士竹岩柯公行状》："庚寅正月，太宜人属疾卒，朝廷遣官谕祭。辛卯四月，有诏起复。时祭酒员缺，久难其人。上知公刚方，将用之。公闻命，具疏辞乞终制，大略言夺情非令典，忠君者必自孝始，未有不能尽孝于家而能尽忠于国者也。上览疏许之。初公素无疾，至是以久寝苦块，患左足风痹。比免丧，久之犹未平，而寒疾继作矣。"

九月

魏骥卒，年九十八。毛奇龄《明南京吏部尚书荣禄大夫谥文靖魏公传》："八月戊辰，上御奉天门，召尚书邹干、右侍郎刘吉、雷复等，曰：'尚书魏骥，寿及百龄，兼有德望，朕深嘉悦。其写敕，遣行人存问。并赐赍如数。'九月丁丑，遣行人张和存问。敕曰：'卿以醇笃之资、正大之学，历仕累朝，官登八座。归安田里，寿届百龄。进退从容，体履康裕，缅惟风采，嘉叹不忘。特遣行人存问，并赐羊酒。仍令所司月给米三石，赡之终身。卿宜倍加调摄，益隆寿祉，伫闻谠论，得慰殷思。卿其体朕至怀。'敕甫临浙，公以是月己丑（二十日）卒于里第，时年九十有八。"注云："是年为成化七年辛卯。《献征录》作八年，误。"《明诗综》卷二一《魏骥》："郑室甫云，公性好吟咏，矢口适情，不求雕饰，自然俊永。"存诗一首《秋兴》。《静志居诗话》卷六《魏骥》："文靖仕宦四十年，官阶二品，年近百龄，可称向用五福。其文极醇雅。诗虽非专长，亦颇蕴藉。"四库提要卷一七五："《南斋摘稿》十卷，明魏骥撰。……是编为其孙婿福建布政使钱塘洪钟所编。前集四卷，两京居官时所作；后集六卷，自景泰辛未归田至成化辛卯所作。盖骥年九十八始卒，故身历七朝，各有著述也。前有钟序云：公为文一本诸性情所发，初不事雕刻、务奇巧，其稿具存，皆公亲书，但其简帙浩繁，未易遍刻，再阅原稿，凡题上有点注者，皆公墨迹。玩其词意，皆有益于事者也。因摘取以付诸梓，名曰《摘稿》。黄虞稷《千顷堂书目》别载有骥《前后集》二十卷，盖其未摘之全稿。今未见传本，其存佚不可考矣。"

本年

曹安在云南。《谰言长语》："诗亦有谶。成化七年，予过滇通海驿，偶题一绝，第二句'孤臣万里叹无家'。至白鹤铺，又题一绝，'杜鹃声里怨无家'。人见之云：'此人丧偶。'不二年，予妻丧之。"

周瑛出知广德州。《翠渠摘稿》卷八《自撰蒙中子圹志》："成化己丑，登张升榜第二甲进士。又明年辛卯，出知广德州。"《怀麓堂集》卷一一《送周梁石知广德州》："州居地僻简逢迎，作宦从前懒近名。尽日鸣琴清里讼，一春骑马看村耕。曲江芳草年年路，南国甘棠树树情。人说中朝官总好，我今无补愧升平。"

黄仲昭归省。《未轩文集》卷三《东里黄都史出嗣阮巷记》："成化辛卯，仲昭自南都归省，偶于母舅郑梅所先生家，得吾宗邵武教谕方子公遗文数帙，盖手稿也。"

公元 1472 年（成化八年　壬辰）

二月

李东阳归乡展墓。《怀麓堂集》卷九二《高祖戊七府君墓表》："成化壬辰之春，曾孙封翰林院编修淳，将归谒曾祖考处士之墓于茶陵，玄孙东阳实自翰林请于上以从。曾孙淳乃具述曾祖本末，授于玄孙东阳，使撰次其辞，刻石京师，载而归。"《怀麓堂集·南行稿序》："成化壬辰岁二月，予得告归茶陵，奉家君编修公以行，至则省始祖州佐公及高祖处士府君之墓。既合族序，燕居十有八日，乃北返。以八月末入见于朝。盖阅七月而毕事。"《怀麓堂集·南行稿》载诗文多篇，多为此行而作。《留别京中诸友》云："近奉丝纶出九天，远从闾阖望群仙。云霄别路八千里，江汉归心二十年。旧垄松楸还楚地，故人诗话满吴船。微官未敢轻言思，不待秋风擢已旋。"《六月九日初度诸族父兄皆会感而有作》云："京国辞家万里行，故园今日暂逢生。方言解共儿童说，杯酒能劳父老情。地湿暑风清野树，夜深凉雨过山城。天涯异物还甘旨，随意樽前舞袖轻。"《荷木坪二十韵》祭高祖，《雷公峡二十韵》祭族高祖。《豫章诗话》卷六云："长沙李文正，即岳季方阁老之婿也。文正父行素携文正还茶陵访祖，是时文正为编修。岳有诗送之曰：'几处聚观元献俊，千年争讶令威归。'元献，晏殊谥，则固以阁老期文正矣。"

刘珏卒，年六十三。《吴都文粹续集》卷四二《刘完庵墓志铭》："酒酣赋诗，落笔如雨。而尤工于画，颇自矜惜，得其手迹者皆为宝玩。武功伯徐天泉，才高当世，少可其意者，独称与公，赠之诗曰：'刘郎诗高画亦高，当代不独称诗豪。'其见重若此。郡邑大夫已下，咸敬礼之。岁行乡饮，则先书敦请，必欲得公与席。而诗坛文社，缙绅逢掖，亦推让之。方期仪刑乡邦，而遽焉告逝，成化壬辰二月初八日也。"四库提要卷一七五："《完庵诗集》一卷，不著撰人名氏。惟篇首有吴宽序，称完庵先生刘公少为刑部属，出金山西按察司事，居三载弃官归吴中，所与倡和者武功徐公、参政祝公及隐士沈石田数人。考《江南通志·人物·文苑类》中，载'刘珏字廷美，长洲人，正统三年举人，官至山西按察司佥事，老而好学，工于唐律，时人称为刘八句'，所叙仕履，与宽序合。又《艺文类》中载'《完庵诗集》，长洲刘珏撰'，与书名亦合。则此集盖珏所作。然其诗有亮节而乏微情，不能如志所称也。"

李东阳初知吴宽。《麓堂诗话》："吴文定原博未第时，已有能诗名。壬辰春，予省墓湖南，时未始识也。萧海钓为致一诗曰：'京华旅食变风霜，天上空瞻白玉堂。短刺未曾通姓字，大篇时复见文章。神游汗漫瀛州远，春梦依稀玉树长。忽报先生有行色，诗成独立到斜阳。'予陛辞日，见考官彭敷五为诵此诗，戏谓之曰：'场屋中有此人，不可不收。'敷五问其名，曰：'予亦闻之矣。'已而果得原博为第一，亦奇事也。原博之诗，酝郁深厚，自成一家，与亨父、鼎仪皆脱去吴中习尚，天下重之。"

陈献章始得吴与弼讣讯。《陈白沙集》卷四《跋张声远藏康斋真迹后》："先师康斋遗稿，某藏之十二年矣。出入必偕。天顺初，先师膺聘入京，途中纪行诸作，皆当日手书，寄白沙凡七纸。成化己丑春三月，行李出北京，是日次于析木之店，以示东吴张声远镆，一见惊绝，阅之竟日不目瞬，以手抚弄，以口吟哦。某怜之，割一纸。是岁六月，过清江，以手书问先师，尚无恙也。明年秋，镆书来求跋。又二年壬辰二月，丰城友人始以讣来，先师之卒在己丑十月，至是三易岁。当镆求跋语时，属犷来一年矣。乌乎，悲乎！"

三月

十七日，赐吴宽等进士及第、出身有差。王鏊《文定公墓表》："公生有异质，未冠入郡庠，辈流方务举业，公独博览群籍，为古文辞，下笔有老成风格。屡试应天，不第，以岁资贡入太学。东海张汝弼见之曰：'天下亦有如此贡士也哉！'江阴卞郎中华伯以诗自负，有'低头拜东野'之句。武功伯徐公高迈少可，而折节与交，曰：'馆阁器也！'公以屡举不利，绝意仕进，不肯复应举。天台陈公士贤时御史，董学政于南畿，以礼敦遣公。不得已，入试，名在第三，时犹谓之屈。壬辰会试第一，入试大廷，又第一。"

四月

郭登卒。《明宪宗纯皇帝实录》卷一〇三"成化八年夏四月丙申（三十日）"："定襄伯郭登卒。……登博闻强记，善议论，好谈兵，多知国家典故。所作诗，音响类唐；文有奇思。作字遒劲，尤工草书。至于音律、绘画及他技巧之事，曲尽其妙。功臣子孙中，罕有其比。"《国朝献征录》卷十《定襄伯赠定襄侯谥忠武郭公登传》："登工诗，有《联珠集》。谪甘州时，有诗送岳正曰：'青海四年羁旅客，白头双泪倚门亲。莫道得归心便了，天涯多少未归人。'又曰：'甘州城南河水流，甘流城北胡云愁。玉关人老貂裘敝，苦忆平生马少游。'大学士李东阳评其诗为国朝武臣之冠。"《明诗评》卷四："定襄奇士也，磨盾操檄，横槊赋诗，雄论风生，绚辞电扫。如送季方之作，怨而不怒。他篇奕奕，固是将种。登诗如弄波榜人，大自标捷，又如魏司徒善射，令人惊目。"《静志居诗话》卷七《郭登》："定襄力捍牧围，功存社稷。《联珠》一集，继父兄掉鞅诗坛，西涯以为明初武臣之冠。即其《山王》《楸树》诸篇，力已排奡。至《咏枭》之作，直兼张、王、韩、杜之长，岂惟武臣，一时台阁诸公孰出其右？锡山俞汝成乃谓：'可式后之为勋卫者。'是瞽者之言也。"《明诗综》卷二四存诗十一首：《题蒋廷晖小景》《自公安至云南辰沅道中谒山王祠》《楸子树并序》《枭》《西屯女》《保定涂中偶成》《甘州即事》《客中春晚》《春日游山偶成》《口号寄泾州守李宏》《甘州》。朱彝尊注《甘州》云："集本题作《送岳季方还京》。前云：'登高楼，望明月，明月秋来几圆缺？多情只照绮罗筵，莫照天涯远行客。天涯行客离乡久，见月思乡搔白首。年年长安送行人，折尽边城路傍柳。东望秦川一雁飞，可怜同住不同归。身留塞北空弹铗，梦绕江南未拂衣。君归复喜登台阁，风裁棱棱尚如昨。但令四海歌升平，我在甘州贫亦乐。'下文云云。"《明诗别裁集》卷三《郭登》："定襄《山王》、《楸树》、《咏枭》诸篇，盛推众口，然才力恣肆，或非正声，兹择其尤雅者。"《明诗纪事》乙签卷一五《郭登》陈田按："忠武诗才力雄博，大篇最为见长。竹垞推其《咏枭》诸作，可谓具眼。沈归愚以为非诗正声，非通论也。《联珠集》今鲜传本，余就所见录之，殊憾不足尽所长耳。"

七月

徐有贞卒，年六十六。《家藏集》卷五八《天全先生徐公行状》："以病不起，实成化八年七月十五日也，年六十六。公为人精悍短小，目光炯然。其论古今事，缅缅终日不倦，而慷慨激烈，音吐清亮，听者竦然。其奉命所至，多所建白。……公之学，自经传、子史、百家、小说，以至天文、地理、医卜、释老之说，无所不通。其为文，古雅雄奇，有唐宋大家风致，晚岁文笔益老。所著有《史断》若干卷，文集若干卷。"正德《姑苏志》卷三四："武功伯徐有贞墓在贞山。"下注："山西右参政祝颢《祭墓表》：'惟公天赋绝伦，学精群籍，才高当世。'"四库提要卷一七〇："其文奇气坌涌，而学问复足以济其辩。集中如《文武论》、《制纵论》及《题武侯像》、《出师表》诸篇，多杂纵横之说。学术之不醇于是可见，才气之不可及亦于是可见。拟诸古人，盖夏竦《文庄集》之流。遗编具存，固不必尽以人废也。至其诗，则多在史馆酬应之作，非所擅长。集中《羽林子》二首，《静志居诗话》谓源出右丞，然语亦平平，仅具唐人之貌。人各有能有不能，存而不论可矣。"《明诗纪事》乙签卷一六《徐有贞》引《吴中往哲记》："武功伯夙负高才，谈锋文气，英迈莫敌。"

九月

岳正卒，年五十五。《怀麓堂集》卷七一《蒙泉公补传》："忽丧幼子，恸而成疾，壬辰九月十一日卒，年五十五。……公于书无所不读，谓天下事无不可为，高自负许，俯视一世。其为文高简峻拔，追古作者。诗亦雅健脱俗，字法精邃，大书尤伟。旁及雕绘镌刻，悉臻其妙。尝戏画葡萄，遂称绝品。晚好《皇极书》，有所论述及经解，皆未及就。惟《类博稿》仅有十卷，行于世。《深衣纂误》一卷，藏于家。"《静志居诗话》卷七《岳正》："季方谓：'作诗既要平仄，又要对偶，安得许多工夫？'颇以吟咏为苦。而天眷之作，亦复成章。"四库提要卷一七○："其文章亦天真烂漫，落落自将。史称所草《承天门宣谕廷臣诏》剀切感人，举朝传诵，足以见其一斑矣。……东阳《怀麓堂诗话》称'蒙翁才甚高，俯视一世，独不屑为诗，云既要平仄，又要对偶，安得许多工夫'云云，盖得其实。而传乃称以雅健脱俗，未免阿其所好。至称其文高简峻拔，追古作者，则不失为公评。正统、成化以后，台阁之体渐成啴缓之音，惟正文风格峭劲如其为人。东阳受学于正，又娶正女，其《怀麓堂集》亦称一代词宗，然雍容有余，气骨终不逮正也。所谓言者心之声欤？"

王守仁（1472—1528）**生。**幼名云生，字伯安，余姚人。弘治己未进士，授刑部主事，改兵部，坐救戴铣忤刘瑾，杖阙下，谪贵州龙场驿丞。旋复南京刑部主事，改吏部，历员外郎中。迁南太仆少卿，转鸿胪寺卿，拜左佥都御史，巡抚南赣，升右副都御史。论平宸濠功，擢南兵部尚书，封新建伯。卒赠侯，谥文成，从祀孔子庙庭。有《王文成全书》。钱德洪《阳明先生年谱》："宪宗成化八年壬辰九月丁亥，先生生。是为九月三十日。太夫人郑娠十四月，祖母岑梦神人衣绯，玉云中鼓吹送儿授岑，岑惊寤，已闻啼声。祖竹轩公异之，即以云名。乡人传其梦，指所生楼曰瑞云楼。"《北京图书馆藏珍本年谱丛刊》第 44 册《王文成公年谱节略》云："宪宗成化八年壬辰九月二十日丁亥，先生生于瑞云楼。"《三命通会》卷九"六癸日亥时断"之"癸亥日癸亥时"，载王守仁八字为：壬辰年，辛亥月，癸亥日，癸亥时。卷一一"长流龙复归大海，五湖水聚掌群黎"，复记王阳明八字为：壬辰，辛亥，癸亥，癸亥。[按，成化八年九月为大月，共 30 日，始于甲午，终于癸亥，丁亥日轮空。壬辰年九月为庚戌月，是月夏历二十八日巳时立冬。而《三命通会》记为"辛亥"，盖八字推人穷通，以月令交节为据。立冬前生人，为九月生；立冬后生人，虽在九月，当作十月看。王守仁必生于九月二十八日立冬之后。月令天干从节令，而生日天干不变。九月三十日为癸亥日。故《三命通会》所云生辰"壬辰，辛亥，癸亥，癸亥"为实。《阳明先生年谱》误"癸亥"为"丁亥"，而所言"九月三十日"为实。《王文成公年谱节略》误抄"九月三十日"为"九月二十日"]

十二月

李梦阳（1473—1529）**生。**字天赐，更字献吉，庆阳人，徙扶沟。弘治癸丑进士，授户部主事，转员外郎。应诏陈言，弹寿宁侯张鹤龄，系锦衣狱，旋释之。进郎中，代尚书韩文草奏劾刘瑾，坐奸党致仕。起江西提学副使，恃气陵轹，台长讦奏罢官。宁庶人既诛，坐为庶人。撰《阳春书院记》，狱辞连及，尚书林俊力持之得免。卒后，弟子私谥文毅。天启初追谥景文。有《空同集》。《明史》李梦阳传："母梦日堕怀而生，故名梦阳。"《洹词》卷六《江西按察司副使空同李君墓志铭》："以成化壬辰十二月七日生，嘉靖己丑九月二十有九日卒，享年五十八。"

本年

黄瑜致仕。黄佛颐《双槐公年谱》："八年壬辰，四十七岁。时豪民黄新杀人，上司以其无尸，欲出之。公祷于神，忽有蚱蜢折左股入砚池而毙，因谓新曰：'汝折其左股，沉黑水塘中，人告我矣。'新惊服，遂得尸。未几，佥事萧仓录囚至惠，受新赂，欲以为疑狱，公坚持之，新遂弃市。有藩一官墨，索贿，不予，假事辱之。叹曰：'吾倔强，可终制耶？'遂乞归，耆民张老叔等百余人攀留之，不可。龚侍御以已登荐剡，留之，亦不可。公携家归，至黄土岭，忽甲而持戈者数百奄至，公叹曰：'行囊甚空，盗胡为来？'至则涕洟罗拜，各出所有为赆，公坚却之，因肩公舆，护送过岭而去。盖向所化盗卢公林也。公去后，邑人为立生祠于学前直街，继公为令者，使庠生魏凤等求绘公容以归。"

张宁丧妻。《方洲集》卷二四《亡妻王氏墓志铭》："此有明礼科都给事中张宁妻孺人王氏之墓。名琼琼，字秀琼，处士王公玉女，年二十五适张氏。……孺人疽发背，卒，春秋四十有五。成化壬辰，与先妻赠孺人唐氏并葬海盐县开济乡祖茔，于先姑封孺人丁氏墓为昭穆。呜呼！孺人死矣。"

公元1473年（成化九年 癸巳）

二月

姚夔卒，年六十。《明宪宗纯皇帝实录》卷一一三"成化九年二月庚午（初九）"："太子少保吏部尚书姚夔卒。……夔豪俊慷慨，学通而文赡。但颇不拘小节，晚节为妻子所累，言官喋喋不置。论者谓夔布时练务类唐杜黄裳，而未免通馈、谢当时固有疵议之者。然求之一时大臣中，罕有其比，亦无愧于一代名臣云。万安《少保姚文敏公文集序》："公之于文也，以理胜为主，而耻事雕琢。每建大议，决大政，意到落笔，万言立就，酌古准今，曲尽事变而无遗情。浩浩乎如长江大河，一泻千里而不能穷其源也；巍巍乎如泰山丘岳，吞吐元化而不能寻其根也。"丘浚《少保姚文敏公遗集序》："公其伟丈夫哉！文章政事，自其心之所形见者，何其若是之兼全耶！语其才，如河流滂沛，不待疏决而自无壅滞也；语其达，如庖丁解牛，不待鼓刀而自得其肯綮也。温润者，如玉之产于蓝田；明洁者，如珠之孕于合浦。春容典重，又如金钟大镛之在东序，动中律吕，而不可以淫哇之声乱之也。其视彼小小者挟聪明之资窃取糟粕，牵联组缀，以耀尘俗而袭声誉于朝夕者，奚啻天渊乎！"《明文衡》卷七九《姚文敏公神道碑》："公丰神秀朗，气度宏伟，言论侃侃达大体。居官莅政，精敏逾人。拔擢人才，无间新故，有以嫌疑腾谤者，公不与辩，亦不为之变节，隐然如泰山、乔岳不可动摇。立朝三十余年，忧国悯民，恒存念虑。事有可为必勇为之，惟恐己后人先。每廷议大政大事，正色昌言，人皆悦服。一时大臣词气慷慨、才识高迈未有出公右者。识者谓公可属大事如周勃，善应变成务如姚崇，世以为知言。公所为文豪宕富赡，似其为人。"《明诗综》卷二四《姚夔》存诗一首:《下峡》。

三月

王叔英《静学文集》刊刻。徐孚敬《书静学王先生文集后》:"先生洪武中与同郡方公孝孺、林公佑以文行著名。林公尝叙先生之文而先没，方亦继先生谢世。今其文章有刊刻流布者矣。先生之文，东里杨少师存日，欲加纂集，求无完稿，深悼惜之。今宝庆太守谢君世修甫，慨生也后而不及拜先生以承其教，幸得先生文，将以私钱募工刻之，为序于后，以广其传，使后来景先生之行者，可因文而考先生之心。爰以书来告，且俾相其事。呜呼! 林公序先生之文详矣。死而成仁之义，孚恐岁月易，将有不知其详者，敬以幼闻父兄之言，书达谢君，附之卷尾，使后读先生之文者，庶因而得先生之本心云。成化癸巳春三月望日，邑人徐孚敬书。"《静学文集》卷首提要:"《静学文集》一卷，明王叔英撰。……乾隆四十一年，赐谥忠节。史称叔英在建文朝尝上《资治八策》，又称方孝孺欲行井田，叔英贻之书曰:'事有行于古亦可行于今者，夏时周冕之类是也; 有行于古而不可行于今者，井田封建之类是也。可行者行，则人之从之也易，而民受其利。难行者行，则人之从之也难，而民受其患'云云。今是集三十篇仅存序、记二体，而所上八策及贻孝孺书并无之。按徐敬孚跋，称杨士奇尝欲纂集叔英之文，求无完本，深悼惜之。成化年有谢世修者欲募刻以广其传，盖搜葺重编，非其旧本。卷首林佑序作于洪武中者，乃后人所录入，非即为此本作也。叔英尝自云:'赵孟之贵非所慕，陶朱之富非所愿。使吾文如圣贤，是吾心也!'今观是集，大抵皆规抚昌黎，稍失之拘，而简朴有度，非漫无裁制者比。所存虽少，已可以见其生平矣。前有黄绾所为传，称其文章有原本，知时达势，为用世之儒，盖不诬云。"

姚福作《清溪暇笔》。姚福《青溪暇笔序》:"青溪发源钟山，由金陵台城之东南注秦淮。国家创业定鼎于兹，开拓城隍，贯溪于中。予先祖自燕云仗戈从文庙靖难入京师，侨寓羽林营内，逮于己丑，十有余年。生指日繁，顾先人敝庐湫隘，弗能处。乃稍迁而南，得旧屋二十余楹，因陋就简，区为堂室，以安家累。适在溪西，相去不百武而近。乃扁曰'青溪精舍'。公暇复捐俸入之余，储典籍于中以自遣，且以淑诸子侄焉。闻者过听而不察，遂以予为肄业者，每相过而问难谈辩，或者至以觚翰之责委之，坚不可拒。于是不得以，俛勔从事，以酬其意。……不忍遽弃，于是，收残拾断，得诗若干，[原阙]题曰《风树稿》，志早孤也。得文若干首，[阙]题曰《定轩集》，表所居也。其间得于宾客之绪余，省于经史之糟粕，或亲观诸物，或有感于心，多则百余言，少则数拾字，或书于版籍，纪于方册，日渐以多，其中可惊可喜，可怪可笑，可考可疑者有之，惟言人之不善者蔑焉。亦复不忍弃去，录为二卷，题曰《青溪暇笔》，别其在诗文之外也。夫古之大贤，穷经治事之余，必有日录，以志其所得。若

□□□□□司马公《涑水纪闻》。凡稗官小说，街谈巷语，有所不遗焉。第予以尺籍伍符之士，识浅而见□，乃欲效颦先贤，不亦僭矣乎？虽然，泰、岵、黾、蒙，大小不同，而同曰山；江、河、潜、沱，广狭不同，而同曰水。大有大用，小有小用，于世何赖哉？其又自恕者如此。此外，有《窥豹录》《兵谈纂类》《神医胗籍》《避喧录》《立身警策》《咏史诗叙说》《古千字文解》《发蒙教》，或已板行，或已稿立，兹不缕赘。呜呼！观者勿以夸多斗靡为予诮，矜其志而恕其狂可也。成化癸巳三月之望，守素道人姚福世昌书。"四库提要卷一二八："《青溪暇笔》三卷，明姚福撰。……是编皆札记读书所得，及杂录耳目见闻。其首卷所述明初佚事，多正史所不载。惟'体用'字，见《周易正义》，福乃以为宋儒以前无此字，出于佛典。至其取郑谑之说，谓异姓可以为后，而深驳陈淳之论，其为乖剌又不止训诂间矣。"

五月

杨士奇文集续编成。李时勉《东里续文稿序》："先生病在床，以其续文稿授予曰：'其为我序之，以付孺子藏于家。'予文未成，而先生没。悲苦之余，又何能以序其文也耶？然先生治命不可违，遂收泪而序之。"韩雍《书东里文集续编后》："庐陵杨文贞公即世三十载，其所著《东里诗文集》传于世久矣，然才二十八卷耳，士君子恒以不得见全集为憾焉。成化七年秋，其子尚宝卿橐奉使广西，为予言：'橐幼侍先公，凡所著作稿，皆先兄收。兄没，诸子姓珍惜秘不发。橐又忝侍从，不能归。兹幸归而得之，图惟梓传，敢以累执事。'予敬诺焉。橐既还京师，编录成卷六十有二，托吏部侍郎叶公与中校正，乃以寓予，且属序一言。予遍阅之，跃然曰：'此当代文章巨公手笔，天下之人仰慕想见者也！予何敢不力？'然公诗文旧刻，永嘉黄文简公、江陵杨文定公序之详矣，后生小子何敢置喙于其间……成化九年岁次癸巳，夏五月既望，吴郡韩雍拜手书。"《诗源辨体》后集纂要卷二略云：杨东里《前集》诸体共五百七十七首，《续集》诸体共一千四百二十首。东里卒于正统八年，年八十。《前集》有杨江陵序，乃正统元年所撰，是时东里已七十三，则《续集》之多，乃其子橐并收前集所遗而刻之，故应酬者十居六七。《前集》五言古汉、魏最长，而唐体短篇亦胜。《续集》则唐体长篇多有可观。七言古，《前集》寡鸿巨之制，《续集》入录者较胜。五、七言律，《前集》实多佳篇，《续集》可采者甚少，七言仅得百中二三。《东里集》卷首提要："集分正续二编，《正集》所载较少，《续集》几至倍之。其《别集》四种：曰《代言录》，乃制敕之类；曰《圣谕录》，曰《奏对录》，曰附录，则士奇之传、志诸文咸在焉。李东阳《怀麓堂诗话》曰：'杨文贞《东里集》手自选择，刻之广东，为人窜入数首。后其子孙又刻为《续集》，非公意也。'然则《续集》乃士奇所自芟弃，非尽得意之作，以其搜罗较富，故仍其旧，并录之焉。"

八月

柯潜卒，年五十一。《明宪宗纯皇帝实录》卷一一九"成化九年八月丁丑（十八日）"："詹事府少詹事兼翰林学院学士柯潜卒。……潜在太学者，亦未有名。一登伦魁，遽奋发淬励，学遂大进。为文峭厉，诗亦有风致。为人高介有节，仪观修整，时以公辅望之。但其乡人有上书攻大学士商辂者，或疑潜使之。及其守制家居，颇为乡人所议，责备者为之不满云。"吴希贤《游文峰岩诗稿跋》："先生为人风度凝远，胸次洒落，故发之诗篇，率清新俊迈，如登千仞之岗，天风飒至，爽气袭人。"吴希贤《中顺大夫詹事府少詹事兼翰林院学士竹岩柯公行状》："公平生负直气，操行介持，发而为文，峻整有法，类其为人。尤长吟咏，兴至，举笔立就，清新微婉，绰有风致。"康太和《竹岩集序》："其为诗冲澹清婉，不落畦径，庶几登陶、谢、王、孟之堂。其为文平妥整洁，不事浮葩艳藻、佶屈声牙之习，而风神气格迥出。凡近中如《陈情疏》《复郡侯书》，与夫《记盆鱼》《序愚乐》等作，尤见其主持伦常，翊扶世道，挽正风俗，视娣阿脂韦以哗世取宠者不同，览者不必生同其时，已可想见其人矣。"董士宏《竹岩集序》："昔者刘文安公评论东里、芳洲之文：东里若清庙九室，宝瓒珠罍，陈列就次，玄酒黄流迭裸，而可以为古；芳洲若泰山乔岳，一翠千里，长冈作郡，短垄作邑，而可以为杰。然则公文其古欤？愚不敢僭评。则反复展玩而觉其古也，而非迂也；杰也，而非奇也。盖砥躬炳业，体物贲藻，吐之裕如，略无仿真之劳、纤弱之态，倬乎巨儒之伟撰、宗匠之良规也。"四库提要卷一七〇："《竹岩集》一卷，文集一卷，补遗一卷，明柯潜撰。……潜在当时负词林宿望，流风余韵，荫映玉堂。尝就后圃结清风亭一区，手植双柏，数百年传为古迹，即所谓'柯亭'与'学士柏'者也。柏已不存，而柯亭之号得入御制临幸翰林院诗，其名益著。惟文集乃传本甚稀，据集首董士宏序，则原集在嘉靖中曾经刊板，然今福建所采进者仅属抄本。又据康太和序，知当时已多阙逸，今则并康序中所称《记盆鱼》《序愚乐》等作，亦俱未见，殆更为后人妄有刊削，弥致散亡，钞录亦多舛误，弥失其真。今就是集所存诗、文各一卷，重为订正，并从郑岳《莆阳文献》、郑王臣《莆风清籁集》中录诗十首、文二首，为补遗一卷，附缀于末，以存梗概。其诗冲澹清婉，不落蹊径，文亦峻整有法度。盖其时何、李未出，文格未变，故循循轨度，犹不失明初先正之风焉。"

九月

何乔新迁河南按察使。《椒丘文集》卷一四《永慕堂记》："成化癸巳秋，予自闽赴汳，次于淮阴。"《椒丘文集》卷一二《庆义民黄君愈敬六十序》："自予出仕于朝，不至乡里者几二十年。成化癸巳，予迁河南宪使，便道归省先垄，访平日所敬慕者，仅存一二焉，而吾乡之俗益衰。儒家之子或去而服技艺矣，力田敦朴之世或变而竞淫侈矣，以健讼为智而敬让之行微矣，以豪夺为能而廉耻之节丧矣，骨肉竞锥刀而孝友之风薄矣。"《明史》何乔新传："迁河南按察使。岁大饥，故事，振贷迄秋止，乔新曰：'止于秋，谓秋成可仰也，今秋可但已乎？'振至明年麦熟乃止。"

十一月

丘浚在琼山作生日词。《重编琼台稿》卷一《癸巳初度》其一："今朝五十三，年年岁岁平平过，如斯而已。不须更问如何则可，自有前程，别无外事，但求诸我。把眼界挣开，肚皮宽放，偃然坐，忙中躲。"其二："少日东涂西抹，到如今要他作么。深知物理，饱谙世味，不过些个。好植深根，更安固蒂，冀成结果。待从今向后，年添一岁，受人拜贺。"〔按，浚生日在十一日〕

本年

杨一清徙丹徒。《国朝献征录》卷一五《特进光禄大夫左柱国少师兼太子太师吏部尚书华盖殿大学士赠太保谥文襄杨公一清行状》："壬辰登进士，癸巳以父艰解官，访姊氏于丹徒。会公前室段氏继卒，贫窭不任远归，乃葬丹徒，因家焉。"

谢铎校《通鉴纲目》。《明史》谢铎传："成化九年校勘《通鉴纲目》，上言：'《纲目》一书，帝王龟鉴。陛下命重加考定，必将进讲经筵，为致治资也。今天下有太平之形，无太平之实，因仍积习，废实徇名。曰振纲纪，而小人无畏忌。曰励风俗，而缙绅弃廉耻。饬官司，而污暴益甚。恤军民，而罢敝益极。减省有制，而兴作每疲于奔命。蠲免有诏，而征敛每困于追呼。考察非不举，而幸门日开。简练非不行，而私挠日众。赏竭府库之财，而有功者不劝。罚穷谳覆之案，而有罪者不惩。以至修省祈祷之命屡颁，水旱灾伤之来不绝。禁垣被震，城门示灾，不思辣动旋转，以大答天人之望，是则诚可忧也。愿陛下以古证今，兢兢业业，然后可长治久安，而载籍不为无用矣。'帝不能从。"

本年前后，丘浚《五伦全备记》成。《顾曲杂言》卷二："丘文庄淹博，本朝鲜俪，而行文拖沓，不为后学所式。至填词，尤非当行。今《五伦全备》是其手笔，亦俚浅甚矣。初与王端毅同朝，王谓：'讲学大儒，不宜留心词曲。'丘大恨之。因南太宰王傲为端毅作《王大司马生传》，称许太过，遂云：'若有豪杰驳之，祸且不测。'又端毅所刻疏稿，凡成化间留中之疏，俱书不报，丘又谓王故彰先帝拒谏之失。御医刘文泰得丘语，因挟仇特疏，而王遂去位。所以报《五伦》之怨也。《五伦记》至今行人间，真所谓不幸而传矣。"许守白《投笔记跋》略云："《投笔记》传奇，明丘浚撰。所著传奇有《五伦记》《投笔记》《举鼎记》《罗囊记》诸种。各曲谱都未引及，以为久佚矣。忽睹明刻本《投笔记》，不禁狂喜。"《曲目新编·明人传奇》："《五伦》《投笔》《举鼎》《罗囊》，右四种丘琼山作。"徐复祚《曲论》："《香囊》以诗语作曲，处处如烟花风柳。如'花边柳边''黄昏古驿''残星破暝''红入仙桃'等大套，丽语藻句，刺眼夺魄。然愈藻丽，愈远本色。《龙泉记》《五伦全备》，纯是措大书袋子语，陈腐臭烂，令人呕秽。一蟹不如一蟹矣！"

黄瑜始号"双槐老人"。黄佛颐《双槐公年谱》："九年癸巳，四十八岁。公既致仕归，徙家会城番山下，手植槐二，构亭其中，自称'双槐老人'，曰：'子若孙，能更植其一，则吾志毕矣。'公虽优游田里，恒以不及致身廊庙为歉。"

公元1474年（成化十年　甲午）

正月

李时勉《古廉文集》初编成。戴难《古廉文集跋》："难少承先生诲导，俾侍笔砚间。及先生归荣与解组，又得执巾杖为山泽游，俱非一日也。岂期先生物故，遗稿多失。遂与诸孙及交游士大夫，通得若干，谨录成四册。别以文行忠信质之同门，吴节与俭曰：'汝当以书付其孙知县颙，锓梓以传。'愚受先生指教之恩，谊深渊海，是集焉敢不用情者乎？余文散失，尤冀斯文君子采寄示予，续编可也。岁成化十年甲午仲春吉，八十七翁门生戴难跋。"吴节《谥忠文古廉文集序》："先生没，遗文多散失。门人戴难哀集得若干篇，谨录成帙，征予序附。其孙知县颙付诸梓。予承诲于先生久且故，窃惟先生闻望在天下，固不俟著述而可知，然文本乎内而发乎外，欲知先生抱负忠毅、拳拳于爱君不置者，又当于文考之可也。"李颙《古廉文集跋》："颙惟先大父忠文公平生所著文集甚多，奈岁久散失，存者无几。门人戴先生尝编录成卷若干篇，国子祭酒吴先生又为序以弁其端。颙以菲材，弗克继述，叨承前休，授今惠之长乐令。尝于公退之暇，览大父手泽，不胜感戚。于是遍求余稿而增益之，缮写成帙，特以托广郡守乡先生伍公希渊重加校正，锓梓以传。虽然，先祖之居官行实，昭昭然名于当世，固不待文而显。然《礼》曰：'先祖无美而称之，是诬也；有善而弗知，不智也；知而弗传，不仁也。此三者君子之所耻也。'苟是编不传，则不智不仁之耻，颙莫逃焉。匠氏告完，姑述其概，以纪其成。柳子有云：'至哀无文，至敬不饰。'颙窃以焉。孝孙颙谨识。"萧尚彝《古廉文集后序》："翰林学士国子祭酒古廉李先生之殁三十余年，其孙颙宰惠之长乐，数年始克汇集先生文稿若干卷，托广州郡守乡先生伍公校正，寿梓以传。属予一言以序诸末简。予观先生之文，浑厚醇正，博洽赡丽，淡然菽粟之味，锵然韶钧之鸣，真可以追踪古人，卓冠当世。后生小子，安敢容喙于其间哉！然予少居乡间，闻先生之忠言谠论切于时政，一时名闻海内，如景星凤凰，天下之人争先而快睹焉。及予叨领乡荐，宦游四方，先生虽已物故，而凡见公卿大夫出自先生之门者，无间隐显，莫不相与感慨。夫先生之仪刑，有不可得而复作焉。是则先生之忠义德教，传之天下，浃于人心，愈久不忘，而况于文章之作，有不足以歆动于人而传于世耶夫？泰山之峻绝，天下之人虽不尽见，而皆知其为高；河海之浩瀚，天下之人虽不尽涉，而皆知其为大。先生之文，本之以道德，参之以才气，而又浸淫乎六经，搜猎乎百家，其言辞之发，见诸行事之实，皆足以扶世立教，正君善俗，如是而鸣当时传后世，岂不犹泰山河海之高大，天下之人幸而见之者，莫不有以快其心目焉！虽然，此特先生之余事尔。至于临大节而不可夺者，载诸史册而无愧，勒之金石而不磨，千载之下，犹可以使人感慕兴起，奚翅文章之传而已哉。姑书以为序云。成化十七年辛丑岁冬十月既望，广州府儒学教授吉水萧尚彝序。"《列朝诗集小传》乙集《李祭酒懋》："杨慎《诗话》曰，'元武伯英《咏烛剪》诗："啼残瘦玉兰心吐，蹴落春红燕尾香。"为一时所赏。国朝李古廉《咏剪刀》诗："吴绫剪处鱼吞浪，蜀锦裁时燕掠霞。深院响传春昼静，小楼工罢夕阳斜。"公之直节清声，而诗妩媚如此。信乎，赋梅花者，不独宋广平也。'此诗不载《古廉集》中。大率前辈别集，经人撰定，恐破坏道学体面，每削去闲情艳体之作，而存其酬应冗长者。殊可叹也。"《古廉文集》卷首提要："《古廉文集》十一卷，附录一卷，明李时勉撰。……时勉学术刚正，初以三殿灾，条上时务，忤成祖。继以奏上六事，忤仁宗。终以不附王振，为所构陷。前后濒死者三，而劲直之节始终如一。其在国学，以道义砥砺诸生，人才蔚起，与南京祭酒陈敬宗号

'南陈北李',而时尤为人望所归。明以来,司成均者莫能先也。至其为文,则平易通达,不露圭角,多蔼然仁义之言,岂非以躬行实践所养者醇,故与讲学之家骄心盛气以大言劫伏者异欤?其所著作,以当代重其为人,脱稿多为人持去,故所存者无多。此集乃成化中其门人戴难所编,其孙长乐知县颙所刊,并以墓、志、传、赞之类附录于末焉。"

三月

韩雍致仕。《明宪宗纯皇帝实录》卷一二六"成化十年三月丙戌朔":"命总督两广右都御史韩雍致仕。"《明史》韩雍传:"迁雍左副都御史,提督两广军务。……蛮民素慑雍威,寇盗寝息。九年,柳、浔诸蛮复叛,参将杨广等俘斩九百人。方更进,而贼破怀集县。兵部劾雍奏报不实。广西镇守中官黄沁素憾雍抑己,因讦雍,且言其贪欲纵酒,滥赏妄费。帝遣给事中张谦等往勘,而广西布政使何宜、副使张敷衔雍素轻己,共酝酿其罪。谦还奏事,虚实交半,竟命致仕去。"《国朝献征录》卷五八《都察院右都御史韩公雍墓志铭》:"九年,少监黄沁以公务与公不叶,讦奏数事,公不与较,即具疏乞休致。"

叶盛卒,年五十五。《明文衡》卷七九《侍郎叶文庄公神道碑》:"一日坐后堂署事,忽疾作不能言,舆归西第而卒,实甲午三月八日也,享年五十五。上闻,深悼惜之,赐赙钞三千缗,谥为文庄。……公退,手不释卷,考古辨疑,殆忘寝食。而于世俗声色财利之好,澹然不以经心。平生为文师欧阳,而功业自期于韩、范,以范公为乡先正,尤景慕焉。惜乎大用未究而卒。所著诗文奏议总若干卷,藏于家。"李东阳《叶文庄公集序》:"《叶文庄公集》若干卷,帙同而名异。其曰《水东稿》者,为诸生及为给事中参政,为都御史巡抚宣府而作。曰《开封纪行稿》者,为给事奉使河南而作。曰《菉竹堂稿》者,在广东西巡抚而作。曰《泾东稿》者,为礼、吏二部侍郎而作。诗则以次汇录,文则计体而分,皆公手自编定。而总之曰《文庄集》者,则其子贡士晨所名,盖将为天下道,而不敢以私集视也。予尝读而论之曰:公之文博取深诣,而得诸欧阳文忠公者为多。公虽未尝自言,然观其纡余委备,详而不厌,要知为欧学也。夫欧之学,苏文忠公谓其学者皆知,以通经学古为高,救时行道为贤,犯颜敢谏为忠,盖其在天下,不徒以文重也。"《静志居诗话》卷七《叶盛》:"文庄中外扬历,不遑宁居,而见一异书,虽残编蠹简,必依格缮写。储藏之目,为卷止二万余,然奇秘者多亚于册府。二百年来,子姓蕃衍,瓜分豆剖,难以复聚。今披《菉竹堂书目》,譬诸商盘泗鼎,要非近代物,惜不可得而睹矣。诗特余事,选家恒置不录。近其裔孙始重锓刻行之,然有德必有言,后之学者所当讽诵也。"

五月

罗伦游新城福山寺。《一峰文集》卷一二《游福山寺二首》序:"福山旧名覆船山,唐懿宗易'覆'为'福',宋祥符去'船'名'福山'。紫阳朱文公盖尝游焉,寺僧像而祀之。同年吕廷扬来令新城,约予同游,因正其位号,祀于大雄氏之后室,名曰'崇正'。时成化十年甲午五月晦日也。"

六月

丘浚自琼山入京供原职，预修《宋元续通鉴纲目》。《明宪宗纯皇帝实录》卷一二九"成化十年六月癸未（三十日）"："翰林院侍讲学士丘浚起复还任。"《明宪宗纯皇帝实录》卷一二二"成化九年十一月戊子朔戊申（二十二日）"："上谕大学士彭时等曰：'朱文公《通鉴纲目》，可以辅经而行。顾宋、元二代至今未备，卿等宜遵朱子《凡例》，编纂宋、元二史，上接《通鉴》，共为一书。时等因奏：太常寺卿兼侍读学士刘翊，学士王献，侍读学士彭华，侍讲学杨守陈、尹直，左春坊左庶子黎淳，左谕德谢一夔，翰林院修撰郑环、刘健、汪谐、罗璟，编修程敏政、陆简、林瀚，分为七馆编纂。明年，侍讲学士丘浚丁忧起复，时等请令浚同编纂，再加一馆，为八馆云。"

九月

刘麟（1474—1561）生。字元瑞，一字子振，江西安仁人。后流寓长兴，子孙遂隶籍焉。弘治丙辰进士，官至工部尚书。事迹具《明史》本传。有《清惠集》十二卷。顾应祥《大司空南坦刘麟公墓铭》："末岁屡得危疾。一日，命大书《论语》'曾子浴乎沂'一段，悬于寝所，朝夕相对，怡然自得，人莫测其所以。复得疾，竟无一语及家事而卒，时嘉靖辛酉四月朔之二日也。距生之年成化甲午九月二十八日，享年八十有八。"

十月

王廷相（1474—1544）生。字子衡，号浚川，仪封人。弘治壬戌进士，选庶吉士，改兵科给事中。以言事谪判亳州，拜监察御史，巡按陕西，为镇守廖銮诬奏，下狱。再谪赣榆县丞，稍迁宁国同知，历四川按察使，拜副都御史，巡抚四川。入为兵部侍郎、都察院右都御史，进兵部尚书，提督团营，仍掌院事。加太子太保，卒谥肃敏。有《慎言》十三卷，《王氏家藏集》四十一卷。《国朝献征录》卷三九《太子太保兵部尚书都察院左都御史赠少保谥肃敏浚川王公廷相墓表》："归三年，以甲辰九月七日卒于里第，距生成化十年十月二十五日，得年七十有一。"《中州人物考》卷一《王肃敏廷相》："生而颖异，十三岁补邑庠，即以能古文诗赋名。"

十一月

孙原贞卒，年八十七。《明宪宗纯皇帝实录》卷一三五"成化十年十一月乙亥（二十四日）"："致仕兵部尚书孙原贞卒。……至是卒，年八十七。"陈敬宗《大司马孙公文集序》："《大司马孙公文集》若干卷，自朝廷应制、中外历官、省方抚民、吊古、平寇，以及四方贤达所请若碑铭、序记、颂赞、诗歌、骚词、挽章之类，诸体咸备，温润端实，雅健典则。大篇之春容，短章之精洁，或如冠冕佩玉，可登庙堂以为皇猷之黼黻，或如钟磬枳敔，可荐郊庙以为盛德之形容，或如菽粟布帛，可以衣被生民俾之饱德而敦化，或词严义正，可励在位者之贪墨，各随所遇而发之于文章，盖炳乎蔚然，诚一代之杰作也。……夫缙绅之在高位，恒患文章、政事不能兼也。政事有余而文学不足，则无以援古证今，或失之俗；文学有余而政事不足，则无以临大事决大议，或失之迂。今公政事如是其卓卓也，文章如是其炳炳也。其不谓之兼而有之，可乎哉？"四库提要卷一七五："今观诸作，大抵纯任自然，不事结构，韩愈所谓'此诗有何好有何恶也'。"

十二月

榜示妖书名目。《明宪宗纯皇帝实录》卷一三六"成化十年十二月甲午（十三日）"："都察院左都御史李宾等奏：'锦衣卫镇抚司累问妖言罪人，所追妖书图本，举皆妄诞不经之言，小民无知，往往被其幻惑，乞备录其妖书名目，榜示天下，使愚民咸知此等书籍决无证验，传习者必有刑诛，不至再犯。'奏可。其书有：《番天揭地搜神记经》《金龙八宝混天机神经》《安天定世绣莹关九龙战江神图》《天宫知贤变愚神图经》《镇天降妖铁板达通天混海图》《定天定国水晶珠经》《金锁洪阳大策金锋都天玉镜》《六甲明天了地金神飞通黑玩书》《通天彻地照仙炉经》《三天九关夜海金船经》《九关七返纂天经》《八宝擎天白玉柱夫子金地历》《刘太保泄漏天机伍公经》《夺天册收门纂经》《佛手记》《三煞截鬼经》《金锁拦天记》《紧关周天烈火图》《玉盆经》《换天图》《飞天历》《神工九转玉瓮》《金灯记天形图》《天髓灵经》《定世混海神珠》《通玄济世鸳鸯经》《锦珊瑚》《通天立世滚云裘》《银城论》《显明历》《金璋紫绶经》《玉贤镜四门记》《收燕破国经》《通天无价锦包袱》《三圣争功聚宝经》《金历地经》《夺天策海底金经》《九曜飞光历》《土伞金华盖》《水鉴书》《照贤金灵镜经》《朱书符式》《坐坛记》《普济定天经》《周天烈火图》《六甲天书》《三灾救苦金轮经》《智锁天关书》《感天迷化经》《变化经》《镇国定世三阳历》《玄元宝镜》《玉伞锦华盖》《换海图》《转天图》《推背书》《九曜飞天历》《弥勒颂》《通天玩海珠》《照天镜》《玄天宝镜经》《上天梯等经》《龙女引道经》《穿珠偈天形图》《应劫经天图形首妙经》《玉贤镜透天关尽天历》《玄娘圣母亲书太上玄元宝镜降妖断怪伍家经》《金光妙品夺日金灯红尘三略照天镜》《九关番天揭地神图》《金锋都天玉镜》《玉树金蝉经》《玄娘圣母经》《七返无价紫金船银城图样》《龙凤勘合》。"

本年

朱诚泳袭封秦王。《明孝宗敬皇帝实录》卷一三八"弘治十一年六月庚辰（十五日）"："王，康王庶第四子，母夫人杨氏。天顺二年生，成化四年封为镇安王，十年进封秦王。"〔按，朱彝尊《明诗综》卷二《秦简王诚泳》，陈田《明诗纪事》甲签卷二《秦简王诚泳》，并谓"弘治元年以镇安王袭封"，误〕

何孟春（1474—1536）生。字子元，郴州人。弘治癸丑进士，授兵部主事，累官右副都御史。巡抚云南，入为吏部左侍郎，以争大礼左迁南京工部左侍郎，寻削籍。

隆庆初，赠礼部尚书，谥文简。事迹具《明史》本传。有《余冬序录》六十五卷、《何燕泉诗集》四卷。

马理（1474—1556）生。字伯循，号溪田，三原人。正德甲戌进士，官至南京光禄寺卿。事迹具《明史·儒林传》。有《溪田文集》十一卷，《补遗》一卷。《明儒学案》卷三《光禄马溪田先生理》："卒嘉靖乙卯十二月也，年八十二。"

何瑭（1474—1543）生。字粹夫，号柏斋，怀庆武涉人。弘治壬戌进士，官至南京右副都御史，谥文定。事迹具《明史·儒林传》。有《柏斋集》十一卷。据《明儒学案》卷四九《文定何柏斋先生瑭》。

公元 1475 年（成化十一年 乙未）

二月

丘浚为会试考试官。《明宪宗纯皇帝实录》卷一三八"成化十一年二月乙酉（初六）"："命詹事府少詹事兼翰林院侍讲学士徐溥、翰林院侍读学士彭华为会试考试官。华以疾且有从子入场，上疏辞免，遂改命侍讲学士丘浚。赐宴于礼部。"《重编琼台稿》卷八《会试策问》："问：古道德一，风俗同，历世虽久，而所守者惟一说。是以当是之时，学无异道，人无异论，百家无殊言。孔子没而异说纷起，道德遂为天下裂。自是国异政，家殊俗，岁异而月不同矣。秦汉而下，自武帝表章六经之后，世之所谓儒者，咸知尊孔氏，黜百家，及其见于立论行事之间，则又有不同焉者。其大略有三：工文辞者，则有司马迁之徒。论政事者，则有刘向之辈。谈理道者，则有董生之流。是三者，皆世所谓儒者之事也。然则儒者之道，果止是而已乎？其后精于文者，有韩愈氏，有欧阳修氏。达于治者，有陆贽氏，范仲淹氏。深于道者，有二程、朱子焉。之数子者，其于前诸子，果若是班乎？其于孔子之道，亦有所合乎？我朝崇儒重道，太祖高皇帝大明儒学，教人取士一惟经术是用。太宗文皇帝又取圣经贤传，订正归一，使天下学者诵说而持守之，不惑于异端驳杂之说。道德可谓一矣。然至于今，风俗犹有未尽同者，何也？曩时文章之士，固多浑厚和平之作，近或厌其浅易，而肆为艰深奇怪之辞，韩欧之文，果若是乎？议政之臣，固多救时济世之策，近或厌其循常，而过为闳阔矫激之论，陆范之见，果若是乎？至若讲学明道，学者分内事也，近或大言阔视，以求独异于一世之人，程朱之学，果若是乎？伊欲操觚染翰者，主于明理，而不专于聘辞；封章投匦者，志于匡时，而不在于立名；讲学明道者，有此实功，而不立此门户。不厌常而喜新，各矫偏而归正，必使风俗同而道德一，以复古昔之盛，果若何而可？"

三月

初三，赐谢迁等进士及第、出身有差。倪宗正《文正谢公年谱》："十一年乙未，会试礼部，学士琼台丘公得卷甚喜称赏，取置第三名，犹以得卷晚、不共文为恨。廷对擢第一甲第一名，授翰林院修撰。先是就中苦淫雨，廷试之朝，制策甫降，天忽晴霁，缙绅皆喜，以为得人之征。时方诏翰林诸臣就馆阁进学，自是益肆力弗怠，阁老而下咸器重之。"

王鏊以一甲三名进士及第，制义天下传诵。《明史》王鏊传："鏊年十六，随父读书，国子监诸生争传诵其文。侍郎叶盛、提学御史陈选奇之，称为天下士。成化十年乡试，明年会试，俱第一。廷试第三，授编修。杜门读书，避远权势。"《容春堂续集》卷一六《大明故光禄大夫柱国少傅兼太子太傅户部尚书武英殿大学士致仕赠太傅谥文恪王公墓志铭》："公自幼颖悟不凡，年十六随父在国学，始课举业，落笔过人。有传其论策于文庄叶公，公大奇之曰：'此子他日忠肃乎？'忠肃，盐山公谥也。公与同姓，且嫌名，故称之。于是声名动京师，有屈年与行引为友如奚元启者。居二年，归游吴庠，凡考必居首。陈提学天台先生，尤以天下士期之。甲午试应天第一，主司谓：'安得东坡复出？'至全录其论策，不易一字。乙未会试第一。廷对策入，众拟第一，执政有忌其言直而抑之者，诿曰：'文太长，难读也。'冢宰尹公读之，遂置第一甲第三。"《甫田集》卷二八《太傅王文恪公传》："成化戊子将归试应天，文庄欲留卒业不果，意甚惜之，曰：'科目不足以浼子也！'既归，补郡学生，一再试不利，而文名日益起。甲午遂以第一人荐，明年试礼部，复第一，廷试以第一甲第三人及第。……少工举子文。既连捷魁选，文名一日传天下。程文四出，士争传录以为式。公叹曰：'是足为吾学耶？'及官翰林，遂肆力群经，下逮子史百家之言，莫不贯总。"董其昌《震泽先生集序》："公之风节在朝廷，文章在海内，即无论中秘之奇、名山之藏，全豹莫窥，如制义八股之艺，开辟一代，士之茹其华而食其实者，迄今如一日也。"《明史》王鏊传："少善制举义，后数典乡试，程文魁一代。取士尚经术，险诡者一切屏去。弘、正间，文体为一变。"四库提要卷一七一："鏊以制义名一代，虽乡塾童稚才能诵读八比，即无不知有王守溪者。然其古文亦湛深经术，典雅遒洁，有唐宋遗风。盖有明盛时，虽为时文者，亦必研索六籍，泛览百氏，以培其根柢而穷其波澜。鏊困顿名场，老乃得遇，其泽于古者已深。故时文工，而古文亦工也。"霍韬《震泽集序》："守溪先生早年词气如风樯驾涛，如逸骥驰野，如银河注溟，如长虹横汉，如列缺划云，如驶飔之啸六合，可谓雄矣。……先生早学于苏，晚学于韩，折衷于程、朱。"

六月

康海（1475—1541）**生。**字德涵，别号对山，又号浒西山人，武功人。弘治壬戌赐进士第一，授翰林修撰，寻以救李梦阳坐逆瑾党，落职为民。有《对山集》。《明文海》卷四三三《翰林院修撰对山康先生状》："终老以殁也，距生成化乙未六月二十日，享年六十有六。"

十月

李东阳丧妻。《怀麓堂集》卷十《哭舍弟东山十首》其九注云："乙未十月岳氏妻亡。"《怀麓堂集》卷四九《外姑宋夫人墓志铭》略云："吾妻之亡，兆先生甫四月。外姑宋夫人间谓东阳曰：'吾欲见吾外孙之有妇也。'乃聘于吾友潘君时用之仲女，夫人实相成之。"

十一月

黄仲昭丁内外艰。《国朝献征录》卷八六《江西提学佥事前翰林编修黄公仲昭墓志铭》:"三载秩满,请归省。既归半载之间,怡愉膝下,束鹿公[仲昭父曾为束鹿知县,号束鹿公]与郑孺人甚安之。还官仅半载,是为岁乙未,丁内艰,其年十一月,继以外艰。"

十二月

十三日,复郕王帝号。

冬

罗伦迁居金牛山。《明史》罗伦传:"以金牛山人迹不至,筑室著书其中,四方从学者甚众。"《一峰文集》卷四《西隐堂记》:"逾太极西南曰文昌,泷水劳于坎位,西山巽于坤隅,巨家张绎恒居其胜,命曰'西隐'。或曰:'以其环西水之麓,故曰西。'或曰:'旧第东而新堂西,故曰西。'成化乙未冬,湖西罗伦来主金牛洞,绎恒参焉。"《陈白沙集》卷四《罗伦传》:"开门授徒,日以注经为业,垂十年,卒于退居之金牛山。世之知伦者,不过以其滂沛之文、奇伟之节、果敢之气而已。至其心之所欲为而力之所未逮,未必尽知也。……予尝遣人访之山中,结茅以居,取给于陇亩,往来共樵牧,若无意于世者。时或作为文章,以发其感慨之意,而人亦莫知之也。"《医闾集》卷四《一峰罗先生墓志铭》:"乙未卧病,厌嚣,乃于金牛山中结茅。东曰静观,西曰正密,居焉。四方学者往来益众,先生于讲明性学者纳之,务举业者辞焉。"

本年

李东阳积忧成病,越年始瘥。《怀麓堂集》卷三八《医戒》:"予年二十九,有脾病焉。其证能食而不能化,因节不多食,渐节渐寡,几至废食。……会有老医孙景祥氏来祀,曰:'及春而解。'……盖是时予屡有妻及弟之丧,悲怆交集,积岁而病,累月而瘳,非惟医不能识,而予亦忘之矣。于是括旧药尽焚之,悉听其所为。三日而一药,药不过四、五剂,及春而果差。"

张璧(1475—1545)生。字崇象,石首人。正德辛未进士,官至礼部尚书、东阁大学士,谥文简。有《阳峰家藏集》三十六卷。据《弇山堂别集》卷四五《内阁辅臣年表》。

公元 1476 年(成化十二年 丙申)

正月

张弼等同年在京者聚会。《东海张先生文集》卷三《同年会诫》:"同年会,非古也,以义举也。衣冠之盛事也。古之道存焉。丙戌进士三百五十有二人,受职中外。

越十年岁，乃丙申正月甲子（十九日），在京师者几百人，会于报恩寺。有议所以处同年之道者，华亭张弼遂述其意，作五诫。"

七月

顾璘（1476—1545）**生**。字华玉，别号东桥居士，苏之吴县人。弘治丙辰进士，官至南京刑部尚书。少负才名，与陈沂、王韦同号"金陵三俊"。有《顾华玉集》。《明文海》卷四三五《故资善大夫南京刑部尚书顾公墓志铭》："嘉靖二十四年乙巳闰正月八日辛巳，南京刑部尚书顾公以疾卒于金陵里第。……生成化丙寅七月二日，享年七十。"

八月

边贡（1476—1532）**生**。字廷实，历城人。弘治丙辰进士，授太常博士，擢户科给事中，迁太常寺丞，出知卫辉府，改荆州，升湖广提学副使，召拜南京太常少卿，迁太仆，改太常卿，提督四夷馆，进南京户部尚书。有《华泉集》。《国朝献征录》卷三一《资政大夫南京户部尚书华泉边公贡神道碑》："公生有异质，即襁褓时，祖母王夫人时置膝上，口授章句，一遇辄成诵。既乃从大父治中公于官所，于是公甫尚弁，即蔚有文名。"

曹安之京师，除武安邑，往返涉历山川甚多。《谰言长语》："《后汉［书］·匈奴传》言呼韩邪单于来朝，愿为汉婿。后宫王嫱以积怨自请行，此事之实也。《西京杂记》乃云：元帝使画工毛延寿图宫人形貌，按图召幸。王嫱以赂金少，画不及貌。及赐单于宫人，王嫱当行，帝见之悔，乃杀延寿。梁石门寅已辨之，惟李太白、杜子美二诗得正。王介甫《明妃曲》云：'体态由来画不成，当时枉杀毛延寿。'欧阳永叔亦云：'虽能杀画工，于事竟何益？'自是，后人多本之。成化十二年夏，予过归德，阅州志，载王嫱事，李、杜二诗在。予跋以正其误。在滇闻人言《咏昭君》一首云：'塞上北风吹翠钿，拥裘狐白胜于绵。将军食肉自无耻，女子别家诚可怜。青草不凋胡地雪，碧梧空老汉宫烟。琵琶千载人犹学，哀怨分明第四弦。'不及延寿事。又王昭君女须卜居次。'须卜'，单于复姓，'居次'，云其名。次，徐迟反。"又："十二年秋，予之京，除武邑。［张弼］又送一诗云：'三十余年走宦途，壮心牢落雪盈颅。著书只欲明忠义，垂橐何曾计有无。天地恩私蒙圣主，河汾事业在诸徒。嗟予乡曲无穷意，都付临岐酒一壶。'小序云：'先生所纂《比干录》《王文忠公录》，皆有关于世教，诗故及之。'"又："今之砚尚端溪歙砚，有银星者佳。大滑川江有石，可为砚，欧阳公曾评之。成化十二年，予过川江，一驿官馈以石砚，用之大发墨，奈脆而易破。铜雀砚不真，皆后人伪造。"

九月

周用（1476—1547）**生**。字行之，号白川，吴江人。弘治壬戌进士，官至吏部尚书，卒谥恭肃。事迹具《明史》本传。有《周恭肃公集》十六卷。严讷《恭肃公行状》："以成化丙申九月二十二日生公。公生有颖质，数岁善属对，宴客屡以试公，公对屡警不凡，人大奇之。其塾师遂辞不能教而去。年十四，去家力学，寒暑不解衣。"

十月

于谦《节庵先生存稿》初刻成。于冕《节庵先生存稿跋》："先少保、尚书平生所作诗文，惟巡抚梁晋时为多。迨归兵部，适罹匡襄之秋也，虽日不暇给，而犹不废挥洒，然亦罕矣。不幸奸谗构难，原燎烈烈，片只不遗。痛可言哉！越至天顺甲申，恭遇圣明嗣统。明年改元，圣政维新，渥恩汪�，漏泽九京，沉冤昭雪。不肖孤亦得效犬马驰驱辇下。亟访旧稿无得，仅于士林得抄录者计若干首。如梁晋所作，得之都宪无锡杨公、今南昌二守同邑夏世芳。兵部所作，得之少宰昆山叶文庄公、今祠部主事表弟董序。近于乡曲之家，又得公进士、御史时所作，若《画鱼》《葡萄》诸诗。所谓存什一于千百也。呜呼，痛哉！然以屡经誊写，中间鱼豕杂然。去年秋，得告南还，南京大理寺卿仁和夏先生致政家居，间求是正。先生欣然为之手校，而又序其首简，因题之曰《节庵先生存稿》。时一展诵，岂胜痛愤之极。呜呼！天地无终穷，此痛曷终穷哉？惟先公德行政事之大，载之国史，著之人心，千载一日也。此其支余，然亦不可不传，故用谨刻诸梓。若天假之以年，当极搜罗以为续稿。泣血再拜，谨书以俟。成化十二年岁次丙申，冬十月初吉，孤子于冕识。"

本年

章懋致仕。《见素集》卷二四《明文懿公枫山章先生行状》："三年疏致仕以去，尹庄简固留不可，三诘而终不变。时年四十一，人以为难。既归，甘贫守道，奉亲外，闭关读书，毕心体认之学，而言必根志，志必宣用，用必副功。枫山授受，提挈纲要，以自得悟领之精，盖至是公之得益深，士之风为之一变，学子至不能容，白沙、一峰、定山皆极推与。朝论时有所荐，张庄简、储殖庵、潘南山，尤道味同也。"

王守仁更原名"云"为今名"守仁"，始能言。《王文成全书》卷三二《年谱》："先生五岁不言。一日与群儿嬉，有神僧过之，曰：'好个孩儿，可惜道破。'竹轩公悟，更今名，即能言。一日诵竹轩公所尝读过书，讶问之，曰：'闻祖读时，已默记矣。'"

兰茂卒，年八十。（今人王永宽、王钢据《滇南碑传集》卷十李坤《滇诗拾遗补》：兰茂"成化十二年丙申卒，年八十，崇祀嵩明州乡贤祠"）乾隆《云南通志》卷二九之八，清李澄中《兰隐君祠堂记》："庚午冬，余自滇南奉使回，至杨林迟客，闻其地有兰先生者，讳茂，字廷秀，号止庵，明洪武时人，少有大志不就，乃潜心理道，淹通经史。凡黄冠缁流、医方卜筮、星历风角之书，靡不穷究其奥，乡里称为贤。会王尚书骥征麓川，先生授以方略，遂成功。'若要麓川破，船往山上过。'居人至今犹传其语。所著有《元壶集》《鉴例折衷》《经史余论》《安边策条》《止庵吟稿》《声律发蒙》《山堂杂稿》等书，行于世。四方学者多师事之，年八十卒于家。有司以状闻，从祀乡贤，今其墓尚在。兰氏子孙衰微矣。余与诸子觅其隧道，抔土倾圮，宿草榛莽，墓碣剥蚀过半。慨然有风流销歇之悲焉。夫北邙之冢，其为石马秋风者何限？士君子鲜有回车太息、凭吊其佚事者。先生终老家食，能于三百余年人亡风微之后，使万里羁客徘徊叹息而不忍去，谓非其流风余韵，有以廉顽立懦而能然哉？余捐金为之倡首，俾里人新其墓碣，并葺其祠，后之人倘有踵余之后，闻风而起，复事修葺者，此物此志也。虽先生脱屣富贵，委骨于陈根蓁薈之中，岂复有形骸之见，区区以祠墓为重轻？而余之徘徊感叹，盖有出于不自知其然者，乃知懿德之好，千古同情，初不以时代间隔也。"

公元 1477 年（成化十三年　丁酉）

正月

朱应登（1477—1527）生。字升之，号凌溪，宝应人。弘治己未进士，官至云南布政司参政。弘治七子之一。《明史·文苑传》附见顾璘传中。有《凌溪先生集》十八卷。《空同集》卷四七《凌溪先生墓志铭》："嘉靖五年十二月乙丑，中奉大夫、云南左参政凌溪先生卒于家。……生而荦奇，童时即解声律，谐词章。十五尽通经史百家言。……凌溪生成化十三年正月己未（二十日），得年五十。"

置西厂。《御批历代通鉴辑览》卷一〇六："十三年春正月，置西厂，以太监汪直领之。初，成祖置东厂，令宦官访缉逆谋大奸，与锦衣卫均权势。至是，尚铭领东厂，又别设西厂刺事，以汪直督之。所领缇骑倍东厂，势远出卫上。"《震泽长语》上卷："成化中，京师黑眚见相，传若有物如狸或如犬，其行如风，倏忽无定，或伤人面，或啮人手足，一夜数十发。或在城东，又在城西，又在南北，讹言相惊不已。一日，上御奉天门视朝，侍卫忽惊扰，两班亦喧乱，上欲起，怀恩按之。顷之，乃定。自是日遣内竖出诃，汪直时在遣中，数言事，由是得幸。遂立西厂，使侦外事。廷臣多被戮辱，渐及大臣。大学士商辂，兵部尚书项忠，皆以事去。都御史牟俸，亦被逮。或往南京，或往北边，威权赫奕，倏忽往来不测，人以为黑眚之应也。"

六月

唐龙（1477—1546）生。字虞佐，兰溪人。正德戊辰进士，除郯城知县。入为御史，擢陕西提学副使，历山西按察使。召拜太仆卿，改右佥都御史，总督漕运，兼巡抚凤阳诸府。进左副都御史，历吏部侍郎，进兵部尚书，总制三边，召拜刑部尚书，加太子少保，乞归。寻起南刑部尚书，就改吏部，入为兵部尚书，加太子太保，进吏部，黜为民卒。后以子修撰汝楫疏辨，诏复官，赠少保，谥文襄。有《渔石集》四卷。徐阶《明故光禄大夫太子太保吏部尚书赠少保谥文襄唐公墓志铭》："七月十九日公舆出都门三十里，卒于旅舍。……公生成化丁酉六月二日，享年七十。"

八月

陆深（1477—1544）生。字子渊，上海人。弘治乙丑进士，改庶吉士，授编修。

历司业、祭酒，谪延平同知，迁山西提学副使，改浙江。历江西参政、四川布政使，召拜光禄卿，兼侍读学士，进詹事。赠礼部侍郎，谥文裕。有《俨山集》一百卷、《俨山续集》十卷。《国朝献征录》卷一八《通议大夫詹事府詹事兼翰林院学士赠礼部右侍郎谥文裕陆公深墓表》："吴淑人梦童子浮海捧冠带入户，翌日生公，成化十三年八月十日也。公颖慧迥异，五六岁能辩字义，诵古诗。稍长，洞究经史，文思警锐，入邑庠，学益宏。"《明史》陆深传："深少与徐祯卿相切磨，为文章有名。工书，仿李邕、赵孟頫。赏鉴博雅，为词臣冠。然颇倨傲，人以此少之。"

丘浚升国子监祭酒。《明宪宗纯皇帝实录》卷一六九"成化十三年八月己未（二十五日）"："升翰林院学士丘浚为国子监祭酒。"

曹安主山西乡试。《谰言长语》："成化十三年，校文山西。同考以诗卷一篇《采采卷耳》三章文甚奇特，予以他篇不甚称，置之。至填榜，同考又言及，予以为言，佥曰可，遂拆卷填其名。然则朱衣点头之事当无哉！"

九月

周瑛舟行适京师。《翠渠摘稿》卷一《江上唱和诗序》："成化丁酉，天子将开明堂以朝诸侯，瑛自广德州奉户口财赋职业，入听黜陟。其秋九月，舟次江上。而湖广参政杨公瓒，佥事李公冕，亦以奉万寿表自湖南二司至。杨公与瑛同里闬，相见大欢。李公蜀人，不以势位殊异相拒绝。日吐肝胆，相亲与如前相识然。于是连艘北行，日得酒必相与饮。凡去国怀乡之思，爱君忧民之意，遇事感物之情，往往于杯酒间发之。瑛尝赋诗呈杨公，以道乡况，杨公和之。李公亦和之。二公者各得诗十首，瑛才不能追公，固趣和之一。时共得诗三十首，俱用瑛初韵，而叙事感怀则各随夫人焉。暇日，瑛合而观之，盖杨公诗清而不削，婉而有味；李公诗豪而不怒，壮而能讪。皆可诵读者也。"

公元 1478 年（成化十四年　戊戌）

正月

张弼以谪将适安南，逢生日。《东海诗集》卷三《司马庄饮饯适遇生辰》："今年初度五十四，寿酒相将别酒同。彩服儿孙群拜舞，白头兄弟各西东。春光澹澹风吹柳，寒意亭亭雪在松。莫忽马村庄上醉，未知何日更相逢。"《东海文集》卷二《司马庄记》："司马庄者，吾兄椿庭翁别业也，以武库先君遗命置之。武库，乃周官司马之属，故人称先君为司马。而名庄，以之记所始也。兵部四署，弼迁历武库、武选、车驾者十年。今吾子弘宜又观政职方。或谓三世司马，其名庄之符欤？……念弼来守南安，饮饯于庄，亲戚内外、门生故旧咸在，亦尝有诗矣。记未作也。今又四载，始克记之。"

二月

北京永顺堂刊行十三种说唱词话。胡士莹《话本小说概论》第十一章第四节《明代的说唱词话叙录》，简述了此批说唱刊本：1967 年，上海嘉定县城东公社出土。在明代宣姓墓中，发现一批北京永顺堂刊印的"说唱词话"，刊于成化七年到十四年，计十三种。胡士莹将其分成讲史、公案、传奇灵怪三类。讲史三种：一，《新编全相说唱足本花关索传》四集，前集《新编全相说唱足本花关索出身传》，后集《新编全相说唱足本花关索认父传》，续集《新编足本花关索下西川传》，别集《新编全相说唱足本花关索贬云南传》。四集每集十一页，合订一册。前集末有"成化戊戌仲春永顺书堂重刊"长方木记。二，《新刊全相唐薛仁贵跨海征辽故事》，共三十页，卷末署"成化辛卯永顺堂刊"。三，《新编说唱全相石郎驸马传》，共二十五页，卷末题"成化七年仲夏永顺堂新刊"。公案七种：一，《新刊全相说唱包待制出身传》，共十三页。二，《新刊全相说唱包龙图陈州粜米记》，共十八页。三，《新刊全相说唱足本仁宗认母传》，共十九页。四，《新刊说唱包龙图断曹国舅公案传》，共四十三页。五，《新编说唱包龙图断歪乌盆传》，共三十页，末题"成化壬辰岁季秋书林永顺堂刊行"。六，《新编说唱包龙图赵皇亲孙文仪案传》，此本出土时已全书粘边，惟数页得以修复。七，《新编说唱包龙图断白虎精传》，共十四页。传奇灵怪三种：一，《新刊全相说唱开宗义富贵孝义传》，分上下卷，共二十四页，半页插图六幅。卷上末题"成化丁酉永顺书坊印行"。二，《新刊全相莺哥孝义传》，共十九页。三、《新刻全相说唱张文贵传》，分上下卷，共三十五页。

春

彭韶迁广东布政使。《明史》彭韶传："十四年春，迁广东左布政使。中官奉使纷遝，镇守顾恒、市舶韦眷、珠池黄福，皆以进奉为名，所至需求，民不胜扰。韶先后论奏。最后，梁芳弟锦衣镇抚德以广东其故乡，归采禽鸟花木，害尤酷。韶抗疏极论，语侵芳。芳怒，构于帝，调之贵州。"

五月

设武举。《明史纪事本末》卷三七《汪直用事》："十四年夏五月，汪直奏请武举，设科乡、会、殿试，如进士例。"

夏

张弼至南安。《东海文集》卷二《重建横浦桥记》："横浦桥，乃南安之襟喉、天下之通道也。其初无考。自元至今，修见大略，具见郡志。成化甲午毁于潦，知府姚旭欲修而代去，章纶继之，将成即倾。戊戌夏，弼至而备询成毁之故。……经始于戊戌冬仲，至明年冬季始通行。又三年，始克悉完。"《明诗纪事》丙签卷五《张弼》引《武进县志》："云间张汝弼有盛名。赴南安郡守，道经毗陵。时陆詹事简方得告南归，张访之，适展墓不见，乃索纸笔题一绝于陆世经堂，有'始知东阁先生贵，不放南安太守参'之句。陆归，急追之，已行远矣。"录张弼《假髻曲》："东家美人发委地，辛苦朝朝理高髻。西家美人发及肩，买妆假髻亦峨然。金钗宝钿围朱翠，眼底何人辨真伪？夭桃窗下来春风，假髻美人归上公。"引《云间杂识》："张东海作《假髻曲》讽刺时贵，当路衔之，出守南安，不得调而归。邵二泉作挽诗云：'张公不作南安守，只说文章止润身。满路棠阴棺盖后，忌公人是爱公人。'"《东海诗集》卷三《南安杂咏》："东山绝顶蒙川馆，北寺奇观铁汉楼。杭汴两州南北宋，乾坤二老后先刘。龙腾凤舞英雄气，鸢吓鸥张富贵羞。我奉瓣香祠下拜，灵风吹面发飕飕。"吴乔《围炉诗话》卷六："张汝弼云：'东家女儿发委地，日日高楼理云髻。西家女儿发齐肩，买妆假发亦峨然。花钿玉珥重重缀，眼底谁能辨真伪？琐窗二月来春风，假发美人先入宫。'可比张籍。"

九月

罗伦卒，年四十八。《明儒学案》卷四五《文毅罗一峰先生伦》："戊戌九月二十四日卒，年四十八。"《艺苑卮言》卷五："罗彝正如姜斌道士升讲坛，语不离法，而玄趣自少。"《陈白沙集》卷七《罗一峰挽词》其一："今我何敢私一峰，百年公论在儿童。要知此老如君实，更恐前身是孔融。青天白日人千古，五典三纲疏一通。天下何常乏知己，我言刚与定山同。"其二："状元文史少微星，翰苑为官谩两京。既有光华争日月，那无描画在丹青！表章细事凭诸老，怅望高风激后生。千秋欲与苏徐并，湖水中央更一亭。"何乔新《一峰集序》："观其论著，本于理学，故其文珠莹玉洁，而无驳杂嬉笑之辞；发于诚心，故其文斥邪翼正，而无驾虚肆诞之说；出于忠义，故其文凛然如秋霜烈日，非萎弱乏骨气者比。"《文脉·文脉新论》："罗一峰有东坡之才，《扶植纲常疏》《罗浮庵记》甚佳，但未入古格。《大忠祠》《文丞相祠》《陶桓公祠》三记一格，效昌黎《庙碑》。后讲学，不复攻矣。"《列朝诗集小传》丙集《罗修撰伦》："公嗜学好古，笃志力行，结茅栖息，取给陇亩。客晨至留饭，借粟旁舍，比举火，日已近午，不以为意。陈公甫为作传曰：'伦才大不及志，其青天白日足称云。'彝正诗集二卷，沈石田极称其'禅房花木尘中蝶，净土池塘劫外鱼'之句，而集本不载。"《静志居诗话》卷八《罗伦》："一峰以论南阳夺情事，谪广东市舶副提举，实学士陈文所画策也。久之复官，南阳已谢世，既而文死。薛御史之纲作诗诮之曰：'九原若见南阳李，为道罗伦已复官。'然李公贤相，赞裕陵释建庶人，居之凤阳，许其自便。即此一事，启沃已多，亦未可轻訾也。一峰专心理学，诗不与韵士争长，而集中纪梦诗多至三百余首，难乎免于癖矣。"《明诗综》卷二八《罗伦》存诗一首：《节妇歌》，朱彝尊注云："一峰《节妇歌》，初不详姓氏。别本或加'张'字，或以为节妇'甄氏'作，误也。词亦小异。"

十月

韩雍卒，年五十七。《国朝献征录》卷五八《都察院右都御史韩公雍墓志铭》："大明成化戊戌十月十五日，致仕右都御史韩公以疾卒于家。""家居又六七年，以山水为乐。君子曰：明哲保身，公其有之。距其生则永乐壬寅十一月九日，春秋五十又七。公之为人爽迈洞达，才识高远，居家孝友，与人交有信义。下笔为诗文，思如涌泉，无少滞凝。居官处事，动以古豪杰自居。"四库提要卷一七〇："明自正统以后，正德以前，金华、青田流风渐远，而茶陵、震泽犹未奋兴。数十年间，惟相沿台阁之体，渐就庸肤。雍当其时，虽威行两广，以武略雄一世，不屑屑以雕章绘句为工，而英多磊落之气，时时发见于文章。故虽未变体裁，而时饶风骨。其杂文亦高视阔步，气象迥殊，韩愈所谓独得雄直气者，殆于近之。朱彝尊《明诗综》但称雍有集，而不著集名，所录雍诗一篇，又非佳作。其《赐游西苑记》，《日下旧闻》亦不载。《静志居诗话》绝无一字及雍，殆偶未见斯集欤。"

本年

蒋冕来京师学于丘浚。王国栋《丘文庄公年谱》："是年，粤西蒋冕来学。公与冕论学曰：小子知乎圣贤之学乎？所谓圣贤之学无他焉，曰心而已矣。其所以求心之要，亦无他焉，曰静而已矣。静以学焉，学以求诸心而无所放焉，学之道得矣。今之静者，非处夫穷山深谷者也，非杜绝人事而不与之交接者也。使必处穷山深谷杜绝人事而后学焉，则通都大道之中，无一日可学也，无一人能学也，则学终不可为哉？是故，学不在外而在内，静不在境而在心。心在乎内，则虽日处尘寰可也，虽日接人事可也。由是于《易》《书》《诗》《春秋》《礼》《乐》之经，左氏、公、谷、孔、郑诸子之传，濂、洛、关、闽诸儒之书，迁、固而降以及胜国之史，董、贾、韩、柳、欧、苏而降以及当代名人才士之文，皆于是乎含英而咀华，大肆其力焉。凡夫所谓身心体认之实者，使皆有以得之。为圣贤之学在是矣，小子勉之！"蒋冕《琼台诗话序》："岁戊戌，冕来京师，拜琼台先生于馆下，恳求学焉。辱先生念先父之旧，不以冕为不肖而弃之，俾占籍为弟子，循循教诲。以性命道德之懿，文章学问之要，政治理乱之端，修为涵养之方，委曲指示，务欲冕大有所造诣而已。冕虽不肖，何其幸欤！"《重编琼台稿》卷一五《送蒋生归省诗序》："岁戊戌，予年五十有八矣。距礼老而传之岁，仅十有二春秋焉耳。适有丧子之戚，而清湘蒋生，以故人子来见，悯予戚戚也，而慰解焉。跽而言曰：'先生幸与先人有一面雅，冕愿执弟子礼以终身。'予意其止欲习举子业尔，拒之。生曰：'冕之志不专在进取。先生进教之，幸甚。'时生年未及冠，发西广解，未利春官，循例当归家。乃毅然留居京师逆旅中，从乃兄昇历仕督府，朝夕来予馆下，考德问业者三年。"

彭韶以张弼请，作《铁汉楼记》。《彭惠安集》卷三《铁汉楼记》："宋至元祐，号为多贤。温公在政府，东坡在翰林，元城诸人为从官，可谓盛矣。然当熙丰之后……群贤尽斥，元城刘先生始落宝文阁待制，知南安军，道改提举洪州玉隆观，本军居住。先生遂奉母夫人来寓宝界院。又改少府，少监，未一年复徙岭南，濒危数四，初心不变。东坡推服之曰：'真铁汉也！'后虽召还，终不能安于朝，屡斥以死。死二年，宋有金难。呜呼！此岂人所能为哉？……南安旧祀先生于寓贤祠，而宝界未有闻。成化戊戌，东海张汝弼来为守，暇考图志得之，叹曰：'先贤故居，其可废耶？'适院之右廊楼毁，撤而新之。于时聂都山民献梓木一章，长九丈，径三尺，数百年前物也。冥符期会，众咸惊异。既以成是楼，题曰'铁汉'。盖先生至是始有专祠，使来请记。"

崔铣（1478—1541）生。字仲凫，一字子钟，安阳人。弘治乙丑进士，官至南京礼部侍郎，谥文敬。事迹具《明史·儒林传》。有《洹词》十二卷。据《明儒学案》卷四八《文敏崔后渠先生铣》。

公元 1479 年（成化十五年　己亥）

二月

林俊治狱陕西。《见素集》附录上《编年纪略》："己亥二月，选刑部陕西清吏司主事，治狱平恕。……十八年壬寅正月，秩满三载，敕进阶承德郎。"

三月

倪谦卒，年六十五。《明宪宗纯皇帝实录》卷一八八"成化十五年三月甲戌（十八日）"："致仕南京礼部尚书倪谦卒。……谦生有异质，体四乳，目光突出，自幼颖异，善属文，才气飘逸。入翰林，与钱溥齐名。谦比溥稍庄重，但好交匪人，竟以是取败。尝使朝鲜，朝鲜人服其敏捷。景泰中，别选内宦之聪慧者数人，俾谦教之，后俱柄用。谦踬而复起者，此数人之力也。"李东阳《倪文僖公集序》："其在景泰间，应制赋诗，中官常立俟以进。自余碑板金石之文，云涌川溢，沛不可御。尝奉使朝鲜，即席命笔，略不构思，国人皆缩颈吐舌，骇叹不能已。及归，梓其作为编，至于今存焉。盖公之雄才绝识，学充其身，而形之乎言，典正明达，卓然馆阁之体，非岩栖穴处者所能到也。故虽中历险巇，晚登通要，不得尽见于用，而其于典章道化，关一代之盛，以为后观者如此，岂非不朽之事哉！"四库提要卷一七〇："三杨台阁之体，至弘、正之间而极弊，冗阘肤廓，几于万喙一音。谦当有明盛时，去前辈典型未远。故其文步骤谨严，朴而不俚，简而不陋，体近三杨而无其末流之失。虽不及李东阳之笼罩一时，然有质有文，亦彬彬然自成一家矣。固未可以声价之重轻，为文章之优劣也。"《明诗纪事》乙签卷一七《倪谦》陈田按："尚书在朝，颇称躁进，卒以万安铭墓，尤致讥议。诗不为选家所称。余观其七古，劲健拔俗，不愧当家，固不失为一时骚雅之选也。"

四月

吕柟（1479—1542）生。字仲木，高陵人。正德戊辰第一人及第，授修撰。以议礼下诏狱，谪解州判官。改南宗人府经历，就迁吏部郎中，历尚宝卿、太常少卿，诏拜国子祭酒，擢南礼部侍郎。隆庆初，赠礼部尚书，谥文简。有《泾野集》三十六卷。李开先《泾野吕亚卿传》："以壬寅六月左臂痈发，坐卧北泉精舍，至七月一日卒……生则成化己亥四月二十一日，享年六十四。"

八月

何乔新序万公锦赴京诗。《椒丘文集》卷一一《送金宪万君赴京诗序》："成化十五年秋八月，湖广按察司佥事安城万君公锦捧表诣阙，贺圣天子万寿。将行，其寮友相与为醼燕，饯于宪台之广视堂。酒酣，宪副马君启东取唐人《早朝》诗和之，为公锦赠。宪使胡君尚愚暨在席者，咸和之。藩省以及荆楚能言之士，亦相属和之。诗之意，大率道山川登览之乐，帝都城阙之壮，冠剑舆卫之盛，以至友朋缱绻之情，而颂祷之意寓焉。公锦萃为一卷，属予序之。……观诸君子之为公锦赠者，其辞清以淳，其节和以畅。思而不惧，乐而不荒。其颂也不阿其好，其祷也不牵于私。有忧深思远之情，无谐谑笑傲之意。盖治世之音，而足以鸣国家之盛也。"

九月

李东阳诸人游朝天宫、慈恩寺。《怀麓堂集》卷二四《游朝天宫慈恩寺诗序》："成化己亥重九前二日，翰林修撰谢君于乔以诗约游朝天宫。是夜雨，翌日天霁，于乔喜，复以诗速客。于是编修曾君文甫、王君世赏，刑部郎中冯君佩之皆赴。至崔、郭二道士宅，和于乔韵各二首。于乔倡为诗，诸君辄和。继各倡，各一道，又辄和。和且半，予始至自内直，诗皆如诸君之数。已乃为联句，文甫以事先归，遽口占二句而去。又得三首。独编修杨君惟立以诗报不至，翌日始并和焉。先是佩之游慈恩寺，与僧璿订九日之约，预约者郎中李君若虚、屠君元勋及予。予方有侍讲陈君师召之会，以旧约不可负，预以诗谢之。至日与诸君次第俱往，沿杨柳湾，历菜园，观稻田，临海子，望钟鼓楼，访桔槔亭，故必留连竟日。复倡且和，如朝天之作，共得三十六首。已复为联句。世赏先归，亦口占一句而去。四君暮枉予家，呼烛续录得十首。于是合而书之为一卷。"《怀麓堂集》存诗有：《九月八日与谢于乔诸公游朝天宫有作》《是日和王世赏韵》《和冯佩之韵》《和谢于乔韵》《九日游慈恩寺迭前韵》《九日和王世赏韵》《九日和谢于乔韵》《和李若虚韵》《和屠元勋韵》，皆志此游会。

许相卿（1479—1557）**生。**字伯台，海宁人。正德丁丑进士，官兵科给事中。有《云村集》十四卷。《云村集》卷一三《云村老人墓志铭》："云村老人伯台氏，名相卿，许故族，居杭之海宁灵泉里，晚徙紫云，自称云村老人云。老人生世七十九年，嘉靖三十六年秋寝疾，知不起，且虑子若孙徇俗饰，终将乞貍文诬我，蒙羞入地无绝已时，已恐来世有稽无征也，则手书于墓石曰：'云村老人，平生行业无可纪撰。先古系绪，载于湛若水志皇考封给事中府君葬语中。老人以成化十五年九月十六日生于外皇父俞氏，三岁失怙。少长善病，弱冠始为学。甫壮，仕于朝，给事中岁余，自免归。'"

十一月

丘浚作生日词。《重编琼台稿》卷六《己亥初度》："老子明年六十齐，百年光景日头西。幸无热病兼寒病，免得花迷更酒迷。知痛痒，识高低，平生作事不蹊蹊。从今好闭雌黄口，再莫人前浪品题。"［按，丘浚生日在十日］

本年

胡居仁感慨己况。《胡文敬集》卷一《寄晏泂》："居仁自丙戌年丧父，戊子年丧母，至辛卯年得疾，缠绵八年方愈。故血气早衰，不能精进。今又丧妻，无一好况。但此道理无处不在，虽居忧患，苟能存心察理，亦无非进学之地。今未能然，所以可愧也。不知老兄今日所进若何？又不知盍簪之期在何时？岁月骎骎，老将至矣。"杨希闵《胡文敬公年谱》："闵案：自辛卯至戊戌，患病八年，大概在家讲学。丧妻不定何年，玩语气，总在己亥之间。"

储巏丧母。《息园存稿文》卷六《通议大夫南京吏部左侍郎储公行状》："成化己亥，年二十三，王淑人疾，祷药不愈，乃刺股救之，延数旬卒。时尚未室，宗戚强公娶，公顿足号天，足指俱碎，乃已。淑人遗命'勿葬先茔内'，家贫无资，公极力别营墓域。每旦伏哭冢上，夜则苦诵读，以图显扬。"

本年前后，刘三吾文集刊刻。刘应峰《坦斋刘先生文集序》："追我高皇帝混一六合，完复光岳，聘致宇内儒硕，翊赞文德，而先生乃以应聘起，寻擢典中秘、知外制。凡其敷陈典章，颂述休美，宣金石，垂汗简者，类多出先生手，要皆本之经术之学，发为典则之词。彼标奇饰美、离本真者，殆难与拟伦矣！当是时，与金华宋学士、乌伤王待制臂交踵接，卓然为一时文史之冠。今取其集汇而阅之，虽各擅材美所长，成一家言，而浑庞质茂之风，则翕然出一律也。文章之关代运，不其信然乎哉？乃宋、王二公之集，流播词林盛矣。独先生之瑰章玮帙，家藏甚富，因毁于回禄，遂不盛传宇内。缙绅士慕其名者，每慨焉全帙之未睹。成化间，桐江俞君莅以御史迁官茶陵，曾搜其散逸锓之梓。然以校雠未详，字句多讹缺，读者恒难之。岁久，板遂湮没不存，迄今距又百年矣！……万历戊寅孟冬吉日，赐同进士出身、中顺大夫、云南提刑按察司奉敕提调学校副使宗晚学刘应峰拜撰。"《静志居诗话》卷四《刘三吾》："学士元之故老，其诗虽不中程，足补庚申外史。"四库提要卷一七五："《坦斋文集》二卷，明刘三吾撰。郑晓、雷礼、王世贞并谓三吾于洪武三十年以罪诛死，蒋一葵又谓三吾以作大诰漏言赐死。《明史》则称以考试不实戍边，建文初召还。今集中有《敕下御制大明一统赋》，实建文时所撰，与史相合。是晓等所载皆不确。知其集在明代不甚传，故以晓等熟于掌故者，亦未之见矣。……三吾于洪武中典司文章，颇被恩遇。然其文钩棘而浅近，未能凌轹一时也。"《明诗纪事》甲签卷一二《刘三吾》引邓显鹤《沅湘耆旧集》："诗迅笔直书，不暇矜炼，虽时病粗豪，要有真气。至其凭吊故墟、感时书事诸作，悲凉沉郁，不减遗山。"陈田按："学士诗有佳句，殊少完篇。《哭伯兄存吾推官》云：'黄甲题名前进士，白头死难古宣州。'《湘中纪行》云：'流水石梁迷故宇，夕阳烟树出疏钟。'《与先复初州判》云：'欲涉湘江采蘼杜，美人遥隔暮云中。'《次蔡元礼过洞庭》云：'欲向黄陵怀帝子，鹧鸪啼处雨斑斑。'皆可诵也。"

韩邦奇（1479—1557）生。字汝节，朝邑人。正德戊辰进士，历官浙江佥事，转山西参议，擢佥都御史。抚山西，入为兵部侍郎，进南京兵部尚书。以地震陷死。赠太子少保，谥恭简。有《苑洛集》。

徐祯卿（1479—1511）生。字昌谷，一字昌国，吴县人。弘治乙丑进士，除大理寺左寺副，降国子监博士。有《迪功集》。《明史》徐祯卿传："资颖特，家不蓄一书，而无所不通。自为诸生，已工诗歌，与里人唐寅善，寅言之沈周、杨循吉，由是知名。"

公元1480年（成化十六年　庚子）

正月

张以宁《翠屏集》重刊。据台湾省《“国立中央图书馆”善本序跋集录》集部(二)，《翠屏集》四卷，张以宁撰，石光霁编，张淮续编，成化十六年德庆府儒学刊本。赵瑶《翠屏集序后》：“德庆州学训导张淮氏，以其高大父翠屏先生文集一帙，介州判官吾友庄世范蕲序之。予阅其集，见学士景濂宋先生、三吾刘先生、侍郎琴轩陈先生皆序诸首简矣，而其圹志又撰于子钦刘先生之手，是皆以文章名世者，予小子何人，敢以秋蝉而鸣于韵钧之侧，以寸缬而炫于锦绮之前，人谁不骇且笑哉？……遂书于卷末。成化十六年庚子正月望日，赐进士奉政大夫、奉敕提督学校、广东等处提刑按察司佥事清源赵瑶识。”

二月

胡居仁入主白鹿书院。《胡文敬集》卷一《奉祈参政钟宪副庄佥宪》：“伏承聘命令主白鹿洞事。谨于正月二十六日起行，二月初三日入洞。窃思庐山白鹿洞名冠古今，居仁自弱冠之时，因读前史，知其为第一书院也。……今明执事慨然兴复，仍命居仁入洞主事。居仁学陋才疏，何足以副委任之重？是以入洞之后，不胜恐惧。斋沐裁书，令门生胡觉、高悌申致禀覆。夫天下之事，得人则与，不得人则废，必然之理也。今欲兴复文公数百年之绝学，以倡明于当时，非得四方英明豪杰之士相与讲论切琢于其间，曷足以及此？”

五月

谢铎、黄孔昭刊刻方孝孺诗文集。谢铎《逊志斋集后序》：“右逊志先生文集三十卷、拾遗十卷，为文千二百首，总若千万言。於乎！先生之文不见于世也久矣！天顺中，赵教谕洪实始锓梓以传，既而铎与文选黄君孔昭颇加搜辑，于是叶文庄公盛、秋卿林公鹗、王忠文公之孙汶，诸所传录者，皆粹焉。既又从柳别驾演尽得常人之所藏者，视昔盖不啻倍蓰，而先生之文乃始稍稍以完。今年春，宁海令郭君绅闻之，以书来曰：‘先邑人也，是不可废，愿益得以传诸梓。’铎与文选君亟喜而授之。……令尹又尝即先生故居，求所嗣祠堂者而新之。盖洪熙初，先生之遗族得从宽法而为之者也。常本旧称《逊志斋集》者，讹缺为甚，谨具存之，不敢别有所更益。教谕之编，有的知其非出于先生者，乃不敢取。其曰‘正学’者，盖蜀献王所赐，‘逊志’则先生所自号，今并入之，以复其旧。而其续得者当更为别录云。成化己亥冬十月朔。”黄孔昭《新刊逊志斋集后序》：“惜其遗文散佚，天下仅见赵教谕刻本，孔昭乃与谢侍讲铎，日加访采，而其邑之秀彦犹能各以所藏来告，遂合叶、林二亚卿，王、李二中书，与柳常州之所得者汇次之，而是编成焉，于是先生之文亦庶几其全矣。然先生之学已不愧存殁，文之全不全亦奚损益哉？惟吾后人小子欲求先生之道者，非此则无以考其全也。

集既成，福建林金宪克贤、宁海郭县尹绅，各以书来请寿诸梓。孔昭与侍讲图斯文永久，莫如先生桑梓之地，故奉以属郭尹。郭尹又搜访于其邑，得诗与文若干首附益之。方经画召工，而金义士明、陈训导熙、郑学究询、秀才杨颛、金远辈，咸奋义助相校书，董治各有司任，不日月板将告成。呜呼！于此又可见先生德泽之在乡邑者，愈久而愈不忘也。虽然，是集也，抑岂吾台人所得而私之哉？庸书诸末简，以告天下后世之欲知先生者。成化十六年庚子夏五月朔日。"徐阶《逊志斋集重刊序》："成化庚子，黄岩选部黄公孔昭、祭酒谢公铎尽搜缙绅家所藏，得文千二百首，合为集三十卷、拾遗十卷，俾宁海尹郭君绅重刻之，顾其所取博而未精，识者以为憾。"《菽园杂记》卷一五："《逊志斋集》三十卷，《拾遗》十卷，《附录》一卷，台人黄郎中世显、谢侍讲鸣治所辑，今刻在宁海县。其二十八卷内《勉学诗》二十四章，本苏士陈谦子平所作，误入方集耳。子平，元末人，张士诚兵至吴，有突入其室者，胁其兄训使拜，不屈，刃其胸，子平以身翼蔽，并遇害。平生著述甚富，兵后散亡，独所著《易解诂》二卷及古今诗数十篇传于世。正统间，吾昆山所刻《养蒙大训》收其诗，予幼尝见之。京师士人徐本以道亦尝刻其诗印行，后有国初韩奕公望跋语。韩、徐皆苏人。"四库提要卷一七〇："《逊志斋集》二十四卷，明方孝孺撰。……孝孺殉节后，文禁甚严，其门人王稌藏其遗稿。宣德后，始稍传播，故其中阙文脱简颇多。孝孺学术醇正，而文章乃纵横豪放，颇出入于东坡、龙川之间。盖孝孺之志，在于驾佚汉唐，锐复三代，故其毅然自命之气，发皇凌厉，时露于笔墨之间。然圣人之道，与时偕行，周去唐虞仅千年，《周礼》一书，已不全用唐虞之法。明去周几三千年，势移事变，不知凡几，而乃与惠帝讲求六官，改制定礼，即使燕兵不起，其所设施亦未见能致太平。正不必执儒生门户之见，曲为之讳。惟是燕王篡立之初，齐、黄诸人为所切齿，即委蛇求活，亦势不能生。若孝孺则深欲藉其声名，俾草诏以欺天下，使稍稍迁就，未必不接迹三杨，而致命成仁，遂湛十族而不悔，语其气节，可谓贯金石动天地矣。文以人重，则斯集固悬诸日月，不可磨灭之书也。"

七月

刘溥《草窗集》刊刻。溥字原博，号草窗，长洲人。宣德初，授惠民局副使，后调太医院吏目。事迹具《明史·文苑传》。《重编琼台稿》卷九《刘草窗诗集序》："吴人自四子后，作诗者多出于文字之绪余，非专门也。惟草窗刘公原博，家世业医，至公始专心于诗，不拘拘缀缉经语以事进取，遇凡景物会心、时事刺目，一于诗焉发之。词气激烈，音节顿挫，多有出人意表者。古人谓石曼卿豪于诗，公殆近之与。"姚绶《草窗集序》："予弱冠时，草窗先生以诗鸣吴下。及予壮游学宫，先生起为太医院吏目，以诗鸣公卿间，声价藉甚。景泰癸酉，予领荐书上京师，先生已卒于邸舍，竟弗之识。往往见谈其诗句警策而气春容，恨不得其平生之集而尽观之。尔来余二十年，其子俸手一编，拜于吴门寓馆，曰：'此某先君子之《草窗集》，愿为之序。'受而观之，总若干篇，众体悉备，厘上下卷，以寿诸梓。……今观先生词意之正，足以风励来学，有非骚囊之风云月露同日并语，又不可以诗为先生少也。……成化十六年七月上浣，赐进士出身第、前广东道监察御史嘉兴姚绶书于云东精舍。"四库提要卷一七五："《草窗集》一卷，明刘溥撰。……史称溥耻以医自名，日以吟咏为事。其诗初拟西昆，晚更奇纵，与汤胤绩、苏平、苏正、沈愚、王淮、晏铎、邹亮、蒋忠、王贞庆等，称景泰十才子，而溥为之首。今九人之集皆未见，惟溥集存。溥际土木之变，忠愤悱恻之意时见于诗，亦颇有足取者。故朱彝尊《静志居诗话》谓其在彼法中，犹为差胜。然溥尝语客云：'不读二万卷书，看溥诗不得。'则虚骄太甚矣。宋人云'不读万卷书，不行万里路，看杜诗不得'，溥乃更加一倍乎！"

八月

邵宝受知于李东阳。《东林列传·邵宝传》："举南畿，受知于李东阳，为诗文典重和雅，以东阳为宗。至于原本经术，粹然一出于正。"杨一清《资善大夫南京礼部尚书赠太子少保谥文庄邵公宝神道碑》："文正公成化庚子主考南畿，得公，归以诧于予曰：'吾得天下士。'"

九月

李东阳、张亨父、邵文敬等登高赋诗。《怀麓堂集》卷二五《城南登高诗序》："成化庚子九月九日，工部主事萧君汉文登高城南，会者翰林修撰吴原博、陆鼎仪，侍讲李世贤，检讨张亨父，庶吉士陈玉汝，兵科给事萧文明，兵部郎中陆文董，户部员外郎白宗璞、邵文敬，御医周原己，鸿胪簿凌季行，绍兴推官蒋宗谊。分杜牧《齐山》诗二句为韵，各赋一诗。春坊谕德张启昭，监察御史翟时用不至，各补一韵。诗成，次第登卷，卷留亨父。未录而亨父卒。汉文乃补作一篇，以寓悼叹。明年，季行又卒。时宗谊改金华，世用巡云南，文明出为贵州州佐，而汉文亦有云贵提学之命。欲追前约而未得也。乃授卷属予序之。"

朱诚泳追和乃祖康王留壁诗。《小鸣稿》卷五《予祖康王尝游翠微山，留题永庆寺壁。迄今四十载，寺僧录诗来谒求和。予三复展诵，感慕不觉泣下，因再拜追和。时成化庚子九月一日也》："当年仙驾到禅宫，回首春花几度红。剩有诗篇笼壁上，漫劳神物护山中。腾蛟起凤奎光在，流水浮云世事空。一捧骊珠双泪落，九原衰草正秋风。"

十一月

张泰卒，年四十五。陆容《翰林院修撰沧洲张先生行状》："庚子十月，九载考绩，升本院修撰，人方以为迟且滞也。逾月而得暴疾，呕血数升死，十一月十九日也，年四十有五。……所著有诗文若干卷，皆其平居令从子瑑所录，今藏于家云。……居常抱病，人有持卷轴求诗文者，未尝以病自沮，挥毫应客，若不顾名，而名于是乎愈彰。酒酣耳热，谈论当世不平之事，激烈奋发，每为之攘臂岸帻而后止。迹其愤世疾邪之心，虽贾生之痛哭流涕不能过之。"李东阳《沧洲诗集序》："吾友沧洲张先生于文无所不能，而尤工诗。纵手迅笔，众莫能及。及其凝神注思，穷深骛远，一字一句宁阙焉而不苟用。晚乃益为沉著高简之辞，而尽敛其峭拔奔泷之势。盖将极于古人，而不意其遽止也。苏之诗，在国朝必称高太史季迪，合天下而言，亦未见决然有以过之者。使先生生同时，居同地，与相驰逐，殆未知其税驾之所。而皆不寿以死，宁不为天下惜之哉？先生尚论古人，虽唐以上犹有所择。予以一时一郡论之，殆非其志，亦姑就其所至者云尔。"《南濠诗话》："张修撰亨父工于诗，尝岁晚与翰林诸公联句，有云：'生事残年话，风流后辈夸。'竟以是月卒，亦诗谶也。"王鏊《式斋稿序》："始吾苏之官于京者，最名多文学之士。其在昆山，则有若翰林修撰张君亨甫、太常少卿兼翰林侍读陆君鼎彝、浙江左参政陆君文量，三人皆能文，而尤工于诗。亨甫颇以才自喜，其诗翩翩如浊世佳公子，奇气溢出，最为时所脍炙。鼎彝志尤高，不肯苟出，出必奇奥简古，读之或不能句，商盘周鼎，识者赏之，而世好之差少。文量不为险峻奇怪，意尽则止，如行云流水，自中法律。亨甫、鼎彝皆官翰林，文量独官兵部，颇以政妨，世知之益少。而三人最号相得，杯酒倡酬，无集不偕，意气所至，不知古人何如耳。"《升庵集》卷五五《张亨父诗》："诗句清拔，名于一时。其《正月十六日》诗云：'长安元夕少灯光，此夜欢娱觉更忙。十里东风吹翠袖，九门银烛照红妆。虹桥御陌争春步，云阁谁家闷晚香？醉著吟鞭急归去，老夫当避少年狂。'其手书稿，慎于先师李文正公处见之。"《艺苑卮言》卷五："张亨父如作劳人唱歌，滔滔中俗子耳。"《列朝诗集小传》丙集《张修撰泰》："亨父为人坦率，绝去崖岸，恬淡自守，独喜为诗。虽不学书，亦翩翩可喜。……唐元荐论本朝之诗曰：'弘治间，艺苑则以李怀麓、张沧洲为赤帜，而和之者或流于率易。'在当时盖以李、张并称，今长沙为台阁之冠，而亨父之名知之者或鲜矣。人不可以无年，信哉！"《明诗综》卷二六《张泰》存诗一首：《游江词》。四库提要卷一七五："《沧洲集》十卷，《续集》二卷，明张泰撰。……泰为人恬淡，独喜为诗。初与李东阳齐名，后东阳久持文柄，所学弥老弥深，而泰不幸早终，未及成就。故声华销歇，世不复称。今观是集，大抵圆转流便，而短于含蓄，正如清水半湾，洮洮易尽，视东阳《怀麓堂集》实相去径庭。故东阳作序亦云，'将极于古人而不意其遽止'云。"《明诗纪事》丙签卷四《张泰》陈田按："亨父才华烂漫，与陆鼎仪、陆文量号'吴中三凤'。馆选时，刘文安为院长，语某吉士云：'古诗、律诗各有体裁，与亨父叩其妙可也。'其为老辈推重若此。"

夏良胜（1480—1536）生。字子中，南城人。正德戊辰进士，授刑部主事。改吏部，迁员外郎，谏南巡，予杖夺职。嘉靖初起故官，进郎中，迁南太常少卿，未赴，转给事中，谪茶陵知州，以在郎中时议礼，黜为民。再下狱论杖，谪戍辽东三万卫。隆庆初，赠太常卿。有《东洲初稿》。《国朝献征录》卷七〇《太常寺少卿夏公良胜墓志铭》："君名良胜，少颖异，渐渍家学，又经乡先生圭峰指授，为文辞警拔不群。丁卯，虚斋蔡公视学至建，得卷□□，拆视乃君。讶曰：'子异日为良臣，无以胜矣。'改名曰良胜，而字之曰于中。……丙申十月病脾，越二月望后一日卒。……距生成化庚子十一月二十六日，年五十有七。"

本年

桑悦迁长沙通判。杨循吉《故柳州府通判桑公墓志铭》："先生年十九，领乡荐，累试礼部不第，负才游京师，无所屈，竟以乙榜授泰和训导。三为考官皆大省，号能得士。秩满，冢宰三原公方执政，将荐用之，不果。以资拜长沙府通判。"四库提要卷一二四："《桑子庸言》一卷，明桑悦撰。……考悦《思玄集》中有《道统论》，曰：'夫子传之我。'又《学以至圣人论》曰：'我去而夫子来。'可谓肆无忌惮，史所诋者不虚。史又称悦在长沙著此书，自以为穷究天人之际。今观所论，实无甚精奥也。"

周瑛迁南京仪部正郎。《翠渠摘稿》卷八《自撰蒙中子圹志》："庚子冬，迁南京礼部仪制司郎中。"

黄仲昭引疾归。《未轩文集》卷三《谨节堂记》："成化庚子，予引疾归，始买田结屋于下皋之阳，为耕读计。越明年，东作方兴，予姊婿林君长熙访余于田舍，顾紫帽之峰、西淙之瀑，呈奇献秀，幽兴逼人，因相与纵步出平畴，循孔道而西，至石门之坞，遥见屋宇蔽亏于林麓莽苍间。林君指而示予曰：'此吾旧所知识高氏之居也。'"《国朝献征录》卷八六《江西提学佥事前翰林编修黄公仲昭墓志铭》："成化己亥，服阙赴京，遂引疾乞归。或劝之留，公曰：'吾亲存，尚不能俯首取禄以为养，今养已不逮，吾复何求？所以必赴此者，乞一明白归尔。'既归，筑室下皋山中，撰耕植木，读书为文，惟日不足。暇则与田夫野老徜徉谈笑，得美阴则共酌，不惟忘其贵，且忘其贫。乡党间以关节求者，公甚拒之，久则胥相信，不复至矣。"

胡缵宗（1480—1560） 生。字孝思，秦安人。正德戊辰进士，特授翰林检讨。出为嘉定州判，迁潼川知州。入为南户部郎中，改吏部。出知安庆府，改苏州，迁山东参政，改浙江。历河南布政使，以右副都御史巡抚山东。改理河道，复改河南，乞归。以作诗下狱，寻得释。有《鸟鼠山人集》十六卷。

严嵩（1480—1567） 生。字惟中，分宜人。弘治乙丑进士，改庶吉士，授编修。移疾归，读书钤山近十年，为诗古文辞，颇著清誉。还朝，久之进侍讲，署南京翰林院事。召为国子祭酒。累官礼部尚书、少师、武英殿大学士。事迹具《明史·奸臣传》。有《钤山堂集》。

公元1481年（成化十七年　辛丑）

三月

十七日，赐王华等进士及第、出身有差。

五月

蒋冕辑丘浚遗诗为《琼台诗话》。蒋冕《琼台诗话序》："又三年，辛丑会试不利，将南归省母。因虑平日之所闻，久则不能无遗忘也，著为《诗话》二卷，总若干则。凡先生之乡人暨当世之士夫谈论，有及于此者，冕或闻之，亦谨录于其间。窃惟冕之所闻于先生者，非止一端，他日尚当更有所论著，以为一书，如程朱门人录其师说者然，然未敢必其能成否也，谨书以俟。倘遂此志，则甚幸幸甚矣！是书所论著者，止于诗词，故谓之《诗话》云。"四库提要卷一九七："《琼台诗话》二卷，明蒋冕编。……冕为丘浚之门人，因衷辑浚生平吟咏，各详其本事，凡七十五条。词多溢美。盖浚以博洽著，诗非其所长。冕以端谨不阿著，论诗亦非其所长也。"

七月

蒋冕以试春官不第，归省老母。丘浚《送蒋生归省诗序》："今兹再试，又不利，将归省其母氏，别予远去，欲留之而不可得。因念昔宋太史年几七十，始得方希古，于其别去也，作诗十有四章送之。予虽不敢上拟太史公，然得一英才而训饬之，喜动颜色，而天理民彝不能自已，其心则无以异于太史公也，因步其韵，特笔以送生。"《湘皋集》卷二二《上琼台老先生第一书》："谒告归省，又辱宠以教言，而以大贤君子之望于其徒者，是望教育之至，无以为喻。第所惧者，不能如所望。譬犹以数斛之舟，乘百车之货，以泛于海，其不于覆溺也者几希。虽然，苟坚其樯柁，固其维缆，备其楼橹，侥幸无风涛之患，则岂终覆溺也哉？而冕也不敢不勉矣。六月四日，自潞河发舟，冕侍兄侧，事得无恙。但其舟甚小，行李书册外，虽余无长物，亦无所容。日中抱膝而坐，不敢仰观。又天气热甚，目或昏赤，不能细视，欲求与笔札相亲而不可得。赖有乡友数人，朝夕清谈以终日而已。舟至临清，同舟者稍稍徙之他舟。居一日，同舟者尽去，乃求快船而徙之。虽舟行稍速亡恐，然计其所费，亦已甚巨矣。且人众多，不能遂所欲为。自念穷窘贫困至于如此，亦可悲也已。……今学业荒芜，诚不可言。时有所疑，欲就先生质问，忽惊相去已数千里，仰首望门庭，如九地之于九天，不可得至也。况兹南归，去先生之庭日益远，接俗尘之态日益繁，使其心又以忧衣食乱，则所以务学之日少，而外慕之日多，安得如先生所教静观至理，置心勿外慕也哉。此冕所以深为之愧且惧也。"题下注："成化十七年七月十八日"。

十一月

丘浚作生日诗。《重编琼台稿》卷五《辛丑初度日》："前生自是白牛翁，再见苍龙岁舍同。身世悠悠还是客，颠毛短短返成童。两间俯仰期无愧，百事修为贵有终。此去古稀年不远，桑榆晚景好收功。"

何乔新巡抚山西。蔡清《椒丘先生传》："成化十七年冬十一月，升都察院右副都御史，巡抚山西，兼督三关兵备。"

十二月

李东阳作诗，誓戒夜归晚。《怀麓堂集》卷六八《先考赠少傅府君诰命碑阴记》："〔东阳〕尝雪夜归自外，先考不忍斥责，遣孙兆先致一绝云：'朔风凛凛雪漫漫，诗酒棋枰取次欢。何事尔情犹未洽，冰霜不问仆夫寒？'东阳自是归不敢到夜，戒之终身。"《怀麓堂集》卷六《家君以诗戒夜归因用陶韵自止》诗，题下注："辛丑十二月望日。"《明史》李东阳传："东阳事父淳有孝行。初官翰林时，常饮酒至夜深，父不就寝，忍寒待其归，自此终身不夜饮于外。"

公元1482年（成化十八年　壬寅）

五月

张弼跋《逊志斋集》。《东海文集》卷四《书方正学逊志斋集后》："二十年前，瑞安杨元霁知吾华亭，尝出方先生《逊志斋稿》见示，乃录本也。且道先生大节颇详。谨读而妄书其后曰：'笃信好学，守死善道。宇宙之间，仅见此老。'后得刻本，则又加多。窃谓孔子此八字而岂过乎？犹以见之未尽为恨。今年，二儿弘宜知宁海，乃先生之阙里也。得全集十二本寄南安，秉烛疾读，掩卷深思，如读程朱之集。喜而忘寐，而又不觉涕泗之交零也。呜呼！学之正，养之充，行之确，而此八字，未为过也。三代而下可考其详，大节或有之，所养所学恐未逮乎？当时有以欧苏拟之者，宜其弗屑也。我朝以宋潜溪、杨东里为文章称首，然恐亦不当出其右乎？呜呼！以文章家目之，殆非先生之知己也。呜呼！九原可作，举世皆当奔走为之执鞭。如遇孔子，不知以三仁许之否乎？呜呼！成化十八年壬寅五月之吉。"［按，跋文时间据台湾省《"国立中央图书馆"善本序跋集录》集部（二）所录明正德庚辰本《逊志斋集》，补入］《浙江通志》卷一五四"张宜弘"条，引《宁海县志》："字时措，华亭人，进士。成化十八年，任宁海知县，明察刚断，大家怙势作威者缩首敛迹，而小民为之吐气。词牍累幅，一览而尽。裁答无遗，黠吏无所措其手。"

六月

夏言（1482—1548）生。字公谨，贵溪人。正德丁丑进士，授行人。擢兵科给事中，历吏科都给事中，擢侍读学士，进少詹事，兼翰林学士，掌院事。历礼部侍郎，进本部尚书，加太子太保，进少傅、太子太傅，兼武英殿大学士，入参机务。加少师、特进光禄大夫、上柱国，进吏部尚书、华盖殿大学士。以忤旨再致仕，落职闲住。寻起故官，议复河套，为严嵩所构，弃市。隆庆初，追谥文愍。有《夏桂洲先生文集》。《夏桂洲先生文集》附《夏桂洲先生年谱》："宪宗纯皇帝成化十八年壬寅。是岁……六月二十九日辰时，先生诞于城西莲子巷。"

七月

毛伯温（1482—1545）生。字汝厉，吉水人。正德戊辰进士，除绍兴府推官，征拜河南道御史，历按福建、河南、湖广，升大理寺丞，擢都察院右佥都御史，巡抚宁夏、山西、顺天。回理院事，升右副都御史、工部尚书，改兵部。从驾南征，加太子太保。天启初，追谥襄懋。有《毛襄懋先生文集》八卷、《毛襄懋先生别集》一卷、《御书世汇》三卷、《荣衰录》一卷、《幽光集》二卷、《东塘集》十卷。徐阶《明故光禄大夫太子太保兵部尚书东塘毛公墓志铭》："乙巳五月，公病疽，遂以六月一日卒于家，距生成化壬寅七月初六日，享年六十四。"

闰八月

郑纪生日作文自警。《东园文集》卷九《五十自儆序》："居士生宣德癸丑闰八月，自后历十有七闰，皆未有值是月者。成化壬寅，居士年五十岁且闰，且值是月，众皆异之，以为天人际会不偶然也。至今日诸亲朋携壶觞为居士寿，族众子弟亦举酒为寿。居士难之曰：'丈夫生世，负天地万物之责于身。近则寿乎一家，远则寿乎一国，又远则寿乎天下万世，岂区区于一身之岁月也耶?'"

秋

陈献章起程入京。《陈白沙集》附录《行状》："壬寅，广东左布政使彭韶上疏，略曰：'国以仁贤为宝，臣才德不及献章万万，犹叨厚禄，顾于献章醇儒，乃未见收用，诚恐国家坐失为贤之宝。'疏闻，宪宗皇帝可其奏，部书下有司，以礼劝驾。先生以母老并久病辞。时巡抚右都御史朱英惧先生终不起也，具题荐，末云：'臣已趣某就道矣。'且告之故曰：'先生万一迟迟其行，则予为诳君矣。'先生不得已，遂起。"《陈白沙集》卷二《与张廷实主事》："苍梧归后，人事益冗，烦暑为灾，起倒不供。行期尚在后八月也。"

九月

陈献章晤张弼。《东海文集》卷三《玉枕山诗话》："成化壬寅九月既望，石斋先生白沙陈献章公甫应诏起而之京，道过南安，而太守东海居士华亭张汝弼甫欲用曹参礼盖公故事，款留于周、程吟风弄月台上数月以受教。石斋不可，曰：'当不俟驾矣。今方度岭，又值积雨，装弗亟办，容与数日耳。'东海不能强。石斋有诗曰：'玉枕山前逢使君，西风吹破玉台巾。'巾乃石斋自制，类华阳巾，直方而无襞积者。东海蹇蹇断断，论议或有戾于其道，而云'破此巾耶'? 遂以一绝激之曰：'白沙村里玉台巾，不耐风吹易染尘。莫笑乌纱随俗态，宋廷章甫是何人?'石斋复以《玉枕山诗》曰：'一枕横秋碧玉新，金鳌阁上见嶙峋。使君得此原无用，卖与江门打睡人。'跋曰：'东海居士咏《玉台巾》，侮我太甚，口占《玉枕山诗》答之。'东海和答曰：'炎瘴多收一雨新，独看天柱耸嶙峋。横秋玉枕真无用，自是乾坤不睡人。'天柱峰，亦南安之照山也，故自依天柱，以玉枕与石斋，顺其意耳。而又作二绝云：'客囊羞涩客衣单，却买南安玉枕山。纵有枕头那得睡，鸡声催入紫宸班。''寄语江门打睡人，而今天地正芳春。觉来莫管闲花鸟，须扫昆仑顶上尘。'又继之一绝云：'青茸铺榻玉枕横，白云为被天作帡。东海先生睡不着，日月当天正大明。'"

十二月

御制《文华大训》成。《明宪宗纯皇帝实录》卷二三五"成化十八年十二月庚午（初六）"："御制《文华大训》成。序曰：朕惟古昔帝王之有天下，必立言垂训以贻子孙，俾知修身出治之本，听言处事之要，以承基绪于无穷，其豫教属望之意，何所不用其极哉！稽其教法，若唐虞三代之具于《书》，咏于《诗》，见于《礼》，记最详且密，不可尚已！秦汉而下，寝以疏阔，如唐《帝范》之编，宋《承华要略》之集，或举一而遗十，或详末而忘本，视古豫教之意，有间矣！肆我太祖高皇帝《储君昭鉴录》、太宗文皇帝《文华宝鉴》及《圣学心法》、宣宗章皇帝《帝训》四书垂示，炳若日星，与唐虞三代之意，实同一揆。朕嗣统迄今十八九年，仰赖遗训余休，海宇宁谧，宗社奠安，是岂无所自哉？顾念皇太子继承甚重，而身而家而国而天下，事几甚繁，未可悉以口讲而指示之，乃于万几之暇，博阅载籍，自孔、孟、濂、洛诸儒之论述，伏羲、神农、黄帝、尧、舜、禹、汤、文、武以及汉、唐、宋诸贤君之踪履，与我祖宗之谟烈，皇考之戒饬，凡有切于储副今日之所学与夫异日之所行，采汇为编，名曰《文华大训》，以授皇太子。其书纲凡四，曰进学，曰养德，曰厚伦，曰明治，目二十又四；总论以撮其要，分言以极其详；每编又各有言以发其端而结其终，本末兼该，先后交贯。展卷之间，修齐治平之道，了然在目，俾朝夕观览，知所造诣，必问学日以充，德业日以广，帝王之度日以恢弘。夫何患不能承祖宗基绪传于无穷也哉？此朕是编惓惓属望之心也，祖宗列圣之心也，古帝王之心也。於戏！其熟玩而深体之哉！"

除夕，李东阳将迁居，作诗书怀。《怀麓堂集》卷一五《除夕书怀》："夜坐高堂席屡移，老亲欢在只娇儿。贫堪苜蓿堆盘少，病觉屠苏到手迟。生怕莺花催客老，早看冰雪与春辞。明年又卜新居去，应忆城南守岁时。"题下注："壬寅十二月，时已买太仆巷屋。"

本年

桑悦调柳州通判。据《思玄集》卷七《鹤溪府君泣血志》。

王守仁随父入京。《王文成全书》卷三二《年谱》："十有七年辛丑，先生十岁，皆在越。是年，龙山公举进士第一甲第一人。十有八年壬寅，先生十一岁，寓京师。龙山公迎养竹轩翁，因携先生如京师，先生年才十一。翁过金山寺，与客酒酣，拟赋诗未成。先生从傍赋曰：'金山一点大如拳，打破维扬水底天。醉倚妙高台上月，玉箫吹彻洞龙眠。'客大惊异，复命赋《蔽月山房》诗，先生随口应曰：'山近月远觉月小，便道此山大于月。若人有眼大如天，还见山小月更阔。'明年就塾师。先生豪迈不羁，龙山公常怀忧，惟竹轩公知之。一日与同学生走长安街，遇一相士异之曰：'吾为尔相，后须忆吾言："须拂领，其时入圣境；须至上丹台，其时结圣胎；须至下丹田，其时圣果圆。"'先生感其言，自后每对书，辄静坐凝思。尝问塾师曰：'何为第一等事？'塾师曰：'惟读书登第耳。'先生疑曰：'登第恐未为第一等事，或读书学圣贤耳？'龙山公闻之，笑曰：'汝欲做圣贤耶？'"

周廷用（1482—1534）生。字子贤，华容人。正德辛未进士，官至江西按察使。有《八崖集》。据孙宜《江西按察使周公廷用传》。

公元1483年（成化十九年 癸卯）

正月

齐之鸾（1483—1534）生。字瑞卿，桐城人。正德辛未进士，改庶吉士，授刑科给事中，改吏科。谪崇德县丞，历长兴知县，迁南刑部郎中，出为陕西佥事。历河南、山东副使，擢河南按察使。有《蓉川集》。汪居安《廉宪蓉川齐公行状》："以六月十九日卒。公生于成化癸卯，殁于嘉靖甲午，享年五十有二。"

陈献章访庄昶于江浦。《陈白沙集》卷四《书莲塘书屋册后》："成化十九年春正月，予访予友庄定山于江浦，提学南畿侍御上饶娄克让来会予白马庵。三人相与论学赋诗，浃辰而别。"唐守勋《明定山庄先生墓碑铭》："十九年癸卯正月，白沙先生起取入京，过定山，相留越月。送于扬州，及南还，复送至龙江关。故白沙诗曰：'忆昔经江东，多士余所钦。论文一杯水，惟我与子斟。岂意千载下，复此闻韶音。我病不出户，何时还盍簪？俯仰宇宙间，与子契其深。'"

三月

陈献章到京。《双槐岁抄》卷十《丘文庄公言行》："成化癸卯，陈白沙至京，与谈不合，人谓公沮之，不得留用。时犹未入阁也，安有阻之之事乎？"《陈白沙集》卷一《乞终养疏》："成化十五年以来，广东左布政使彭韶钦差总督两广军务，兼理巡抚，右都御史朱英前后具本，荐臣堪充任使。吏部移文广东布政司等衙门，趣令起程。臣以旧疾未平，母年加老，未能辄行。府县官吏承行文书，日夕催逼，不免强起就道。而沿途病发，随地问医，扶衰补羸，仅不大恙。于成化十九年三月三十日，到京朝见，赴部。"

姚夔文集初编成。万安《少保姚文敏公文集序》："少保姚文敏公既卒，葬之明年，其仲子中书舍人玺执其遗文若干卷过予，请曰：'先君积学励行，历典清要者数十年，今其已矣，而精神心术之微，幸脱煨烬而未泯者，惟此二三册尔。玺父子荷先生知爱之深，宁无一言之惠以增重之，而使传闻于后乎？'予因三复之，而为之叹曰：'……且公之在朝，受列圣之知而久于其位，文章政事为时首称，载之史册，铭之鼎彝，如精金白璧，世所共宝，奚俟乎兹集之成而后传？抑奚待乎予言之赘而后人知所重哉？虽然，继承前休，以图不朽者，子孙之责也，幸力成之，毋怠毋忽。'时成化十九年岁次癸卯，春三月望，光禄大夫、柱国、太子太傅、吏部尚书兼华盖殿大学士、知制诰、经筵官眉山万安书。"

春

童轩以疾归养。《青溪漫稿》卷二三《明故资政大夫南京礼部尚书致仕赠太子少保童公墓志铭》："癸卯春，以疾乞休，许之。及归南京，萧然一室，不异布衣时。有所馈遗，非知旧不轻接纳，缙绅闻而重之。"

八月

何景明（1483—1521）生。字仲默，信阳人。弘治壬戌进士，授中书舍人，转吏部员外，出为陕西提学副使，有《大复集》。樊鹏《中顺大夫陕西提学副使何大复先生行状》："先生生六岁能对句，出奇字，日记数百言，知敬诸兄，至挞之不敢诉。见群儿逐戏，即不同群。八岁能文，十二岁随父宦之陕西会宁驿。时临洮守李公闻其奇，召置门下，甚爱重，为延师授《春秋》。其师间出，他长儿皆谑笑履师座，先生独安坐说《春秋》。李公脑叹曰：'何儿麟凤也。'尝盛衣冠束金呼入，谓其夫人曰：'汝视予贵邪？他日，是子贵啻予邪？'……先生生成化十九年八月六日，卒正德十六年八月五日，年三十有九。"

九月

陈献章获允归养。《陈白沙集》卷一《谢恩疏》："臣于成化十九年八月二十八日具本陈情，乞还养母兼理旧疾。九月初一日，钦奉圣旨：'陈献章既该巡抚等官荐他学行老成可用，今恳切求回养母，吏部还查听选监生愿告回家的例，来说。钦此。'及吏部查例覆奏，于是月初四日钦奉圣旨：'陈献章既系巡抚等官荐他，今自陈有疾，乞回终养，与做翰林院检讨去。亲终疾愈，仍来供职。钦此。'"

十二月

王恭《白云樵唱集》刊行。四库提要卷一六九《白云樵唱集》："其诗凡三集，一曰《凤台清啸》，乃官翰林以后作。此集及《草泽狂歌》，则皆未仕以前所作。恭没之后，湮晦不传。成化癸卯，南京户部尚书黄镐搜恭遗稿，始得此集于吏部郎中长乐黄汝明家，因属汝明编次，分为前后二集卷。首有永乐三年林环旧序，兼为三集而作者。序中所刻次第，以此集为首，知其诗在《草泽狂歌》以前。卷末又有永乐中林蕙诸人所作皆山樵者传、赞、辞、说，则刻成之后续为增入者也。"黄镐《白云樵唱集跋》："右皆山樵者传、赞、辞、说，乃前辈解大绅、王孟扬、曾子棨、林慈、林仲贞诸先生为王皆山先生作也。皆山先生善鸣于诗，遗有《白云樵唱》诗稿，予已为之版行。又得福州举人吴锵以此文寄到南京，予重前辈之文章，而益信皆山先生之才之德足为后学之模范也，遂录此附于《白云樵唱》之后。成化癸卯十有二月，后学九仙山人黄镐跋。"另：四库提要卷一六九《草泽狂歌》："恭所作三集，《凤台清啸》已不传，故《千顷堂书目》有其名而阙其卷数，范氏天一阁所藏，仅存其《白云樵唱》而无此集。此集出自秀水汪氏，盖几佚而仅存也。大致与《白云樵唱》相近，而中年所作，情思较深。"

高棅《啸台集》刊刻。黄镐《高漫士啸台集序》："而先生平日所作拟古歌行，长篇短句，或律或绝，积有八百首，皆自录之，分为二十卷，名曰《啸台集》。逮先生没，诗稿散落人间，时同乡门人金吾挥使彭伯晖藏有斯集全稿，方锓梓，竟未成而没。成化癸卯冬十月，伯晖之子致仕，都阃大用，出斯稿请曰：'此先人未成之志，幸为我成之，使先生之名垂于不朽，亦足以为后世学诗者之龟鉴也。'予展诵连日，喜其风骨纯正，句法高古，且有沉郁飘逸，冲澹悲壮之态，玲珑莹彻，不啻如长风驾涛，澎湃叠出，虽古称诗豪才子，龟鉴长城之辈，殆不多让，遂付本部郎中先生同邑后学陈孟明考订，将以梓行。而郎中玉融林邦拱谓：'先辈声光既蒙表正，敢请序以纪其实。'

予惟诗以吟咏性情，通达伦理，天地之所以覆载，日月之所以照临，与夫山川草木、风雨霜露之所以流形，莫不于诗而见。若先生之诗，所该博者如是，所透彻者如是，上可追《雅》《颂》，继盛唐，以鸣治世之音，岂真所谓删后更无诗者哉？抑予闻先生于永乐初，起为翰林，待诏为典籍之时，又有《木天清气诗集》，惜予求未之见也。今刻《啸台集》，梓匠告成，谨书先生出处与作诗之大概于卷首，以复邦拱之请，将使后之学诗者有所考而知所宗云。成化十九年岁癸卯十一月长至日，赐进士第、资政大夫、南京户部尚书、前吏部左侍郎三山后学黄镐序。"陈音《高漫士啸台集后序》："吾闽高漫士先生，当国初隐于长乐之龙门，宿学既富，复栖身玩宇楼二十年，屏谢纷嚣于天下，书无所不读，而尤肆力于诗，尝谓诗至于唐，作者愈盛而诸体毕具，既为之品汇编次，复模仿其体，随兴趣所到，见诸篇什。曰《啸台集》，则未仕时作；曰《木天清气集》，则官翰林时作也。时馆阁巨公见其诗，皆叹赏推重，遂以诗名动四方。先生没百年以来，抄本人各珍秘，而见者希矣。今南京户部尚书吾闽黄公叔高，博学工诗，虽位高且老而忘倦，近得《啸台集》二十卷，命其属郎中陈君孟明校正之，为镂梓以传。……成化癸卯冬十二月朔后，赐进士出身、中顺大夫、南京太常寺少卿、前翰林侍讲经筵官兼修国史后学莆田陈音序。"

本年

周瑛谪抚州。《翠渠摘稿》卷八《自撰蒙中子圹志》："三年赴吏部考核未到，迁抚州知府。先是，族兄莹亦知抚州，人因呼为大小抚州云。"《翠渠摘稿》卷一《贺包封君以六十受恩命序》："始予举进士京师时，识嘉兴包君汝调。及为南京礼部郎中，而君亦来为主事，既同官而情益亲。成化甲辰，君将报政于朝，予有抚州新命。"

郑纪起复。《东园文集》卷一二《文林郎监察御史井庵林公墓志铭》："成化乙巳，监察御史林公致政于家。又明年丁未，十一月晦，卒于正寝。兹卜葬城南宝涧山之原。其孤近龙，奉其内弟广西少参吴君昭所述事状，请铭于予。予与公乡荐同年，养疾同归，疾痊同起，以兄弟相视者三十有五年矣，铭安可辞？……壬辰复疏养疾，遂奉母以归。……癸卯疾痊，还京，予送至武夷，宿文公精舍，数日而别。"

孟洋（1483—1534）**生**。字望之，一字有涯，信阳人。弘治乙丑进士，官至监察御史。以论张璁、桂萼下狱，谪桂林府教授，移知汶上县，终南京大理寺卿。有《孟有涯集》。

魏校（1483—1543）**生**。字子才，号庄渠，昆山人。弘治乙丑进士，官至太常寺卿。迁国子监祭酒，未上卒。谥恭简。事迹具《明史·儒林传》。有《庄渠遗书》。据吴中行《明太常卿赠正议大夫资治尹礼部右侍郎恭简魏公墓碑》。

公元 1484 年（成化二十年　甲辰）

三月

舒芬（1484—1527）**生**。字国裳，进贤人。正德丁丑第一人及第，授修撰。谏南巡，受杖，谪福建盐课司副提举。嘉靖初，起故官，议大礼，再杖归。万历中，追谥文节。有《梓溪》内、外集。薛应旂《舒修撰传》:"丁亥春三月疾作,十有四日卒。距生成化甲辰三月十有二日,年四十四岁。"

胡居仁卒,年五十一。据《明儒学案》卷五《文敬胡敬斋先生居仁》。《古城集》卷四《居业录要语序》:"至于老、佛之说,尤所不取,皆搜剔根蠹而深辟之。先生五经皆通,尤邃于《春秋》。自孟子殁后,独推尊二程、朱子,以为得其正传,他不得与也。"

六月

林俊升刑部员外郎。《见素集》附录上《编年纪略》:"二十年甲辰,公年三十二。六月,升本部四川司,署员外郎事。"

十月

林俊谪姚州。《明宪宗纯皇帝实录》卷二五七"成化二十年冬十月丁巳(初三)":"刑部员外郎林俊以言事降云南姚州判官。俊言太监梁方招权黩货,贡献淫巧,引用妖僧继晓以左道惑上,建永昌寺倾竭府库,贻毒生灵,请诛二人以谢天下。命下锦衣卫狱。狱具,上曰:'俊不守本职,分外泛言,杖之三十,降边方州判。'时欲建寺,西市逼买居民数十家,工役甚巨,而二人势方炽,无敢言者。俊上此章,闻者壮之。"《明史》林俊传:"上疏请斩妖僧继晓并罪中贵梁芳,帝大怒,下诏狱考讯。后府经历张黻救之,并下狱。太监怀恩力救,俊得谪姚州判官,黻师宗知州。时言路久塞,两人直声震都下,为之语曰:'御史在刑曹,黄门出后府。'"

十一月

丘浚作生日诗。《重编琼台稿》卷五《甲辰初度》:"百年光景易消磨,三分中间二分过。事到久来天自定,人于老后日无多。一天风月催归思,万古乾坤入浩歌。心上自如无所愧,闲将十指细摩挲。"

本年

程敏政序《瓜祝倡和诗》。《篁墩文集》卷二八《瓜祝倡和诗序》:"西涯李学士宾之家,有蔬圃种丝瓜,岁结实甚盛,偶分以馈友人之未有子者,取《绵》之义,而祝以诗。适友人得男,以瓜祝为验。自是凡未有子者,必徯其馈。石城李学士世贤,适未有子。西涯馈而祝之,一乳两男,由是益自神其瓜与诗。诗出,必要人和,不肯但已。士友间相传为嘉话。而石城之卷,自西涯倡之,和者数十。其事在成化己亥、庚子之间。时予方抱忧居新安山中,不与闻也。癸卯之夏,予还京师。石城以序见属。又逾年,予获归田,屏居暇日,乃尽读诸君子之诗……西涯才名满天下,经史之余,时出善谑,最酝藉,一时名流多乐从之。瓜祝其最雅者,因序而归之石城。"

屠勋升南京大理寺丞。《东江家藏集》卷二八《故刑部尚书致仕东湖屠公行状》:

"甲辰，升南京大理寺丞。在公卿间，年最少，而风采凝峻，议论明正，虽素崛强号不下人者，皆敛衽敬服焉。"

彭韶擢右副都御史。《椒丘文集》卷二八《赠太子少保彭惠安公祠堂碑》："甲辰，擢右副都御史，巡抚南畿。召为大理寺卿，未至，坐论镇守内外官贡献非宜，道改右副都御史，巡抚畿内，兼理边务。"

约在本年，沈周《石田杂记》成。四库提要卷一四三："《石田杂记》一卷，明沈周撰。……此编乃所记闻见杂事，末有伍忠光跋，称'先生化后二十余年，而是记存于糊工故纸之中，手墨宛然，疑即先生绝笔。友人何良辅持以示予，因命工梓之'云云。盖本丛残手稿，非有意于著书，故所记颇涉琐屑云。"

孙一元（1484—1520）**生。**字太初，号太白山人，自称秦人，或曰安化王孙，或曰蜀人，莫得其详。尝西入华南，入衡，东登岳，又南入吴，就婚于吴兴施氏。与刘麟、吴琉、陆昆、龙霓并称苕溪五隐。有《太白山人漫稿》。

公元 1485 年（成化二十一年　乙巳）

三月

马中锡迁云南按察佥事。《明宪宗纯皇帝实录》卷二六三"成化二十一年三月戊戌（十七日）"："升兵科给事中仰昇为四川按察司佥事，刑科给事中马中锡为云南佥事，俱九年秩满也。"《沙溪集》卷六《资善大夫都察院左都御史东田先生马公行状》："以故久不得迁。既考绩，迁云南按察佥事。旧例，给事中满九载，多授京秩四品或外藩三品，公独得远方五品。缙绅愕然，已而知其出于直喋，莫敢问。寻丁外艰。服阕，复除陕西佥事，督粮延绥分司。"《明史》马中锡传："中锡举成化十年乡试第一，明年成进士，授刑科给事中。万贵妃弟通骄横，再疏斥之，再被杖。公主侵畿内田，勘还之民。又尝劾汪直违恣罪。历陕西督学副使。"

八月

杨基《眉庵集》重刊。张习《眉庵集后志》："先生平日之诗甚富，皆率意为之，累不存稿。尝见先生自序一帙云：'因吾友方君不得见予全集为恨，故留此以示之尔'，则是先生盛年，稿已散失。今流传人间者十无二三，况皆抄本，又无序志，家异而人殊。后至天顺间，郡人郑教授尝为刊行，间多讹谬，矧诸奇作失载，识者病焉。习在髫龄即爱诵先生之诗，遍假抄录，觊图弥盈，及长而仕，偕以出入有年，犹每随访随录，卒莫致其全。兹官岭表，念齿已迈，爰命庠生颜恭文起会各本录就，请前翰林学士西蜀江君序诸首，重图锲梓以传。……成化乙巳秋桂月朏，同邑后学张习志。"李东阳《怀麓堂诗话》："国初称高、杨、张、徐，高季迪才力声调，过三人远甚，百余年来，亦未见卓然有以过之者，但未见其止耳。张来仪、徐幼文，殊不多见。杨孟载《春草诗》最传，其曰'六朝旧恨斜阳外，南浦新愁细雨中'，曰'平川十里人归晚，无数牛羊一笛风'，诚佳，然绿迷歌扇，红衬舞裙，已不能脱元诗气习。至'帘为看山尽卷西'，更过纤巧。'春来帘幕怕朝东'，乃艳词耳。今人类学杨而不学高者，岂惟杨体易识? 亦高差难学故邪?"《静志居诗话》卷三《杨基》:"吴中四杰,孟载犹未洗元人之习,故铁崖亟称之。王元美《卮言》谓孟载七律'尚短柳如新折后,已残梅似半开时'类《浣溪沙》词中语,予谓不特此也。如:'芳草渐于歌馆密,落花偏向舞筵多','细柳已黄千万缕,小桃初白两三花','布谷雨晴宜种药,葡萄水暖欲生芹','雨颊风顽枝外蝶,柳遮花映树头莺','花有底忙冲蝶过,鸟能多慧学莺啼','且自细听莺宛宛,莫教深惜燕匆匆','春色自来皆梦里,人生何必在尊前','燕子绿芜三月雨,杏花春水一群鹅','江柳净无余叶在,渚莲池有一花开','花里小楼双燕入,柳边深巷一莺啼','江浦荷花双鹭雨,驿亭杨柳一蝉风','山顶雪惟朝北在,水边春已自东来','一路诗从愁里得,二分春向客中过','春水染衣鹦鹉绿,江花落酒杜鹃红','高树绿阴千嶂湿,野棠疏雨一篱香','立近晚风迷蛱蝶,坐临秋水映芙蓉','罗幕有香莺梦暖,绮窗无月雁声寒','眉晕浅擘横晓绿,脸消残缬腻春红','小雨送花青见萼,轻雷催笋碧抽尖','蚕屋柘烟朝焙茧,鹊炉沉火昼熏茶',试填入《浣溪沙》,皆绝妙好辞也。然其五言古诗足与季迪方驾。集亦张企翱所编,吾乡项氏天籁阁藏有孟载手录《眉庵集》六卷,中阙七言绝句,以勘张本,亦无大异。"《明诗综》卷十《杨基》存诗四十九首。"徐子玄云,孟载天机云锦,自然美丽,独时出纤巧,不及高之冲雅。王元美云,孟载如西湖柳枝,绰约近人,情至之语,风雅扫地。顾玄言云,廉访才长逸荡,兴多俊永,方之钱、刘虽未逮,元、白斯有余。陈卧子云,孟载如吴中少年,轻俊可爱,所乏庄雅。李舒章云,孟载如玉袖临春,翩翩自喜。王介人云,孟载词胜于诗,其咏春草云'六朝旧恨斜阳里,南浦新愁细雨中',亦不失为佳句也。"四库提要卷一六九:"《眉庵集》十二卷,明杨基撰。……史称基少以《铁笛歌》为杨维桢所称,与高启、张羽、徐贲号明初四杰,其诗颇沿元季秾纤之习。都穆《南濠诗话》摘其佳句十二联,其所品题,得失参半。……朱彝尊《静志居诗话》亦摘其诗语类词者,至数十联,而独推重其五言古体。然近体之佳者,亦自清俊流逸,虽不能方驾青丘,要非余子所及也。集初为郑钢板行。成化中,吴人张习重刻,嘉州江朝宗为之序,习为后志云。"

十一月

郑善夫(1485—1524)生。字继之,号少谷山人,闽县人。弘治乙丑进士,除户部主事,改礼部。以谏南巡杖阙下,寻乞归。用荐起南京刑部,改吏部郎中。有《少谷集》。邓原岳《郑继之先生传》:"自其初生,太夫人梦日堕于怀,吞之,遂有身。先生幼负奇质,髫龀隶学官,则已厌薄一切经生言,学为古文词有声矣。"林针《明南京吏部验封司郎中郑少谷先生墓碑》:"郑子生成化乙巳岁十一月二十日也。"黄绾《少谷子传》:"少负才名,不遇师友,学凡五变而始志于道。"

林俊复职南京。《见素集》附录上《编年纪略》:"二十一年乙巳元日,星变,上悟,命复旧职南京管事,添注南京刑部贵州司。十一月至南京,计日分程,率以数刻理刑名,数刻温旧业,总博群书,深极造诣,下至稗官小说,靡不总贯条析。"

本年

杨一清至云南。《国朝献征录》卷一五《特进光禄大夫左柱国少师兼太子太师吏部尚书华盖殿大学士赠太保谥文襄杨公一清行状》："成化乙巳，公年已壮，未有子。奉母命请于朝，归云南会宗族，以堂兄续次子绍芳为家嗣。"

张弼致仕。《思玄集》卷六《南安郡守东海张侯去思碑记》："南安守东海先生治郡将四载，忽以书告予曰：'东海烟霞将还我旧主人矣！'即陈悃幅于当道，以致政请，俱弗允。又三年，当会朝之期，藩臬重臣始以侯情达之天官卿，天官卿始言于上而许之。将归，老稚聚者如墙，攀挽者如植，至宵弗熸，鼓棹以饯，漪涟成波。郡之父老恐侯之功德久而渐湮，乃托庠生镏宽、尹端求予文勒石，以传永久。予虽与侯为后进，辱侯爱厚，不敢以乡曲为嫌，谨述口碑而书之。"《东海诗集》卷三《与桑民怿宿别》："送别江头意尚惭，僧房留宿话喃喃。鬓毛零落风前鹭，心绪悠扬簇上蚕。司马奇文空啫啫，元龙豪气尚厌厌。一梳晓月催行李，水自北流人自南。"

公元 1486 年（成化二十二年　丙午）

六月

李东阳生日添子。《怀麓堂集》卷一六有《成化丙午五月十日，东阁晓卧，梦人以一男相馈。六月九日初度得男，家报至阁中，其事始验。志喜二首》诗。《怀麓堂集》卷五〇《儿兆同埋铭》："儿兆同者，予第二子。儿生于成化丙午。予隐几东阁，梦人抱送一男。心讶曰：'安得至此。'六月九日，以生辰避客入直，乃于旧所梦处得先学士公报，始悟曰：'顾不至此乎。'予谓其同物且有奇兆也，遂名之'兆同'云。"

岳正《类博稿》刊刻。李东阳《书蒙翁类博稿后》："呜呼！此我外舅蒙泉先生岳翁遗稿也。公在国子时，已名能古文歌诗，然稿成辄弃去。及第为翰林，著作甚富。入内阁典机务，攻曹、石罪逆，得祸几死。戍甘之行，第宅为势家所夺，书册荡逸，委不复顾。比召归，坐席不得暖，又出守兴化以去。及致政家居，检阅旧稿，存什一而已。公既属纩，阳以治命拾遗文，得文于其从子坪。窃惧阙略，不敢就次，乃与公门人潘君辰、李君经稍加搜访，或摘残草，手自誊识。越十有余年，始克成编，为十卷。属公同年都御史张公瓒刻于淮安，未竟而张公卒。乃属我同年知府陈君道刻于金华，名曰《类博稿》者，存公旧也。……成化丙午夏六月甲戌朔，翰林侍讲学士门生长沙李东阳谨书。"《怀麓堂集》卷九《题黄子敬编修所藏登瀛图》序："编修黄子敬家藏《瀛洲图》，吾外舅蒙翁三跋在焉。盖子敬之先公为翁同年进士，而翁又其郡大夫也。予刻《类博稿》，旧草中得二跋。叹遗文不可尽见，悲歌当哭，于此有不得已云。"《类博稿》卷首提要："《类博稿》十卷，明岳正撰。……是集为其门人李东阳搜辑遗稿而成，凡诗二卷，杂文八卷；又附录二卷，前一卷载诸人志录传赞诸作，后一卷则东阳以叶盛所作志铭多所隐讳，为正补传也。传称正晚好《皇极书》，故所作《杂言》二篇，皆阐邵子之学，而诗亦纯为邵子《击壤集》体。"

十二月

李东阳丁父忧。《明宪宗纯皇帝实录》卷二八五"成化二十二年十二月辛丑（三十日）"："翰林院侍讲学士李东阳以父丧去任。"

本年

罗玘输粟入国学。《东洲初稿》卷一四《礼部尚书罗文肃公行状》："长乐谢公士元守郡，选校学士文高等者优品之，辍《尚书》，以《诗经》卒业。讲下不逾岁，而通曲义。然以文格力追古作家，往往逸程度。经五六试科，竟不利。成化乙巳，关中大饥，例得入粟补上舍。季弟景远挟资代输，得度支牒，误书今名'玘'。众喧议须易之，先生因忆往岁以母病祷大华山，有异梦与王者坐，指其掌，解绣裳授之，于今名义为协。遂承其误，安之。"《明史》罗玘传："年四十困诸生，输粟入国学。"〔按，关中大饥在成化二十一年，罗玘入国学在明年。盖诏布天下，援例输粟，非顷刻可办。"玘"，为许慎《说文》新附字，乃徐铉增入，左"玉"右"己"，"玉"作形旁，与"大王"之"王"似；"己"像有端头子的丝缕。王者授绣裳，可解为授丝缕，与"玘"合〕

罗伦诗文集刊刻。何乔新《一峰集序》："一峰罗先生应魁既殁，其所与游雯峰先生饶公秉鉴之弟秉元，得其诗文遗稿一帙，厘为十有二卷，附以大夫君子祭诔哀挽之辞，因其别号通谓之《一峰集》，刻而传之。雯峰属予为之序，予辞谢不敢当。未几，秉元、雯峰相继殁，雯峰之子廷赞因子弟乔年申其父叔之请，求序益坚，予诺之，未果为也。既而一峰之叔师张授徒予家，谓予曰：'子与一峰最相知，何靳一言不序其集，使天下后世知其为人？'予谢曰：'微子之言，吾岂敢忘之？顾予言不足为一峰重。'……呜呼！一峰所学纯以诚，所存所行刚且大，其文之不易及也宜哉。所著《周易传》《中庸解》《礼记集注》，皆别为卷，不在集中。"《椒丘文集》卷一四《广昌县学重建明伦堂记》："成化乙巳，四明宋君暄典教于兹，力图改作，间语邑之大姓，未有应者。义民饶秉元，富而尚义，请独任其役，乃捐白金四百两，市美材，陶坚甓，募良匠，作堂三间，翼以夹室。堂之崇二十尺，其广三十有五尺，其深视广而益其一焉。工未就绪，而秉元卒。"《椒丘文集》卷三一《雯峰先生饶公墓表》："公讳秉鉴，字宪章，世家广昌之麟昌里。……公生长巨室，思以文学显其身以及其亲。初从监察御史聂公宗尹受《春秋》，又从教谕罗子浚受《尚书》，发为文章，词采烂然，见者惊异。弱冠游京师，先冢宰一见，许以国器，且作文赠之曰：'他日竦壑昂霄，必此子也！'正统甲子，领江右乡荐，两试礼部，名俱在乙榜，例授教职，辞不就。……公归家，优游泉石，以书史自娱。又作义仓以赒贫乏，立义学以教宗族。建雯峰书院，与翰林修撰罗应魁讲学其间。成化二十二年十月十七日，以疾殁于家。"

曹安《谰言长语》已成。曹安《谰言长语序》："予少游乡塾，见先生长者嘉言善行，即笔于楮。或于载籍中间见异人异事，亦录之。长而奔走四方，所见居多，凡三四帙，因去滇南，道远难将，留于松，今不知何在。滇中重录所见闻者，携来武邑。及承乏安丘，老而弥勤。人皆哂之，予独不倦。暇日一一手录，以备遗亡。率皆零碎之辞，何益于事，因名曰《谰言长语》。谰言，逸言也。长语，剩语也。何益于事？徒资达人君子一笑云。成化二十二年五月五日，吴淞曹安识。"

文征明从李应祯学书。 文嘉《先君行略》："温州在南太仆寺，少卿李公应祯博学好古，性刚介难近，少所许可，而独重公。公亦执弟子礼惟谨。一日，见公书稍涉玉局笔意，即大咤曰：'破却工夫，何用随人脚踵？'且曰：'吾学书四十年，今始有得，然老无益矣。'因以笔法授公。"［按，据今人周道振、张月尊所校《唐伯虎全集》附录《唐伯虎年表》：成化二十一年，林文补南京太仆寺丞。则征明学书于应祯，当在此年或稍后。原书所附，仅题名《年表》，今为叙述方便，改称《唐伯虎年表》］

玉峰主人《钟情丽集》成。 孙楷第《日本东京所见小说书目》卷六《明清部五》："《新刻钟情丽集》四卷，明弘治癸亥（十六年）刊本。末卷木记题'金台晏氏校正新刊'。……题'玉峰主人编辑，南辕通州门中人校正'，卷首有二序。一为成化丙午序，后署'南通州乐庵中人书'，已残缺不全。一为成化丁未序，署简庵居士。《钟情丽集》相传为明丘文庄作，未知是否。而以此弘治刊本证之，与文庄时代亦相当。其文今仅于《国色天香》诸书中见之。兹为单行旧本，自足珍贵。"据孙楷第先生所附简庵居士《钟情丽集序》："大丈夫生于世也，达则抽金匮石室之书，大书特书，以备一代之实录；未达则泄思风月湖海之气，长咏短咏，以写一时之情状。是虽有大小之殊，其所以垂后之深意，则一而已。余友玉峰生，抱颖敏之资，初锐志词章之学，博而求之，诸子百家，莫不究极。及潜心科第之业，约而会之，六经四书莫不融贯。伟哉卓越之通才，诚有异乎泛而无节，拘而无相□者。暇日所作《钟情丽集》以示余，余因反复观之，不能释手。穷之而益不穷，味之而益有味，殊不觉乎手之舞之足之蹈之也。嘻！髦俊之中，弱冠之士，有如是之才华，有如是之笔力，其可量乎！……成化丁未春二月花朝前二日，简庵居士书于金台之官舍。"张志淳《南园漫录》卷三："观丘所著《钟情丽集》，虽以所私拟元稹，而浮猥鄙亵，尤倍于稹所撰。"《顾曲杂言》卷二："又闻丘少年作《钟情丽集》，以寄身之桑濮奇遇为时所薄，故又作《五伦》以掩之。未知果否？但《丽集》亦学究腐谭，无一俊语，即不掩亦可。"《风流十传·钟情丽集》金镜跋云："或者曰：'丘玉峰幼随父见黎公，因请婚于黎焉。黎意不许。玉峰不悦，遂作此书梓行。'余不敢证，姑志之以待观者。"［按，今人王永宽、王钢《中国戏曲编年史（元明卷）》归《钟情丽集》于丘浚，引《坚瓠四集》卷二"孙汝权"条所采明人《听雨增记》一条："我明丘文庄公之少也，其父为求配于土官黎氏，黎诮之曰：'是儿岂吾快婿耶？'不许。公作《钟情丽集》，言黎女失身辜辂。'辜辂'，广人呼狗音。他日，黎得之，以百金属书坊毁刻，而其本已遍传矣。"系《钟情丽集》于丘浚登进士第前（1454 年前），意丘浚少年，欲委禽而以貌寝受辱，心大忿恨。其著小说以泄愤，于情势为可。而徐朔方1987年作《小说〈钟情丽集〉的作者不是丘浚》，台湾陈益源1994年撰《元明中篇传奇小说研究》，均引1984年美国普林斯顿大学东亚研究系朱鸿林的博士论文《邱浚和他的〈大学衍义补〉：十五世纪中国的治国思想》说：弘治六年前后，政敌吏部尚书王恕抨击丘浚的奏章中，只提到《五伦全备记》，不提《钟情丽集》。如果《钟情丽集》是丘浚所作，那么对他必然更加不利，为什么王恕会不提他呢？徐朔方补充说，简庵居士所言的"玉峰生"是"弱冠之士"，而丘浚这时已六十七岁，身为高官。丘浚与玉峰生，不是同一人。陈益源补充说，《钟情丽集》当完成于成化二十二年，玉峰生是其作者。徐、陈所说，可从。陈益源在其书第四章《〈钟情丽集〉研究》篇，辟一节《〈钟情丽集〉版本众多关系复杂》，云：日本成篑堂文库所藏的明弘治间刊本《新刻钟情丽集》四卷，明代曾流行于书肆，嘉靖间高儒《百川书志》卷六小史类、晁瑮《宝文堂书目》卷中子杂类也有载录。他是早期单行旧本，今不易见。1990 年上海古籍出版社《古本小说集成》，1991 年北京中华书局《古本小说丛刊》，分别影印了《钟情丽集》与《钟情记》，均非旧本。《古本小说集成》的《钟情丽集》，全名《辜生钟情丽集》，原书藏大连图书馆，其实是清抄本《艳情逸史》第六册，系径据《绣谷春容》移录，过去从未单行上市。《古本小说丛刊》第 41辑《钟情记》，六卷六回，是清代坊刊本，今藏美国哈佛大学汉和图书馆，首尾残缺，其实就是周文炜刻本《国色天香》的析卷分回。单行本之外，《钟情丽集》被《国色天香》《绣谷春容》《万锦情林》《一见赏心编》《花阵绮言》《风流十传》《艳情逸史》等明清通俗类书和小说汇编选录。又分别被何大伦、林近扬、余公仁编、博古斋庚订的四种《燕居笔记》收录。彼此间出入不小。《国色天香》所收《钟情丽集》，文长二万七千言，似小有删削。《绣谷春容》的《辜生钟情丽集》，《一见赏心编》的《瑜娘传》，均由《国色天香》本删节所得，删去了六千字多。《万锦情林》所录《钟情丽集》，比《国色天香》多出十一幅插图，然而，又少去了十三首诗词，亦非足本。何本《燕居笔记》所录，比《国色天香》《万锦情林》多出五首集句诗和一首排律，但《国色天香》的诗词有六首不见于此。林本《燕居笔记》所录，在诸本中最完备，何本比《国色天香》少的，他都未缺，何本比《国色天香》《万锦情林》多的，他都有，还多了一首集句诗。《风流十传》所录，与林本《燕居笔记》较接近，加入不少批注，是个删节本，全文减至一万七千言，情节大幅浓缩。余本《燕居笔记》，从《万锦情林》抄录一部分，又从《风流十传》抄录一部分，在卷首增刻五幅插图，篇末增附短跋，参考价值较低。《花阵绮言》所录，直承林本《燕居笔记》，删去了玉峰主人庆生诗三首。《博古斋庚订燕居笔记藻学情林》，为清代巾箱本，书题"闽潭龙钟道人辑，豫金呵笔道人校阅"，其卷五、卷六附入"博古斋评点小说"《钟情集辜生会瑜娘》，可能与余本《燕居笔记》有直接关系〕

朱浙（1486—1552）生。字必东，号损岩，莆田人。嘉靖癸未进士，授湖广道监察御史。会兴国太后诞节，诏命妇朝贺，而慈寿太后诞节，转不令命妇朝贺。浙上疏争之，廷杖斥归，终于家。事迹具《明史》本传。有《天马山房遗稿》八卷。据柯维骐《监察御史朱浙传》。

刘天民（1486—1541）生。字希尹，号函山，历城人。正德甲戌进士，除户部主事。谏武宗南征，廷杖，改礼部。谏大礼，复廷杖，迁吏部郎中，出知寿州，历官按察司副使。有《涵山先生集》十卷。据李开先《四川按察司副使前吏部文选司郎中函山刘先生墓志铭》。

蒋山卿（1486—1542）生。字子云，仪真人。正德甲戌进士，官至广西布政司参政。有《蒋南泠集》十二卷。据其《诗集自序》。

公元 1487 年（成化二十三年　丁未）

正月

张弼作感怀诗。《东海诗集》卷三《人日有感》:"今年丁未当人日（初七），正是春风富贵乡。白玉一枝梅蕊绽，黄金三寸韭芽长。要令笑语开茅塞，仍用题诗寄草堂。共荷圣恩无以报，但将白发照沧浪。"

二月

张綖（1487—1543）生。字世文，《千顷堂书目》作字世昌，疑传写之误。高邮人。正德癸酉举人，官至光州知州。有《张南湖先生诗集》四卷。顾璘《南湖墓志铭》:"君生于成化丁未二月二十二日，以嘉靖癸卯五月五日卒，得年五十有七。"

三月

十七日，赐费宏等进士及第、出身有差。

罗玘得丘浚、李东阳赏识，中进士。《东洲初稿》卷一四《礼部尚书罗文肃公行状》:"入京师，祭酒丘文庄公主议，以南北人分隶两监，上下莫敢抗议。先生独援'杨公鼎北人，告就南监，以师陈先生'为词，三朴之而志不移。文庄公异之，且诟曰:'若能识几字？'先生亦甚愤激，大声曰:'秘禁书不能读也。'姑留之，而署识其名于庭柱。越数日，堂试数百人，众方构思，先生不属稿，援笔而就。文庄公惊叹曰:'若之不偶，诚有司过也。'更试以《长安赋》，公以为可步《两都》，时袖入朝，遇知厚，辄与赞赏之。丙午入试，李文正公得卷大喜曰:'真才也！'以冠解额，时议翕然，以为得人。明年举进士，选庶吉士，授翰林编修。益工古文，名重中外，仰之师之，文体因之一变。然不苟作，亦不易作。每注意，便阖门数日，谢人事，苦思废起食。会得意，命笔浑成，不易几字。有碍处，起句数十易，不工不休也。"

邹智登进士第。《国朝献征录》卷二二《庶吉士邹公智别传》:"成化丙午举乡试第一。计偕上春官，道经三原，见致仕司马王恕曰:'智此行非但为会试，正欲上疏圣天子，使进君子退小人耳。'明年丁未，登进士，简为庶吉士。"

四月

霍韬（1487—1540）生。字渭先，始号兀崖，后更渭崖，南海人。正德甲戌进士，累官太子少保、礼部尚书兼翰林院学士，赠太子太保，谥文敏。有《渭崖文集》十卷。李开先《太子少保礼部尚书谥文敏渭崖霍公墓志铭》:"公生成化丁未四月二十一日，追殁，年仅五十四。"《明儒学案》卷五三《文敏霍渭崖先生韬》:"目有重瞳，始就小学，即揭'居处恭'三字于壁，力行之。日诵数千言，一二岁间诸经皆遍。"

六月

张弼卒，年六十三。《国朝献征录》卷八七《江西南安府知府张公弼墓铭》："成化丁未夏六月十有三日，南安守华亭张君汝弼以疾卒于家。……所著有《鹤城天趣》《清和庆云》诸稿，凡若干卷。号东海翁，又有《东海手稿》若干卷行于时，盖君手笔也。君以灵识异禀，充之学问，老且不倦。诗与文成一家。草书之妙，论者至推为一代冠冕。然世之所谓文人者，类近浮薄。君独惇，尚行履，慨然以风节自将，虽论议间杂谐谑，而往往必以理胜。故彭都宪凤仪尝论其天分人品学问政事有如此者，而君亦尝为予戏评其所能曰：'人故以书名我，公论哉。吾自视文为最，诗次之，书又次之。其他则非吾所敢知也。'恒相与一笑而罢。噫！昔人称赵孟頫为书画所掩，莫克尽知其文章与经济之学。然则君之所以自道者，亦有感于斯乎？"李东阳《张东海先生集序》："少善草书，雄伟俊逸，自成一家。同时名能书者，皆莫能及。碑板卷帙，流布迩远，至于外国。东海之名，遂遍天下。其为诗清练脱俗，力追古作，意兴所到，信手纵笔。多不属稿，即有所属，以草书故，辄为人持去。先生亦自谓刻集太多，愿矫时弊，不复置意其间。清词警句，时或传诵，而见其全集者盖鲜。其为文，随事触物，必根理义，不为华藻枝叶之辞，特自慎重，不苟作。又以无稿故，益加少焉。故以书掩其诗，诗掩其文。说者乃谓艺之至者不两能，非知先生之深者也。"李东阳《怀麓堂诗话》："张东海汝弼，草书名一世，诗亦清健有风致。如《下第诗》曰：'西飞白日忙于我，南去青山冷笑人。'《送罗应魁》曰：'百年事业丹心苦，万世纲常赤手扶。'《假髻曲》等篇，皆为时所传诵。尝自评其书不如诗，诗不如文，又云大字胜小字。予戏之曰：'英雄欺人每如此，不足信也！'"李东阳《跋韩给事所藏张汝弼草书卷后》："张汝弼尝自评其草书，以为大者胜小者。予谓英雄欺人每如此，不足信也。及观韩黄门此卷，则其大字果胜，贤者固不可测耶？"《震泽集》卷二六《中议大夫江西知南安府张公墓表》："公天分高朗，出语不凡。其发于文，则病近世萎靡腐烂之习，痛扫去之，自立一家言。顾尝自许得古人矩度，而世莫之知也。为诗每寓感时忧国、抑邪与正之意。……其草书尤多自得，酒酣兴发，顷刻数十纸，疾如风雨，矫如龙蛇，欹如堕石，瘦如枯藤。狂书醉墨，流落人间，虽海外之国，皆购求其迹，世以为颠张复出。"《明诗综》卷二八《张弼》："王济之云，东海诗不苟作，作必超诣豪宕，摆脱近世寻常语。王子衡云，先生诗气豪而逸，发乎性情之正。"《静志居诗话》卷八《张弼》："汝弼诗云：'酒杯不及陶彭泽，诗法将随陆放翁。'故其律体全学剑南，如：'鱼儿浦口酒船小，燕子风前茶焙香'，'酒遇故人随量饮，花当好处及时看'，'自从都下三年别，不寄江东一纸书'，'孤艇夕阳荷叶乱，小楼春雨杏花殷'，'鬓毛零落风前鹭，心绪悠扬簇上蚕'，'一顷新田收晚稻，数椽茅屋补秋萝'，'浪花作雨汀烟湿，沙鸟迎人水气醒'，'萋萋芳草日将暮，荡荡飞花春可怜'，'滦水入春冰半黑，平山消雪草微青'，'西飞白日忙于我，南去青山冷笑人'，'草露松风千里梦，秋霜春雨百年心'，'僧中今见大小朗，世上争传长短歌'，'霍光有传何曾读，疏广无金亦自归'，可称具体，与定山辈专效《击壤》者不同也。"陆陇其《张东海先生集序》："盖先生之学根柢程朱，而胸次洒落，一切龌龊不足婴其怀。当时贤士大夫如李西涯、谢方石、彭凤仪、王守溪，皆叹服其学问政事之超出流俗。一南安守，而朝野交重不啻庆云景星，宜其流溢于诗文者，足以楷模后进如此也。世多重公之草书。公尝自评，'吾书不如诗，诗不如文。'以余观之，诚然。非书之不如诗文，书得诗文乃重耳。然非学之有本，如世之嘲风弄月、雕琢云山、刻画星露，则诗又何足重？而况能重其书也哉？余窃怪虞山钱氏辑《列朝诗集》，于先生之诗登者寥寥无几。如今集中所载《养马行》《昔有篇》诸诗，其用意深远，与杜子美《兵车行》诸作相为表里，有天下国家者所不可不知，而如吾核公所称，尤足针学者之膏肓。钱氏皆逸而不录，亦所谓不揣其本而齐其末者欤？典型既远，奔走危机者滔滔皆是矣。先生之诗文具在，安得如吾核公者日讽诵于其子弟之前，一洗涤其肺肠也哉？"四库提要卷一七五："彌工草书，为世所重，其文则直抒胸臆，不事锻炼。李东阳《怀麓堂诗话》载彌自评其书不如诗，诗不如文，以为英雄欺人之语。诚笃论云。"《明诗纪事》丙签卷五《张彌》陈田按："东海诗有豪气，不受羁勒，七言断句，尤推擅场。"《四库未收书目提要续编》卷四《张东海诗集四卷》："明张彌撰。案彌有文集，《四库》已附《存目》。《提要》云，'考吴钺序，称其子辑录诗文若干卷，则其文原与诗合刻，此本偶失其半'云云。今本则诗集四卷，文集四卷，《万里志》二卷，附录一卷，即其子弘至所编，乃全帙也。其诗直抒胸臆，不尚雕饰。郑晓父尝称其《戒子诗》'权门要路是危机'以警晓，见《郑端简公年谱》。陆稼书《三鱼堂集》有是集序，亦推挹甚至。世多重彌之草书，李东阳《怀麓堂诗话》载彌自评其书不如诗，诗不如文，以为英雄欺人之语，《提要》称为笃论。窃谓《提要》未见彌诗，何以知李说非诬。稼书以自评为然，又曰'非书之不如诗文，书得诗文乃重耳'，其言是也。惟《王蕴和所画团扇诗叙》，谓'中国古无折扇，我朝永乐始有'，实为舛误。折扇北宋已有，不始于明。东坡称高丽白松扇，展之广尺余，合之则两指许。邓椿《画继》云：高丽松扇如节板状，又有用纸而以琴光竹为柄，如市井中所制折叠扇者。陆心源《仪顾堂题跋》尝据以纠之。然于诗之工拙无与也。此即陆氏所藏合刻本，为析而著之。《万里志》姑附于末，不别出焉。"

八月

宪宗朱见深卒，年四十一。《明史》宪宗本纪："八月庚辰（初一），帝不豫，甲申，皇太子摄事于文华殿。己丑（二十二日），崩，年四十有一。九月乙卯，上尊谥，庙号宪宗，葬茂陵。赞曰：宪宗早正储位，中更多故，而践阼之后，上景帝尊号，恤于谦之冤，抑黎淳而召商辂，恢恢有人君之度矣。时际休明，朝多耆彦，帝能笃于任人，谨于天戒，蠲赋省刑，闾里日益充足，仁、宣之治，于斯复见。顾以任用汪直，西厂横恣，盗窃威柄，稔恶弄兵。夫明断如帝而为所蔽惑，久而后觉，妇寺之祸，固可畏哉！"

徐贲《北郭集》始刊刻行世。闵珪《北郭集序》："先生之诗名《北郭集》，有乐府、五七言、古体、近体、排律、五言、六七言、绝句、五言联句共十卷。先生去今百余年之久，集未有传。广东金宪张君企翱始寿诸梓，以予吴兴人，知先生有素，书来请序于篇。予家晟溪，违蜀山半舍许，每经先生之故墟，云林烟树，风景犹昔，曷胜企仰！今得以文字挂名其集中，以自附于乡生晚进之列，岂非至愿乎？……然予非知诗者，此得之李职方贞伯。贞伯、企翱皆先生里人，故其知之深、爱之笃如此，敢并序之。成化丙午秋仲初吉，赐进士、都察院右佥都御史吴兴闵珪序。"张习《北郭集后录》："《北郭集》者，吾苏徐幼文先生所作诗也。谓之《北郭》者，由祖自毗陵来居吴城北望齐门外，故以名集，后虽屡迁，仍系旧名，乃首丘意也。……先生平昔所作甚富，已成大家，所存殆不止此，此其散亡之余。习自幼借录以观，得之私淑者夥矣。兹已老，更加编校，图梓以传，并述诸故老谈先生所学所履之概如右，尚俟博识君子畀详正云。成化丁未秋八月望，同郡后学张习识。"

九月

初六，太子朱祐樘即位，是为孝宗。诏以明年为弘治元年。

彭韶改刑部右侍郎。《椒丘文集》卷二八《赠太子少保彭惠安公祠堂碑》："今天子嗣位，召为刑部右侍郎，属浙西不靖，奉敕往平之。寻以本官兼佥都御史，整饬盐法。既还，会朝廷以水灾求言，公请厚根本，减役钱，正近侍，慎官爵，上皆嘉纳，改吏部左侍郎。"

都穆撰《听雨记谈》。都穆《听雨纪谈序》："成化丁未，自夏入秋不雨。至九月，淫雨浃旬。斋居无事，客有过我，清言竟日，漫尔笔之，得数十则，命之曰《听雨纪谈》。既而以其琐杂无补，亟欲毁弃，而客以为可惜，聊复存之。"四库提要卷一二七："《听雨纪谈》一卷，明都穆撰。穆有《壬午功臣爵赏录》，已著录。穆登弘治己未进士，而此书自题'成化丁酉九月'所作，距其登第时二十有一年。又考穆教授濠上几二十年，始补博士弟子，三年而成进士，则其时并未为诸生矣。其书皆参考经史异同，陶珽尝刊入《续说郛》，多所删节。此为李蓘《琐探》中所载，犹全本也。"〔按，正德嘉靖本《听雨纪谈》，都穆序为"成化丁未"。而四库馆臣指为"成化丁酉"。未知孰是〕

秋

黄仲昭尚闲居在闽。《未轩文集》卷二《天海别意诗序》："成化丁未秋，兰溪郑君温卿分教闽邑庠，已盈九载，闽士之厚于温卿者，相与张于鼓山之天风海涛亭以饯之。酒既半，诸君子感山川风景之不殊，念朋游离合之靡定，宾主相顾，黯然于怀，因各即景赋诗以为温卿赠。退，复命画史绘而为图，题曰《天海别意》，而属予序其上。"

十一月

何乔新出为南京刑部尚书。《明史》何乔新传："孝宗嗣位，万安、刘吉等忌乔新刚正，出为南京刑部尚书。沿江芦洲率为中官占夺，托言备进奉费，乔新奏还之民。"

十二月

祝允明作生日记。《怀星堂集》卷二一《丁未年生日序》："余梦庚庚辰之岁，今丁未之腊，日为初六，年盖四七矣。人生实难，天运何遽？质自俶降，无变乎空疏；

貌与时移，转沦于苍浊。聚萤愧学，倚马非才。伤哉贫也，非为养生叹；轩乎舞之，未以竭精玄。激义而气贯白日，廓量而心略沧海。思诒远也，通八遐之表；愿处高也，立千仞之上。洗涤日月，披拂风云。谷雉之死而靡他，山鸡顾景而自爱。一履独往，千折弗挠者矣。然而志匪孚内，谤屡兴外。"

冬

邹智上疏请退万安、刘吉、尹直。《今献备遗》卷三六《邹智》："孝皇朝，御史汤鼐当侍班纠仪，智造其私第告曰：'祖宗朝，御史纠仪得面陈政务得失。近年遇事，惟退而具本，此君臣之情所由间隔不通也。公以言官奏对，幸值大政维新之日，请效故事，此太平机会也。'吏部尚书王恕征至京，智曰：'三代而下，人臣不获见君，事多壅蔽。愿公弗受职，先请见君，政之可否历陈于前，庶其有济。一受职，再无可见之时矣。'恕善其言。是岁冬，星变，智抗疏极论阴阳之理，请黜万安、刘吉、尹直，而用王竑、王恕、彭韶，疏入不报。"

本年

尹直致仕。《明武宗毅皇帝实录》卷八二"正德六年十二月戊子（十二日）"："〔成化〕八年擢侍讲学士，十一年升礼部右侍郎，以父忧去任。十五年起复，改南京吏部，转南京礼部左侍郎。二十二年，特召为兵部左侍郎，寻兼翰林院学士，入内阁参预机务。其年进太子少保兵部尚书。二十三年，主考会试，其年遂致仕。……居内阁，时有建明，会官言劾其进用不合公论，孝宗薄之，然尚慰留，待三辞乃令致仕。"《明史》尹直传："孝宗立，进士李文祥、御史汤鼐、姜洪、缪樗、庶吉士邹智等连章劾直。给事中宋琮及御史许斌言，直自初为侍郎以至入阁，贪缘攀附，皆取中旨。帝于是薄其为人，令致仕。"

周瑛移守镇远。《翠渠摘稿》卷一《修镇远府志序》："瑛待罪有司，恒以不达于政为病。成化丁未，自抚州改守镇远。"《见素集》卷一九《明进资善大夫四川右布政使致仕例进一阶翠渠周公墓志铭》："守抚州，又五年移简镇远。夫以清华论思之选、台省之属，曾无公一席之地。必州外之久淹之，南冷之抚困之，至居夷而极矣。"〔按，守镇远期间，曾与张吉游。张吉《古城集》有《与周梁石同访镇远道士不遇，因观梁石所注悟真篇，有怀而作，赠梁石》〕

聂豹（1487—1563）生。字文蔚，永丰人。正德丁丑进士，官至兵部尚书，谥贞襄。事迹具《明史》本传。有《双江聂先生文集》十四卷。据《明儒学案》卷一七《贞襄聂双江先生豹》。

公元 1488 年（弘治元年　戊申）

正月

何乔新升刑部尚书，南京诸僚送行。《明史》何乔新传："初，乔新之出，中官怀

恩不平。一日以事诣阁言：'新君践阼，当用正人，胡为出何公？'安等默然。既而刑部尚书杜铭罢，群望属乔新，而吉代安为首辅，终忌之，久不补。弘治改元，用王恕荐，始召乔新代铭。"徐琼《送刑部尚书何公赴召诗序》："上嗣统元之春，日亲万几，注意简任大臣以弼文教。比从太子太保、吏部尚书王公请，召南京刑部尚书广昌何公廷秀复以司邦禁，公卿大夫咸以朝廷喜任得人而各赋诗为别。僚友左侍郎阮公集盈于轴，属琼序诸端。……赐进士及第、嘉议大夫、南京太常寺卿掌国子监祭酒事、前翰林侍讲学士、经筵官、同修国史金溪徐琼序。"屠勋《送司寇何公赴召》："九重有诏趣还京，去住公应系重轻。周室旧称司寇狱，虞廷今赖士师明。天颜咫尺瞻宫仗，仙佩委蛇听履声。却恨后生南望远，三台高处不胜情。"

董越使朝鲜。欧阳鹏《朝鲜赋序》："弘治元年春，先生圭峰董公以右庶子兼翰林侍讲奉诏使朝鲜国。"

闰正月

韩邦靖（1488—1523）生。字汝庆，号五泉，朝邑人。正德戊辰进士，官至工部员外郎。有《朝邑县志》二卷、《韩五泉诗》四卷附录二卷。事迹附见《明史》韩邦奇传。王九思《韩邦靖墓志铭》："盖弘治戊申闰正月初一日子时，生五泉子。是夜，恭人梦五色云中奏咸韶之音，已而玉女十余持盖拥一童子入室，觉而生五泉子。五泉子生而灵异。三岁而能诵古诗百首，四岁而通《孝经》《小学》。五岁而读《论语》'文王至德'篇，掩卷若有思者。莲峰先生问之，对曰：'即如是，武王非矣。'八岁而通举子业。十四而举于乡。"

诏修《宪宗实录》。《明孝宗敬皇帝实录》卷十"弘治元年闰正月戊辰（初三）"："敕谕礼部曰：我皇考宪宗纯皇帝聪明神圣，孝敬宽仁，继体守成二十四载，洪谟伟烈，昭布万方。自非载诸简册，用彰盛美，则天下后世何所仰至德而被休光？尔礼部宜循祖宗旧典，通行中外，采辑事实，送翰林院编纂实录。其以太傅兼太子太师英国公张懋为监修，少傅兼太子太师吏部尚书谨身殿大学士刘吉、礼部尚书兼文渊阁大学士徐溥、礼部右侍郎兼翰林院学士刘健为总裁，詹事府掌府事礼部尚书丘浚、吏部右侍郎杨守陈、詹事府少詹事兼翰林院侍讲学士汪谐为副总裁，詹事府少詹事兼翰林院侍讲学士等官程敏政等为纂修官。"《震泽长语》卷上："前代修史，左史纪言，右史纪动，宫中有起居注。如晋董狐，齐南史，皆以死守职。司马迁、班固，皆世史官。故通知典故，亲见在廷君臣言动而书之，后世读之如亲见当时之事。我朝翰林皆史官，立班虽近螭头，亦远在殿下。成化以来，人君不复与臣下接，朝事亦无可纪。凡修史，则取诸司前后奏牍，分为吏、户、礼、兵、刑、工，为十馆，事繁者为二馆，分派诸人，以年月编次，杂合成之。副总裁删削之，内阁大臣总裁润色。其三品以上乃得立传。亦多纪出身、官阶、迁擢而已，间有褒贬，亦未必尽公。后世将何所取信乎？"

二月

李东阳上疏乞终制。《明孝宗敬皇帝实录》卷一一"弘治元年二月己未（二十五日）”：“先是以纂修先帝实录，起复翰林院侍讲学士李东阳充纂修官，至是东阳上疏，言父服未阙，且有疾，乞俟服阕疾愈，然后供职。从之。”

七月

王守仁在越迎娶。《王文成全书》卷三二《年谱》：“在越。七月，亲迎夫人诸氏于洪都。外舅诸公养和为江西布政司参议，先生就官署委禽。合卺之日，偶闲行入铁柱宫，遇道士跌坐一榻，即而叩之，因闻养生之说，遂相与对坐忘归。诸公遣人追之，次早始还官署中。蓄纸数箧，先生日取学书。比归，数箧皆空，书法大进。先生尝示学者曰：‘吾始学书，对模古帖，止得字形。后举笔不轻落纸，凝思静虑，拟形于心，久之始通其法。’既后读明道先生书曰：‘“吾作字甚敬，非是要字好，只此是学。”既非要字好，又何学也？乃知古人随时随事只在心上学，此心精明，字好亦在其中矣。’后与学者论格物，多举此为证。”［按，钱德洪、罗洪先《阳明先生年谱》上卷：“外舅公养和为江西布政司参议，先生就官署委禽。合卺后，既释衣，信步间行，遂至铁柱宫，见蜀中一道者静坐，与语，说之，相对终宵。诸不知，遣人遍索城中，次早始得。”两谱互有详略］

八月

董越使朝鲜返至京师，作《朝鲜赋》。欧阳鹏《朝鲜赋序》：“秋八月归复使命，首尾留国中者不旬日，于是宣布王命，延见其君臣之暇，询事察言，将无遗善。余若往来在道，有得于周爱谘访者尤多。于是遂罄其所得，参诸平日所闻，据实敷陈，为《使朝鲜赋》一通，万有千言。其所以献纳于上前者，率皆此意。而士大夫传诵其成编，莫不嘉叹，以为凿凿乎可信而郁郁乎有文也。”《怀麓堂集》卷八五《明故资政大夫南京工部尚书赠太子少保谥文僖董公墓志铭》：“丁未，充经筵讲官，寻以登极恩进右庶子兼侍读。会朝廷颁朔于朝鲜，特命公奉使，赐麒麟服以行。至则宣德意，正王度。馈赠无所受，居三日而还。乃作赋以纪国俗。”董越《朝鲜赋序》：“赋者，敷陈其事而直言之也。予使朝鲜，经行其地者浃月有奇，凡山川、风俗、人情、物态，日有得于周览咨询者，遇夜辄以片楮记之，纳诸巾笥。然得此遗彼者尚多。竣事道途，息肩公署者凡七日，乃获参订于同事黄门王君汉英所纪。凡无关使事者悉去之，犹未能底于简约。意盖主于直言敷事，诚不自觉其辞之繁且芜也。”四库提要卷七一：“《朝鲜赋》一卷，明董越撰。……孝宗即位，越以右春坊右庶子兼翰林院侍讲，同刑部给事中王敞使朝鲜，因述所见闻，以作此赋。又用谢灵运《山居赋》例，自为之注，所言与《明史·朝鲜传》皆合，知其信而有征，非凿空也。考越自正月出使，五月还朝，留其地者仅一月有余，而凡其土地之沿革、风俗之变易，以及山川、亭馆、人物、畜产，无不详录。自序所谓得于传闻周览与彼国所具风俗帖者，恐不能如是之周匝，其亦奉使之始，预访图经，还朝以后，更征典籍，参以耳目所及，以成是制乎？越有《文僖集》四十二卷，今未见其本。又别有《使东日录》一卷，亦其往返所作诗文，不及此赋之典核，别本孤行。此一卷固已足矣。”四库提要卷七八：“《朝鲜杂志》一卷，旧本题明董越撰。越有《朝鲜赋》，已著录。是书繁碎无体例，以越所撰《朝鲜赋》校之，皆赋中越所自注。盖好事者抄出别行，伪立名目，非越又有此书也。"四库提要卷一七五："《使东日录》一卷，明董越撰。越有《朝鲜赋》，已著录。是集乃弘治元年，越为朝鲜颁诏正使，途中纪行之诗。考越奉使时官庶子，而刻本首行结衔乃作'儒林郎、大理寺'，'寺'字以下刊板刓灭不可辨其姓名，疑或校刊者所题欤。"

十月

程敏政因勒致仕。《篁墩文集》卷八二有《弘治元年十月十八日，得休致之命。与李符台士钦小酌口占》诗："忽奉归田诏，天恩免逐臣。便谈林壑事，莫问市朝人。好梦依黄犊，先声抚翠筠。难酬君相意，击壤助遗民。"《明史》程敏政传："敏政，名臣子，才高负文学，常俯视侪偶，颇为人所疾。弘治元年冬，御史王嵩等以雨灾劾敏政，因勒致仕。"

十一月

杨慎（1487—1559）**生。**字用修，号升庵，新都人。正德辛未赐进士第一，授翰林修撰，以议大礼泣谏，杖谪永昌。天启初追谥文宪。有《升庵集》。《明文海》卷四三四《翰林修撰升庵杨公墓志铭》："余数遣医诊视之，医复曰'病不可为也'，乃七月六日乙亥丑时，先生卒于昆明高峣之寓舍，为嘉靖己未岁也。距生弘治戊申十一月六日乙丑，年七十有二。……先生生而聪明异常。儿孩童时所读书，过目辄成诵。年未总角，著诗名，与李献吉、何仲默诸名公并称，乃祖留耕翁每奇之。于诸经古书无所不通，子史百家、乐律之言，一阅辄不忘。至于奇辞隐义人所难晓者，益究心精诣焉。作为文，数千百言，援笔立就，悉出经入史，不蹈袭他人语。"

林俊为云南按察副使。《见素集》附录上《编年纪略》："二十三年丁未，宪宗崩，孝宗嗣位。学士杨守陈、太学士刘吉、进士李文祥等，疏荐。明年戊申，改元弘治。正月，注云南提刑按察司副使。十一月至云南。闻御史姜绾等与守备内监蒋琮讦，奏上《全大体以召太和疏》。"

本年

萧镃《尚约先生集》初编成。丘浚《尚约先生集序》："天顺改元，先生南归家居。岁甲申，捐馆舍，今二十又五年矣。仲子昉以膺贡来京师，得祁门司训，将之任，以先生遗稿见属为序。呜呼！先生不可得而见矣。今见其遗文，如侍先生左右，亲睹其德容而闻謦欬然。瞻思之顷，恍忽如在前后，而卒不可复见，方且呜咽哀慕之不暇，又焉能为之言哉。虽然，天下士出先生门者多矣，今所余无几，而浚独幸后死，又受知最深，所以永先生之传于不朽者，其责实在浚焉。于是乎拈泪而序之。"四库提要卷一七五："《尚约居士集》，明萧镃撰。……按镃为萧鹏举之子，鹏举学诗于刘崧，镃亦不坠其家法。史称其学问该博，文章尔雅。其门人丘浚序，称其文正大光明，不为浮诞奇崛。盖洪、宣间，台阁之体大率如是也。"

汪广洋《凤池吟稿》重刊。王百祥《凤池吟稿跋》："汪先生当草昧之初，力挽宋元旧习，为明朝诗学正宗。所著《凤池吟稿》，脍炙人口，不啻夜光、和璧。尝考储文懿集中，有寄葛庭光侍御书云：'承惠《凤池吟稿》。汪公名迹久湮闻于后者，赖有文字之懿，自非执事表章先哲，则并此集散失之矣，甚盛举也，忻忭！忻忭！但仆所得抄本，《后集》有胡仲子标注，末有三序。闻《前集》亦有标注，惟今阁老丘公家所收本有标注，不可并得。但此三序不可不刊，谨录上，乞付之梓也。'余查葛公以成化十四年登曾彦榜进士，弘治初年始改山东道御史，其刻先生集正此时也。至今上改元才七八十年耳，勿论板刻弗存，即印本亦不多见。"

谢铎起复，与修实录。《明史》谢铎传："秩满，进侍讲，直经筵。遭两丧，服除，以亲不逮养，遂不起。弘治初，言者交荐，以原官召修《宪宗实录》。"《王氏家藏集》卷三一《方石先生墓志铭》："升侍讲，入预经筵，反复推说，皆人所难言者。接丁内外艰，饮水蔬食，倚庐祥禫，一如古礼。终制，亲友劝起复，先生曰：'初心縻禄为亲尔，今复何为？'乃槐门读书，以养道求志。时侍逸老，登眺方岩雁荡之上，怡神自足，弹冠之念泊如也。孝皇初新庶政，征贤铨德，廷臣交章论荐。会修宪庙实录，遂诏起之。长沙李文正公贻书劝驾，极言君子道隆、乘运拯世之义。先生乃勉力入朝。"章懋为文送谢铎赴京。《枫山集》卷四《追送谢侍讲铎赴召后序》："圣天子肇位四海，弘阐大猷，聿隆继述，诏起侍讲谢先生于家食，以修宪宗皇帝实录。先生如京师，取道吾婺，中书王舍人允达率诸士友，祖饯双溪之浒，众各为诗以侈其行。王君既以先生出处之义法乎圣贤者序其前矣，然引而未发也。某辱知先生最旧，适有他故，弗遑走送，意甚缺然。将欲赠之以言，而兹行之端由，非浅薄所能识也，敢推本王君之论而质诸先生可乎？"

张元祯起复，与修实录。李东阳《明故通议大夫吏部左侍郎兼翰林院学士掌詹事府事张公墓志铭》："居二十年，值孝宗即位，弘治戊申，召修实录，至则以旧劳迁春坊左赞善。上《劝行王道疏》，几万言，入侍经筵。"

罗伦文集刊刻。聂豹《重刻一峰先生集序》："先生文集，弘治初年邑令揭阳王公尝刻之，毁于火。……王侯名昂，字抑之，东广潮人，循良为永丰第一。"

程敏政读陆容文稿。《篁墩文集》卷五〇《参政陆公传》："公当弘治初，伏阙上疏时，予方以言者去国。道中得其稿，读而叹曰：'伟哉！贾、陆之绪论乎？然亦未始必其终获遇也。'"

童轩再掌钦天监。《怀麓堂集》卷七八《明故资政大夫南京礼部尚书致仕赠太子少保童公神道碑铭》："甲午，召拜太常寺少卿，掌钦天监事，核生徒，简官属，省诸浮费，侥幸者皆不便。居悒悒不自乐，累以疾辞，不许。己亥，进秩为卿，言阴阳官输粟免考为非制。癸卯，又辞，许焉。弘治戊申，监正官阙，众复以公荐，今上命仍旧任。"

杨循吉致仕。杨循吉《礼曹郎杨君生圹碑》："弘治初，逮事孝庙，时五王册封，备员执事，获从堂官拜华盖殿，得觐龙颜。事竣，赐宴直房，弁赏罗绮。福薄命蹇，痞癖内攻，日食米止三合。恐旷职致尤，上奏乞换校官，不果，遂乞归，蒙恩准放。"

《艺苑卮言》卷六："杨君谦为仪部主事，与郎中不相得，因谢病归。久之，病良已，起复，除原官。循吉多病，而好读书，最不喜人间酬应。尝开卷至得意，因起踸踔掉不休，人遂相目呼颠主事云。复官弥月，再乞病告，吏部以格不可，曰：'郎病已，复病耶？安得告？而可为者，致仕耳。'循吉恚曰：'吾难致仕何？'即自劾罢，时仅三十余。既以归，益亡复问外事，而踪迹益诡怪寡合。出，敝冠服，羸舆马，故以起人易而更悔之。又好缘文章语中伤人。"

张治（1488—1550）生。字文邦，号龙湖，茶陵人。正德辛巳进士，官至文渊阁大学士。谥文隐，改谥文毅，万历初复改谥文肃。有《张龙湖先生文集》十五卷。据吕本《大中太保礼部尚书兼文渊阁大学士赠少保谥文隐张公墓志铭》。

公元 1489 年（弘治二年 己酉）

四月

谢铎《桃溪净稿》初编成。李东阳《桃溪杂稿序》："予与方石先生同试礼部时，已闻其有能诗名。及举进士，同为翰林庶吉士，又同舍，见所作《京都十景》律诗，精刻有法，为保斋刘公、松岩柯公所甄奖。又见其经史之隙，口未始绝吟，分体刻日，各得其肯綮乃已。予少且劣，心窃愧畏之。同官十有余年，先生学愈高，诗亦益古，日追之而不可及。然先生爱我日至，每有所规益，必尽肝腑。见所撰述，亦指摘瑕垢不少匿。及先生以忧去，谢病几十年，每恨不及亟见。见所寄古乐府诸篇，奇古深到，不能释手。比以史事就召，尽见其《桃溪杂稿》若干卷，乃起而叹曰：'诗之妙一至此哉！'夫学有二要，学与识而已矣。学而无识，譬之失道兼程，终老不能至。有识矣，而学力弗继，虽复知道，其与不知者均也。汉唐以来，作者特起，必其识与学皆起乎一代，乃足以称名家，传后世。肩差而踵接者，代亦不过数人。……或乃谓古今文章，局时代，关气运，断不相及。遂不复致力其间，亦自弃之甚矣！然此犹以体格言之。又尝观《三百篇》之旨，根理道，本情性，非体格言之可尽。先生好古力践，深猷远计，发而为言者，固其所自立也，又可独归之时代也乎？然于此见今日之盛，有古之所谓献者，非徒文也，亦以见先生之贤，断有以立乎世者，而非徒言也。予无似，惧终不能自振，以名托交游为幸，因序论之。……弘治己酉夏四月八日，翰林院侍讲学士、奉直大夫、经筵官兼修国史长沙李东阳序。"四库提要卷一七五："《桃溪净稿》八十四卷，明谢铎撰。铎有《赤城论谏录》，已著录。是集凡诗四十五卷，文三十九卷，盖李东阳因其旧本再取而芟之，故以《桃溪净稿》为名。然瑕瑜参半，犹不能悉为刊除也。"［按，今存《桃溪净稿》正德十六年刊本，顾璘《谢文肃公文集序》："比来守台州，文肃之孙必祚见其遗文若干卷，盖文正手选者。其文明健闳博，根柢经传，以刚维人伦为宗，以剖白事实为用，以抑扬邪正为志，以遗外声利为情。诗与文同致，合发情止义之则，锻炼驰骛，莫为有无。盖其所负者独远大矣。……曰《桃溪净稿》，仍旧名也，刻在学宫。正德辛巳仲春既望，守台州姑苏后学顾璘谨序。"］

桑悦穷病赋诗。《思玄集》卷一三《穷居感怀书事》："江浦连旬雨，儒生卧病时。饥谁分半菽，栖可借全枝？世弃蒙庄傲，天容阮藉痴。登高频感慨，处困费支持。

……"自注："弘治二年四月作。"

五月

薛瑄《敬轩文集》初刻成。张鼎《敬轩文集序》："先生名瑄，字德温，别号敬轩，世为山西河津人。自幼笃信好古，博学善记。所著有《读书录》《续读书录》《河汾诗集》，行于世。惟文集则先生孙前刑部员外郎襜曾托前常州同知谢庭桂板刊，未就。今年夏四月，前监察御史畅亨——先生同乡，谪官陕右，道过镇阳，予因访前集。畅曰：'某于毗陵朱氏得之矣。'予喜而阅之，但舛讹非原本矣。因仿唐昌黎集校正编辑，总千七百篇，分为二十四卷。凡三易稿，始克成编。於戏！先生文集流落江南二十余年，今传于世，岂非其数有所待与？……予早侍几席，壮历宦途，老无所得，追思诲谕，不可及也。先生历官政绩，载在国史，其风节道德，自有天下后世公论在，不敢私。弘治己酉夏五月端阳，门人关西张鼎序。"《敬轩文集》卷首提要："《敬轩文集》二十四卷，明薛瑄撰。其门人关西张鼎所编。初，瑄集未有刊本。瑄孙刑部员外郎襜，以稿付常州同知谢庭桂雕板，未竟而罢。弘治己酉，监察御史畅亨得其稿于毗陵朱氏，鼎又从亨得之。字句舛讹，多非其旧。因重为校正，凡三易稿而成书。共得诗文一千七百篇，厘为二十四卷。鼎自为序，引朱子赞程子布帛之文、菽粟之味二语为比，殆无愧词。"

八月

马中锡监乡试。《沙溪集》卷六《资善大夫都察院左都御史东田先生马公行状》："弘治己酉，监乡试，所刊文字尽出公笔。太宰三原王公读试录，数曰：'奇才！奇才！'遂改提学，寻升副使。公立条约，谨章程，士习丕变。登巍科者相望。"

十月

祝允明撰《志怪录》五卷。祝允明《志怪录自序》："《志怪》凡五卷。语怪虽不若语常之为益，然幽诡之物，固宇宙之不能无，而变异之事，亦非人寻常念虑所及。今苟得其实而记之，则卒然之顷而逢其物、值其事者，固知所以趋避，所以劝惩，是已不为无益矣。况恍语惚说，夺目警耳，又吾侪之所喜谈而乐闻之者也。昔洪野处志《夷坚》，至于四百二十卷之富，彼其非有喜乐者在也，则胡为乎不中辍而能勉强于许久也？吾是以知吾书虽鄙芜，不敢班洪，亦姑从吾所喜，乐而从之，无伤矣。若有高论者罪其谬悠，而一委之以不语常之失，则洪书当先吾而废，吾何忧！《志怪》，亦取漆园吏词。己酉冬十月既望，枝山祝允明书。"

本年

邹智下狱几死，后谪广东。崔铣《邹立斋传》："己酉，言事者诬知州刘公概、御史汤公鼐妄言朝政。嫉君者因疏君名，下锦衣狱。君身亲三木，仅余残喘，神色自若，无所曲挠。供词略云：'智与今汤鼐等来往相会，或论经筵不宜以大寒大暑辍讲，或论午朝不宜以一事两事塞责，或论纪纲废弛，或论风俗浮沉，或论生民憔悴，无赈济之策，或论边境空虚，无储蓄之具。'议者欲处以死，刑部侍郎彭公韶辞疾，不为判案，获免。己酉，左迁广东石城吏目，毅然就道，衣结履穿，几不能存。亲识馈遗，坚却不受。在官尽心政务，废坠毕举，而持己清白，纤尘不染。稍暇，则从白沙陈献章先生游，笃志圣贤之学，所造益深矣。"

蒋冕与丘浚子敦辑丘浚诗文集成。王国栋《丘文庄公年谱》："是年，公子敦与门人蒋冕编公《琼台类稿》五十二卷，《吟稿》十二卷，程敏政、何乔新、蒋冕有序。"《篁墩文集》卷二八《丘先生文集序》："先生门人翰林吉士蒋君冕及其嗣子太学生敦，辑先生平日诗文为若干卷，间奉以视走，请序其首简。走读之累日，得其大端，而叹曰：'何其养之深而出之需然，一至此哉！'先生尝为走言：'世之作文者，类喜煅炼为奇，不究孔子词达之旨；或剽窃以为功，不识周子文以载道之说。虽有言，无补于世。无补于世，纵工奚益？故予平日不欲以诗文语学者。'其言如此。顾此集虽出于所学之绪余，然闳肆而精醇，明润而雅洁，究本之论，扶世立教之意，郁乎粲然，将上班于毛、董、韩、李、欧、曾、陶、杜之间，视世所谓训诂之陋、声律之卑，殆将挥远之而以为羞道者矣。所谓一代之豪杰，若先生岂多得哉！走辱知先生也深，又同事经筵史局，获副詹事与僚采之末，故因冕与敦之请，序先生之集，而极论文之所以为文者如此。"《篁墩文集》卷三八《书琼台吟稿后》："礼部尚书琼山丘公，以学识才气闻天下。天下之人当公意者，指不多屈，然独心进予为可语。盖茫然不知何以得此于公也。公每谓：'作文必主于经，为学必见于用，考古必证于今。'鄙意适然，遂为知己。故公有制作，必示予，予得纵观焉。如所谓《大学衍义补》者，已经进御。他如《世史正纲》《朱子学的》之类，率皆有关于世教人心，不可少者。至于诗文，总若干万言，虽间出于应酬之作，然一不求合于时好，直趋秦汉，上薄《骚》《雅》。故窃评其文，如大江长河一泻千里，虽析而为三，播而为九，顾其原，必自岷山星海，扼底柱、束瞿塘以为奇，而后沛然东向，莫之御也。其诗如仙翁剑客，随口所出皆足惊人，虽或兼雅俗，备正变，体裁不一，然谛视而微讽之，气机流触，天籁自鸣，格律精严，亦不失人间矩度。盖予僭评如此。"蒋冕《琼台诗稿序》："琼台先生丘公，为天下文章道德之宗师。其经纶康济之具，虽未尽见于施行，而著之言语文字者，一时之人不问识与不识，莫不知而信之，固足以垂示后世无疑矣。凡所谓言语文字，悉光明正大俊伟洁白，类其为人。如饥之必食，食必五谷。如渴之必饮，饮必汤水。如寒之必衣，衣必布帛。盖其得于天才，自有不得不然者。虽游戏谐谑，嘻笑唾骂，必也归于有用，而非虚诞无益之空言。冕辱从先生游于兹数年，窃观先生之诗，拟李而似李，拟杜而似杜，拟韦、柳而似韦、柳。遇有所为，无不各臻其妙，此当偶然得意而为之，若世之能为乎此，而不能为乎彼，拘拘于一才者哉！盖其得于天才者，变化莫测故也。先生官礼部尚书，掌国子监事，天下之士不称其官，而称为琼台先生，表其所生之地以寓仰重之意也。故诗集因以名云。"四库提要卷一七〇《重编琼台会稿》："讲学家以其力崇朱子，曲相回护，迄不能与公论争也。其两广平贼之策，言之凿凿，然韩雍力驳其说，竟奏荡平，亦具载《明史》雍传。则其好论天下事，亦不过恃其博辩，非有实济。然记诵淹洽冠绝一时，故其文章尔雅，终胜于游谈无根。在有明一代，亦不得不置诸作者之列焉。"

李东阳服除，入京供职。法式善、唐仲冕《明李文正公年谱》："免服，补原官，加左庶子，预修《宪宗实录》。"

陆钶卒，年五十。《怀麓堂集》卷四三《明故中顺大夫太常寺少卿兼翰林院侍读陆公行状》："弘治某年卒，年五十而已。娶陈氏子爱，又娶张氏子赐。明年庚戌某月某日，葬于某山。公读书必究理道，涵泳往复，期于自得。为文章周慎雍裕，惟所欲言，终日不厌，亦不袭前人语。诗调高古，尽去秾艳。当所得意，纵笔挥洒，刻意极力者顾追之而不可及。尤嗜书，清劲可爱。旁及缠度、疆里、医律诸学，亦皆谙核，必得其肯綮乃已。"

薛蕙（1489—1541）**生。**字君采，亳州人。弘治甲戌进士，官至吏部考功司郎中。事迹具《明史》本传。有《西原先生遗书》二卷、《约言》一卷、《考功集》十卷。据唐顺之《薛西原先生墓志铭》。

李濂（1489—1566后）**生。**字川父，祥符人。正德甲戌进士，官至山西按察司佥事。事迹具《明史·文苑传》。有《汴京遗迹志》二十四卷、《嵩渚文集》一百卷。

公元 1490 年（弘治三年　庚戌）

正月

皇甫冲（1490—1558）**生。**字子浚，长洲人。嘉靖戊子举人，与弟涍、汸、濂，并有盛名，称"四皇甫"。《皇甫司勋集》卷五七《华阳长公行状》："公乃举手作别，即合眼下生矣，时嘉靖戊午三月丁丑也，距生弘治庚戌正月乙丑（十二日），年六十有九。"《列朝诗集小传》丁集上《皇甫举人冲》："全集凡六十卷。子浚博综群籍，留心世务。为人甚口好剧谈，宿学为折角莫能难。又好骑射，通挟丸击球、音乐博弈之戏，吴中文士与轻侠少年，咸推为渠帅。武宗即位，正法凌迟，撰《绪言》及《申法》。车驾南征，撰《己庚小志》。大同之变，撰《几策》。幼好谈兵，愤北虏薄城下，撰《兵统》及《灭胡经》。海寇突起，当事无策，撰《枕戈杂言》凡数十万言。今与其全集皆不传于世。金陵张文寺曰：'四甫之才，子浚为冠。'亦阐幽之论也。"则谦益亦未得见其集。虽入《明史·文苑传》，今无可征。

吴宽、李东阳、谢铎等祭邵珪。《家藏集》卷五六《祭邵文敬文》："维弘治三年岁次庚戌，正月二十日癸酉，詹事府少詹事兼翰林院侍读费訚，太常寺少卿兼翰林院侍读傅瀚，左春坊左庶子兼翰林院侍讲学士李杰，左春坊左庶子兼翰林院侍读学士李东阳，左春坊左庶子兼翰林院侍读谢迁、吴宽，左春坊左谕德林瀚，掌国子监司业事右春坊右谕德刘震，翰林院侍讲谢铎，谨以清酌庶羞之仪，驰祭于亡友中顺大夫、严州府知府邵君文敬。"李东阳《怀麓堂诗话》："邵文敬善书工棋，诗亦有新意。如'江流如白龙，金焦双角短'之类。又有'半江帆影落樽前'之句，人称为'邵半江'。间变苏书，予亦以苏书答之，跋云：'戏效东曹新体。'邵误以为效其诗作，依字韵诗抵予，首句曰：'东曹新体古来稀'。予又戏次其韵曰：'东曹新体古来稀，此意茫然失所归。字拟坡书聊共戏，诗于昆法敢相讥。休夸骎裛才无敌，未必葫芦样可依。却问棋场诸国手，向来门下几传衣。'因相与大笑而罢。"《丹铅余录》卷一五："近传邵文敬'半江帆影落樽前'之句，以为奇绝，遂号为'邵半江'。然唐赵嘏诗'半江帆尽见分流'之句，宋米元章亦云'六朝山色落樽前'，已落前人第二矣。"《艺苑卮言》卷五："邵工部'半江帆影落樽前'此等语，入弘、正间不复可辨，参之贞元、长庆亦无愧色。"《明诗纪事》丙签卷六《邵珪》陈田按："文敬以户曹郎出守思南，李宾之、陆鼎仪、徐谦斋有《送邵思南序》，倪舜咨有《南园别意记》。宾之诸人有《南园别意》联句云：'送客南庄秋色清（罗璟），酒杯花事总关情（黎淳）。长材用事须为郡（吴希贤，）野兴逢人惯出城（李东阳）。好怀行囊诗卷富（倪岳），还看远道驿舟迎（杨时畅）。黑头太守黄金重（陆钶），汗竹应垂千载名（陈音）。'文敬有《留别诗》云：'僰道山川非禹州，壮怀都属望京楼。亲分符竹承天宠，远藉珠玑托俊游。古道未能忘一砚，宦情今已付孤舟。迂疏满负群公意，翻笑谋生拙似鸠。'宾之次韵云：'徼外天留万里州，送君无赖倚高楼。闲将笔札供余兴，尽阅江山壮远游。红树夕阳深驻马，碧溪芳草漫随舟。人生巧拙浑闲事，莫更重论鹊与鸠。'董尚矩亦有《送别》诗，见前。一时翰藻纷纭。其实，文敬以半道丁艰去，未尝至吾黔也。文敬在当时称好事，诗笔亦雅令潇洒。"《明诗综》卷二八《邵珪》存诗一首：《马斗虎》。

顾清作生日诗。《东江家藏集》卷三《庚戌初度》："三十年前此日中，满堂犀玉动春风。桑弧有事羞长剑，花甲无情恨转篷。白日啸歌天地老，青衫拜舞岁时同。云山向晚催诗句，目断天涯没去鸿。"［按，顾清生日在二十三日］

三月

王九思春试不第，归祥符。王九思《陆汝清传》："弘治庚戌，先大夫教谕祥符。予自礼部下第，来侍先大夫。"

四月

姚夔文集刊刻。丘浚《少保姚文敏公遗集序》："其仲子中书舍人玺以其遗文数册因间请予序之。予素荷公不鄙，久辱知爱，安敢以荒芜辞哉？……是集旧名《蟊蠹堆稿》，累厄于火，而所存百十耳，因易今名云。弘治三年庚戌岁夏四月既望，荣禄大夫、太子太保、礼部尚书兼文渊阁大学士、知制诰、国史副总裁、经筵官琼台丘浚书。"四库提要卷一七五："《姚文敏集》八卷，明姚夔撰。……是集本名《蟊蠹堆稿》，后其子玺刊板，改题此名。夔一代名臣，风裁岳岳，不愧古人，而诗文乃直抒胸臆，不中绳度，如赠弟诗云'嫩韭蒸来香满口，一飧午膳倍寻常'，太不以词藻为工矣。此所谓'人各有能有不能也'。"

闰九月

张泰《沧洲诗集》刊刻。李东阳《沧洲诗集序》："予先生同年进士，又同官甚厚，先生之卒，其孤琏尚在襁褓。求其遗诗不可得。后静逸陆先生取诸其从子璘，以留予家，而静逸亦卒。因与谢方石、吴匏庵二先生录其若干篇为十卷，文太仆宗儒以付其所部成府判桂刻于淮安。书成，成适以公事上京师，请予序。乃为题其编之首。先生名泰，字亨父，别号沧洲，累官翰林修撰，卒时年四十有五。弘治庚戌闰九月九日，奉议大夫、左春坊左庶子兼翰林侍讲学士、经筵官兼修国史长沙李东阳序。"

秋

邹智为曹璘题画。《立斋遗文》卷五《题曹御史岁寒图》序："西泉曹先生自为布衣时，与同郡张君廷仪、艾君邦彦交，绘《松竹梅图》以自识。后先生为谏官，正色危言，稍得行其所学，而二君犹布衣也。弘治三年秋，先生谢病归襄阳，取其图授智，俾永言之，以泄其思，并持以遗二君云。"[按，《明史》曹璘传："曹璘，字廷晖，襄阳人。成化十四年进士，授行人。久之，选授御史。……已，出按广东，访陈献章于新会，服其言论，遂引疾归。"]

十二月

董越《朝鲜赋》刊刻。欧阳鹏《朝鲜赋序》："《传》曰：'赋者敷陈其事而直言之。'先生文体有焉。……初，先生之出祖也，鹏尝窃附赠言，有'模写山河诵太平'之句，盖深冀先生必有以大鸣国家之盛。比先生还朝，而鹏守制，未获与闻述作。兹幸得睹是赋于邑司训王君本仁所，捧读数四，揄扬莫既。本仁故与予同年，吴大尹德纯为寿梓以传，属引其端，此正门墙效勤时也，遂不敢以僭陋辞。弘治三年十二月八日，泰和欧阳鹏序。"

本年

谢铎擢南京国子监祭酒。《明史》谢铎传："三年，擢南京国子祭酒。"《怀麓堂集》卷十《闻方石先生有南京祭酒之命喜而有作》："祭酒中朝重，先生绝代贤。圣恩终简在，归兴本飘然。乐极真名教，交深岂岁年。吾方慰公望，不敢惜离筵。"《重编琼台稿》卷五《送谢鸣治祭酒之南雍》："辄将史馆皆采笔，去作贤关道德师。学有本原期践履，文多枝叶在芟夷。春风发育浑无迹，化雨滋荣正及时。老我亦曾叨此任，临行赠别若为辞？"

蔡清上书谢铎，论及《逊志斋集》。《虚斋集》卷二《上天台谢祭酒先生书》："清家居时，提学周时可先生尝为清道及盛德，云秉礼持义，一时学士大夫所共推重。清虽不肖，心已知向往矣。已而得《赤城论谏录》读之，又得《逊志斋集》及《赤城诗集》读之。三集者，皆执事所订定表章，其所关涉，与近时人所刊行泛泛者迥不类。执事所养，于是益昭然可辨。私心益用勤向慕不能忘。第愚下之资，不能遂藉是以私淑为愧耳。三集之中，《逊志》一编，则天地正气沉郁百年而几泯灭者，一旦遂得其全以显行于当世，执事与黄亚卿公及前学谕赵先生之功大矣。噫！如逊志者，盖千载一

431

人也！天地幸生斯人，而乃不终佑之，使斯人得竟为人世用，天地果有知乎哉？痛言及此，使人直有追憾天地之心，奈之何哉？使斯人当日得尽行其志，愚以为伊周格天之业宜亦不远，而竟止此，谓之何哉？吾知良工为之苦心甚矣，篇为之收，句为之订，今日编集之劳不减昔日著述之功矣！遂使其正学其义气今得与日月并垂光于天壤之内，人人得而仰之，自当万古不磨。即此亦可以见道理之外利害，成败所较终不多。古今真可以旦暮视也。理长于数，亦明矣。而执事之功，亦于是乎有不可磨矣。始清得览是集时，以为执事盖逊志知己也。于时荜门私愿，只欲得执事辈人当路为斯文宗主，庶几得以幸斯人。而今日执事所位，实宗主斯文之任也，岂非今日世道一机会哉？清知执事自是得专为斯文出气力，凡关系世道好事在所得为者，皆不久次第见矣。近之为国家生长人才，远之为宇宙春秋是非，进之而遂断国论，赞皇猷，以尽出其素蕴者，盖皆自有其地。如所闻近日条上六事，亦其重节目也。"

张宁跋旧时廷试策。《方洲集》卷一《廷策》跋："廷试策对时，属稿未半，礼部侍郎姚公过视，有顷复与尚书胡公谐来，相顾有喜色。自是内外诸公皆接踵至，予辄停笔待观。暑刻尽未，予初脱稿，适胡、姚二公至，语曰：'此卷宜自重。'予以纸短告，遽命仪制司检纳卷衍纸，续卷尾。予以天晚为惧，胡曰：'第自留心，吾为汝进本。'依曾棨故事，给烛。天既暝，同年皆出，乘昏誊写。忽传宣闭门，诸执事官校皆罢散，胡亦不能止，亟命郎中俞钦收卷，送予宿礼部，戒勿归。明旦，携候内直房。胡、姚二公诣内阁，请容足卷，不果。放榜之晨，人犹相传，谓予登首第。自是声达禁中，有旨：'与牛伦卷同取入。'复送内阁，后半年，吕公逢原、黄公廷臣录出，补写成篇。倪进士廷瞻重录此本，廷臣欲请诸公题跋见遗，自愧无似，不敢徒劳名笔。尝自观省，文虽不留陈腐，若比之古义，求为之御且不可，何足多上人。时新出草野，不识忌讳，纵使成篇，恐亦不堪引进。屈指今四十年，检拾故纸，早已断烂残缺。老眼惊心，强复加缀缉，存入拙作中，以志予之感遇，以自讼予之素不敏也。弘治三年，宁年六十有五矣。"

黄佐（1490—1566）**生。**字才伯，号泰泉，香山人。正德辛巳进士，官至少詹事。事迹具《明史·文苑传》。有《泰泉集》十卷、《广州人物传》二十四卷、《翰林记》二十卷。

公元 1491 年（弘治四年　辛亥）

三月

朱存理作《蠢斋先生传》。朱存理《野航文稿·蠢斋先生传》："隐君子邢氏，名量，字用理，号蠢斋，学者称蠢斋先生。自少以疾不娶，居一巷中，萧然室庐，读书乐道以终。存理少时从先生讲《孝经》《论语》，日接见。先生时年及五十，不茹荤酒，蔬盐不给，其貌甚癯而丰耳，服垢蹑弊，混迹庸人，未尝一至城府。闭门静坐，点校诸经，及博观子史百家。坐中之客，惟禅人道侣。有显者知先生，因造门，先生避去。家畜一童，既死，无应门之人，邻有代劳薪水者，辄辞。病革，豫自为志。有书数百卷，卒后，悉散去。存理收其遗文数篇，太史吴君序之。太史未仕，尝与先生游者也。

呜呼！所谓独行不愧影，独寝不愧衾，先生其人也。弘治四年三月廿四日，门人朱存理谨书。"

五月

程敏政作《梁园赏花诗引》。《篁墩文集》卷二八《梁园赏花诗引》："京师养花人联住小城南古辽城之麓，其中最盛曰梁氏园。园之牡丹、芍药几十亩。每花时，云锦布地，香苒苒闻里余。论者疑与古洛中无异。成化戊子春夏交，予以诗约同寅汪伯谐、彭敷五、倪舜咨、李宾之、宋尔章五太史及同年张汝弼驾部倡为兹游。是日，诸君子以予诗分韵，各当四章，而饮宴歌呼相与竟日。故诗或成，或不成，或半成。既归，久之而诗案卒不能了也。癸巳之夏，再往游焉。会者同年商懋衡、陆廉伯、李世贤三太史，章元锴、张天瑞二给事，复以向所零韵各分四章，而诗之所得，略如戊子。盖更两会，卷弗克成，岂景物之都未易以尽，而亦出于休沐之隙，夺于匆遽之余，将为乐不暇，故莫能役志于斯耶？弘治戊申冬，予被放还江南，束装而得是卷。念当时游者，惟伯谐、舜咨、宾之、廉伯、世贤五人者在，而天瑞出佐外藩，敷五、汝弼、尔章、懋衡、元锴皆已作土中人。感叹久之，辄请五人者或重书或补作，而向之卷始成。盖自戊子至戊申，俯仰二十一年矣。辛亥之夏，山居病起，因命童子曝书册，翻阅之际，此卷在焉。追想帝都风物之美与一时朋游之盛，不可复得，而予之去国又三年矣。抚流光之易迈，叹佳会之不常，序而藏之，姑纪岁月云尔。是岁五月二十有一日，留暖道人程敏政克勤书于水南山房。"

八月

王行《半轩集》编成。张习《刊半轩集后录》："半轩先生为吴中硕儒，名扬胜国。入我朝，尤绰绰著乎遐远也。习童时，尝聆先赠承德府君谈先生学之博、才之丰而文之雄，未尝不耸动座人，愚固蒙昧，已志之矣。稍长，不幸先君弃背，无所质问。后获先生所著《学言稿》观之，益深敬信。及闻杜东原老师——自言从庐山陈五经，五经实先生弟子——尝述闻于五经者，为之传，具载履历甚详；并示《半轩集》，乃元末诸作，尤为粹美。再于旧交姜晞说所，得《楮园集》甚夥。然与前二帙亦有同者，皆抄本，亥豕鲁鱼，纷乎其间。乃汇而录之，诵而味之，更其讹，阙其疑，如是自占毕游仕途，逾三十祀矣。迨官广东，重加厘正为十二卷，总名之曰《半轩集》。锲梓垂成，乡契许廷章寄来数十篇，作补遗于后。兹委政归，复于士友陈思耘、朱野航处假有多者抄入。吴山陈文显，故儒家也，言其故祖允中尝从先生于书馆抄的本，因时有忌，久藏不出。近出示，簿帙已残毁，比城中诸稿多异题四五十首。遂欣录补完。……弘治辛亥桂月望，同郡后学张习谨识。"

《宪宗实录》成。《明孝宗敬皇帝实录》卷五四"弘治四年八月丁卯（二十三日）"："上御奉天殿，监修官太傅兼太子太师英国公张懋，总裁官少傅兼太子太师吏部尚书谨身殿大学士刘吉等，率纂修等官上表进《宪宗纯皇帝实录》，上起立受之。"张懋《进实录表》："中军都督府掌府事太傅兼太子大师英国公臣张懋等，诚惶诚恐，稽首顿首上言：……恭惟皇帝陛下孝兼继述，心切显扬，亟谟烈于就编，俨羹墙之在目，乃于弘治元年闰正月，敕臣懋监修，臣吉、臣溥、臣健总裁，臣浚、臣谐副总裁，臣瀚、臣阎、臣杰、臣东阳、臣迁、臣宽、臣简、臣越、臣彦、臣守阯、臣戬、臣鏊、臣杰、臣储、臣元祯、臣机、臣廷和、臣卫、臣芮、臣忠、臣焕、臣珣、臣天瑞、臣澜、臣春、臣瑞、臣时畅纂修。臣懋暨臣吉等，弘开馆局，序列文儒，发内府精微之秘藏，采外廷远迩之陈奏。风化攸系，虽微必书；治体所关，有闻必录。详制度则究其因革，原事功则备其始终。贤否决于众论之同，是非公于天定之后。传其信，不传其疑；过于文，宁过于质。兹以四年八月，恭成《宪宗纯皇帝实录》二百九十三卷，《宝训》十卷，合《目录》《凡例》，总三百五册，谨缮写进呈，允为不朽之传，大著无前之绩。"

刑部尚书何乔新致仕。《明史》何乔新传："大理丞阙，御史邹鲁觊迁，而乔新荐郎中魏绅。会乔新外家与乡人讼，鲁即诬乔新受赇曲庇。吉取中旨下其外家诏狱，乔新乃拜疏乞归。顷之，穷治无验，鲁坐停俸，乔新亦许致仕。"李东阳《送刑部尚书何公归盱江序》："刑部尚书盱江何公受《尚书》学，举进士，以博洽闻。为部属，遂精法律，同署者皆自谓不及。……又以其余为著述，为词赋，皆合体裁，该时制，凿凿乎若不可阙者。要其所学，可谓专而不滞，博而不滥者矣。而公益笃嗜不厌，虽家无赢资，食不重肉，而讽诵抄录常若有余。虽剖决如流，庭无留案，而稽据探索恒若不足。其所施用愈多而愈不穷，故登朝历省，人皆想望翘企，以冀其来。及其解簪组归田园，则惋惜不暇，以为不易得。"

谢迁升少詹事。费宏《谢公迁神道碑》："辛亥，《实录》成，升詹事府少詹事，兼翰林院侍讲学士，加俸如前。冬十月，母邹宜人卒。"

张元祯迁翰林侍讲。李东阳《明故通议大夫吏部左侍郎兼翰林院学士掌詹事府事张公墓志铭》："辛亥书成，迁南京翰林侍讲学士。"

九月

吏部侍郎彭韶升刑部尚书。《明史》彭韶传："四年秋，代何乔新为刑部尚书。"

朱存理记抄录杨维桢遗文。朱存理《书杨铁崖遗文二》其一："蜀中刻《东维子集》一部，刻手甚孟浪，编者亦疏略无次序。问是何宦游人得漫抄而不暇校正者，予阅之，良为惋惜。广东又刻《古乐府》一本，昆山王氏亦刻此《古乐府》并《丽则遗音》，刻皆不精。予录此遗文，计一百二十八篇，皆李武选所示，对校《东维子集》所遗者。"其二："予得武选先生所借本，录以成帙。少时曾于诸友人家所见者，悉为手录别褚。一日捡得之，又将萃集焉。偶过东昆，遇戚校书，谈老铁之文，乃出抄本四册，传是郑进士文康家，亦不为全编，因乞归校诸本，凡得若干篇。通前共一百三十八篇。武选又尝借予陶南村《杂抄》一册，密行细字凡八百余番，皆元人文字，其内有老铁文最多。予录其目，将并抄入，恨失去原本云。是松人宋主事家所藏，何时得物色其人，并得其书假录之，一幸也。辛亥九月十二日雨窗。"

秋

谢铎丧子。《怀麓堂集》卷三四《与方石先生书》："自得令郎讣,辄具书奉吊,并二三同年赙仪。去秋所得书尚未及此,计当在临行时到也。续传得遗腹孙,令人惊喜失措,犹未敢以为必然。及得抵家书,始信之。信天道之有知,君子之泽未艾也。校诸先世,三代孤传而后昌大者,不亦益奇乎哉?鞠养爱护之方,殆不容赞。数千里外,惟日听其岐嶷峥嵘之报为瞑离慰耳。小儿兆先已于岁正冠毕,辱体斋先生为宾。兆同亦幸顽健。皆屡沐赐问,故汲汲云尔。"

十月

邹智卒,年二十六。金祺《广东石城千户所吏目邹君汝愚墓志铭》:"居无何,以公委道顺德。得暴疾卒,辛亥十月九日也。君生成化丙戌四月十五日,至是得年仅二十有六。"四库提要卷一七一《立斋遗文》:"智疏劾权奸,直声动天下,然于君国之间,缠绵笃挚,至死不忘,无一毫怨尤之意。其《在狱》诗有云:'梦中不识身犹系,又逐东风入紫宸。'其《辞朝》诗云:'云韶声静拜彤墀,转觉婵媛不自持。罪大故应诛两观,网疏犹得窜三危。尽披肝胆知何日,望见衣裳只此时。但愿太平无一事,孤臣万死竟何悲。'与明季台谏务以矫激沽名者,相去万万。故诗文多发于至性,不假修饰之功,虽间伤朴遫,而真气流溢,其感人者固在文字外矣。"

丘浚兼文渊阁大学士。《明孝宗敬皇帝实录》卷五六"弘治四年十月甲子(二十一日)":"敕吏部太子太保、礼部尚书丘浚兼文渊阁大学士,入内阁参预机务。浚以老辞。上曰:'卿历年深,特兹擢用。所辞不允。'"

十二月

朱诚泳为纪善汤以修作寿序。《小鸣稿》卷九《寿汤纪善七帙序》:"纪善汤先生,先王时教授也。逮事予,累官今职,寻以老乞归。予不忍其去,留置别第。越再明年,为弘治辛亥,于是先生寿七十矣,十二月望日实其诞辰。先是,先生寿,予例遣使持酒肴贺之。兹当再遣,因告使者曰:'先生有道人也,于予有辅导功。汝往,其敬之哉。且予少时未谙读书,先生亲为予正句读,析义理,课诗若文。甫长,则自身心以至家国,无不开陈其道,俾予有所知;辅翊其行,俾予有所立。古人所谓启沃献替者,先生殆兼有之欤。是先生于予分则君臣,义则师友尔。'"

本年

谢铎致仕。《王氏家藏集》卷三一《方石先生墓志铭》:"又疏国学事宜六,上之,曰:择师儒,慎科贡,正祀典,广载籍,复会馔,均拨历。……先生以师道难尽,状请致仕,不许。适丧仲子,先祀罔托,乃力求解任归。"《明史》谢铎传:"明年(弘治四年),谢病去。"

屠勋入京为大理左少卿。《东江家藏集》卷二八《故刑部尚书致仕东湖屠公行状》:

"弘治辛亥，擢大理左少卿。始至，上言十事，多见采纳。若'暑月疏决囚徒，两京一体；五岁一遣官，审录州郡刑狱'，著为定令。而方石谢公之起用，亦自公发之也。"

周瑛归莆田，过武昌。郑岳《周瑛传》："升抚州知府，兴水利，著政本，第输纳，著政均，力行保伍之法，豪右以为不便，调知镇远。因俗为政，不鄙其民，以书满归省母。"《翠渠摘稿》卷四《题嘉鱼李氏义学》："弘治辛亥，瑛以镇远知府书满归。"卷四《观冒有恒太守所藏黄石公像》："黄石翁识得一'几'字，子房用之以佐汉祖，卒定天下。盖几发乎此，应乎彼者，吉凶存亡系之矣。此画武昌太守冒君所藏，相传赵孟頫作。按良本传曰：圯上见翁，后遂不复见。后过谷城，得黄石以归而庙祀之。及卒，与俱葬。未尝言其状貌何如。此画貌深而思远，冠服翛然，非尘埃中人也，亦可谓得其状矣！冒君宜珍此，冒君宜珍此！弘治辛亥，莆田周瑛观于武昌舟中。"

邹守益（1491—1560）生。字谦之，安福人。正德辛未进士，官至南京国子监祭酒。隆庆初，追谥文庄。事迹具《明史·儒林传》。有《东郭邹先生文集》十二卷。据罗洪先《明故南京国子监祭酒致仕东廓邹公墓志铭》。

公元1492年（弘治五年 壬子）

二月

曹安《谰言长语》编成。任顺《谰言长语跋》："右《谰言长语》，安丘学谕吾松曹先生所著也。先生少负俊才，游松庠，其学不经师授，自得于心。登正统甲子乡第，历涉仕途四十余年，著述甚富。此其一也。自六经百家子史以及稗官小说，辄纂栝无遗，其纪事纂言皆有考据，非臆见浅识者所可及。始顺与修《宪庙实录》于公府，先生时为总裁，蒙点铁之功居多，后犹以不肖录于念远垂顾盼相与剧谈累日，乃出是书，使为之校雠。顾顺何人，而敢高下其手耶？呜呼！以先生如是之作，于文章制度不待辩而明，疑似得失，可以一览而悉，且歉然若虚，不自盈满，目为谰言长语。因怪夫抱升斗之材者，遂欲奋然掉鞅于词翰之场，以陵轹前辈，视他作未能少领其意趣，即咭咭然动其喙，从而笑且排之，如此者，吾不知其几视先生为何如也？及读辑《比干录》并所编洪武初翰林待制使云南金华王子充忠节事，皆大手笔，有关国体。怪夫登显位食厚禄者，反噤其舌不肯出一语以褒旌忠义，如此者，又不知几视先生何如也？第以先生见弃于时，职居下僚，当道无有荐之者，岂天将丰其才而啬其位耶？或者以先生之抱负仅止于矜式后生为惜？抑不知后之人读先生之文者，其敬仰岂能忘耶？故题先生之文，而并序其出处，以为读是书而不知其人者道。弘治五年春二月，乡贡进士、莒州儒学学正后学任顺书。"四库提要卷一二二："《谰言长语》一卷，明曹安撰。安字以宁，号蓼庄，松江人。正统甲子举人。官安丘县教谕。是书前有安自序，谓皆零碎之词，故名曰《谰言长语》。谰言者，逸言也；长语者，剩语也。则'长'当读为'长物'之'长'矣。书中多据所见闻发明义理，其论诗不中肯綮，所录诸诗亦大抵不工，盖真德秀《文章正宗》、金履祥《濂洛风雅》之派。至于欲取《皋陶赓歌》《五子之歌》《洪范》及《诗》之三言、五言、七言体刻为一集，使人习之以复古，尤万不能行之事。然大致持论醇正，于人心风俗多有所裨。其论读经一条，尤切中明代俗学之弊。"

五月

丘浚奏请访求遗书。《重编琼台稿》卷七《请访求遗书奏》："惟夫所谓经籍图书者，乃万年百世之事焉。是皆自古圣帝、明王、贤人、君子精神心术之微，道德文章之懿，行义事功之大，建置议论之详，今世赖之以知古，后世赖之以知今者，凡历几千百年而后至于我今日。而我今日不有以修辑整比之，使其至今日而废坠放失焉。后之人推厥所由，岂不归咎于我哉。是以自古帝王任万世世道之责者，莫不以是为先务焉。我太祖高皇帝肇造之初，庶务草创，日不暇给，首求遗书于至正丙午之秋，是时犹未登宝位也。既平元都，得其馆阁秘藏，而又广购于民间、没入于罪籍。一时储积，不减前代。然藏蓄数多，不无乱杂；积历年久，不无鼠蠹；经该人众，不无散失。今内阁储书有匮，书目有籍，皆可查考。乞敕内阁大学士等官计议量委，学士并讲读以下官数员督同。典籍等官，拨与典吏班匠人等，逐柜开盘，将书目一一比校，或有或无，或存或欠，或多或少，分为经、史、子、集四类，及杂书、类书二类。每类若干部，部若干卷，各类总数共若干，要见实在数，明白开具奏报。又以木刻考较年月日，委官名衔为记，识于每卷之末，立为案卷，永远存照。臣窃惟：天下之物，虽奇珍异宝，既失之皆可复得。惟经籍在天地间，为生人之元气，纪往古而示来今，不可一日无者，无之则生人贸贸然，如在冥涂中行矣。其所关系，岂小小哉。民庶之家，迁徙不常，好尚不一，既不能有所广储，虽储之亦不能久。所赖石渠延阁之中，积聚之多，收藏之密，扃钥之固，类聚者有掌故之官，阙略者有缮写之吏，损坏者有修补之工，散失者有购访之令，然后不至于湮烂散失尔。前代藏书之多，有至三十七万卷者。今内阁所藏，不能什一。数十年来，在内者未闻有所考校，在外者未闻有所购求。臣恐数十年之后，日渐损耗失，今不为整治，将有后时无及之悔。"

丘浚乞致仕，不允。丘浚《壬子再乞休致奏》略云："臣先以右目丧明，左目又将昏暗，具奏陈情休致。钦奉圣旨：'朕以卿文学老成，方隆委任。既有疾，宜善调理。不允休致。钦此，钦遵。'奈臣疾势已成，虽欲勉强调理以仰副诏旨，但血气既衰，药力无效，恐终无平复之理。况臣所居之官，以讨论著作为职，然其所以讨论著作者，必资目视之力。目力不明，将何以阅章奏，操笔墨，检今制，考古典哉？且处禁秘之地，预机密之谋，代王言，总国政，非如在外诸司凡有文书，可以使人代诵，令人具草也。一应事务将以奏达于上，行移于众也。事体关系，为甚大机事，不密则害成。一事失宜，将以贻四海之患。一言失理，或以取百世之讥。天下后世之人，必将有摘其瑕疵，陈其祸害，形之奏牍，著于简册，非但归咎臣下之贪冒失职，且将谤及朝廷之任用非人也。兴言及此，则若臣之素无才德学术，而又老病废疾，何可一朝冒居此地也哉！且又去家万里，隔越大海。一子早丧，身多病而心多忧，众苦所丛，残生无几。伏望皇上哀臣孤苦，鉴臣诚恳，乞放归田里，俾全晚节。臣谨沥血诚以死为请，干冒天威，不胜恐惧。愿望之至，为此具本，令义孙丘怀本赍赴通政司具奏以闻。"《翰林记》卷一六《赐药饵》："弘治五年五月，大学士丘浚以目疾辞位。上遣医赐药。诏今后凡大风雨雪，俱免早朝。"

八月

顾清魁乡试。《文简集》卷五四《故南京礼部尚书顾文僖公墓志铭》："四试不利而不少挫。弘治壬子，吴郡王文恪公主南畿试事，阅公文曰：'昔欧阳子谓当让苏子瞻一头地。斯人也，我固当让矣。'遂荐为第一，舆论允惬。明年癸丑，长沙李文正公主会试，公名第二。廷试，吴文肃公为掌卷官。或欲导公往见，公辞曰：'昔人所谓呈身者，吾愧之。'竟不往。洎吴得公卷，极力赞美。以九重字失，提置二甲一人，改翰林庶吉士，读书中秘。时傅文穆公与李文正公宗伯、程公敏政，皆负文章重名，慎许可。公每试必在甲乙，亟加叹赏。公与同年毛文简公澄、罗文庄公钦顺、汪宗伯俊，又每以名节自相砥砺。"

王守仁举浙江乡试。《王文成全书》卷三二《年谱》："举浙江乡试。是年，场中夜半见二巨人，各衣绯绿，东西立，自言曰：'三人好作事。'忽不见。已而先生与孙忠烈燧、胡尚书世宁同举。其后宸濠之变，胡发其奸，孙死其难，先生平之，咸以为奇验。是年为宋儒格物之学。先生始侍龙山公于京师，遍求考亭遗书读之。一日，思先儒谓众物必有表里精麄，一草一木皆涵至理。官署中多竹，即取竹格之，沉思其理不得，遂遇疾。先生自委圣贤有分，乃随世就辞章之学。"

祝允明举乡试，受知于王鏊。陆粲《祝先生墓志铭》："岁壬子，举于乡。故相王文恪公主试事，手其卷不置，曰：'必祝某也。'既而果得先生，文恪益自喜，曰：'吾不谬知人。'"

秋

朱诚泳与强晟定交。《小鸣稿》卷九《罗川剪雪诗序》："予府伴读强晟，向典真宁教日，尝有剪雪之作。观其自叙之辞，亦足知其志矣。盖晟以汝南名家子，早负才气，有声场屋，而固将以取甲科致通显也。惜两举进士不第，不获已，领教得陕之陋邑所谓真宁者，则其抑郁之怀，固宜一寓于诗也。弘治壬子之秋，以校艺湖藩，道陕入见，予始识之。明年，以提学宪臣檄取，会讲于贡院，因悉见其所作。若诗若文若短章若长篇若诸体，其新奇富丽，有足以动人者。用是援例请于朝，蒙恩许备藩臣。"[按，朱诚泳诗文集，后由强晟校刻]《静志居诗话》卷一《秦简王成泳》："王年十龄，嫡母陈妃以唐诗教之，日记一。位后，日赋一篇，三十年靡间。至于延致士大夫，脱略势分，撤鹰房以创儒臣之馆，辟隙地以益书院之基，善行匪一。许伯诚过墓诗云：'河间明礼乐，淮海好神仙。'则并留心服食之术矣。既薨，纪善强晟校刻其诗。嘉靖初，王孙定王惟焯表上之，诏送史馆。"《明史》简王诚泳传："所著有《经进小鸣集》。"黄云眉《明史考证》："旧考：'按诚泳所著诗，名《宾竹小鸣集》，见《明诗综》。此作"经进"，误。'按：《宾竹小鸣集》，乃集之全名，史但作《小鸣集》，则简称耳。诚泳薨后，纪善张晟校刻其诗。嘉靖初，嗣孙定王惟焯表上之，诏付史馆（可参阅四库总目《小鸣集》提要），史因加'经进'字于集名上。凡表上于朝之书，前代亦冠以'经进'字，如《经进东坡文集事略》是也。《旧考》以'经进'为误，殆未知'经进'之义欤？"

十月

程敏政起复。《明史》程敏政传："五年起官，寻改太常卿兼侍读学士，掌院事。"《明孝宗敬皇帝实录》卷六八"弘治五年十月丙寅（二十九日）"："命致仕詹事府少詹事兼翰林院侍讲学士程敏政、前左春坊左庶子兼翰林院侍读张升俱复职。"

本年

邵宝初识吴宽某诗卷。《容春堂前集》卷十《书华世宏所藏匏翁卷后》："匏翁此诗，予二十年前尝见之。今世宏复持以相示，窃有感焉。翁诗如汉循吏，所至无赫赫声，而去思不已。世或模拟之，鲜能似也。翁逝矣，诗失于彼而传于此，予亦何知哉。正德六年正月十三日。"

陆深始嗜《战国策》。《俨山集》卷八六《书战国策后二首》："余家穷乡，又故农也，素无遗书。迨余又力薄，故其致书比于他难也。十五六时，喜读苏氏书，侧闻先儒悉谓苏实原于《战国》，因访诸友人，得一断简，盖《齐策》至《楚策》凡十卷，受而读之，其事至不足道，而其文则至奇。时恨未睹其全也。壬戌之春，会试南宫，始购得之，犹非善本。下第南还，避谷亭者几两月，始伏读之，然残阙者多，未免遗恨。尝作三论、两补亡、十五拟代，虽词采无取，当复弃去，然于是书不可谓无意也。正德改元，余第进士之明年，始于同馆徐子容借得善本，手自补校。而余之所有《战国策》者，乃仅可读。于是窃叹夫学欲及时，而渊源不可少云。"

林俊改湖广按察使。《见素集》附录上《编年纪略》："四年辛亥，公年四十，升本司按察使。明年，朝觐京师，道改湖广按察使。以前察使不任繁剧，更贤用公。未几，推揄林都御史。"

唐寅频繁出入文林家。据今人周道振、张月尊《唐伯虎年表》："文林自南京太仆寺丞移病归。每因寅之请谒，规其过失，不少假借；爱其才艺，不厌说项。盖所从往还如祝允明、钱同爱辈，皆流连声色，惟文征明独能自外。然情尚不同，而交情不替。同爱字孔周，长洲人，博学工文，好结纳，喜蓄书。"《唐伯虎全集》卷五《又与文征仲书》："寅与文先生征仲交三十年。其始也，卯而儒衣；先太仆爱寅之俊雅，谓必有成，每每良燕必呼共之。"

本年之后，程敏政编成《明文衡》。《明文衡序》："文之来尚矣！而后世词华之习蠹之，故近有为道学之谈者曰：'必去而文，然后可以入道。'夫文载道之器也，惟作者有精粗，故论道有纯驳，使于其精纯者取之，粗驳者去之，则文固不害于道矣。而必以焚楮绝笔为道，岂非恶稗而并剪其禾，恶莠而并掩其苗者哉？汉唐宋之文，皆有编纂，精粗相杂。我朝泛扫积弊，文轨大同，作者继继有人，而散出不纪，无以成一代之言。走因取诸大家之梓行者，仍加博采，得若干卷。其间妄有所择，悉以前说为准，以类相次，郁乎粲然。可以备史氏之收录，清庙之咏歌，著述者之考证。缮写成帙，以俟后人。或曰：'朱子尝讥文自文而道自道者，其语甚力。然则近世道学之谈，未易非也。子之是举，无乃劳乎？'走曰：'不然。考朱子之云，盖为苏氏之文驳故耳。

至于楚词、韩文，注释校订不遗余力，则我先正固尝以文为意矣。必如子说，则是释家不立文字之教，走岂敢以为是乎?'赐进士及第、嘉议大夫、太常寺卿兼翰林院侍讲学士、兼修国史玉牒、经筵官新安程敏政序。"《明文衡》卷首提要："《明文衡》九十八卷，明程敏政编。敏政有《宋遗民录》，已著录。是编首代言，为词臣奉敕撰拟之文，次赋，次骚，次乐府，次琴操，次表笺，次奏议，次论，次说，次解，次辨，次原，次箴，次铭，次颂，次赞，次七，次策问，次问对，次书，次记，次序，次题跋，次杂著，次传，次行状，次碑，次神道碑，次墓碣，次墓志，次墓表，次哀诔，次祭文，次字说，为类凡三十有八，悉从《玉台新咏》之例。题作者姓名，惟方孝孺则书字，盖是时靖难文禁稍弛，而尚未全解，故存其文而隐其名也。所录如吴讷《文章辨体序题》、刘定之《杂志》之类，皆非文体。而袁忠彻《瀛国公事实》之类，事既诬妄，文尤鄙俚，皆不免芜杂之讥。朱右《撄宁生传》，杂述医案，至以一篇占一卷，亦乖体例。然敏政本淹通赅博，以文章名一时，故鉴别持择，较明代他家选本，终为有法。又其时在北地、信阳之前，文格未变，虽尚沿平衍之风，而无七子末流摹拟诘屈之伪体。稽明初之文者，固终以是编为渊海矣。"

张岳（1492—1552）生。字维乔，惠安人。正德丁丑进士，官至刑部侍郎，掌都察院事。复出总督湖广、四川、贵州。卒谥襄惠，事迹具《明史》本传。有《小山类稿》二十卷。据徐阶《明故资政大夫总督湖广川贵军务都察院右都御史赠太子少保谥襄惠净峰张公墓志铭》）。

胡侍（1492—1553）生。字奉之，号蒙溪，咸宁人。正德丁丑进士，官至鸿胪寺少卿，坐议大礼谪潞州府同知。事迹附见《明史》薛蕙传。有《真珠船》八卷。据许宗鲁《鸿胪寺右少卿胡公侍墓志铭》。

公元 1493 年（弘治六年　癸丑）

三月

十八日，赐毛澄等进士及第、出身有差。

祝允明落第。陆粲《祝先生墓志铭》："自是连试礼部不第，当道奇其才。会修史，将名荐之，弗果。"《怀星堂集》卷二一《自送会试序》："成贤不肖者五：身，舆也；世，涂也；才，马也；心，御也；理，御之法度也。盖才出乎心，身乘之以临世。岐径交杂，百轫争发，或以达，或以覆，绩败著焉。以非马，非御者也，而败焉，宜矣。抑以荆榛硗埆，则将孰归尤？吾尝视古人事类是者，不可胜计。其幸不幸，可胜道哉？然而，贤誉恶谥，留之万年，则可不为鉴欤？吾尝勉于静地，人或不谓之然。吾任之吾所操者，无迁也。兹当行，吾加惧焉。於乎！今之世固康庄也，吾独不得为王良其人，故惧焉。虽然，逐禽过表之度，不秘于古训，吾勉之尔矣。於乎！吾行矣。青山白云，吾与若姑相离，异时不知无腼于再见与否？於乎！悠悠吾怀。"《艺苑卮言》卷七："举乡荐，从春官试，下第。是时海内渐熟允明名，索其文及书者接踵，或辇金币至门，允明辄以疾辞不见。然允明多醉伎馆中，掩之，虽累纸可得。而家故给，以不问僮奴作业，又捐业蓄古法书名籍，售者或故昂直欺之，弗算。至或留客，计无所出酒，窘甚，以所蓄易置，得初直什一二耳。当其窘时，黠者持少钱米乞文及手书，辄与。已小饶，更自贵也。"

王守仁为李东阳所赏识。《王文成全书》卷三二《年谱》："明年春，会试下第，缙绅知者咸来慰谕。宰相李西涯戏曰：'汝今岁不第，来科必为状元。试作《来科状元赋》。'先生悬笔立就，诸老惊曰：'天才！天才！'退有忌者曰：'此子取上第，目中无我辈矣。'及丙辰会试，果为忌者所抑。"

顾清登进士第，寄诗友人。《东江家藏集》卷六《登第后寄所知》："春风逐伴上金台，便著青衫未得回。夜听玉龙官烛冷，晓趋丹凤御香来。匡时未展江湖志，饱食频惊岁月催。翘首碧云南国路，美人谁在读书堆？"

闰五月

周礼《湖海奇闻集》撰成。据今人陈大康《明代小说史》。周礼，字德恭，号静轩，弘治前后余姚人。因累试不第，隐居于南京护国山。《湖海奇闻集》由柏昂序，序署"弘治癸丑闰五月"。柏昂序云："幽冥怪异，虽非儒者所宜谈，而□情翰墨，实乃君子之高致。刓操觚执翰，以著述为任者，人之所难能也。余宦游闽中，适会乡人执周生所著《湖海奇闻》一帙，且丐余为序。余阅之喜而不寐……"

八月

倪谦《倪文僖集》刊行。李东阳《倪文僖公集序》："公既没，青溪乃取公所自编订者，为三十二卷，刻梓以传。东阳始得而备见之。……文有《玉堂稿》百卷，《上谷稿》八卷，《归田稿》十二卷，《南宫稿》二十卷，通为卷百七十，则裒为家集。青溪与其弟工部主事阜罩共藏之，而《辽海编》别行于世云。弘治癸丑秋八月一日。"倪岳《倪文僖集跋》："先少保文僖府君，自游庠序即负重名，平生制作极富。成化庚寅，回禄之变，岳方归省于家，仓卒之际，挈一笥以出，及归他已无及。由是先世所藏荡然一空，惟先君文稿幸在笥中得存。岳即收拾散亡，今为百七十卷，钞录数本，与诸弟共藏之。其间有经先君手自校订者，得诗若文八百九十篇，别为三十二卷，谨用刻梓以传。嘻！自先君弃不肖，今且十有五年，而始克就编，稽缓之罪诚无所逃。因拜纪刻完岁月于卷之末，俾后有考云。时弘治癸丑秋八月朔也。资善大夫、礼部尚书不肖男岳百拜谨识。"四库提要卷一七〇："《倪文僖集》三十二卷，明倪谦撰。……据李东阳序，谦所作有《玉堂稿》一百卷，《上谷稿》八卷，《归田稿》四十三卷，《南宫稿》二十卷。又有奉使朝鲜之作，为《辽海编》，别行于世。今皆未见。此本凡赋辞、琴操、古今体诗、诗余十一卷，颂赞、表笺、箴铭一卷，文二十卷，盖谦所自编，于生平著作汰存六分之一者也。"

九月

王偁《虚舟集》重刊。桑悦《重刊虚舟集序》："闽之三山世英王先生，初为名进士，入翰林为庶吉士，授地官主事，擢副郎，出守袁州，以文章学行发为政事，其岂弟有循吏之风，威重得大臣之体。公暇，尤留心文事，慨其乡有王君孟扬素以文名当世，欲翻刻其《虚舟集》，而乞予言以弁诸首。……孟扬父友石山人，仕元为总管，国朝死节。先生并刻其诗，亦属予为之序。弘治六年重阳前二日，柳州府通判思玄居士东吴桑悦民怿书。"《虚舟集》卷首提要："《虚舟集》五卷，明王偁撰。……为诸体诗共五卷，前有王汝玉序。又有解缙序二首，一题《虚舟集》，一题其文集。而弘治六年桑〔民〕怿序，则为袁州守王世英翻刻《虚舟集》而作，不言其别有文集，盖当时已失传矣。集末附《续书评》及《自述诔》各一首。偁与解缙友善，其才气学问约略相似。故缙亦极推许之，卒同被谗谮以死。然缙诗颇伤剽直。若偁之恬和安雅，殆为胜之。自述称服群圣，猎百家，穷幽明，每遇登高吊古，慨然发其悲壮愉乐一寓于文若诗。其命意亦殊不苟。故集中若感寓诸作，规抚拾遗；咏史数篇，步趋记室；《将进酒》《行路难》等，亦颇出入于太白歌行。虽未必尽合古人，而一鳞半爪隐现云端，固不止于衣冠优孟也。"

十二月

陆容《菽园杂记》在编撰中。《菽园杂记》卷一五："弘治六年癸丑十二月三日之夕，南京雷电交作。次日，大雪。自是，雪雨连阴，浃月始晴。"〔按，陆容明年卒，则今传《菽园杂记》，纵为全稿，定非完稿。天假之年，当续有补入〕四库提要卷一四一："《菽园杂记》十五卷，明陆容撰。……史称容与张泰、陆钗齐名，时号'娄东三凤'。其诗才不及泰、钗，而博学过之。是编乃其札录之文，于明代朝野故实，叙述颇详，多可与史相考证。旁及谈谐杂事，皆并列简编。盖自唐宋以来，说部之体如是也。中间颇有考辨。如元王柏作《二南相配图》，弃《甘棠》《何彼秾矣》《野有死麕》三篇，于经义极为乖剌，而容独叹为卓识。又文庙别作寝殿，祀启圣公，而配以四配之父，其议发于熊禾，而容谓叔梁纥为主出于无谓，孟孙激非圣贤之徒，不当从祀。尤昧于崇功报本之义，皆不足据。然核其大致，可采者较多。王鏊尝谓其门人曰：'本朝纪事之书，当以陆文量为第一。'即指此书也，虽无双之誉奖借过深，要其所以取之者，必有在矣。"《明诗纪事》丙签卷五《陆容》陈田按："参政与张亨父、陆鼎仪称'娄东三凤'，所著《菽园杂记》，王守溪称为明代说部第一。平生不以诗名，而学问既博，掇其佳篇，究非专语性灵者所得比拟。参政自言登第后始作诗余，而《静志居诗话》云式斋登第后始为诗，岂未细检《菽园杂记》耶？"

本年

周瑛起复为四川参政。据《翠渠摘稿》卷一《皇华使节诗序》。郑岳《周瑛传》："孝庙初，三原王端毅公为吏部，即家起为四川参政。"

彭韶致仕。《椒丘文集》卷二八《赠太子少保彭惠安公祠堂碑》："壬子夏，升刑部尚书。明年以疾连章乞罢，遂得命致仕。"《明史》彭韶传："韶莅部三年，昌言正色，秉节无私，与王恕及乔新称三大老，而为贵戚、近习所疾，大学士刘吉亦不之善。

韶志不能尽行，连章乞休，乃命乘传归。"

张元祯致仕。李东阳《明故通议大夫吏部左侍郎兼翰林院学士掌詹事府事张公墓志铭》："癸丑，念母老，复谢病归。"

马汝骥（1493—1543）生。字仲房，绥德人。正德丁丑进士，改庶吉士。以谏南巡，廷杖，出为泽州知州。世宗立，召还，授编修。官至礼部右侍郎，谥文简。事迹附见《明史》舒芬传。有《西玄诗集》一卷。据王维桢《赠礼部尚书谥文简西玄先生行状》。

徐献忠（1493—1569）生。字伯臣，松江华亭人。嘉靖乙酉举人，知奉化县，及卒，友人私谥曰贞宪先生。《明史·文苑传》附见文征明传中。有《六朝声偶集》七卷、《乐府原》十五卷、《长谷集》十五卷。据王世贞《文林郎知奉化县事贞宪徐先生墓志铭》。［按，明刻本《国朝献征录》录王世贞所撰墓志铭，以卒年"隆庆己巳"误为"嘉靖己巳"。《弇州四部稿》所收《文林郎知奉化县事贞宪徐先生墓志铭》，亦以卒年为"嘉靖己巳"。然嘉靖实无己巳年。清人陆心源《三续疑年录》载："徐伯臣七十七（献忠），生成化五年己丑，卒嘉靖二十四年乙巳。"所据为《弇州山人稿》。陆心源所见《弇州山人稿》，写必为"嘉靖己巳"，因嘉靖无己巳，陆氏径改为"乙巳"。然据《四库全书存目丛书》集部第86册，有徐献忠《长谷集》十五卷，为北京图书馆藏明嘉靖刻本，《长谷集》卷一五《南丘吴公墓表》："嘉靖辛酉三月二十一日，以疾卒于官舍，距其生正德癸酉，仅四十有九岁。门生故旧临其丧者，莫不吁欷悲哀，盖皆感之素也。先生讳应芳，字文誉。"献忠在嘉靖四十年辛酉，尚为人撰墓志，岂能先卒于嘉靖二十四年乙巳？故知，王世贞"嘉靖己巳"必为"隆庆己巳"之误］

公元 1494 年（弘治七年　甲寅）

二月

金华蒋大器为《三国志通俗演义》作序。蒋大器《三国志通俗演义序》："夫史，非独纪历代之事，盖欲昭往昔之盛衰，鉴君臣之善恶，载政事之得失，观人才之吉凶，知邦家之休戚，以至寒暑灾祥，褒贬予夺，无一而不笔之者，有义存焉。吾夫子获麟而作《春秋》。《春秋》，鲁史也。孔子修之，至一字予者，褒之；否者，贬之。然一字之中，以见当时君臣父子之道，垂鉴后世，俾识某之善，某之恶，欲其劝惩警惧，不致有前车之覆。此孔子立万万世至公至正之大法。合天理，正彝伦，而乱臣贼子惧。故曰：'知我者其惟《春秋》乎！罪我者其惟《春秋》乎！'亦不得已也。孟子见梁惠王，言仁义而不言利；告时君必称尧、舜、禹、汤；答时臣必及伊、傅、周、召。至朱子《纲目》，亦由是也，岂徒纪历代之事而已乎？然史之文，理微义奥，不如此，乌可以昭后世？语云：'质胜文则野，文胜质则史。'此则史家秉笔之法，其于众人观之，亦尝病焉。故往往舍而不之顾者，由其不通乎众人，而历代之事愈久愈失其传。前代尝以野史作为评话，令瞽者演说，其间言辞鄙谬，又失之于野，士君子多厌之。若东原罗贯中，以平阳陈寿传，考诸国史，自汉灵帝中平元年，终于晋太康元年之事，留心损益，目之曰《三国志通俗演义》。文不甚深，言不甚俗；事纪其实，亦庶几乎史。

益欲读诵者，人人得而知之，若诗所谓里巷歌谣之义也。书成，士君子之好事者，争相誊录，以便观览，则三国之盛衰治乱，人物之出处臧否，一开卷，千百载之事豁然于心胸矣。其间亦未免一二过与不及，俯而就之，欲观者有所进益焉。予谓诵其诗，读其书，不识其人，可乎？读书例曰，若读到古人忠处，便思自己忠与不忠；孝处，便思自己孝与不孝。至于善恶可否，皆当如此，方是有益。若只读过，而不身体力行，又未为读书也。予尝读《三国志》，求其所以。殆由陈蕃、窦武立朝未久，而不得行其志，卒为奸凶谋之，权柄日窃，渐浸炽盛，君子去之，小人附之，奸人乘之。当时国家纪纲法度，坏乱极矣。噫，可不痛惜乎！矧何进识见不远，致董卓乘衅而入，权移人主，流毒中外，自取灭亡，理所当然。曹瞒虽有远图，而志不在社稷，假忠欲世，卒为身谋，虽得之，必失之。万古奸贼，仅能逃其不杀而已，固不足论。孙权父子，虎视江东，固有取天下之志，而所用得人，又非老瞒可议。惟昭烈汉室之胄，结义桃园，三顾草庐，君臣契合，辅成大业，亦理所当然。其最尚者，孔明之忠，昭如日星，古今仰之；而关、张之义，尤宜尚也。其他得失，彰彰可考，遗芳遗臭，在人贤与不贤。君子小人，义与得之间如已。观演义之君子，宜致思焉。弘治甲寅仲春几望庸愚子拜书。"

六月

陆粲（1494—1552）生。字子余，一字浚明，人称贞山先生，长洲人。嘉靖丙戌进士，选庶吉士，改授工科给事中，坐劾张桂，谪都匀驿丞，迁永新知县。有《陆子余集》。王世贞《前工科给事中赠太常寺少卿贞山陆公墓碑》："公故家陈湖，而时时读书贞山中，学者尊称之曰贞山先生。当陆之盛，几倾邑而族。父少保完者，故立大功，领太宰大司马，重于天下。公守诸生，绝不附依之。及少保败，而独公皭然，乃自以经术艺文为少傅王文恪公所知赏，曰：'是子也，成将掩我。'因出其所撰著，属公核之，间有所异同，辄志于后，曰'陆秀才谓我当'云云。文恪公之卒，而公尚未离诸生也，公亦不以此自名。而其举于应天，再举会试，皆以《春秋》冠。"《国朝献征录》卷八〇《贞山先生给事中陆公粲墓表》："翛然而逝，辛亥十二月二十五日也，距其生弘治甲寅六月二十六日，春秋五十有八。"

七月

陆容卒，年五十九。《家藏集》卷七六《明故大中大夫浙江等处承宣布政使司右参政陆公墓碑铭》："弘治七年七月戊申（二十二日），浙江右参政致仕陆公以疾卒于家。……政事之余，手不释卷。见于著述，率明切平实。为诗文凡若干卷，外记录诸书又若干卷。"《篁墩文集》卷五〇《参政陆公传》："所著诗文曰《式斋稿》《浙藩稿》《归田稿》。奏议在朝曰《式斋笔记》，在浙曰《封事录》。记事之书曰《菽园杂记》《式斋迩察》《太仓志》。别有《兵署录》《水利集》《问官录》，总若干卷。"王鏊《式斋稿序》："文量不为险峻奇怪，意尽则止，如行云流水，自中法律。……文量出参浙藩，罹谗口，归林下，挟所有不一试，又遭屈抑以去，意不能无少望，疽发背，亦卒。嗟乎！"《列朝诗集小传》丙集《陆参政容》："文量好学，居官手不释卷，家藏万余卷，皆手自雠勘。所著《式斋集》三十八卷、《菽园杂记》十五卷。"《静志居诗话》卷八《陆容》："参政与张亨父、陆鼎仪齐名，号'娄东三凤'。诗皆非所长。式斋则至登第后始为之，见所述《菽园杂记》。若其藏书之富，见闻之周洽，似非亨父、鼎仪所能及也。"《明诗综》卷二八存诗一首：《感遇》。

八月

徐溥、丘浚等升秩，疏辞，不获允。《明孝宗敬皇帝实录》卷九一"弘治七年八月乙丑（初九）"："内阁大学士徐溥、丘浚、刘健三年秩满。上降手敕，溥加少傅兼太子太傅、吏部尚书谨身殿大学士，浚加少保兼太子太保、户部尚书武英殿大学士，健升太子太保兼礼部尚书、武英殿大学士。溥等同具疏辞，上曰：'卿等辅导有年，特加升秩，宜尽心供职，所辞不允。'"

李东阳擢礼部右侍郎，专典诰敕。《明孝宗敬皇帝实录》卷九一"弘治七年八月己巳（十三日）"："内阁大学士徐溥等奏，正统年间，王直系侍郎兼学士，职事专管内阁诰敕。今惟太常寺少卿兼翰林院侍讲学士李东阳，文学优赡，兼且历任年深，乞量升一职，令在内阁专管诰敕。庶委任专一，事不稽误。得旨：'李东阳升礼部右侍郎兼翰林院侍读学士，专管诰敕。'"

九月

庄昶至京。唐守勋《明定山庄先生墓碑铭》："弘治七年甲寅二月，后军都督府经历周广荣荐先生恬退自守，涵养有素，乞起用，曰：'取来用。'巡抚何公鉴躬诣定山劝驾，继遣应天府候行。先是冢宰王公恕、司寇张公瑄、都宪虞公瑶、侍御朱公德、提学王公鉴之知州万公本诸荐疏，皆出部檄，非特旨也。故先生曰：'吾向以谏被谪，既而退处，几三十年矣。今乃出特旨，敢不行乎？且学士丘琼台尝嫉曰："引天下士夫背朝廷者，昶也！吾当国必杀之。"丘今入阁矣，承特召而不行，罪其可逭乎？'七月遂行，九月入京朝见。大学士徐公溥语郎中邵二泉宝曰：'定山亦我朝出色人，当复翰林，乃协舆情。'丘语人曰：'我不识所谓定山也。'徐公又语学士西涯李公东阳曰：'定山，君之故人，君当注意。我已致仕，不能为朝廷荐贤矣。'李但唯唯。"

十一月

王宠（1494—1533）生。字履仁，后更字履吉，自号雅宜山人，长洲人。八举不第，终于诸生。《明史·文苑传》附见文征明传中。有《雅宜山人集》十卷。《明文海》四三五《王履吉墓志铭》："君生弘治甲寅十一月八日，卒嘉靖癸巳四月三十日，享年四十。"

本年

储巏为吏部考功郎中。《息园存稿文》卷六《通议大夫南京吏部左侍郎储公行状》："甲辰，会试礼部第一，廷试赐二甲第一。观政吏部。太宰济南尹公欲选为属，公恳求便养，遂授南京吏部考功主事，寻升郎中。弘治甲寅，太宰巨鹿耿公奏改吏部考功郎中。公留意人才，考注臧否，无不曲当，一时人士竦然，戒曰：'储君阳秋可畏。'"

李东阳作诗贺傅瀚寿辰。《怀麓堂集》卷一八《体斋先生寿六十》："傍人不信已称翁，只爱朱颜点碧瞳。一纪寿高先过我，六曹名重几如公？宾筵酒熟春初半，使节山回日正中。莫讶多情频致祝，老来向止说三同。"

周瑛升四川布政使。《翠渠摘稿》卷三《贵藩重修后堂记》："弘治六年，吴兴张公廉由贵州按察使擢本司左布政使，一日徘徊廊署，顾参政刘君肃、参议韩君镛、陈君兖，谓曰：'吾藩财赋人民视中州诸藩不及三之一，然而掎角形势，控制苗獠以通西南朝贡道路，其地至要也。今前堂如制，而后堂隘弊殊甚，其何以集谋议，广忠益而合筹策之公？又何以布筵席，举觞酌而伸燕好之私？某不敏，愿相与图之。'……经始于弘治七年夏五月，告成于是岁秋八月。凡糜白金若干两，粟若干石，邦人皆若不知公有所为焉者。既落成，众谓古人兴作皆有所表志，况此工最巨，恶可以无述！乃走使蜀藩，属瑛纪其事。"《见素集》卷一九《明进资善大夫四川右布政使致仕例进一阶翠渠周公墓志铭》："王端毅公为上宰，进公四川大参，寻右辖。"

公元 1495 年（弘治八年　乙卯）

正月

彭韶卒，年六十六。何乔新《椒丘文集》卷二八《赠太子少保彭惠安公祠堂碑》："弘治八年正月十有三日，刑部尚书彭公以疾卒于家。"《见素集》卷一九《明资善大夫太子少保刑部尚书彭惠安公神道碑》："弘治乙卯，资善大夫、刑部尚书致仕彭公从吾终于家，正月十一日也。"所载卒日，与《椒丘文集》异。林俊《彭惠安公文集序》："公葆养性灵，探索道奥，翻阅经史百子。每作述，评校物品，衡量治势，命词运意，根理道而系续纲常，如蓍蔡前知，嘉谷轻缣之济实用。夫文实之隐寓焉。休文文冶，灵运文傲，鲍昭文怨，庾信文诞，识者有以知其人。若公者，其无谓君子欤。尝记公记铁汉楼，张东海称一代作家，托之草书，流布海内，私欲与元城与公并称三绝。予未敢僭论，然莆前辈心学有林艾轩，公无愧焉。……予少公二十有二年，非分晚流，累偕荐剡，酸冽之味，将不谓无同也。甚恨者，仕同时十七年，宦迹出入仅一再会，弗获幸卒教于公，而公遽病以归，归以弗起矣。"郑岳《彭惠安公文集序》："吾乡先正惠安彭公，以德望风节伏一世，而志存经济，固未尝数数然刻意于文也。然一时名胜号能文者，咸推下之。养之深，积之厚，凡其发言成章者，皆其趋向践履之实也。公尝序西畴常言，有曰：'即其所行而为学，即其所学而为言。'公盖自道之矣。窃尝评公之文，于异代固未暇论，若国朝一二巨工，其铺叙详核，类潜溪法度；整洁类东里；其铭赞高古沈郁，视《郁离子》《逊志斋》，疑或过之。忧时悯俗，拳拳于政体民艰，欲挽颓风而还之古，屡致意焉。故虽不规规于古也，而部鼎殷敦，型范自别。虽无意于奇也，而风涌石激，波澜迭见。其出入经史，扬榷古今，而卒归于约，又非世之杂博者可拟矣。昔司马温公学主于诚，故其文醇深雅正，不涉词人畦径，论者以为有西汉风。公之文，得无类是也乎？"《明史》何乔新传："与人寡合，气节友彭韶，学问友丘浚而已。"综而考之，林俊于彭韶为晚辈，但相识，过从以礼。何乔新与彭交厚，过从以情。卒日之载，以何乔新为信。《静志居诗话》卷七《彭韶》："若《临江词》一篇，慷慨激烈，信足以起顽懦。其云后来奸佞儒巧言自粉饰，叩头乞余生，毋乃非直笔，盖指修实录者而言。考《高皇帝实录》一修于建文元年五月，至三年十二月书成。再修于靖难后，至永乐元年六月书成。迨九年复修，至十六年五月书成。《文皇帝实录》修自洪熙元年五月，至宣德五年正月书成。四次纂修总裁，杨东里一人均与焉。即如《书传会选》，许观景清实预纂修之列，今刊本犹书其名，而《实录》去之。则建文诸臣在洪武中嘉言懿行，概从删削，而颠倒其是非可知已。彭公所指斥，殆为东里言之乎？"〔按，《书传会选·凡例》载诸修撰者名，有"翰林修撰许观"。《静志居诗话》卷二四《郑梦周》："靖难君臣改修《明太祖实录》，因方孝孺，而其父克勤循吏也，乃没其实。黄观景清修《书传会选》，而削其名。"《明史》黄观传："黄观，字伯澜，一字尚宾，贵池人。父赘许，从许姓。"合而推之，黄观以父尚赘许氏，因名许观，字景清。后复黄姓，字伯澜，又字尚宾。尝名许景清，故又称黄景清〕四库提要卷一七〇："韶正色立朝，岿然耆旧，其文虽沿台阁之体，而醇深雅正，具有根柢，不同于神瘠而貌腴。……韶之风节虽不藉文章以传，然文章亦足以不朽。至其巡视浙江兼理盐法，怜灶户之苦，绘八图上进，各系以诗，具有元结《舂陵行》、郑侠《流民图》之意，又不仅以词采工拙论矣。"

二月

丘浚卒，年七十五。《明孝宗敬皇帝实录》卷九七"弘治八年二月戊午（初四）："少保兼太子太保、户部尚书、武英殿大学士丘浚卒。……浚博洽多闻，虽僻事俚语类，多谙晓。为文章雄浑畅达，下笔衮衮数千言，若不经意，而精采逸发。"何乔新《太学士文庄丘公墓志铭》："读书秘阁，自六经诸史、九流笺疏之书，古今词人之诗文，下至医卜老释之说，靡不探究之。文章雄浑壮丽，四方求者沓至。碑碣铭志序记词赋之作，流布远迩。……平生之著述甚多。有《琼台类稿》《琼台吟稿》《家礼仪节》《朱子学的》《世史正纲》《大学衍义补》行于世。又作《庄子直解》，未成。公博极群书，有举僻事问之，则曰出某书某篇，退取书阅之，良是。尤熟本朝故典，乐为学者道之，缕缕如目前事。"黄仲昭《祭丘阁老文》："嗟惟先生气质之深厚，知识之高迈，而辅以学术之精专，故其文章之纯雅，如钧天广乐之奏；才器之宏肆，如汪汪万顷之川。早魁名于虎榜，人皆快睹麟凤；继列官于翰苑，人又喜其论思启沃，不愧乎古之名贤。著书以阐治平，既有以示九重之鉴；评史而定得失，又足以成一家之言。十载成均，允矣斯文之宗主；三年黄阁，巍乎百职之具瞻。寿逾古稀，位列台鼎，是则先生于文才德业，固云备矣。"《虚斋集》卷五《祭丘国老文》："维弘治某年月日，门生晋江蔡清谨具香币牲醴，南向哭祭于故恩师琼台丘先生之灵。呜呼！先生之学，博极群书，如巨海之吞吐百川，含弘无际矣。先生之才，华国名世者四十年。晚际圣明，登之台辅，付之炉锤。且取其所著书于大内，用以广益聪明，权衡百度矣。先生之道，尊为国师，门生学子遍天下。天下人诵其文，家有其书。虽庸人孺子，亦皆知其名而仰其下风矣。先生之业，其亦非常矣哉！盖自有琼崖以来，其所钟人物，未有如今日先生之盛者。呜呼！其不为虚生也已。"王世贞《艺苑卮言》卷五："丘文庄裁而俗。"又云："丘仲深如太仓粟，陈陈相因，不甚可食。"《顾曲杂言》卷二："丘文庄淹博，本朝鲜俪，而行文拖沓，不为后学所式。至填词尤非当行。"徐泰《诗谈》："岭南孙仲衍、王彦举、黄庸之、赵伯贞、李仲修，时称五杰。惟仲衍清圆流丽，明珠走盘，不能自定。彦举雄俊丰丽，殆敌手也。德庆李文彬亦时勃敌。后琼山丘浚，词虽丰腴，警秀则少矣。"《皇明从信录》："近日议丘文庄著述者惟刘健、谢铎、王琼耳。刘阁老尝戏谓曰：'丘仲深有一屋散钱，只欠索子。'文庄应之曰：'刘希贤有一屋索子，只欠散钱。'健默然愧甚。"《双槐岁抄》卷十《丘文庄公言行》："概其平生，不可及者有三。自少至老，手不释卷，其好学一也。诗文满天下，绝不为中官作，其介慎二也。历官四十载，俸禄所入，惟得指挥张淮一园而已，京师城东私第始终不易，其廉静三也。家积书万卷，与人谈古今名理，衮衮不休。为学以自得为本，以循礼为要。"《列朝诗集小传》丙集《丘少保浚》："公博极群书，尤熟国家典故，平生作诗几万首，口占信笔，不经持择，亦多缘手散去。今所存《琼台集》尚千余首。"《明诗综》卷二五《丘浚》："李宾之云，之学于诗固有所不屑专，而实专门者所不逮。程克勤云，公诗如仙翁剑客，随口所出，皆足惊人。虽雅俗正变，体裁不一，而格律精严，不失矩度。黄才伯云，先生信口为诗，语皆警拔。"《静志居诗话》卷七《丘浚》："文庄于诗不事锻炼，而矩度自合。其《与友人论诗绝句》云：'吐语操持不用奇，风行水上茧抽丝。眼前景物口头语，便是诗家绝妙辞。'其言未尝不是，第恐学者因之流于率易，堕入定山一派，不可也。"

黄瑜《双槐岁抄》成。黄瑜《双槐岁抄序》："予质性疏鲁，虽颇嗜学，然于道望洋，殊未有得。乃日事操觚，每遇所见所闻暨所传闻，大而缥缃之所纪，小而刍荛之所谈，辄即抄录。岁自景泰丙子，以迄于今，四十年于兹，而编成焉。……'双槐'，亭名，在广郡会城，予解组后栖息处也。时大明弘治乙卯仲春谷旦，七十迂叟前琴堂傲吏香山黄瑜廷美甫谨书。"刘节《双槐岁抄叙》："夫长乐黄公，南海人也。蕴道立德，博学宏词，抱志负才，思奋庸于时，以大厥施。起乡荐，养太学，顾乃弗录南宫，仅典一邑，以老平生。操觚著述，凡所闻见，朝披夕撰，日积月累。始景帝嗣位七载，逮孝皇御极八禩，《岁抄》乃成。圣神功德书焉，人文典礼书焉，天地祥眚书焉，经史异同书焉，懿行美政书焉，异端奇术书焉。考诸既往，验诸将来，大有关系，殊非裂道德、乖伦彝、拂经背正、费岁月于铅椠者比也。故今考之，为卷十，为目二百二十，约可谈博，小可括大，简可胜繁，无蹈袭，无补缀，无剽窃，可信可法，可观可兴，可以训诫劝惩，罔不具焉。……兹长乐公殚智竭劳，毕四十年，遵孔氏之遗教，辑传者之完书，示今传后，不亦贤于人远矣哉！我朝宣、正以至弘、德，馆阁台省宗工学士各纪闻见，著为录记谈说，自成一家，迩年尚述大夫萃而传之，名曰《今献汇言》《博物洽闻》，殆与黄公新抄互相羽翼。左、陶二子，恶足专美前世哉？"

五月

定国子监生拨历事期。《御批历代通鉴辑览》卷一〇六："初，洪武中国子监设六

堂，曰率性、修道、诚心、正义、崇志、广业，以课诸生。行积分法。岁内积八分者
为及格，与出身。不及者仍坐堂肄业。又命诸生于各司分习吏事，谓之历事，又谓之
拨历，其期以入监年月为先后，送吏部选用。已而进士日重，监生日轻，虽积分历事
不改初法，而监生渐多淹滞，拨历或至十余年之久。景泰以后，乃频减拨历岁月以疏
通之，每岁拣选优者，辄与拨历。坐监有未及一年者。及是，监生在监者少，而吏部
听选至万余人，又不得官。礼部尚书倪岳乃定议，监生诸司历事一依旧制，必须日月
满后方许分拨。由是诸生在监稍久，而选人亦不至壅塞。"

八月

谢迁入阁预机务。费宏《谢公迁神道碑》："癸丑，简庵公又卒。……乙卯春，诏
以本官入阁办事，时犹未终丧。八月服阕，赴京疏辞，不允。且升詹事，兼秩如旧，
盖皇太子将出阁读书，欲重储端之任，故以辅臣领之也。"

本年

桑悦归家侍亲。《思玄集》卷一四《归计已成述怀三首》其一："年几五十鬓成
丝，物理人情觉悟迟。处事求名先得谤，谋身弄巧便成痴。豪吟气象清平世，沉醉情
怀太古时。长笑一声归旧隐，空山魑魅最相知。"其二："惊人长剑与危冠，千仞冈头
眼界宽。勘破浮荣俱是幻，从来至贵亦非官。虞山旧占云千顷，震泽新收月一浔。指
日小窗灯火下，老亲儿女话团乐。"其三："回头老景已侵寻，世味尝来感慨深。李子
结成宜苦口，松围长大要虚心。敦彝效用皆新铸，琴瑟随时变古音。早晚归山牢闭户，
教经一卷度光阴。"

黄仲昭致仕。《国朝献征录》卷八六《江西提学佥事前翰林编修黄公仲昭墓志铭》：
"岁乙卯，仍疏乞归，虑不得报，继以二疏。得请之顷，喜动颜色，郡邑师生以礼为
饯，公一无所受。"《未轩文集》卷一《乞恩致仕疏》："奏为乞恩休致事。……今年已
六十有一，须发颁白，齿牙动摇，精神气力渐不如昔。虽欲勉强策励，以求寸进，势
有不能。臣于去岁已兴此念，继闻有奏准事例，通行天下，考选生员。此实臣之职业，
故未敢遽言其私。今臣巡历，遵依考选，在六七月间可以毕事，庸敢冒昧陈请，烦渎
圣听。如蒙乞敕吏部别选有学行官员前来提督学政，仍赦臣委任不效之罪，放遣致仕，
虽余生残喘，报称无阶，倘犹生存，尚当训诲子孙，服膺圣化，庶有以图报于后日也。
臣无任瞻天仰圣、恳切愿望之至，为此具本，令义男赍捧谨奏《进阶谢恩疏》。"《未轩
文集》卷十有《丙辰九月廿四日致政归寓蒜岭驿次韵二律》。

文征明从吴宽学。文嘉《先君行略》："温州于吴文定公宽为同年进士，时文定居
忧于家，温州使公往从之游。文定得公甚喜，因悉以古文法授之，且为延誉于公卿
间。"《家藏集》卷四二《赠进士秦君序》："弘治七年十二月八日，宽闻先太宜人之
丧，将归守制。上念宽为春宫旧学之臣，特敕有司治丧以荣其亲。"［按，吴宽丁继母
忧在弘治七年底，文征明从吴宽学当在七年后］

公元 1496 年（弘治九年　丙辰）

三月

潘恩（1496—1582）生。字子仁，上海人。嘉靖癸未进士，官至左都御史，谥恭定。事迹附见《明史》周延传。有《潘笠江先生集》十二卷，《近稿》十二卷。王世贞《资政大夫都察院左都御史进阶荣禄大夫赠太子少保谥恭定笠江潘公行状》："自是多忽忽善忘，寻感脾疾，月余而逝矣。距其生盖弘治之三月二十六日也，享年八十有七。"

王守仁进士落第，归余姚。《王文成全书》卷三二《年谱》："同舍有以不第为耻者，先生慰之曰：'世以不得第为耻，吾以不得第动心为耻。'识者服之。归余姚，结诗社龙泉山寺。致仕方伯魏瀚平，时以雄才自放，与先生登龙山对弈，联诗有佳句，辄为先生得之，乃谢曰：'老夫当退数舍。'"

顾璘进士及第，邵宝告以储巏为人。《息园存稿文》卷六《通议大夫南京吏部左侍郎储公行状》："公体貌清羸，若不胜衣，端默简重，凝然具台阁之器。为文简古多思，尤深于诗，冲澹沉蔚，兼晋唐之风，士林宝之为训。好贤惜才，凡海内知名之士，无老少远近，咸见推引。厄穷弗达者，必思振起之。辟远非类，不恶而严，未尝有不善人至其门也。初璘举进士，今司徒无锡邵公尝相语曰：'子持身当以柴墟为方，终不为非人累。'其见推重如此。每与学士大夫语，必政事文学等事，否则端坐终日而已。人莫敢言其私。居常与家人言，亦恒引古贤孝贞烈故事为训，绝无燕昵语。"

孙作《沧螺集》刊刻。薛章宪《记沧螺集后》："乡先生孙公大雅，在洪武初以文名一世。于时，学士金华宋公于文最少许可，雅重公，特为作传，郑重委曲，考其文可见已。章宪生后公百年，时时从人得片言只语，犹能想见风采。以不得遍睹公平生论述为慊，求之且廿年矣，乃得公所为文曰《沧螺集》于都君玄敬，既又得公诗于黄君应龙，各丐以归，如得重货。以示中表弟徐直夫而谋梓之，未果也。岁乙卯九月，玄敬、直夫同领乡荐，归自南都，乃重言焉。直夫于是捐金傭工，而玄敬手为板勘，始得竣事。凡为诗若文七十六首，共六卷。二君以章宪求之勤、得之幸也，谓宜有言。然不敢以猥浅累公，姑记其全次显晦大较如此。……弘治丙辰三月廿日，邑后生薛章宪谨记。"宋濂《东家子传》："仆尝窥其成书一二，如鲁斋王公、仁山金公、白云许公诸乡先正，义有未竟，理有未白，公一一析决，不啻亲承曾、思之传，洞瞩千古之上，析之则理胜，辟之则辞严，动有据依，皆非臆说，此公之学不可及者一也。他人之文，束于理则辞不畅，肆于辞则理不直，惟公折旋蚁封，不失毫发，下上峻坂如履康庄，此公之文不可及者二也。"《静志居诗话》卷三《孙作》："诗绝去元季之习，好盘硬语。有云：'苏子落笔崩海江，豫州吐句敌山岳。汤汤涛澜绝崖岸，崿崿木石森剑槊。二子低昂久不下，薮泽遂包貔与鳄。至今杂还呼从宾，谁敢崛强二子角。吾尤爱豫章，抚卷气先愕。磨牙咋舌熊豹面，以手扪膺就束缚。……士如此老固可佳，不信后来无继作。'盖欲力追涪翁，宜诗之不肯犹人也。"四库提要卷一六九《沧螺集》："其诗力追黄庭坚，在元季自为别调。集中与陈检校诗有曰：苏子落笔崩山海，豫章吐句敌山岳。汤汤涛澜绝崖岸，萼萼木石森剑槊。二子低昂久不下，薮泽遂包貔与鳄。至今杂沓呼众宾，谁敢崛强二子角。吾尤爱豫章，抚卷气先愕。磨牙咋舌熊豹面，以手扪膺来就缚。士如此老固可佳，不信后来无继作。其宗旨灼然可见。然才力不及庭坚之富，镕铸陶冶亦不及庭坚之深，虽颇拔俗，而未能造古。［宋濂］《东家子传》一字不及其诗，盖有微意，非漏略也。至于文则磊落奇伟，而隐有程度，卓然足以自传。《东家子传》谓他人之文束于理则词不畅，肆于词则理不直，惟作洞瞩千古之上，析之则理胜，辟之则词严，动有据依。皆非臆说。《明史·文苑传》亦称其文醇正典雅云。"

郁文博校订《说郛》为一百卷。 杨维桢《说郛序》："孔子述土羵、萍实于童谣，孟子证瞽瞍朝舜之语于齐东野人，则知《琐语》《虞初》之流，博雅君子所不弃也。天台陶君九成，取经史传记下迄百氏杂说之书二千余家，纂成一百卷，凡数万条，剪扬子语名之曰《说郛》，征余叙引。阅之经月，能补余考索之遗，学者得是书，开所闻、扩所见者多矣。"郁文博《较正说郛序》："《说郛》一百卷，乃元季寓吾松南村天台陶九成取经史、传记、诸子百氏、杂书之所编，予未尝见。成化辛丑，予罢官归乡，于士人龚某家得借录之，遍阅其中所载，有足裨予考索之遗，廓予闻见之隘。然字多讹缺，兼有重出与当并者，未暇校正。继而屡为司牧部使者借去分命人录，而所录之人不谨，遇有字误，虑对出被责，辄将予旧本字涂改相同，以掩其过，而字之讹缺者加多。予愤其人而无可奈何。迩年以来，借录者颇简，遂欲校正，复遍阅之，见其间编入《百川学海》中六十三事。《学海》近在锡山华会通先生家翻刊铜板活字，盛行于世，不宜存此徒烦人录，于是以其编入并重出者尽删去之。当并者并之，字之讹缺者，亦取诸载籍逐一比对，讹者正之，缺者补之，无载籍者以义厘正之。终岁，手录仍编为一百卷，犹恐有未尽善，留俟后之君子重校而刊行焉。……予平生嗜书，少而从父宦游江湖数年，壮而出仕四方廿九载，耆老而归休林下十四年。今年已七十有九，所收所录书积万余卷，贮之楼中，名其楼为'万卷'，以资暇日阅玩。惜乎老耄无用，于时欲传诸子孙，而子孙不惟不能读，抑且不能守而散之权豪，若不叙其意以贻后，则予劳心苦思校是书，与素耽嗜书籍之志，何以表白于天下后世哉？故书其实，附于廉夫先生叙次，倘后之人怜予志，为之重校刊行，则予虽老死亦无所憾矣。时弘治九年岁次丙辰春三月初吉，上海郁文博书。"黄辉《读说郛》："黄平倩曰：余读《说郛》，而知陶氏之纂不可废也。其类广，其采博，史则见闻时事，掌不在官；注则山经水衡，志不列郡。其裨益于国史、郡乘不小。惟录子家数，则自有《全书》《经籍》诸注，俱无深味，宜删此二卷，以盐官王氏所载《学》《庸》古本数种冠之，则经史灿然而一函该举矣。"《说郛》卷首提要："《说郛》一百二十卷，明陶宗仪撰。宗仪有《国风尊经》，已著录。是书刊本不一，或传江南人家有宗仪《说郛》全部，凡四巨橱，世所行者非完本。考杨维桢作是书序，称一百卷；孙作《沧螺集》中有宗仪小传，亦称所辑《说郛》一百卷。二人同时友善，目睹其书，必无虚说，知流俗所记妄也。盖宗仪是书，实仿曾慥《类说》之例，每书略存大概，不必求全，亦有原本失亡而从类书之中钞合其文，以备一种者。故其体例与左圭《百川学海》迥殊。后人见其目录所列数盈千百，遂妄意求其全帙当必积案盈箱，不知按籍而求，多历代史志所不载，宗仪又何自得之乎？都卬《三余赘笔》又称《说郛》本七十卷，后三十卷乃松江人取《百川学海》诸书足之，与孙作、杨维桢所记又异。岂卬时原书残缺，仅存七十卷耶？考弘治丙辰上海郁文博序，称与《百川学海》重出者三十六种，悉已删除，而今考《百川学海》所有，此本仍载。又原本卷首引黄平倩语，称所录子家数，'则自有《全书》《经籍》诸注，似无深味，宜删此二卷，以塩官王氏所载《学庸古本》数种冠之'云云，今考此本已无子书经注，而开卷即为《大学石经》《大学古本》《中庸古本》三书，目录之下各注补字，是竟用其说窜改旧本。盖郁文博所编百卷，已非宗仪之旧。此本百二十卷为国朝顺治丁亥姚安陶珽所编，又非文博之旧矣。……所录凡一千二百九十二种，自三十三卷《刘辣传》载以下，有录无书者七十六种，今仍其旧。原本卷字皆作弓字，卷首引包衡之说，谓'弓'音'周'与'轴'同，或者又谓'弓'音'缚'，并云出佛书。盖亦好奇之过。至珽所续四十六卷，皆明人饾饤之词。全书尚不足观，摘录益无可取，别存其目，不复留混简牍焉。"张宗祥《说郛序》："《说郛》一百卷，明陶宗仪纂。今世通行本为一百二十卷，乃清顺治丁亥姚安陶珽编次，其中错误指不胜屈。如《四库目录》所载，《春秋纬》九种之后，别出一《春秋纬》；《青琐高议》之外，别出一《珩璜新论》；周密之《武林旧事》，分题九部；段成式《酉阳杂俎》，别立三名；陈世崇之《随隐笔记》，诡标二目。又王逵《蠡海集》，其人于宗仪为后辈；《杂事秘辛》出杨慎，而其书并列集中。各条已足证明非南村原本，而揉杂窜乱之可笑矣。干嘉前辈往往叹息于《说郛》之亡，亡于剞劂，岂不谅哉！自民国八年冬，主京师图书馆事，得见馆中残本明抄《说郛》，持校刊本则《云谷杂记》一种。刊本亦标三名：一标《云谷杂记》，一以《寿山艮岳》一条标《艮岳记》，一则以联句所始等二十五条别为《东斋记事》，而云宋许观撰。杜撰书名，伪标作者，则其他更何足言？由是发愿，欲还南村之旧。然非明抄本则不足据。明抄又不可多觏，既遇之矣，又皆非全帙，且错简脱文，不一而足。私心以为必无望矣。然遇明抄，则缺者必借钞，重者必借校。阅今六年，竟成全书。其中字句不敢臆改，非据善本则必以抄本校。抄本择其善者而从之，今已竣事，敢举其大者以告世之同好者。《事始》《续事始》世无传本，一善也（此二种举其大者，其余小者甚多）。《云谷杂记》虽非全本，然较武英殿本已多二十余条，《意林》世所传皆五卷本，此书所收为六卷本，二善也。《老学庵续笔记》有目无书久矣，《四库》各阁皆无，此独有之，三善也。至于各子佳字尤多，既还南村之旧，奚敢秘为己物！爰付剞劂，用补先辈之憾云。海宁张宗祥记。"

七月

林俊引疾归。《见素集》附录上《编年纪略》："八年乙卯秋，监湖广乡试。十二月，朝觐京师。九年丙辰，公年四十五，推江西右布政使、陕西左布政使。七月，疏致按察使事，不待报而行抚按。疏请得旨，准暂回原籍养病，不为例。过蕲州，谒祖敬斋公祠。九月抵家，野服见客。葬伯父静守公，营菊庄公寿藏。"《明史》林俊传："九年引疾，不待报径归。久之，荐起广东右布政使，不拜。"

八月

骆文盛（1496—1554）生。字质甫，武康人。嘉靖乙未进士，官翰林院编修。有

《骆两溪集》十四卷。《骆两溪集》附录《墓志铭》:"于弘治丙辰八月五日生公。自幼质厚才颖,不类凡儿。年十三,丧父,哀毁如成人。弱冠补邑庠生,善属文,早擅时誉。"

秋

罗玘邮传《华赠卷》。《圭峰集》卷一《华赠卷后序》:"是卷也,美沈君廉夫江西持宪之得体也。何椒丘倡诗,张东白序之,李白洲大书之。三公江西之人杰也,天下信之,由是和者日众,而是卷遂闻于时。予丙辰秋始得是卷于京邸,已而索者踵至,予亦欲因以充广之,邮之二期而已亡其处矣。戊午,予归,留仆遍访之,己未春始克持归。予缘是知人之重之,抑不知人之重君何如也?然意君之卓卓如是,虽微是卷,其岂终寂寂乎?……万一得是卷而观之,庶几知有是持宪之臣,又知有是乡之长老为之襮白于天下,后世或蹙然惊惕然,惧而顿革为良民,则是卷亦非小补也。予故喜而继序之,留其副,而以归诸沈氏。"

本年

顾璘与储巏、邵宝等游。《息园存稿文》卷一《关西纪行诗序》:"弘治丙辰间,朝廷上下无事,文治蔚兴,二三名公方导率于上。于时,若今大宗伯白岩乔公宇、少司徒二泉邵公宝、前少宰柴墟储公巏、中丞虎谷王公云凤,皆翱翔郎署,为士林之领袖。砥砺乎节义,刮磨乎文章,学者师从焉。璘方举进士,得从宴游之末,奉以周旋。窃见诸公契谊笃厚,切切以艺业相窥疑,无猜嫌,虽古道德之世,无以加也。"

杨一清为陕西提学副使。《国朝献征录》卷一五《特进光禄大夫左柱国少师兼太子太师吏部尚书华盖殿大学士赠太保谥文襄杨公一清行状》:"丁母张夫人忧。服阕,改陕西提学副使,创建正学书院。拔各学俊秀会业于中,亲为督教,其大规先德行而后文艺。故院中士连魁天下为状元者二人,其以学行功业著闻者甚多,具见于《正学书院志》及《关西政教集》。"《怀麓堂集》卷六五《重建正学书院记》:"正学书院,为道学而作也,院在陕之西安。盖宋横渠张子倡道之地,门人吕大钧辈皆得其传。元鲁斋许公来主学事,亦多造就。后省臣建议为书院,合祀横渠、鲁斋,及其乡贤杨元甫,而聚徒讲学其间,朝廷赐以经籍,给之学田。张忠文公养浩实记其事。入国朝百余年,遗址为兵民所据,而坊名尚存。弘治丙辰,杨君一清始倡之。时巡抚都御史张公敷华、巡按御史李君瀚以为业久不可夺,乃属参政汪君奎、副使马君龙督府卫别度吉壤,得诸城之正中,为秦府隙地。秦简王闻而捐之,知府严君永浚议重建焉。"《明史》杨一清传:"以副使督学陕西。一清貌寝而性警敏,好谈经济大略。在陕八年,以其暇究边事甚悉,入为太常寺少卿,进南京太常寺卿。"《列朝诗集小传》丙集《杨少师一清》:"提学陕西,赏识李献吉,召置门下。故《石淙稿》属献吉评点行世,而献吉亦亟称公之诗笔与长沙并驾。盖当成、弘时,长沙为一世宗匠,献吉并举杨、李,不欲使专主齐盟,轩杨正所以轻李也。文章千古事,非一家私议,而献吉之用心如此,于两公则何所加损哉?"

周瑛丁母忧，归莆田。《翠渠摘稿》卷八《续修族谱序》："弘治丙辰岁，瑛奔太宜人丧，至自蜀。"

张宁卒，年七十一。《静志居诗话》卷七《张宁》："黄门赋才捷敏，不费沉思。两使朝鲜，水馆星邮，留题殆遍。陪臣朴元亨以刑曹判司为馆伴，诗篇酬和，殊不相下。及偕登太平馆楼，黄门成七言长律六十韵，元亨诵至'溪流残白春前雪，柳折新黄夜半风'之句，乃阁笔曰：'不能属和矣。'使旋为大臣所忌，出守汀州，与岳文肃同日拜命。致仕归，而筑方洲草堂于海澨，迭石为山，上有峰曰苍玉，曰拄颊，曰小飞来岩，曰宿雨，曰滴露洞，曰归云坡，曰兰雪岫，曰茶烟峤，曰咏月矶，曰卓笔泉，曰洗研池，曰映山，皆劓于石，而通目之曰'一笑山'。家居三十年，歌诗画笔与云东逸史齐称。暮年无子，有二婢子曰寒香、晚翠，剪发自誓，不下楼者四十年，有司以闻，诏旌为双节。释明秀诗云：'交剪云鬟报主恩，镜台花落洗头盆。同心誓死方洲上，霜月寥寥夜照门。'一时和者甚众。黄门尝过杭州，泼墨写《目送飞鸿手挥五弦图》，纵横潦草，侍婢笑之，题诗云：'闲寻败笔作图画，小鬟立侍笑欲倒。山头颓似土灰堆，树根乱若蓬蒿草。'所云小鬟，殆即寒香、晚翠乎？"四库提要卷一七〇："《方洲集》二十六卷，附《读史录》六卷，明张宁撰。……宁官给事中，謇谔自持，六科章奏多出其手。每有大议，必问'张给事云何'？石亨、曹吉祥恶之。会有边衅，奏使宣抚，竟谕定而还。其才略为一时所称。后以建言忤李贤，与岳正同调外。其气节尤为天下所重。虽一麾出守，蹶不复振，而屹然宿望不在廊庙巨公下。今观其奏疏诸篇，伟言正论，通达国体，不愧其名。他文亦磊落有气，诗则颇杂浮声，然亦无龌龊萎弱之态。观其使朝鲜日，与馆伴朴元亨登太平馆楼，顷刻成七言长律六十韵，殆由才调纵横，不耐沉思之故矣。"

欧阳德（1496—1554）生。字崇一，泰和人。嘉靖癸未进士，官至礼部尚书，卒谥文庄。事迹具《明史·儒林传》。有《欧阳南野先生文集》四卷。据《明儒学案》卷一七《文庄欧阳南野先生德》。

公元 1497 年（弘治十年　丁巳）

三月

诏修《大明会典》。《明孝宗敬皇帝实录》卷一二三"弘治十年三月戊申（初六）"："敕谕少傅兼太子太傅吏部尚书谨身殿大学士徐溥、太子太保礼部尚书兼武英殿大学士刘健、礼部右侍郎兼翰林院侍读学士李东阳、詹事府詹事兼翰林院侍讲学士谢迁，曰：'朕嗣承丕绪，以君万邦，远稽古典，近守祖宗成法，夙夜祗惧，罔敢违越。惟我太祖高皇帝创业定制，所以为子孙计者至矣。御制之书，连篇累牍，宏纲众目，极大而精。随制随改，靡有宁岁。后所施行，未尽更定。迨我太宗文皇帝继正大统，益弘远图。列圣相承，至于皇考。皆因时制宜，或损或益，盖有不得不然者，期不失乎圣祖之意而已。顾其条贯散见于简册卷牍之间，凡百有司艰于考采，下至闾里或未悉知。皇祖英宗睿皇帝尝有志纂述，事弗克竟，以遗朕躬，是不可缓。兹欲仰遵圣制，遍稽国史，以本朝官职制度为纲，事物、名数、仪文、等级为目，一以祖宗旧制为主，

而凡损益同异，据事系年，汇列于后，萃而为书，以成一代之典。俾天下臣民咸得披
诵，庶几会极归极，底于泰和。尔等其各殚心力，详录而谨书之，务使文质适中，事
理兼备，行诵今而无弊，传诸后而可征，以称朕法祖图治之意，尔等其钦承之。故
谕。'遂命溥、健、东阳、迁充总裁，太常侍卿兼翰林院侍讲学士程敏政、翰林院侍讲
学士兼左春坊左谕德王鏊、翰林院侍讲学士杨守祉充副总裁官。内阁大学士徐溥等言：
'臣等奉敕纂修书籍，所须断自宸衷，赐以名目，使中外有司晓然知圣意所在，纂修者
有所依据，承行者易于遵奉。'上命书名《大明会典》。"

　　黄瑜卒，年七十二。黄佛颐《双槐公年谱》："十年丁巳，七十二岁。是岁三月二
十二日，预知游期。晨起犹洒扫庭内，哦《万里铭旌》诗。其夜问仆黄阿三曰：'三更
乎？'已而报曰：'三更矣。'遂端坐，翛然而逝。"《明诗纪事》乙签卷一九《黄瑜》
陈田按："廷美所著《双槐岁钞》，世称淹贯，诗亦不涉俗韵。"

五月

　　程敏政《新安文献志》编成。程敏政《书新安文献志后》："初予编《新安文献
志》成，今少宰郓城似公适以谪来知郡事，许为刻布。既而公被征入朝，不久复受诏
巡抚南畿，遂下令于郡置文梓以俟，而缮写未竟，不及付刊也。乙卯冬，予以忧还里。
嗣岁春，始复葺旧书，而似公所置文梓无恙。因言于同守浏阳彭君哲航，至休宁置南
山僧舍，召工从事。而工巨役繁，无所从出，会太守山阴祁君司员至，乃与彭君各捐
俸金为倡，且用儒学生汪祚等言，求助于先贤之有后者。既而侍御三山李君烨以谪来
知休宁事，益用作兴，务底于成。通守南海黄君惟节、郡推马平王君经暨、歙令丰城
熊君信、祁门令江夏韩君伯清、婺源令宋城乔君恕、黟令长乐高君伯龄、绩溪令番阳
胡君汉、休宁丞缙云李君文、主簿商郡侯君晟、典史宣平朱君盛，各以其所劝助者求
相成之，工以克完。盖是书之编，以字计者一百二十万有畸，以板计者一千六百有畸，
非诸君子垂意，斯文固不能致此，而兴道善俗之功实盛于斯，不可泯也。谨书以识。
弘治十年丁巳夏五月敏政书。"王宗植《新安文献志跋》："右《新安文献志》，分甲乙
两集，共一百卷。文凡一千八十七篇，诗凡一千三十四篇，今太常学士篁墩先生旧所
编也。先生编意，肇自齐梁而讫于我大明永乐，此后则嗣续编者。宗植盖尝在校勘之
列，窃谓宜少引而伸之。否则，近世名卿若亚参方公、宪副庄公、都宪程公、大司寇
杨公、少司马吴公、大司马程公及乡先生鲍谧斋、吴可筠诸硕儒，皆不及登载矣。既
而郡侯下令，俾六邑先贤之子孙助刊书之费，乐从者甚众。众乃以为是编也既公其事
于人，则先生亦有不得专者。宗植乃与高明尹、张君旭、上舍郑君鹏、庠生李君泛、
程君曾辈，僭取宣德以来诸先达之文五十一篇，诗五十九篇，以类增入，用以满愿。
见者之心。而一郡之文献益备。虽然，先生有功于新安若山海然，不可尚已。宗植辈
乃以篑土涓流助之，诚不自量，而与人为善之美，则先生素心，天下所共知者，不可
以不白也。弘治十年丁巳秋九月望，歙南后学王宗植谨识。"《新安文献志》卷首提要：
"《新安文献志》一百卷，明程敏政撰。……是书乃采录南北朝以后文章事迹之有关于
新安者，其六十卷以上为甲集，皆本郡先达诗文，略依真德秀《文章正宗》之例，分

类辑录。其六十一卷以下，则皆先达行实，不必尽出郡人所论。撰分神迹、道原、忠孝、儒硕、勋贤、风节、才望、吏治、遗逸、世德、寓公、文苑、材武、列女、方技十五目，其中有应考订者，敏政复间以己意参核而附注之。征引繁博，条理淹贯，凡徽州一郡之典故，荟萃极为赅备。遗文佚事，咸得藉以考见大凡。故自明以来，推为巨制。其中小小踳驳者，如凡例称'朱子诗文，录其涉于新安者'，而《通判泰州江君墓铭》竟尔见遗。又朱子所作其父松行状，松所作其父森行状，既已并收，而松《韦斋集》中有录曾祖父诗后序一篇，又复不录。皆不免于脱略。然司马光《资治通鉴》已称牴牾不能自保，是书卷帙繁重，未可以稍有挂漏遂掩其搜辑之功也。"

六月

华察（1497—1574）生。字子潜，无锡人。嘉靖丙戌进士，选庶吉士，改户部主事，历兵部郎中，再改翰林修撰，迁侍读学士，掌南院。王世贞《明故翰林院侍读学士掌南京翰林院事奉训大夫华公墓碑》："公以弘治丁巳季夏之六日生，卒以万历之甲戌仲夏二十七日，春秋七十有八。"

皇甫涍（1497—1546）生。字子安，长洲人。嘉靖壬辰进士，除工部主事，调礼部，历郎中，改补右春坊司直，兼翰林检讨，左迁广平通判，量移南京刑部主事，进员外，升浙江按察佥事。父录，弘治九年进士，任重庆知府，生四子：冲、涍、汸、濂。兄弟并好学工诗，称皇甫四杰。涍有《皇甫少玄集》《皇甫少玄外集》。《甫田集》卷三三《浙江按察司佥事皇甫君墓志铭》："母夫人黄氏生君兄弟四人，君其仲也。黄夫人梦人授巨鼎而生，韶秀异常，能言即解诵书占对，敏给如成人。稍长，绩学缀文，遂有名世之志。及选入郡学为诸生，益事博综。兄弟自相师友，扬榷探竟，务求抵极，撼词发藻，迥出辈流。……君生弘治丁巳六月某日，卒嘉靖丙午三月九日，享年五十。"

八月

何景明乡试魁省。乔世宁《何先生传》："归，又受《尚书》长兄景韶所。甫数月，即以《尚书》魁河南省试。当是时，年才十五也。诸王公大人争迎致一见，候车尝数十乘，所过人观者如堵。既入京师，游太学，祭酒林公又甚爱重贤之，归则诗赠焉。于是名盛传海内，犹凤鸣麟出，世人惊睹也。"

十一月

顾清冬至有感而作诗。《东江家藏集》卷七《冬至感怀》："浮世侵寻四十将，劳生何以称冠裳？回思丁未看辛丑，别有愁根更是长。"注云："成化丁未，有《读辛丑冬至感事诗》一绝。是岁十一月十九日冬至，明烛候朝，追感旧事，为之凄然。因检故稿，续书此于后。盖自辛丑至今，十有七年，时屡变而事随以生，忧卒未免而更长也。不知更后十年，又当何如耳？是日午未间大风，尘霾涨天。"

冬

童轩致仕。《青溪漫稿》卷二三《明故资政大夫南京礼部尚书致仕赠太子少保童公墓志铭》："弘治丁巳秋，南京礼部尚书童公秩满三载，以疾弗任朝谒，具疏恳乞休致，上不许。至冬，复以为请，词益加切，乃许之，特赐诰追赠其先。"

本年

桑悦丁父忧，哀思泣血。《思玄集》卷七《鹤溪府君泣血志》："吾父姓桑，讳琳，字廷贡，别号鹤溪道人。……吾父安于韦布，不肖孤知滇南贡举，大司寇彭公凤仪时为贵藩方伯，自捐俸输边，荣吾父以仕者冠服，吾父若将浼焉。黄冠野服，翛如也。倦于理生，见匮戚，举赢于诎，家日落寞，惟吟咏篇章自娱，临终逍遥观化，无异平时，犹口占诗数首而卒。呜呼！痛哉！生于永乐癸卯二月廿有二日，卒于弘治丁巳五月廿有六日，春秋七十有五，以次年十一月廿有二日与吾母合葬于湄溪之原。吾母先吾父卒四十余年，吾父以吾母贤，不易耦，不复娶，生子一，即不肖孤悦。……古人有言曰：'伤哉贫也！生无以为养，死无以为葬。'不肖孤髫龄丧母，吾父严慈济抚。稍长，粗知为学，向方年十有九，叨领乡荐，吾父教以大人之学，使泛览今古，精择熟践而博施。性拙疏于趋世，一无所试，常分教泰和，秩满始擢通判长沙，不三载，又调柳州。凡微禄寄将不能津润家乏，致吾父食贫终身。往岁不肖孤自柳以公事私还，侍养数月，坚欲乞终养。吾父慨边夷凋弊，且闻总制两广中丞邓公能容度外之士，乃遣不肖孤归其幕下待用。不肖孤私念：道既不行，为贫而仕，稍积余禄，可了吾父后事，即可告归。邓公果待以客礼，留置军前，坐奉谈笑者几一载。欲有举荐而吾父弗逮矣。当吾父殁时，百费贷人。不肖孤至家哀痛之余，支吾债利，食玉薪桂，莫措手足。凡丧葬之资，俱藉今之郭元振为之经纪。所谓生死不能养葬者，兼而有之。且吾父单传，不肖孤不可刻离左右。出能移孝为忠，调一四海，大显门户，犹为庶几。今乃为贫所驱，远离膝下，奔走郡县，病不能一侍汤药，临殁弗克聆嘱付之言，俾吾父盼盼望归，饮恨而卒，而况不肖孤平日历涉宦途，泛三湘，上五岭，出入干戈瘴厉之乡，使吾父心游万里，危险百端，枕无安梦，则又古人伤之所不及者。一念及此，五内分裂，神魂飞散，自非宗祀所系，其可复自慰藉，苟活于世耶？呜呼！吾父已矣。不肖孤毛义之志，粗酬休官之念，不必如王右军誓墓而后决，自今以后，当以未死余年依松柏之余休。凡吾父之所以教不肖孤者，一形之著述，以为来世拯物之资，俾千古而下知某人有子如此，庶可遣不肖孤罪之万一也。呜呼！后之为人子者，观不肖孤难究不孝之归，则亦可以为商鉴而不轻出矣。"

柯维骐（1497—1574）生。字奇纯，莆田人。嘉靖癸未进士，官南京户部主事。有《宋史新编》二百卷、《柯子答问》六卷、《史记考要》十卷。据张时彻《柯希斋传》。《明史》柯维骐传："《宋史》与《辽》《金》二史，旧分三书，维骐乃合之为一，以辽、金附之，而列二王于本纪。褒贬去取，义例严整，阅二十年而始成，名之曰《宋史新编》。又著《史记考要》、《续莆阳文献志》，及所作诗文集并行于世。"则特以纂史之功，名登《文苑传》。此与赵埙同例。

陆采（1497—1537）生。名灼，更名采，字子玄，长洲人。粲之弟。号天池山人。南京国子监就学二十年，屡试不第。有《冶城客论》。《陆子余集》卷三《天池山人陆子玄墓志铭》："天池山人陆子玄者，吾弟也。名灼，更名采，世吴人。吴之西境有山曰天池，盖道书所称可以度世者也，君意慕之，因自谓山人云。君生踔厉英发。始为校官弟子，不屑守章句，纵学无所不观。从其妇翁故太仆少卿都公游，锐意为古文辞，寻以例升太学，益务精进，视当世显人名能文章者，辄往，蹑门自通，贽以所业，皆一见赏爱，其名遂隐然以起。自江以东，学士多延颈愿交者，而君意独自许用世，谓功业可立取，时时于广坐中，奋髯抵掌，论天下事，语多触时禁，客不乐闻，稍稍引去。或目笑之，君色自如，不为止。在太学二十年，累举辄踬，遭世玩侮，中不能无少望。日夜与所善客剧饮歌呼为乐，间出游，或经月忘返。囊中装无一钱，从者以告，若弗闻也。东登泰岱，赋游仙三章，慨然有轻举之志。"

公元1498年（弘治十一年 戊午）

二月

童轩卒，年七十四。《怀麓堂集》卷七八《明故资政大夫南京礼部尚书致仕赠太子少保童公神道碑铭》："戊午二月十九日，卒于正寝。……强学好问，为文通博；诗尤丽则，得唐人体裁。所著《清风亭稿》行于世。《枕肱集》《海岳涓埃》《谕蜀稿》《筹边录》，藏于家。"魏骥《寄题清风亭稿》："累牍联编辱拜嘉，从知丽则异淫哇。十年苦忆非徒慰，一代名言自足夸。出入陶韦殊脱颖，规模元白已成家。太平歌颂须君手，玉署期看振国华。"杨守陈《诵清风亭稿偶成并序》："辱示佳什，秉烛讽诵，以张公为知言。奉去小卷求题。此欲得珊瑚十万之一耳。盖见宝贪得，人之恒情，幸勿深讶也。一绝录如右，想当抚掌而掷之。华月初高禁漏迟，绮窗红烛诵君诗。殷勤寄语玉川子，惠我珊瑚十万枝。"沈周《题清风亭稿后》："一编新寄自严州，洗眼开心读不休。夜月有辉生白璧，春风无迹动黄流。潮阳遭鳄多高思，蜀道闻鹃足远忧。落落乾坤雅音在，独怜绝倡少人酬。"《清风亭稿》卷首提要："其诗雅淡绝俗，而在明代不以诗名。殆正德以后，北地、信阳之说盛行，寥寥清音不谐俗尚故欤？朱彝尊《明诗综》仅录其《忆金陵》五言律诗一首，未尽所长。又引周吉父之言，称其《九日》诗'黄菊酒香人病后，白苹风冷雁来初'，《草堂诗》'草堂夜雨生科斗，花径春风叫栗留'两联，亦非其至。或彝尊偶未见其全集，亦未可知也。"

三月

皇太子出阁就学。《御批历代通鉴辑览》卷一〇七："东宫宦竖不欲太子近儒臣，数以事间讲读。詹事吴宽上疏曰：'东宫讲学，寒暑风雨则止，朔望令节则止，一年不过数月，一月不过数日，一日不过数刻。进讲之时少，辍讲之日多，岂容复以他事妨之！古人八岁就傅，即居宿于外，欲令离近习，亲正人，庶民且然，况太子天下本哉！'帝嘉纳之。"

魏骥文集被选刻。洪钟《南斋先生魏文靖公摘稿序》："公为文，一本诸性情所发，而根于理道。初不事雕刻、务奇巧，千百言下笔立就，无不合程度。文名与德望并隆，致人之求之者屡接户外，殆无虚日，公亦不辞，每乐应之。积累岁月，篇章甚富。姑苏叶文庄公志其墓有云，公文字山刊板刻几遍天下。信然也。其稿具存，皆公亲书，宁国君尝编次成帙，将图梓行，赍志而没。钟忝馆甥，幸获拜观而遍阅之，起而叹曰：惟公弘才正学，充诸内而形于言，粹然道德之敷陈，真典则之文，有非工富丽、尚清峻者之所能及也，其可以不传乎？但其简帙浩繁，未易遍刻，乃再阅原稿，凡题上有点注者皆公墨迹，玩其词意，其有补于事者也，因摘取以刻诸梓，盖亦千百中才什一耳，名之曰《南斋先生魏文靖公摘稿》。夫是稿也，固不足为公重轻，使四方后觉闻公名而不知者，得此而观之，未必不因其言以求其中之所存，则庶几知公之所以居大位、享大名而成德业者，有由然也。因之感发兴起而知所效慕，亦进德之一助。则是稿不为徒刻，且以毕吾外舅宁国君之志，于钟亦得少尽夫景仰之万一云尔。敢僭序其篇端如此。公名骥，字仲房，南斋其号也，绍兴萧山人，年九十八，无疾而薨，别有《遗事录》传于世云。弘治十一年岁在戊午三月吉旦，赐进士出身、通奉大夫、福建布政司左布政使钱塘洪钟。"

八月

唐寅乡试夺魁，文林曾荐之当路。《明史》唐寅传："举弘治十一年乡试第一，座主梁储奇其文，还朝示学士程敏政，敏政亦奇之。"《甫田集》卷三六《先君行略》："南濠都公穆博雅好古，六如唐君寅天才俊逸，公与二人者共耽古学，游从甚密。且言于温州，使荐之当路。都竟起家为己未进士，唐亦中南京戊午解元。时温州在任，还书诫公曰：'子畏之才，宜发解。然其人轻浮，恐终无成。吾儿他日远到，非所及也。'"《文章辨体汇选》卷五三七《唐伯虎传》："唐寅，字伯虎，一字子畏，吴县吴趋里人。有俊才，博习多识，善属文，骈俪尤绝，歌诗婉丽，学刘禹锡为人，放浪不羁，志甚奇，沾沾自喜。衡山文林自太仆出知温州，意殊不得，寅作书劝之，文甚奇伟。林出其书示刺史新蔡曹凤，凤奇之曰：'此龙门燃尾之鱼，不久将化去。'寅从御史考，下第，凤立荐之，得隶名末，果中式第一。先是，洗马梁储校寅卷，叹曰：'士固有若是奇者耶？解元在是矣！'"

九月

邵宝等约为同乡诗会。《容春堂前集》卷一三《重阳会诗序》："重阳会诗者，吾乡诸公官于东署者作也。继是将不一作焉，故诗以节名。夫诗以节名者，会以节举也。剂暄凉之候，酌疏数之宜，莫大乎节。天时且然，况于人乎！故今为会，始元夕，次上巳，次清明，次端午，次七夕，次中秋，次重阳，次长至，循还终始，拟诸天时，以寓无穷之意。而我同乡在朝者虽有二十余人，然署各疏隔，不能时时相与也。……戊午重阳，实惟初会。而予不敏，敢僭为约曰：凡会人为诗一章，章书一简者九，主藏其一，宾分其八，积之一岁，为简八十有一，各成巨帙，彼此相通，随在具备，不亦可常矣乎？而命题限韵之类，则会之日定焉。诸公曰："然。"遂如约。所赋之诗，题用古句，庶几古诗吾诗，古人吾人也。"

十一月

秦简王朱诚泳卒，年四十一。《明孝宗敬皇帝实录》卷一三八"弘治十一年六月庚辰（十五日）"："秦王诚泳薨。……享年四十有一。讣闻，上辍朝三日，遣大臣致祭，有司营葬，行人掌丧礼，谥曰简王。天性孝友，好礼谦恭，恒以敬天地、畏祖宗、尊朝廷为念，尝铭其冠服以自警。尤勤问学，雅好吟咏。时节每延致士大夫命酒赋诗，脱略势分，撤鹰房以创侍从儒臣之馆，捐隙地以益正学书院之基，累蠲本府人役租税以二万计，一时宗室中称好贤乐善者归焉。所著有《小鸣稿》《世德录》。王薨后，长史强晟集其生平善行数十余事为《遗行录》，藏于府中。"《国朝献征录》卷一《秦简王》："喜接文儒士夫，话谈竟日，亹亹忘劳。凡异端曲士携术以干者，卒无所售。喜读书，凡六经、子史、百家，无不遍阅，一目悉记。善作诗，每遇花辰灯夕，请藩臬关中缙绅宴饮赓和。"《列朝诗集小传》乾集下《秦简王》："年十岁，康王妃陈教以小学，日记唐诗一章。惠王闻吴人汤潜名能诗，请为教授，传声律之学。嗣位后，日赋一诗，积三十年。王醇雅有简押，博通群书，布衣蔬食，延揽文儒，竟日谭论不倦。王府护仪子弟得入黉宫，自王始也。"《小鸣稿》卷首提要："其诗古体清浅而质朴，近体谐婉可诵。七绝尤为擅场，如《秋夜》诗云：'霁月满窗明似昼，梧桐如雨下空庭。'又云：'空庭久坐不成寐，明月满阶砧杵声。'又《山行》诗云：'啼鸟无声僧入定，半岩风落紫藤花。'皆风骨成削，往往有晚唐格意。尔时馆阁之中，转无此清音矣。"《明诗纪事》甲签卷二《秦简王诚泳》陈田按："秦简王诗，色丽音婉，不愧日课一诗之目。"

十二月

顾清等会饮陈德卿家。《东江家藏集》卷八《腊月廿三日饮德卿宅用涯翁斋居联句韵》："良游集南园，秉烛向深夜。盟寻旧雨余，坐想重茵藉。墙阴有残雪，邻酒方索价。……诸公信自贤，此夕颇堪讶。招要入拘牵，窘迫自闲暇。词非石鼎工，酒罄金罍泻。明朝逐余欢，此榻宁许借。"

白悦（1499—1551）生。字贞夫，号洛原，武进人。嘉靖壬辰进士，官至江西按察司佥事。有《白洛原遗稿》八卷。王维桢《明尚宝司丞致仕洛原白公墓碑》："白公生弘治戊午十二月二十五日，卒嘉靖辛亥四月二十日，年五十四。"

本年

储罐丁母忧。《息园存稿文》卷六《通议大夫南京吏部左侍郎储公行状》："丁巳，擢太仆少卿。次年，遭董淑人丧。辛酉起复，仍补旧职，行部禁吏迎送，除民苛费及马政积弊。"〔按，董氏为储罐继母〕

张元祯起复，与修《大明会典》。李东阳《明故通议大夫吏部左侍郎兼翰林院学士掌詹事府事张公墓志铭》："越五年戊午，召修《大明会典》，为副总裁。至，复迁翰林学士掌院事。孝宗隆其名，特置日讲兼侍东宫讲读。数月，以母忧去。"

万表（1498—1556）生。字民望，晚号鹿园居士，鄞县人。正德末武进士，累官都督同知，金书南京中军都督府。有《玩鹿亭稿》八卷。据《明儒学案》卷一五《都督万鹿园先生表》。

皇甫汸（1498—1582）生。字子循，号百泉，长洲人。嘉靖己丑进士，官至云南按察司佥事。与两兄皇甫冲字子浚、皇甫涍字子安、弟皇甫濂字子约，并好学，人称皇甫四杰。与黄鲁曾、黄省曾为中表兄弟，文藻亦相似。《明史·文苑传》附见其兄涍传中。有《皇甫司勋集》六十卷。

公元 1499 年（弘治十二年　己未）

三月

十八日，赐伦文叙等进士及第、出身有差。

王守仁登进士第。《王文成全书》卷三二《年谱》："是年春会试，举南宫第二人，赐二甲进士出身第七人，观政工部。"

马中锡致仕。《明史》马中锡传："擢右副都御史，巡抚宣府。劾罢贪耄总兵官马仪，革镇守以下私役军士，使隶尺籍。寇尝犯边，督军败之。引疾归，中外交荐。"《沙溪集》卷六《资善大夫都察院左都御史东田先生马公行状》："己未二月，北敌扰边，公督兵斩俘甚众。旨奏，赐白金文币。三月以疾辞，得如请。宣人万计具疏叩阙愿留，上亦惜其去，顾诏旨已下，特敕有司：'待病痊起用。'里居七年，足不及官府。筑西庵独啸亭、抱瓮亭、半里桥以自适，亲旧李怀庆、翟鸿胪辈，日夕与尽醉。图籍花卉，若将终身。而在廷诸君子论荐不息，自太宰以下，给事中张文、许天锡，御史刘淮、费铠，知府施盘，前后凡十有三疏。"

春

王鏊跋叶盛手书。王鏊《跋叶文庄公手书》："成化初，鏊以童子游学京师，时文庄公为礼侍，陆参政文量初第进士。简中所称'用光'者，张姓，为太学生，亟称鏊于文庄所，间以所业见于礼部之厢房，公奖励备至，有'将来忠肃'之许，盖以鏊与王忠肃同嫌名，故云。成化十一年，鏊始登第，则文庄已下世，参政时为兵部郎，往来相好也。弘治壬子岁，予校文南畿，参政子伸，名在选中。未几，参政亦故。今年为弘治十二年，伸来会试礼部，出其父所得文庄手书一卷，览之，慨念今昔，为之泫然。敬书其后，归之。"

陆容《式斋集》已编成。王鏊《式斋集序》："己未春，予乞告归省，舟且发，文量之子伸哀其父之遗稿为六帙，作书且万言，贻予。予阅之，则平生倡和之作咸在，又得其文读之，多予所未见者，敷腴闿达如其诗。而奏议尤有经世之志焉，亦其所以见嫉于时者。乃知前谓君特工于诗，亦未为知君者也。予与君交且二十年，于其文犹未尽知，又况深于文者乎？予方悲君之不幸，遽喜伸之能子也，于父之书无少散佚，故序。"

四月

唐寅科场案发。《明史》程敏政传："十二年，与李东阳主会试。举人徐经、唐寅预作文与试题合，给事中华昶劾敏政鬻题。时榜未发，诏敏政毋阅卷。其所录者，令东阳会同考官覆校。二人卷皆不在所取中，东阳以闻。言者犹不已，敏政、昶、经、寅俱下狱，坐经尝赆见敏政，寅尝从敏政乞文，黜为吏。敏政勒致仕，而昶以言事不实调南太仆主簿。敏政出狱，愤恚发痈，卒。后赠礼部侍郎。或言敏政之狱，傅瀚欲夺其位，令昶奏之。事秘，莫能明也。"周玺《论释无辜事》："题为开释无辜以全圣德事。臣窃见户科给事中华昶劾奏学士程敏政卖题缘由，荷蒙皇上圣武昭布，干刚独断，著法司衙门拿在午门前鞫问，其所卖举人徐经等一被鞫问，即便输服，情见迹具，理屈词穷。既而程敏政恃其狡猾，阴结权贵，乃敢文过饰非，重为欺罔。原问官不能执法，苟事阿附，以其变诈之词，上尘九重之听。臣愚以为陛下大明无私，容光必照，必将程敏政明正典刑，以为贪滥无耻者之戒。俯俟成命，不敢轻渎。"《文章辨体汇选》卷五三七《唐伯虎传》："〔梁〕储事毕归，尝从程詹事敏政饮。敏政方奉诏典会试，储执卮请曰：'仆在南都得可与来者唐寅为最，且其人高才如此，不足以毕其长。惟君卿奖异之。'敏政曰：'吾固闻之，寅江南奇士也。'储更诣请行'三事'，曰：'必得其文观。'储令寅具草上三事，皆敏捷。会储奉使南行，寅感激，持帛一端诣敏政乞文钱。后被逮，竟因此论之，寅罢归，朝臣多叹惜者。"《国朝献征录》卷三五《礼部右侍郎兼翰林院学士程敏政传》："敏政以少年擅文名，以文学跻侍从，自是以往，名位将不求而自至，乃外附权贵，内结奥援，急于进取之心，恒汲汲然。士大夫多有议之者。但言官劾其主考任私之事，实未尝有。盖当时有谋代其位者，嗾给事中叶昶言之，遂成大狱，以至愤恨而死。有知者至今多冤惜之。"《廿二史札记》卷三六《明代科场之弊》："唐寅举乡试第一，与江阴富人徐经同举，遂同入京会试。寅故有才，梁储为延誉于程敏政。适敏政与李东阳同主会试，策题以'四子造诣'为问，乃是许鲁斋一段文字，见刘静修《退斋记》。通场士子皆不知。敏政得二卷，独条对甚悉，将以为魁。而寅出场后，亦疏狂自炫。给事中华昶遂劾敏政鬻题。时榜未发，诏敏政毋阅卷，其所录令东阳覆阅。二人卷皆不在所取中，东阳以闻。言者犹论不已，敏政、昶、寅、经俱下狱。坐经尝谒见敏政，寅尝乞敏政作序文，俱黜为吏。敏政亦勒致仕。"

下程敏政于狱。《明孝宗敬皇帝实录》卷一四九"弘治十二年四月辛亥（二十二日）"："下礼部右侍郎兼翰林院学士程敏政于狱。华昶等既系锦衣卫镇抚司，工科都给事中林廷玉以'尝为同考试官，与知内帘事'，历陈敏政出题、阅卷、取人有可疑者六。且曰：'臣于敏政非无一日之雅，但朝廷公道所在，既知之，不敢不言。且谏官得风闻言事。昶言虽不当，不为身家计也。今所劾之官晏然如故，而身先就狱，后若有事，谁复肯言之者？但兹事体大，势难两全。就使究竟得实，于风化何补？莫若将言官、举人释而不问，敏政罢归田里。如此处之，似为包荒。但业已举行，又难中止。若曰朋比回护，颠倒是非，则圣明之世，理所必无也。'既而给事中尚衡、监察御史王绶，皆请释昶而逮敏政。徐经亦奏昶挟私诬指。敏政复屡奏自辩，且求放归。及置对镇抚司，以经、昶等狱辞多异，请取自宸断。上命三法司及锦衣卫廷鞫之，经即自言敏政尝受其金币。于是左都御史闵圭等，请逮敏政对问，奏留中十余日，乃可之。"

杨循吉请复建文年号。《御批历代通鉴辑览》卷一〇七："循吉言建文君乃高皇帝嫡孙，躬受神器，其后太宗入继大统，削建文位号，百余年来，未蒙显复。夫建文虽以左右非人，得罪社稷，而实则生民之主也。请复尊号如景皇帝故事，庶几裨益先圣，有光大孝。下礼部议，格不行。"

五月

吴宽与僚友寿筵。《家藏集》卷四五《竹园寿集序》："太子太傅吏部尚书鄞屠公、太子少保户部尚书曲阳周公、都察院右都御史郓城似公，同生正统庚申，至今弘治己未，同跻六十。似公之生差先，屠公稍后，介其中为周公，乃五月四日也。是日，诸僚友若户部尚书祥符王公、太子少保左都御史乌程闵公、吏部右侍郎舒城秦公、户部左侍郎灵宝许公、右侍郎睢州李公、右副都御史临淮顾公及予七人，即周公私第之后园，置酒合贺。笾豆既陈，冠裳辉映，劝酬交错，俯仰有容。及就坐，清风习习入窗槛来，若破新暑。酒政斯行，乐音具举，谈笑欢呼，起坐成旅，情好甚洽，宾主尽醉。皆以为自有寿筵以来，无若此盛者。予忝预兹集，乃首赋四韵为倡，诸公咸和之。秦公别集古句，诸公又和之。周公复自有作，又咸和之。皆以为自有寿章以来，亦无若此盛者。……坐有善绘事者，为锦衣二吕君，屠公援宣德初馆阁诸老杏园雅集故事，曰：'昔有图，此独不可图乎？'二君遂欣然模写，各极其态。因按其次第系于卷中。其始并湖石坐者，左为似公，右为许公。一童子拍手导鹤舞以娱之为周公；坐稍远，使其二子共具，伯曰太学生孟，捧杯前行，仲曰刑部主事曾，方拱立听命。并立竹间者，左为李公，右为顾公，皆凝然有思，若索句状，屠公则章已成。一童子捧砚从竹下书。据石案而题卷者为予，共案坐而持箑者为王公，执尘尾者为闵公，亦若有所思者。独坐而握卷则为秦公，其集句已就之时欤！若二君，左为纪，右为文英，展画并观而图终焉。园中草木非一种，而竹多且茂，故以《竹园寿集》题卷首，卷成，转写各得一卷，藏于家，——又出屠公之意云。是岁六月二十八日，吏部左侍郎长洲吴宽序。"《家藏集》卷二五《竹园寿集》："七客同期贺诞辰，古诗三寿句如新。合为一百八十岁，总是东西南北人。露下高松如细雨，风回修竹满清尘。杏园雅集今重见，良史当筵亦写真。"

六月

程敏政卒，年五十六。《明孝宗敬皇帝实录》卷一五一"弘治十二年六月壬辰（初四）"："致仕礼部右侍郎兼翰林院学士程敏政卒。……十二年春，奉命主考会试。言官以任私劾之。逮系数举子，狱久不决。屡上章责躬求退，弗遂。乃自请廷辩执法诸大臣白其事，以闻，诏许致仕。时方盛暑，甫出狱四日，以痈毒不治而卒。赠礼部尚书，赐祭葬如例。"何歆《书篁墩文集后》："时丘公在馆阁，据礼当见，因请求当时之文人。丘公历数自宋景濂诸公而下至于其同时，又极多推让，而篁墩程先生亦在所爱重焉。且曰：'篁墩晚年进学，其为文才富气锐，可嘉也。'……窃见其以才驱气，以气驾文，豪放奔逸，俱有余地，匪直如丘公所云富锐而已也。虽于道亦未知其如何，要亦韩、柳、欧、苏之俦，与丘公《大学衍义补》俱世不可无者也。"《弇州续稿》卷四七《郑獬庵先生集序》："徽地险而沃，其人行贾遍天下，以财相倾高。而成弘之际，乃有程克勤先生者出，而以古文辞名世。程先生之于文，宏肆辨博，诗亦埒之。然不肯为精思以求超乎一代之格，当时和之者不知其乡几何，人亦不复有与程先生并称者。"《弇州四部稿》卷一四八："程克勤如借面吊丧，缓步严服，动止举举，而乏至情。"《列朝诗集小传》丙集《程侍郎敏政》："《篁墩文集》九十余卷，李长沙为序。他所撰辑《宋纪受终考》《遗民录》《新安文献志》，皆可观。惟著《苏氏梼杌》，力诋眉山，以报蜀九世之仇，则腐而近愚，且比于妄矣。为贤者讳，君子略之可也。"《静志居诗话》卷八《程敏政》："篁墩数与西涯酬和，集中存诗数千，究乏警策。至其辑录诸书，若《明文衡》《新安文献志》，甄综有法。余如《宋纪受终考》《宋遗民录》，皆有功史学。独是议孔庙祀典，而屏郑康成不与，未免过于刻薄。若夫《苏氏梼杌》一编，谓眉山父子罪浮于王安石，盖借文公《杂学辨》而周内之，其意第欲为伊川复仇，不知徒贻有识者笑也。"《篁墩文集》卷首提要："《篁墩文集》九十三卷，明程敏政撰。……敏政学问淹通，著作具有根柢，非游谈无根者可比。特其才高负气，俯视一切，故议论或不免偏驳。如《奏考正祀典》欲黜郑康成祀于其乡，论五行欲以灶易行之类，于义皆为未允。又新安黄墩为晋新安太守黄积所居，子孙世宅于此，故以黄为名，自罗愿《新安志》《朱子文集》所载皆同，敏政乃称黄本篁字，因黄巢而改，遂复称篁墩，为之作记，且以自号，其说杜撰无稽，亦蹈大言欺世之习。其他征引故事，往往恃其赅贯，不加详核，因而舛误者尚多。集中诗至数千篇，亦率易居多，颇乏警策。然明之中叶，士大夫侈谈性命，其病日流于空疏。敏政独以博学雄才，高视阔步，其考证精当者亦多有可取，要为一时之冠冕，未可尽以繁芜废也。敏政别有《篁墩文粹》二十五卷，为其族子曾所编类，已多所删削，此则其自订之全集云。"《明诗纪事》丙签卷五《程敏政》："弱冠成进士，学问该博，为一时冠。数遭崎岖，未竟其用。《篁墩集》存诗甚夥，撷其精华，不愧一时作者。特以芜蔓不剪，为世訾议，亦可为存诗太多之诫云。"

文林卒，年五十五。杨循吉《明故中顺大夫温州府知府文公墓志铭》："弘治丁巳冬十一月，上起南京太仆寺丞文公于家，以为温州知府。公抵庙堂书力辞，不果从，遂以单舟赴任。至之日，首释系徒千人，民大悦。既而以法约豪强，咸遵于令。设施详明，惠洽黎庶，尊礼耆德，风以丕厚。盖一年而政化茂行，竟用己未六月乙未（初七）卒于官，年五十有五。凡遗所著文章总三十卷，别为《奏议》三卷，《琅琊漫抄》一卷。"《家藏集》卷七六《明故中顺大夫浙江温州府知府文君墓碑铭》："为诗文明畅，有新意，不蹈袭。所著述多成编。其学自堪舆、卜筮之类，其说皆通，可谓博矣。"四库提要卷一二七："《琅琊漫抄》一卷，明文林撰。……是书杂记琐闻逸事，间亦考证经史，凡四十八则，无甚可采。其《三皇》一条，至谓司马贞祖邵子之说而成本纪，则唐、宋不辨矣。"四库提要卷一七五："《文温州集》十二卷。……林尝为温州府知府，故其集以‘温州’名。其中陈马政诸篇，皆官南京太仆寺丞时作。总题以‘温州’，从所终也。”

九月

庄昶卒，年六十三。《明儒学案》卷四五《郎中庄定山先生昶》：“己未九月二十九日卒，年六十三。”《陈白沙集》卷七《题庄定山诗集》：“春风一曲有霓裳，不落人间小锦囊。今代名家谁李杜？先生高枕自羲皇。乾坤兀兀中流柱，风月恢恢大雅堂。莫道白沙无眼孔，濯缨千顷破沧浪。”卷五《读定山集》：“千首莺花万蠹鱼，眼昏心乱意何如？白头许我编摩不？活水源头洗砚书。”杨慎《升庵诗话》卷九《庄定山诗》：“庄定山早有诗名，诗集刻于生前，浅学者相与效其‘太极圈儿大，先生帽子高’，以为奇绝。又有绝可笑者，如‘赠我一壶陶靖节，还他两首邵尧夫’，本不是佳语，有滑稽者，改作《外官答京宦苞苴》诗云：‘赠我两包陈福建，还他一匹好南京。’闻者捧腹。然定山晚年诗入细，有可并唐人者。古诗如《题竹》及《养庵》两篇，七言如《题玉川画》，五言律如：‘野暝微孤树，江清著数鸥。与君真自厚，不是两相留。’七言律如《游琅琊寺》：‘偶上蓬莱第一峰，道人今夜宿芙蓉。尘埋下界三千丈，月在西岩七十峰。’《罗汉寺》云：‘溪声梦醒偏随枕，山色楼高不碍墙。’又如：‘狂搔短发孤鸿外，病卧高楼细雨中。’《病眼》云：‘残书汉楚灯前垒，草阁江山雾里诗。’《舟中》云：‘千家小聚村村暝，万里河流岸岸同。’又：‘秋灯小榻留孤艇，疏雨寒城打二更。’又：‘北海风回帆腹饱，长河霜冷岸痕高。’《和沈仲律原字韵》云：‘心无牛口干秦穆，迹继龙头愧邴原。’又云：‘藜羹莫道无莱妇，兰畹应知负屈原。’《寄刘东山》云：‘尘外有人占紫气，镜中疑我尚朱颜。’《次东峤韵》云：‘电悬双眼疑秋水，髻拥三花御野风。’又：‘岂无湖水甘神瀵，更有溪毛当紫芝。’《书东山草堂扁》云：‘封题云卧东山扁，歌咏司空表圣诗。天阙星辰遗旧履，橘洲岁月有残棋。石横流潦潜蚪角，梅迸垂萝屈铁枝。自笑野人闲袖手，云烟浓淡忽交驰。’次首云：‘沙苑草非骐骥秣，著书不独为穷愁。’《木昌道中》云：‘行客自知无岁暮，宾鸿不记有家归。’《寄邓五羊》云：‘后时自许甘丘壑，前席将无问鬼神。浮世虚名非得已，出山小草却悲人。别时笑语风吹断，会处迷离梦写真。四十余年一回首，乾旋坤转有冬春。’此数首若隐其姓名，观者决不谓定山作也。”《明诗评》卷三：“诗以缘物极兴，非为诘义训辞。昶与陈献章俱号山林白眉，至乃鸟点天机，梅桃太虚，如巫诗降神，里老骂坐，儿女走听，雅士掩耳。然昶诗别至，自有佳处，全篇不足存也。”王世贞《艺苑卮言》卷五：“庄孔阳佳处不必言，恶处如村巫降神、里老骂坐。”《明诗综》卷二八《庄昶》：“定山诗好用乾坤字。”存诗五首：《忆舍弟》《题画》《送博罗何孝子》《钓鱼图》《寄寿州廖同知》。《静志居诗话》卷八《庄昶》：“汤义仍好填词，人或劝之讲学，汤云：‘仆终身言之，顾诸公勿省耳。诸公所讲者性，仆所言者情也。’旨哉言乎！自昔衮衣陈诗，章甫雅言，昔之圣贤类不废《诗》，至曰：‘女心伤悲，殆及公子同归。’又曰：‘其新孔嘉，其旧如之何？’抑何其婉曲入情也。自尧夫《击壤》而后，讲学毋复言诗，言诗辄祖尧夫。遂若理学、风雅不并立者。然一峰、康斋、白沙、定山，咸本《击壤》，而定山尤甚。所谓'太极圈儿大，先生帽子高'等句，不一而足。以是为诗，其去张打油、胡钉铰无几矣。甘泉从而辑之，以诏学者，谓非此则与道学远也。然则打油、钉铰反为近道之言，而《诗》三百篇春女秋士之思，皆可置勿录也。窃为理学诸先生不取也。"《定山集》卷首提要："《定山集》十卷，明庄昶撰。……其为诗，祖《击壤集》，多为人所嗤点。其中《病眼》诗'残书汉楚灯前垒，草阁江山雾里诗'之句，杨慎亦尝称之。其他如'山随病起青逾峻，菊到秋深瘦亦香'，'土屋背墙烘野日，午溪随步领和风'，'酒盏漫倾刚月上，钓丝才扬恰风和'等句，亦颇有诗意。然此类如沙中金屑，深苦无多，且有句无篇，亦罕逢全美。其文多本太极之旨，以阐明性理为宗，与古来作者尤当别论矣。是集诗五卷，初刻为弓元所编。再刻于定山书院，为陈常道所编。三刻于萧惟馨。此本乃其裔孙清佐所重刊也。"

十月

桑悦祭奠文林。《文温州集》卷一二《桑民怿祭文》："维弘治十二年岁次己未，十月十又三日，表弟桑悦，谨具果酌，致奠于表兄温州先生之灵，而言曰：惟悦与兄，卯角相知，匪但亲戚，实以文词。仕辕南北，间岁差池。相逢怒詈，别去而思。戊午之岁，悦还乡里，兄把一麾，瓯江之涘。声誉方张，讣音忽至。高才伟业，胡遽有此？呜呼已矣！悦何所从？平生所愿，貌焉皆空。零雨载帏，落叶鸣风。一觞临奠，情靡终穷。"

十一月

沈周、唐寅各自祭奠文林。《文温州集》卷一二《沈石田祭文》："维弘治十二年岁次己未，十一月十九日，友生沈周，谨以清酌庶羞之奠，致祭于故温州知府文君之灵。呜呼！君卒之报，道路汹汹，无以诘讯。窃谓若斯人者，岂无永年而止乎一郡？已而果然，用悼且震。人孰不死？死而不死，是有令闻。惟君之才，随方而施，就事而措，干难为易，转逆为顺。"《文温州集》卷一二《唐子畏祭文》："维弘治十二年十一月二十七日，学生唐寅，谨以修脯致奠于故温州太守文先生之灵。惟兮温州，番番令杰。文为国纪，武振邦竭。三仕无喜，翩哉明洁。……吁嗟我公，眉目永别。城东言笑，正尔契阔。斗酒生刍，敢酹英烈。仰号再俯，不胜怅咽。三泉有知，歆其芳洁。"

周瑛致仕。《见素集》卷一九《明进资善大夫四川右布政使致仕例进一阶翠渠周公墓志铭》："端毅去，公亦服忧潘太宜人。既望七之年，无用世志矣。言者荐公可用，孝庙意有所属，而公以老请，遂进资善大夫致仕。"《明史》周瑛传："弘治初，吏部尚书王恕起瑛四川参政，久之，进右布政使，咸有善绩，尤励清节。给事、御史交章荐，大臣亦多知瑛，而瑛以母丧归。服除，遂引年乞致仕。孝宗嘉之，诏进一阶。"

郑晓（1499—1566）**生。**字窒甫，号淡泉，海盐人。嘉靖癸未进士，官至刑部尚书，谥端简。事迹具《明史》本传。有《今言》《端简文集》。《槜李诗系》卷一二《郑端简公晓》："少好嬉戏。乘屋缘木，跷捷自喜。八九岁时，犹被絮袄，逐群儿捕蚌也。然授以经传子史及字义，讲解辄能通之。"据《国朝献征录》卷四五《刑部尚书端简公晓传》）。

李舜臣〔1499—1559〕生。字茂钦，号愚谷，又号未村居士，山东乐安人。嘉靖癸未进士，官至太仆寺卿。有《愚谷集》十卷。据李开先《大中大夫太仆寺卿愚谷李公合葬墓志铭》）。

公元 1500 年（弘治十三年 庚申）

二月

陈献章卒，年七十三。《明儒学案》卷八《文恭陈白沙先生献章》："弘治十三年二月十日卒，年七十有三。"张诩《白沙先生行状》："其为文也，主理而辅之以气，虽不拘拘于古人之绳尺，故自有以大过人者。其为诗也，则功专而入神品，有古人所不到者矣。盖得李、杜之制作，而兼周、邵之情思，妙不容言。故其诗曰：'子美诗中圣，尧夫又别传。后来操翰者，二妙少能兼。'今苍梧、山东皆梓行其集，惜乎未全也。至于挥翰如其诗，能作古人数家字。山居，笔或不给，至束茅代之。晚年专用，遂自成一家，时呼为茅笔字。好事者踵为之。故其诗曰：'神往气自随，氤氲觉初沐。贤圣一切无，此理何由瞩？调性古所闻，熙熙兼穆穆。耻独不耻独，茅根万茎秃。'又曰：'茅君颇用事，入手称神工。'又曰'茅龙飞出右军窝'，皆指茅笔也。天下人得其片纸只字，藏以为家宝。康斋之婿某，贫不能自振，造白沙求书叹十幅归小陂，每一幅易白金数星。庚申，朝廷遣官使交南，交南人购先生字，每一幅易绢数匹，时从人仆携一二幅，恨不能多也。"俞长城《题陈白沙文稿》："陈白沙先生倡学东南，为世儒宗。吾疑其文必方正严肃，确不可犯。今诵其集，潇洒有度，顾盼生姿，腐风为之一洗。吾固知人造其绝者，未尝不有所兼也。道学绝者兼风流，吾求其人合其文，其陈白沙乎？"《广东新语》卷一二："白沙先生善会万物为己。其诗往往漏泄道机，所谓'吾无隐尔'。盖知道者，见道而不见物；不知道者，见物而不见道。道之生生化化，其妙皆在于物，物外无道。学者能于先生诗深心玩味，即见闻之所及者，可以知见闻之所不及者。物无爱于道，先生无爱于言，不可以不察也。先生尝谓人：读其诗止是读诗，求之甚浅；苟能讽咏千周，神明告人，便有自得之处。庞弼唐云：'白沙先生诗，心精之蕴，于是乎泄矣。'然江门诗景，春来便多，除却东风花柳之名，则于洪钧若无可答者，何耶？盖涵之天衷，触之天和，鸣之天籁，油油然与天地皆春，非有所作而自不容已者矣。然感物而动，与化俱徂，其来也无意，其去也无迹，必一一记其影响，则亦锁而滞矣。此先生之所以有诗也。粤人以诗为诗，自曲江始。以道为诗，自白沙始。"《陈白沙集》卷首提要："史称献章之学以静为主，其教学者但令端坐澄心，于静中养出端倪，颇近于禅。至今毁誉参半。其诗文偶然有合，或高妙不可思议；偶然率意，或粗野不可向迩。至今毁誉亦参半。王世贞集有《书白沙集后》曰：'公甫诗不入法，文不入体，又皆不入题，而其妙处有超出法与体题之外者。'可谓兼尽其短长。盖以高明绝异之姿，而又加以静悟之力，如宗门老衲，空诸障翳，心境虚明，随处圆通，辨才无碍。有时俚词鄙语冲口而谈，有时妙义微言应机而发，其见于文章者，

467

亦仍如其学问而已。虽未可谓之正宗，要未可谓非豪杰之士也。"

三月

陶安文集刊刻。费宏《陶学士先生文集序》："先生姓陶氏，讳安，字主敬，太平当涂人也。……其学以濂、洛、关、闽为师，读书守居敬持志、循序致精之法，博涉经史，尤精于易。所为诗文甚富，其存者，在元有《辞达类钞》，在中书有《知新近稿》，赴武昌有《江行杂咏》，守黄州有《黄冈寓稿》，在桐城有《鹤沙小纪》，总若干卷；今刻置太平郡斋，则前守严陵徐公时中图其始，今守嘉兴项公诚之成其终，当涂学谕铅山张君天益校其讹，次其类，而郡倅董君德美、张君瑞夫、辛君公应、李君宗汉、守仪皆与间其事焉，盖距先生之卒已百三十余年矣。先生志于道德功名，其所树立固不待文而传，然以其向往之端、生蓄之富，凡笔之简札者，类皆深醇酝郁、辞备理正，固宜登名于文章之箓也。古称文如金玉，即埋没于一时，而其精气光彩不可晦蚀，必有收而宝之于后世者，兹集遇二守而传，非此类也夫？览者慕其人而论其世，则知斯文参天地之化为不诬，而儒者难与进取之说陋矣。弘治十二年岁在己未，春正月既望，赐进土及第、儒林郎、左春坊左赞善、国史经筵官兼侍皇太子讲读铅山费宏序。"张祐《陶学士先生文集跋》："祐署教来姑执之明年丁巳，郡侯严陵徐公，以所得学土陶先生《辞达类钞诗文》三卷，督命校刊，因询先生之孙致政贰尹廷玉、庠生曰华、曰端，始得其所藏全集外，即曰《知新近稿》《江行杂咏》《黄冈寓稿》《鹤沙小纪》，总二十余卷，谨并摭其类而次之。未几，徐公秩满北上，刊而未能。值今侯嘉兴项公下车之初，祐以是集呈览，请梓传之以毕徐公之志，公遂欣听复命，重加校编，毋怠厥事。噫！顾予何人斯，而敢与是耶？且先生之集，缮之非一手，积之非一日，其残膏剩馥不能无鲁鱼亥豕之讹，故每讲暇庄诵而详孜之，犹惧弗复其真以副其责也。集既成，郡之士夫有与言曰，先生起天造草昧之时，弼成王业，去今已远，其制作之盛人多慕之而未见，勋迹之异人多知之而未详，虽同乡辈出，犹恒窃余憾也。兹幸吾郡侯偕诸君倅谋为梓传，而又得春坊费先生子充以历叙之，遂使观者于百余载之下，而并得之于一展手之间，顾不伟欤？予曰，然。谨述诸末云。弘治十三年庚申岁春三月之吉，直隶太平府当涂县儒学教谕铅山张祐拜书。"

十一月

林俊起南京右佥都御史。《见素集》附录上《编年纪略》："十三年庚申，年四十九，起南京都察院右佥都御史，奉敕提督巡江，兼管操江。时火筛犯边，公乃强起。十一月至南京，号令严肃，营务一新，而正身率物，与张简肃公敷华、林文安公瀚、杨邃庵公一清，并名清约，称四君子。"

十二月

福建建安书林火。《明史》许天锡传：十二年，建安书林火。天锡言："去岁阙里孔庙灾，今兹建安又火，古今书版荡为灰烬。"

冬

瞿佑《归田诗话》刊成。木讷《归田诗话序》："余同乡宗吉瞿先生早以明经荐，筮仕于仁和、临安、宜阳三邑庠，升国子助教，文名播于篇章，脍炙人口旧矣。复升藩府长史，克胜辅导之任。无何，居闲，寓金台，太师英国张公延为西宾，甚加礼貌。先生不以夷险易心，暇日则笃嗜评古人篇什，取其旨趣微妙者著之。及触景动情，形于吟咏以自遣者，亦录之凡百二十条，析而为上中下三卷，目曰《归田诗话录》，先生自述其事弁诸首。一日，其侄德恭暨弟德宣、德润共图锓梓，持以示余，展玩再四，不能释手。……余恨生晚，不得侍函丈以聆其绪论为慊，姑书是于先生自序之次。时成化二年岁次丙戌冬十月谷旦，赐进士、前翰林院庶吉士、文林郎、河南道监察御史、浙江辛卯解元八十翁钱塘木讷书。"柯潜《归田诗话序》："钱塘瞿存斋公著《归田诗话》三卷，盖述其师友之所言论，宦游四方之所习闻，而有关于诗道者。自序其端，藏之于家久矣。其侄德恭、德宣、德润，共谋刻梓以传。德恭之子中书舍人廷用，求余一言志之。……成化三年四月二十又九日，翰林院学士、奉议大夫兼经筵官、同修国史蒲田柯潜序。"胡道《存斋诗话序》："钱塘存斋瞿先生宗吉，在国初时，著诗话三卷，大略似野史，有抑扬可法之旨，非汗漫无稽之词，久成全梓。或取而观之，可资多识，特其名号近于订顽砭愚起争端之谓，不若直谓之《存斋诗话》也。昔范文正见片文只字有关世道，不忍轻弃，况此其全编乎！予不敏，敢以正于诗坛君子。弘治庚申冬，赐进士、知钱塘县事安成胡道识。"四库提要卷一九七《归田诗话》："后弘治中，庐陵陈叙刻之，以佑别号'存斋'易名曰《存斋诗话》，无所取义。今仍题《归田诗话》，从佑所自名也。"

本年

彭韶下狱。《明史》彭韶传："成化二年，疏论金都御史张岐憸邪，宜召王竑、李秉、叶盛，忤旨，下诏狱。给事中毛弘等救之，不听，卒输赎。"

谢铎起复为国子祭酒。《明史》谢铎传："家居将十年，荐者益众。会国子缺祭酒，部议起之。帝素重铎，擢礼部右侍郎，管祭酒事。屡辞，不许。时章懋为南祭酒，两人皆人师，诸生交相庆。"

顾梦圭（1500—1558）**生。**字武祥，号雍里，昆山人。嘉靖癸未进士，官至江西右布政使。有《疣赘录》九卷、《赘疣续录》二卷。据归有光《中奉大夫江西右布政使致仕雍里顾公权厝志》。

张时彻（1500—1577）**生。**字维静，鄞县人。嘉靖癸未进士，官至南京兵部尚书，《明史》附见张邦奇传。有《芝园定集》五十一卷、别集十卷、外集二十四卷。据沈一贯《南京兵部尚书东沙张公行状》。

公元 1501 年（弘治十四年　辛酉）

五月

李东阳乞致仕不获允。《明孝宗敬皇帝实录》卷一七四"弘治十四年五月己酉（初二）"："先是，太子少保礼部尚书兼文渊阁大学士李东阳两以疾辞位，俱优诏不允。至是，复上疏恳乞致仕。……上曰：卿引疾乞休，已屡有旨不允。宜勉起供职，以副委任，毋再固辞。"《怀麓堂集》卷一〇〇《求退录》"奏为陈情乞恩恳祈休致事"，略云："臣近因感患眩等疾不瘳，具本陈情，再乞休致。奉圣旨：'卿才德素著，精力未衰。有疾，宜用心调理，以副委任。岂可固求退休！所请不允。钦此。'仰惟温诏之褒谕、圣情之眷注至深至厚。臣才微德薄，精力实衰。内自揣度，益增感愧。其何以上副圣恩于万一乎？过蒙陛下简擢至此，凡职所当为，力所能尽，虽陨身碎首亦不敢辞。而病势缠绵，将辍复作，即欲免就驱策，诚有未堪。且臣之疾，其始亦甚微也，医家谓之内伤。内伤之证，似轻实重，而臣忽之，自谓无事，或饮食过度，或劳佚不时，积日累岁，其来已久。以致元气弊亏，痰邪胶结，表里俱虚，标本皆病。故用药愈难，而取效亦不易。若复强勉匍匐，进而不止，欹仆颠踬之患难保必无。此臣所亲试而非过计也。故呻吟郁悒之中，思念时事，于古人以身喻国之义，窃有感焉。方今世久承平，积安成玩，灾异迭应，边寇纵横，财匮民穷，兵疲将寡，天下之事大有可忧。宵旰之间，屡厪圣虑，正人臣竭志极力，分忧共患之日。况股肱心膂之地，安敢惮难择便，私为身图。但臣以病质庸才，冒居重地，虽在平时尚无裨补，当此多事，岂能仰赞大猷？徒拥虚员，复妨贤路，臣之愚，实不知所以自处也。伏望圣明检臣前项二次所奏情词，许臣致仕。"

夏

章懋起为南祭酒，固辞。《枫山集》卷一《辞免升任祭酒疏》："臣于弘治十四年八月二十四日，承奉吏部札付，钦奉六月初六日圣旨，升臣南京国子监祭酒。自天有命，无地措躬。伏念臣一介草茅，初无学术，庸陋迂疏，弗堪世用。自少应举为亲干禄，偶合主司，滥登科第。荷蒙宪宗皇帝天地覆载之恩、父母生成之德，储之翰苑，俾读中秘之书，授以史官，叨陪侍从之列。虽以狂言获罪，犹加矜贷，改评刑于大理，升佐宪于南闽。盖尝有志于澄清以图补报，而才识弗逮，劳效蔑闻。忽瘴岚之侵染，遘疾疢之交攻，惧瘝官而贻谴，僭陈词以乞身。又蒙恩旨允臣休致，以养孱躯。幸存喘息，二纪于兹，每怀忠于畎亩，愧莫报于涓埃。初不敢过为矫激以退为高，亦未尝妄有觊觎以进为望。……切缘臣未拜恩命之先，今年二月初四日遭值父丧，例应守制。虽蒙圣慈容臣服阕赴任，然计免丧之期，犹须二载，而久旷官守以待微臣，不无隳废职务有误教养，于法既为未便，于义尤所未安，此臣所以踟蹰靡遑，不容不沥诚以上请也。……又臣今年犬马之齿六十有五，桑榆已迫，蒲柳早零，加以祸罚之余，摧咽悲伤，气血凋耗，心志健忘，须发尽白，筋力衰惫，目昏足弱，老病侵寻，虽使在官，亦宜纳禄，岂容冒昧，复事弹冠以窃非据乎？此又臣所深惧而循墙伛偻，尤不容不吁天以祈免也。"《枫山集》卷一《再辞祭酒疏》："臣于弘治十四年八月内，承奉吏部札付，钦蒙圣恩升臣南京国子监祭酒。臣时方值父丧，例应守制。又以道德无闻，难膺重任；老病侵寻，不堪从宦；已具奏牍，备陈愚悃，冒干洪造，祈免新任，以终致仕。而俯听逾时，未蒙俞允。至弘治十五年七月十五日，又蒙吏部札付，钦蒙四月初二日圣旨：'章懋不准辞，待服满日，著到任管事。'涣渥自天，震惊无地。……臣今犬马之齿逾六望七，已及挂冠之日，又当泣血之余，心志凋耗，筋力衰颓，目昏齿痛，腰酸足弱，百病交攻，余生无几。虽欲就列，莫能陈力。而祭酒之责任匪轻，又岂臣之老病者所能胜哉？臣前所奏，已具此情，而陈述不详，衷诚未达，致蒙恩命再颁，臣夙夜忧危，进退维谷，展转于心，筹思累日，愈不自安。"《枫山集》卷二《与谢方石鸣治》："某罪逆余生，倚庐待尽，百念俱灰，独于平生受知之地，未尝敢忘。去之夏，闻先生过金华，辱寄示《缌山集》，甚慰所怀，而僻居山左，弗获一望颜色以承警诲，恒用慊然。今年春，门生董遵回自都下，始知先生膺召复出，以斯道化辟雍而权衡天下士，又陈昌言以裨时政，甚惬舆望。某时方哀恸罔极，未暇悉其详，亦未由致一笺之敬，惭罪！惭罪！迩者，忽闻朝命有南雍之除，自惟才德浅薄，而老耄及之，岂足以步先生后尘？若贪冒宠荣，不知逊避，是为乘轩之鹤，在埤之隼，非惟物议所不容，亦恐用非其人，为当道诸公之累。兹已具疏辞免，愿得先生一言，为陈卑悃，达诸当道，俾遂所请，为荣多矣。"

十月

倪岳卒，年五十八。《明孝宗敬皇帝实录》卷一八〇"弘治十四年十月甲寅（初九）"："太子少保、吏部尚书倪岳卒。""至是卒于官，年五十八。"《震泽集》卷二五《故太子少保吏部尚书赠荣禄大夫少保谥文毅倪公行状》："公每为文，援笔立就，吏抱案前，运笔如飞，殊不经意，视之，则宿构者不能及，而法家老吏亦不能增损也。鏊与公同在翰林，犹未知公，及承乏吏部，同事颇久，见其识之开敏，气之超迈，自恨知公之晚也。"《清溪漫稿》卷首提要："今集中疏议共五十九篇，与所谓百余事者不合，疑刊集时已有所删择。然如《正祀典》、《陈灾异》及《论西北用兵》诸奏，皆建白之最大者，已具在其中，所言简切明达，得告君之体，颇有北宋诸贤奏议遗风。他文亦浩瀚流转，不屑为追章琢句之习。盖当时正人在位，为明治全盛之时，故岳虽不以文名，而乘时发抒，类皆经世有本之言，如布帛菽粟之切于日用，亦可知文章之关乎气运矣。"《明诗纪事》丙签卷四《倪岳》陈田按："文毅父谦谥文僖，有明父子得谥文，自倪氏始。文毅诗才不逮文僖，而政绩远过之。"

本年

高叔嗣（1501—1537）**生。**字子业，号苏门山人，祥符人。嘉靖癸未进士，官至湖广按察使。事迹具《明史·文苑传》。有《苏门集》八卷。据陈束《苏门集序》。

朱曰藩（1501—1561）**生。**字子价，号射陂，宝应人，朱应登之子。嘉靖甲辰进士，官至九江府知府。有《山带阁集》三十三卷。据欧大任《广陵十先生传·朱曰藩》。

公元1502年（弘治十五年　壬戌）

二月

　　傅瀚卒，年六十八。《震泽集》卷二五《礼部尚书赠太子太保谥文穆傅公行状》："一日谓子元曰：'吾其归乎？夜梦祖妣来视吾疾。'壬戌二月二十日，殁于京师之馆舍。……公好学力行，老而弥笃，平生著述，粹然一本乎理。书法遒丽，有晋人风韵。弟潮亦工书法，时称一家二妙。"

三月

　　王彝《王常宗集》刊刻。都穆《王常宗集序》："洪武史臣嘉定王先生常宗，有遗文一编，穆乡尝校定，厘为四卷，藏之箧笥者二十年矣。刘君子珍，世居嘉定，好古博雅，谓是集为里中故物，刻梓以传，而俾穆序之。惟吴为东南文献之地，自汉唐以来，名人魁士，踵武相望。至我朝洪武而益盛，盖当是时，修《元史》者三十有二人，皆极天下之选，而出于吴者，高季迪氏、谢玄懿氏、杜彦正氏、傅则民氏，而先生与焉。先生之文，精严缜密，明畅英发，不为谀辞浪语以逐世好，要之根据乎六经，出入乎诸子百氏，而其识见之卓，论议之妙，求之当时，已不多得，而况遗之百数十年之远，其可以弗传耶？……先生少贫，尝读书天台山中，师事孟长文氏，长文盖兰溪金文安公弟子。故先生之学，远有端绪，若文则其所自得者为多，而未尝苟同于人。初，会稽杨维桢以文雄一时，吴越诸生多归之者，先生独目为文妖，作文诋之，凡数百言。穆于是又有以验先生之学之正，推是心也，岂希宠盗名以徼一时之利者哉？是以史成而归，身犹布衣，而惟以读书奉母为事。呜呼！若先生者，匪徒能言，实允蹈之而足为乡邦之重者也。先生名彝，其先蜀人，父东轩公尝教授昆山州学以卒。嘉定，昆山之接壤也，故先生遂为嘉定人云。都穆序。"浦杲《题王常宗集后》："杲童幼，稔闻长老论及嘉定乡先生学行纯正、文章典雅，必王先生常宗为称首。自恨生晚，不获一摲杖屦，以备牛马之走。间尝得其诗文一编曰《三近斋稿》，其议论根据，精彩发越，反复诵咏，使人有手舞足蹈之意。此杲所为恨生晚，不得以从问道执业之末。然是时，抱生晚之恨者，岂独杲也？吾友刘君子珍，过而见之，默然有契于中，乃曰：'君贮之箧笥，以私一人之观览，孰若镂板以传，庶斯文之不坠，而先生之名亦得以垂不朽也？'遂许捐金以成厥美。其间多有陶阴亥豕等字，复求进士都公玄敬校雠点检，略无苟且，复为序文，以弁首简。……弘治壬戌春正月望，邑人后学浦杲敬识。"刘廷璋《王常宗集跋》："吾练川有妫蜼子先生者，姓王名彝，字常宗，其学之传，出于仁山金氏，故渊源有自。发为诗文，皆平顺和畅，根于至理。国初以布衣召修《元史》，书成，受金币之锡，有以荐于翰林者，先生以母乞归，后竟不得其死。呜呼！先生之才之德，而不得其死，今乏曾、玄以衍其后，使其文不传，不为真死也欤？余因采访其文集数卷，出资绣梓以广其传。刻成，因缀数语于后，以见先生虽亡，而所以不亡者自若也。弘治十五年春三月朔，同邑后学刘廷璋谨书。"《王常宗集》卷首提要："《王常宗集》四卷，《补遗》一卷，《续补遗》一卷，明王彝撰。其集本名《三近斋稿》，弘治中都穆编为文三卷、诗一卷，刘廷璋、浦杲又辑补遗一卷。今世所传钞本，又有续补遗一卷，不知何人所辑。考其体格，与全集相类似，非赝作也。"

十八日，赐康海等进士及第、出身有差。

何景明进士及第。乔世宁《何先生传》："年十九，登壬戌进士，授中书舍人。是时北地李献吉、武功康德涵、鄠杜王敬夫、历下边廷实，皆好古文辞。先生与论文，语合，乃一意诵习古文，而与献吉又骏发齐名，忧愤时事，尚节义而鄙荣利，并有国士之风焉。"

吴宽与邵文敬会于清江浦。邵文敬，名珪，宜兴人，号东曹隐者。成化己丑进士上，授户部主事，历员外、郎中，出为严州知府。与李东阳、吴宽交厚。有《半江集》六卷。《家藏集》卷五七《己亥上京录》："成化十五年己亥三月十日丙寅，予服阕，上京，诸亲友送至无锡者……壬午，至淮安，会平江伯陈锐、干都参将胜私第。午后，二公具酒送至移风闸。晚至清江浦，邵文敬员外、吴文盛主事来访。晚过文敬公署，登寄寄亭，止宿西轩。是夜大风雨，文敬有诗，予次韵答之。癸未，留轩中，题高彦敬山水卷，卷长丈许，奇迹也。夜始返舟。"《家藏集》卷六《宿邵文敬清江官舍为题高房山画卷》："淮南春夜风兼雨，空堂萧萧杂人语。户曹好客无与娱，故展长图慰羁旅。大山蠢蠢如覆釜，小山历历还聚黍。人家隔岸见衡茅，艇子随潮归浦溆。眼昏莫辨云中树，据案呼童执高炬。千里悠悠亦远游，却喜意行无险阻。阊闾城中为我家，俗事到门多峻拒。平生惟有山水缘，招我登临无不许。忆昨离家始浃旬，此物依然入东楚。乃知高侯画有神，未让道宁与僧巨。愿君从兹慎藏弄，对棋宁赌淮南墅。"

七月

董越卒，年七十二。《明孝宗敬皇帝实录》卷一八七"成化十五年五月乙亥（初四）"："南京工部尚书董越卒。越字尚矩，江西宁都县人。成化五年进士第三人及第。授翰林院编修，秩满，进侍读。二十年，选侍东宫讲读，充经筵讲官。上即位，进右春坊右庶子，兼侍讲，颂登极诏。使朝鲜，能宣布德意，却其馈遗。居三日而还，有赋以纪其国俗。纂修《宪宗实录》成，升太常寺少卿，兼侍讲学士，充日讲官。寻迁南京礼部右侍郎，至工部尚书。卒，年七十二。……越修眉长身，博洽善议论。成化末，诸执政大臣不相得，门客各所厚善，独越出入诸公之门，皆得其欢心，议者以辈之楼君卿云。"《怀麓堂集》卷八五《明故资政大夫南京工部尚书赠太子少保谥文僖董公墓志铭》："公博古典，习闻本朝故事，而职务清简，无由自见，大夫士议礼者多取决焉。……平生为文章歌诗，典雅优裕，无烦雕琢。至是尤不废著述，积所得为《圭峰稿》若干卷。壬戌七月五日以疾卒，距其生宣德辛亥二月十六日，寿七十有三。"〔按，董越卒日，当依李东阳所撰墓志〕

十月

袁袠（1502—1547）生。字永之，号胥台，吴县人。嘉靖丙戌进士，官至广西提学佥事。《明史·文苑传》附见文征明传中。有《衡藩重刻胥台先生集》二十卷。文征明《广西提学佥事袁君墓志铭》："君生弘治壬戌十月二十六日，卒嘉靖丁未六月十有三日。"

十二月

《大明会典》成，凡一百八十卷。明孝宗《明会典序》略云："朕惟自古帝王君临天下，必有一代之典，以成四海之治。虽其间损益沿革未免或异，要之不越乎一天理之所寓也。惟我太祖高皇帝以至圣之德，代前元而有天下。凡一政之举、一令之行，必集群儒而议之，遵古法，酌时宜，或损或益，灿然天理之敷布，神谟圣断，高出千古。近代积习之陋，一洗而尽焉。我太宗文皇帝、仁宗昭皇帝、英宗睿皇帝、宪宗纯皇帝，圣圣相承，先后一心。虽因时损益，而率由是道。百有余年之太平，端有在矣。朕祇承天序，即位以来，早夜孜孜，欲仰绍先烈，而累朝典制散见迭出，未会于一。乃敕儒臣发中秘所藏诸司职掌等诸书，参以有司之籍册，凡事关礼度者，悉分馆编辑之。百司庶府以序，而列官各领其属，而事皆归于职。名曰《大明会典》。辑成来进。总一百八十卷。朕间阅之，提纲挈领，分条析目，如日月之丽天而群星随布。我圣祖神宗百有余年之典制，斟酌古今，足法万世者，会萃无遗矣。特命工锓梓，以颁示中外，俾自是而世守之不迁于异说，不急于近利。由朝廷以及天下诸凡举措，无巨细精粗，咸当乎理而得其宜。积之既深，持之既久，则我国家博厚高明之业，雍熙泰和之治，可以并唐虞、佚三代而垂之无穷，必将有赖于是焉。遂书以为序。弘治十五年十二月十一日。"

何乔新卒，年七十六。《明孝宗敬皇帝实录》卷一九四"弘治十五年十二月庚申（二十二日）"："致仕刑部尚书何乔新卒。"林俊《刑部尚书赠太子少傅谥文肃何公神道碑》："自公之隙，目存心寄，尽在书。有异种，辄从假录，藏书至三万卷，忘其疲与其身之既老。文章援据经史，谨重而简则。"蔡清《椒丘先生传》："自少好学，公余，书声琅然闻户外。虽视事，亦手一编不少置。闻人有异书，辄假录之，藏书三万卷，皆手自雠校。所著有《宋元史臆见》《周礼集注》《椒丘稿》，所编选有《文苑群玉》《唐律群玉》《续编百将传》《勋贤琬琰集》，皆藏于家。"陈音《送刑部尚书何公序》："今刑部尚书何公，自少颖悟绝人，潜静笃学，凡群经诸史以及百家书，皆穷搜力索而得其归趋。宅心操行，严辨可否，动必思古人，惟恐自负其所学。援笔为诗文，雄浑典雅，可追于古名家。赐进士出身、中宪大夫、南京太常寺少卿、前翰林院侍讲经筵官兼修国史莆田陈音序。"《明诗综》卷二五《何乔新》存诗四首：《秋怀》《登岳阳楼》《拟唐宫词》《过故相第》。《椒丘文集》卷首提要："乔新不以文章名，而所作详明剀切，直抒胸臆，学问经济，实具见于斯。史称其博综群籍，闻异书辄借钞，积三万余帙，皆手自校雠。著述甚富，则有本之言，固宜与枵腹高谈者异矣。"

林俊巡视江西。《见素集》附录上《编年纪略》："［十五年］十月，江西盗起，会推风力大臣巡视，降敕云：'朕以尔素有风力才望，不畏强御，特命巡视事，听便宜处置。'十二月到江西。"

张元祯迁南京太常寺卿。李东阳《明故通议大夫吏部左侍郎兼翰林院学士掌詹事府事张公墓志铭》："壬戌，擢南京太常寺卿。"

本年

文征明为诸生，苦志力学。《文章辨体汇选》卷五三八《文衡山小传》："十六而父温州公林殁于官，郡寮合数百金赙先生，却之曰：'孤不欲以生污逝者。'既服除，补诸生，下帷读书，恒至丙夜。而以其才旁及诸技文及书绘，皆精绝。先生所严事故吴尚书宽、李太仆应桢、沈周先生，而友祝允明、唐寅、徐祯卿。吴、徐工古文歌诗，吴又能书，李、祝工书，祝又能古文歌诗，沈、唐工绘事又能歌诗，而皆推让先生，以为不可及。先生小隶师右军父子，古隶师钟、梁，画师龙眠、吴兴，尤精绝。诗得中晚唐格外趣，独于文取达而已。"［按，征明父文林卒于 1499 年，征明时年三十，非十六］

屠应埈（1502—1546）生。字文升，刑部尚书勋之子，平湖人。嘉靖丙辰进士，官至左春坊左谕德。《明史·文苑传》附载王慎中传中。据徐阶《明故右春坊右谕德兼翰林院侍读渐山屠公墓志铭》。

公元 1503 年（弘治十六年　癸亥）

二月

李东阳、谢迁受赐。《明孝宗敬皇帝实录》卷一九六"弘治十六年二月乙巳（初八）"："赐大学士刘健、李东阳、谢迁大红蟒衣各一袭。内阁之赐蟒衣自此始。"

三月

诏修《历代通鉴纂要》。《翰林记》卷一三《修史》："弘治十六年三月，诏修《历代通鉴纂要》。"谢铎《与李西涯论＜历代通鉴纂要＞书》："夫法古求治，固圣主望道未见之盛心；稽古陈谟，亦人臣纳约自牖之素志。而诸老先生乃以编纂之任分委某等，此又古者大臣以人事君之义。某虽驽下，敢不黾勉从事。窃尝闻之朱子之言曰：古史之体，可见者《书》与《春秋》而已。《春秋》编年通纪，以见事之先后。《书》则每事别纪，以具事之首尾。盖当时史官既以编年纪事，于事之大者，则又采合而别纪之。若二典所记，上下百有余年，而《武成》《金滕》诸篇，其所记载或更数月，或历数年，故左氏之于《春秋》，既依经作传，而又别为《国语》以记其事，亦此类也。某愚窃谓：今之《纂要》，合无先为编年，略如《春秋》《左传》之例，而又每事别记，以仿佛《书》与《国语》之例，庶几统绪可正，事体不遗。盖统绪莫大于创业守成，而事体莫要于知人立政。一览之余，诚知历代创业之艰难与夫守成之不易。凡其统绪所在，孰为正而可法，孰为不正而可戒；某君以用某人行某政而治，某君以用某人行某政而乱。邪正治乱之间，惕若覆车之在前，俨乎高山之可仰，则所谓宏纲要义，足为监戒，可以裨益宸聪，恢弘治化者，端在是矣。……孔子万代帝王师，孔子不言，谁敢复言之哉？苟于孔子所不言而复言之，以是而求治，以是而陈谟，亦多见其惑矣。某愚以为今日之《纂要》，欲自三皇五帝始合，亦断自伏羲、炎、黄，庶几上不失《易》《书》之旨，而近亦经世稽古录之遗意也。"《明史》张元祯传："已，修《通鉴纂要》，复召为副总裁。以故官兼学士，改掌詹事府。帝晚年德益进，元祯因请讲筵增讲《太极图》、《通书》、《西铭》诸书。帝亟取观之，喜曰：'天生斯人，以开朕也。'"李东阳《明故资善大夫礼部尚书兼翰林院学士掌詹事府事加赠太子太保谥文定吴公墓志铭》："其史事则修《宪庙实录》，兼校正。修《大明会典》，充副总裁；比修《历代通鉴纂要》，亦如之。"

六月

桑悦卒，年五十七。杨循吉《故柳州府通判桑公墓志铭》："吴郡思弘先生桑公，少好词赋，师司马相如、扬雄，以其长擅名。一时至为他文章，皆本是。凡为集十卷。既而力探群经，自《易》《春秋》《周礼》皆有义释，又类合数十家，总二十余万言。弘治癸亥六月四日，以柳州府通判卒于故邑常熟之寓馆，年五十七。……又以催科无绩，调柳州府。柳边氓杂居，多窃发，先生出入贼巢穴，示以恩信，来附者万家。柳人至为绘像以祀。然由是名闻于会府，因得召致幕下，待以宾礼，俾司谋画。道方行，会父丧。归，遂不起，以至于没。"《列朝诗集小传》丙集《桑柳州悦》："民怿在燕市，见高丽使臣市本朝《两都赋》无有，心窃耻之，作《两都赋》。慕阮公《咏怀》，作《感怀》五十四章。居长沙，著《庸言》，自以为穷究天人之际，非儒者所知也。吴郡阎起山秀卿作《二科志》，以民怿首列狂简，曰：'狂者未尝无人，至如民怿，可与进取者也。'余少尝著论，以秀卿为深知民怿云。"正德《姑苏志》卷五四："悦喜庄骚家言，特长于赋。然纵诞不羁，恃其敏悟，下视无人，人多尤之。"《明诗评》卷四："民怿一览辄诵，千言不草，气凌五侯，目鲜百代，可谓文阵之健儿，人群之逸骥矣。诗如洛阳博徒，家无担石，一掷百万。又如灌将军骂坐，虽复伉健，终鲜致语。"《弇州四部稿》卷一三二《桑民怿卷》："桑民怿才名噪一时，几有雕龙绣虎之称。此卷为盛秋官书者，尤多生平得意语。其书似不胜文，文似不胜诗，大要不能去俗耳。"《艺苑卮言》卷六："桑民怿如社剧夷歌，亦自满眼充耳。"《诗薮续编·国朝下》："桑民怿高自称许，今睹其集，体格卑弱之甚，可谓大言无当。"《国雅品》士品二《桑别驾民怿》："狂士也。少有辩才，尝以孟轲自任，目韩愈文为小儿。号自称曰'江南才子'，颇不羁慢世。丘文庄公每屈节下之，其文词多寡味。《卮言》云：'桑诗如家无担石，一掷万钱。'讥其狭而浅也。"《明史》桑悦传："迁长沙通判，调柳州。会外艰归，遂不出。居家益狂诞，乡人莫不重其文，而骇其行。"《明诗综》卷二八《桑悦》："胡元瑞云，民怿高自矜诩，其诗体格卑弱，可谓大言无当。俞汝成云，思玄居士负气自高，凌厉一世，其诗赋类多率情，有玩世自嘲之意，可以资暇启颜者，亦复不少。"存诗六首：《感怀》《住龙福寺》《题凤洲草堂效吴体》《过十二矶》《题画》《怀远道中》。《静志居诗话》卷八《桑悦》："民怿说《易》，谓万物莫逃乎数；说《诗》，谓删后无诗。率本尧夫之余唾。其于律吕，亦拾蔡氏之陈言。才识平平尔，乃敢大言。述《道统论》，则曰：'夫子传之我。'作《学以至圣人论》，则曰：'我去而夫子来。'居然以孟子自况。而非薄韩子，比其文于小儿号嘎。其在长沙，著《庸言》，自诩穷究天人之际，非儒者所知。而曰：'吾诗根于太极，天以高之，地以下之，山以峙之，水以流之，庶物以飞潜动植之。日月宜其明，雷霆发其震，雨露播其润泽。散之则同元气流行。收之于心，发之于言，被之管弦，则可感天地，动鬼神，乾坤毁，日月息，诗乃收声，复归太极。'其言大而夸狂也，几于悖矣。"四库提要卷一七五："《思玄集》十六卷，明桑悦撰。悦有《桑子庸言》，已著录。是编赋一卷，文八卷，诗六卷，诗余一卷。附刻一卷，则悦之志传也。史称悦为人怪妄，敢为大言以欺人。朱彝尊《静志居诗话》称悦在长沙著《庸言》，自诩穷究天人之际，非儒者所知，又自称其诗根于太极。则史所云怪妄，不虚也。所作《两都赋》有名于时，然去班固、张衡实不可道里计，而夸诞如是，浅之乎其为人矣。"

林俊抑宁王。《明史》林俊传："宁王宸濠贪暴，俊屡裁抑之，王请易琉璃瓦，费二万。俊言宜如旧，毋涉叔段京鄙之求，吴王几杖之赐。王怒，伺其过，无所得。会俊以圣节按部，遂劾奏之，停俸三月。寻以母忧归。"《见素集》附录上《编年纪略》："七月奔母黄夫人丧。"

八月

章懋始为国子祭酒。《枫山集》卷一《谢恩疏》："臣先于弘治十四年六月内，钦蒙圣恩升臣前职。臣以遭值父丧，例应守制，及才德浅薄，老病衰颓，弗堪重任，两具奏牍祈免升职，又两承圣旨允臣终制而不容逊避，恩厚命严，臣不敢有违，已于弘治十六年八月初六日到任管事。"《明文海》卷四四二《故致仕南京礼部尚书赠太子少保谥文懿枫山先生章公墓志铭》："复置司业，摄学事，以需终制，又辞，不允，乃赴任。名高望重，尊尚德化，宽大中自有规矩。诸生质疑请益，无不向答。或泛而不切，务令收敛近里，士皆惬服。凡学政所宜兴革者，次第以闻，率从其请。"《明史》章懋传："弘治中，孝宗登用群贤。众议两京国学当用名儒，起谢铎于北监。及南监缺祭酒，遂以懋补之。懋方遭父忧不就。时南监缺司业且二十年，诏特以罗钦顺为之，而虚位以待懋。十六年，服阕，懋复固辞。不允，始莅任。六馆士人人自以为得师。监生尤樾母病，例不得归省，昼夜泣。懋遣之归，曰：'吾宁以违制获罪。'"

十一月

刘铉《假庵集》开始刊刻。吴宽《刘文恭公诗集序》："公既没，藏于箧中率多乱稿，其子瀚从仕中外，皆以刑狱为职，未暇编次，及是以陕西按察副使致仕，始以其暇为之，以宽居同里，及仕又尝同朝，契好甚久，乃奉其遗稿以示，俾序其首。宽生也后，不获承公之教，特从诸生中一尝望见其颜色而已，今幸得其遗稿而读之，亦何异蒙公之指授者？顾浅陋之学，虽按察君缪加委重，其非公之望乎！既辞不获，他日君则以书俾其子今直阁尚宝卿荣来言曰：'某老矣，先子之文将板刻行世，愿序文之及见之也。'盖公在翰林最久，后自国子祭酒擢少詹事，亦贵显矣，而公所以俭质静退者，自持愈至，犹夫山林人也，故其行己乡人知之，同时之人知之，远方后辈或有不知者，将无疑其文乎！孔子曰，有德者必有言。敢书曰，此有德者之言也，学者宜相与传之。……弘治癸亥冬十一月甲申，资善大夫、掌詹事府事礼部尚书兼翰林院学士延林吴宽序。"［按，此次刊刻，可能印数很少，以至于到嘉靖二十八年，必须重刻。文征明《刘文恭公诗集叙》云："平生所著有《假庵集》若干卷，公仲子陕西按察副使瀚尝刻于闽中，吴文定公实叙之，今叙文载《匏庵集》，而其书竟不传，盖副使没而其家文献或散失也。比岁，公之孙桐宰汤溪，谋重刻之，以不得原稿而止。今乡贡进士畿，汤溪之孙也，搜诸故箧，及访于亲友，得杂诗数十篇，遂以锓梓，意盖有所俟也。……嘉靖己酉腊月朔，郡后学文征明著。"刘璞《刘文恭公诗集跋》："其所著古文诗最多，而尝选其尤粹者六十卷，名《假庵集》，以遗诸后。后曾叔祖宪副公、叔祖汤溪公，皆将梓行，而弗竟其志，此吾宗一欠事也。迩者从弟畿深惟先泽之不可泯，先志之不可不继，于是搜之遗书中，得公之诗若干首，裒校成帙，诸体略备。复于诸家纪录中，取公之志传冠诸卷端，遂为梓之，而其全则俟之后日。……今观兹刻，则公之德行文章虽不可尽见，亦庶几不尽泯云。嘉靖己酉岁冬十二月哉生明，从玄孙璞斋沐顿首谨识。"］

十二月

邵宝为文祭罗伦。《容春堂前集》卷二〇《祭一峰罗先生文》："维弘治十六年岁次癸亥，十二月庚午朔，越十五日甲申，江西提学按察副使常郡邵宝谨具果脯之奠，遣永丰县学教谕某，致祭于一峰先生罗公曰：我怀一峰，三代遗材，范我驰驱，百偾不回。公之议论，风飞雷厉；公之文章，川流岳峙。公心何如？白日青天；纲常一疏，君子予焉。公高者怀，公奇者迹。卧云飡霞，漱泉憩石，廷仪为凤，郊踏为麟。我愿执鞭，莫起其人。凡我敬公，实自童子。再拜公堂，有泪如水。尚飨！"

本年

徐阶（1503—1583）**生**。字子升，号存斋，松江华亭人。嘉靖癸未赐进士第三，授翰林编修。抗疏论孔子庙制，斥为延平府推官。稍迁浙江、江西提学副使，入为司经局洗马，历升礼部尚书，入直无逸殿，寻入东阁办事。累官少师、吏部尚书、建极殿大学士，卒赠太师，谥文贞。有《少湖先生文集》七卷、《世经堂集》二十六卷。据《明儒学案》卷二七《文贞徐存斋先生阶》。《明史》徐阶传："生甫周岁，堕眢井，出三日而苏。五岁从父道括苍，堕高岭，衣挂于树不死。人咸异之。……阶为人短小白皙，善容止。性颖敏，有权略，而阴重不泄。读书为古文辞，从王守仁门人游，有声士大夫间。"

公元 1504 年（弘治十七年　甲子）

二月

孙绪与储巏定交。《沙溪集》卷一二《无用闲谈》："司徒储静夫巏，于余为先进，初未相知。因送王翰林九思归省，席上联句以赠，储有句云'诗许夺袍供戏彩'，坐客俱未能对，余时年最幼，居末坐，起续其下曰'腹藏充栋未题签'，储喜甚。既而共谈

《史记》，乔太宰希大有句曰'午夜卷舒惊落蠹'，余应之曰'当年辛苦费雕虫'，储起执余手曰：'吾当让子一头地。'自此遂相知。"《明孝宗敬皇帝实录》卷二〇八"弘治十七年二月庚戌（十八日）"："翰林院检讨王九思乞归省亲，许之。"

申谶讳妖书之禁。《明孝宗敬皇帝实录》卷二〇八"弘治十七年二月己未（二十七日）"："吏部尚书马文升言：法司每秋后会审重囚，其中坐收藏妖书惑众问拟重刑者甚多。传信妖言多系愚民，与其诛于已犯，不若禁于未然。乞敕都察院出榜，下各巡抚巡按官翻刊谕众：但有收藏谶纬妖书者，许半月内首官其书，即许烧毁。官司有私录者，厥罪惟均。仍令地方人等，访有以妖术妖言惑众者，即捕送于官。都察院覆奏，从之。"

唐寅与诸友结伴游春。周道振、张月尊《唐伯虎年表》："二月，与祝允明、文征明游东禅寺。寺僧天玑能诗，与寅及吴宽、沈周、祝允明、文征明等往来倡和。寺有红豆树一本，寅与沈周、文征明恒于花时修文酒之会。""与蔡羽、文征明、徐祯卿放舟虎丘，文征明有诗并图。"

五月

刘珏诗集编成。吴宽《完庵诗集序》，末署"弘治十七年夏五月朔旦"。四库提要卷一七五："《完庵诗集》一卷，不著撰人名氏，惟篇首有吴宽序，称完庵先生刘公少为刑部属，出佥山西按察司事，居三载弃官归吴中，所与倡和者武功徐公、参政祝公及隐士沈石田数人。考《江南通志·人物》文苑类中载，'刘珏字廷美，长洲人。正统三年举人，官至山西按察司佥事，老而好学，工于唐律，时人称为刘八句'，所叙仕履与宽序合。又艺文类中载'《完庵诗集》，长洲刘珏撰'，与书名亦合。则此集盖珏所作。然其诗有亮节而乏微情，不能如志所称也。"

七月

吴宽作绝笔书与沈周。《震泽集》卷三五《跋吴文定公与沈石田手札》："闻之王秋涧云，'字画亦可以观人之寿夭。'文定以甲子七月十日奄逝，此札作于是月之六日，相去四日耳。点画法度具在，言辞温润谆切，与平日无异也。秋涧之言岂欺我哉？昔曾子临终所以告孟敬子者，尤谨于容貌颜色辞气之间。文定此札，久要之诚，恬退之节，盖略见焉。其所养可知矣。公于石田最厚，往来简牍尤多，而此札则若与永诀然者，故尤重之宝之，装潢成卷，俾予书其后。於戏！公之笔于是乎绝矣。"

吴宽卒，年七十。《明孝宗敬皇帝实录》卷二一四"弘治十七年七月戊戌（初十）"："掌詹事府事礼部尚书兼翰林学士吴宽卒。"李东阳《匏翁家藏集序》："公以经学为程试，既而遍读《左传》、迁《史》、韩、柳、欧、苏诸家之文，欲尽弃其旧业。及为部使所迫，取甲科，官史局，文名满天下，老居台阁，弗究厥施，而终始于所谓文者。故其为诗深厚酝郁，脱去凡近，而古意独存。其为文，典而不俗，邃而不泛，约之理义，以成一家之言。"徐源《家藏集后序》："吾故友吴文定公，幼游学校，禀赋清纯，志趣超卓，涵养端正，笔力雄健，赋诗属文，即能鄙远尘俗，追踪古人。予也叨陪研席，同舍桥门，出入相友，每见一诗一文，心窃叹异。馆阁之具也！已而礼闱、廷对，果皆首冠。自是入官翰林，登枢内相，日惟文字启沃为职，位望日益高，制作日益盛。凡友朋宴会离合之私，君臣吁咈治化之大，形之讽咏，著之纪述，若雅音毕敬，山泉宿潭，必底其极者，不止千篇而已也。方将愤乐忘老，而无妄疾作，遂殒矣。"王鏊《家藏集序》："余不自揆，窃尝评公之文矣。摆脱尖新，力追古作。丰之千言，不见其有余；约之数语，不见其不足。其为诗，寄兴闲远，不为浮艳之语，用事精切，不见斧凿之痕。自谓得公之深也。兹复何言乎？独念公生颇好苏学，其于长公每若数数然者，及其自著，乃独异焉。纤余有欧之态，老成有韩之格，信其学力之至，自得者深乎。其所养可知已！明兴，作者代起，独杨文贞公为之最，为其醇且则也。公之文视文贞，吾未知所先后。"王鏊《文定公墓表》："公为文，不事追琢，独严体裁，蕴藉简淡，理致悠长。为诗，用事浑然天成，不见痕迹，沉著高壮，一洗近世纤新之习。为书，姿润中时出奇崛，虽规模于苏，而多所自得。雅善裁鉴，法书名画，一经品定，众莫能易。"朱承爵《存余堂诗话》："吴文定公原博，诗格尚浑厚，琢句沉著，用事果切，无漫然嘲风弄月之语。"《艺苑卮言》卷五："吴匏庵如学究出身人，虽复闲雅，不脱酸习。"《明诗评》卷三："文定力扫浮靡，一归雅淡。诗如杨柳受风，煦然不冽。又如学究论天下事，亹亹竟日，本色自露。"《明史》吴宽传："宽行履高洁，不为激矫，而自守以正。于书无不读，诗文有典则，兼工书法。"《列朝诗集小传》丙集《吴尚书宽》："先生经明行修，顾然长德，学有根柢，言无枝叶。最好苏学，字亦酷似长公。而其诗深厚酝郁，自成一家。少壮好学，老而弥笃。所藏书多手钞，有自署'吏部东厢书'者，盖六十以后笔也。服官禁近三十余年，前后奉讳家居不满六载。风流弘长，沾丐闾里，迄于今未艾。吴人屈指先哲名贤，缙绅首称匏翁，布衣首推白石翁，其他或少次矣。"《静志居诗话》卷八《吴宽》："匏庵与沈启南、史明古衿契最深，车马簦笠往还无倦，其诗亦足相敌。在都门辟东园，筑玉延亭留客，园中草木莫不有诗。吏部后园亦为扫除，栏药槛花，暇必酬和，极友朋文字之乐。余尝见公家遗书偶有流传者，悉公手录，以私印记之。前辈风流，不可及也！"《明诗综》卷二八《吴宽》存诗十三首：《读廖司训诗》《送张都水》《苦雨》《谢屠公送西域眼镜》《钟馗元夜出游图》《送胡彦超》《题郑郎中所藏张师夔画》《赋黄楼送李贞伯》《送王合州》《登故友史西村小雅堂》《分韵送贞伯》《题画》《除夜》。《家藏集》卷首提要："宽学有根柢，为当时馆阁巨手。平生最好苏学，字法亦酷肖东坡，缣素流传，收藏家珍如拱璧。其文章和平恬雅，有鸣鸾佩玉之风。诗笔更深厚酝郁，追踪作者。盖成、弘之际，正文体极盛之时，有杨士奇等以导其波澜，有李东阳等以为之推挽，而宽之才雄气逸，更足以笼罩一时。明代中叶以还，吴中文士未有能过之者。至其作史彬墓表，称以力田拓业代为税长，而不载其有从建文君出亡之事，后人因据以正《致身录》诸书之讹，是尤可以资考订矣。"《明诗纪事》丙签卷三《吴宽》陈田按："匏翁诗，体擅台阁之华，气含川泽之秀，冲情逸致，雅制清裁。是时西涯而外，当首屈一指。"《明词汇刊·匏翁词》："匏翁行履高洁，不为激矫，而自守以正，不少阿附。于书无所不窥，作诗文雅有典则，兼工书法。词亦窥见门径，不同庸下。"

八月

胡居仁《敬斋集》编成。余祐《敬斋集序》："敬斋胡先生，学以治心养性为本，经世宰物为用，每患朱子之后，经传既明，学道之士，类多口语藉藉，无得于心，而其去道远矣。故于经书惟加熟读详玩，涵泳义理，不轻为之注焉，而况诗文又非传注之比，是以所作既少，而所存尤少，载此集者，皆祐于先生既没之后，访之远迩，收之散亡，间多少时之作，亦不忍删。盖先生虽不役心诗文，而凡有所作，罔不关切民彝物理，非俗学无用之空言也。就中与人书疏，析义精详，体道真切，尤非汉唐诸人可及，读者能以程朱轨辙求之，则其造诣宏深，真足以羽翼斯道之传而永垂世教，岂无能辩者哉！弘治甲子秋八月甲子，门人鄱阳余祐谨序。"《胡文敬集》卷首提要："《胡文敬集》三卷，明胡居仁撰。居仁有《易象抄》，已著录。居仁本从吴与弼游，而醇正笃实乃过其师远甚。其学以治心养性为本，以经世宰物为用，以主忠信为先，以求放心为要。史称薛瑄之后，惟居仁一人而已。居仁病学者撰述繁芜，尝谓朱子注《参同契》《阴符经》，皆可不作。故《易传》《春秋传》外，于经书皆不轻为之注。讲授之语，亦惟《居业录》一编。诗文尤罕。是集乃其门人余祐网罗散失而成，虽中多少作，然近里著己，皆粹然儒者之言，不似其师吴与弼书动称梦见孔子也。"

郑纪致仕。《东园文集》卷四《致仕第十九疏》："臣今已过致仕之年，尚从旅进之列，时论不容，中心有愧。在礼固不可留，论法亦所当去。礼不可留而留，法所当去不去，是迷贪位固禄之心，而忘弃礼灭法之耻。臣自少荷蒙朝廷作养之恩至于今日，岂忍若是耶？近因久病，暂出管事，神衰气倦，头晕目昏，已身不能自存，部事有何补益？乞休十有八章，无由一奉俞允。或者谓臣有心求去，何必待报而行？臣恐非大臣出处之义，隐忍依违，进退狼狈。今病势益增，死亡无日，不得已，将本部印信咨送南京吏部，委官署掌。买舟卜程，以待休命。"《东园文集》附录《名公叙述》："公自翰林至今官，前后乞休一十八疏，皆荷温旨勉留。弘治甲子三月，复移病即官邸，视事月余，乃以本部印信咨送南京吏部，委官署掌。上疏恳请，束装以待。八月始奉有'情词恳切，晋秩畀传'之旨。"《东园文集》附录《名公叙述》引吏部尚书倪岳撰《归省序》："先生志图归养，至终丧，犹眷恋未即起。盖家居者凡二十有二年，其视利禄重轻，漠然无所动于中也。久之，以文行老成，擢浙江提学副使，诏为国子祭酒，迁太常，进今官。文名德望，巍然推重于时。而先生欲归之志，复嚣嚣矣。乃以奏绩之京，即具疏乞休，不允。明日再疏以请，优诏勉留。始还任，未几，复有省墓之请，乃许之。苟非恬退之守坚定有素，能若是耶？故世方竞驰，先生如遗，世方推致，先生如避，此其中，岂功名宦达所能羁縻之也？其贤远于人，何如哉？"

九月

复置起居注。《御批历代通鉴辑览》卷一〇七："洪武间设起居注。后废。至是，太仆少卿储巏言：'古者立史官，记言记动，典至重也。臣见陛下宣召群臣，多系帷幄造膝之言，近臣不得以闻，史官莫由纪录，失今不图，恐岁月绵远，传闻各异，事迹无以究其始末。乞敕廷臣曾蒙召问者，备录呈览，宣付史馆。庶几圣君言动，举无所遗；群臣论说，亦以附见。'报可。"

秋

陆深与戴子孝定交。《俨山集》卷三六《见月录小引》："余性疏，口且多言，与人交辄得罪。弘治甲子秋，获侍戴君子孝共载而北，道路凡四千里，始终凡五十日。饮食卧起，未尝竟时舍去也。而余之疏者不加密，多言者不加默，子孝顾待余欢然若骨肉，时加许可。不知何以得此于子孝耶？将子孝嗜憎之情与人异非邪？明年春，余待罪于朝，子孝去卒业南雍，别且半载余，未尝一日忘吾子孝。知己之深也。追忆河桥风雨，残镫对坐，恍然梦寐，想吾子孝无异此怀。因录往时与子孝途中鄙作为一卷，取柳子厚《见月诗》为名，庶几后日知己一券云。"

十二月

李东阳再三乞致仕，不允。《明孝宗章皇帝实录》卷二一九"弘治十七年十二月辛未（十五日）"："大学士李东阳乞致仕。上曰：卿德学老成，才望素著，辅导重任，委遇方隆。有疾宜善加调理，岂可遽求休致。所辞不允。"卷二一九"弘治十七年十二月辛巳（二十五日）"："大学士李东阳复乞致仕，上曰：朕以卿才德闻望，众所推重，方切倚毗。有疾宜善加调理，岂可固求休致。所辞不允。"

本年

许谷（1504—1586）生。字仲贻，上元人。嘉靖乙未进士，官至尚宝司卿。有《省中稿》四卷，《容台稿》一卷，《符台稿》一卷，《二台稿》一卷，《许太常归田稿》十卷。据姜宝《前中顺大夫南太常少卿石城许公墓志铭》。

罗洪先（1504—1564）生。字达夫，号念庵，吉水人。嘉靖己丑进士第一，官至赞善。隆庆初，赠太常寺少卿，谥文恭。事迹具《明史·儒林传》。有《念庵文集》二十二卷。据徐阶《明故左春坊左赞善兼翰林院修撰赠奉议大夫光禄寺少卿谥文恭念庵罗公墓志铭》。《明儒学案》卷一八《文恭罗念庵先生洪先》："自幼端重。年五岁，梦通衢市人扰扰，大呼曰：'汝往来者，皆在吾梦中耳。'觉以告母李宜人，识者知非埃壒人也。十一岁读古文，慨然慕罗一峰之为人，即有志于圣学。"

公元1505年（弘治十八年 乙丑）

二月

李东阳前后《集句录》成帙。《怀麓堂集》卷九七《集句后录小引》："甲子之夏，予归自阙里。道触炎暑，及冬而病，凡三阅月。自度衰疾，三上疏乞休，弗获。幽情郁思，欲托之吟讽，而未能者。略寻往年故事，集古句以自况。故旧问遗，亦藉为往复，仅得若干篇，而诸体略具。尝检往年所录，久失去，比始得之，因再录后卷，并为帙以藏。盖虽一时情兴所至，无关大政，然戏而不为虐，谈而不驳，感时触物之意，亦存乎其间，是亦不可弃哉。弘治乙丑春二月十日西涯识。"

三月

十八日，赐顾鼎臣等进士及第、出身有差。

户部主事李梦阳下锦衣卫狱。《御批历代通鉴辑览》卷一〇七："帝颇优礼外家。皇后弟寿宁侯鹤龄、建昌伯延龄并骄纵，多犯法。梦阳上书陈二病三害六渐，累数千言。末云：'寿宁侯鹤龄招纳无赖罔利贼民，势如翼虎。'鹤龄奏辩，摘疏中陛下厚张氏语，诬梦阳讪母后为张氏，罪当斩。后母金夫人复泣诉帝，帝不得已，下梦阳狱，寻即内批：'宥出。'仅夺俸三月。金夫人诉不已，帝弗听。左右知帝护梦阳，请毋重罪而予杖，以泄金夫人愤。帝亦不许，谓刘大夏曰：'若辈欲以杖毙梦阳耳。朕宁杀直臣，快左右心乎？'他日帝游南宫，鹤龄兄弟入侍，酒半，皇后及金夫人起更衣。因出游览，帝独召鹤龄语，左右莫闻也。遥见鹤龄免冠，首触地。自是稍敛迹。"《洹词》卷六《江西按察司副使空同李君墓志铭》："乙丑，应诏陈二病、三害、六渐之弊，末言皇亲横则外戚骄，恣之，渐为掩义之害。张侯辩诉，摘奏中张氏字为讪母后，遂令回话。乃列张侯不法状，悉实可按。遂下狱，众为栗栗。已，仅夺俸三月。上语尚书刘大夏曰：'朕欲置梦阳轻典，左右谓当廷杖，渠忿则泄。如朕杀谏臣何？'"

春

李东阳作诗述怀。《怀麓堂集》卷五六《病起述怀》："一病经春似隔年，三章请老未归田。极承优诏丁宁语，又拜威颜只尺天。梦里黄扉惊再到，局中青简待重编。惟余一寸丹心在，犹绕红云向日边。"

五月

孝宗朱祐樘卒，年三十六。《明史》孝宗本纪："五月庚寅（初六），大渐，召大学士刘健、李东阳、谢迁受顾命。辛卯（初七），崩于乾清宫，年三十有六。六月庚申，上尊谥，庙号孝宗，葬泰陵。赞曰：明有天下，传世十六，太祖、成祖而外，可称者仁宗、宣宗、孝宗而已。仁、宣之际，国势初张，纲纪修立，淳朴未漓。至成化以来，号为太平无事，而晏安则易耽怠玩，富盛则渐启骄奢。孝宗独能恭俭有制，勤政爱民，兢兢于保泰持盈之道，用使朝序清宁，民物康阜。《易》曰：'无平不陂，无往不复，艰贞无咎。'知此道者，其惟孝宗乎。"

十八日，皇太子朱厚照即位，诏以明年为正德元年。

敕修《孝宗实录》。《翰林记》卷一三《修实录》："弘治十八年五月，敕修《孝宗皇帝实录》。"《殿阁词林记》卷一七《监修》："监修《宪宗皇帝实录》，英国公张懋。监修《孝宗皇帝实录》者，亦懋也。"《翰林记》卷一二《总裁》："《孝宗皇帝实录》总裁为少师兼太子太师吏部尚书华盖殿大学士李东阳、少傅兼太子太傅吏部尚书谨身殿大学士焦芳、户部尚书兼文渊阁大学士杨廷和，副总裁为吏部左侍郎兼学士梁储。"

[按，今人谢贵安撰《明实录研究》，认为《孝宗实录》始修时间在正德元年正月，所据材料为《武宗实录》"正德元年十二月甲戌张元祯卒"一条，谓元祯尝充《孝宗实录》副总裁，逾年而卒。贵安据此上溯，意正德元年正月始修《孝宗实录》，并以吴晗《记明实录》所云"正德元年十二月敕修《孝宗实录》"为误]

何景明使云南。《中州人物考》卷五《何副使景明》："十八年五月，景明奉敬皇哀诏下云南。云南君长及中贵人咸请题咏。比还，馈遗犀象珍贝，悉谢不受。"

七月

李东阳、谢迁晋级。法式善、唐仲冕《明李文正公年谱》："七月戊戌（十五日），加少师兼太子太师、吏部尚书兼华盖殿大学士刘健左柱国，食正一品俸，与诰命。加太子太保、户部尚书兼谨身殿大学士李东阳、太子太保礼部尚书兼武英殿大学士谢迁俱少傅兼太子太傅。健等合疏恳辞，不允。"

八月

李东阳、谢迁再晋级。法式善、唐仲冕《明李文正公年谱》："八月乙丑（十三日），授少傅兼太子太傅户部尚书谨身殿大学士李东阳、少傅兼太子太傅礼部尚书武英殿大学士谢迁阶光禄大夫勋柱国，仍赐己身并曾祖父母、祖父母、父母、妻诰命。"

秋

王鏊咏白莲，和者甚众。《逸老堂诗话》卷下："弘治乙丑，王文恪公丁内忧，郡守林公世远延文恪修郡志，时馆于西城书院。庭中有白莲一盆池，秋晚一朵忽开，文恪有诗云：'埋盆若个便为池，玉花亭亭有一枝，不以格高知者少，幸因开晚谢还迟。庭前晓日自相媚，江上秋风空尔为。我欲举杯同此赏，天高露下月明时。'吴中缙绅能诗者和之甚众，勍敌殊罕。惟枝山祝希哲诗云：'宾馆秋光聚曲池，玉杯承露阁凉枝。孤寒未必遗真赏，开布何须怨较迟。长恨六郎殊不肖，徒闻十丈亦何为？徐摇白羽开新咏，想对薇花独坐时。'时枝山翁亦预纂郡志，故前云云。字字险韵，句句贴题，文恪独加称赏。"

桑悦《思玄集》刊刻。计宗道《思玄集序》："先生与宗道久敦斯文之好，尝与语曰：'士不幸不获展其经济之策，时或出其绪余而一鸣之，后必当有知者。'又曰：'属辞须宗屈、宋、班、马，造理宜祖周、程、张、朱。'今即其言而夷考之，先生无乃假文以鸣道乎？况其颖悟绝人，记览捷敏，厥志固欲翱翔乎千古之上，而镕镱乎万有之象也。望之其外，潇洒可近，清谈戏剧，而小节若不拘；扣其中，则落落莫可夺，其才气更如天闲神骏，鸷曼振鬣而不羁也。是其为文必信今传后，列于名家，岂直吴产云尔而已矣。凡所著作甚富，晚年厌其浮于理者，删去不少，如《易》《春秋》《周礼》与夫子史多所发明成卷，惜乎伯道无儿，身后散逸无几，此尤不幸也。幸而有此集，则有文为不朽，不幸之中，是不有幸焉者在乎！昔稿比参今本，句字间亦自重订，宗道因次之为十六卷，集曰《思玄》，取张平子赋题以为号。先生桑姓，名悦，字民怿。窃欲就其文评之，当有待诸大方家云。弘治岁乙丑十有八年秋月，赐进士柳州计宗道手书。"

十二月

马中锡起抚辽东。《沙溪集》卷六《资善大夫都察院左都御史东田先生马公行状》："乙丑十二月，今上命公巡抚辽东。"

吕高（1506—1557）**生。**字山甫，镇江府丹徒人。嘉靖八年进士，历官户部主事、山东提学副使、太仆少卿。与陈束、王慎中、唐顺之、赵时春、熊过、任瀚、李开先，为嘉靖八才子。《明史·文苑传》附见陈束传中，而无文集传世，不可征也。《国朝献征录》卷九五《江峰吕提学高传》："以弘治乙丑十二月十九日生。""不数日遂卒，时则丁巳六月十六也，年止五十二。"

本年

王韦受知于储巏。王韦（？—1525），字钦佩，号南原，南京人。仕至太仆少卿。为人孝德纯备，善书，亦能诗。《俨山外集》卷一八："因忆余乙丑科，内阁试庶吉士，以《春阴》为诗题，下注'不拘体'。同年王韦钦佩作歌行，为诸老所赏。时柴墟储静夫巏为太仆少卿，过访钦佩。予时在座，因索其稿读之，至警句云'朱阑十二昼沉沉，画栋泥融燕初乳'。柴墟击节叹赏曰：'绝似温李。'予曰：'本是王韦。'盖指摩诘、苏州以戏之，为之一笑。"《息园存稿文》卷六《南原王先生传》："先生既负异禀，复闲家训，德器遂早成。不为不义，不交非人。自诸生时，屹然有公辅望。莆田林公俊、海陵储公巏，并引为忘年交。又与陈沂、顾璘友善，切劘为古文辞。独爱唐风，意兴萧远，士林往往称服警语。"〔按，《息园存稿文》卷五《王太安人吴氏墓志铭》："嘉靖甲申，吴楚大疫，人多死者，乃若吾友王钦佩氏，横罹其厄。初三月，内君张卒。钦佩哭之哀，乃病。太安人忧甚，遂亦病，四月二日，竟卒。钦佩曰：'天乎？奚生？'扣地求绝者三。舁卧棺下，蓬跣呜呜，吊者莫不哭。吾执友二三子，夺迁之室，日进勺粥，数月而痞见，医曰：'疾名伏梁，郁其甚矣。'夫逾年竟槁死。尝属余曰：'子必铭吾母之墓。'璘悉母德而哀君之孝，曷敢辞诸他人。"可知，王韦卒于嘉靖乙酉〕

湛若水从王守仁学。《王文成全书》卷三二《年谱》："是年，先生门人始进。学者溺于词章记诵，不复知有身心之学。先生首倡言之，使人先立必为圣人之志。闻者渐觉兴起，有愿执贽及门者。至是专志授徒讲学。然师友之道久废，咸目以为立异好名。惟甘泉湛先生若水时为翰林庶吉士，一见定交，共以倡明圣学为事。"

程本立诗文集编成。《巽隐集》卷首提要："《巽隐集》四卷，明程本立撰。本立字原道，巽隐其号也。桐乡人。……是集诗二卷，文二卷，为其曾孙山所编，弘治乙丑，桐乡知县莆田李廷梧序之。嘉靖初，南溪吴氏为刊板，西虞范氏又重刊之。岁久皆散佚。此本乃万历乙丑，桐乡知县濮阳秉购得遗稿于其裔孙九泽，而属训导李诗校刊者也。"

施峻（1505—1561）生。字平叔，归安人。嘉靖乙未进士，官至青州府知府。有《琏川诗集》八卷。据徐献忠《青州府知府施公配沈安人行状》。

刘绘（1505—1573）生。字子素，一字少质，光州人。嘉靖乙未进士，官至重庆府知府。事迹具《明史》本传。有《嵩阳集》七卷。

公元 1506 年（正德元年　丙寅）

四月

王鏊升吏部左侍郎入京，唐寅赠画为别。《明武宗毅皇帝实录》卷一二"正德元年夏四月丙子（二十七日）"："升吏部右侍郎王鏊为本部左侍郎。"周道振、张月尊《唐伯虎年表》：唐寅"与王鏊登歌风台，鏊有诗，次韵。寻又作《歌风台实境图》。四月，作《出山图》赠王鏊，时鏊以吏部左侍郎召入京。朱存理、祝允明、徐祯卿、张灵、吴奕、卢襄等皆有诗。襄字师陈，吴县人，与兄雍皆有文名，时称'二卢'。"〔按，此引《唐伯虎年表》，标点有改动〕

八月

袁凯《海叟集》刊刻。陆深《海叟集序》："《海叟集》旧有刻，又别有选行《在野集》者。暇日，因与李献吉员外共读之，又删次为今集云。先生多权奇，有才辨，雅善谈谑，卒亦以此自免于难。顾其诗乃雅重悲壮浑雄，沉郁殊不类，岂先生别出其余以应世，而中之所有，固自不可测耶？深，先生乡人也，恨相去远，无从考论，姑诵其诗，以附孟氏私淑之义云。正德元年秋八月八日，云间陆深题。"李梦阳《海叟集序》："《海叟集》，云间袁凯氏所著。海叟，其自号也。会稽杨廉夫尝作《白燕诗》，及览叟作惊叹，以为不及。叟诗法子美，虽时有出入，而气格韵致不在杨下。其耿耿于叟者，要非一日矣。按，集中《燕诗》最下最传，诸高者顾不传。云间，故吴地，叟亦不与四杰列，皆不可晓者。夫毁誉可尽信哉？……翰林陆吉士子渊，叟同郡人，间道前事，令人侃侃生气，夫斯亦足以传矣，而况于诗乎？叟名行既晦，集亦罕存。子渊购得刻本于京师士人家，楮墨焦烂，蠹涅者殆半，乃删定为今集，仍旧名者，著叟志也。……子渊谓国初诗人叟为冠，故其表扬甚力，君子以为知言。正德元年秋八月八日，北地李梦阳序。"何景明《海叟集序》："景明学诗，自为举子历宦于今十年，日觉前所学者非是。盖诗虽盛称于唐，其好古者自陈子昂后，莫若李、杜二家。然二家歌行、近体，诚有可法，而古作尚有离去者，犹未尽可法之也。故景明学歌行、近体，有取于二家，旁及唐初、盛唐诸人。而古作必从汉魏求之。虽迄今一未有得，而执以自信，弗敢有夺。今年罢宦归，自以有余力得肆观古人之言，又欲取我朝诸名家集读之，然弗多得。其得而读之者，又皆不称鄙意。独海叟诗为长。叟歌行、近体法杜甫，古作不尽是。要其取法亦必自汉魏以来者，其所造就盖具体而未大耳。噫！其所识亦希矣。吾郡守孙公懋仁笃于好古，其子继芳者从予论学，大有向往，尝索古书无刻本者以传。予谓古书自六经下，先秦两汉之文，其刻而传者，亦足读之矣。海叟为国初诗人之冠，人悉无有知之，可见好古者之难，而不可以弗传也。乃以授之而并系以鄙言，观者亦将以是求叟之意矣。叟姓袁氏名凯，其集陆吉士深所编定者，李户部梦阳有序，其履历可考而知也，兹不复述。"《明诗评选》卷一《袁凯》："李献吉谓凯诗学杜，非也。凯诗正自沈约来。约散弱，为宋人裮祖；凯淡缓中有敛束，乃贤于约。"《海叟集》卷首提要："《海叟集》四卷，明袁凯撰。……其集旧有祥泽张氏刻本，乃凯所自定。岁久散佚。天顺中，朱应祥、张璞所校选者，名《在野集》，多以己意更窜。如'烟树微茫独倚栏'改为'烟树微茫梦里山'，盖以诗用'删''山'韵，而'栏'字在'寒''桓'韵，不知《洪武正韵》已合二部为一，凯用官韵，非奸韵也。'故国飘零事已非'改为'去去悲秋不自知'，盖以凯已仕明，欲讳其前朝之感，不知据陶宗仪《辍耕录》，是诗作于至正末，乃用金陵王谢燕事，下句自明，非为元亡作也。至'雨声终日过闲门'改为'羽声随处有闲门'，更不知其点窜之意何居矣？弘治间，陆深得旧刻不全本，与何景明、李梦阳更相删定，即所刊《瓦缶集》《既晦集》是也。隆庆时，何元之得祥泽旧刻，以活字校印百部传之。万历间，张所望复为重刻。此本乃国朝曹炳曾所校，以张本为主，而参以何氏本，正其谬误，较诸本差完善焉。凯以《白燕诗》得名，时称'袁白燕'。李梦阳序则谓'《白燕诗》最下最传，其高者顾不传'。今检校全集，梦阳之说良是。何景明序谓明初诗人，以凯为冠。盖凯古体多学《文选》，近体多学杜甫，与景明持论颇符，故有此语。未免无以位置高启诸人，故论者不以为然。然使凯驰骋于高启诸人之间，亦各有短长，互相胜负，居其上则未能，居其下似亦未甘。陆深《金台纪闻》载启赠凯诗曰：'清新还似我，雄健不如他。'其语殊不似启，殆都穆等依托为之。（案，二语启集不载，深闻之于穆，穆闻之史鉴，鉴闻之朱应祥云）然深以两言为实录，则颇不谬云。"四库提要卷一七五："《别本袁海叟诗集》四卷，明袁凯撰。凯有全集，已著录。此本乃正德元年，陆深同李梦阳所删定，而何景明授其门人孙继芳刊于松江。深及梦阳、景明各为之序。其板久佚，今所存者传钞之本也。后有万历己丑王俞跋，已佚其前半，不能考见始末。惟篇终有'偶续前刊，辄附数言'之语，似乎俞又有所续入。然题下多注'选入《诗综》'字，又似朱彝尊以后之本，非其旧编矣。"

蔡清起为江西提学副使。《明史》蔡清传："正德改元，即家起江西提学副使。"《虚斋集》卷五《白鹿洞书院告夫子文》："维正德丙寅八月二十四日，巡视学校江西按察司副使蔡清，兹诣白鹿洞书院，敬谒先圣孔夫子之灵。"

九月

黄澜上京修《孝宗实录》。《见素集》卷三《南山别言序》："孝宗敬皇帝山陵毕，故事：开局纂修，起初潜、讫顾命时事，谓之实录，乃尽召史官起之。于时壶阴黄先生以在告当行。或问曰：'壶阴行矣？'曰：'行。'曰：'胡为乎前日之归？'曰：'归或者突然谢去。'一日，郡大夫合饯之南山。或又曰：'壶阴信行矣？'予曰：'夫道纲常而已，其先后缓急，体道之权度也。方壶阴为翰林编修，史事未急，父丧未归土，母孺人年望八二，子屡弱违严训，事有先且急于是者乎？宜乎有前日之归也。……今史事方殷，纂摩属其本务，事又有先且急于是者乎？夫有道之碑，不愧为幸，又况铺叙鸿烈，搦笔之大，快臣之道，其又尽于是者，宜夫有今日之行也。'酒既半，同钱皆有诗。郡守陈公志学相属序。……正德纪元秋九月望，见素子林俊书。"朱彝尊《经义考》卷八八："黄澜号壶阴，莆田人。弘治癸丑进士，历官南京翰林院侍讲学士。"

十月

刘健、谢迁致仕。《明武宗毅皇帝实录》卷一八"正德元年十月戊午（十三日）"："少师兼太子太师吏部尚书华盖殿大学士刘健、少傅兼太子太傅礼部尚书武英殿大学士谢迁求去位，许之。"《明史》李东阳传："武宗立，屡加少傅兼太子太傅。刘瑾入司礼，东阳与健、迁即日辞位。中旨去健、迁，而东阳独留。耻之，再疏恳请，不许。初，健、迁持议欲诛瑾，词甚厉，惟东阳少缓，故独留。健、迁濒行，东阳祖钱泣下。健正色曰：'何泣为？使当日力争，与我辈同去矣。'东阳默然。"

李东阳再乞致仕，不许。《明武宗毅皇帝实录》卷一八"正德元年十月庚申（十五日）"："大学士李东阳复奏：臣蒙命勉留，惊惭无地。伏念臣昨与刘健、谢迁各具疏乞休，而健、迁皆荷俞允，臣独被留。以臣较之二人，病尤多，而才独劣，若依栖眷恋，苟幸安全，正恐累陛下知人之明，孤先帝顾命之重。内批答曰：具陈休致，臣下职也。而黜陟人才，朝廷自有公论。卿有疾，宜善加调理，勉副重托。慎勿再辞。"

王鏊入阁。《明史》王鏊传："正德元年四月，起左侍郎，与韩文诸大臣请诛刘瑾等'八党'。俄瑾入司礼，大学士刘健、谢迁相继去，内阁止李东阳一人，瑾欲引焦芳，廷议独推鏊。瑾迫公论，命以本官兼学士与芳同入内阁。逾月，进户部尚书、文渊阁大学士。"

十一月

李东阳三乞休致，不允。《明武宗毅皇帝实录》卷一九"正德元年十一月癸巳（十八日）"："少傅兼太子太傅、户部尚书、谨身殿大学士李东阳上疏乞休，且曰：谓可以适情逊志，则臣之愚戆，有所未能；犹欲其替否拾遗，则臣之馨竭，无复可强。辗转日多，诚不自安。上曰：卿德望重于海内，先帝遗命以辅朕躬，方切倚毗，图弘治化，岂可累陈休致！其勿复言。"

林俊《见素文集》编成。张诩《见素文集序》："使公在朝廷，则必有以寝淮南之谋；在边陲，则必有以寒西人之胆；而在山林，则又必有以一丝而重汉九鼎者矣。盖公精神心术之所寓，有未易以寻常窥测者，故发而为文为诗，或赠送，或酬答，或寄托，虽体裁异制，风格殊指，要之其归，与曩疏救时之意，异者几希矣。然则公之文章，虽欲靳不传于世，不可得已。而公方退然，以为此特酱瓿上意思耳，夫岂以是为自足者哉！间手编成集，凡五十余卷，而以其别号'见素'者名焉。不远数千里，缄书遗予曰：'子其为我叙之。'得书时薄暮矣，亟篝灯快读，次日即促笔，于以见予仰公之至，方以托名是集为幸，遽忘其谫陋且让云。正德改元丙寅冬十一月上澣，南海病夫张诩廷实序。"

王守仁由兵部主事谪为龙场驿丞。《明史》王守仁传："正德元年冬，刘瑾逮南京给事中御史戴铣等二十余人。守仁抗章救，瑾怒，廷杖四十，谪贵州龙场驿丞。"《王文成全书》卷九《给由疏》："正德元年十二月内，为宥言官去权奸以彰圣德事，蒙恩降授贵州龙场驿驿丞。"

十二月

张元祯卒，年七十。《明史》张元祯传："元祯素有盛誉。林居久，晚乃复出。馆阁诸人悉后辈，见元祯言论意态，以为迂阔，多姗笑之。又名位相轧，遂腾谤议，言官交章劾元祯。元祯七疏乞休，刘健力保持之。健去，元祯亦卒。"李东阳《明故通议大夫吏部左侍郎兼翰林院学士掌詹事府事张公墓志铭》："其于书务博涉，尤好探经传赜隐，多所独得。一时谈理学者数人，各树门户，而公岸然不为下。作《易诗春秋语要》《四书集要》《太极图说要》《纲目近思录》《家语解要》，皆未脱稿。为诗文始务奇崛，勇脱蹊径。晚就平实，若出二手然。"《震泽集》卷二二《嘉议大夫吏部左侍郎兼翰林院学士张公神道碑》："公以疾不起矣，正德元年十二月晦也。……为文必欲作不经人道语。晚乃削异为同，黜奇为平。"《殿阁词林记》卷六《吏部侍郎兼学士掌詹事府事张元祯》："元祯为人孤峭奇拔，其所交游若天台陈选、南海陈献章、丰城罗伦、江浦庄昶，皆一时名士也。……予尝读《东白集》，若彭蠡奔涛，匡阜飞鼞，不可踪迹。及观国史，则又有不满人意者。於乎！岂其才高见忌耶？"《明诗综》卷二六《张元祯》存诗一首：《游东郊》。

李东阳、王鏊晋级。法式善、唐仲冕《明李文正公年谱》："十二月庚申（十六日），加少傅兼户部尚书谨身殿大学士李东阳为少师兼太子太师、吏部尚书、华盖殿大学士，升吏部尚书兼文渊阁大学士焦芳为太子太保、武英殿大学士，尚书如故。吏部左侍郎兼翰林院学士王鏊为户部尚书、文渊阁大学士。于是东阳上疏辞，乞致仕。上曰：卿累朝耆硕，辅导有年，劳绩显著，特兹加秩。朕倚托方重，顾可引疾求退乎？不允。芳、鏊亦各上疏辞，上并答曰：卿老成端谨，中外素闻，兹故加秩，正期匡辅朕躬，以隆治道，其勿复辞。辛未，大学士李东阳再疏，恳辞加职，以为和气上干，分当策免。今求退而反进，辞少而就多，负礼义之初心，亏廉耻之大节，此臣心愈不安而病日加重者也。不许。"

马中锡改南京工部侍郎。《沙溪集》卷六《资善大夫都察院左都御史东田先生马公行状》："正德丙寅六月，升兵部右侍郎，寻转左侍郎。刘瑾方用事。朱瀛者，瑾之腹心，以边功当得官，应预者数十百人，实皆攘夺冒报。瑾胁兵部为之论奏，阁司马亦既许之矣。公曰：'如此，则冗员日增，边疆解体，正当据实上请耳。'司马有难色，公不可夺，卒如所论上事得已，而瑾之憾深矣。十二月，矫诏改南京工部左侍郎。未几，复令致仕。"

罗伦文集由盛斯征刊刻。张贤《一峰罗先生文集序》："同寅盛君斯征既刊罗一峰集于郡斋，余得而披阅之。因窃疑焉，古今人文集多矣，而斯征独刊是集，何邪？……呜呼！若一峰者，其亦一代之伟人也哉！今吾斯征之学之才之甲第不减一峰，但斯征之位骎骎乎向用，又非一峰之所可及也。他日斯征德与年而俱进，才与位而俱显，以其所大抱负者而见诸大设施，文成一代之制作，诗继二雅之遗音，则自有太史公者为之辑录以传永永，又不止如一峰之集藉同类君子为之刊布也。兹刊一峰集，特以见志云尔，奚暇他及哉！一峰谓谁？丙戌状元，永丰罗伦氏，应魁其字，一峰其别号也。正德元年仲冬长至日，赐进士、中顺大夫、顺庆府知府，祥符张贤序。"盛斯征《一峰罗先生文集跋后》，末署"正德元年十二月"。

本年

杨循吉以父母俱丧，转读佛经。杨循吉《礼曹郎杨君生圹碑》："一向守默，性偶好书。结庐天峰院，折松枝为筹，课《麟》《葩》经，稍通章句，傍涉子史百家又及千卷。时或归省，从郡使君游。或为文章吐言，亦未名家。正德初，严慈既殁，寝苦先陇，倾资修筑，糜千金。既毕大事，每岁率持斋诵经，一百日不出以报，如此十三年。"《古今谭概·佻弄部二二·杨南峰》："俗传三月三为浴佛日，六月六为浴猫狗日。有客谒杨南峰循吉，值三月三日，杨以浴辞。客不解，谓其傲也，思以报之。杨乃于六月六日往拜，客亦辞以浴。杨戏题其壁曰：'君昔访我我洗浴，我今访君君洗浴。君访我时三月三，我访君时六月六。'"吴宽《都下赠僧诗后记》："君谦仪曹幼时读书吴城西金山中，倦则取释典阅之，久而自谓恍然若有所得。故其与佛者遇，辄作佛语投之，虽率尔韵语，亦归于是，殆今日之宋承旨也。斋居灯下，读此一过，书其后云。丙午秋八月上戊日，吴宽书于春坊朝房。"

归有光（1506—1571）生。字熙甫，昆山人。嘉靖乙丑进士，除长兴知县，量移顺德通判，迁南京太仆寺丞。事迹具《明史·文苑传》。有《震川文集》三十卷、《震川别集》十卷。据王锡爵《明太仆寺寺丞归公墓志铭》。王世贞《震川先生赞》序："生而美风仪，性渊沉，于书无所不读，而尤邃经术，长于制科之业。自其为诸生，则已有名，及门之屦恒满。"

尹台（1506—1579）生。字崇基，号旧山，人称洞山先生，永新人。嘉靖乙未进士，官至南赣京礼部尚书。有《洞麓堂集》十卷。《衡庐续稿》卷一一《宗伯尹洞山先生传》："其取号，以居左有石山空洞，故咸称洞山先生云。母刘太淑人梦神人馈美珠白粲，始有妊，大父梦神登中堂而生。五岁受小学，诵至'立身行道，扬名后世'语，作而指曰：'至言也。'闻者异之。甫龀，侍父少宰公某司训吴县，业已慕故相王文恪、尚书刘铁柯二公，心自负。束发，又随往潜。嘉靖元年，公卒于潜，哭几不生，居丧如礼，以孝闻。"

何良俊（1506—1573）生。字元朗，号柘湖居士，松江华亭人。由岁贡生授南京翰林院孔目。有《四友斋丛说》三十八卷。〔按，何良俊《与王槐野先生书》云："时乙酉（1525）之冬，良俊年二十矣"，知良俊生于1506年。张仲颐《四友斋丛说重刻本序》："内翰何先生撰《丛说》三十卷，以活字行有年矣。岁癸酉（1573），续撰八卷。先生虑板难播远而说有改定，议捐长水园居重缮雕梓，不意是岁先生遭疾不起。"知良俊卒于万历元年。据《四库全书存目丛书》子部第103册，中国科学院图书馆藏明万历七年龚元成等刻本《四友斋丛说》卷一七："磊塘张氏，庄懿公之后，世有厚德。与余家姻连。近因小儿之丧，见其行礼二次，皆可为世人法。盖不但江南所无，当此薄俗，恐海内近亦不能多见也。受所乃磊塘仲子，以甲科官至宪副，可谓通显矣。头七时即来吊，受所戴青方巾，穿白绢直裰。到门易白绢巾，与四兄弟一同行礼。冲玄、少塘其亲弟，玄朗其从弟也，拜罢而去。受所兄弟六人，余二人则长兄泾泉（余女孙之舅），从弟冲宇（余侄婿）。二人不至，则别欲举奠也。"则良俊，又字玄朗。明万历刻本《国朝献征录》卷二三《南京翰林院孔目何公良俊传》："良俊字元朗，松江华亭县人，以所居自称柘湖居士，少与弟良傅皆负俊才，或以'云间二陆'比之。"则《明史》及四库提要云"元朗"者，乃据其实，非为避讳]

公元 1507 年（正德二年　丁卯）

三月

程敏政文集刊刻。李东阳《篁墩程先生文集序》："吾友篁墩程先生，资禀灵异，少时一目数行下，英宗朝以奇童被荐，入翰林，观中秘书，用经学及第。读诵常至夜分，遂能淹贯群籍，下上其论议，订疑伐舛，厥功惟多。及研究理道，求古人为学之次第，久而益有所见，而于朱子之说，尤深考核，自以为得我师焉。赜探隐索，注释经传，旁引曲证，而才与力又足以达之，虽皆出于经史之余，而宏博伟丽，成一家言。质诸今日，殆绝无而仅有者也。顾中遭忌嫉，晚罹奇祸，经济之用，不能尽白于世，其所自见，不过进讲经幄，及于储宫校正《纲目》、预修《续编》之类而已。若全梓所刻，卷帙所录，家藏而人诵，自都邑以遍于天下，贻之后世，则虽巧诋深嫉，亦恶能使之无传哉。功名富贵，固士之所不道，予独慨先生年不及下寿，虽所谓文，亦未竟其所欲为者耳。先生之文，有《篁墩》诸稿共百有余卷。没之七年，为正德丙寅。其门人辈摘而刻于徽州，名曰《篁墩文粹》。论者以为未尽其选。越明年丁卯，知府何君歆暨休宁知县张九逵、王锴，征于其子锦衣千户埙，得全稿焉。将并锓诸梓，以示来者，而埙请序于予。予与先生同举京闱，且同官甚久，伟其为文，悼其不大用以没，故为天下道，而因以附吾私云。先生所辑，有《道一编》《心经附注》《咏史诗》《程氏宗谱》《贻范集》《篁墩录》《新安文献志》《休宁县志》，共百余卷，别行于世。《皇明文衡》《瀛贤奏对录》《宋逸民录》，又百余卷，藏于家，不在集中。是岁三月既望，光禄大夫、柱国、少师、太子太师、吏部尚书、华盖殿大学士、知制诰、同知经筵事、国史总裁长沙李东阳序。"

章懋致仕。《明史》章懋传："武宗立，陈勤圣学、隆继述、谨大婚、重诏令、敬天戒五事。正德元年乞休，五疏不允。复引疾恳辞，明年三月始得请。五年，起南京太常卿，明年又起为南京礼部右侍郎。皆力辞不就。言者屡陈懋德望，请加优礼，诏有司岁时存问。"

六月

《历代通鉴纂要》成。《钦定天禄琳琅书目》卷八："《历代通鉴纂要》，明弘治间奉敕辑，九十二卷。前明武宗序，次李东阳等进书表，及编纂儒臣衔名，次凡例，次引用书目，次先儒姓氏。武宗序作于正德二年，称孝宗好观《通鉴纲目》，苦其繁多，特敕儒臣撮其要略，赐名《纂要》。昔在东宫预闻是举，乃弘治乙丑冬，翰林以首帙备讲读。又明年丁卯夏，始克成编云云。考《明史》，武宗即位于弘治十八年五月，明年丙寅改元正德，又明年丁卯即正德二年。所云弘治乙丑，乃弘治十八年也。是书之作，盖创始于弘治之末，而蒇事于正德二年者。观其纸墨精良，当是模印最初之本。"《千顷堂书目》卷四："《历代通鉴纂要》九十二卷，弘治十八年谕内阁李东阳等纂。辑《纲目》及《续编》切于治道者，以备观览。"《俨山外集》卷七："正德二年六月二十九日，自翰林晚退。吏适来报云，明早入朝，俱须早赴。但云出院长刘先生仁仲之命，叵测。明早奉天门驾退，中使宣旨：府部堂上官、科道掌印官、翰林院官，皆待命阙下。未几，左顺门开，出一朱柜，中使六、七人作传宣状。余等皆立内阁门外，北望汹汹，适敕房中舍过云：'昨进呈《通鉴纂要》书札忤旨，今特布示。'时西涯在告，焦、王二公皆请罪。"

杨一清下狱，寻获释。《御定资治通鉴纲目三编》卷一八："六月，逮前总制三边都御史杨一清下狱，寻释之。"《明史》杨一清传："一清以延绥、宁夏、甘肃有警不相援，患无所统摄，请遣大臣兼领之。大夏请即命一清总制三镇军务。寻进右都御史。一清遂建议修边，其略曰：'陕西各边，延绥据险，宁夏、甘肃扼河山，惟花马池至灵州地宽延，城堡复疏，寇毁墙入，则固原、庆阳、平凉、巩昌皆受患。成化初，宁夏巡抚徐廷璋筑边墙绵亘二百余里。在延绥者，余子俊修之甚固。由是，寇不入套二十余年，后边备疏，墙堑日夷。弘治末至今，寇连岁侵略。都御史史琳请于花马池、韦州设营卫，总制尚书秦纮仅修四五小堡及靖房至环庆治堑七百里，谓可无患。不一二年，寇复深入。是纮所修不足捍敌。臣久官陕西，颇谙形势。寇动称数万，往来倏忽。未至征兵多扰费，既至召援辄后时。欲战则彼不来，持久则我师坐老。臣以为防边之策，大要有四：修浚墙堑，以固边防；增设卫所，以壮边兵；经理灵、夏，以安内附；整饬韦州，以遏外侵。……'帝可其议。大发帑金数十万，使一清筑墙。而刘瑾憾一清不附己，一清遂引疾归。其成者，在要害间仅四十里。瑾诬一清冒破边费，逮下锦衣狱。大学士李东阳、王鏊力救得解，仍致仕归，先后罚米六百石。"

夏

王守仁赴谪至钱塘。《王文成全书》卷三二《年谱》："先生至钱塘，瑾遣人随侦，先生度不免，乃托言投江以脱之。因附商船游舟山，偶遇飓风大作，一日夜至闽界，比登岸，奔山径数十里，夜扣一寺求宿，僧故不纳。趋野庙，倚香案卧，盖虎穴也。夜半，虎绕廊大吼不敢入。黎明，僧意必毙于虎，将收其囊，见先生方熟睡，呼始醒，惊曰：'公非常人也。不然得无恙乎？'邀至寺，寺有异人，尝识于铁柱宫，约二十年相见海上。至是出诗，有'二十年前曾见君，今来消息我先闻'之句，与论出处，且将远遁。其人曰：'汝有亲在，万一瑾怒，逮尔父，诬以北走胡、南走粤，何以应之？'因为著，得《明夷》，遂决策返。先生题诗壁间曰：'险夷原不滞胸中，何异浮云过太空。夜静海涛三万里，月明飞锡下天风。'因取间道由武夷而归，时龙山公官南京吏部尚书，从鄱阳往省。十二月，返钱塘，赴龙场驿。"

七月

《通鉴纂要》诸修撰官受窘。《明武宗毅皇帝实录》卷二八"正德二年秋七月癸卯（初二）"："《通鉴纂要》进呈后，司礼监官即至内阁传示圣意：令刊刻板本中官督刊刻者，检其中有一二纸装潢颠倒，复持至内阁见示，欲更定其序耳。是日，值大学士李东阳家居，惟同官焦芳、王鏊在阁。芳以为编纂总于东阳，非己责也，慢其人不加礼遇。其人怒，遂以白于瑾，瑾方欲以事裁抑儒臣。初一日早朝，毕集府部大臣科道等官于左顺门，以进呈本示，遍摘其中字画之浓淡不均及微有差讹者百余处以为罪，给事中潘铎、御史杨武等遂劾：礼部左侍郎兼翰林院学士刘玑等受命编纂，光禄寺卿周文通等职专誊写，不能研精其事，俱宜究治；东阳等失于检点，责亦难辞。瑾矫诏是其言，令所司详核书内差讹及誊写官姓名以闻。于是东阳等奏，谓其书卷籍浩穰，事务繁冗，日期已定，校阅不周，仓卒之间，致有差错，臣等不能无罪。有旨：卿等政务繁冗，其勿问。"

八月

晋王鏊少傅兼太子太傅、武英殿大学士。李东阳加俸一级。《明武宗毅皇帝实录》卷二九"正德二年八月丙戌（十五日）"："赐手敕少师兼太子太师、吏部尚书、华盖殿大学士李东阳加俸一级，太子太保、吏部尚书兼武英殿大学士焦芳进少傅兼太子太傅、谨身殿大学士，户部尚书兼文渊阁大学士王鏊进少傅兼太子太傅、武英殿大学士，吏部尚书许进、兵部尚书刘宇，俱加太子少保。"法式善、唐仲冕《明李文正公年谱》："八月丙戌，手敕少师兼太子太师吏部尚书华盖殿大学士李东阳加俸一级。戊戌，大学士李东阳辞加俸，不许。"

尹直《謇斋琐缀录》撰成。尹直《謇斋琐缀》自引："予观前世之幽怪隐事、街谈俚谚，有史所不载而亦传于今者，盖多出于名公巨笔，或出于稗官小说，故靡有遗焉。予自入仕至归田五十余年来，所得于耳目者，不可胜记。每见楮笔在前，辄录一二。词无藻绘，事无类次，积久成帙，命之曰《琐缀》。然其中有近制旧典可以备参考，善恶邪正可以寓劝戒，清平雅谑可以资娱笑，固未必无补于史氏之遗佚。而其阐幽讦伏，窃取《春秋》之义，自贻近讪之罪，则亦有不得而辞其责矣。正德丁卯秋八月初吉，八十一翁謇斋书于澄江书院之忠贤堂。"

十月

马中锡下狱。《沙溪集》卷六《资善大夫都察院左都御史东田先生马公行状》："故事，沿边粮刍，每三岁遣官核实奏请，事下户部，有缺乏则预处之，且防侵盗，实分司督粮诸司及仓氏之责。丁卯十月，使辽以闻瑾。即矫上命，诬公巡抚重臣，边储腐损溢常数，自原籍系至京，下锦衣狱。台阁诸老多为申解，瑾怒愈甚，必欲置公死地。戊辰三月，械送辽东狱。"《明史》马中锡传："刘瑾初得志，其党朱瀛冒边功至数百人。尚书阎仲宇许之，中锡持不可。瑾大恚，中旨改南京工部。明年勒致仕。其冬，逮系诏狱，械送辽东，责偿所收腐粟。逾年事竣，斥为民。"

本年

蔡清致仕。《虚斋集》卷二《与孙九峰先生书》："清所以见怒于宁王者：一是贺王寿之旦，不得已独去了朝服中蔽膝一件，为嫌其服制与在朝行于亲王者不同，而与行于皇上者无异也。二是三司官旧用初一、十五日朝王，而于初二、十六日谒孔夫子。清乃力请三司勿徇旧例，俱用初一、十五日行礼，乃先谒孔夫子，此乃以正礼处王，王却疑清有他意于其间也。三是王素有憾于林待用都宪，谗人因言清与待用颇厚，王遂并怒清而力求清之短，使人于京师传谤，欲以并坏之。不知清碌碌凡品，岂敢望林公高致？王亦待之过矣！抑清在官，尽有过失，然亦皆可对人言者，固不之恤也。四是王素知清无学术。一日于宴侍间，故设机械，直讯其不能诗文。清姑据理对之，为稍咈其初意。盖朝廷方面官，岂容藩王轻易挫折也！至于奏讨护卫事，清当时已知为王积怒，而同僚又有挟术相倾者，宁复敢一语及之？王乃对三司道清独有后言，明欲诬以非议诏旨之罪。……特闻此王府中诸般左道，俱有诚虑。一旦死于无名，则非惟有孤朝廷任使及斯文责望之意，而吾一身上关祖宗所传付，下系族姓所籍赖者，俱未有一毫成立，亦可虞也。故遂决意引疾致仕耳。……清亦不得已而致仕耳，岂是能高者？况官任提学，亦无用别索高名也。若有意于高，则矫激矣，清不为也。但今得善其退，亦幸之甚矣。相见知无日，造次琐琐，代面心照可也，自知而密之可也。正德三年正月日某再拜。"

陆深《怀旗集》编成。陆深《怀旗集叙》："弘治辛酉，深忝乡荐。乙丑春，释褐于成均。三四年间，客都门，游齐鲁，留南雍，出入三吴，旅食之日多，所得诗凡若干篇，率皆道路语尔。既被上命，储史馆，得专意文学。探囊读之，感念今昔，恍然若一日之所遇也。取其甚不谬者，存十二三焉。《传》有之曰：'士以旗，昭有事也。'深叨列下士，仰沐鸿泽，虽远在草莽，其敢一日忘斯招之至耶？故命之曰《怀旗集》云。"

何景明谢病归。孟洋《中顺大夫陕西按察司提学副使何君墓志铭》："刘瑾时，君度惟大臣可与抗节，乃上书诸尊贵，言宜自振立，挠瑾权。诸尊贵恶，顾赚何君。丁卯，何君恐祸及，谢病归。郊居，著述一年，瑾尽举免诸在告者。戊辰，何君免。"

唐顺之（1507—1560）**生。**字应德，一字义修，号荆川，武进人。嘉靖己丑进士，除兵部主事，改吏部，寻改翰林编修，历右春坊司谏。上疏请朝东宫，夺职为民。起兵部郎中，巡视蓟镇，还视师浙直，超拜金都御史，巡抚淮扬。天启中，追谥襄文。有《荆川集》十二卷。据《明儒学案》卷二六《襄文唐荆川先生顺之》。

沈炼（1507—1557）**生。**字纯甫，会稽人。嘉靖戊戌进士，除溧阳知县。后官锦衣卫经历，疏论俺答请贡事，并劾严嵩，廷杖谪戍。复为嵩党路顺构入蔚州妖人阎浩案中，弃市，天下冤之。隆庆初，赠光禄寺少卿。天启初，追谥忠愍。事迹具《明史》

本传。有《青霞集》十一卷。据王世贞《明故锦衣卫经历赠奉议大夫光禄寺少卿青霞沈公墓志铭》。

王维桢（1507—1556）生。字允宁，号槐野，华州人。嘉靖乙未进士，选庶吉士，授检讨，历修撰、谕德，升南京国子祭酒。以省母归，值地震陷死。有《槐野存笥集》。《国朝献征录》卷七四《南京国子监祭酒槐野王公维桢行状》："公生而风骨峻峻，文安公督令就学，甫十岁，即善举子业，复多博习古文辞，为文疏宕爽朗。经师异之曰：'大王门者必此子也！'"据瞿景淳《南京国子监祭酒槐野王公维桢行状》："是年冬，关中地大震，山摧川溢，城郭庐舍多倾毁，民人压死者过半，而公亦不免，实嘉靖乙卯冬十二月十三日，悲夫！""公雅意经世。然优游馆阁积二十余年，讫不当任，故不及以功业自见，时托之著述。""呜呼！公为关中伟人，人咸期以公辅，然历官仅四转，卒年仅四十有九。何去之忽也！"槐野维桢生卒年甚明。〔按，别有一王维桢。《皇甫司勋集》卷五二《明诰封奉政大夫户部广西清吏司郎中青山王公墓志铭》："王子维桢，童时以奇闻，年未及冠，登进士第，与余兄司直君为同榜友。余从阙下获缔交焉，并娴文艺，为海内所推，迄今三十余载矣。丙辰之岁，王子自南安辞守，而余亦由滇中解宪，各归山中为灌园吏者几十载，虽音驿相闻，而光尘难即，每怀良觌，瘵叹未尝不在陵阳间也。乙丑春正既望，王子衰绖，不远千里，蒙犯风雪，匍匐造余，稽颡再拜，泣而语故。始知青山公已背养日月有期，手自勒状，请铭于余。……果卒，距生弘治庚戌十二月十一日，享年七十有五。"《皇甫司勋集》卷一九《寄王维桢地曹》："并是衔新命，俱来守旧京。时违空往迹，事在每关情。草绿长千里，江清建业城。寄君须自爱，已矣负平生。"皇甫所云王维桢，别是一人〕

公元 1508 年（正德三年　戊辰）

正月

令翰林学士吴俨致仕。《明史纪事本末》卷四三："三年春正月，刘瑾令朝觐官每布政司纳银二万两。考察朝觐官既上奏，翰林学士吴俨家故富，刘瑾尝有所求，俨不与。御史杨南金者，都御史刘宇廷挞之，不堪辱，养病去。瑾矫旨缀奏尾曰：'学士俨帏幙不修，其致仕。御史南金欺诈无病，其为民。'"

李梦阳下锦衣卫狱，康海力救得免。《弇山堂别集》卷二九《史乘考误十》："康对山海卒，……张治道为行状则甚详，云韩文率诸大臣劾瑾等擅权，而弹文出李梦阳手。恨之，以他事构梦阳下狱，欲致之死。人情汹汹，莫敢拯救。梦阳自狱中传帖甚急曰：'对山救我！救我！'何柏斋对众曰：'对山肯救之瑾，李尚可活也。'人以语先生，先生曰：'我何惜一往而不救李耶？'先生虽承往，而人犹难之。明日，先生同御史某往左顺门，值柏斋自内阁出，曰：'此为献吉来耶？'先生曰：'是。'柏斋附先生耳曰：'此可独往，不可与他人同也。'先生遂不之往，且谓柏斋曰：'瑾横恶肆权人也，性好名，可诡言而夺，不可正言而论也。'柏斋曰：'此惟先生能之，他人不能也。'又明日，先生往瑾所。瑾闻先生至，倒屣迎之，留饮坐话。久之，瑾谓先生曰：'人谓自来状元俱不如先生，真为关中增光。'先生绐言曰：'海何足言。关中有三才，古今所稀少也。'瑾惊曰:'何三才古今稀少也?'先生曰:'李郎中之文章,张尚书之政事,老先生之功业。'瑾曰:'李郎中为谁?乃与我并耶?'先生曰:'是今之狱中李郎中也。'瑾曰:'非李梦阳耶?'先生曰:'是。'瑾曰:'若应死无赦。'先生曰:'应则应矣,杀之,关中少一才矣。'饮晚罢出。明日,瑾奏上赦李梦阳。薛应旂《宪章录》则言,海与梦阳各自负不相下。瑾慕海,欲致之而不得。瑾恒先施,欲其一致,海每阙亡答之。至是,梦阳所亲有左姓者,诣狱谓梦阳曰:'子殆无生路矣。惟康子可以解之。'梦阳曰:'吾与康子素不相能,今临死生之际乃始托之,独不愧于心乎?'左曰:'不谓李子而为匹夫谅也。'强之再三,以片纸请书数字,梦阳乃援笔曰:'对山救我!惟对山为能救我。'余无别言。对山者,海别号也。左持书诣海,海曰:'是诚在我,我岂敢吝恶人之见而不为良友一辟咎也。'遂诣瑾。瑾焚香迎海,延致上坐。海不少逊。瑾曰:'今日何好风吹得先生来也?'命左右设席。海曰:'吾有言告公,如听吾言,当为公留,不然吾且去矣。'瑾曰:'云何?'海曰:'昔唐明皇任高力士,宠冠群臣,且为李白脱靴,公能之乎?'瑾曰:'请即为先生脱之。'海曰:'不然。今李梦阳高于李白数倍,而海固万不及一者也。下狱而公不为之援,奈何肯为白脱靴哉?'即奋衣起。瑾固止之,曰:'此朝廷事。今闻命即当斡旋之。'海遂解带与痛饮,天明始别。梦阳遂得释归。而海自是与瑾酬酢,遂罢清议矣。……应旂为二君饰奖,而所语太粗易。《行状》似有所本。然以张尚书为关中三杰,则非也。当献吉下狱时,张彩尚为文选郎中转金都御史,何得言尚书? 又一小说谓,'海言:公事事以高皇帝制度为法,李梦阳能法高皇帝为诗,奈何杀之?'其说之不同如此。大抵以康公尝救李公,而不详其事,争以文笔传饰之耳。"《洹词》卷六《江西按察司副使空同李君墓志铭》:"戊辰,刘瑾必快前忿,罗以他事,械赴京。人意其必死。是时,瑾敬礼修撰康子。康子谓瑾曰:'李生能法皇祖为文,杀之大失天下学者望。'瑾嬖人姜达亦申理。瑾乃贤空同子,既释系,又欲用之选部。空同子托以痼疾,康子为力请得免。"

二月

会试天下贡士。《震泽集》卷一二《会试录序》:"正德戊辰二月,会试天下士。于时知贡举则礼部尚书臣机、侍郎臣溁,考试则大学士臣鏊、学士臣储,同考试则修撰臣海、编修臣一鹏、臣俊、臣仁和、臣时、臣霄、臣璠、臣铣、臣若水、都给事中臣承裕、给事中臣潮、署郎中事员外郎臣庭、会主事臣子熙、臣中道,监试则御史臣鉴、臣玉。天下士抱艺就试者三千八百八十余人,三试之遵制诏。预选者凡三百五十人。刻其文之粹者以传,凡二十篇,名之曰《会试录》。臣鏊谨序其首。"

屠勋致仕。《明武宗毅皇帝实录》卷三五"正德三年二月丙子(初八)":"刑部尚书屠勋乞致仕,诏以勋历事有年,加太子太保,写敕给驿以还,仍令有司给食米月四石,役夫岁四名。时勋任尚书未及考,仍特命与诰命。"《东江家藏集》卷二八《故刑部尚书致仕东湖屠公行状》:"丁卯,升刑部尚书。时逆瑾用事,乞奏请必先关白,公执不从,曰:'如此,是二君也。'瑾用是衔,而公亦力求去。"

三月

十八日，赐吕柟等进士及第、出身有差。

春

王守仁至龙场，专心悟道。《王文成全书》卷三二《年谱》："春，至龙场。是年，始悟格物致知。"《王文成全书》卷一九《初至龙场无所止结草庵居之》："草庵不及肩，旅倦体方适。开棘自成篱，土阶漫无级。迎风亦萧疏，漏雨易补缉。灵濑响朝湍，深林凝暮色。群獠环聚讯，语庞意颇质。鹿豕且同游，兹类犹人属。污樽映瓦豆，尽醉不知夕。缅怀黄唐化，略称茅茨迹。"《王文成全书》卷二三《五经臆说序》："龙场居南夷万山中，书卷不可携，日坐石穴，默记旧所读书而录之，意有所得，辄为之训释。期有七月，而五经之旨略遍，名之曰《臆说》。盖不必尽合于先贤，聊写其胸臆之见，而因以娱情养性焉耳。"《王文成全书》卷二三《何陋轩记》："昔孔子欲居九夷，人以为陋，孔子曰：'君子居之，何陋之有？'守仁以罪谪龙场，龙场古夷蔡之外，于今为要绥，而习类尚因其故。人皆以予自上国往，将陋其地，弗能居也。而予处之旬月，安而乐之，求其所谓甚陋者而莫得，独其结题鸟言，山栖羝服，无轩裳宫室之观、文仪揖让之缛，然此犹淳庞质素之遗焉。"

六月

都卬卒，年八十三。《圭峰集》卷一七《故封都水主事豫轩翁墓志铭》："封都水主事八十三翁号豫轩，姓都氏，讳卬，字维明，姑苏阊门南濠人。……以正德三年六月十八日卒。"四库提要卷一二七："《三余赘笔》二卷，明都卬撰。卬字维明，号豫庵，吴县人。太常寺卿穆之父也。穆官工部主事时，封如其官，年已八十，余姚王守仁为作寿序，今附录卷末。是书杂录见闻，亦间有辨论，然多掇拾旧文，其引唐六典解世俗长功、短功之名，未免附会古义；谓郑本伯爵，《春秋》书爵非贬，段必敌人之名，故书曰克，决非其弟，尤悖谬之甚。惟论邓攸杀子不情，朱子不当载之于小学书中，颇为有见。及陶九成著书、吕洞宾始末、赵缘督姓名、宋高宗作幽闲鼓吹数条，差资考证耳。"〔按，据罗玘所撰墓志，卬号豫轩，非豫庵〕

七月

方良永致仕，避难友人官所。《国朝献征录》卷四八《南京刑部尚书谥简肃方公良永墓志铭》："戊辰，〔父丧〕服除赴京。时逆瑾用事，外官至朝见毕，必造私第，至匍伏拜跪，觊悦其意。公入朝为鸿胪官，道诣左顺门，叩头毕，即令向东揖瑾。公径趋出，瑾已衔之。至旅寓，或劝公循例谒瑾，公厉声曰：'官可弃，身可杀，此膝不可屈。'竟不往。瑾益怒。及吏部拟除公河南、信阳等处兵备抚民佥事，奉旨：'此缺不系额设。方良永这厮如何营谋补选？着致仕去。'公自忖瑾，祸且叵测，以得致仕为望外，谢恩即行。然是缺实祖宗额设，孝庙申诏：'必推补有风力者。'瑾之矫诬类此。

公既去，瑾怒未已。会海南有诉人命事者，瑾欲因此中公，遂奏遣锦衣卫千户、刑部郎中各一员往勘。公恐惊动太淑人，乃寓浙，俟逮旅次。已而周郎中时敏力明无罪，公乃归，杜门不出，绝口时事。久之，公同年党瑾者语所知，以瑾且悔，促公一来。公焚书不报。"《方简肃文集》卷七《题吴廷惠赠言卷》："岁正德戊辰秋七月四日，予既得致仕还，与乡友吴君廷惠同舟而南。廷惠间出其溯行所得诗文若干首示予。予遍阅无李川云诗，疑之。廷惠曰：'此诸君一时赠言之作，川云偶不及知耳。'予曰：'川云之诗不可无也。'始予至京师，见时事骇心，进退无据。爱予密且厚者，日夕相与谋，不过'徇时'二字。川云曰：'是宜独断，毋泛谋。泛谋有悔。'及荷圣天子厚恩，得有令命，众咸讶且惜，或劝其改图。川云曰：'是宜贺！子亟去，勿惑人言。'凡川云前后所语予者，与予思不谋而合。予乃窃服川云之善于探逆人事而不苟于立言，有如是也。"《方简肃文集》卷七《祭林寒崖文》："岁在戊辰，瑾贼窃柄，予既斥归，而余殃尚在。予挈家待罪子之官所者七阅月，虽薪水之给有彭幸庵诸公，而子之内外怡然，咸视予如家人，待之之礼有加焉。今之为友者有是乎？"

八月

立内厂。《御批历代通鉴辑览》卷一〇七："时东西厂缉事人四出，道路惶惧。刘瑾复立内厂，自领之。中人以微法，无得全者，万姓汹汹。"

十月

皇甫濂（1508—1564）生。字子约，一字道隆，长洲人。嘉靖甲辰进士，除工部主事，谪河南布政理问，稍迁兴化同知。与诸兄皇甫冲字子浚、皇甫涍字子安、皇甫汸字子循，俱有文名，人称皇甫四杰。《皇甫司勋集》卷五七《水部君墓志铭》："嘉靖甲子秋，忽患痢不治而卒，九月廿九日也。生正德戊辰十月初八日，年五十有七。"

十一月

程敏政全集刻成。何歆《书篁墩文集后》："弘治己未，承乏清理西江戎籍，至壬戌竣事，还台，即领守徽之命。篁墩，徽之休宁人也，思之不可得复见矣。因访求其遗文于其孤锦衣千兵君埙与其从子门人廪员曾，遂以全集求刻，因得检阅。……歆也慕之久，既恨其得之晚，敢不公其传于天下，以彰国朝文人之盛耶？慨然许刻而未就板，其门人有撮其一二刻之，名曰《篁墩文粹》，时论皆不厌，以为篁墩之文不可拣选也。正德丙寅，歆以考绩上京师，谒见少师公，首以此为问。歆具白其意，因与锦衣君以全集请序。公曰：'篁墩之文，诚不可以不全刻。刻之非吾序之不可也。'歆奉候月余，公之序未脱稿，然公事既毕，理不可以久留，而休宁尹张君九逵随亦考绩至，乃令候之。而张即擢入谏垣，未及领至，今尹王君锴来代之，公始发与锦衣君领到，乃正德丁卯三月也。即命锴督任其责。锴，名进士，老成有识，素知雅重是文者，乃锐意为之。篁墩之门人乡进士王君宠、汪君玄锡与曾，尤校对密审。刻完，锦衣君固请吾序其后。……正德丁卯秋八月之吉，赐进士第、中宪大夫、直隶徽州府知府、前监察御史广东博罗何歆书。"李汛《篁墩文集后序》："先生没，稿留于家者百二十卷。族子曾尝选其文之粹者，以白邑尹。大庾张君九逵刻而行矣。观者犹以未得其全为恨。于是曾复上书郡守博罗何公歆，公曰：'此予责也。'遂取先生全集而刻之。汛尝洒扫先生之门，谨序其后。呜呼，先生一代人豪也！文翰虽其余事，而抱负之宏，造诣之邃，盖将于是乎征。……正德二年丁卯冬十有一月长至日，门人承德郎、南京工部主事祁门镜山李汛谨序。"

黄仲昭卒，年七十四。《国朝献徵录》卷八六《江西提学佥事前翰林编修黄公仲昭墓志铭》："予友未轩黄先生，以正德三年十一月一日卒于家。……平生刻苦为学，书无所不读，务究道德性命之原，不为口耳章句之习。作为文章，典重浑厚，亦无艰深聱硪之语。……公生宣德乙卯，距今戊辰，得年七十有四。"《静志居诗话》卷八《黄仲昭》："佥事以词臣建言，宜有岩岩气象，而诗特和易近人。其谪居写怀也，有云：'一片归心留不住，非因故国有莼鲈。'其归田杂咏也，有云：'悔杀昔年成底事，红尘鞭马听朝钟。'其澹于世味也，可见已。初自号未轩，罗彝正谓曰：'君之未，余知之：吾道未至于孔孟，吾功未至于伊周，吾民未至于唐虞，君之未也。若士未大夫，大夫未公卿，则众人之未也。'晚居下皋，筑俱乐亭，更号退岩居士云。"《未轩文集》卷首提要："仲昭官编修时，与章懋、庄昶并以疏争元宵烟火诗，廷杖谪官，当时有翰林三君子之目。后懋与昶并以聚徒讲学为事，而仲昭独刻意纪述。《八闽通志》《延平府志》《邵武府志》《南平县志》《兴化府志》，皆所编录，故枫山、定山之名满于天下，仲昭几为所掩。然三人气节相同，居官清介相同，文章质实亦略相同，未可以仲昭笃志励行，不作语录，遂分优劣于其间也。林瀚作仲昭墓志，称其作为文章，浑厚典重，无艰深聱硪之语。郑岳《莆阳文献传》亦称其有《未轩集》若干卷，文词典雅。今观其集，虽尚沿当日平实之格，而人品既高，自无鄙语。颉颃于作者之间，正不以坦易为嫌矣。"

十二月

蔡清卒，年五十六。《见素集》卷一八《明中顺大夫南京国子祭酒晋江虚斋蔡先生墓碑》："虚斋弃提学按察副使归晋江也，上起以为国子祭酒，居之南京。命未至，卒，正德戊辰十二月二十三日也。……生景泰癸酉六月十有八日，寿五十六。"林俊《虚斋蔡先生文集序》："其学以六经为正宗，四书为嫡传，四儒为真派。平生精力，尽用之《易四书蒙引》之间，阐发幽秘，梓学宫而行天下。其于《易》深矣，究性命之原，通幽微之故，真有以见夫天下之赜，象其物宜，天下之动，通其典礼。四方学士师宗之曰：'虚斋说也，守毋变。'扶衰振落，温陵造就，可谓《易》学一时矣。经义趣深理到，论策诸作，畅达疏爽。诗文别出体格，披人心而系名教，卒泽于仁义道德，粹如也。"[按，蔡清著有《易经蒙引》《四书蒙引》，《易四书蒙引》为二书省语]《虚斋集》卷首提要："清为学以穷理为主，平生笃守朱子之说。其《读蜀阜存稿私计》中谓：朱、陆俱宗孔孟而门户不同，然陆学未尽符于大中至正之矩，不免为偏安之业。

其宗旨所在，可以概见。及其释《周易》时，于朱子之解意有未安者，又多所异同，不为苟合，是其识解通达，与诸儒之胶固执滞者不同。故其文章亦淳厚朴直，言皆有物，虽不以藻采见长，而布帛菽粟之言，殊非雕文刻镂者所可几也。"

本年

陆深转南京主事。《国朝献征录》卷一八《通议大夫詹事府詹事兼翰林院学士赠礼部右侍郎谥文裕陆公深墓表》："正德丁卯，授国史编修。逾年，丁母忧，逆瑾衔公不附，改为南京主事。"

罗玘书责李东阳。《明史》罗玘传："刘瑾乱政，李东阳依违其间。玘，东阳所举士也，贻书责以大义，且请削门生之籍。"《圭峰集》卷二一《寄西涯先生书》："生违教下，屡更变故，虽尝贡书，然不敢频频者，恐彼此无益也。今则天下皆知忠赤竭矣，大事亦无所措手矣。《易》曰：'不俟终日。'此言非欤？彼朝夕献谄以为当依依者，皆为其身谋也。不知乃公身集百诟，百岁之后，史册书之，万世传之，不知此辈，亦能救之乎？白首老生，受恩居多，致有今日，然病亦垂死，此而不言，谁复言之？伏望痛割旧志，勇而从之。不然，请先削生门墙之籍，然后公言于众，大加诛伐，以彰叛恩者之罪，生亦甘焉。生蓄诚积直有日矣，临缄不觉狂悖干冒之至。"

郑纪卒，年七十六。《东园文集》附录《名公叙述》："正德丙寅，漳寇大作，入我西鄙。纪倡议筑城，明年城完，寇再至，不敢犯。戊辰，疾作。都御史林俊、孝子刘闵来视医，纪解之曰：'死生常理，毋烦过念。第受国厚恩，每闻朝政变易，为九京遗恨。'巡按御史韩廉暨守巡亦至，偕郡邑大夫问疾，纪语以'仙城未固，愿卒事以惠一方'。卒之日，正襟端坐，占诗二律。寿七十有六。遗命刘闵治丧，勿请葬祭。"《东园文集》卷首提要："《东园文集》十三卷，附录一卷，明郑纪撰。……所著有《东园吟稿》《归田录》《义聚家范》《增修乡约》等书。是集则皆杂文也。纪入翰林后，归卧屏山，读书二十余年。生平为文无构思，无易稿，为人假去，亦不复问。门人吴俨称其文'甚类老泉，其气昌，其思深，其辞正而不阿，其辨博而不杂'。今观集内所载诸奏疏，皆剀挚详明，切中时政，诸体文亦多属有关世教之言。杂著内有《归田咨目》十条，亦皆兢兢以礼法自持。盖人品端谨，殊有足重者。集原刊久毁，此为其九世孙英、梁等所重镌云。"郑英《东园文集跋》："圣天子褒崇先代，征文考献，厥典有加。旧刻文集日久腐溃，梁深惧先烈之不彰，爰谋诸弟，重锓之。间有遗者，亦以补入。至如《归田录》《义聚家范》《增修乡约》诸集，皆风教所存，无奈久毁，鸿儒巨公有家藏者，惠借摹刻，广布是宁，特梁兄弟得承嘉惠，祖德重光，知道之士或亦乐为导之先路云。乾隆戊午，九世孙英、梁谨识。"

陈束（1508—1540）生。字约之，鄞县人。嘉靖己丑进士，官至河南提学副使。事迹具《明史·文苑传》。束与唐顺之为同年，共倡为初唐、六朝之作，以矫李、何之习，而所学不逮顺之。又自翰林改礼部主事，追复官编修，旋即外调，恒忽忽不乐，年仅三十余而卒。与王慎中、唐顺之、赵时春、熊过、任瀚、李开先、吕高，称嘉靖八才子。有《陈后冈诗集》一卷、《陈后冈文集》一卷。《甬上耆旧诗》卷十《按察副使陈后冈先生束》："为儿时已奇慧绝伦，日诵数千言。试之对，辄应声就。数又奇中，诸公大奇之。稍长，出从里中师，所讲授经义，先生率卧勿听，乃益氾滥百家，上下屈、宋、班、马之间，所为古文词颇自引重，视同辈俱娡娡不足伍。"

袁炜（1508—1565）**生**。字懋中，别号元峰，慈溪人。嘉靖戊戌进士，官至建极殿大学士，谥文荣。事迹附见《明史》严讷传。有《袁文荣公诗略》二卷。据《弇山堂别集》卷四五《内阁辅臣年表》。

赵贞吉（1508—1576）**生**。字孟静，内江人。嘉靖乙未进士，官至文渊阁大学士，谥文肃。事迹具《明史》本传。有《赵文肃公文集》二十三卷。

公元 1509 年（正德四年　己巳）

四月

大学士王鏊致仕。《明武宗毅皇帝实录》卷四九"正德四年夏四月乙亥（十四日）"："少傅兼太子太傅、户部尚书、武英殿大学士王鏊上疏辞曰：'臣顷陈衰病，伏蒙皇上一再遣官即臣家赐以尚方药饵，大官珍膳，诏旨勉留，宠数优渥。岂以臣虽无赞理之功，尚崇其礼，以全体貌之诚邪？然体貌者君人之恩，而责实者朝廷之政，上焉必才识超卓，足以发舒谋议，下焉亦膂力强敏，足以趋赴事功。若咸无之，将焉用此？此臣欲日夜补报而未能者也。夫才者进而屡者废，壮者用而病者休，此亦自然之理。伏望圣慈矜允，以臣之职改授时贤，则上有得人之美，下免旷职之愆矣。'上以鏊情词恳切，特允之，令乘传还，仍给与应得诰命。"《明史》王鏊传："时中外大权悉归瑾，鏊初开诚与言，间听纳。而芳专媚阿，瑾横弥甚，祸流缙绅。鏊不能救，力求去。四年，疏三上，许之。赐玺书、乘传、有司给廪隶，咸如故事。家居十四年，廷臣交荐不起。"

《孝宗实录》成。《明武宗毅皇帝实录》卷四九"正德四年夏四月壬午（二十一日）"："上御奉天殿，监修官后军都督府掌府事特进光禄大夫、左柱国、太师兼太子太师、英国公张懋，总裁官光禄大夫、柱国、少师兼太子太师、吏部尚书、华盖殿大学士李东阳等，率纂修等官上表进《孝宗敬皇帝实录》，上起立受之。"《怀麓堂集》卷六九《进孝宗皇帝实录表》："伏以君明臣良，极一代治功之盛。父作子述，垂万年简策之光。……恭惟皇帝陛下刚健体乾，聪明首物，得圣功于豫教，昭文命于诞敷。谓孝在显亲，必有扬名之实；谓人惟建事，可无师古之规？乃命臣东阳等发秘府之缄縢，给尚方之笔札，曹分类析，纲举目张，于凡礼乐、刑政之施以及名物、度数之等，经因革者详而弗厌，关劝惩者细亦不遗。是曰是，非曰非，岂得专于独见；疑传疑，信传信，庶以备于将来。恭成《孝宗敬皇帝实录》二百二十四卷，《宝训》十卷，合《目录》《凡例》，总二百三十六册。"

五月

李东阳焚《孝宗实录》底稿于太液池，作诗纪其事。《怀麓堂集》卷五八《西苑焚稿纪事》："史家遗草尽成编，太液池头万炬烟。天上六丁元下取，人间一字不轻传。

先朝故事非今日，内苑清游亦胜缘。却上广寒云雾里，禁城东指是文渊。"题下注："五月二十五日，在海子西岸事毕，尚膳供宴。是日，入西苑门，望南台，登广寒殿，过芭蕉园而还。"《今言》卷二："我朝虽设修撰、编修、检讨为史官，特有其名耳。《实录》进呈，焚草液池，一字不传。况中间类多细事，重大政体，进退人材，多不录。每科京师乡试考官赐宴，皆书冢宰内阁大臣，其先后相继，竟不可考，他可知矣。"《国史惟疑》卷一二《补遗》略云："《实录》成，其副稿虑为人见，例焚之芭蕉园，在太液池东。"《日知录》卷一八《秘书国史》："明则实录之进，焚草于太液池，藏真于皇史宬。在朝之臣，非预纂修皆不得见。而野史家传遂得以孤行于世，天下之士于是乎不知今是。虽以夫子之圣，起于今世，学夏殷礼而无从，学周礼而又无从也。况其下焉者乎。岂非密于禁史而疏于作人，工于藏书而拙于敷教者邪？遂使帷囊同毁，空闻《七略》之名。冢壁皆残，不睹六经之字。呜呼悕矣！"《顾亭林文集》卷五《书吴潘二子事》："先朝之史，皆天子之大臣与侍从之官，承命为之，而事莫得见。其藏书之所曰皇史宬。每一帝崩，修实录，则请前一朝之书出之，以相对勘。非是，莫得见者。人间所传，止有《太祖实录》。国初人朴厚，不敢言朝廷事，而史学因以废失。正德以后，始有纂为一书附于野史者，大抵草泽之所闻，与事实绝远，而反行于世。世之不见实录者，从而信之。"

八月

沈周卒，年八十二。《甫田集》卷二五《沈先生行状》："先生既长，益务学，自群经而下，若诸史子集，若释老，若稗官小说，莫不贯总淹浃。其所得，悉以资于诗。其诗初学唐人，雅意白傅，既而师眉山为长句，已又为放翁近律，所拟莫不合作。然其缘情随事，因物赋形，开阖变化，纵横百出，初不拘拘乎一体之长。稍辍其余，以游绘事，亦皆妙诣，追踪古人所至。宾客墙进，先生对客挥洒不休，所作多自题其上，顷刻数百言，莫不妙丽可诵。下至舆皂贱夫，有求辄应，长缣断素，流布充斥，内自京师，远而闽浙川广，莫不知有沈周先生也。……先生去所居里余，为别业，曰有竹居，耕读其间。佳时胜日，必具酒肴，合近局，从容谈笑，出所蓄古图书器物，相与抚玩品题以为乐。晚岁，名益盛，客至亦益多，户屡常满。先生既老，而聪明不衰，酬对终日，不少厌怠，风流文物，照映一时，百年来东南文物之盛，盖莫有过之者。先生为人修谨谦下，虽内蕴精明，而不少外暴。与人处，曾无乖忤，而中实介辨不可犯。然喜奖掖后进，寸才片善苟有以当其意，必为延誉于人不藏也。尤不忍人疾苦，缓急有求，无不应者，里党戚属咸仰成焉。……所著诗文曰《石田稿》，总若干卷；他杂著曰《石田文抄》《石田咏史》《补忘录》《客座新闻》《续千金方》，总若干卷。正德四年己巳，先生年八十有三。八月二日，以疾卒于正寝。"《弇州续稿》卷一四七《像赞》："沈石田先生周，……先生博学，无所不通，喜为诗，其源出白香山、苏眉州，兼情事，杂雅俗，当所意到，訾訾不得休。书法双井，矻矻未化。至丹青之学，久而天下愈宝之，以为北苑、巨然、徐熙父子复出，胜国诸贤勿论也。先生生短小而皙，眉目媚秀如画，今像则已老。"《静志居诗话》卷九《沈周》："石田诗不专仿一家，中晚唐、南北宋靡所不学，每于平衍中露新警语。人既贞，不绝俗，诗亦变而成方。惟七言律诗，差少全璧，句如'明河有影微云外，清露无声万木中'，'落木门墙秋水宅，乱山城郭夕阳船'，'竹枝雨暗蟏蛸户，豆叶风凉络纬篱'，'剪取竹竿渔具足，拨开荷叶酒船通'，'墙凹为避邻居竹，圃熟多分路客瓜'，'酒醉又移花下席，书多别起竹间楼'，'青山一杖付归客，玉洞千花留故人'，'竹里行厨青玉案，酒边官妓茜红裙'，'片帆南浦草仍雨，斗酒长亭花又风'，'岁晏鸡豚邻社鼓，秋深虾蟹水乡船'，'芭蕉夜雪阑新兴，蛱蝶春风卷画图'，'明月未来风满树，夕阳犹在鸟无声'，'蘼芜细雨山连郭，翡翠斜阳水满川'，'野色迎人过桥去，春风吹面傍花行'，所谓诗中有画者，非耶？昔郭熙撰《林泉高致》，具撷唐人之句，取可入画者授人。若翁之诗，即此亦图之不尽也。"《石田诗选》卷首提要："顾元庆《夷白斋诗话》载都穆学诗于周，尝作《节妇诗》，有'青灯泪眼枯'句，周以《礼》'寡妇不夜哭'，议'灯'字未稳，是周于诗律不为不细。然周以画名一代，诗非其所留意。又晚年画境弥高，颓然天放，方圆自造，惟意所如。诗亦挥洒淋漓，自写天趣。盖不以字句取工，徒以栖心丘壑，名利两忘，风月往还，烟云供养，其胸次本无尘累。故所作亦不雕不琢，自然拔俗，寄兴于町畦之外，可以意会而不可加之以绳削。其于诗也，亦可谓教外别传矣。都穆《南濠诗话》称其《咏钱》《咏门神》《咏帘》《咏混堂》《咏杨花》《咏落花》诸联，皆未免索之于句下。盖穆于诗所得不深，故所见止是也。集前有吴宽序，称其诗余发为图绘，妙逼古人。核实而论，周固以画之余事溢而为诗，非以诗之余事溢而为画。宽序其诗，乃主诗而宾画耳。又有李东阳后序。东阳与周不相识，时已为大学士，与周势分悬隔。以吴宽尝以写本示之，重其为人，故越三十年后，又补为作之。"

九月

王慎中（1509—1559）生。字道思，号遵岩，晋江人。嘉靖丙戌进士，官至河南布政使参政。事迹具《明史·文苑传》。有《遵岩集》二十四卷、《玩芳堂摘稿》四卷。《明文海》四三七《河南参政王遵岩墓表》："幼禀慧质，读书日诵数千言，辄了悟，不烦师解。年十四，补弟子。郡守葛公见所试举子业，奇之曰：'儿异日当为天下士，讵取科第已耶？'……先生生于正德己巳九月二十七日，卒于嘉靖己未七月十七日，享年五十一。"

十月

吴宽《家藏集》刊刻。李东阳《匏翁家藏集序》："《匏翁家藏集》七十卷，吴文定公所著而手自编辑者也。为诗三十卷，不分体制，以年月先后为序。文四十卷，则分体汇载，而先后亦隐然寓乎其间。盖惟辑其所可识，而散佚于世者弗与也。公之没，其子中书舍人奭刻梓于家。既免丧，上京师，以属其诸从兄，数月报诗卷成，又数月报文卷成。奭持以告予，请序首简。……然则其散佚者，尚博而求之，以尽白于天下，无徒曰《家藏》云尔。正德三年冬十月朔，光禄大夫、柱国、少师兼太子太师、吏部尚书、华盖殿大学士、知制诰、同知经筵事、国史总裁长沙李东阳序。"徐源《家藏集后序》："既葬之又明年，其子中书舍人奭与其从兄奎、奫、奕搜阅笥稿，得公手笔存录诸体诗凡三十卷，序记志说之类凡四十七卷，自题曰《家藏集》，盖将以遗其后人，知精力之有在也。奭惧或散失，既寿之于梓，以公平生知厚莫予先也，请序于峡。……正德三年岁次戊辰二月朔旦，赐进士出身、通议大夫、都察院右副都御史致仕友人爪泾徐源书。"王鏊《家藏集序》："故礼部尚书兼翰林院学士文定吴公，官禁近前后三十余年，文章传布中外，海内宗之。公既卒，其子中书舍人奭刻其所谓《家藏集》者，授予请序。……余获从公久，每以道义相劘切，其于序有不得辞。然公此集，自当信今传后。云《家藏》者，公之谦也。诗诸体凡三十卷，序、记、碑、铭、杂著四十卷，总之为七十卷。正德己巳冬十月之望，光禄大夫、柱国、少傅兼太子太傅、户部尚书、武英殿大学士、知制诰、经筵官、国史总裁王鏊序。"《家藏集》卷首提要："《家藏集》七十七卷，明吴宽撰。宽字原博，号匏庵，长洲人。成化壬辰会试、殿试皆第一人，官至掌詹事府事、礼部尚书。谥文定。事迹具《明史》本传。集为宽手自订辑，李东阳、王鏊二序皆称诗三十卷，杂文四十卷，总为七十卷。今此本诗目相同，而文集实多七卷，又附以补遗文六篇。后序亦称宽子中书舍人奭搜阅笥稿，得诗三十卷，文四十七卷，与前序颇不合。疑七十卷以上，乃宽原编，而其后七卷，则出奭等所附益也。"

冬

邵宝致仕。《东林列传·邵宝传》："正德四年，擢都察院右副都御史，总督漕运。时刘瑾擅政，宝议事至京，绝不与通。平江伯陈熊，漕帅也，赂瑾少，瑾憾之。一日昧爽，遣校尉数辈追宝至左顺门，曰：'行逮汝。'张彩、曹元二尚书自内出，私语宝曰：'内执政谓君第劾平江，则无后命矣。'宝曰：'平江功臣之后，督漕未久，无大过，不知所劾。'二人默然去。越三日，给事中劾熊，并劾宝徇庇，遂逮熊下诏狱，勒宝致仕。"

本年

储巏入京师为户部官。《息园存稿文》卷六《通议大夫南京吏部左侍郎储公行状》："正德戊辰，擢户部右侍郎。己巳，迁左侍郎，督京储。其莅政一如南都，沉静端毅，中贵同事者咸见严惮。时逆瑾用事，大臣多为屈损，称公为'先生'而不敢慢。"

莫如忠（1509—1589）生。字子良，华亭人。嘉靖戊戌进士，官至浙江布政使。告归，杜门著书，年至八十余乃卒。《明史·文苑传》附载董其昌传中。有《崇兰馆集》二十卷。据林景旸《明故通奉大夫浙江布政使司右布政使中江莫公行状》。

陆树声（1509—1605）生。字与吉，号平泉，南直隶华亭人。嘉靖辛丑进士，官至礼部尚书。事迹具《明史》本传。有《清暑笔谈》《耄余杂识》《长水日抄》《病榻寤言》。据《礼部志稿》卷五四《尚书陆树声》。

赵时春（1509—1567）生。字景仁，号浚谷，平凉人。嘉靖丙戌进士，官至右副都御史，巡抚山西。事迹具《明史》本传。有《赵浚谷诗集》六卷、《赵浚谷文集》十卷。据徐阶《明故巡抚山西都察院右佥都御史浚谷赵公墓志铭》。

公元1510年（正德五年　庚午）

二月

谢铎卒，年七十六。《明文海》卷四五〇《谢文肃公行状》："正德戊辰，吏部上其名，会权奸用事，遂令致仕。先生归六岁，终于正寝，享年七十有六，正德庚午二月二日也。……于书无不读，其所为文甚多，尤长于诗。盖其精识绝人，论议归于一是。所著有《桃溪集》《续真西山读书记》《伊洛遗音》《伊洛渊源续录》《四子择言》《元史本末》《宰辅沿革》《国朝名臣事略》《尊乡录》《赤城志》及文集、诗集、《论谏录》《缑山集》百余卷。"罗侨《桃溪净稿后序》："言而至于道，言之至也；次而极性情，该物理，关涉世教，言与意会，笔与心应，而亦自到至处；有不知其然而然者，积之充然，而发之沛然，养之温然，而形之粹然，语在至近而指极奥妙，斯亦善言者也。下此斯赘矣。予读谢文肃公之诗与文，皆极性情，该物理，关涉世教，非寻常拈弄笔墨，嘲吟风月，掇纤巧以为技，务聱牙崛硬以为奇，而其风韵神采自在，非众人之所能及。公盖一代人物也，而岂台郡之所能独当哉！"俞宪《谢文肃公集序》："方石谢公诗不免限于时代气运，然李文正公已称其精到有法，学高而识绝矣，岂后世词人所易及哉！……平生好古力学，自附朴忠，东桥顾公尝称其诗文同致，大抵以纲维人伦为宗，以剖白事实为用，以抑扬邪正为志，以遗远声利为情，殆知言哉！"《艺苑卮言》卷五："谢方石如乡里社塾师，日作小儿号嗄。"《明诗评》卷四："文肃资质玄朗，功深琢磨，逊心长沙之门，用构台阁之体。"《明史》谢铎传："铎经术湛深，为文章有体要。"李东阳《怀麓堂诗话》："近时作古乐府者，惟谢方石最得古意。如《过河怨》曰：'过河过河不过河，奈此中原何？'《夜半橛》曰：'国威重，空头敕。相权轻，夜半橛。'皆警句也。"又云："陆鼎仪尝言，谢方石诗好用'梦'字及一'笑'字。察之，果然。间以语之，亦一笑而已，不易。因忆张亨父尝言，杜诗好用'真'字。岂所谓许浑千首'湿'，杜甫一生'愁'者，虽古人亦不能免邪。"《明诗综》卷二六《谢铎》存诗一首：《桃溪》。

三月

林俊起抚四川。《见素集》附录上《编年纪略》："五年庚午，公年五十九，四川盗起，驿召公为右副都御史，特敕专征。三月，至夔州。"《明史》林俊传："正德四年，起抚四川。眉州人刘烈倡乱，败而逃，诸不逞假其名剽掠。俊绘形捕，莫能得。会保宁贼蓝廷瑞、鄢本恕、廖惠等继起，势益张，转寇巴州。"

王守仁升江西庐陵知县。《王文成全书》卷九《给由疏》："正德五年三月内，蒙升江西吉安府庐陵县知县。本年十月内，升南京刑部四川清吏司主事。"

春

储巏以疾休养。《息园存稿文》卷六《通议大夫南京吏部左侍郎储公行状》："庚午春，以疾乞休，诏赐乘传。还，仍敕有司，候病痊，奏闻起用。同事太监蔡用，素重公廉，馈白金五十两为赆，辞不受。冬十月，仍起为左侍郎，辞不就。"

四月

安化王置镭反。《御定资治通鉴纲目三编》卷一八："夏四月，安化王置镭反，游击将军仇钺讨平之。"

八月

王廷相以捕盗不力受弹劾。《明武宗毅皇帝实录》卷六六"正德五年八月庚寅（初七）"："山东守臣奏，登州、宁海等县，盗掠居民，知府房瑄、同知李蓁、指挥使赵盛等三十九人，不能督捕，俱宜治；备倭指挥王璋御盗有劳，宜赏。下兵部议。因劾捕盗御史王廷相罪。时廷相已有旨停俸，丁是瑄等亦皆停俸。仍限三月不获，以闻。璋赏银五两。"

刘瑾伏诛。《明武宗毅皇帝实录》卷六六"正德五年八月戊申（二十五日）"："刘瑾伏诛。"《明史》杨一清传："安化王置镭反，诏起一清总制军务，与总兵官神英西讨，中官张永监其军。未至，一清故部将仇钺已捕执之。一清驰至镇，宣布德意。张永旋亦至，一清与结纳，相得甚欢。知永与瑾有隙，乘间扼腕言曰：'赖公力定反侧。然此易除也，如国家内患何。'永曰：'何谓也？'一清遂促席画掌作'瑾'字，永难之曰：'是家晨夕上前，枝附根据，耳目广矣。'一清慷慨曰：'公亦上信臣，讨贼不付他人而付公，意可知。今功成奏捷，请间论军事，因发瑾奸，极陈海内愁怨，惧变起心腹。上英武，必听公诛瑾。瑾诛，公益柄用，悉矫前弊，收天下心。吕强、张承业暨公，千载三人耳。'永曰：'脱不济，奈何？'一清曰：'言出于公必济。万一不信，公顿首据地泣，请死上前，剖心以明不妄，上必为公动。苟得请，即行事，毋须臾缓。'于是永勃然起曰：'嗟乎，老奴何惜余年不以报主哉！'竟如一清策诛瑾。"

李东阳是年第三次乞致仕，不允。《馆阁漫录》卷九"五月壬午（十五日）"："大学士李东阳乞致仕，上曰：'卿累朝重臣，受先帝遗命辅导朕躬，才德兼隆，誉望显著，年未从心，神采精健，正当辅佐，安忍求闲？近日宁夏叛贼削平，皆卿之力。有疾宜善调护，安心办事，毋负遗命。所辞不允。'""六月乙酉朔，李东阳复乞休，上曰：'卿引衰病求去至再至三，屡有旨勉留，宜尽心职务，允协朕怀。不必固辞。'"《怀麓堂集》卷一〇〇《求退录》略云："奏为陈情乞恩恳祈休致事。臣年六十四岁，入仕途者四十七年，在内阁者十六年。越自先朝至于今日，具本辞免者二十余次。误蒙先皇帝及陛下厚恩，简命委托，勉留曲谕，至详至切。比者司礼监太监刘瑾专权乱政，陛下明正其罪，中外臣民万口称快。臣窃念备员内禁，事体相关。凡票本拟旨，撰写敕书，或驳下再三，或径自改窜，或带回私宅假于他手，或递出誊黄，逼令落底，真伪混淆，无从辨白。臣等虽委曲匡持，期于少济，而因循隐忍，所损亦多。荷蒙渊衷明见，谓不与内阁相干。然玉毁椟中，亦难辞责，理宜罢黜，更复何言。伏望陛下特降俞音，放归田里，遂臣初志。别求贤俊，俾赞机衡，则臣虽未尽犬马之劳，亦免积丘山之咎矣。臣无任恳恂激切之至。正德五年八月十六日奉圣旨：'卿以宏才硕德，佐政先朝，嘉谋嘉猷，播在天下。先帝顾命辅导朕躬。刘瑾专权，已正其罪。今览卿奏，知刘瑾将票本拟旨再三驳下，径自改窜，或带回私宅，假手他人，又递出誊黄，逼令落底。百端蒙蔽，卿委曲匡持，朕已悉知。宜安心办事，不允所辞。'"

康海坐刘瑾党落职。张治道《翰林院修撰对山康先生状》："孝宗时，谢阁老迁见知主上，其子丕为翰林编修，文亦有名。焦阁老芳，其子黄中亦为翰林检讨，争胜于谢，各树党羽，互为标榜。焦欲引先生为附，一日置酒，厚请先生。先生往，见客座皆邪媚者，曰：'此为排谢招我耶？'遂正言责之，座客皆愧服，衔先生者益众矣。是时，李西涯为中台，以文衡自任，而一时为文者皆出其门，每一诗文出，罔不模效窃仿，以为前无古人。先生独不之仿，乃与鄠杜王敬夫、北郡李献吉、信阳何仲默、吴下徐昌谷为文社，讨论文艺，诵说先王。西涯闻之，益大衔之。……无何，丁母忧，归关中。往时，京官值亲殁时，持厚币求内阁志铭以为荣。而先生独不求内阁文，自为状，而以鄠杜王敬夫为志铭，北郡李献吉为墓表，皋兰段德光为传。一时文出，见者无不惊叹，以为汉文复作，可以洗近文之陋矣。西涯见之，益大衔之，因呼为子字殷，盖以数公为文称子故也。若尔，非大衔也耶？归关中，居丧以礼，哀毁怨慕。无何，瑾败，而异者、仇者、喝言官以乡里指为瑾党，论先生，罢其官。呜呼！先生以修撰罢归，官不加升，阿瑾何谓？大抵先生以才名致谤，口语招谗，又何论焉？又谓先生还家时被劫，有司为追捕其所亡。盖追捕所亡有司，素重其名，且为翰林而追捕之也，先生阿与焉？闻者无不惊叹，曰：'假手折才，嫉贤附党，有天乎？'而先生闻之，略无愠色，且曰：'自审无疚，祸将从人。瑾，天下大恶也，余常忧其祸国，今果败论死矣，深为国家庆也。余官何惜，余官何惜？'"

九月

徐祯卿作诗感白发始生。《迪功集》卷四《庚午岁九日始见二毛》："常年摇落不知悲，九日今年感鬓丝。绿醑满眼窃自寿，黄花插头从帽攲。孤心久寄风霜外，生意长含日月私。已息尘机甘退斥，犹将笔砚愧支离。"

马中锡起抚大同。《明史》马中锡传："瑾诛，起抚大同。中锡居官廉，所至革弊任怨，以故有名。"

十月

罗玘升任南京吏部右侍郎。《圭峰集》卷二三《奏议》："为乞恩休致以全残喘事。臣年六十六岁，原籍江西建昌府南城县人，由进士除前任不开外南京太常寺少卿，钦升本寺卿，正德四年六月二十四日到任。又自本寺卿钦升南京吏部右侍郎，正德五年十月十六日到任。"

十一月

黄绾、湛若水、王守仁订共学之盟。黄绾《阳明先生行状》："〔庚午〕是岁冬，以朝觐入京，调南京刑部主事，馆于大兴隆寺。予时为后军都事，少尝有志圣学，求之紫阳、濂洛、象山之书，日事静坐。虽与公有通家之旧，实未尝深知其学。执友柴墟储公罐与予书曰：'近日士夫如王君伯安，趋向正，造诣深，不专文字之学。足下肯出与之游，丽泽之益，未必不多。'予因而慕公，即夕趋见。适湛公共坐室中，公出与语，喜曰：'此学久绝，子何所闻而遽至此也？'予曰：'虽粗有志，实未用功。'公曰：'人惟患无志，不患无功。'即问：'曾识湛原明否？来日请会，以订我三人终身共学之盟。'明日，公令人邀予至公馆中，会湛公，共拜而盟。又数日，湛公与予语，欲谋白岩乔公转告冢宰邃庵杨公，留公北曹。杨公乃擢公为吏部验封主事。予三人者，自职事之外，稍暇必会讲。饮食起居，日必共之，各相砥砺。"

冬

徐祯卿问道于王守仁。《王文成全书》卷二五《徐昌谷墓志铭》："正德庚午冬，阳明王守仁至京师。守仁故善数子，而亦尝没溺于仙释。昌谷喜驰往省，与论摄形化气之术。当是时，增城湛元明在坐，与昌谷言不协，意沮去。异日复来，论如初。……昌谷俯而思，蹶然而起，曰：'命之矣，吾且为萌甲，吾且为流澌，子其煦然属我以阳春哉！'数日复来谢曰：'道果在是，而奚以外求。吾不遇子，几亡人矣。然吾疾且作，惧不足以致远，则何如？'守仁曰：'悸乎？曰生，寄也；死，归也。何悸？'津津然既有志于斯。已而不见者逾月，忽有人来讣，昌谷逝矣。"

本年

边贡知荆州。李廷相《资政大夫南京户部尚书华泉边公贡神道碑》："既而逆瑾擅权，陵轹衣冠，无所不至。公又不能善事显贵人，于是显贵人伺瑾颜色，出公为卫辉知府。庚午，改荆州。"

陆深复国史编修。《国朝献征录》卷一八《通议大夫詹事府詹事兼翰林院学士赠礼部右侍郎谥文裕陆公深墓表》："庚午，谨诛，复公职。"

彭韶诗文集将刊刻。林俊《彭惠安公文集序》："平生所著《滞稿》，为卷凡若干，侍御陈君时周辑其要，得若干卷。吾闽提学宪副姚公英之锓梓以传。序公之文，予来进责也。慨惟老成风逝，声望所及，长养成就功为多，所谓典刑者为信。公功在天地，名在华夷，太史氏书之矣。得是集，备考之深自见矣。"郑岳《彭惠安公文集序》："公胤嗣单微，遗稿散逸。侍御陈公时周尝汇辑，林公见素序之，将梓行，未果。今抚守丘君主静雅慕先正，欲表章之，录公遗文，属余订正，将刻之郡斋。其间觉多讹缺，乃从其家求公所谓《滞稿》者，详加校定，厘为七卷云。若《名臣录赞》《政训》等书，久有专刻，兹不复入。晚学寡陋，管窥蠡测，挂漏是咎，爰取纪传赠送凡为公作者，附之卷末，庶后之读是文者，尚有以考其世也。"《彭惠安集》卷首提要："《彭惠安集》十卷，附录一卷，明彭韶撰。韶有《政训》，已著录。……初名《从吾滞稿》，嘉靖中重刻，乃改题此名。然据郑岳原序，已有遗稿散佚之语，则似已非其旧本。故所收诗仅十余首，如《明诗综》载其《临江词》一篇，指斥东里，慷慨激烈，足起顽懦，而此集不载。又《莆风清籁集》载其诗十五首，亦半从他书录入。是掇拾散亡尚多未尽，特赖此一编，幸不至于全佚，是则校刊者之功耳。"

邵宝起复。《容春堂前集》卷一九《奉寄东山先生书》："宝自己巳冬由漕运退休南归，庚午再起。"杨一清《资善大夫南京礼部尚书赠太子少保谥文庄邵公宝神道碑》："庚午，瑾诛，起巡抚贵州，寻升户部右侍郎。"

方良永起复。《国朝献征录》卷四八《南京刑部尚书谥简肃方公良永墓志铭》："庚午，瑾诛，乃起为湖广按察司副使。"

罗玘编校何乔新文集。舒芬《刻椒丘文集序》："《椒丘文集》凡三十四卷。为策府者三卷，为史论者五卷，为奏议者二卷，为序记、铭碑、诗赋、书简、题跋者二十三卷，故刑部尚书广昌何文肃公之遗稿，南京吏部侍郎圭峰罗先生之所校正，于兵火之余而仅存者。"余蕴《椒丘文集后序》："公之学以行不以言，衷蕴所发，达之辞章之华，而阐乎经史之奥者，亦多学者所共欲闻也。但手笔旧本毁于兵燹，荫子承风抄存者，不无鲁鱼亥豕之谬，幸赖少宰圭峰罗先生为之校正，蕴暇日因与邑之乡进士李子乔、庠弟子黄生选搜检编辑，类为三十四卷，并附公之传赞、碑文、奏章为外集一卷，捐俸锓梓，图永其传。而同寅李子尚、何子沾沛咸赞成之。以三月庚辰始事，迄秋七月丙辰而毕。若《周礼集注》《百将续传》诸述作，已有梓行者，兹集不复载矣。嘉靖壬午秋七月既望，后学婺源余蕴识。"

本年前后，马中锡作《中山狼传》。何良俊《四友斋丛说》卷一五《史十一》："李空同与韩贯道草疏，极为切直。刘瑾切齿，必欲置之于死，赖康浒西营救而脱。后浒西得罪。空同议论稍过严刻，马中锡作《中山狼传》以诋之。"王士禛《池北偶谈》卷一四："《中山狼传》，见马中锡《东田集》。东田，河间故城人。正德间右都御史，康德涵、李献吉皆其门生也。按，《对山集》有《读中山狼传》诗，云：'平生爱物未筹量，那记当年救此狼。'则此传为马刺空同作，无疑。"四库提要卷一七五《别本东田集》："案，《嵩阳杂识》曰：'李空同与韩贯遭草疏，刘瑾切齿，必欲置之死，赖康浒西营救而脱。后浒西得罪，空同议论稍过严，人作《中山狼传》以诋之。'王士禛《居易录》亦称，中锡《中山狼传》为刺李梦阳负康海而作。今其文在第五卷中。然海以救梦阳坐累，梦阳特未营救之耳，未尝逞凶反噬如传所云云也。疑中锡别有所指，而好事者以康、李为同时之人，又有相负一事，附会其说也。"

公元 1511 年（正德六年　辛未）

三月

徐祯卿卒，年三十三。《王文成全书》卷二五《徐昌谷墓志铭》："正德辛未三月丙寅（十六日），太学博士徐昌谷卒，年三十三。"李梦阳《迪功集序》："今详其文，温雅以发情，微婉以讽事，爽畅以达其气，比兴以则其义，苍古以蓄其词，议拟以一其格，悲鸣以泄不平，参伍以错其变，该物理人道之懿，阐幽剔奥，纪记名实，即有蹊径，厥俪鲜已。修短细大，又曷论焉？"《皇甫司勋集》卷三六《徐迪功外集后序》："弘、德之间，李、何诸子追述大雅，取裁风人，一时艺林作者响臻，同好景附，咸足驰骋海内，而徐君亦独步江左矣。"《弇州续稿》卷一四八《像赞》："先生自为诸生，即与唐寅、文璧相唱酬有名，而其语高者上仿佛齐梁，下亦不失温、李以为快。既成进士，始与大梁李梦阳、信阳何景明善，而梦阳稍规之古，自是格骤变而上，操纵六代而出入于景龙、开元间，初若要驾不受羁，徐而察其步骤开辟，鲜不中绳墨者。当是时，吾吴中独先生能狎主中原盟，而惜其早死，不获持牛耳。然《迪功集》《谈艺录》亦足以雄矣。"《艺苑卮言》卷五："徐昌谷如白云自流，山泉泠然，残雪在地，掩映新月。又如飞天仙人，偶游下界，不染尘俗。"卷六："昌谷少即摛词，文匠齐梁，诗沿晚季。迨举进士，见献吉，始大悔改。其乐府、选体、歌行、绝句，咀六朝之精音，采唐初之妙则。天才高朗，英英独照。律体微乖整栗，亦浩然太白之遗也。"又："昌谷之于诗也，黄鹄之于鸟，琼瑶之于石，松桂之于木也。"王世懋《艺圃撷余》："诗有必不能废者，虽众体未备，而独擅一家之长，如孟浩然洮洮易尽，止以五言俊永，千载并称王、孟。我明其徐昌谷、高子业乎？二君诗大不同，而皆巧于用短。徐能以高韵胜，有蝉蜕轩举之风。高能以深情胜，有秋闺怨妇之态。更千百年，李、何尚有废兴，二君必无绝响。"《少室山房集》卷一〇五《读徐迪功集》："徐迪功、高观察皆以冲澹胜者也。两君入唐，与王、孟绝相类。徐五言律不能工，有乐府、歌行、绝句，往往可观。高不能歌行、乐、绝，而五言律清新婉丽，出徐上。若其安身立命，则并在五言古诗。总之，迪功才近王，观察才近孟，五言古品格高华，似过之，而他作咸弗逮也。然工此道者，于七言律断非长。乃右丞独以此擅今古，古人信未易及耶！而两君非今人矣！"《明诗综》卷三六《徐祯卿》："欧桢伯云，博士洗尽芜辞，天然妙丽。金源人诗'清庙瑟三叹，斋房芝九茎'，庶几似之。项子长云，昌国华而不靡，质而不俚，深而不晦，壮而不怒，约而精，骋而中节，宜其崛起江南，雄视中土。顾玄言云，迪功豪纵英裁，格高调雅，驰骋汉唐之间，婉而有味，浑而有迹。独悲夫长辔既骤，穷途忽蹶，顾未尽肆力耳。黄清甫云，迪功取模古调，用铸今词，工逾呕心，妙几换骨。力振东吴之靡，争长北郡之雄。虽卷帙寂寥，而篇章简炼。至降格为律，用思尤深，开元以下，难与为俦。恨其早殇，未究厥志。胡元瑞云，弘、正间诗流特众，然皆近逐李、何。士选、升之、近夫，献吉派也。华玉、君采、望之、仲鹍，仲默派也。昌谷虽服膺献吉，然绝自名家，遂成鼎足。献吉讥其大而未化，蹊径存焉。何元朗谓，献吉诗比之昌谷，蹊径尤甚；王长公谓，昌谷所未至者大也，非化也；世以何、王为笃论。王伯谷云，弘、正间诗流辈出，李君赤帜于关西，徐子白眉于东海。李资弘亮，徐学精深。长才绝力，则徐不逮李；古色清声，则李不逮徐。临草昧之顷，难少李君；今全盛之时，当多徐子。穆敬甫云，徐诗如皋兰猗靡，修竹婵娟，足称雅致，宜与李、何方驾。蒋仲舒云，昌谷诗韵本清华，调复古秀，虽何、李，亡易也。傅伯俊云，先生夺赤帜于北地、信阳之间，鼎足而居，其诗宪章《三百》，律袭汉魏，濯被六朝，蹈诣天宝。《外集》多稚年绮语，尚沿吴习，猥以名重，概传而不知，瑕瑜不类也。陈卧子云，迪功有诗无多，乃与二雄鼎足。观其《谈艺》，皆深造之言，宜其短章词组，无不连城也。又云，昌谷似与仲默同源，然仲默俊逸，昌谷矜贵，又自有殊。宋辕文云，昌谷如秋夜银河，烂烂垂地。又云，何、李刻意少陵，迪功独宗太白，神到之作，自成一家，不若嘉靖七子同派也。李舒章云，迪功神致俊爽，如天厩飞龙，不加鞭策，自然驶迈，用寡用虚，独有所长。王贻上云，明弘治间，李、何崛起中州，吴有昌谷为之羽翼，相与力追古作，一变宣、正以来流易之习，明音之盛，遂与开元、大历同风。"《静志居诗话》卷十《徐祯卿》："迪功少学六朝，其所著五集，类靡靡之音。及见北地，初犹崛强，赋诗云：'我虽甘为李左车，身未交锋心未服。顾予多见不知量，此项未肯下颇牧。'既而心倾意写，营垒旌旗，忽焉一变。是时李、何并陈，未决雌雄。迪功精锐无多，能以偏师取胜，遂成鼎足。其诗不专学太白而仿佛近之。七言胜于五言，绝句尤胜诸体。《兴庆池头》《送君南下》等作，虽龙标、太白复生，何多让焉！……又云，乐府宜以不求似似之。迪功《白纻歌》云：'三星烁烁花满堂，素腕盈盈出洞房。垂罗映縠耀明妆，皦若云中开月光。流情盼君君莫忘，停歌节舞进玉筯，愿君安坐夜未央。'次章云：'旨酒千壶列东厢，美人如花娇北堂，齐歌合舞圣世昌，愿得欢娱永未央。脂车秣马且踟蹰，百年之会忽须臾。东流之水西飞鸟，今我不乐何为乎？'读之益见沧溟圻甋古人之非。迪功《舟怀》云：'天旷多树林，日赤溪路永。我行一何劳，窈窕沿用岭。湍流好石斗，沙砾与舟鲠。行行指前栖，望望不得逞。火云渐暖灭，蝉鸟空山静。奄忽青松间，了了挂圆景。一与幽赏遇，遂使烦虑屏。先书谢庐僧，为扫香炉顶。'迪功此等诗，绝似青丘生。"《分甘余话》卷四："徐昌谷少年诗，所称警句如'文章江左家家玉，烟月扬州树树花'，与唐子畏'杜曲梨花杯上雪，灞陵芳草梦中烟'伯仲之间耳，较之自定《迪功集》，不啻霄壤。微空同师资之功，不能超凡入圣如此。"《明诗别裁集》卷六《徐祯卿》："迪功诗，大不及李，高不及何，而丰骨超然，故应鼎足。朱锡鬯云，'人所应有尽有，人所应无尽无，大复是也；人所应有尽有，人所应无不尽无，空同是也；人所应有不尽有，人所应无尽无，迪功是也。'三人分量自见。钱牧斋左祖吴下，而排斥北地；王阮亭以'文章江左'、'烟月扬州'二语为吴体之卑卑者，彼此皆属偏见。北地自有异人，吴体非必卑卑也。"四库提要卷一七一："其平生论诗宗旨，见于《谈艺录》及《与李梦阳第一书》，如云：'古诗三百，可以博其源；遗篇十九，可以约其趣；乐府雄高，可以励其气；《离骚》深永，可以裨其思。然后法经而植旨，绳古以崇辞，或未尽臻其奥，吾亦罕见其失也。'又云：'绳汉之武，其流也，犹至于魏。宗晋之体，其弊也，不可以悉据。'其所谈仍北地摹古之门径，特梦阳才雄而气盛，故枒张其词。祯卿虑淡而思深，故密运以意。当时不能与梦阳争先，日久论定，亦不与梦阳俱废，盖以此也。"

十八日，赐杨慎等进士及第、出身有差。游居敬《翰林修撰升庵杨公墓志铭》："正德丁卯，四川乡试第三。辛未，会试第二。廷试，赐进士及第一人。三试俱首俊，名实称也。官翰林院修撰。"

马中锡南征。《明史》马中锡传："六年三月，贼刘六等起，吏部尚书杨一清建议遣大臣节制诸道兵。乃荐中锡为右都御史，提督军务，与惠安伯张伟统禁兵南征。刘六名宠，其弟七名宸，文安人也，并骁悍善骑射。……中锡虽有时望，不习兵。伟亦纨裤子，见贼强，诸将怯，度不能破贼，乃议招抚。……会宠等闻边兵且至，退屯德州桑园。中锡肩舆入其营，与酒食，开诚慰谕之。众拜且泣，送马为寿。宠慷慨请降，宸乃仰天咨嗟曰：'骑虎不得下。今阉臣柄国，人所知也。马都堂能自主乎？'遂罢会。"

四月

罗玘上章请定国储。《国朝献征录》卷二七《南京吏部右侍郎赠礼部尚书谥文肃圭峰先生罗公玘墓志铭》："武宗临御已五年，而前星未耀，中外人人忧惧自危，而莫敢以为言者，先生连疏请早定大计，以系属人心，潜詟奸雄睥睨之念。其言迫切，且侵及当国诸老，一无所顾。盖先生虽远去国庭，而其忧世之心，恳恳焉未尝息也。"《圭峰集》卷二三《奏议》："为宗社大计事。……且臣之所谓一得之见，非指四方盗贼众人目前所谓急者也，亦非隐微而潜伏也。左右大臣所共知也，百司庶尹言官所共知也，闾阎小人外至荒服夷狄所共知也。或畏死而不敢以言，或以非其职而不得以言，或卑且远而不获以言，或怀禄保位而不肯以言。甚或乘隙市奸，以媒非常之贵富，而幸人之不言，为己地者焉。斯亦可为寒心也哉！何也？陛下受太祖太宗列圣之付托，以天下六年有奇于兹矣，而地久天长，万寿无疆，固将自此始也。然亦必如祖宗有所付托如陛下，陛下乃无负祖宗所付托也。不知陛下今之将所付托者何在耶？……伏望陛下早坚宸断，为宗社计之，以系海宇臣民之望，以绝奸雄睥睨之心。"又："为早定宗社大计以绝窥觊事。臣于去年四月具本，差义男罗某赍奏，内开：向者贼瑾谋逐荣王，当时顾命大臣不能死助陛下，诤留荣王，致使陛下肘腋之间，无一血属之亲，足以召乱，彰彰有前验也。故举宋司马光、娄寅亮之故事，以渎天听，兼备责诸臣荡无廉耻、阿附贼瑾之状，而又发其后日乘时观望不忠之谋，冀以感动宸衷，即赐施行。"

六月

边贡升按察司副使，旋丁父忧。《明武宗毅皇帝实录》卷七七"正德六年秋七月甲子（十六日）"："升荆州府知府边贡为山西按察司副使，提调学校。"《华泉集》卷一三《始自荆州奔丧告文》："呜呼！吾父委弃二孤五阅月于兹矣。儿始得自荆州，反哭于灵所，终天之恸，尚忍言哉！去岁四月，要吾父于临清，儿跪请偕行，而吾父弗许，则以道远之故与川寇之警也。今岁五月，书来奉迎，又阻于河北之扰，吏仆徒返，儿心用伤。然教儿以训辞，示儿以诗篇，字画宛如，情言和易，是为六月十有七日拜诵，窃以自慰，孰知儿得报之辰，乃吾父易箦之际也。"

林俊升右都御史。《见素集》附录上《编年纪略》："六年辛未正月元日，破党幺儿等四营……。六月，公遣蓝廷瑞母并子与母之弟招之。十六日，廷瑞率其首四十八人，自投金宝寺，令安宇何定批解，听抚总制都御史洪钟诱而执之。公曰：'信自我失，何以示后？'争之不能得。捷上，晋右都御史。赏银三十两、纻丝二表里，公以杀降非本意，疏辞。"

八月

祝允明《野记》撰成。祝允明《野记小叙》："允明幼存内外二祖之怀膝，长侍妇翁之杖几，师门友席，崇论烁闻，洋洋乎盈耳矣。坐志弗勇，弗即条述，新故混仍，

512

久益迷落。比暇，因慨然追忆胸鬲，获之辄书，大概网一已漏九矣。或众所通识，部具他策，无更缀陈焉。盖孔子曰：质则野，文则史。余于是无所简校焉。……辛未岁八月既望，在家笔完。"毛文烨《刻祝京兆野记序》："明兴，高皇垂情述作，一时起居所注，颇号得人。然禁网操切，容有不得书。况二百年来，学者惟经义尚矣。间有博雅不群之徒，世顾嗤为郁滞。非通儒而列官太史者，见不出目睫，以故金匮石室之藏，第拾诸司供报漫漶者录焉尔。王相谓皇朝史良不可信，而余闻杨生与陆生论史，窃笑当代秽陋鄙最。孔氏曰：礼失而求之野。则夫采纂缀辑，不有赖于其人乎？故自王迹所起，以迄嘉靖之季，综其行事，何止数千？而余逮见者百十余家，独祝京兆允明《野记》，为能网罗天下旧闻，上纪开国、靖难，下载保治之际。……惜其轼传爱书，未遑拣组，辞多不雅驯，此又瑕不掩瑜者也。……余校阅之暇，付之梓人，因识其端，以俟知者云。玉笥山人毛文烨序。"

马中锡下狱。《明武宗毅皇帝实录》卷七八"正德六年八月乙巳（二十八日）"："下总制都御史马中锡、惠安伯张伟、参将宋振于狱。"《明史》马中锡传："而是时方诏悬赏格购贼。宠等侦知之，益疑惧，径去，焚掠如故。独至故城，戒毋犯马都堂家。由是，中锡谤大起，谓其以家故纵贼，言官交劾之，下诏切责。中锡犹坚持其说以请。兵部尚书何鉴谓贼诚解甲则贳死，即不然，毋为所诳。既而宠等终不降，乃遣侍郎陆完督师，而召中锡、伟还。"《沙溪集》卷八《资善大夫都察院左都御史东田先生马公行状》："未几，复纵兵焚掠。言者遂论公信贼愚诳，以重民祸，乃并总兵官惠安伯张公伟、巡抚御史边公肃、萧公翀，俱征下之狱。"

秋

冯惟敏（1511—1590）生。字汝行，别字海浮，称海浮山人，嘉靖中举人，谒选涞水知县，改镇江儒学教授，迁保定通判。有《海浮山堂词稿》。《海浮山堂词稿》卷一【双调·新水令】《庚午春试笔》序："余生于正德辛未，今六十年矣。"又【双调·新水令】《又仰高亭自寿》末注："丙寅之秋，自寿于亭中。"

十一月

林俊致仕。《见素集》附录上《编年纪略》："八月，江津方四复盛。又趋江津。九月十四日，战于鹞鹰石。二十一日，战大垭高峒，斩获一万二百而余。捷上，遂乞致仕。忌者谓贼势已衰，准致仕。朝论大骇，科道奏留，不报。"《明史》林俊传："比方四败，贼且尽，俊辞加秩及赏，乞以旧职归田。诏不许辞秩，听其致仕。言官交请留，不报。俊归，士民号哭追送。时正德六年十一月也。"

十二月

尹直卒，年八十五。《明武宗毅皇帝实录》卷八二"正德六年十二月戊子（十二日）"："致仕太子少保兵部尚书兼翰林院学士尹直卒。……直为人疏俊，不拘小节，亦

513

颇以才气自负，以是多招物议。为文章瞻逸浑健，步骤大家。所著有《历代名臣赞》《皇朝名臣言行通录》，行于世。"

冬

何景明起复。孟洋《中顺大夫陕西按察司提学副使何君墓志铭》："辛未冬，何君用阁老李公荐，复授中书舍人，直内阁经筵官。时四方学士咸愿知何君，车马填门巷，即元老巨卿无不欲出门下。钱宁欲交欢何君，间持古画谒何君题，君谢曰：'此名画，不可点毁。'弗许。"

本年

罗汝芳（1511—1588）**生。**字维德，南城人。嘉靖癸丑进士，官至布政使参政。《明史·儒林传》附见王畿传中。有《近溪罗先生一贯编》十一卷、《近溪子明道录》八卷。据李贽《罗近溪先生告文》。

李先芳（1511—1594）**生。**字伯承，初号东岱，后更号北山，监利人，寄籍濮州。嘉靖丁未进士，官至尚宝司少卿。《明史·文苑传》载王世贞所定广五子，先芳其一也。有《读诗私记》五卷、《东岱山房诗录》十三卷、《江右稿》二卷。据于慎行《明故奉直大夫尚宝司少卿北山先生李公墓志铭》及邢侗《尚宝司少卿北山先生濮阳李公行状》。

公元 1512 年（正德七年　壬申）

正月

王鏊父子与唐寅游虎丘。周道振、张月尊《唐伯虎年表》："正月，与王鏊及鏊子延陵等观吴王墓门于虎丘剑池，题名石壁。时剑池枯。"

春

储巏起复为南京户部官。《息园存稿文》卷六《通议大夫南京吏部左侍郎储公行状》："壬申春，复起为南京户部左侍郎。时四方多故，京储虚耗，公筹画深远，务善后图。癸酉正月，改吏部左侍郎。时方望其大用，遽以疾终。"

五月

马中锡卒，年六十七。《明史》马中锡传："初，中锡受命讨贼，大学士杨廷和谓杨一清曰：'彼文士耳，不足任也。'竟无功，与伟同下狱论死。中锡死狱中，伟革爵。"《沙溪集》卷六《资善大夫都察院左都御史东田先生马公行状》："廷议以寇日猖獗，终非膏粱纨绮所能办，乃檄诸边劲卒并力蹙之，改命大臣往莅其事。师众之盛，比公时殆将十百。诸将又素出边陲，累建战功，旬月之间，事势顿异。公在狱闻之时，疾已革，叹曰：'古人有言，"虽有智能，不如乘势。虽有镃基，不如待时。"吾值其难，人袭其易，奈何！且吾惜生灵供亿，欲不劳以成功，而一败至此，岂非天哉？'在狱八月，感疾而卒，壬申五月二日也，年六十七。……其文纵横阖辟，变幻百出，迄无一凡近语。荒裔绝徼胜衣总角之士，皆知诵习景慕，谓列法从久矣，——公甫弱冠也。既筮仕，文益横逸奇崛，尤工四六。片言只语，往往脍炙人口。诗早慕许浑，晚入刘长卿、陆龟蒙间。"孙绪《马东田漫稿序》："东田先生马公，早以诗名海内，海内士翕然宗之。半联一语，篇什未成，辄远播数百里外。公何以独雄一世哉？观其所存可知已。……遗稿十丧七八。公子监生师言得诗赋、歌词、乐府若干于虫鼠之余，属绪为评。论者谓公诗，卑者亦迈许浑，高者当在刘长卿、陆龟蒙之列。今三子之集俱在，试取而读之，有公之胸次乎？使公得列庙堂，虚衷融心，和鸣国家之盛，昌言远韵，当与李、杜、昌黎下上。惜哉，公不值也。"《列朝诗集小传》丙集《马左都中锡》："天禄早慧，三岁识字，七岁能赋诗，为文有俊才，刊落凡近，于诗尤工。评者谓其体格早类许浑，晚入刘长卿、陆龟蒙之间。"《明诗综》卷二九《马中锡》存诗三首：《西掖晚归有感时事聊赋述短章用呈同志者》《晚渡咸阳》《谒元世祖庙》。四库提要卷一七五《东田漫稿》："是集为其子师言所编。同邑孙绪序之，称其诗卑者亦迈许浑，高者当在刘长卿、陆龟蒙之列，而其末力诋窃词组，捋数字，规规于声韵步骤，摹仿愈工，背驰愈远，盖为李梦阳而发。其排斥北地，未为不当，然中锡诗格实出入《剑南集》中，精神魄力尚不能逮梦阳也。"《明诗纪事》丙签卷三《马中锡》陈田按："《东田集》句律浑成，有明珠走盘、弹丸脱手之妙。是时茶陵执盟诗坛，东田别派孤行，可谓特立之士。"

六月

张元祯《东白集》编成。林俊《东白集序》："先生诗文不自收拾，其徒赖生丕索存稿与遗落人间者，得若干卷。徒步之莆，谒我云庄，谓予故人，宜序。呜呼！先生之隐，集可具见矣。癸亥，太常之起，予方视江右，僭及行止，为先生谋。先生曰：'学有体用，某将行所学以自副。避言避色，其容竟一日留耶？'呜呼！斯先生志也。序以付丕，以属其甥卫侯徐琪锓梓以传。呜呼！后将有论世先生者矣。正德壬申夏六月上澣，莆田见素林俊书于木兰烟水。"四库提要卷一七五："《东白集》二十四卷，明张元祯撰。……是集凡诗文二十三卷，末卷则附录事实、祭文。元祯以讲学为事，其在讲筵请增讲《太极图》《西铭》《通书》。夫帝王之学与儒者异，讵可舍治乱兴亡之戒，而谈理气之本原？史称后辈姗笑其迂阔，殆非无因矣。其诗文朴素无华，亦刻意摹拟宋儒，得其形似也。"

七月

茅坤（1512—1601）生。字顺甫，归安人。嘉靖戊戌进士，除青阳知县，以忧归。补丹徒知县，征授礼部主事，改吏部，左迁广平通判，升南京兵部主事，出为广西按察佥事，历副使。有《白华楼藏稿》十一卷、《白华楼续稿》十五卷、《白华楼吟稿》

十卷《玉芝山房稿》二十二卷、《耄年录》九卷。据《国朝献征录》卷八二《大名兵备按察司副使鹿门茅公坤墓志铭》及今人张梦新《茅坤研究》。

十月

王鏊访唐寅于别业。王鏊《正德壬申冬初，过子畏解元城西之别业，时独有梅花一树将开，故诗中及之》："十月心斋戒未开，偷闲先访戴逵来。清溪诘曲频回棹，矮屋虚明浅送杯。生计城东三亩菜，吟怀墙角一株梅。栋梁榱桷俱收尽，此地何缘有佚材？"[按，周道振、张月尊辑校《唐伯虎全集》小注出处："陆时化《吴越所见书画录》卷二《明王文恪公赠唐解元诗立轴》"。此诗亦收入《四库全书》本《震泽集》，题为《过子畏别业》]

顾清修《松江府志》成。《东江家藏集》卷一九《松江府志序》："予往岁忧居，前守令都御史宜春刘侯琬尝属以志事，会予北上，不果。正德己巳，予复以忧归。明年庚午，御史弋阳谢君琛按部来松，问府之故，病其遗阙；嗣守临川陈侯威复举以属予。冬始即事，而侯以春去，予意其终弗果也。会今守内江喻侯时继至，力主成之。……日月滋久，参质为艰，而梓刻成矣。敢述所怀，布诸简首。后有作者即其具文，加之黼藻，以成一郡之书，岂惟寡学之幸，亦前后诸公所以属望之心也。《志》为卷三十二，为目三十一，目之下又有目焉，凡十有七卷始终，暨图目为版九百十有六，居之郡阁，备散逸也。同事诸生与郡之僚属赞襄于是者，并列名左方。壬申冬十月初吉。"乾隆《江南通志》卷一九五："顾文僖清修《松江府志》，黄宪副明致书云：'夫志者，所以识一方之事，凡人物、风俗、政教、赋税之类，无不该载，即古之一国史也。前之修者间杂以私，致后之观者不甚信服。执事于是非笔削，可不加意乎？且执事行将入阁而操天下刑赏之大权，于此亦小试耳。谨拭目以俟，毋使后人之视今，犹今之视昔也。'"《俨山集》卷四五《松江府志后序》："正德壬申冬十月，《松江府志》成，深从今守内江喻侯读之。……翰林学士顾先生颇因旧志会萃成书，数年于兹，而郡事屡变，守又屡更矣，乃克成于喻侯。稽古右文之日，其历时之久也若此，其用力之勤也若此，是可谓博综一郡之始终，而文献理道，皆于是乎具。……深忝以文业从学士后，愧非劣无能为役，乃得论次所欲言者，附名其末，岂非幸哉，岂非幸哉？"四库提要卷七三："《松江府志》三十二卷，明顾清撰。……其书颇详悉有体，稍胜他舆记之冗滥。"

十二月

大学士李东阳致仕。《明武宗毅皇帝实录》卷九五"正德七年十二月丁卯（二十七日）"："少师兼太子太师、吏部尚书、华盖殿大学士李东阳致仕。"《梦蕉诗话》卷上："西涯李阁老以诗文雄海内，具耳鼻眼孔者，皆知敬之。迨其晚年气萎节刓，与时浮沉，颇多冯道之拟。一日，有书生投谒，置缄牍于案，不俟见而去。乃一绝云：'早年名与斗山齐，伴食中书日已西。回首湘江春草绿，鹧鸪啼罢子规啼。'西涯启读怅然，寻上疏乞休。予谓公之去似矣，惜乎不早也。瑾贼之祸，不扑于将燃，公奚其辞？"

《香祖笔记》卷六："广陵陆弼，字无从，隆、万间有诗名。江都友人贻其集，末有张君某为作小传，云无从少游京师，讥李西涯伴食中书，投诗云'回首湘江春草绿，鹧鸪啼罢子规啼'云云。按，陆上距弘治之世，远不相及，安得以此诗属之？误矣。"《明史》李东阳传："立朝五十年，清节不渝。既罢政居家，请诗文书篆者填塞户限，颇资以给朝夕。一日，夫人方进纸墨，东阳有倦色。夫人笑曰：'今日设客，可使案无鱼菜耶？'乃欣然命笔，移时而罢。其风操如此。"

冬

罗玘致仕。《明史》罗玘传："七年冬，考绩赴都，遂引疾致仕归。"

本年

王守仁复书储巏，论师道交友。《王文成全书》卷二一《答储柴墟》："盛价来，适人事纷纭，不及细询。比来事既还，却殊怏怏。承示刘生墓志，此实友义所关，文亦缜密。独叙乃父侧室事，颇伤忠厚。未刻石，删去之为佳。子于父过，谏而过激，不可以为凡；称子之美，而发其父之阴私，不可以为训。宜更详之。……吾兄以仆于今之公卿，若某之贤者，则称谓以友生，若某与某之贤不及于某者，则称谓以侍生，岂以矫时俗炎凉之弊？非也。夫彼可以为吾友，而吾可以友之，彼又吾友也，吾安得而弗友之？彼不可以为吾友，而吾不可以友之，彼又不吾友也，吾安得而友之？夫友也者，以道也，以德也。天下莫大于道，莫贵于德。道德之所在，齿与位不得而干焉。"题下注"壬申"。

都穆致仕。胡缵宗《明中宪大夫太仆寺少卿致仕都公墓志铭》："仕为礼部主客司郎中，年五十有四，即上书乞骸骨归，许之，加太仆寺少卿致仕。维时京师士大夫见公之归，无留资于囊，无田庐圃墅于乡，萧然戒行，视弃官爵如吐唾，无毫发顾藉心，争挽之不得，莫不交叹，以为公真贤远于人。归而致苦食淡，寝卧图籍，与相婆娑嬉游，屏车斥驹，扫迹公门，以著书为业；或放逐山水，冥搜遐寄。如是者十余年。"

林俊《西征集》刊刻。《见素集》附录上《编年纪略》："正月十五日报至，即日径归。蜀人号哭追送，皆失声。未几，两川大阅，人益思公。三月抵家。在蜀军祭、祈祷并诸应酬文字，重庆人刻之，曰《西征集》。奏议文移十五卷，杨公廉叙，藏于家。"四库提要卷一七五："《西征集》，明林俊撰。俊有《见素文集》，已著录。是集皆其正德四年再起官四川巡抚，平定巴夔土寇时作，故以'西征'为名。凡诗歌一百二篇，跋二篇，赋一篇，书二十三篇，祭文二十四篇，序四篇，记五篇。末附戴锦所撰《西征传》，述靖乱始末颇详。"

黄绾访郑善夫。黄绾《少谷子传》："壬申，予官后军，知未足于道，将隐故山求其志。少谷子为户部主事，督税吴江之浒墅。予过而遇之，握手与予语，竟日而别。别犹眷恋曰：'吾亦自此遁矣，子不为我弃，其将访予于天台雁荡间乎？'"

高拱（1512—1578）生。字肃卿，新郑人。嘉靖辛丑进士，官至吏部尚书中极殿大学士，谥文襄。事迹具《明史》本传。有《高文襄公集》四十四卷。

赵伊（1512—1573）生。字子衡，平湖人。嘉靖壬辰进士，官至广西按察司副使。有《序芳园稿》二卷。据戚元佐《赵上莘先生行状》。

本年前后，徐祯卿《迪功集》刊刻。李梦阳《迪功集序》："《徐迪功集》六卷并《谈艺录》，子容寄我豫章，予即豫章刊焉，印传同好，意表迪功文云。初，迪功亡京师也，予在梁，子容讣予曰：'昌谷遗言，子序其遗文。'于是手其文，嘘唏久之，曰：'嗟乎！予忍序吾友文耶？'"《少谷集》卷一六《迪功集跋》："昌谷，吴人也，十岁学古文章，遂成章。二十外，稍厌吴声，一变遂与汉魏盛唐大作者驰骋上下，今之世绝无而仅有者也。年三十，调迪功，幽忧中遂选平生所为文曰《迪功集》。……昌谷且死，抱是集付其子曰：'是不出门，传必以献吉。'盖与献吉见诸集中云云。此本余得诸其家藏选本，其子手抄者。今所行于洛阳者，献吉多为更定，失昌谷真。盖献吉虽与同调，其丰神气魄，亦自有不相能者矣。"《弇州续稿》卷二〇七《阮先辈》："第吾闻前辈徐昌谷，始与文、祝诸君倡和，既斐然矣。见献吉而悔，尽弃之。及诗成，自选成帙，所谓《迪功集》者是也。"

公元1513年（正德八年　癸酉）

正月

倪岳《青溪漫稿》刊行。沈晖《青溪漫稿序》："公既役，其子中书舍人霖汇次其平生所著《青溪稿诗文》若干首，求正于南畿提学侍御莆田黄公，定为若干卷，属徽郡守熊君世芳锓梓以传，复移书与晖，俾序诸简末。……正德八年岁次癸酉正月，赐进士出身、进阶资善大夫、南京工部右侍郎、前都察院右副都御史、奉敕巡抚湖广地方兼赞理军务致仕义兴沈晖撰。"

七月

储巏卒，年五十七。《明武宗毅皇帝实录》卷一〇二"正德八年秋七月丁丑（十一日）"："南京吏部左侍郎储巏卒。……巏体貌若不胜衣，性嗜学，因成目眚。然平居披阅不倦，好吟咏。尝日课一诗，多丽句。嘉靖癸未，赐谥曰文懿。论者谓其清修博雅，盖无愧云。"邵宝《柴墟文集序》："储公天资超迈，自幼学时已有尚友千古之志。涵养既久，其性情风度从容详暇，接引后进穆如可亲，至论国事人才、正邪忠佞，辩泾渭义，色法言凛莫可犯。历两考功，品署惟允，及佐中台，荐起名节如恐不及。剡牍之余，溢于言论，时称大雅君子，必公焉归！故其为诗，或恬澹平雅，或浑雄跌宕，或洒落清远，所谓风雅遗音，公盖有之。其为奏疏，为书启，为碑表、序记、铭志诸作，系天下国家大体，关乎古今治乱者，则方正严毅，斩截崛奇，虽片言单词，苍然古色，壁立千仞，望之巍然而未易即焉。其长篇大章，抑不待论也。乌乎盛哉！故观公之为人者，虽未尝执简披阅，可以知其言，观其言者亦然。若夫公所蓄积，书自六籍外，先秦两汉以来诸子者之所撰，无不读也；诗自《骚》、《选》以来，魏晋唐宋诸家者之所赋，无不诵也，其博如此。"储昌祚《柴墟文集序》："今读其诗，温厚典则，绰有风人之致，而其文则遒劲古雅，直逼西京而上。我朝所称名家，谁有出其右者？"《明儒言行录续编》卷一《柴墟先生文懿公》："时李梦阳、何景明等，倡古文辞，执政者嫉才，欲摈斥之，公以文章复古为国家元气，故于李、何，极其扶植，得不倾陷。"四库提要卷一七五："《柴墟斋集》十五卷，明储罐撰。……罐尝与李梦阳、何景明、徐祯卿相倡和，其诗规仿陶、韦，文亦恬雅，至于才力富健，则不及梦阳等也。"《明诗纪事》丙签卷八《储罐》陈田按："柴墟以西涯为师，空同为友，故诗力雄厚，迥异台阁之体。"

　　都穆《南濠诗话》刊刻。黄桓《都南濠先生诗话序》："偶得都公是集，俯而读，仰而思，知其学问该博而用意精勤，钩深致远而雅有枢要，诚足以备一家之体而与诸公并驰焉。……今观是集，信知其体具用行，而发言之有本也。遂捐俸绣梓，用广厥传，俾四方之士，因公之言，求公之心，可以推类而至于道，其于风教未必无补。正德癸酉秋七月望日，封丘黄桓书于和州之公寓。"文璧《南濠居士诗话序》："诗话必具史笔，宋人之过论也。玄辞冷语，用以博见闻、资谈笑而已，奚史哉？所贵是书正在识见耳。若拾录阙遗，商订古义，不为无裨正史，而雅非作者之意矣。余十六七时，喜为诗。余友都君玄敬，实授之法。于时君有心戒，不事哦讽，而谈评不废。余每一篇成，辄就君是正，而君未尝不为余尽也。君于诗别具一识，世之谈者，或元人为宗，而君雅意于宋；谓必音韵清胜，而君惟性情之真；倚马万言，莫不矗叹，而碧山双泪，独有取焉。凡其所采，率与他为诗者异，而自信特坚，故久而人亦信之。观其所著《南濠诗话》，玄辞冷语，居然合作，而向之三言具在，是知君所为教余者，皆的然有见，而非漫言酬对也。是故拈而出之，他日当有作法于是者，非徒取其有裨史氏也。壬辰三月，衡山文璧叙。"四库提要卷一九七："《南濠居士诗话》一卷，明都穆撰。穆有《壬午功臣爵赏录》，已著录。此编刻意论诗，而见地颇浅。如许彦周诗话解《锦瑟》诗，以适怨清和配中四句，附会无理，而摭为异闻。杨载诗之'六朝旧恨斜阳外，南浦新愁细雨中'，格律殊卑，'柳色嫩于鹅破壳，藓痕斑似鹿辞胎'，尤属鄙俚，而指为佳句。至加载元景文'去年先生靡恃己，今年先生冈谈彼'之谑，更伤芜杂矣。其书世有二本，一为黄桓所刻，凡七十二则。一为文璧所刻，凡四十二则，较黄本少三十则，而其中三则为黄本所无。近鲍廷博始以两本参校，合为七十五则，即此本也。"

　　朱存理卒，年七十。文征明《朱性甫先生墓志铭》："性甫死时，为正德癸酉七月二十五日，享年七十。"《四友斋丛说》卷二六《诗三》："吴中旧事，其风流有致足乐咏者。朱野航乃荐门一老儒也，颇攻诗，在筱圃王氏教书，王亦吴中旧族。野航与主人晚酌罢，主人入内，适月上，野航得句云'万事不如杯在手，一年几见月当头'，喜极，发狂大叫，扣扉呼主人起，咏此二句。主人亦大加击节，取酒更酌，至兴尽而罢。明日遍请吴中善诗者赏之，大为张具征戏乐，留连数日。此亦一时盛事也。"《静志居诗话》卷八《朱存理》："性甫晚年募刻己诗，疏曰：'呕心少日，已无锦囊之才。流泪终年，空有碧云之叹。发白因其搜索，雌黄费我推敲。抹去若干，存来十一。欲望收拾，在后子孙，莫若流传，先自朋友。'其情甚为可悯。祝希哲赠诗云：'书抄满箧皆亲手，诗草随身半在舟。'沈启南题稿云：'虽止百篇诸体备，不拘一律大方谐。'惜乎其稿罕传矣。"四库提要卷一七〇《楼居杂著》："何良俊《四友斋丛说》记当时盛推其'万事不如杯在手，一年几见月当头'句。其事今载附录中。然二语格意殊卑，不审何以传诵？折杨皇荂，嗑然而笑，殊不足为存理重。盖成、弘之际，大抵沿台阁旧体，故见一本色之语，遽觉耳目一新，而不知实非其至也。"

郑善夫归隐。《少谷集》卷一四《乞归疏》："正德六年十一月内，除授户部广西清吏司主事。八年七月内，养病回还。"《明史》郑善夫传："连遭内外艰，正德六年始为户部主事，榷税浒墅，以清操闻。时刘瑾虽诛，嬖幸用事。善夫愤之，乃告归，筑草堂金鳌峰下，为迟清亭，读书其中，曰：'俟天下之清也。'寡交游，日晏未炊，欣然自得。"

夏尚朴为亡友刘元素撰行状。尚朴，字敦夫，永丰人。正德辛未进士，授南礼部主事。历郎中，出为惠州知府，投劾归。起山东提学副使，擢南太仆少卿。有《东岩集》六卷。《明史》夏尚朴传："［娄谅］门人夏尚朴，字敦夫，广信永丰人。正德初，会试赴京。见刘瑾乱政，慨然叹曰：'时事如此，尚可干进乎？'不试而归。六年成进士，授南京礼部主事。"《东岩集》卷五《亡友刘君元素行状》："君讳绚，姓刘氏，字元素，号定庵，世居信永丰之霞坊。……君幼有异质，书过目辄成诵。少长，即肆力于学，下笔衮衮有奇语。年十三，补邑庠生，典学使者至，得君之文读之，惊叹曰：'此子必魁天下。'自是声闻日起，屡必居上游。然君性作文好奇古，不肯少徇时好，以故久困场屋。年三十二，始与弟绘同荐于乡。正德辛未，会试京师，寝疾而卒。贤士大夫吊者相属于途，如有爵者之丧然。予昔与君同业举子，恒窃以为不多让。及在太学，一日督课甚急，君退即操笔疾书，不属草，两月程课不终日而毕。予疑其为应文逃责之计，及取视之，辞气浩发，议论层出，予始叹其不可。时同游太学者多四方名士，皆以天下奇才目之。而竟止于此，岂非命耶！君早岁豪迈好使酒，以气加人，醒辄自愧，或闭户数日不敢出。及闻郡人娄一斋先生讲学于家，得其议论，慨然有志于学。自是不敢纵饮，与予同处山寺者数年，终日危坐，潜心六经、《语》《孟》及程朱文字。每造一斋，质所疑，一斋深器之。继游太学，师事祭酒兰溪枫山章先生，退即执经请益于燕居。枫山甚爱敬之，事关出处之大义，必召与之商榷。君亦尽言不敢隐，作书力陈古义以风之，枫山喜曰：'可谓爱人以德矣。'"［按，夏尚朴生卒年不详，《明世宗肃皇帝实录》载其仕宦迁转，未记其卒。刘元素为尚朴密友，观其平生，尚朴学问经历可以仿佛］

公元 1514 年（正德九年　甲戌）

正月

王廷相谪赣榆。《明武宗毅皇帝实录》卷一〇八"正德九年春正月戊子（二十四日）"："降监察御史刘天和为金坛县丞，王廷相为赣榆县丞。时陕西镇守太监廖堂，诛求无厌，天和、廷相继按其地，稍裁抑之，遂致怨。会堂奉旨于兰州等处造办进贡烧饼，宜关白巡按，天和以兰州为御史马溥然所辖，辞不往。又洛川妖民邵进禄谋为乱，事觉，自首于官，廷相释之。堂遂撼奏天和违命，并及廷相释贼事。诏遣官校械系二人至京，送镇抚司拷讯。狱久未释，言者多救之。乃付法司拟罪，当赎杖还职，内批特降之，盖堂以厚赂结同类诸权幸为之助也。时各处镇守者罔利作威，甚于狼虎，而堂为尤甚。御史既连得罪，由是官司无敢与抗，民不胜其扰矣。"

三月

十八日，赐唐皋等进士及第、出身有差。

四月

宋濂《宋学士文集》新本编成。张缙《宋学士文集后序》："惟我高皇帝乃武乃文，以定天下，时则有耆俊之臣夹辅林立，而太史金华宋公景濂首之。……而其集久且渐湮，虽有《潜溪前后集》《文粹》，出于郑氏所辑及蜀本、衢本、外国本，皆略而未完，近时杭本八帙颇多，而为人率妄去取，犹未刻也。初，公存日手定八编，凡若干首，以细眼方格命子璲缮录精整，首简犹公手笔，其奉亦归郑氏。久之流入钱塘，予购得之，爱重藏袭，行辙与俱。兹来总漕于淮，因命按本翻录入刻，稍展而大之为若干帙，以公之于天下。……正德九年甲戌夏四月既望，赐进士出身、奉敕总督漕运兼巡抚凤阳等处地方都察院右都御史、前南京户部尚书太原张缙识。"

五月

边贡起复。《明武宗毅皇帝实录》卷一一二"正德九年五月癸酉（十一日）"："复除服阕山西按察司副使边贡于河南提调学校。"

六月

李梦阳罢归。《空同集》卷一有《正德九年，是岁甲戌，厥月辛未，臣以居官无状，得蒙宽谴罢归，乃作宣归之赋》。

八月

邵宝《容春堂前集》编成。浦瑾《容春堂前集序》："及公以侍养归自户部而病，病愈，无所于事，则翻录旧所著文若诗，日诵诸容春精舍以为乐。乐则传以视瑾，使篇为可否之。瑾不佞，辄谬复曰：'某者为可，某者不为可。'公则取所可者覆诵焉，曰：'然乎？然乎？'又乐也。如是者百七十日，录始定，凡得文之类篇若干，诗之类篇若干。其谨重精纯，盖得诸宋；其雄浑森严，盖得诸唐；其尔雅深厚，盖得诸汉；其近古，盖得诸先秦。至其诸篇，每曰'君子曰'云云者，则左氏盖尔也，而公乃自附焉。……公之诸门人请先刻今所录者为《前集》。公谓瑾尝与闻于斯集也，命为之序。瑾不敢没公之教，且乐附名焉，乃谨序其委源声实之概，俾天下后世之敦文献者，于是乎征。……正德甲戌秋八月既望，同邑浦瑾撰。"

秋

唐寅受聘于宁王濠。周道振、张月尊《唐伯虎年表》："正德七年壬申，四十三岁。是年，宁王朱宸濠来聘，并及文征明、谢时臣、章文等。征明托病拒不见。时臣工画，文善镌刻。……正德九年甲戌，四十五岁。赴江西，应宁王朱宸濠聘。在江西有《许旌阳铁柱记》及《荷莲桥记》等作。谢时臣、章文亦应聘往。"

本年

李攀龙（1514—1570）生。字于鳞，历城人。嘉靖甲辰进士，除刑部主事，历郎中，出知顺德府，升陕西提学副使，转参政，终河南按察使。与王世贞、谢榛、梁有誉、宗臣、徐中行、吴国伦，称七才子。有《沧溟集》三十卷。《弇州四部稿》卷八三《李于鳞先生传》："父宝以资事德庄王为郎，善酒任侠，不问家人生产。继娶于张，梦日入怀而生于鳞。于鳞生九岁而孤，其母张影相吊也。且辟垆，不足以资修脯。而自其挟册请益，塾师为之逊席者数矣。"

余曰德（1514—1583）生。初名应举，字德甫，南昌人。嘉靖庚戌进士，官至福建按察司副使。《明史·文苑传》附见王世贞传中。与魏裳、汪道昆、张佳允、张九一，称嘉靖后五子。有《余德甫先生集》十四卷。据王世贞《祭余曰德宪副文》。

吴维岳（1514—1569）生。字峻伯，孝丰人。嘉靖戊戌进士，官至右都御史，巡抚贵州。《明史·文苑传》附见王世贞传中。为嘉靖广五子之一。有《天目山斋岁编》二十八卷。据汪道昆《明故中宪大夫都察院右佥都御史霁寰先生吴公行状》。

公元 1515 年（正德十年 乙亥）

正月

唐寅佯狂避宁王。周道振、张月尊《唐伯虎年表》："在江西宁邸，见宸濠所为多不法，知其必反，乃佯狂自处。宸濠使人馈物，寅裸形箕踞讧诃。使者以告，宸濠曰：'孰谓唐生贤，直一狂生耳。'遂遣之归。初，昆山王秩官江西副使，备兵南赣，知宸濠有异志，曾向寅示意。"

四月

曹安《谰言长语》重刊。史纪《刊谰言长语跋》："书自六经子史、圣贤立言垂训之外，以著述而名家者，曷可胜数！然其论次虽尽非大经大法，间有可诵可传者，亦君子之所不废也。若近世刘西江先生所著《霏雪录》，一梓行而识者把玩，恒手弗释，至名公硕儒尤谓有裨于学者。则是辈书之不可无，亦明矣！兹同寅郭抑之一日持曹以宁先生所著《谰言长语》写本，以相订正，且曰：'是编亦可梓行否？'予观其为书，议论正大，纪载弘博，论事评诗，亹亹不倦，非深于道而遂于理、老于世故者，莫能到此。其托名以是者，自道耳。梓而行之，其所裨益岂在《霏雪录》之下哉？或谓可以并行，而纯正过之。遂相与捐俸锓梓，以与四方共。况先生平生识见之高，与其著作之雅，且复有诸公之前后序在，观者尚当因是而考其所自云。正德十年岁次乙亥夏四月望后二日，奉直大夫、吉州知州华阴史纪识。"《谰言长语》卷首提要："成化丙午，顾纯题词，以《辍耕录》《水东日记》比之。正德乙亥，史纪重刊跋，又以《霏雪录》比之。今以四书相较，刘绩、叶盛二家书大致相近，陶宗仪书直小说家言，远不逮此书也。"《谰言长语》卷首提要："末有任顺跋，称安尝为《宪宗实录》总裁官。盖当时著作多聘取儒士为之，故不拘资格。然安之见重于时，亦可知矣。"

五月

杨荣文集重刊。 王瓒《重刻杨文敏公集序》："公集曰《两京类稿》，曰《玉堂遗稿》者，公冢子允宽符乡梓行已久。板藏书坊，毁于回禄，今两君偕诸昆季图翻刻以传，总名曰《杨文敏公集》，共二十五卷，属瓒为序。瓒生也晚，虽能读公文而略窥制作之意，奚敢以芜言冒冠其端？然两君恳恳速之，弗容坚辞。呜呼！是集之复行于世，岂特杨氏之幸哉？将使后学知先朝大臣所以崒绝于人者，盖有本也已。正德十年乙亥夏五月朔，赐进士及第、朝议大夫、两京国子祭酒、前翰林侍讲、同修国史、经筵讲官永嘉后学王瓒序。"

十一月

梁储请修缮宫廷书籍。《郁洲遗稿》卷一《修书籍疏》："臣梁储等谨题为修理书籍事。照得内阁并东阁所藏书籍，年岁既久，残缺颇多，必须专委官员，用心管理，方可次第修补。今推得见在诰敕房办事中书舍人胡颐、序班刘伟，俱堪委用，合无令胡颐仍旧职，刘伟改典籍，与同原管主事李继先，专一管理前项书籍。臣等仍督令逐一查对，要见某书原数若干，见在完全者若干，残缺应修补者若干，待查明之日，再行奏请裁处。缘系修理书籍事理，未敢擅便，谨题请旨。正德十年十一月日。次日奉圣旨：'是吏部知道。'"

张弼文集刊刻。 李东阳《张东海先生集序》："东海之滨有张汝弼先生者，尝观于海而有得焉，因以东海自号。……先生殁且三十年，其子广西按察副使弘宜亦卒，家又先遭回禄之变，户科都给事中弘至检诸旧箧，不能十一。又访诸姻友所藏及胥史所私录者，得其二三，为几卷，而时所传诵者尚未之备。以续录未已，随所得为先后，将刻梓以传。……正德乙亥长至前一日，特进光禄大夫、左柱国、少师兼太子太师、吏部尚书、华盖殿大学士、致仕长沙李东阳序。"四库提要卷一七五："《东海文集》五卷，明张弼撰。……是集前四卷皆杂文，后一卷皆附录、吊挽、铭赞之作。考吴钺序，称其子辑录诗文若干卷。则其文原与诗合刻，此本偶佚其半也。"

本年

方良永致仕。《方简肃文集》卷一《再乞休疏》："起用都察院右副都御史臣方良永谨奏，为恳乞天恩辞免重任、容令休致事。臣自正德十年，以布政使致仕，遭际陛下御极，中间屡沐殊恩，非只一事，亦非只及臣一身。"

陆深与张铁定交。 陆深《碧溪诗集序》："慈溪张子威先生，自少时一再游场屋，即弃去，学古人之道，攻古人文章。学既成，咸可试用。会有推毂士欲荐之天子，遭诮罢去。……今年过七十，老矣，而犹未有所遇合也！稍用其学，为人修叙谱牒以自资，叹曰：'是犹能食吾力者。'苟非礼义之宗，辄亦不往也。正德十年，自粤来访余，一见语合。明年再见，论益合。先生自谓晚获知己，相从于寂寥枯淡之中，久而乐焉。一旦思归，出其所为诗一帙，曰：'子知我，宜为我序。'予受而读之，曰：'此唐人之格律，而碧溪子之性情也。'先生之学，其尽于是乎？尽于是，则世人或能知之，余宜无言。且犹未也，未也，则余不宜无言。夫文章与事功难相兼，而声名与贫贱常相值。大抵安于贫贱以养夫闻望，固君子之心详于文章而略于事功者，岂君子之得已哉？绩学励行存乎我，而功业所就因于遇不遇之间，是故有难易焉。……先生名铁，别号碧溪子，因以名集云。"

公元 1516 年（正德十一年　丙子）

五月

杨继盛（1516—1555）生。字仲芳，号椒山，容城人。嘉靖丁未进士，官至兵部武选司员外郎，以疏劾严嵩，为所构陷，弃市。后追赠太常寺卿，谥忠愍。事迹具《明史》本传。有《杨忠愍集》三卷。徐阶《明兵部武选司员外郎赠太常少卿谥忠愍杨公墓志铭》："公生以正德丙子五月十七日，年仅四十。"

夏

叶子奇《草木子》由其七世孙叶溥重订刊行。郑善夫《草木子序》："草木子叶子奇氏，括人，博物洽闻，达于古今。生元季，诡时匿德于龙泉之槎溪，立言以昭厥志，人亡识者。所著有《范通玄理》《太玄本旨》各二卷，诗十有六卷，文二十卷。《本草》《医书节要》各十卷，《齐东野语》三卷，《草木子》二卷。《草木子》成于洪武戊午狴犴中。稽上下之仪，星躔之轨，阴阳五行生克之运，海岳浸渎、异域希乏之物，神鬼伸屈之理，草之变，鱼虫之尤，律历推步，易衍之大宗，释老礼制之书，而之于六籍之绪，大归同焉。《野语》记时事失得，荒兵灾异，而文弗避，而义则则乎《春秋》。古称虞卿非穷愁不能著书，草木子其善穷哉？草木子云者，草计时，木计岁，以况其生而伤乎其言之立也。或曰：'草木子，刘基、宋濂时人，详观诚意集，未之及者，而濂叙《太玄本旨》，似不心赞其能。夫二子者，亦蔽贤乎哉？'凡人贱近而贵远，知者相世机则掩其识。……旧本凡二十八篇，今纂为四。《野语》凡三卷，今为二。其七代宗子溥，杀青而行之，并曰《草木子》。古语云：'传先之美，仁也。'刻成，晋安郑善夫为序，正德丙子夏日。"

七月

李东阳《怀麓堂集》刊刻将成。杨一清《怀麓堂稿序》："今少师致仕西涯李先生，以扶舆间气挺生于重熙累洽之朝，弱冠入翰林，已负文学重名，金梓所刻，卷帙所录，几遍海内。大夫士得其片言以为至宝，后进之士凡及门经指授，辄有时名。中年益深造远诣。比掌帝制、登政府，则又衍而为经纶黼黻之文，稽古代言，以定国是，变士习，裨政益化，有非文章家之可名言者矣。且文至今日而盛，而弊亦随之。故联篇累帙盈天壤间，皆是物也。其能追古名家超然自立于世者，盖亦不数数见已。自余作者，各挟所长，非无足取，汇而阅之，乐恣肆者失之驳而不醇，好摹拟者伤于局而不畅。近或习为庾辞硬语，使人不复可句，以是为古，所谓以艰深文浅近者，文之弊一至是，可慨也！先生高才绝识，独步一世，而充之以问学，故其诗文深厚浑雄，不为傀奇可骇之辞，而法度森严，思味俊永，尽脱凡近，而古意独存。每吮毫伸纸，天趣溢发，操纵开合，随意所如，而不逾典则。彼句锻月炼以求工者，力追之而不可及也。譬之大人君子，冠冕佩玉，雍容委蛇于庙堂之上，指麾百执事各任其职，未尝有叱咤怒骂之威，而望之者起敬，即之者倾心。至其众体具备，无所不宜，探之而益深，索之而益远，则如大河之源，出于昆仑，至于积石，又至于龙门底柱，既乃吞纳百川，以达于海，涵浴日月，顷刻万变，而不知其所穷。呜呼至矣！孔子曰：'有德者必有言。'先生孝友天至，其素行金完玉粹，名满天下，而自视欿然。位极人臣，而乐善如不及。履常应变，恒介介不易守，盖其文章与功业并懋，断有以立于世者，而谓其不本之德不可也。先生尝自辑其诗文，凡九十卷，总名之曰《怀麓堂稿》，诗稿二十卷，文稿三十卷，在翰林时作；诗后稿十卷，文后稿三十卷，在内阁时作。外有《南行稿》《北上录》以及《经筵讲读》《东祀集句》《哭子》《求退》诸录，则附于全稿之末，以皆杂记，故不入卷中。徽州守熊君桂，先生礼闱所取士，间从所知得副本，乃谋诸同知王君仲仁辈，刻之郡斋，走书京师索余序。予辱先生知与四十年，多所规益，每有撰述，辄为指摘疵垢不少隐，顾庸惰不立，少而学焉，老而未能测其蹊径，况望窥其室堂哉？然平生企向之怀，得托姓名于不朽以为幸，而熊君汲汲公善之心，亦不可以不白，故僭为之言。先生所著，别有《燕对录》藏于家，及密勿章疏文字甚多，人不及见。予承乏内阁，始得窥见之。若致仕以后诗文，则别为续稿，他日当自有传之者。正德丙子秋七月朔，光禄大夫、柱国、少傅兼太子太傅、吏部尚书、武英殿大学士、知制诰兼经筵官石淙杨一清撰。"

李东阳卒，年七十。《明武宗毅皇帝实录》卷一三九"正德十一年秋七月己亥（二十日）"："致仕特进光禄大夫、左柱国、少师兼太子太师、吏部尚书、华盖殿大学士李东阳卒。"谢迁《归田稿》卷三《祭西涯先生文》："惟公海内文宗，词林人杰。"《容春堂后集》卷三《李文正公麓堂续稿序》："续稿若干卷，太师西涯先生李文正公致仕后所著也。公所著有《麓堂》前后稿者，刻于徽郡，公门下士提学侍御张君汝立实与图焉。公卒之明年，汝立复得是稿，遂于苏郡刻之，而属某为序。某尝闻之，道之在天下，其极至于万变，君子之言行以之。文也者，言之精，而行之著也，是故道尽乎变而后可以言道，文尽乎变而后可以言文。苟非其人，则何以与于此。公生四年，以神童承顾宠，储养进修。又十余年，学用大成。既举进士，回翔翰苑。久而后登秘阁，进位师傅。历三朝五十余年，高明端雅，盛德嘉谟，上沃下敷，泽被海内，乃或当艰应遽，定震稽疑，所谓道者，隐然在公之身。故其为言，弘衍旁流，即物陈义，惟其所当，皆能极乎其所止。虽其言篇篇殊，而所谓道者错然在焉。盖自六经至诸传子史，上焉准之，次焉资之，下焉亦时取之。如大将御戎，不闻号令，而一鼓一麾无不如意；

如金之铸于良冶，造化自我而不知所以为之者。有道哉文乎，可谓能尽其变矣。其卓然称大家而为学者宗师，有以也夫。世固有承迁袭隐谓之理学，否则荒于释老，否则杂于稗野，自以为玄为达为辩博者，皆公门之弃也。宝不敏，出公门下几四十年，辱公指教多且深矣。东归以来，病余闲居，窃有所论如此。方将书以请焉，而公已矣。先是公尝作信难遗宝，乃今有余思焉，敢以是为汝立复。公德厚而彰，功巨而远，古称三不朽，公实兼之，天下后世当有公论焉。"王铎《麓堂诗话序》："近世所传诗话，杂出蔓辞，殊不强人意。惟严沧浪诗谈，深得诗家三昧，关中既梓行之。是编乃今少师、大学士西涯李先生公余随笔，藏之家笥，未尝出以示人，铎得而录焉。其间立论，皆先生所独得，实有发前人之所未发者。先生之诗独步斯世，若杜之在唐，苏之在宋，虞伯生之在元，集诸家之长而大成之。故其评骘折衷，如老吏断律，无不曲当。人在堂上，方能辨堂下人曲直，予于是亦云。用托之木，与沧浪并传。虽非先生意，亦天下学士大夫意也。於戏！先生人品行业，有耳目者皆能知之。文章乃其余事，诗话云乎哉？姑识鄙意于后。"《明史》李东阳传："为文典雅流丽，朝廷大著作多出其手。工篆隶书，碑版篇翰，流播四裔。奖成后进，推挽才彦，学士大夫出其门者，悉粲然有所成就。自明兴以来，宰臣以文章领袖缙绅者，杨士奇后，东阳而已。"《明诗综》卷二六《李东阳》："徐子玄云：长沙大韶一奏，俗乐俱废。中兴宗匠，邈焉寡俦。独《拟古乐府》乃杨铁崖之史断，此体出而古乐府之意微矣。穆敬甫云：李公才情兼美，于何、李有倡始功，大似唐之燕、许。王元美云：李西涯如陂塘秋潦，汪洋澹沱而易见底里。又云：长沙公少为诗有声，既得大位，愈自喜携拔。少年雅俊者一时争慕归之，虽模楷不足，而鼓舞攸赖。长沙之于何李也，其陈涉之启汉高乎？又云：向者于李宾之《拟古乐府》，病其太涉议论，过尔剪抑，以为十不得一。自今观之，奇旨创造，名语迭出，纵未可被之管弦，自是天地间一种文字。若使字字求谐，于《房中》《饶吹》之调，取其字句断烂者而模仿之，以为乐府如是，则岂非西子之颦、邯郸之步哉？胡元瑞云：成化以还，诗道旁落，唐人风致，几于尽斩。独文正才具宏通，格律严整，高步一时。兴起何、李，厥功甚伟。是时中晚宋元诸调杂兴，此老砥柱其间，固不易也。又云：国朝诗流显达，无如孝庙以还李文正、杨文襄、石文隐、谢文肃、吴文定、程学士。凡所制作，务为和平畅达，演绎有余，覃研不足。自时厥后，李、何并作，宇宙一新矣。顾玄言云：文正以大雅之宗，推毂后进。学既该博，词亦宏丽。陈卧子云：文正网罗群彦，导扬风流，如帝释天人，虽无与宗派，实为法门所贵。陈元孝云：西涯乐府得古诗之遗，风刺并见，含蓄可味，使人自得。于言外别为一格，奚而不可？"《静志居诗话》卷八《李东阳》："文正宏奖群英，力追正始，由其天材颖异。长短、丰约、高下、疾徐，滔滔莽莽，惟意所如。其自序谓，耳目所接，兴况所寄，左触右激，发乎言而成声，虽欲止之有不可得而止者。此自得之言也。昔贤以大谢繁芜为累，大陆才多为患，此翁亦然。若其《拟古乐府》因人命题，缘事立义，别裁机杼，方之杨廉夫、李季和辈，似远胜之。至或刚而近虐，简而似傲，文之佳恶，文正盖自得之矣。"《明诗别裁集》卷三《李东阳》："永乐以后诗，茶陵起而振之，如老鹤一鸣，喧啾俱废。后李、何继起，廓而大之，骎骎乎称一代之盛矣！王元美谓长沙之于何、李，犹陈涉之启汉高。此习气未除，不免抑扬太过，宜招后人之掊击也。"

四库提要卷一七〇《怀麓堂集》："东阳依阿刘瑾，人品事业，均无足深论。其文章则究为明代一大宗。自李梦阳、何景明崛起弘、正之间，倡复古学，于是文必秦汉，诗必盛唐，其才学足以笼罩一世，天下亦响然从之，茶陵之光焰几烬。逮北地、信阳之派转相摹拟，流弊渐深，论者乃稍稍复李东阳之传，以相撑拄。盖明洪、永以后，文以平正典雅为宗，其究渐流于庸肤。庸肤之极，不得不变而求新。正、嘉以后，文以沉博伟丽为宗，其究渐流于虚骄。虚骄之极，不得不变而务实。二百余年，两派互相胜负，盖皆理势之必然。平心而论，何、李如齐桓、晋文，功烈震天下，而霸气终存。东阳如衰周、弱鲁，力不足御强横，而典章文物，尚有先王之遗风。殚后来雄伟奇杰之才，终不能挤而废之，亦有由矣。其集旧板已毁。此本为国朝康熙壬戌，茶陵州学正廖方达所校刻，凡诗稿二十卷，文稿三十卷，诗后稿十卷，文后稿三十卷。又杂稿十卷，曰《南行稿》，曰《北上录》，曰《经筵讲读》，曰《东祀录》，曰《集句录》，曰《哭子录》，曰《求退录》，凡七种。其诗后稿本十卷，张鸿烈跋作二十卷，笔误也。前有正德丙子杨一清序及东阳自序。然自序为拟古乐府作，不为全集序。后人移弁全集耳。"四库提要卷一九六："《怀麓堂诗话》一卷，明李东阳撰。东阳有《东祀录》，已著录。李、何未出以前，东阳实以台阁耆宿主持文柄，其论诗主于法度、音调，而极论剽窃摹拟之非。当时奉以为宗。至李、何既出，始变其体。然赝古之病，适中其所诋诃，故后人多抑彼而伸此。此编所论，多得古人之意。虽诗家三昧不尽于是，要亦深知甘苦之言矣。姚希孟《松瘿集》有此书跋，云：李长沙诗以匀稳为主，其为古乐府，舛州讥其类小学史断，乃其谈诗颇津津。是时词林诸公多以诗为事，卷中所载如彭民望、谢方石辈，相与抨弹甚切，读之犹想见前辈风致云云。核其词意，似颇不满于东阳。然王世贞诋西涯乐府，乃其少年盛气之时，迨其晚年作《西涯乐府跋》，已自悔前论。希孟所引，殊不足为凭。惟好誉其子兆先，殆有王福畤之癖，是其一瑕耳。林炫《厄言余录》曰：成化间，姑熟夏宏集句，有《联锦集》。《怀麓堂诗话》载其'客醉已无言，秋虫自相语'为高季迪诗，宏捏写他人姓名。今考集中无之云云。《联锦集》今未见。然炫与东阳均正德间人，所见之本不应有异。或东阳偶误记欤。近时鲍氏知不足斋刻此编，于浦长源'云边路绕巴山色，树里河流汉水声'句下注曰：'案，二句《宋诗纪事》以为鬼诗。今考《宋诗纪事》所载吴简诗，诚有此联，惟上句稍异一二字。'然厉鹗所据乃《荆门纪略》，其书为康熙戊戌己亥间胡作柄所撰，饾饤庞杂，颇无根据，似未可执以驳东阳。况浦源此事，都穆《南濠诗话》亦载之，知当时必有所据，安知非《荆门纪略》反摭源此联，伪撰鬼诗耶？是尤不当轻信新闻，遽疑旧记矣。"

八月

杨一清致仕。《明史》武宗本纪："八月丁巳，命左都御史彭泽、成国公朱辅帅京营兵防边。庚申，赐宛平县被寇者人米二石。甲子（十五日），杨一清致仕。"

九月

张弼诗集在编辑中。孙承恩《张东海先生诗集叙》："诗不可徒作也。昔者圣人之叙诗也，自非厚人伦、裨风教、存劝戒、示得失者，辄斥弗录，盖泯焉无闻者，不知几倍所存矣。……东海先生诗名满天下，兴之所到，不暇雕琢，而气昌辞伟，寓意正大，所谓厚人伦、裨风教、存劝戒、示得失者，往往具见。其于淫昵之辞无及焉，庶几所谓不背孔氏之意者乎？至其所以自信不愧不怍者，则十每四五。呜呼！先生之于诗，信非徒作者也。……先生平生作甚富，而不甚靳惜，致多散逸。其仲子都谏君辑录仅是，然诸体班班具矣。都谏恐久亦并亡也，欲梓刻之，属予引一言于首，辄敢僭论如此。或曰：'诗本人性情，大率与其人类。考之诸名家之诗，可见也。'先生为人，高迈旷达，故其诗多超逸明爽；雅负志操，故其诗多慷慨自许。或曰，昔苏长公读涪翁诗，谓'如见鲁仲连、李太白。今人不敢复论鄙事'。先生之诗，脱出尘嚣，此语若为先生发。是二家者之言，虽不足尽先生之诗之大，而要非无所见者，并附于后。正德丙子九月之望，赐进士出身、翰林院编修乡晚生孙承恩顿首谨书。"[按，张弼诗文集，自正德十年，已在编辑中，此特言其诗集。其仲子搜索海内姻友，续有所增]

十月

屠勋卒，年六十九。《明武宗毅皇帝实录》卷一四二"正德十一年冬十月壬子（初四）"："致仕太子太保、刑部尚书屠勋卒。"《东江家藏集》卷二八《故刑部尚书致仕东湖屠公行状》："公在刑曹，以诗名，故太师李文正公、尚书吴文定公、礼部侍郎方石谢公皆与之倡和。清家食时，则尝闻公名。公巡抚东郊，又亲见其行事。及逆瑾时，士习一变，毁方瓦合丧其平生者何限，或终不免焉。而公卒以善去，怡情诗酒，乐其天真者几十年而终。"《静志居诗话》卷六《屠勋》："吾乡先正若吕文懿有子秉之，屠康僖有子文升，诗名皆胜其父。然两公韵语，亦自成家。屠集如'浦树远分扬子渡，江风吹过石头城'，'吟看雁影秋来早，坐听潮声月上迟'，'梦里只疑身有翼，灯前未信眼生花'，'江湖路远身仍健，天地恩深罪亦宜'，'野寺可能添一榻，水田应只欠双鸥'，'山腰楼阁天低树，江上人家水拍城'，'八韵八叉皆秀句，一年一度此深杯'，均饶风致。宜西涯、篁墩、守溪、邃庵诸公交与和酬也。"《明诗综》卷二八《屠勋》："杨应宁云，屠公屡更剧曹，手不释卷，与余为文字交。居尝过从，必有倡和，辞章之名，播于中外。"存诗二首：《题画寄杨应宁》《小画》。《明诗纪事》丙签卷六《屠勋》陈田按："康僖以政事名，诗亦雅饬。"

蔡汝楠（1516—1565）**生。**字子木，号白石，德清人。嘉靖壬辰进士，官至南京工部侍郎。《明史·文苑传》附见高叔嗣传中。有《自知堂集》二十四卷。董份《明通议大夫南京刑部右侍郎白石蔡公墓志铭》："生正德□□（十一）年十月初六日，卒嘉靖四十四年七月三十日。"

十一月

罗伦文集刊刻于永丰。聂豹《重刻一峰先生集序》："国朝自开科来，状元及第凡五十余人，其所传非无文也，然不一再世，与人俱陈。惟先生则久而益光，片纸流落，递相传诵，然后知科第不足以荣人，科第以人荣也，文不足传，传者人也。先生文集，弘治初年邑令揭阳王公尝刻之，毁于火。正德丙子，先生仲子干署江阴教，复刻于江阴，至是则江阴板讹矣。乃临桂张进士来令予邑，属教谕林君应芳搜前集所遗诗文，得若干首，捐俸重梓，称全集云。王侯名昂，字抑之，东广潮人，循良为永丰第一。张侯名言，字思默，号龙田，下车未几，首新先生之祠，督诸生日相讲授，毅然欲循复揭阳之政，以子惠斯民者，是岂俗吏所能辩哉！嘉靖己酉季秋望，永丰后学聂豹书。"

本年

陆采传奇《明珠记》撰成。《列朝诗集小传》丁集上《陆秀才采》："年十九，作《王仙客无双传奇》，子余助成之。"《艺苑卮言》附录一："《明珠记》即《无双传》，陆天池采所成者，乃兄浚明给事助之。亦未尽善。"《顾曲杂言·填词名手》："嘉靖间陆天池名采者，吴中陆贞山黄门之弟也。所撰有《王仙客明珠记》《韩寿偷香记》《陈同甫椒觞记》《程德远分鞋记》诸剧，今惟《明珠记》盛行。"《少室山房集》卷六一《伶人奏剧适歌陆浚明珠记戏成此章呈水部》："朱门何事滥吹竽，玳瑁筵开系白驹。是处云霞联赵璧，频年风雨泣隋珠。华名第一归仙客，高价无双得丽姝。美酒十千拼尽醉，共将行乐赋山枢。"自注："仙客、无双，俱剧中语。"

韩邦奇拒诗僧宗元。《苑洛集》卷一一《梅答宗元》："凌霜傲雪不凡才，直到严冬烂熳开。不为春光便改色，莺莺燕燕莫相猜。"《苑洛集》卷一一《竹——题宗元画轴》："劲节虚心本自奇，四时常见绿猗猗。笑他江上罗浮树，只放寒花三两枝。"注云："正德丙子，宗元和尚自谓通文武学，宿于村庙，请见。六日不许。会五泉弟他出过庙，宗元邀入庙，讲论至夜深，指天曰：'一天新星象。'五泉归告予。明日宗元再请见，亦不许。宗元以画梅一轴请诗。宗元见诗曰：'不可致矣。'明日去。"

万士和（1516—1586）生。字思节，宜兴人。嘉靖辛丑进士，官至礼部尚书，谥文恭。事迹具《明史》本传。有《万文恭公摘集》十二卷。据《明史》万士和传。

方弘静（1516—1611）生。字定之，号采山，歙县人。嘉靖庚戌进士，朱彝尊《明诗综》载其官至南京户部右侍郎，《千顷堂书目》亦同。《江南通志》则载其奉使入浙，击水寨寇，论功当叙，中蜚语归，卒赠工部尚书。据集内《山中稿小序》，称自抚浙待命凡十载，自留京归田，经廿载。叶向高序亦云然。是弘静实自南京罢归，《通志》所记偶误。有《素园存稿》二十卷。

公元 1517 年（正德十二年 丁丑）

正月

臧贤编《盛世新声》成，作《盛世新声引》。据王永宽、王钢《中国戏曲史编年·元明卷》，《盛世新声》卷前有《盛世新声引》，末署"正德十二年岁在疆圉赤奋若上元日书"。今存《盛世新声》明刻本多种，多不署撰者。一初刻本卷首题"樵仙戴贤愚之校正"，"戴"字显由"臧"字挖改而成，痕迹犹存。此本原藏福州龚氏大通楼，龚氏题记已云"戴贤"改从"臧贤"。今存中国社会科学院文学研究所。又《盛世新声引》口气为编者自言。故此，王永宽、王钢以《盛世新声》由臧贤编成，《盛世新声引》亦臧贤所作。又云：《盛世新声》十二卷，是现存最早的一部曲选，兼收元明两代戏曲，包括单折曲词及散曲、套数、小令。后来《词林摘艳》《雍熙乐府》等曲选，无不受其影响。《盛世新声》初刻本现存两部，另一存上海图书馆，俱有残缺。

三月

十八日，赐舒芬等进士及第、出身有差。

边贡上疏乞终养。《华泉集》卷九《乞终养致仕疏》："河南按察司提学副使臣边某谨奏：为乞恩致仕以便养母事。臣见年四十二岁，山东济南府历城县人，由进士历升今职。臣父止生臣并臣弟贡二人。正德六年，臣父病故，后二年臣弟又复病故。臣与臣弟，俱未生有子女。臣上有老母，不止臣身内无所托，后无所承，零丁孤单，宦心销减。但臣年力未衰，不敢遽甘丘壑，以此奉母就官，强勉供职。岂期臣体绵命薄，到官数日，痔疮遂发，久卧床褥，备尝痛苦。医更十余，药百剂，病虽小愈，根竟未除。又兼考校生徒，坐必尽日，前病遇劳则发，遇发则眠。去年科举取试士，触暑冒湿，风雨靡停，积劳成虚，积虚成损，臣痰火旧疾，遂致并作，怔忡眩晕，寝食两妨。臣母见臣孤身多病，亦遂忧畏成疾。臣欲日在膝下，奉宽母怀，则有瘝官废事之消；臣欲岁历境内，尽心王事，则有倚门噬指之嗟。臣之进退，实为两难。兢惕所迫，前病愈深。春徂夏交，病形转剧。……况臣逾强无子，宗祀如线，势至孤危，如蒙矜悯，乞敕该部放臣致仕归里，调理前病，奉侍老母以终余龄，则未死之年，皆感恩之日也。为此，转某人谨具奏闻。"《艺苑卮言》卷六："边廷实以按察移疾还，每醉则使两伎肩臂，扶路唱乐，观者如堵，了不为怪。关中许宗鲁、何栋，西蜀杨名，无夕不纵倡，渐以成俗。有规杨用修者，答书云：'文有仗境生情，诗或托物起兴。如崔延伯每临阵，则召田僧超为壮士歌；宋子京修史，使丽竖燃椽烛；吴元中起草，令远山磨隃糜。是或一道也。走岂能执鞭古人？聊以耗壮心，遣余年，所谓老颠欲裂风景者，良亦有以。不知我者，不可闻此言，知我者，不可不闻此言。'"

王廷相由松江转四川任职。《明武宗毅皇帝实录》卷一五〇"正德十二年六月丙辰（十二日）"："升松江府同知王廷相为四川按察司佥事。"

八月

陶宗仪《沧浪棹歌》编成。唐锦《沧浪棹歌叙》："国初时，吾松有二寓公焉：曰维桢杨氏，曰宗仪陶氏。二公皆胜国遗老，挟所有而无所于试，遂混迹村翁野老，与之相应和于残山剩水之间。虽其业之所擅各有所长，而润身华国□有取焉。譬之粤珠蜀锦，为用不同，均为世之宝也。锦不佞，于二公无能为役，然以乡学也，窃尝究心焉。杨公繁章爽律，往往镂天心、凿月胁，有惊神泣鬼之奇，陶固难与争锋。而陶公搜抉之富，裁订之精，杨殆不容不屈服也。求之前代，杨之才可当杜牧；陶之学，其洪景卢之流亚欤？锦为童子时，于杨集中见有所谓《答陶隐君》诗者，意陶公必能赋之士也，而世无传焉，恒以为恨。顷乃得其手编《沧浪棹歌》一卷，不觉喜跃，亟读之，洒乎清风之飘飒也，溶溶乎春日载阳而冰澌之涣泮也。於戏！公以《黍离》《麦秀》之余，而有骏发蹈厉之气，抚羁究沦落之景，而无危苦愤激之词，是亦足以见其所存矣。诗于公虽非专门，而世以专门称者，亦岂遽能窥其堂室哉？后生晚学瞻望山斗者何限？而兹稿伏匿草莱中，百余年未之有遭，岂文之显晦，果有数存其间耶？抑造物者秘靳不欲轻其泄也？乃于公暇，谩为诠藻，缮而藏之，以备吾松文献之一云。正德丁丑岁中秋日，前进士、中顺大夫、江西按察副使奉敕巡视提督学校云门唐锦撰。"四库提要卷一七五："《沧浪棹歌》一卷，明陶宗仪撰。宗仪有《国风尊经》，已著录。是编诗词合为一卷。前有正德丁丑松江唐锦序，称其集不传，惟得此一卷，为宗仪所自编。今考其中诗词，皆已载《南村集》中，惟《题卞庄子刺虎图》七言古诗一首，《题岳王庙》七言长律十四韵一首，为《南村集》所未载耳。又《对月》七言律诗'甘旨未能娱彩侍'句，《南村集》作'娱彩服'，疑此本为误。《南浦》词序中'一水并九山，南过村外，以入于海'句，《南村集》作"一水兼九山"，则《南村集》误也。"四库提要卷一六九："《南村诗集》四卷，明陶宗仪撰。宗仪有《国风尊经》，已著录。是编毛晋尝刻入《十元人集》。……是集不知何人所编，考其题中年月及诗中词意，入明所作十之九，惟《铙歌鼓吹曲》诸篇，似为元时作耳。其编次年月颇为无绪，殆杂收遗稿而录之，未遑铨次。又顾阿瑛《玉山草堂雅集》所载《澄怀楼》七律一首，《送殊上人》七律一首，皆不见收，知非宗仪自编也。毛晋品其诗如疏林早秋，殊不甚似。然格力遒健，实虞、杨、范、揭之后劲，非元末靡靡之音。其在明初，固屹然一巨手矣。"

徐中行（1517—1576）生。字子与，号龙湾，长兴人。读书天目山下，故自称天目山人。嘉靖庚戌进士，官至江西左布政使。《明史·文苑传》附见李攀龙传中。与王世贞、谢榛、梁有誉、宗臣、吴国伦、李攀龙，称七才子。有《天目先生集》二十卷附录一卷。王世贞《中奉大夫江西布政司左布政使天目徐公墓碑》："公卒以万历戊寅十月十三日，距其生正德丁丑，得寿六十有二。"李炤《明故通奉大夫江西左布政使天目徐公行状》："据案而瞑，实戊寅十月十三日也。……距生正德丁丑八月二十日，春秋六十有二。"

闰十二月

边贡丁母忧。《华泉集》卷一二《先夫人董氏行状》："正德丁丑后十二月壬申（初一），先夫人弃代于汴，不肖孤创且眩，不胜丧，几殆者数矣。越明年春二月，始获奉夫人丧归济南，祔于先代州府君之墓。"李廷相《资政大夫南京户部尚书华泉边公贡神道碑》："辛未，擢山西提学副使，寻丁代州公忧。甲戌服除，起公河南。……丁丑，丁母董夫人忧。初公体丰颜渥，风神藻雅。两更三年丧，哀毁逾礼，自是积忧成疾，而公亦倦于游矣。"

本年

林俊《见素诗选》刊刻。《见素集》附录上《编年纪略》："十二年丁丑七月，水圮开先祠，公修之。《见素诗选集》成。"

郑善夫访黄绾。黄绾《少谷子传》："岁丁丑而少谷子果来，遂与坐凌峰，步石梁，倚天柱，面龙湫。倦则归紫霄卧。予所居谓之石龙书院者，时天晦大雪，浃旬不止，人踪尽灭。予昼伐松枝，夜烧榾柮，与少谷坐，剧谈尧舜以来所传之道，六经百家、礼乐刑政、天文地理之源流，及二氏之所同异。极于天地之间，无一不究。少谷子亦尽出其平日所著述以质予。又贻书其友孙太初、高宗吕、傅木虚，使之逊志而同归。故太初之逃老归儒，皆少谷启之也。少谷子又自谓生平知己莫予若者，但恨相遇之晚，遂忘形而不忍去，予兄芝谷主人因为少谷子亭以居之。南洲应子亦来会。凡数月而出，至台城。台守金陵顾公欲重胜会，乃作玉辉之堂以延之。"

杨巍（1517—1608）生。字伯谦，号梦山，海丰人。嘉靖丁未进士，累官吏部尚书，赠少保。事迹具《明史》本传。有《存家诗稿》八卷。

徐学诗（1517—1567）生。字以言，别号龙川，上虞人。嘉靖甲辰进士，授刑部主事，迁郎中，以劾严嵩父子罢职。隆庆初，起南京通政司参议，未上而卒。赠大理寺少卿。有《石龙庵诗草》六卷。

公元 1518 年（正德十三年 戊寅）

二月

秦鸣雷（1518—1593）生。字子豫，别号华峰，临海人。嘉靖甲辰进士第一，官至南京吏部尚书。《国朝献征录》卷三六《资善大夫南京礼部尚书秦公鸣雷行状》："公夙遭闵凶，未弥月而失母，甫五龄而丧父。当是时，大参（鸣雷伯父秦文）无子，其配杨岐嶷公，遂子之。公髫年即游郡庠，未几而居大参丧，哀能成礼。大参故清白，家日益落，公省试又报罢。时公从兄若鸣春为司寇副郎，鸣夏为青宫中允，杨夫人每举以勖公，公亦自淬。……卒于万历癸巳之七月七日，距其生戊寅二月二日，享年七十有六。"

孙一元《太白山人漫稿》编成。郑善夫《太白山人漫稿序》："《太白山人漫稿》者，吾友孙太初所为诗也。夫曰漫者，触而成声，无谓有谓之云也。……及读其诗，皆悲壮奇崛，感激奋发，而卒泽以中和。如神龙在渊，变化不测，得时而兴，乘云雷而雨天下。噫！是岂忘情遁性，为犁牛耒耜者伦乎？……漫稿凡若干，余为之序以传。稿而曰漫，则固传也，太初不与也。正德戊寅岁春二月，少谷山人晋安郑善夫书。"

春

邵宝《容春堂集》刊刻。王鏊《容春堂集序》："或问：公之文，焉所师？曰：予也读之，不能窥其所至，又安能知其所出？然妄意论之，公盖师韩而不暇及乎其他者也。其古歌诗，盖有晋魏之风焉。而有不同者何？师其意不师其词，此固韩公语也。师韩而不必似韩，此善学韩者也。虽然，此特于其外之文耳，抑复有深于是者焉？未敢遽论也。年未及悬车，当朝廷渴贤之日，方将复起，大见于功业，不徒托之文章。而文章之出，将日富而日深，又非予所能涯者。姑题其首以俟，并以复侍御君，以为何如也？正德丁丑岁秋八月望，震泽王鏊撰。"李东阳《容春堂集序》："予于南畿之试，得邵君国贤，意其非场屋士。见所为古文歌诗，爱其峭拔，与之论焉。数年而见之，则加厚矣。爱其简洁，与之论焉。数年而见之，则又加裕矣。比乃见其《容春堂集》，出入经史，搜罗传记，该括情事，摹写景物，以极其所欲言，而无冗字长语、辛苦不怡之色，若欲进于古之人，以几于口无择言，言必有中者。盖国贤信我太过，而其所自信者固存，独非有所合而然哉。……国贤名宝，成化甲辰进士，今为户部左侍郎。容春者，其先世所居之堂，国贤所修复者，因以名集。其他集尤多，予独备见其前集云。长沙李东阳撰。"林俊《容春堂集序》："弘治丙辰，始得会吾二泉，追讼相见之晚。既而静思之，百能愧诎，独吾齿长尔。尝见《品士亭记》曰'其择也如此'，《庙学记》曰'为夫子作也'，《白鹿》数篇曰'为朱子作也'。及是《容春堂集》出，得尽观焉，曰：是文也，其是气也，其不离是道也，纡徐容与，和以平乎，庄以洁乎，居而不有，辩博而不肆，黯然其长，油油然其光，将根干宋儒，标枝秦汉，收韩、欧数君子之华实乎？起衰斯文，其先生始乎？先生副上卿，惜士者犹未酬其望，世固有不相易者。正德戊寅春仲，见素子俊书于云庄青野。莆田林俊撰。"

七月

周瑛卒，年八十九。《见素集》卷一九《明进资善大夫四川右布政使致仕例进一阶翠渠周公墓志铭》："时寿八十九，未数月果病，移席中堂。子大谟镇海扫松乎至，遂逝，正德戊寅七月八日也。"郑岳《周瑛传》："瑛丰神耀古，其学不专于该博，而于天文、地志、造化、物理，皆尝究心体索。为文章浑深雅健，有根柢。诗格调高。古字画初学晦翁，变为奇劲，应酬至老无倦意。所著有《经世管钥》《律吕管钥》《字学纂要》《词学筌蹄》《地理蓍龟》。晚年尤注意《周易参同契》，作《本义》，屡加删定。诗文有《翠渠类稿》若干卷。所修有《广德志》《镇远府志》《蜀志》《漳州府志》。又与黄未轩同修《兴化府志》，议论间有不合，自谓'莆阳拗史'云。"《明史》周瑛传："瑛始与陈献章友，献章之学主于静。瑛不然之，谓学当以居敬为主，敬则心存，然后可以穷理。自六经之奥，以及天地万物之广，皆不可不穷。积累既多，则能通贯，而于道之一本，亦自得之矣，所谓求诸万殊而后一本可得也。学者称翠渠先生。"《明诗综》卷二八《周瑛》："林雨可云，先生奇语奇情，出之简易。尝自题稿云'老去归平淡，时人或未知'，当为定评。罗子应云，韩子《履霜操》，觉伯奇有怨怒之气，未免害义。若翠渠作，一篇之内，吉甫惑于后妻之失，既不可掩，伯奇伤己自讼，不敢怨怒，而觊父母自省之意亦明。词婉意切，足补韩子之失。与《拘幽操》并读，可谓一忠一孝也矣。"存诗三首：《履霜操》《感兴》《咏古送陈白沙归南海》。《翠渠摘稿》卷首提要："《翠渠摘稿》七卷，《补遗》一卷，明周瑛撰。……所著诗文集曰《翠渠类稿》。此本乃其门人林近龙选录付梓，故曰《摘稿》。郑岳撰瑛传，称其文章浑厚雅健，诗格调高古。瑛亦尝作绝句云'老去归平澹，时人或未知'，则其自命固不在以繁音缛节务谐俗耳矣。朱彝尊《明诗综》、沈德潜《明诗别裁集》、郑王臣《莆风清籁集》并载瑛《履霜操》乐府，称其言怨而不怒，足正昌黎之失。此集中乃未收之，或近龙选录之时去取失当，误佚之欤？末附说三篇、序一篇、诗十八首，共为一卷，乃康熙戊子其七世孙维镶于家乘中钞出，以补摘稿所遗者。其八世孙成，又于雍正壬子求得瑛自撰志铭，补录于后。张诩《陈献章行状》称瑛为陈献章门人，而成力辨其非。是以二人之集考之，盖始合而终暌者。诩与成之说，皆各执其一偏云。"

八月

陆深升国子司业。《国朝献征录》卷一八《通议大夫詹事府詹事兼翰林院学士赠礼部右侍郎谥文裕陆公深墓表》："戊寅，命于内书堂教习中官，严而有条。八月，升国子监司业，署监事。"

邵宝寄《容春集》与王云凤。《容春堂集续集》卷三《戊寅八月，以<容春集>托乔司马寄王中丞虎谷，越岁，司马以集还，因得中丞之讣》："隔岁书回不拆封，惊闻虎谷失髯翁。风骚辽阔遗音在，江汉萧条老眼空。壮志欲从汾左右（汾谓文清薛公），清声曾动陕西东（虎谷尝以言事谪官陕州，既而擢陕西提学金事）。七年又洒柴墟泪，屈指交游俯仰中（柴墟储公，卒今七年矣。吾悲虎谷，犹悲柴墟也）。"[按，王云凤（1465—1517），字应诏，号虎谷，山西和顺人。成化甲辰进士，授礼部主事。历员外、郎中，以劾太监李广诬下狱，谪陕州知州。迁陕西提学副使，历山东按察使，召为国子祭酒，以金都御史巡抚宣府。有《博趣斋稿》。《明武宗毅皇帝实录》卷一四三"正德十一年十一月乙巳（二十八日）"："右金都御史王云凤卒。云凤字应诏，山西和顺县人，成化甲辰进士，授礼部主客司主事。……云凤好奇立异，锐于取名，然中实靡定，为节不忠，人多薄之。"乔宇《金宪王公神道碑铭》："公讳云凤，字应韶。……戊寅七月卒于里第，享年五十有四。……公自号虎谷，学者因称虎谷先生。公为文雄浑严洁，持论一主于理，力划冗熟蹈袭之弊。善古歌行，选体俊逸健雅，律诗清奇，复拔流俗。工篆、隶、大楷，而尤长于八分书。所著文集若干卷，藏于家。"吕柟《金都御史前国子监祭酒虎谷先生王公云凤墓志铭》："于书无所不读，尤邃于性理之学。书法真、草、隶、篆自成一家，端劲如其为人，四方人多求之。文有气力，不假雕刻模仿，而出入古格，滔滔不竭；诗赋亦清奇古雅。所著书有《小学章句》《博趣斋稿》《读四书私记》若干卷。先生为学守敬义，事君秉忠诚，功业树中外，声名满朝野，道德、文章、政事，皆可拟之古人云。讳云凤，字应韶，居山西和顺之虎谷，因号焉。父讳佐，南京户部尚书。母马氏，封淑人，感奇梦，生先生于成化乙酉七月二十五日。卒于正德十二年七月二十二日。"武宗实录、乔宇所撰碑铭、吕柟所撰墓志，记云凤卒日甚至名字不一致。吕柟为云凤门生，当依吕柟所撰墓志为准]

九月

张吉卒，年六十八。杨廉《贵州布政使司左布政使张公吉神道碑》："正德戊寅九月甲寅（十七日），贵州左布政使张公卒于里第。……生于景泰辛未正月壬子，至是享年六十有八矣。所著述有《古城集》《贞观小断》，若《佛学论》《陆学订疑》，皆是也。"《静志居诗话》卷八《张吉》："古城穷理讲学，其诗罕传。观其序晦庵《感遇》

诗，谓'兼苏、李之体制，陶、孟之风调，韦、柳之音节，非汉晋以下词人所及。生平后者不根于此而有能诗声，我不敢知也。'其论诗亦非户外语。"《古城集》卷首提要："明至正德初年，姚江之说兴而学问一变，北地、信阳之说兴而文章亦一变。吉当其时，犹兢兢守先民矩矱。高明不及王守仁，而笃实则胜之；才雄学富不及李梦阳、何景明，而平正通达则胜之。且为工部主事时，则尽言直谏，忤武宗，谪官。为广西布政使时，又以不肯纳赂刘瑾贬秩。而为肇庆府同知时，力持公议，掊击柳璟，愿与都御史秦纮同逮，卒白其冤，尤人情所难。以刚正之气，发为文章，固不与雕章绘句同日论矣。"

十二月

李东阳《怀麓堂集》刊成。 靳贵《怀麓堂稿后序》："此少师西涯先生李文正公之集也。诗赋共若干首，铭志杂文若干首，奉敕碑记若干首，奏疏若干首，总若干卷，而续集不与焉。呜呼，富矣！……我皇祖受命开极，肇隆文化。列圣相继，引养引恬。至于成化、弘治间，人文之盛于斯为极。公适出会其期，摅其所蕴，见于词章。高文大册，既已光朝著而泽海宇，而长篇短述又皆流播四方，脍炙人口。盖操文柄四十余年，出其门者号有家法。虽在疏逖，亦窃效其词规字体，以竟风韵之末而名一时，岂偶然哉！……公平生志节之大如右，俾读是集者有所考焉。正德戊寅十二月朔旦，门生京江靳贵谨序。"

本年

郑善夫起复。 林钎《明南京吏部验封司郎中郑少谷先生墓碑》："正德十三年，有司劝驾起夺其疾，改礼部祠祭清吏司主事。"

公元 1519 年（正德十四年 己卯）

二月

唐寅作生日诗。《唐伯虎全集》卷二《五十诗》："五十年来鬓未华，两朝全盛乐无涯。子孙满眼衣裁彩，宾客盈门酒当茶。炼成金鼎长生药，来看江南破腊花。诞日何须祝千岁，由来千算比恒沙。"卷二《五十自寿》："笑舞狂歌五十年，花中行乐月中眠。漫劳海内传名字，谁论腰间缺酒钱。诗赋自惭称作者，众人多道我神仙。些须做得功夫处，莫损心头一寸天。"

三月

夏良胜以谏南巡遭贬。《东洲初稿》卷一二《谏南巡疏奏》："为恳留圣驾事。近日臣伏闻传奉圣旨，将欲南巡，内外大小臣工惶惑莫知所措，咸谓功每忽于垂成，幸不可以再恃。陛下往岁巡边，京师震慑，边境绎骚。近幸回銮，称庆无地。今复再议南巡，意外之虑，有臣子不忍言者。……方今东南之祸，不独江淮；西北之忧，近在辇轂。庙祀之雲位，不可以久虚；圣母之孝养，不可以恒旷。"《明史》夏良胜传："南巡诏下，良胜具疏，与礼部主事万潮、太常博士陈九川连署以进。……时舒芬、黄巩、陆震疏已前入。吏部郎中张衍瑞等十四人、刑部郎中陆俸等五十三人继之，礼部郎中姜龙等十六人、兵部郎中孙凤等十六人又继之。……诸疏既入，帝与诸幸臣皆大怒，遂下良胜、潮、九川、巩、震、鳌诏狱，芬及衍瑞等百有七人罚跪午门外五日。……芬等百有七人，跪既毕，杖各三十。以芬、衍瑞、俸、龙、凤为倡首，谪于外，余夺俸半岁。良胜等六人及叙、廷瓒、大辂各杖五十，余三十人四十。巩、震、良胜、潮、九川除名，他贬黜有差，鳌戍边。而车驾亦不复出矣。良胜既归，讲授生徒。"

郑善夫以谏南巡受杖。邓原岳《郑继之先生传》："毅皇帝之末年，储位久虚，逆藩素蓄异谋。嬖人江彬及诸中贵人，相左右为奸。诸曹郎黄巩等，以谏止南巡，语侵彬，彬大恨，矫旨杖阙下，有死者。先生不胜愤，挟舒芬、张衍庆复上疏切谏。彬益怒，罚跪午门。已，杖三十，幸不死。"

五月

刘基《诚意伯刘先生文集》由林富重编刊行。林富《诚意伯刘先生文集序》："富自童孺时，即闻有诚意伯刘公之勋烈，为开国宗臣之冠。筮仕以来，求公之遗文而读之，乃得公平生所建立之详。……公文梓行久矣，岁远寖湮，字不复辨，富承乏括苍，典型在目，视篆之暇，订其讹落，重加编辑，捐俸再锓诸梓，俾公孙指挥瑜等世守之，使天下后世亦知故家文献之足征也。正德己卯夏五月既望，赐进士、中顺大夫、处州府知府后学莆阳林富谨序。"

六月

十四日，宁王朱宸濠反。

十八日，巡抚南赣都御史王守仁起兵讨宸濠。

林俊以讨宁王三书遗王守仁。《见素集》附录上《编年纪略》："十四年己卯，推南礼部尚书。六月，宁庶人叛，三书速王阳明公守仁讨贼。制佛朗机铳，遣二仆间道以与阳明公。有《书佛朗机遗事》，议借南日水军勤王。"

七月

罗玘卒，年七十三。《国朝献征录》卷二七《南京吏部右侍郎赠礼部尚书谥文肃圭峰先生罗公玘墓志铭》："归山中，贻书知旧，犹聊以时事为虑。然绝意声利，城府无先生一迹。逆濠素忌先生，心甚重之，尝间以金帛使及门，先生豫走旁邑，避不与接。濠乱，先生已卧病，闻有司将举义犹豫未决，力疾手书趣之。越二日而卒，己卯七月二日也，距所生正统丁卯，享年七十有三。"陈洪谟《翰林罗圭峰先生文集序》："圭峰先生自少肆力群经，无所不学，迨游馆阁，益扩其所蕴藏，凡为文辞，皆就题命意，不逐时格，或设疑发难，初若聱屈不可读，及转折数语，意见层出，首尾融浃，探之而愈深，味之而愈长，辟如泉原之出地，汩汩其流，及与山谷曲折，则随物赋形，杂然飞越之势，寻其脉络，则自龙门禹穴，远不可窥。说者谓先生之言出左氏，愚独谓其直沂盘、诰之支余也。"邵廉《翰林罗圭峰先生文集序》："盱江明秀幽雅甲他郡，然文章名家自宋李盱江、曾南丰，明罗圭峰其三也。公以凤凰磁龟储其秀，天妃兆其异，天又早挫折之，俾不达，应输粟陕西边关，坎坷入北太学，而尽得周历子长奇游处。已乃登鼎甲，官翰林，进礼侍，而文章益奇。当是时，文事沿宋、元萎弱之后，李、何未振之先，公奋格众见，独立标准，海内文士始而吷声，竟而逐响，而文体亦翕然以变。顾即知公者，或评公奇，不知公涂辙坟索，跬步周行，第削萎靡，法乃反正也；或评公新，不知公意匠中程，指挥合度，第削芜累，法乃反旧也。公文譬之翩翩李飞将而部伍刁斗则程将军，堂堂郭令公而布壁垒旗帜乃光弼，密矣。"陈起龙《文肃公圭峰罗先生文集序》："夫文法犹兵法也，韩昌黎悟文章之变，而行奇阵于抑扬虚实之间，故其文整而有威，坚而多力，天下莫敢争雄焉。宋文原本昌黎而结势不遒，往往屈才而伸理，笔锋之末，衰气袭之。故唐之国运强而宋之国运弱者，其势之所立者殊也。乃规矩昌黎氏而卓然成一家言者，则盱郡罗圭峰先生是也。先生于秦汉之书无所不读，而独得势于唐之大家。跌宕纵横，神奇莫测，一以为风霆之震荡，一以为岳渎之盘旋，变局奇情，循环不断，所谓千古畸人，非耶？今人耳食李、何，以为庶几秦汉之际。虽音声逼似，然仅得其形耳。若夫奇正相生而机行于闪烁，非深于势者，孰能之？先生负骯髒之姿，目摄豪贵，天下以气节高之，而名位之崇亦与昌黎相亚，其国子先生再来耶？余尝评其诗赋，或让北地、信阳，而文实据二公之上，后有作者，必以余言为非佞。"邓澄《文肃公圭峰罗先生文集序》："由国初而来，至天顺、成化间，赫濯底定，累洽重光，国事可谓之极盛，文事则不可不谓之衰。有先生起而振之，一时学士大夫眼耳心灵翕然丕变，自是天下始知章句传注之外，别有奇文古学，则主其运者先生，创其始者先生也。"郑之文《文肃公圭峰罗先生文集序》："先生学盖本原六籍，出入檀、左，具绝世之识、绝世之才，而读者谬以为源出昌黎，岂以其戛戛乎陈言之务去，则第谓先生与昌黎兼有振衰之功也可，而不可谓其出之也。先生酝蓄盖乃发金匮、石室之藏、故老大家之牒，是故文典则高古，所结撰又往往与朝家经制道术政事相表里。识者谓文章之权原在馆阁，后稍旁落。馆阁诚不乏人，最著者如德涵藻雅，用修博物，高文大册，犹似未遑允宁史汉，优孟、叔敖亦姑舍是，余未悉数。然则振天下之文章者馆阁也，能振馆阁之文章者先生也。桑民悦诞士耳，高自位置，而曰，次者允明，次者先生。桑、祝剽掠旁小，视先生腹胸丘坟，手抉云汉，空天绝地，其相去奚啻层累之上哉！"黄端伯《文肃公圭峰罗先生文集序》："先生与李献吉同时，其气力亦相敌，而文势之遒劲过之。盖献吉为太史公而拘于法，先生为昌黎子而逸于才。汉杂霸而昌，宋假王而替，此二先生之辨也。"《文脉》卷三《文脉新论》："玘圭峰续集甚古，惜应酬作也。弘治后文宗秦汉，自圭峰始。"《明诗综》卷二九《罗玘》存诗一首：《寓言送李希贤》："山僧下山时，僧送不出山。但问下山僧，此去何时还？乳水闲一孔，白云留半间。只恐僧还少，僧还谁闭关？"《四库提要卷一七一《罗圭峰文集》："其文规模韩愈，戛戛独造，多抑掩其意，迂折其词，使人思之于言外。陈洪谟序称：闻其为文，必呕心积虑，至扃户牖，或踞木石，隐度逾旬日，或逾岁时，神生境具，而后命笔，稍涉于萎陋诎诞之微，虽数易稿不惮。盖与宋陈师道之吟诗，不甚相远。其幽渺奥折也固宜，而磊落嵚崎，有意作态，不能如韩文之浑噩，亦缘于是。殆性耽孤僻，有所偏诣欤。然在明人之中，亦可谓为其难者矣。"

王九思杂剧《杜子美沽酒游春记》成。康海《题紫阁山人〈子美游春〉传奇》："予曩游京师，会见馆阁诸书，有元人传奇几千百种，而所躬自阅涉者才二三十，意虽假借，而词靡隐逊，盖咸有所依焉。予读之每终篇，或潸然涕焉，曰：'嗟乎！士守德抱业，谓可久远于世，以成名亮节也。如此乃不能当其才，故托而鸣焉。其激昂之气，若潦乎其毋已也。此其所感且何如哉？且何如哉？'今乃读《子美游春记》，悲紫阁山人之志，亦或犹是云尔。故题诸其首，使观者易识其所指，可以观士于穷达之际矣。时正德己卯秋七月八日己卯，沜东渔父序。"〔按，台湾伟文图书出版社有限公司1975年所印《明代论著丛刊·渼陂集》，《杜子美沽酒游春记》在《渼陂续集·南曲次韵》下，前有《题紫阁山人〈子美游春传奇〉》，末题"时正德己卯秋七月八日己卯，沜东渔父序"。"七月八日"下衍出"己卯"，原文如此，本编年照录。是年无闰月，七月壬辰朔，七月八日为己亥日。故知原文衍出"己卯"。王永宽、王钢《中国戏曲史编年·元明卷》在"王九思撰成《杜子美沽酒游春记》"一条下，引《题紫阁山人〈子美游春〉传奇》，引文为"时正德己卯秋七月有八日沜东渔父序"，无"己卯"两字衍出。其引文或别有所本，已据理勘正〕《四友斋丛说》卷一八《杂记一》："王渼陂《杜甫游春》杂剧，其所谓李林甫者，盖指西涯也。"卷三七《词曲》："康对山词迭宕，然不及王蕴藉。如渼陂《杜甫游春》杂剧，虽金元人犹当北面，何况近代？以《王兰卿传》校之，不逮远矣。"《顾曲杂言·填词有他意》："填词出才人余技，本游戏笔墨间耳。然亦有寓意讥讪者，如王渼陂之《杜甫游春》，则指李西涯及杨石淙、贾南坞三相。"《曲律》卷四："王渼陂词固多佳者。何元朗摘其小词中'莺巢湿春隐花梢'，以为金元人无此一句。然此词全文：'泠泠象板粉儿敲，小小金杯绿蚁飘，重重画阁红尘落，喜丰年恰遇着，几般儿景致蹊跷。凤团小茶烹银罐，驴背稳诗吟野桥。'除'莺巢'句，下皆陈语，后三句对复不整。又云：《杜甫游春》剧，金元人犹当北面。此剧盖借李林甫以骂时相者，其词气雄宕，固陵厉一时，然亦多杂凡语，何得便与元人抗衡！王元美复谓其声价不在关、马之下，皆过情之论也。"

二十六日，朱宸濠被俘。

八月

康海撰成《武功县志》。康海《武功县志跋》："沜西子曰：余为《武功志》，其义例皆见诸篇，余不知其详与略也，故犹望后之君子继而正焉。志作于正德十四年秋七月朔日，成于是秋八月三日。冬十月十九日，陇郡冯韶书成入梓。"吕柟《武功县志序》："志七篇，地理约而不漏，建置则而有据，祠祀先今而后古，官师直书而劝戒自形。人物之志，浩乎其无穷也，君子于是乎思古，于是乎征今，于是乎开来，其志已勤矣。选举崇义而黜利，盖志之良者也。学者观其志目，亦思过半矣。是志也，撰之者，吾友康子德涵；刻之者，邑侯西蜀冯玉仲。则斯政教也为有归矣。正德己卯冬十一月甲寅，泾野吕柟书。"何景明《武功县志序》："武功康子作志七篇，以记载武功之故，绪理要会，盖灿然明备矣。至其核事显义，用昭劝鉴，有可述焉。夫先王之政，纪其山川，辨其疆域，程其土宜，稽其俗尚，肆其采物，以谨封守而察时变，故《书》序九丘，《诗》陈列国。采风者具其美恶，董事者正其得失，务在因道财化，追俗为制，以施于久远已尔。……正德十四年己卯冬十二月五日，大复山人汝南何景明撰并书。"《武功县志》卷首提要："《武功县志》三卷，明康海撰。……是志仅七篇，曰地理，曰建置，曰祠祀，曰田赋，曰官师，曰人物，曰选举。凡山川城郭、古迹宅墓，皆括于地理。官署学校、津梁市集，则归于建置。祠庙寺观，则总以祠祀。户口物产，则附于田赋。艺文则用《吴郡志》例，散附各条之下，以除冗滥。官师则善恶并著，以寓劝惩。王士禛谓其文简事核，训词尔雅。石邦教称其义昭劝鉴，尤严而公，乡国之史，莫良于此。非溢美也！"

武宗始南巡。《明史》武宗本纪："秋七月甲辰，帝自将讨宸濠，安边伯朱泰为威武副将军，帅师为先锋。丙午，宸濠犯安庆，都指挥杨锐、知府张文锦御却之。辛亥，提督南赣汀漳军务副都御史王守仁帅兵复南昌。丁巳，守仁败宸濠于樵舍，擒之。八月癸未，车驾发京师。丁亥，次涿州，王守仁捷奏至，秘不发。冬十一月乙巳，渔于清江浦。壬子，冬至，受贺于太监张阳第。十二月辛酉，次扬州。乙酉，渡江。丙戌，至南京。"

九月

夏良胜《东洲初稿》编成。舒芬《东洲初稿序》："吾同年夏君于中，因言事与余同南还，舟中日久，示以《东洲初稿》凡若干卷。阅之旬月，惊曰：'富哉！无物之不有也！奇哉！有物之难穷也！'其赠送赋述，绝时俗空言不类，而奏疏状议，绰绰乎通于政也。非有得于道者邪？……于中于芬道德事功相期之至者，因初稿谨书此以俟其终。正德十四年六月下弦日，赐进士及第、承务郎、福建市舶提举司副提举、前翰林院国史修撰进贤梓溪舒芬书于钱塘舟次。"万潮《东洲初稿跋》："东洲子有家国天下之志，而学术才力称之，读其文可知也。其门人辑其初稿而传之。夫文有本而有用也者，信可传已。然吾见吾东洲子之进，未见其止，他日德业所就，更当如何？而其所可传者独此也哉？正德岁己卯重九日，友生万潮跋。"

十二月

屠勋文集编成。王鏊《屠康僖公文集序》："檇李屠公，早登甲科，扬历中外，绰有声绩。……盖志存乎立功，而事专乎报国，其于词章末技若不暇，以为而乃日事占毕，更倡迭和，与幽人曲士争工拙于毫厘，然皆和平之音也。古称技之至者不两能，故唐之刘、柳无称于事业，姚、宋不见于文章，公必欲兼之，志则远矣。公之子兵部郎应埙出其集示余，余故为之序。正德十四年中秋节，光禄大夫、柱国、少傅兼太子太傅、户部尚书、武英殿大学士致仕王鏊撰。"张弘至《屠康僖公文集序》："太子太保、刑部尚书屠公谢事归东湖，逾八载殁，其嗣应埙自公奔讣，襄事已，乃集公遗稿，得诗文奏疏凡若干卷，将寿梓以传，属予纪其末简。……正德十四年己卯腊月朔，赐进士、征仕郎、户科都给事中云间张弘至撰。"

本年

梁辰鱼（1519—1591）生。字伯龙，昆山人。以例贡为太学生。身长七尺，虬须虎颧。以诗及行草名嘉、隆间，兼善词曲。光绪《昆新两县续修合志》卷三〇："泉州同知纳曾孙。父介世，字石重，平阳训导。……不屑就诸生试，勉游太学，竟亦弗就。营华屋招来四方奇杰之彦。嘉靖间，七子皆折节与之交。尚书王世贞、大将军戚继光特造其庐，辰鱼于楼船箫鼓中，仰天歌啸，旁若无人。千里之外，玉帛狗马，名香珍玩，多集其庭。而击剑扛鼎之徒，骚人墨客、羽衣草衲之士，无不以辰鱼为归。……尤喜度曲，得魏良辅之传，转喉发音，声出金石。其风流豪举，论者谓与元之顾仲瑛相仿佛云。"著有《远游稿》、《浣纱记》、《江东白苎词》等。〔按，梁辰鱼《鹿城诗集》有《丁卯冬日过周荡村别业与玉堂弟夜坐作》诗，中有"自笑明春同半百"句，今人王永宽据此推得辰鱼生正德十四年〕

梁有誉（1519—1554）生。字公实，广州顺德人。嘉靖庚戌进士，任刑部主事。与王世贞、谢榛、宗臣、徐中行、吴国伦、李攀龙称七才子。《明史·文苑传》附见李攀龙传中。有《兰汀存稿》八卷。

公元 1520 年（正德十五年　庚辰）

正月

武宗在南京召见杨循吉。据王永宽、王钢《中国戏曲史编年·元明卷》。杨循吉《礼曹郎杨君生圹碑》："庚辰岁，武宗在南都，蒙呼试乐府，三次扈驾。凡九易冀荚，告归。是冬，复取如京，莫辞，趋命。岁斋不废。明年夏，南归。"《艺苑卮言》卷六："正德末，循吉老且贫。尝识伶臧贤，为上所幸爱，上一日问：'谁为善词者？与偕来。'贤顿首曰：'故主事杨循吉，吴人也，善词。'上辄为诏起循吉。郡邑守令心知故，强前为循吉治装，见循吉冠武人冠，袜韐戎锦，已怪之，又乘势语多侵守令。已见上毕，上每有所幸燕，令循吉应制为新声，咸称旨受赏，然赏无异伶伍，又不授循吉官与秩。间谓曰：'若娴乐，能为伶长乎？'循吉愧悔，汗洽背，谋于贤，乃以他语恳上放归。归益不自怿，诸后进少年非薄之，亡礼问者。"《明诗纪事》丙签卷八《杨循吉》引谈迁《枣林杂俎》："武宗南巡，于北固山上见杨循吉留题，因召见行在。见上不能对，遂罢遣归。忌者因以为伶人臧贤所荐，不知此际循吉贫不能糊口，其赴召也，典衣为装，恶从市伶人？王元美轻信，笔其事于《卮言》，因而传播天下，冤哉！徐文贞云：世庙初年欲起君谦，闻其颠而止。杨公实颠，不以伶人事也。愚按，正德十六年癸未发京师，是日即杖臧贤等于午门，戍边。安得从南巡荐循吉也？又江宁徐子仁霖，亦曰臧贤所荐。是年十二月，上至南京，贤死久矣。流闻之谬如此。"

徐祯卿《迪功集》重刊。徐缙《迪功集跋》："右《迪功集》六卷，吾友故国子博士昌谷徐君之所作也。予尝校焉，以寄献吉，遂刻诸豫章。然吾乡大夫士犹不多见，于是昌谷之子伯虬复刻之家塾云。初，昌谷甫弱冠，游郡庠，即工古文词，知所向往，《谈艺录》其一也。既举进士，与献吉诸君子游，而艺益工。其寄兴远，修词洁，尤长玄理，有古诗人之风焉。使天假以年，所造岂止是耶！虽然，是亦足以传矣。正德庚辰春正月三日，郡人徐缙识。"〔按，祯卿文集此刻及前刻，属自选集。后人更搜他篇，刻为《外集》《五集》等。《皇甫司勋集》卷三六《徐迪功外集后序》："徐氏《迪功集》六卷，为君手自定正，空同李子刻于豫章。或曰李子稍芟损之，其说出于少谷郑子。自今观之，徐集独综菁英，莫可瑕颣，非其佳秒自得，去取过严乎？家兄山居，搜逸稿于元子伯虬，乃叹曰：'丹以素掩华，兰以熏夺气，顾变态不穷，岂形质复绝者哉？'遂选而刻之，题曰《外集》，勒为二卷。"《弇州续稿》卷二○七《阮先辈》："迪功亡，乡人不解事，刻其《别集》《外集》数卷，而名小挫矣。"《弇州四部稿》卷一二二《袁鲁望》："履善别致《迪功五集》，云出足下家梓人。仆向读其诗，谓如六翮搏风，三危吸露，快爽种种，不可名状。此集殊多下乘恶趣，大抵六朝，时沿晚唐，以此标饰迪功，如出狐白之裘而益羊鞟也。昔人得魏收文辄投水，曰：'吾为魏公藏拙。'此非真爱魏公人也；以为不爱魏公，不可。足下果徐氏忠臣，宜急谢剞劂，留迪功前集。名世之语，岂在多哉？仆欲与迪功结地下之知，期足下不朽之业，其幸垂照。"《艺苑卮言》卷六："昌谷自选《迪功集》，咸自精美，无复可憾。近皇甫氏为刻《外集》，袁氏为刻《五集》。《五集》即少年时所称'文章江左家家玉，烟月扬州树树花'者是已，余多稚俗之语，不堪覆瓿，世人猥以重名，遂概收梓，不知舞阳、绛灌既贵，后为人称其屠狗、吹箫以为佳事，宁不泚颡？"〕

二月

夏良胜《南归录》编成。曾汉《南归录序》："十二年，东洲夏子服且阕，未行。或请曰：'先生其有待乎？'曰：'是何言也！学古入官，吾何敢忘吾君？'寻有诏，趣诸赐告者诣阙下，明年春遂行。于是天子方北狩，色忧意测，往往见于文。未几，诏西征，朝野惶惑，入疏谏，不听。又明年，诏南巡，民劳卒疲，舟车待登，宗藩伺窥，讹言沸腾。东洲子奋曰：'此复不言，何以为臣子！'……疏入，天子震怒，群小者从而挤之，诏系狱辞问。时谏者百数十人，东洲子与舒太史国裳、黄武远部伯固，实倡其议，遂自考功员外郎放归南城。及淮阴，宁藩变果作，从建阳取道以归。然自草疏讫于是，卓焉不乱，又往往见于文。其门人辑其稿而传之，题曰《南归稿》。诸凡为南归作者，皆附焉。……正德十五年二月望，友生金溪曾汉序。"

唐寅、杨一清、陈沂等修禊事于丹阳。周道振、张月尊《唐伯虎年表》："与祝允明、杨一清、张寰、陈沂等修禊于丹阳孙育所居之南山石壁下。杨一清于悬崖挥毫题名，寅作图并于帧首题长句。一清字应宁，博学爱才，晓畅边事，官至吏部尚书、武英殿大学士。寰字允清，正德进士，以通政使参议致仕，读书自娱。"

七月

本月前，孙一元卒，年三十七。《历代诗话》卷七七《石扉》："《彝白斋诗话》

曰：孙太初《归云庵诗》：'沙晴竹碧鸥出飞，野老候余开石扉。'古之人但言柴扉、荆扉，并无石扉之理。如汉人发哀公冢，云初至一户，无扃钥，石床方四尺，床上有石几，左右各三石人立侍，皆武冠带剑。复入一户，石扉有锁钥。太初好奇，初不知石扉乃墓中石门耳。故诗贵乎允当。"四库提要卷一七一："一元才地超逸，其诗排奡凌厉，往往多悲壮激越之音。《静志居诗话》谓其瓣香在黄庭坚。体格固略相近，然庭坚之诗沉思研练而入之，故蟠拏崛强之势多，一元之诗轩豁披露而出之，故淋漓豪宕之气盛。其意境亦小殊也。"《太白山人漫稿》卷首提要："一元才地超逸，论者至以王猛之流拟之。其所为诗排奡凌厉，往往多悲壮激越之音，读之极伉健可喜。朱彝尊至谓其瓣香在黄庭坚，持论虽不免稍过，然当秦声竞响之日，而能矫然拔俗如此，亦可谓独行其志者矣。"

孙一元《太白山人漫稿》刊刻。《少谷集》卷一六《太初山人稿跋》："余叙太初《漫稿》成，太初曰：'子真知我者。'又明年庚辰而太初死，遗命以漫稿必付余。余归吊其庐，抚其孤，携其稿至杭，梓而行之。凡与太初游者，如杭人许台仲、陈遂初、高世美，湖人施邦直、沈仁伯，率来集事。於乎！使太初复生，诸君当不愧乎其平生之言乎？是年秋七月望，善夫志。"方豪《太白山人漫稿序》："《太白山人漫稿》成，予友少谷子以示予于胜果寺，俾序之。序曰：吾读太白山人诗，而知吾越山水之盛也。……又曰：太白山人，江湖间不可无也。《漫稿》之刻，太白山人不可无也。有太白山人，然后重江湖；有《漫稿》，然后太白山人重。……正德十五年闰八月二十日，棠陵方豪漫书。"周中度《刻太白山人漫稿题辞》："余生也晚，不获炙先生。但见湖之先荐绅大夫及耆旧之士，每啧啧称先生为畸人。至得其诗稿中片纸只字，无不宝为弘璧天球也者。当年诸刻，惟余外家张氏本称善，而岁久业荒，悉以饱蚁鼠之腹，有心者伤之。长儿仁偶过舅氏，从零落中见其仅存者什之一，因觅其原本，又从友人处得阳湖本，合为补葺，并传志、叙言汇成一集，以流布海内，俾海内之慕先生者，知先生之诗瓢犹有在。而当时刘元瑞、郑少谷、李空同诸君子所以表章先生者，令千载如见云。稿曰'太白山人'，存旧志也。崇祯己卯春日，吴兴周中度身为父题。"《太白山人漫稿》卷首提要："《太白山人漫稿》八卷，明孙一元撰。……《明史·艺文志》载一元《太白山人稿》五卷。此本为崇祯中湖州周伯仁所刻，凡八卷。盖据吴兴张氏本及阳湖本而合辑之者。原录于八卷末尚标有补遗若干首，而卷内无之。盖当时有志搜访而未得也。闵元衢《欧余漫录》载：一元逸诗有《送许相卿》诗一首，见许氏谱；《题王伯雨园亭》二首，见《乌青镇志》；《和吴甘泉》诗四首，《重游》一首，《君马黄》一首，见真迹；《饮马长城窟》一首，见卢志庵所录。续于纪宣符家得十四首。又称鲍稚殁家有其诗抄约千余首。则其散佚亦多矣。"

闰八月

武宗幸致仕杨一清第。《明武宗毅皇帝实录》卷一九〇"正德十五年闰八月癸卯（十八日）"："上自瓜洲济江，登金山，遂至镇江，幸致仕大学士杨一清第。明日，复幸焉。入于书室，命一清检诸书进御，问：'《文献通考》是好书？'一清对曰：'有事实，有议论，诚如圣谕。'问：'几册？'对曰：'六十册。'问：'世间书更有多于此者否？'对曰：'《册府元龟》更多，凡二百二册。'俱取以进。又明日，饮于一清第，乐作，上分题制诗十章，赐一清，命一清亦为之。一清为诗进呈，上览毕，为易数字。是日，一清厚有所献，上大悦。及驾还，凡五幸焉。"顾元庆《夷白斋诗话》："江西宸濠谋逆，武宗亲征，既得凯旋，驻跸金陵，复渡江幸致仕杨一清第，赐绝句二十首。公又有《应制律诗》四首，《应制贺圣武诗》绝句十二首，编为二卷，名《车驾幸第录》。公自叙谓虞廷《赓歌》之后，古帝王有以诗章宠臣下者，不过一篇数言而止，未有联章累牍，若是其盛者。至于屈万乘趾尊，在位者或有之，然亦鲜矣，若罢政归休者为尤鲜。或有之，岂有至再至三如今日者乎？守溪王公鏊有四绝句云：'相国移家江水湄，金山望幸已多时。太平金镜无由进，愿得回銮一顾之。''赵普元为社稷臣，君臣鱼水更何人？难虚雪夜相过意，海错尤堪佐酒巡。''北固山前驻翠华，殷勤来访相臣家。太湖怪石惭多幸，也得相随载后车。''《赓歌》千载盛《明良》，宸翰如金更炜煌。漫衍鱼龙看未尽，梨园新部出《西厢》。'"

刘崧《槎翁文集》编次成。罗钦忠《新刻槎翁文集目录序》："《槎翁文集》十八卷，《目录》一卷，吾泰和前辈刘先生子高之作也。……平生诗文万篇，诗刻于萧氏者，既非其全，而文集所录，亦仅存此。凡为铭、赞、传、说、序、记诸体若干首，藏于家百五十年于兹矣，莫好而传之者。玉光剑气，固不容掩。迩者，家兄吏侍在告家居，得而校之，未毕也，迫于召命，濒行，奉以告吾吉郡太守徐侯士元。侯受之，阅已，谓是郡之文献也，恶可不传？乃毕校之，且捐俸刻之。梓工既，走价予示，俾序焉。予既卒业，则叹曰：郁哉文乎！……顾久弗传，伊谁诿咎？徐侯为郡三年，廉平简静，民用不扰，而表章先贤、风励后进之心，实惓惓焉。……惟侯此举，不可不书，爰述此于目录之次，用纪岁月云耳。若夫首简之序，侯名能文辞，其何辞辞之？校正在正德庚辰秋闰，梓完则嘉靖纪元夏五也。邑后学罗钦忠谨序。"

十一月

顾璘等刊行方孝孺《逊志斋集》。顾璘《重刻逊志斋集书后》："先生王者之佐，于时以彼其才，易服就列，宜致卿相之位，究厥谟猷，顾岂与唐王魏者等？先生不此之顾，悲楚抗激，玉碎身沉，族而气不少回，凡以存君臣之义，为天下防也。呜呼！忠哉！抑有功于昭代深矣！虽报恤阙然，而遗文盛流，斯固列圣之惠与！文始集于赵学谕洪，至礼部尚书谢公铎、工部侍郎黄公孔昭，益广搜之，得若干卷，刻诸宁海，木今漫矣。乃会黄参军绾、庶吉士良、赵大行渊，删定伪谬，重刻斯编，以行于世，俾知夫奋大忠者本如此云。正德庚辰仲冬朔，守台后学姑苏顾璘识。"

本年

陆粲《庚巳编》成。中华书局 1987 年谭棣华、陈稼禾校点本《庚巳编·客座赘语》，其《庚巳编》校点说明云：《庚巳编》共十卷，系陆粲早年所撰笔记。据校勘《纪录汇编》本中多次出现的"今年"二字，《说库》本作"庚午、辛未、丁丑、己卯"等推测，《庚巳编》约撰于庚午（正德五年，1510年）至己卯（正德十四年，1519年），即陆粲十六岁至廿五岁中进士前。《庚巳编》的内容大都为奇闻异事、因果报应之类，但其文"雅健典则"，颇有可观者。如《洞箫记》述徐鏊遇仙之事，文笔浓丽，上追唐人传奇遗风，并与《剪灯新话》等明人小说同启《聊斋志异》之端。其余各则志怪，为文清约，《阅微草堂笔记》似承其绪。

夏良胜《东洲初稿》刊刻。《东洲初稿》卷首提要："《东洲初稿》十四卷，明夏良胜撰。良胜有《中庸衍义》，已著录。《明史》本传称良胜除名以后，辑其部中章奏名曰《铨司存稿》，凡议礼诸疏俱在。今已不传。此其诗文集也。前七卷为杂文，第八卷为诗，第九卷为《考定皇极指掌诸图》，第十卷为《天文便览》。自十一卷以下，皆题曰《仕止随录》。十一、十二两卷，杂录谏南巡下狱疏奏、诗文及同时诸人投赠、申救之作。十三、十四两卷，杂录家居诗文。自十三卷以前，皆题'门人滇池罗江编'。十四卷则题'门人钟陵江治续编'。《明史·艺文志》载《东洲稿》十二卷，诗八卷，与此本卷帙互异。然此本题曰《初稿》，刻于正德十五年。其嘉靖以后诸作咸未之及，史所传者殆其全集之卷数欤？良胜两以直谏谪，风节凛然，其诗文无意求工，而皆岳岳有直气，虽不以词藻著名，要非雕章绘句之士所可同日语也。"

参考文献

说明：《文渊阁四库全书》《四库全书存目丛书》《四库存目丛书补编》《四库禁毁书丛刊》《四库未收书辑刊》《续修四库全书》《四部丛刊》《丛书集成新编》《丛书集成续编》《丛书集成三编》《明代论著丛刊》《笔记小说大观》《历代笔记小说集成》所收明代著作以及《明实录》《北京图书馆藏珍本年谱丛刊》，是本编年主要使用书籍。下只列今人撰写或整理的书籍。

赵弼. 效颦集. 上海：古典文学出版社，1957

沈德潜. 明诗别裁集. 周准编. 上海：上海古籍出版社，1979

胡士莹. 话本小说概论. 北京：中华书局，1980

瞿佑. 剪灯新话. 周楞伽校注. 上海：上海古籍出版社，1981

孙楷第. 日本东京所见小说书目. 北京：人民文学出版社，1981

王利器. 元明清三代禁毁小说戏曲史料（增订本）. 上海：上海古籍出版社，1981

孙楷第. 中国通俗小说书目. 北京：人民文学出版社，1982

曾祖荫，黄清泉等. 中国历代小说序跋选注. 武汉：长江文艺出版社，1982

钱谦益. 列朝诗集小传. 上海：上海古籍出版社，1983

郑晓. 今言. 李致忠点校. 北京：中华书局，1984

陆容. 菽园杂记. 中华书局点校. 北京：中华书局，1985

陆粲，顾起元. 庚巳编·客座赘语. 谭棣华，陈稼禾点校. 北京：中华书局，1987

郝兆矩. 增订刘伯温年谱. 郑州：中州古籍出版社，1990

江苏省社会科学院明清小说研究中心. 中国通俗小说总目提要. 北京：中国文联出版公司，1990

陈田. 明诗纪事. 蔡傅廉，张乃立，卢维明，李梦生点校. 上海：上海古籍出版社，1993

陈正宏. 沈周年谱. 上海：复旦大学出版社，1993

沈志华. 文白对照全译《明通鉴》. 北京：改革出版社，1994

王永宽，王钢. 中国戏曲史编年·元明卷. 郑州：中州古籍出版社，1994

何冠彪. 明清人物与著述. 香港：香港教育图书公司，1996

宁稼雨. 中国文言小说总目提要. 济南：齐鲁书社，1996

陈益源. 元明中篇传奇小说研究. 香港：学峰文化事业公司，1997

王夫之. 明诗评选. 陈新点校. 北京：文化艺术出版社，1997

徐朔方. 小说考信编. 上海：上海古籍出版社，1997

高令印，乐爱国. 王廷相评传. 南京：南京大学出版社，1998

胡玉缙. 四库全书总目提要补正. 王欣夫辑. 上海：上海书店出版社，1998

杨士奇. 东里文集. 刘伯涵，朱海点校. 北京：中华书局，1998

朱彝尊. 静志居诗话. 黄君坦校点. 北京：人民文学出版社，1998

宋濂. 宋濂全集. 罗月霞校. 杭州：浙江古籍出版社，1999

胡玉缙. 续四库提要三种. 吴格整理. 上海：世纪出版集团，上海书店出版社，2002

唐寅. 唐伯虎全集. 周道振，张月尊辑校. 杭州：中国美术学院出版社，2002

谢贵安. 明实录研究. 武汉：湖北人民出版社，2003

吴志达，陈文新. 中华大典·明清文学分典. 苏州：凤凰出版社，2005

人名索引

431，434，441，443，445，446，454，
460，462，470，473，474，475，476，
479，480，482，483，484，488，489，
491，492，493，500，501，503，504，
505，506，516，517，523，524，525，
526，527，533，535

李梦阳 290，303，346，354，375，376，
386，483，486，487，495，496，509，
510，511，515，518，519，521，527，535

李时勉 51，184，199，234，236，246，251，
259，260，271，297，299，301，302，
307，314，338，378，380，381

练子宁 8，90，91，115，118，162，167，
168，209，244

梁 兰 152，153，203，204

梁 潜 8，30，147，152，153，157，161，
177，183，191，198，199，210，215，
220，221，226，238，298

林 弼 13，18，33，34，72，74，89，102

林 鸿 27，48，91，92，93，128，129，
133，186，230，242，360

林 环 70，186，205，215，216，408

林 俊 255，318，376，395，410，412，
424，439，446，447，452，468，474，
477，488，499，500，505，508，512，
513，515，517，531，533，536

凌云翰 75，78，79，95，104，126，127，
237

刘 基 2，3，5，13，17，18，20，22，27，
28，29，32，35，37，41，42，44，49，56，
57，58，59，60，61，62，63，64，71，73，
74，82，84，88，91，95，136，156，241，
262，369，524，536

刘 璟 163，172，173

刘 珏 200，373，479

刘 髦 48，296，305，306

刘 溥 399，400

刘 球 110，136，233，287，299，370

刘三吾 19，62，95，114，130，133，135，
140，141，146，151，152，253，256，397

刘 崧 30，31，39，40，41，86，92，93，
94，99，100，424，543

刘 铉 141，336，477

刘彦昺 10，15，85，113，148，149

陆 容 283，295，339，400，425，442，
444，445，461

陆 钋 191，238

罗亨信 85，334，335，363，364

罗 伦 265，278，296，358，359，362，
363，364，367，382，387，393，414，
425，478，489，490，528

罗 玘 309，354，414，417，453，497，
500，507，509，512，517，536，537

罗汝敬 16，184，229，246，262，288，290

M

马中锡 306，352，411，427，461，485，
489，493，494，507，509，511，513，
514，515

倪 谦 216，305，314，338，339，360，
368，370，395，441

倪 岳 305，331，347，430，441，449，
471，481，518

聂大年 171，172，323，326，327

P

彭 韶 263，371，392，394，405，407，
411，420，421，434，442，446，447，
469，508

Q

钱习礼 48，68，167，209，259，271，293，
308，342

钱 宰 30，71，72，139，140，141，148

钱仲益 185，186，192，193，216，283

丘 浚 175，233，252，270，305，317，
323，335，350，359，363，364，369，
371，376，379，380，383，385，391，
394，396，402，403，410，415，416，

图书在版编目（CIP）数据

中国文学编年史. 明前期卷 / 陈文新主编；何坤翁分册主编. —长沙：
湖南人民出版社，2006.9
ISBN 7-5438-4533-4

Ⅰ.中... Ⅱ.①陈...②何... Ⅲ.①文学史—编年史—中国—明代 Ⅳ.I209

中国版本图书馆 CIP 数据核字（2006）第 117664 号

中国文学编年史·明前期卷

责任编辑：李建国　　胡如虹　　曹有鹏
　　　　　邓胜文　　张志红　　杨　纯　　聂双武
主　　编：陈文新
书名题字：卢中南
装帧设计：陈　新
出　　版：湖南人民出版社
地　　址：长沙市营盘东路 3 号
市场营销：0731-2226732
网　　址：http://www.hnppp.com
邮　　编：410005
制　　作：湖南潇湘出版文化传播有限公司
电　　话：0731-2229693　　2229692
印　　刷：中华商务联合印刷（广东）有限公司
经　　销：湖南省新华书店
版　　次：2006 年 9 月第 1 版第 1 次印刷
开　　本：787 × 1094　1/16
印　　张：36.25
字　　数：796,000
书　　号：ISBN 7-5438-4533-4/I · 450
定　　价：270.00 元